Das Buch
Ein englisches Internat im Jahre 1907. Die unbezähmbare 14jähri-
ge Rory wird aus der Schule verwiesen. Am letzten gemeinsamen
Abend schwören sich die vier Freundinnen – Rory, die schöne, zarte
Francesca, die reiche Eleanor und die praktische Pfarrerstochter
Jenny – einander lebenslang treu zu bleiben. Als wir die vier aber
im Jahr 1913 wiedertreffen, ist von diesem Vorhaben nicht mehr
viel übriggeblieben. Rory ist in der Londoner Künstlerszene und bei
der Suffragettenbewegung gelandet; die wenig attraktive Eleanor
wirft sich einem gesellschaftlich geächteten Mann an den Hals und
wird nach ihrer Zwangshochzeit gedemütigt; Francesca, krankhaft
schüchtern, hat Angst vor Männern und wird von ihrer vulgären
Mutter unterdrückt; und Jenny, die über keinerlei Vermögen ver-
fügt, verlobt sich mit einem reichen Mann, den sie nicht liebt. Ein
Jahr später beginnt der Erste Weltkrieg, und das Leben der vier
Freundinnen ändert sich für immer.
Ein eindrucksvolles Panorama aus den ersten beiden Jahrzehnten
des »Jahrhunderts der Frau«, das die Anfänge der weiblichen
Kämpfe um ein selbstbestimmtes Leben schildert.

Die Autorin
Der Wind der Zeit ist der dritte Roman der Schauspielerin und
Journalistin Kate Saunders, die noch immer regelmäßig für Cosmo-
politan, den Daily Telegraph und die Sunday Times arbeitet. Kate
Saunders lebt mit Ehemann und Kindern in London.

Kate Saunders

Der Wind der Zeit

Roman

Aus dem Englischen
von
Renate Bertram

WILHELM HEYNE VERLAG
MÜNCHEN

HEYNE ALLGEMEINE REIHE
Nr. 01/10788

Die Originalausgabe
NIGHT SHALL OVERTAKE US
erschien 1993 bei Century, London

Umwelthinweis:
Das Buch wurde auf chlor- und säurefreiem
Papier gedruckt.

ISBN 3-453-14735-9

http://www.heyne.de

Für Francesca, Eleanor und Jenny, die mir
ihre Namen geliehen haben – um der alten Zeiten willen

*Wenn es mit den ersten Hochgefühlen erst einmal vorbei ist,
geht es im Leben nur noch bergab; und fast wünschte man,
schon am Ende der Reise zu sein und sich auf ewig niederzu-
legen – wann immer die Nacht einst über uns kommt.*

Alexander Pope

Erster Teil

I

Surrey, 1907

»Aurora Carlington, es besteht auch nicht der Schatten eines Zweifels daran, daß du ... nimm deinen Zopf aus dem Mund und halt dich gerade ... das schlimmste Mädchen bist, das jemals durch diese Schule gegangen ist.« Miss Maud Westwood thronte in erhabenem Zorn hinter ihrem schweren, mit üppigem Schnitzwerk verzierten Mahagonischreibtisch. Das Klassenbuch lag aufgeschlagen vor ihr auf der Löschpapierunterlage.

Rory schnippte den langen roten Zopf über die Schulter, drückte die Brust heraus und widerstand nur mühsam dem Drang, mit der Schuhspitze auf dem Perserteppich zu scharren. Manchmal hatte sie den Eindruck, ihre gesamte Zeit am Winterbourne House unter schwerem Beschuß in diesem beklemmenden, mit Möbeln vollgestopften Arbeitszimmer der Direktorin verbracht zu haben. Doch eigentlich war es ja gar nicht so schlimm, sagte sie sich entschlossen, man mußte sich nur dazu zwingen, an etwas anderes zu denken. Sie starrte auf die Gagatnadel an Miss Westwoods Bluse und beobachtete fasziniert, wie der Stein das Licht einfing, während der geschnürte Busen auf und ab wogte.

»Im Verlauf des letzten Jahres, Aurora, habe ich mit Rücksicht auf deine mangelnde Erziehung und die Tatsache, daß du keine Mutter hast, ungezählte Male Nachsicht walten lassen. Ich hatte gehofft, mein Versprechen gegenüber deiner Tante erfüllen und dich zu etwas formen zu können, was einer Dame wenigstens nahekäme. Doch du bist immer noch genauso unhöflich, unordentlich und undiszipliniert wie an dem Tag, als du dies Zimmer zum erstenmal betreten hast. Deine Aufmachung ist eine Schande ... wahrhaftig eine Schande ... und dein Akzent würde selbst einem irischen Stallburschen die Schamröte ins Gesicht treiben, ganz zu schweigen von jemandem, der die Bezeichnung Dame für sich beansprucht.«

Rorys Blick wanderte langsam abwärts. Sie wurde von Miss Westwoods Kneifer geradezu hypnotisiert, der an einer langen silbernen Kette sacht gegen die gepanzerte Taille schwang.

»Ich habe Miss Veness geschrieben und ihr mitgeteilt, daß es zu meinem Bedauern selbst meine Möglichkeiten übersteigt, eine Mistforke in eine Kuchengabel zu verwandeln. Habe ich etwas Erheiterndes gesagt?«

»Nein, Miss Westwood.«

»Das will ich meinen.« Miss Westwood riß ihren Kneifer aus seiner Pendelbewegung und klemmte ihn sich auf die Nase, um Rorys Gesicht nach Anzeichen heimlicher Erheiterung abzusuchen.

Gottes Absicht war es, daß vierzehnjährige Mädchen ordentlich, sanftmütig und fügsam sein sollten; von zarter Unschuld, doch von ehernem Pflichtgefühl erfüllt, da sie sich anschickten, die Gattinnen und Mütter der Baumeister und Bewahrer des Empire zu werden. Aurora Carlington hingegen stach in schändlicher Weise von diesem Ideal ab und war ungebärdig, unbeholfen und dickköpfig. Ihre Hände waren tintenverschmiert. Der Saum ihres blauen Gabardinerocks war mit Sicherheitsnadeln festgesteckt. Ihre weiße Bluse war schmuddelig, und ihre schwarzen Strümpfe waren traurig auf die ausgetretenen Schuhe hinabgerutscht. Trotz ungezählter Tadel für ihre schlechte Haltung stand sie, übertrieben dürr und hochgewachsen, wie sie war, unverändert schlaksig da.

Anfangs hatte Miss Westwood geglaubt, daß sich aus Aurora durchaus etwas machen ließe, wenn sie sich nur das wirre rote Haargestrüpp bürsten und ihren entsetzlichen irischen Zungenschlag abgewöhnen würde. Mittlerweile wußte sie jedoch, daß dieses Kind ein hoffnungsloser Fall war. Alle Tadel der Welt konnten sie nicht davon abhalten, allem möglichen Aberglauben anzuhängen oder im Zustand der Erregung die Namen irgendwelcher Heiligen auszustoßen. Das kam dabei heraus, wenn protestantische Kinder unter Wilden aufwuchsen. Miss Westwood war zwar noch nie in der Grafschaft Galway gewesen, doch wußte sie, daß Westirland eine heidnische Steppe war, bevölkert von römisch-katholischen Barbaren.

Einige Mitglieder des Kollegiums hielten dennoch unbeirrt an ihrer Sympathie für dieses schreckliche Kind fest. Miss Scott etwa, die eine künstlerische Ader hatte, behauptete doch tatsächlich, daß Rorys leuchtende Farben innere Schönheit verhießen. Miss Westwood vermochte jedoch nicht einzusehen, was an durchgescheuerten Ellbogen und ungekämmtem Haar schön sein oder inwiefern ihre Klecksereien als Entschuldigung für schlechtes Benehmen dienen sollte. In einem wahren Rausch der Empörung erhob sie sich hinter ihrem Schreibtisch.

»Man sollte doch meinen, daß ich in vierzig Jahren Lehrtätigkeit einige Kenntnisse vom Wesen junger Mädchen erlangt habe, doch ein Fall wie deiner ist mir bislang nicht untergekommen. Ich habe es mit Geduld und Nachsicht versucht, mit Strafen. Nichts hatte auch nur die geringste Wirkung, und ich sehe mich daher zu der Schlußfolgerung genötigt, daß du Winterbourne House niemals zur Zierde gereichen wirst. Deine Tante, Miss Veness ... die das zutiefst bekümmert ..., hat sich bereit erklärt, dich bei der nächsten Gelegenheit von der Schule zu nehmen. Du wirst morgen früh mit Miss Curran nach London fahren.«

Rorys Augen weiteten sich vor Erstaunen. »Sie meinen ... Sie meinen«, flüsterte sie, »daß ich von der Schule fliege?«

»In der Tat. Ich bin mir im klaren darüber, was für ein harter Schlag das für dich sein muß.«

»Sie meinen ... ich soll ... nach Hause fahren?«

»Ja.« Miss Westwood war ein wenig beunruhigt über den stockenden Atem des Mädchens und seinen Ausdruck qualvoller Spannung. »Ich muß Rücksicht auf die anderen Schülerinnen dieser Schule nehmen. Als du dich mit Jean Dalgleish und Eleanor Herries ... zwei mustergültigen Mädchen ... angefreundet hast, hatte ich gehofft, daß dieser Umgang einen gewissen Einfluß auf dich ausüben würde. Mittlerweile muß ich befürchten, daß es sich umgekehrt verhält.« Aus einer Schublade des Schreibtischs holte sie eine abgegriffene Kladde hervor, über die ein ganzer Tintensturm hinweggegangen zu sein schien. »Das erkennst du doch wohl wieder? Miss Curran hat es hinter einem Spülkasten im Waschraum gefunden.«

Rory brachte kein Wort heraus und schlug hastig die Hände vors Gesicht. Miss Westwood spürte, daß sie den alles entscheidenden Streich geführt hatte.

»Es freut mich zu sehen, daß du dich dessen schämst. Vielleicht steckt in dir ja doch ein Fünkchen Anstand.« Sie hielt das Heft mit spitzen Fingern und las vom Umschlag ab: »›Glut der Herzen‹ von Aurora Mary Carlington. Ich kann mich nur wundern, daß du es gewagt hast, deinen Namen für etwas derart Gemeines und Ekelhaftes herzugeben. Wenn ich ein solches Geschmier in den Händen eines Dienstmädchens fände, würde ich es auf der Stelle entlassen. Wie ich sehe, hast du dich gar erkühnt, mir dies Machwerk zu widmen.« Sie setzte sich den Kneifer wieder auf die spitze Nase und las mit tiefer, kummervoller Stimme: »Maudibus satibus/Auf dem Divanorum/ Divanorum collapsibus/ Maudie auf Linoleum.«

Angewidert ließ sie das Heft fallen und faltete die Hände. Ihr Zorn war nicht vergeudet. Das Mädchen bebte vor Reue, und ihre Ohrläppchen waren so rot wie ihr Haar. Miss Westwood senkte die Stimme und erklärte feierlich: »Aurora, du wirst deinen Tee in der Vorratskammer einnehmen, und jedes Mädchen, das das Wort an dich richtet, wird einen Tadel bekommen. Du darfst gehen.«

Vom Fenster des Aufenthaltsraums im unteren Stockwerk beobachteten Miss Curran und Miss Scott, wie Rory über den Rasen davoneilte.

»Arme Rory!« rief Miss Scott. »Wie ich sie vermissen werde! Ich hoffe, Miss Westwood hat sie nicht allzu hart angefaßt.«

»Sie hat ihr gehörig den Kopf gewaschen, wie es aussieht«, sagte Miss Curran. »Geschieht ihr ganz recht. Es kommt mich zwar hart an, daß ich das gräßliche kleine Ungeheuer an meinem freien Tag nach London schaffen muß, doch wenigstens habe ich sie dann vom Hals. Noch ein Schulhalbjahr, und wir wären allesamt reif fürs Sanatorium.«

»Ach Dinah«, widersprach die sanfte Miss Scott, »sie ist im Grunde so ein liebes Ding.«

»Na, jedenfalls scheint die gute alte Maudie dem lieben Ding gezeigt zu haben, was eine Harke ist. Das wird sie so rasch nicht vergessen.«

Unten auf dem Rasen begann Rory auf einmal, ein Rad nach dem anderen zu schlagen, ein Wirbel von weißen Unterröcken und blauen Baumwollhöschen. Ihr gewaltiger Triumphschrei war überall im Garten zu hören.

Jenny, Eleanor und Francesca hatten die alte bemooste Steinbank unterhalb des Vorplatzes vor dem grauen efeubewachsenen Herrenhaus im Stil der viktorianischen Neugotik mit Beschlag belegt; sie war ein Relikt aus der Zeit, als das Haus noch herrschaftlicher Wohnsitz war. Von der Bank aus bot das Schulgelände, wie es da zwischen die gepflegten Wege und Felder von Surrey eingebettet lag, einen friedlichen Anblick. Das Sonnenlicht des späten Nachmittags sickerte durch das Gewirr der Eichenzweige und tüpfelte die weißen langärmeligen Blusen und das Haar der Mädchen. Seit Rory am Ende der Schularbeitsstunden abkommandiert war, warteten sie hier.

Jenny saß auf der nackten harten Erde am Fuß der Bank, wo Generationen von Schulmädchen das Gras weggetreten hatten. Sie hatte sich Macaulays ›Geschichte Englands‹ mitgebracht, weil sie entschlossen war, jeden freien Augenblick zum Pauken für die Geschichtsauszeichnung am Ende des Sommerhalbjahrs zu nutzen, doch das Buch lag unbeachtet neben ihr, während sie sich die toten Blätter des Vorjahrs von den schwarzen Strümpfen zupfte. Eleanor lag flach auf dem Bauch, das Kinn in die Hände gestützt, und paddelte träumerisch mit den Füßen in der Luft herum. Für Francesca hatten sie ihre Taschentücher auf der steinernen Bank ausgebreitet.

»Jetzt müßte sie aber bald mal rauskommen«, bemerkte Jenny. »So lange hat Maudie sie noch nie dabehalten.« Sie befragte ihre stählerne Taschenuhr, die sie an der Brust festgesteckt hatte. »Wie spät hast du's denn, Eleanor? Ich glaube, meine geht schon wieder nach.«

Eleanor wälzte sich auf die Seite, um auf ihre Uhr zu schauen. Auch sie trug sie vorn an der Bluse, doch ihre war aus Gold und mit einer Perlenspange befestigt. »Zehn nach fünf. Ich hoffe, sie kommt raus, ehe es zum Tee läutet.«

Francesca Garland war eine Autorität auf dem Gebiet der Schulgeschichte. Sie war vor sechs Jahren ans Winterbourne

House gekommen, als Achtjährige, und die Schule war seither ihr einziges Zuhause gewesen. Ihr Vater war tot, und ihre Mutter lebte ständig auf dem Kontinent. Ein Herr, der als ›Onkel Archie‹ bezeichnet wurde, bezahlte Francescas Schulgeld und versah sie großzügig mit Taschengeld. Ihre Mutter schickte ihr hin und wieder Päckchen mit Unterwäsche, wunderhübsch bestickt von den Nonnen in Mentone. Die Hausmutter sah es nicht gern, daß sie derlei windige Nachthemden und Hemdchen trug. Mit diesem eigenartigen Lippenschürzen, das jede Erwähnung der Mutter des Kindes begleitete, bemerkte sie, warmes Flanellzeug sei für ein derart zartes Kind doch wohl geeigneter.

Francesca war die umschwärmte Schönheit der Schule ... eine zarte Sylphe mit riesigen, traurigen dunklen Augen und Kaskaden schimmernder kastanienbrauner Ringellocken. Sie war winzig und unterentwickelt für ein Mädchen von vierzehn, und ihre zerbrechliche Schönheit schien allgemein das Bedürfnis zu wecken, sie zu beschützen und mit Zärtlichkeiten zu überhäufen. Alle verwöhnten sie, von den Lehrerinnen, die davor zurückscheuten, ihre schlechte Orthographie allzu streng zu tadeln, bis zu den kleinen Erstkläßlerinnen, die sich um das Privileg stritten, ihr die zierlichen Schuhe putzen zu dürfen.

Francescas Spind war der reinste Altar, auf dem sich die Liebesgaben drängten – verwelkte Blumensträußchen und Schokoladentafeln –, und sie nahm all diese Tribute mit sanftmütiger Dankbarkeit entgegen.

Miss Westwood persönlich hatte Francesca die Erlaubnis gegeben, an eisigen Wintermorgen nach dem Wecken noch im Bett liegenzubleiben, weil sie so anfällig für fiebrige Erkältungen war. Und die künstlerisch veranlagte Miss Scott malte sie gerade als italienisches Blumenmädchen. Francesca saß ihr gern Modell, einen Korb mit künstlichen Lilien umklammernd und in ein Gazetuch gehüllt, das ihre Schultern frei ließ. Scottie behauptete, sie sei Burne-Jones, wie er leibte und lebte, und hatte versprochen, ihrer Mutter eine Fotografie von dem fertigen Bild zu schicken.

Francesca wußte, daß die meisten Menschen es schändlich fanden, daß sie ihre Mutter niemals zu Gesicht bekam. Sie war es jedoch zufrieden, über diese funkelnde, in ihrer Erinnerung verblassende Gestalt von ferne nachzusinnen. Sie hatte sich mittlerweile ans Winterbourne House gewöhnt. Das einzige, was ihr nicht behagt hatte, war, daß sie während der Ferien dort bleiben mußte, zusammen mit einer Handvoll Mädchen, deren Eltern in den Kolonien lebten. Die leeren Schlafsäle wirkten dann so unheimlich und verlassen, und man mußte die Mahlzeiten mit der furchteinflößenden Miss Westwood einnehmen, immerzu aufpassen, daß man die richtige Gabel erwischte, und auf französisch Konversation machen. Während der letzten drei Jahre war sie jedoch die beste Freundin von Eleanor Herries gewesen, und das hatte bedeutet, daß sie von nun an die Ferien im wärmenden Schoß von deren Familie verbrachte.

Eleanor, die gedankenverloren an einem Grashalm kaute, blickte in seelenvoller Bewunderung zu Francesca empor. Die Art, wie Francescas schimmernde Wimpern über ihren Wangen schwebten, verzauberte sie. Francescas beste Freundin zu sein – die Erwählte der Vielgeliebten – war einfach herrlich. Sie sehnte sich danach, ihre unsterbliche Liebe in einer großartigen, noblen Geste zum Ausdruck zu bringen. Was das nun genau für eine Geste sein sollte, wußte sie nicht so recht – die Art aufopferungsvoller Tat eben, die die kleine Schönheit auf alle Zeiten an sie binden würde.

Daß sie selbst nun einmal keine Schönheit war, betrachtete Eleanor als die Tragödie ihres Lebens. Ihr stumpfes blondes Haar hing wie Schnittlauch herab. Ihr Gesicht war ein flacher, spitz zulaufender Teller mit einem breiten, wenig ausgeprägten Mund, einer unromantischen Himmelfahrtsnase und kleinen Augen von unbestimmtem Grau. Und das schlimmste überhaupt war, daß sie eine häßliche Hornbrille tragen mußte. Sie nahm sie zwar so oft wie möglich ab, doch war die Welt dann verschwommen und verwirrend. Es war so ungerecht. Viola, ihre ältere Schwester, die gerade in Paris den ›letzten Schliff‹ erhielt, war bereits eine legendäre Schönheit, an die sich die Mädchen der Unterstufe, die ihr Blumen und überschwengliche Gedichte aufs Pult gelegt hatten, noch immer ehrfürchtig erinnerten.

Vielleicht, so dachte Eleanor, würde sie ja eines Tages einen Mann kennenlernen, der sie um ihrer Seele willen liebte. Denn daß sie nicht um körperlicher Vorzüge willen geliebt werden würde, stand für sie fest. Während des ganzen letzten Jahres hatte ihr Körper sie unablässig in Verlegenheit gebracht. Ihre Periode hatte eingesetzt und damit das demütigende, verstohlene Ritual, die Hausmutter um Leinenstreifen bitten zu müssen, und das war für sie der Anfang vom Ende gewesen. Die stämmige Figur ihrer Kindheit war sozusagen über Nacht an manchen Stellen schmaler geworden und hatte an anderen Fettpolster angesetzt.

Es zog sie immer wieder vor den Spiegel, als erhoffte sie sich ein Wunder, und sie konnte sich nicht entscheiden, ob sie die kleinen festen Brüste, die unter ihrem Mieder sprossen, bewundern oder verabscheuen sollte.

»Ich weiß nicht, wie lange wir noch warten können«, sagte Jenny besorgt. »Wir kriegen garantiert einen Tadel, wenn wir zu spät zum Tee kommen.«

»Es würde dir nichts schaden, wenn du ausnahmsweise mal einen bekämst«, sagte Eleanor.

Jenny schüttelte den Kopf. »Mutter und Vater wären ungeheuer enttäuscht, wenn ich die Auszeichnung für tadelloses Betragen nicht bekäme.«

»Also, ich weiß nicht, wie du das aushältst, dermaßen tugendhaft zu sein«, bemerkte Eleanor. »Du hast ja schon mehr Auszeichnungen als Lord Kitchener.«

Jenny lächelte resigniert. Es war zwecklos, Eleanor oder Francesca das erklären zu wollen. Wenn ihnen das Geld ausging, schrieben sie nach Hause und verlangten welches. Wenn sie die Schule hinter sich hätten, würden sie übergangslos in ein müßiges Leben voller Annehmlichkeiten eintreten. Nur Rory, die auf einem halb heruntergewirtschafteten Gut in Irland aufgewachsen war, wußte, welch schwarzes Loch sich hinter dem letzten Shilling auftat; sie kannte den Wolf, der unablässig an der Pforte des verarmten Adels heulte. Jenny Dalgleishs Vater war Geistlicher in Edinburgh. Er hatte nur ein bescheidenes Einkommen, und Jennys Mutter kratzte jeden Penny zusammen, um wenigstens Wohlsituiertheit vorzutäuschen. Sie hatte ihrer Tochter erklärt, es sei notwendig, minderwertiges Fleisch zu kaufen und die Wachsstümpfchen zu neuen Kerzen umzuschmelzen, damit sie sonntags mit der Kutsche fahren, zwei Dienstboten halten und überhaupt den Anschein eines Lebens wahren konnten, das ihrem Stand entsprach.

In Mrs. Dalgleishs Haus wurde jeder Brocken Kohle gezählt und jeder Krümel Brot berechnet. Sie hatte es irgendwie geschafft, genug vom Haushaltsgeld abzuzwacken, um Jenny Tanz- und Musikunterricht zu ermöglichen, und erklärt, das Mädchen solle die beste Schulbildung überhaupt erhalten, und wenn sie für den Rest ihrer Tage ihren Tee ohne Zucker trinken müßte.

Jenny wußte, was von ihr erwartet wurde, und entgalt die Opfer, die man in ihrem Elternhaus brachte, dadurch, daß sie sich zu einer Mustertochter und Musterschülerin entwickelte. »Jean ist eine Zierde der Schule«, schrieb Miss Westwood alljährlich in ihren Bericht. Die Wände von Pastor Dalgleish Arbeitszimmer waren mit Jennys Ehrenurkunden und Medaillen behängt. Deren Bedeutung bestand weniger darin, Zeugnis von ihrer wachsenden Bildung abzulegen, als darin, der Hoffnung auf einen künftigen Beruf Ausdruck zu geben, der ihren Lebensunterhalt sichern würde. Darauf, daß sich am Ende schon der passende Ehemann fände, könne man sich nicht verlassen, meinte Mrs. Dalgleish. Und es sei besser, unabhängig zu sein, als dem ersten besten bettelarmen Hilfspfarrer das Jawort zu geben. Jenny kam sich manchmal Jahre älter vor als Eleanor und Francesca. Kleine Entbehrungen hatten ihre ganze Kindheit begleitet und sie zu einer realistischen Lebenshaltung erzogen. Reiche, elegant gekleidete Leute wurden bewundert, arme, schäbig gekleidete nicht. Als jemand erkannt zu werden, der in einer finanziellen Zwangslage steckte, war die größte Schande überhaupt. Es gab gewisse Maßstäbe, und wenn man denen nicht zu entsprechen vermochte, war die Welt ein feindseliger Ort.

Jenny war als Kind eher dick gewesen, entwickelte sich dann jedoch zu einem sehr hübschen jungen Mädchen, fast als hätte sie bewußt beschlossen, ihren Vorrat an Vorzügen um ein ansehnliches Äußeres zu erweitern. Ihr weiches, welliges braunes Haar war von goldenen Strähnen durchzogen. Ihre großen, sanften haselnußbraunen Augen und die breiten Wangenknochen verliehen ihrem Gesicht eine madonnenhafte Entrücktheit; ihre Sommersprossen verblaßten immer mehr und beeinträchtigten die porzellanweiße Haut nicht länger. Mit jedem Monat zeigte ihre einst rundliche Gestalt immer neue anmutige Linien, und ihre Handgelenke und Fesseln wurden bewundernswert schmal und zierlich.

Jenny mochte Eleanor und Francesca, es schmeichelte ihr, daß sie ihren Rat suchten, und sie war sich – im tiefsten Innern – zugleich bewußt, daß sie in ihnen später einmal nützliche gesellschaftliche Kontakte haben würde. Am tiefsten war sie jedoch Rory verbunden. Wie es zwischen gegensätzlichen Temperamenten seltsamerweise häufig geschieht, liebte die korrekte, maßvolle Jenny die wilde Rory mit einer Inbrunst, die sie manchmal selbst überraschte.

»Sie kommt!« Sie richtete sich erwartungsvoll auf, als Rory über den Rasen auf sie zugestürmt kam. »Was ist denn passiert?«

Rory nahm eine dramatische Pose ein. Ihre Bluse war aus dem Rockbund herausgerutscht, ein Strumpf stauchte sich wie eine Ziehharmonika über ihrem Knöchel, und ihr schwerer Zopf sah aus, als hätte sie ihn wie einen Reisigbesen benutzt. »Meine Lieben ... ich bin geflogen!«

»Nein!«

»Oh, Rory, wie gemein!«

»Du armer Engel!«

Sie sank atemlos neben Jenny ins Gras und lachte über ihre entsetzten Gesichter, während sie den Strumpf über ihr knochiges Knie hochzog. »Ist das nicht herrlich? Fast hätte ich vor Freude losgeschrien. Am Wochenende bin ich zu Hause in Castle Carey!«

»Aber was hat Maudie denn gesagt?« wollte Eleanor wissen.

»Tja«, Rory überlegte einen Augenblick und genoß die gespannte Aufmerksamkeit der anderen, »tja ... sie hat aus allen Rohren geschossen. Doch sie war dermaßen betrunken, daß sie nicht mehr zielen konnte. Man konnte den Gin auf zehn Schritt Entfernung riechen.«

Jenny und Francesca begannen zu kichern. Eleanor, die nie so recht wußte, wo Rorys blühende Fantasie einsetzte, ließ sich jedoch nicht beirren: »Nein, ehrlich, was hat sie denn gesagt?«

Seufzend beschränkte Rory sich auf die langweilige Wahrheit. »Es war der Roman, der das Faß zum Überlaufen gebracht hat.«

»Was!« Jenny war fassungslos. »Du meinst doch wohl nicht, daß sie ›*Glut der Herzen*‹ gefunden hat?«

»Ich bin fast im Boden versunken, als sie das Heft auf den Schreibtisch geklatscht hat. Ich wußte nicht, ob ich lachen oder weinen sollte.«

Entsetztes Schweigen trat ein, während die anderen diesen schlimmsten aller Schläge zu verkraften suchten. Rorys Roman war drei Schulhalbjahre lang ein Quell verbotener Freuden gewesen. Selbst Jenny hatte es riskiert, sich in den Waschraum zu schleichen, das lose Dielenbrett anzuheben, unter dem er versteckt lag, und die neuste Fortsetzung zu lesen.

»Wie hat sie das denn bloß gefunden?« Eleanor konnte es nicht glauben.

»O nein!« wimmerte Francesca auf einmal.

Rory kniff sie liebevoll. »Du kleiner Dummkopf, hab' ich mir doch gedacht, daß du das warst. Warum mußtest du es bloß hinter den Spülkasten stecken? Du weißt doch, daß die Curran da immer nachguckt.«

»Ich ... ich ... ach, Rory, es hatte geläutet, und ich mußte mich so beeilen ...« Tränen stiegen ihr in die Augen, und ihr kleines spitzes Kinn begann mitleiderregend zu zittern. »Und nun bist du von der Schule geflogen, und ich bin schuld daran.«

»Ach, wein nicht, Blümchen. Daran läßt sich nichts mehr ändern.«

»Deine wunderschöne Geschichte!« Francesca trocknete sich die Nase mit Eleanors Taschentuch.

»Und ich wollte doch den Heiratsantrag noch mal lesen«, sagte Eleanor untröstlich. »Jeden Abend im Bett denke ich daran. Es ist einfach eine himmlische Geschichte.«

»Ich schreibe dir eine neue«, versprach Rory. »An Einfällen fehlt's mir nicht.«

»Was soll denn jetzt aus dir werden?« Für Jenny war der

Ausschluß von der Schule das allergrößte denkbare Unglück, und sie vermochte nicht zu begreifen, wie Rory es derart auf die leichte Schulter nehmen konnte. »Werden deine Verwandten nicht böse sein?«

Rory stützte sich auf den Ellbogen und begann, mit den Fingern im Sand zu graben. »Tante Hilda wird zwar jammern und klagen, doch das werde ich nicht lange über mich ergehen lassen müssen. Ich werde das olle London und ihr langweiliges altes Haus ja bald wieder verlassen.«

»Vielleicht behält deine Tante dich ja da, und du bekommst eine eklige Gouvernante«, gab Eleanor zu bedenken.

»Aber i wo. Ich treibe die arme Seele zum Wahnsinn. Sie wird mich als hoffnungslosen Fall aufgeben und postwendend zu Papa zurückschicken. Und ihm ist sowieso gleichgültig, was ich tue. Und unsere liebe alte Haushälterin wird mich mit offenen Armen aufnehmen. Sie hält nichts davon, daß man Mädchen ins Internat schickt.«

»Findest du es denn nicht schade«, fragte Jenny nüchtern weiter, »daß du deine Ausbildung abbrichst?«

»Die breche ich ja gar nicht ab«, erwiderte Rory. »Ich gehe einfach wieder mit Tertius ins Pfarrhaus zum Unterricht. Habe ich dort vorher etwa nichts gelernt? Bin ich in Latein und Griechisch nicht besser als ihr alle? Unser Pfarrer ist um Längen gescheiter als die meisten dieser alten Hennen hier.«

»Die werden aber denken, daß du jetzt zu alt bist, um immer noch mit den Jungs von Lady Oughterard herumzuziehen«, wandte Jenny ein.

»Wieso denn? Ich bin doch immer mit ihnen herumgezogen.«

»Du wirst dir die Haare hochkämmen müssen«, fiel Francesca ein, »und den Tee einschenken und Anstandsbesuche machen.«

Rory tat das kurzerhand mit einem Hohnlachen ab. »Anstandsbesuche machen! Da gibt es meilenweit keine Adligen, und wenn ich die besuchen würde … die würden denken, wir hätten einen Trauerfall in der Familie. Ich kann es gar nicht abwarten, aus diesem öden Winkel herauszukommen und endlich wieder richtige Luft zu atmen.«

»Wann mußt du denn weg?« fragte Jenny.

»Morgen früh. Die Curran begleitet mich.« Rorys Gesicht bewölkte sich zum erstenmal. »Glaubt mir, mir graut davor, mich von euch zu verabschieden.«

»Mach dir keine Sorgen«, beruhigte Eleanor sie in warmem Ton, »auch wenn du noch so weit weg bist, wir werden auf ewig Freundinnen sein.«

Francescas Augen füllten sich wieder mit Tränen. »Es wird so langweilig ohne dich sein.«

»Ich komme nach London, wenn ich alt genug bin.« Rory bemühte sich, munter zu klingen. »Nur daß das noch ewig dauern wird.«

Wieder trat Schweigen ein, während die vier damit fertig zu werden versuchten, daß ihr Kreis nun auseinanderbrechen würde.

»Da fällt mir gerade ein«, sagte Rory dann, »daß ich eigentlich unter Arrest stehe und ihr Tadel bekommt, wenn ihr mit mir gesehen werdet. Ich gehe mal besser ... ich möchte Jennys weiße Weste nicht beschmutzen.«

»Ach, laß doch.« Die normalerweise sehr zurückhaltende Jenny legte Rory den Arm um die Taille. »Ohne einen anständigen Abschied lassen wir dich nicht weg. Wie wär's mit einem Abschiedsbankett?«

»Um Mitternacht!« Rorys Miene hellte sich auf. »Die Stunde der Hexen, wenn selbst Currys Knopfaugen zugefallen sind und Maudie allein in ihrem Kessel rührt und die elenden Gespenster verhungerter Internatsschülerinnen über die Tennisplätze geistern.«

Jenny und Eleanor lachten, aber Francescas Miene war kläglich. »Muß es um Mitternacht sein? Geht es nicht nach der Abendandacht? Ich stehe so ungern im Dunkeln auf.«

»Ich leihe dir meinen wattierten Morgenrock, Herzchen«, neckte Eleanor. »Dann merkst du die Kälte kein bißchen.«

»Na gut.« Die anmutige Francesca gab immer nach, wenn sie überstimmt war.

»Wir werden einander ewige Freundschaft schwören«, sagte Rory, »und den Schwur mit unserem Blut besiegeln ... die Jungs haben mir gezeigt, wie das geht.«

Zustimmendes Gemurmel war die Antwort, wenn der Zweifel in Francescas Stimme auch nicht zu überhören war. Die Erwähnung von Blut gefiel ihr nicht.

»Und … ich weiß«, rief Eleanor, »wir müssen den Schwur dadurch besiegeln, daß wir unseren liebsten Besitz verbrennen.«

»Dann sieht aber bestimmt jemand das Feuer«, wandte Jenny ein, »und es gibt einen höllischen Krach.«

»Wir können ihn ja statt dessen vergraben«, meinte Rory. »Ich bringe mein japanisches Kästchen mit. Der Verschluß ist sowieso kaputt.«

Vom Haus her erklang eine mißtönende Glocke. Rory rappelte sich hoch. »Bis Mitternacht dann. Ich muß gehen, sonst können wir alle was erleben.« Behende wie ein Äffchen erklomm sie die Böschung unter dem Vorplatz und schwang sich über die Balustrade, um sich in Hausarrest zu begeben. Mrs. Sedge, die Haushälterin, erwartete sie mit grimmiger Miene in der Halle.

»Da sind Sie ja, Miss Carlington. Ich wollte Sie gerade melden. Ihr Butterbrot und Ihre Milch stehen in der Speisekammer bereit.«

»Ach Sedgie, können Sie mir nicht ein Stück Kuchen besorgen und ein bißchen Marmelade? Ich sterbe fast vor Hunger.«

Mrs. Sedge griff nach Rorys Handgelenk. »O nein, Fräuleinchen, diesmal kriegen Sie mich nicht rum. Jetzt tun Sie ausnahmsweise einmal, was man Ihnen gesagt hat.« Und sie führte Rory energisch in die Speisekammer, während die Mädchen im Gänsemarsch den Speisesaal betraten.

Jenny tauchte aus der warmen, samtigen Höhle ihres Schlafs auf und merkte, daß jemand sie schüttelte. »Geh weg!« murmelte sie ärgerlich.

»Wach auf!«

»Was?«

»Pssst!« Rory stand an ihrem Bett, eine zerzauste, vermummte, von Schatten gestreifte Gestalt.

Jenny blinzelte wie ein Schaf, unterdrückte den Wunsch, in Klagen des Selbstmitleids auszubrechen, schwang die Beine aus dem Bett und streckte die Hand nach ihrem Regenmantel aus, der unter dem Bett lag. Während sie ihn überzog – mit angehaltenem Atem, um das Mädchen im Nachbarbett nicht aufzuwekken –, spürte sie das Butterbrot, das sie sich vom Tee aufgehoben hatte, unangenehm klebrig in der Tasche. Während ihres Arrests in der Speisekammer hatte Rory die Gelegenheit genutzt, sämtliche Büchsen nach altbackenem Kuchen abzusuchen. Der leicht säuerliche Geruch von ältlichen Korinthen, der aus ihrem Beutel aufstieg, verursachte Jenny Übelkeit, doch sie wußte, daß sie sie binnen einer halben Stunde mit Genuß verschlingen würde. Mitternächtliche Eskapaden machten immer so hungrig.

Eleanor und Francesca erwarteten sie weiter unten auf dem Flur, vor ihrem Schlafsaal. Eleanor war bereits hellwach und abenteuerlustig, Francesca hingegen verschlafen und verdrießlich. Eleanor hatte sie liebevoll in zwei Morgenröcke und eine wollene Kapuze verpackt.

»Das hat ja ewig gedauert!« flüsterte sie.

Mit pochendem Herzen stiegen die vier die erste Treppe hinunter.

»Achtung!« zischte Rory, die voranging. Sie erstarrten schlagartig. Die Schlafzimmer der Lehrerinnen gingen vom unteren Flur ab, und eine der Türen stand offen; ein kräftiger Lichtbalken fiel heraus. Von drinnen hörten sie Miss Curran, die unaufhörlich leise murmelte. Rory bedeutete den anderen, sich nicht von der Stelle zu rühren, schlich sich mutig an den gelben Lichtstreifen heran und spähte ins Zimmer.

Miss Curran saß in einem Korbstuhl und las laut aus einem Gedichtband: »*Einen Tag und eine Nacht sang die Liebe für uns, spielte mit uns, und unsere Herzen waren voller Musik ...*« Sie strich dabei Miss Scott über den Kopf, die an ihr Knie gelehnt lag. Sie waren beide vollständig gefangengenommen, umschlossen vom goldenen Kreis des Lampenscheins.

Rory winkte, und eine nach der anderen huschten die Mädchen mit trockenem Mund an der offenen Tür vorbei. Dieser kleine Erfolg stimmte sie euphorisch. Francesca entfuhr ein nervöses kleines Kichern, für das sie tadelnd von Jenny gekniffen wurde. Die Halle unten war eine von gespenstischen Schatten erfüllte Höhle. Ein bedrohlicher Schimmer ging von den zum

Frühstück gedeckten Tischen im langgestreckten Speisesaal aus. Der nächste Teil war einfach. Rory schob den Riegel am Fenster am Ende des Küchenflurs beiseite, und sie stiegen über die Fensterbank.

»Au ... Paß doch auf.« Francesca mußte von den drei anderen hinausgehievt werden.

Die berauschend kühle Nachtluft schlug ihnen ins Gesicht. Sie begannen, haltlos zu lachen, während sie über den Rasen davonhuschten, weg vom blicklosen Klotz des Hauses. Die tintenschwarze Reglosigkeit des Gebüschs ängstigte und elektrisierte sie zugleich. Francesca griff schutzsuchend nach Jenny. Rory holte eine Kerze aus der Tasche und zündete sie mit einem Streichholz an. Gewandt wich sie den niedrigen Zweigen von Lorbeer- und Rhododendronbüschen aus und führte die anderen zu ihrem geheimen Treffpunkt, einem kleinen unbewachsenen Platz hinter dem Gärtnerschuppen.

»Also dann«, sagte sie und machte sich nicht mehr die Mühe zu flüstern. »Erst das Loch.« Sie pflanzte die Kerze in den Erdboden. In ihrem schwachen Lichtschein wirkte ihr Haar wie glühende Kohle im verlöschenden Feuer, und ihre Augen waren Smaragdsplitter.

»Weißt du, Rory«, ließ sich Francesca vernehmen, »du wärst ziemlich hübsch, wenn du dir das Gesicht waschen würdest.«

»Was hätte ich denn davon«, sagte Rory in liebenswürdigem Ton, »und morgens habe ich keine Zeit, um mich mit Waschlappen abzugeben.«

»Laßt uns bloß erst mal futtern«, sagte Jenny, »ich sterbe vor Hunger.«

»Na gut. Fangt ruhig schon an. Ich hole den Spaten.« Die schwarze Nacht verschluckte Rory, die zwischen Büschen verschwand. Die anderen drei hörten sie auf der hinteren Seite des Schuppens rumpeln und klappern. Als sie wieder zu ihnen zurückkehrte, verschlangen sie die Butterbrote und den feuchten Rosinenkuchen und mußten zwischen zwei Bissen immer wieder pausieren, um zu kichern, bis ihnen fast die Tränen kamen. Francesca holte eine Flasche Ingwerbier heraus und sie tranken reihum.

Das Graben dauerte erstaunlich lange. Bis auf Francesca

übernahmen sie abwechselnd den Spaten, und Jenny bemerkte, wenn irgendwo in einem Buch davon die Rede sei, daß ein Loch gegraben werde, dann scheine das immer völlig mühelos zu sein. Als das Loch anderthalb Fuß tief war, hörten sie auf. Es reichte aus, um das Kästchen mit Erde zu bedecken und sie festzutreten.

»So laßt uns denn«, sagte Eleanor, »mit der Zeremonie beginnen.«

Die hohltönende Feierlichkeit ihrer Stimme löste einen erneuten Heiterkeitsanfall aus, und Rory schnüffelte immer noch vor sich hin, als sie ihr ramponiertes Lackkästchen öffnete, um eine Nähnadel und eine Papierrolle herauszuholen.

»Dies habe ich während der Teestunde aufgesetzt. Ich habe es so amtlich wie möglich gemacht.« Rory entrollte das Blatt und las laut:

»Wir, die Unterzeichneten, schwören aufs feierlichste ewige Freundschaft. Von diesem Tage an, dem 3. Mai 1907, geloben wir, einander zu lieben bis an unser Lebensende. Wir verpflichten uns, einander in Zeiten der Krankheit, des Leidens oder der Armut zu helfen, selbst wenn wir in alle Winde zerstreut sind. Wir opfern unseren liebsten Besitz, um diesen Treueschwur zu besiegeln.

> *»Halt diese vier Mädchen im Frühling des Lebens*
> *sich voller Liebe füreinander bereit,*
> *auf daß dieser Schwur nicht vergebens,*
> *wenn sie getrennt durch den Wind der Zeit.«*

Gezeichnet
Aurora Mary Carlington
Jean Alice Dalgleish
Eleanor Beatrice Herries
Francesca Patricia Alexandra Garland

»Das Gedicht ist doch gut, oder?« fragte Rory. »Ich habe für jede von uns eine Abschrift gemacht, damit wir es nicht vergessen.«

»Ich werde es immer bei mir tragen«, hauchte Eleanor. »Ist das nicht romantisch? Wir werden einander immer beistehen müssen. Noch nach zehn Jahren oder sogar zwanzig. Was glaubt ihr denn, was wir in zehn Jahren tun werden?« Ihre Augen verengten sich, als blendete sie die strahlende Helle der Zukunft. »Im Jahr 1917. Dann werden wir vierundzwanzig sein.«

Zehn Jahre taten sich vor ihnen auf, unendlich verheißungsvoll.

»Sobald wir unser Blut auf das Papier gedrückt haben«, erklärte Rory, »können wir diesen Schwur nie mehr brechen, ohne daß etwas Schreckliches passiert.«

»Laß es besser nicht allzuschrecklich sein«, sagte Jenny, »denn eine von uns wird ihn brechen.«

»Jenny!« Eleanor war entsetzt. »Wie kannst du nur so etwas sagen?«

»Als ob eine von uns einen Freundschaftsschwur brechen würde!« rief Rory entrüstet.

Jenny sah sie eine nach der anderen an. »Ich weiß auch nicht, ich weiß nur, daß das wahr ist. Als du gerade von den zehn Jahren gesprochen hast … da habe ich es plötzlich gesehen. Ich sehe manchmal Dinge voraus, ehe sie passieren.«

»Was siehst du denn?« fragte Eleanor.

Seufzend versuchte Jenny, es ihr zu erklären. »Es ist nicht wie bei einer Vision oder so etwas. Es ist mehr ein Gefühl … eine Ahnung der Gefühle, die ich bei einer bestimmten Sache in der Zukunft haben werde. Das hatte ich schon öfter.«

Ein ehrfürchtiges Schweigen trat ein, das von Francesca gebrochen wurde. »Oh, Jenny, werde ich das sein? Werde ich die sein, die den Schwur bricht?« Sie begann zu weinen, den Mund noch voll Kuchen. »Genau so was passiert mir doch immer … ich bin ja auch schuld daran, daß Rory von der Schule fliegt!«

»Nun sieh dir an, was du angerichtet hast«, meinte Rory ärgerlich, während Eleanor sich beeilte, Francesca in den Arm zu nehmen.

Jenny lenkte ein. »Kümmert euch bitte gar nicht um das, was ich sage. Vater wird immer schrecklich böse, wenn ich behaupte, daß ich Dinge voraussehe. Er glaubt nicht an die Vorsehung.«

»Recht hat er!« erklärte Rory. »Und wie soll sie sich denn

auch bewahrheiten können, wenn wir die besten Freundinnen von der ganzen Welt sind? Nun putz dir die Nase, Kindchen, und heul nicht mehr.« Sie hielt die Nähnadel in die Kerzenflamme und stach sich mit gespannter Aufmerksamkeit geschickt in den Daumen.

»O nein«, murmelte Francesca.

Ein dicker zinnoberroter Blutstropfen trat aus Rorys Daumen. Sie ließ ihn einen Augenblick unberührt – ein funkelnder Edelstein –, ehe sie ihn auf das Blatt Papier drückte und zu einem *A* verschmierte.

»Seht ihr. Ist ganz einfach ... tut kein bißchen weh.« Jenny nahm ihr die Nadel ab und wiederholte tapfer die Prozedur, ohne auch nur mit der Wimper zu zucken. Eleanor stach sich mit der Miene gloriosen Märtyrertums allzu heftig und blutete so heldenhaft, daß sie damit beide Initialen ihres Namens schreiben konnte.

»Francesca erlassen wir das besser«, meinte Jenny. »Nachher fällt sie noch in Ohnmacht oder so was.«

»Ich kann es mit meinem anderen Daumen für sie übernehmen«, bot Eleanor an.

»Aber ich muß es selbst machen«, widersprach Francesca überraschenderweise. »Sonst gilt es ja nicht. Gib mir die Nadel. Ich werd schon nicht ohnmächtig, das verspreche ich.«

In kleinen Dingen gab sie zwar bereitwillig nach, doch wenn es wirklich drauf ankam, setzte sie ihren Kopf noch jedesmal durch. Sie entriß Eleanor heftig die Nadel, stach sich rasch in den Daumen und mischte ihr Blut mit dem ihrer Freundinnen.

»Das nenn ich schneidig«, äußerte Rory.

Francesca strahlte die anderen an und schniefte die Tränen weg. »Jetzt sind wir wie Schwestern. Jetzt müßt ihr mir alle zu Hilfe eilen.«

Sie lachten, und Rory holte das letzte Stück Kuchen heraus. Alle vier setzten sich gemütlich hin, um das Festmahl zu beenden.

»In zehn Jahren werdet ihr natürlich alle verheiratet sein«, sagte Rory.

»Du denn nicht?« fragte Eleanor.

»Wohl kaum.«

»Aber Rory«, sagte Francesca liebevoll, »ich hab' dir doch gesagt, du könntest ganz hübsch sein. Wenn du dir nur die Haare kämmen und ein bißchen auf deine Strümpfe achten würdest ...«

Rory schnaubte unwillig. »Manchmal bist du wirklich ein richtiger Einfaltspinsel.«

»Was habe ich denn gesagt?« Gekränkt wandte sich Francesca hilfesuchend an die beiden anderen.

»Ich wollte damit sagen, daß ich nicht heiraten will.«

»Aber Heiraten ist doch ... das tun doch alle.«

»Das wirst du dir schon noch überlegen«, sagte Jenny weise.

»O nein, das werde ich nicht.« Rory wischte sich energisch die Krümel vom Mund. »Ich will allein leben, meine Gedichte schreiben und Feste für berühmte vornehme Leute veranstalten. Der Glanz meines Salons wird in aller Munde sein. Und wenn sie dann Frauen ins Parlament lassen, dann werde ich mich als Home-Rule-Mitglied für Oughterard wählen lassen und mit einem kleinen Bild von Parnell am Hutband auf dem Podium stehen.«

»Frauen werden niemals wählen dürfen«, sagte Jenny.

»Und ob wir das tun werden. Das dauert gar nicht mehr lange, sagt Christabel.« Rory war, wie sie alle wußten, eine glühende Bewunderin von Christabel Pankhurst. Sie schnitt Fotos von ihr aus Illustrierten aus und klebte sie an die Innenseite ihres Pultdeckels.

»Aber willst du dich denn nicht verlieben?« fragte Eleanor.

Rory runzelte die Stirn. »Nein. Ich werde bestimmt niemals heiraten. Die Männer wollen doch immer nur alles bestimmen.«

»Ich werde in zehn Jahren genau wie Mummy sein«, verkündete Francesca. »Ich werde schöne Morgenröcke aus Paris tragen, und Onkel Archie wird mit mir ins Theater und ins Café gehen. Und dann werde ich mich verloben. Am liebsten hätte ich einen Mann, der so aussieht wie Henry Ainley in der Rolle des Hamlet ... wie auf meiner Postkarte. Wäre das nicht toll, verlobt zu sein und eine Aussteuer zu haben und einen Diamantring?«

»Das wäre mir alles nicht wichtig«, sagte Jenny, und ihr Gesicht nahm einen sehnsüchtigen Ausdruck an. »Mein Mann brauchte nicht einmal besonders gut auszusehen, solange er nur ein schönes großes Haus auf dem Land hätte. Dann würde ich die Jagden und Bälle organisieren und herumfahren und alle Armen besuchen ... ach, das wäre einfach himmlisch. Doch ich werde wahrscheinlich als Lehrerin enden. Maudie meint, ich könnte ein Stipendium fürs College bekommen.«

»Aber das willst du doch gar nicht!« rief Eleanor.

»Nein, eigentlich nicht.«

»Dann laß das auch nicht mit dir machen.«

Nur Rory bemerkte den halb zynischen, halb amüsierten Blick, den Jenny Eleanor zuwarf. Sie vermutete, daß Jenny gerade an den Unterschied zwischen einer stählernen und einer goldenen Uhr dachte.

»Sag du uns lieber, wo wir dich in zehn Jahren finden können«, sagte sie rasch, »für den Fall, daß wir den Treueschwur bemühen müssen.«

»Tja.« Eleanor dachte ernsthaft nach, taub für die Ironie in Rorys Stimme. Jegliche Art von Ironie entging ihr völlig, es sei denn, man stieß sie mit der Nase darauf. »Ich weiß es auch nicht genau. Die Ehe erscheint mir so ... so gewöhnlich. Wie Vater und Mutter ... ihr wißt schon ... die zum Frühstück Heringe bestellen und Beschwerdebriefe an die Wäscherei schicken. Es muß doch noch etwas anderes geben als immer nur das.« Zur Zeit war Eleanors dringendster Wunsch, bald keine Brille mehr tragen zu müssen, doch über das hinaus waren ihre Ideale verschwommen. »Ich würde gern eine große Liebe erleben. Etwas Hochherziges, Schönes um der Liebe willen tun. Ich werde eine große, tragische Liebesgeschichte haben, bei der mein Herz vor Kummer fast zerbricht. Mich überläuft ein Schauder bei dem bloßen Gedanken, aus Liebe leiden zu müssen ... denkt doch bloß, wie himmlisch romantisch das sein würde.«

Darüber grübelten sie nach, bis Francesca kläglich sagte: »Ich sitze auf etwas schrecklich Hartem und habe eiskalte Füße. Machen wir jetzt das mit dem liebsten Besitz, und dann gehen wir schlafen.«

»Na gut.« Rory streckte ihr das Kästchen hin. »Zuerst du.«

»Mein silberner Ring mit dem echten Karneol.« Francesca zog ihn stolz vom Finger und kostete den Augenblick voll aus, ehe sie ihn hineinfallen ließ.

Eleanor fischte eine stumpfe Bronzescheibe an einem blauen Band aus der Tasche. »Meine Musikmedaille.« Sie hatte sie dafür erhalten, daß sie zu Beginn des Schulhalbjahrs beim öffentlichen Konzert der Schule eine Klaviersonate von Schubert gespielt hatte.

»Meine Medaille von dem Konzert hätte ich auch hergegeben«, sagte Jenny. »Doch ich habe sie gleich nach Hause geschickt, weil Mutter und Vater meine Preise gern in den Händen haben.« Es klapperte in dem Kästchen. »Hier ist mein Federmesser, und der Schlag soll mich treffen, wenn ich weiß, wie ich ohne auskommen soll.«

Alle Augen wandten sich erwartungsvoll Rory zu, die über irgend etwas zu frohlocken schien.

»Ich gewinne ja nie irgendwelche Preise«, sagte sie stolz, »und meine meisten Sachen sind kaputt. Also opfere ich eine Kleinigkeit von mir selbst.«

»Nun mach schon!« rief Francesca.

Mit einer großartigen Gebärde riß Rory eine Schere heraus.

»Oh ... du mogelst!« Eleanor verschlug es fast die Sprache. »Das ist Ediths ... ich hab' gesehen, wie sie sie dir geliehen hat!«

Rory griff nach dem Ende ihres langen Zopfs. Die Schere blitzte an ihrem Halsansatz, und das abgeschnittene Haar glitt in ihren Schoß wie eine rote Schlange.

Francesca stieß einen dünnen Schrei aus. Eleanor und Jenny waren starr vor Entsetzen. Einen Augenblick lang starrte Rory mit offenem Mund auf ihr Haar, erschrocken über das, was sie getan hatte, doch dann griff sie lachend nach ihrem Zopf, ließ ihn durch die Luft wirbeln und warf ihn in das Kästchen.

»Mein Unterpfand ewiger Freundschaft«, sagte sie triumphierend, »und auf daß die Wogen des Schicksals uns niemals trennen mögen.«

AURORA

Brief an meine Tochter

Ich sitze vor meinem Schlafzimmerfenster und sehe vor mir, wie Du vor der Rabatte kniest und Unkraut rupfst und Deinem Vater so sehr ähnelst, daß es mir noch immer einen Stich versetzt.

Mein Liebling, Du sagst, wenn Du Dich mit Flurry Fenborough vergleichst, bist Du ganz verzweifelt über Deine ›Häßlichkeit‹. Nun gut, Flurry ist einfach wunderschön – ihr hinreißendes Gesichtchen hat seit ihrem ersten Auftreten in London schwere Verwüstungen angerichtet. Es ist nur zu hoffen, daß meine Jungs sich so bald wie möglich in sie verlieben und es hinter sich bringen, wie die Masern.

Was Du jedoch nicht siehst, ist Deine eigene, ganz besondere Art von Schönheit. Du bist groß und anmutig und hast dies rabenschwarze glatte Haar. Es stimmt zwar, daß Deine Nase zu lang und zu spitz geraten ist – aber Du hast diese dichtbewimperten dunklen Augen, ägyptische Augen.

Es fehlt mir doch sehr, das kleine wilde Tier, das ich einst nach Irland mitgenommen habe. Wer hätte damals gedacht, daß Du einmal zu einer derart eleganten jungen Frau heranwachsen würdest!

Meine vier Jungs – Pierce, Tark, Giles und der kleine Roland – sind meine ganze Freude und die Glanzlichter im Leben der alten Mutter, wie sie gern behauptet. (Wir gefallen uns in der Vorstellung, daß Pierce trotz seiner schlaksigen Gliedmaßen und seines rötlichen Haars etwas von Tertius hat.) Ich liebe sie alle heiß und innig, aber Du bleibst unter all diesen Juwelen meine liebste Perle.

Es ist mir ein schrecklicher Gedanke, Du könntest, wenn Du dies gelesen hast, glauben, ich liebte Dich nur aus einem Schuldgefühl heraus. Nein, nein, nein – Schuldgefühle sind doch etwas viel zu Dürftiges, Unfruchtbares, um eine solche Zärtlichkeit zu nähren, wie ich sie für Dich empfinde. Ich bin so stolz auf Dich, Laura. Ich weiß, Du wirst alles tun, um zu begreifen, was ich getan habe, selbst wenn Du es mir nicht verzeihen kannst. Ich mußte es Dir sagen, doch ich zögere den schrecklichen Augenblick hinaus, wo ich den Schlußpunkt setzen werde, um dann diesen Berg von Seiten in Dein Zimmer zu tragen, wo Du sie finden und lesen sollst.

Ein letztes Mal umringen mich die Gespenster der Vergangenheit und beschwören mich stumm, sie niemals zu vergessen, sie und das, was ohne die Tragödie, die uns alle überwältigt hat, aus ihnen geworden wäre. Früher einmal liebten diese Schattengestalten und wurden geliebt. Laß uns das zur Milderung begangener Sünden festhalten. Doch Liebe allein genügt nicht. Wenn es darüber hinaus nichts gäbe, wäre das Leben unerträglich.

Ich erzähle Dir das alles, weil Du vor allen anderen ein Recht darauf hast, es zu erfahren. Du hast mich immer wieder nach dem blutigen Schwur gefragt, den wir vier geleistet hatten. Ich sehe Dich noch vor mir, wie Du darauf branntest, Dein Schicksal in jene umschatteten Tage der Vergangenheit zurückzuverfolgen, ehe Du geboren warst. Denn die Geschichte Deiner Mutter und ihrer Freundinnen ist auch deine Geschichte.

Ich habe Dir nie die ganze Wahrheit gesagt – nicht weil ich dir etwas verheimlichen wollte, sondern weil ich Dich für zu jung hielt, um es verstehen zu können. Ach, wie schwer mir das doch fällt. Mit ›verstehen‹ meine ich vermutlich ›verzeihen‹.

2

Grafschaft Galway, Irland, 1913

Rory stand auf der bemoosten bröckelnden Mauer, die Marystown, den Grundbesitz ihres Vaters, von den verwilderten, unrentablen Morgen trennte, die zu Castle Carey gehörten. Langsam wanderte ihr Blick über die weichen Falten der Landschaft, von den flachen schwarzen Torfmooren zu den silbernen Fluten des Lough. Regentropfen vom Vortag hingen immer noch von den Fuchsienhecken und verwandelten sich unter der Sonne in Perlenketten aus Quecksilber.

»Nicht bewegen!« befahl Tertius, als sie unabsichtlich das Gewicht verlagerte. Er hockte rittlings auf einem Ast der riesigen Buche und widmete sich mit äußerster Konzentration seiner Zeichnung. Rory ließ den Blick liebevoll auf seinem dunklen Kopf ruhen. Sie sah ihm immer gern bei der Arbeit zu. Es war die einzige Gelegenheit, bei der man ihn ein bißchen still oder ernst erlebte. Seine Hand fuhr mit sicherem Strich über das Papier. Ab und zu warf er auf eine schlafwandlerische Weise die schwere Tolle aus der Stirn. In ihrem fieberhaften Verlangen, fortzukommen, hatte Rory sich nicht wirklich eingestanden, wie sehr sie ihn vermissen würde.

Der Bleistift hielt ungeduldig inne. »Rory-May, warum um Gottes willen kannst du nicht einen Augenblick stillstehen?«

»Entschuldigung.« Sie nahm die alte Stellung wieder ein. Vor einer halben Stunde, als sie auf die Mauer geklettert war, um die Aussicht zu betrachten, war er plötzlich von dem Verlangen gepackt worden, sie zu skizzieren. »Wie ein Adler, der aus seinem Horst herausschaut«, hatte er gemeint. »Caitlin ni Houlihans Abschied von ihrem Königreich.«

Rory nahm ihr Königreich in Augenschein. Es war schön. Wohin immer sie gehen mochte, ein Teil von ihr würde sich stets nach dem Lough mit seinem wirbelnden Dunstschleier und der endlosen Aussicht auf die Berge zurücksehnen, die sich von Grün zu Schwarz verfärbten. Manchmal verdunkelten die Regenstürme des Winters sie völlig und verwandelten das Land in einen heimtückischen Sumpf. Unmöglich, sich das jetzt vorzustellen, wo die Bienen in der Weinrose summten und alles von den Wonnen des Mai kündete.

Doch sie war zum Aufbruch bereit. So schön es war, Irland war ein trauriges, von Armut geplagtes Land, jetzt, wo die heldenhaften Zeiten vorüber und die Männer in den Hügeln zu den himmlischen Gefilden aufgestiegen waren. Sie dachte an ihren schäbigen alten Schrankkoffer, der gepackt und verschnürt in der Diele wartete, und Erwartungsfreude durchströmte sie. Morgen um diese Zeit wäre sie auf dem Weg nach London und in die Freiheit – begleitet zwar von Fingal, der auf diese Verantwortung keineswegs erpicht war, doch Rory war entschlossen, sich ihre Vorfreude nicht durch sein Genörgel verderben zu lassen.

Die Brise wehte kurze rote Haarsträhnen gegen ihren Halsansatz. Sie hatte ihr Haar in den sechs Jahren, seit sie die Schule verlassen hatte, niemals wieder wachsen lassen. Immerhin hatte sich das ungelenke vierzehnjährige Schulmädchen mit der schlechten Haltung zu einer großen, schmalen jungen Frau von zwanzig entwickelt. Ihr Blick war kühn, ihre Nase edel und ihr Kinn vornehm und ausgeprägt. Sie war zwar immer noch mager, doch die Jahre, in denen sie viel geritten war, hatten ihr das kerzengerade Rückgrat verschafft, wie es für die reitbesessene anglo-irische Frau typisch war – »Gardegrenadiere im Hauskleid«, wie Fingal sie verächtlich nannte.

Fingal war zu einem kurzen Besuch zu Hause, und er hatte Rory bereits durch die Äußerung zu treffen versucht, daß sie zu sehnig und kräftig sei, um als schön gelten zu können – als ob sie ihn um seine Meinung gebeten hätte. Immerhin räumte er ein, daß ihre Haut nicht unansehnlich sei.

Sie mußte lächeln, als sie sich fragte, was Eleanor, Francesca und Jenny wohl von ihr halten würden, wenn sie sie nach so langer Zeit wiedersähen. Aus Eleanors wöchentlichen Briefen klangen ihr in jüngster Zeit ihre eigenen Zweifel und Sehnsüchte entgegen, doch zugleich fanden sich darin detaillierte Beschreibungen der jüngsten Londoner Mode. Sie nahm netterweise an, daß Rory für derlei Informationen Verwendung hätte. Wenn sie mich jetzt sehen könnte, dachte Rory und blickte an ihren schäbigen Whipcordbreeches und den aufgeplatzten Reitstiefeln hinab. Diese Kleidungsstücke waren, wie das offene weiße Flanellhemd, abgelegte Sachen von Tertius und seinen Brüdern. Sie trug lediglich dann einen Rock, wenn sie mit den Eiern in die Stadt fuhr. Nur Johannes der Täufer in seinem Kamelfell hatte noch weniger Verwendung für Modisches gehabt als sie.

»Na schön. Fertig.« Tertius reckte sich wollüstig. »Du kannst dich wieder bewegen.« Er lehnte sich an den Baumstamm und zündete sich eine der zerdrückten Zigaretten an, die er aus der Tasche seiner grobgewebten Hose gekramt hatte.

Rory lief auf der Mauerkrone entlang, lockerte die Muskeln und stieg zu ihm auf den Baum. »Darf ich mal sehen?«

»Bitte.« Seine Leidenschaft für seine Zeichnungen verflog, sobald sie fertig waren.

Sie musterte die Skizze. Sie war eilig und impulsiv hingeworfen, und die Winkel waren eigenartig spitz, so als hätte er sie erst in Stücke zerbrochen und dann wie ein Puzzle wieder zusammengesetzt. Doch auf irgendeine Weise, die sie nicht näher zu bestimmen vermochte, entsprach die Zeichnung der Wahrheit. Tertius zeichnete zwanghaft alles, was er sah, von den Wolken bis zum Vieh, und gab sich meist damit zufrieden, naturgetreu zu sein. Dieser rabiatere, experimentelle Stil war ausschließlich Rory vorbehalten, weil sie nach Interpretation verlangte, so behauptete er.

»Sie ist gut.« Sie tauschte das Blatt gegen die Zigarette. »Wirklich, sie ist erstaunlich gut.«

»Es geht so.«

»Wenn du dich nur mehr dahinterklemmen würdest.«

»Bitte keine Vorträge, tu mir den Gefallen.«

Sie achtete nicht darauf. »Es ist höchste Zeit, daß du mal irgend etwas ernst nimmst.«

»Du weißt, woran mir liegt. Ach, Rory-May ...« Seine Stimme mit dem singen Tonfall der Gegend war warm und neckend. »Warum nur läßt du mich allein?«

Rory zog an der Zigarette und gab sie ihm zurück. »Ich hab's dir doch gesagt. Ich kann nicht hier bleiben. Für ein Mädchen gibt's hier nichts zu tun.«

»Man kann immerhin heiraten.«

»Wenn du damit wieder anfängst«, sagte Rory scharf, »dann bekommst du die Konsequenzen zu spüren. Hüte dich vor Rory von den Hügeln, die nicht gelernt hat, ihren Zorn zu zügeln.«

»Schon gut. Aber was kannst du denn in London tun, das du hier nicht tun kannst?«

»Ich werde dort sein, wo etwas los ist. Du weißt, ich habe diesen Schritt schon vor langer Zeit geplant, und jetzt, wo ich das Geld meiner Mutter bekommen habe, kann ich mich frei bewegen. Bei Tante Hilda werde ich bestimmt nicht lange hokken, das kannst du mir glauben.«

»Und wenn ich nun deinem Vater erzähle, daß du vorhast, durchzubrennen und allein zu leben?«

»Das ist typisch ... versuch's nur.«

»Warum kannst du denn nicht mit Mrs. Sheehy-Skeffington und ihren Harpyien in Dublin Fensterscheiben einschmeißen? Dann erlangst du das Wahlrecht.«

»Das ist mir nicht weit genug weg. Ich brauche Bewegungsfreiheit bei dem, was ich vorhabe.«

»Ich sage dir«, meinte Tertius streng, »es wird dir nicht gefallen. Du kommst mit dem nächsten Schiff zurück.«

»Du glaubst wohl, daß ich ohne dich verloren bin?«

»Ja, selbstverständlich. Wir haben doch immer alles gemeinsam gemacht.«

Rorys Augen hatten jenen in die Ferne gerichteten, zielbewußten Ausdruck, den Tertius haßte. Er bedeutete, daß sie nicht zu beeindrucken war und taub für jeden Appell, der sie von ihrem Vorhaben hätte abbringen können. »Ich erwarte nicht, daß du das begreifst, weil du keinerlei Überzeugungen hast. Doch wir befinden uns am Vorabend der größten Revolution seit hundert Jahren – Home Rule für Irland, Frauenwahlrecht, ganze Heerscharen von Menschen sind bereit, gegen Unwissenheit und Armut zu kämpfen ... ein herrliches Zeitalter steht bevor, ein goldenes, wenn wir nur entschlossen sind, um unserer Freiheit willen zusammenzuhalten.«

Tertius kannte diese Ansprache bereits. Manchmal kam er sich vor, als wäre er auf einer öffentlichen Versammlung.

»Du hast doch schon alle Freiheit, die du dir wünschen kannst«, sagte er nicht zu Unrecht, als sie eine Atempause einlegte.

»Ich will aber außerdem Spaß haben. Ich will die Mädchen von der Schule wiedersehen und ein kleines intelligentes Gespräch unter Frauen führen.«

»Hast du uns Jungs etwa satt?« Er kniff sie sanft in den Schenkel.

»Benimm dich«, fuhr Rory ihn an und stieß seine Hand weg. »Ich hab' dir gesagt, du sollst deine Pfoten von mir lassen.«

»Wie soll ich das denn tun, wenn du so dicht neben mir sitzt und mein Blut in Wallung bringst?« Seine Darbietung der gekränkten Unschuld war bemerkenswert realistisch. Rory fiel darauf zwar keinen Augenblick herein, lächelte ihm jedoch unwillkürlich zu. Tertius hatte das Gesicht eines Engels, und der trügerisch seelenvolle Blick seiner blauen Augen war so bestrickend, daß er selbst härtere Naturen als sie zu erweichen vermochte.

»Mit deinem Blut kann irgend etwas nicht stimmen«, sagte sie neckend, »du solltest es auffordern, doch mal die andere Richtung einzuschlagen und zu deinem Gehirn aufzuwallen.«

Er lachte. »Du kannst mir nicht verübeln, daß ich es wenigstens versuche.«

»Doch, das kann ich. Ich hätte einfach nur gern, daß du genausoviel Energie in deine Malerei steckst.« Sie sprang geschickt vom Baum auf den schlammigen, zerfurchten Fahrweg. »Komm, jetzt reiten wir Baucis und Philemon.«

»Einverstanden.« Tertius warf ihr seine Mappe zu und sprang neben Rory auf den Weg. Er versuchte, ihren Arm zu nehmen, doch sie brachte sich rasch außer Reichweite.

»Im Ernst ...«

»Ich will nicht ernsthaft sein.«

»Das ist ja gerade dein Problem. Wenn ich auch nur ein Zehntel deiner Begabung hätte, würde ich tagaus, tagein schuften.«

Tertius rückte träge die Mappe unter seinem Arm zurecht. »Wofür denn?«

»Ruhm, Geld ...«

»... will ich nicht.«

»Dann, um irgend etwas zu erreichen.« Rory war ernst. »Den Leuten zu zeigen, was du kannst.«

»Die Leute wollen solche Sachen nicht sehen, sie wollen nackte Jungfrauen, die sich auf Federkissen räkeln, und das ist keine Kunst.«

»Wenn du auch nur einen Funken Ehrgeiz hättest ...«

»Meinen Ehrgeiz kennst du ja.« Die Mappe glitt zu Boden, als er ihre Hände ergriff. »Heirate mich!«

»Das fehlte mir gerade noch.«

»Ich werde dich so lange fragen, bis du ja sagst.«

»Nein! Die Antwort ist nein!«

Sein Griff wurde fester. »Ist dir eigentlich klar, daß ich seit meinem dritten Lebensjahr unrettbar in dich verliebt bin? Achtzehn lange Jahre des Leidens und der Sehnsucht nach dir, Rory-May, und ich werde dich immer anbeten, bis ich alt und grau bin ...«

Rory entriß ihm ihre Hände. »Was für ein Unsinn! Du hast im ganzen Leben noch nie gelitten oder dich nach irgend etwas gesehnt.«

»Und ob ich das habe! Und nun stell dir vor, was passiert, wenn du weggehst. Ich werde dahinsiechen ... es wird von mir nichts übrigbleiben als ein Haufen Staub auf dem Kirchhof. Grausames Mädchen, denk doch mal, wie schuldgeplagt du sein wirst, wenn du die Gänseblümchen auf meinem Grab wässerst.«

Sie versuchte, an ihm vorbeizugehen, doch er versperrte ihr den Weg, indem er vor ihr herumtänzelte wie ein Boxer. Sie hätte schreien können vor Ärger über seine wöchentlichen Heiratsanträge, mußte aber dennoch lachen. »Ach, Tertius, ich flehe dich an!«

»Heirate mich!«

»Und wovon leben wir? Von Gras? Luft?«

»Ich würde wie ein Berserker arbeiten, wenn ich dich haben könnte.«

»Gib nur nicht an. Du würdest genauso weitermachen wie bisher und immer noch im O'Dwyer's herumlungern und die Preiskühe der Leute im Tausch gegen Schwarzgebrannten malen. Wie kommst du bloß auf die Idee, daß ich mein ganzes Leben aufgeben würde, noch ehe es begonnen hat, um mich an dich zu binden und eine zerlumpte Brut in einem gottverlassenen Landstrich aufzuziehen? Worüber lachst du denn?«

»Mein Gott, Rory-May, was hast du nur für eine Zunge. Die wird zwei Köpfe verschleißen, bis du stirbst.«

Rory seufzte verärgert. »Wenn du doch bloß ab und zu mal zuhören würdest. Ich werde dich niemals heiraten, und das weißt du auch, also laß uns von etwas anderem reden.«

»Schatz«, neckte Tertius, »heute ist unser letzter Tag. Kannst du nicht ausnahmsweise einmal nett zu mir sein?«

Rory blickte ihn düster an, und sie fragte sich – nicht zum erstenmal –, ob sie überhaupt ein Herz hatte. Da stand er nun, jung, feurig, mit strahlenden Augen, voller frühlingshafter Lebenskraft, und sie konnte und konnte sich einfach nicht in ihn verlieben. Er war ihr bester Freund, ihr Zwillingsbruder, ihr rechter Arm. Das war alles. Es war schon verblüffend, wenn man bedachte, daß die Hälfte der Mädchen der Gegend ganz verrückt nach ihm waren.

»Ich bin doch immer nett zu dir«, sagte sie.

»Dann gib mir einen Kuß.«

»Nein!«

»Einen Kuß ... herrje, das ist doch nicht zuviel verlangt!«

»Na also gut, wenn du mich danach in Frieden läßt.« Rory wandte ihm eine Wange zu. Sie verabscheute es, geküßt zu werden, egal von wem, doch es wäre gemein gewesen, ihn an ihrem letzten Tag zurückzuweisen. »Aber nur einen.«

Tertius ließ sich Zeit. Er schlang die Arme um sie und zog sie an sich. Sie spürte, wie sein Herz klopfte, als er sie an seine Brust preßte.

»Nun mach schon!«

Langsam und mit Bedacht legte er die Lippen an ihre Wange und ließ sie einen langen Augenblick dort, um ihren Duft einzuatmen, ehe er sich seufzend löste.

»So ...«, begann Rory, aber als sie ihm das Gesicht wieder zuwandte, wollte er seine heiße Zunge zwischen ihre Lippen schieben. Empört wand sie sich, trat nach ihm und schlug ihm auf den Rücken, doch Tertius hielt sie nur immer fester und machte sich über sie her wie ein Verhungernder. Dann plötzlich wurde sein Körper wie von einem Krampf gepackt, sein Kopf zuckte zurück, und er hob ihn mit einem Klagelaut zum Himmel. Rory sah ihre Chance. In ihrer rasenden Wut befreite sie sich mit einem gekonnten Hieb an sein Ohr, trat ihm auf gut Glück auf den Fuß und kletterte über die Mauer.

»Warte«, keuchte er, »Rory, bitte ...«

Sie hastete auf das Haus zu, die Fäuste geballt und den Kopf gesenkt.

Noch benommen von ihrem Schlag, befand Tertius, daß es nichts einbrächte, wenn er ihr nachlief. Sie würde ihn sowieso nicht verraten, denn das tat sie nie. Und glücklicherweise war es höchst unwahrscheinlich, daß sie überhaupt mitbekommen hatte, wie weit er gegangen war. Er war erst erstaunt und dann belustigt über seinen Mangel an Beherrschung. Herrgott, sein Ohr tat weh – Rorys Kopfnüsse waren kein Pappenstiel.

Ihr Geschmack haftete ihm noch an den Lippen. Wieder bekam er eine Erektion und sehnte sich verzweifelt nach Erleichterung durch einen weiblichen Körper. Er griff nach seiner Mappe und nahm den kürzesten Weg ins Dorf.

»Mutter? Ach, da bist du ja.« The Honourable Fingal Carey schaute sich in der feuchten Spülküche mit dem Steinboden um, als wundere es ihn, daß ein solcher Raum in seinem altehrwürdigen Elternhaus überhaupt existierte. Er trug weiße Reithosen und ein extravagant geschnittenes graues Tweed-Reitjackett; ganz lässiger Flaneur, war er jedoch gereizter, als es sich mit seinem üblichen gespreizten Gehabe vertrug. »Mutter, du mußt unbedingt etwas gegen Auroras gräßliches Wesen unternehmen. Wenn du das nicht tust, werde ich es einfach ablehnen, morgen mit ihr zu reisen.«

»Die böse kleine Range«, sagte seine Mutter beruhigend, »was hat sie denn jetzt wieder angestellt?« Lady Oughterard war damit beschäftigt, die Wäsche der Familie durch die Mangel zu drehen. Es war eine schwere monotone Arbeit, und sie erledigte sie auf entschlossene, aber dilettantische Weise. Eins nach dem anderen mußte sie die Kleidungsstücke mit einer hölzernen Zange aus dem kochenden Wasser im Kupferkessel fischen und durch die Walzen pressen. Dabei drehte sie den schweren gußeisernen Griff, bis alles überschüssige Wasser in die darunter stehende Schüssel abgelaufen war. Sie beugte sich nieder, um eine Hemdhose aufzuheben, die sie als schlaffen, dampfenden Haufen auf den schmutzigen Boden hatte fallen lassen, und Fingal mußte seine Klagen an ihren Rücken richten.

»Na, erst mal ist sie eine Pferdediebin. Ich hatte Philemon fix und fertig satteln lassen und sozusagen schon den Fuß im Steigbügel, da hat sie mir die Zügel einfach aus der Hand gerissen und ist losgaloppiert. Paddy Finnegan hat nur dagestanden und gelacht. Ich bestehe darauf, daß du ein Wörtchen mit ihr redest ... was ist denn nur?«

Lady Oughterard hatte den Griff der Mangel losgelassen und

starrte auf seine Kleidung. »Das kenne ich noch gar nicht, wie? Schon wieder eine andere Jacke! Brandneu, nicht ein Fädchen zerschlissen! Und eine echte Goldnadel an der Halsbinde, wie schön! Nur gut, daß du nicht in diesem Aufzug losgeritten bist. Dann lägst du jetzt schon bis zum Hals im Schlamm.«

»Ich glaube nicht, daß du dir über den Ernst der Lage im klaren bist«, sagte Fingal unwirsch. Sein Monokel beschlug in der feuchtwarmen Luft. Er ließ es fallen, und der dünne goldene Ring schnellte gegen seine gelbe Weste. »Aurora ist entsetzlich verzogen. Ihr Benehmen ist keinen Deut besser als das von Tertius, nur daß das bei einem Mädchen zehnmal schlimmer ist. Wirklich, man kann sich mit ihr nicht sehen lassen ... wie eine Dame wirkt sie weiß Gott nicht.«

»Oh, aber du mußt dich mit ihr sehen lassen«, widersprach Lady Oughterard, die unruhig zu werden begann. »Du hast versprochen, in London auf sie achtzugeben.«

»Und wer gibt auf mich acht?«

»Hör mal zu, ich werde Lucius beauftragen, ihr Manieren beizubringen.« Lucius war ihr ältester Sohn, der von allen, außer seiner Mutter, Muttonhead genannt wurde, ›Widderkopf‹. »Normalerweise hört sie auf ihn.«

»Ein leuchtendes Beispiel«, sagte Fingal höhnisch, »genau der Richtige, um ihr beizubringen, mit wieviel Jauche an den Stiefeln man zum Essen erscheinen soll.«

Lady Oughterard empfand zwar eine Art Ehrfurcht gegenüber Fingal, doch duldete sie keinerlei Kritik an Lucius. »Unsinn. Er wird dir vermutlich sagen, daß du aufhören sollst, unablässig an allem herumzumäkeln. Kein Wunder, daß Rory und Tertius dich aufziehen.«

»Tertius hat einen ungeheuer schlechten Einfluß auf sie«, erklärte Fingal. »Da kann man, um der eigenen Nerven willen, nur hoffen, daß Aurora lenkbarer wird, wenn sie von ihm wegkommt.«

»Sie ist ein reizendes Kind, war sie immer schon.« Seine Mutter wandte sich wieder der Mangel zu und gab sich Mühe, die Knöpfe an Lucius' kratziger wollener Unterwäsche nicht zu zerbrechen. »Ihr fehlt es lediglich an Gelegenheit, ein paar nette Leute kennenzulernen.«

»Und einen davon zu heiraten, meinst du wohl. *Mon Dieu*, wie man bloß auf die Idee kommen kann, daß jemand sie haben will ... Mutter, entschuldige die Frage, aber hast du Una nicht dafür angestellt, daß sie sich um die Wäsche kümmert?«

»Una hat alle Hände voll mit dem Abendessen zu tun«, sagte Lady Oughterard. »Die Hühner sind erst vor einer halben Stunde von Marystown gekommen. Ich wage es nicht, sie um etwas zu bitten, damit sie nicht wieder einen Wutanfall bekommt.«

»Wie ungeheuer irisch!« Seufzend klopfte Fingal mit seiner Reitgerte auf die Innenfläche seines grauen Lederhandschuhs. »Bloß nicht böse werden ... das ist schädlich für die Harmonie. Ich werde jeglichen Gedanken ans Reiten aufgeben und meinen Seelenfrieden in der Literatur wiederzufinden suchen. Ich habe einen herrlichen Band alter Hefte mit Kriminalgeschichten in der Bibliothek gefunden. Wenn ich über einen brutalen Mord lese, legt sich ja vielleicht mein Drang, selbst einen zu begehen.« Er klemmte sein Monokel wieder ins Auge. »Wenn ich um ein Feuer in der Bibliothek bitte, kann ich dann damit rechnen, daß ein Dienstbote sich persönlich dazu bereit findet, es anzuzünden? Oder muß ich gegenwärtig sein, dich selbst das Holz ins Haus schleppen zu sehen?«

»Bitte Paddy«, antwortete Lady Oughterard kurz angebunden.

»Danke.« Sein Abgang war formvollendet.

Seine Mutter bemühte sich, über seine Arroganz hinwegzusehen. Fingal kam in letzter Zeit nur noch selten nach Hause, und sie hatte Gewissensbisse, weil sie sich für ihr Gefühl nicht genügend freute, wenn er kam. Wenn er doch bloß aufhören wollte, Rory und Tertius zu kritisieren. Wann immer der arme Tertius den Mund auftat, erschauderte Fingal wegen seines Akzents, und er konnte Rory kaum ansehen, ohne mißbilligend die Lippen zu schürzen.

Lady Oughterard mußte sich jedoch eingestehen, daß sie sich Rorys wegen schon seit einiger Zeit Sorgen machte. Sie hatte die Verantwortung für das Mädchen. Ob Tertius wirklich solch ein schlechter Einfluß war? Die beiden waren seit ihrer Kindheit unzertrennlich gewesen. Jetzt, wo sie keine Kinder mehr waren, erkannte Lady Oughterard jedoch, was ihre Pflicht war. Es war höchste Zeit, daß Rory Castle Carey verließ.

Es hatte noch andere Vorteile, wenn sie nach London ging. Die Nachbarsfamilien zogen wegen Rorys jungenhafter Kleidung und ihrer kurzen Haare bereits fragend die Augenbrauen hoch. Ein gewisses Maß an Exzentrik wurde freilich geduldet. Wo die Menschen isoliert und unter härtesten Entbehrungen lebten, war kein Mangel an Schrullen; jeder versuchte, sich durch eine lachhafte Großtuerei schadlos zu halten. Rorys lautstark vorgetragene Ansichten über das Frauenwahlrecht und die Arbeitsbedingungen in Dublin wären vielleicht eher geschluckt worden, wenn sie zu erkennen gegeben hätte, daß sie Wert auf die Zugehörigkeit zu ihrer Gesellschaft legte. Doch sie erlebten nichts anderes, als daß sie über ihre Teegesellschaften und Jagdtreffen und ihre endlose Salonpolitisiererei lachte. Sie konnte es gar nicht abwarten, das alles loszuwerden und sich in das zu stürzen, was in ihrer Vorstellung das ›wahre‹ Leben war.

Lady Oughterard lächelte beim Gedanken daran, wie sie am Tag von Rorys Geburt nach Marystown hinübergefahren war. Die Hebamme hatte ihr das vitale Würmchen mit dem roten Schopf auf einem Spitzenkissen gebracht, und sie war die Treppe hinaufgerannt, um der armen Charlotte zu gratulieren. Sie sah sie wieder vor sich, das lange kastanienbraune Haar hob sich gegen ihr weißes Nachthemd ab, und sie sagte, sie habe das Kind wie eine Katze herauspurzeln lassen und wolle jetzt, da sie wisse, daß das so leicht sei, ein Dutzend haben.

Charlotte war Engländerin, eine Schönheit und ungeheuer unterhaltsam. Was sie an Justus Carlington gefunden hatte, war Lady Oughterard noch heute ein Rätsel. Er war einer dieser Männer, die so aussahen, als wären sie in einer dunklen Schreibtischschublade aufgewachsen; verstaubt und vertrocknet, mit einem Teint, so gelblich wie altes Pergamentpapier. Er war ein leidenschaftlicher Gelehrter, der die klassische Sprache am Trinity studiert und mit Auszeichnung abgeschlossen hatte, dessen geheime Leidenschaft jedoch der keltischen Geschichte und Kultur galt.

Er war ein Nationalist vom alten romantischen Schlag, und

der Sturz des mächtigen Parnell hatte ihm fast das Herz gebrochen. Die Leute in der Gegend hielten ihn für reichlich verrückt, weil er ihre Anekdoten in ein Notizbuch schrieb. Der Landadel fand ihn sträflich langweilig, weil er sich nicht für Pferde oder Veranstaltungen interessierte, das Zwillingsvergnügen, das dem gesellschaftlichen Leben der Grafschaft Würze verlieh.

Seit Cromwells Zeiten hatte es Carlingtons auf Marystown gegeben. In ihrer Blütezeit hatten sie einen prächtigen Besitz gehabt, sechstausend Morgen guten Bodens. Das ursprüngliche Herrenhaus war während der Unruhen von 1798 niedergebrannt, und an dessen Stelle hatte man ein reizendes neoklassizistisches Gutshaus erbaut. Um 1890 war es, ungeachtet der Eingriffe durch die Land Acts, immer noch ein prächtiges Anwesen. Es wartete auf die Braut, wie die Leute sagten, und Justus hatte denn auch Charlotte Veness mit nach Hause gebracht, die er während eines Besuchs in England, in Somerset, kennengelernt hatte.

Charlotte starb achtzehn Monate nach der Hochzeit an Lungenentzündung. Es war ein schrecklicher Januar gewesen, in dem der Regen das ganze Land in einen Sumpf verwandelt hatte. Sie wurde in der Familiengruft in der protestantischen Kirche begraben. Lady Oughterard sah den Regen auf die Trauerkränze niederprasseln und fragte sich, was Justus nun wohl tun würde.

Er tat, was er konnte, um sein abgeschiedenes Leben wiederaufzunehmen, und saß lesend und schreibend in einem staubigen Haus, in dem angejahrte Dienstboten für Stille sorgten. Nur eins störte seine Ruhe: Charlottes Kind war zwar halbwegs friedlich, solange es sich auf dem Arm seiner Kinderfrau befand, doch mittlerweile entwickelte sich die zweijährige Kleine zu einem Irrwisch, dessen plötzliche Wutausbrüche ihn ebenso ratlos machten wie sein Hang zur Gefahr. Lady Oughterard hatte es danach verlangt, sich einzuschalten. Irgend etwas mußte geschehen, ehe der Irrwisch sich umbrachte, indem er Rattengift aß oder auf das Dach der Sternwarte kletterte. Sie tat den mutigen Schritt, Justus anzubieten, Rory zu sich nach Castle Carey zu holen.

Während sie in Justus' Studierzimmer saß, das schmuddelige Ding auf dem Schoß, erklärte sie, bei ihr sei sowieso schon die

Hölle los, da käme es auf ein Kind mehr nicht an. Tertius, der jüngste ihrer drei Jungen, sei nur ein Jahr älter als Rory. Später würden sie dann gemeinsam eine Gouvernante haben können. Justus, dem es vor lauter Dankbarkeit fast die Sprache verschlagen hatte, bot an, diese Gouvernante zu bezahlen. Er wußte, daß bei den Oughterards chronischer Geldmangel herrschte.

Von jenem Augenblick an wuchs Rory Lady Oughterard immer mehr ans Herz. Als das Kind dann ein pfiffiges Ding von sechs oder sieben Jahren war, ließ der Vater sie gelegentlich nach Marystown herüberbringen, weil sie ihn amüsierte und an Charlotte erinnerte. Als ihr eigentliches Zuhause galt jedoch immer mehr Castle Carey.

Castle Carey war keineswegs ein Schloß, sondern ein grauer georgianischer Würfel, der in seiner klassizistischen Schlichtheit jedoch sehr ansehnlich war. Riesige Schiebefenster reichten vom Boden bis zur Decke und ließen das Licht in alle Räume fluten. Ein Kiesweg führte die halbe Meile vom Parktor bis zum Halbrund der Treppe vor der Eingangstür hinauf. Auf der Rückseite gingen Flügeltüren auf eine breite Terrasse hinaus. Ställe und Verwaltungsgebäude standen, hinter Ulmen verborgen, hundert Schritt vom Haus entfernt. Hinter den Ställen lagen die Koppeln und zwei mit Mauern eingefriedete Gemüsegärten. Um diese Domäne hatten sich einst fünftausend Morgen Land gelegt wie ein Umhang.

Der größte Teil davon war jedoch nach den Land Wars in den achtziger Jahren verkauft worden. Steuern waren erhöht worden, und die darauf folgenden Land Acts hatten alle Großgrundbesitzer in ganz Irland in die Knie gezwungen. Nur das Kernland war noch übrig, dazu die wertlosen Stücke Land, die von einem Vorfahren auf der Suche nach Kupfer durchwühlt worden waren. Diese vergewaltigten marschigen Morgen waren zwar wieder von grellgrünem Gras bewachsen, doch ließ ihre Schönheit sich einfach nicht in irgend etwas Nützliches verwandeln, das harte Münze eingebracht hätte. Früher war die Familie Carey, seit zweihundert Jahren Lords von Oughterard, reich und mächtig gewesen. Inzwischen, da ihr Vermögen vom Hirngespinst des Kupfers verschlungen und das Land auf ihre ehemaligen Pächter aufgeteilt war, erinnerte nur noch der nackte Titel an jene einstige Größe. Das Schloß war umsäumt von einem Park, der einst von sechs Gärtnern gepflegt worden war und sich nach und nach in eine Wildnis zurückverwandelte.

Die Careys selbst schienen sich, pleite wie sie waren, ebenfalls wieder in Wilde zu verwandeln, die in ihrem eigenen Haus kampierten wie die Kesselflicker. Als ihre Jungen noch klein waren, erschien Lady Oughterard bei örtlichen gesellschaftlichen Anlässen in einem langen Seidenkleid, dessen Saum nun zu Fetzen zerschlissen war. Lord Oughterard, ein hünenhafter liebenswürdiger Mann, hatte es irgendwie geschafft, sich während der Jagdsaison vier Tage in der Woche in einer Jacke zu zeigen, die vor Altersschwäche fast durchscheinend war.

Oughterard war ein schweigsamer Mann gewesen, aber seine Frau hatte Stimmkraft für zwei – ihre volle Stimme schien aus den Lungen eines Riesen zu kommen. Klein und untersetzt, mit krausem schwarzem, von Grau durchzogenem Haar, lebhaften blauen Augen und einem Teint von kräftigem Rosa, war sie die selbsternannte Richterin, Weise und Alleslenkerin des Bezirks.

Als Oughterard im Jahr 1904 starb, ein Jahr nachdem der Wyndham Act die letzten verkäuflichen Morgen unter den Hammer gebracht hatte, verschrieb sich seine Witwe tapfer ganz der Erziehung ihrer Söhne und alles, was nicht niet- und nagelfest war, verkaufte sie, um die Kosten dafür aufbringen zu können. Lucius, der derzeitige Lord Oughterard und mittlerweile dreißig, war ihr ein und alles. Vor zwei Jahren hatte er, während einer erneuten finanziellen Krise, seinen Posten bei der Armee aufgegeben, um das Gut zu übernehmen.

Der Spitzname Muttonhead haftete ihm seit der Kindheit an, weil er sich auf langsame, bedächtige Weise durchs Leben bewegte. Wenn er die Pfeife aus dem Mund nahm und zu sprechen anfing, geschah das in kurzen Sätzen, die von geradezu sensationeller Wirkung waren. Sein Wort war unumstößliches Gesetz. Tertius und Rory blickten – wenn sie auch nicht darauf verzichten konnten, ihn zu necken – mit Ehrfurcht zu ihm auf. Wie seine Mutter sagte, war Muttonhead so lauter wie Stahl und so durch und durch unverdorben wie eine gesunde Walnuß. Alle in der Gegend blickten zu ihm auf – im wörtlichen Sinne, da er über einsneunzig groß war. Er sah, auf seine kantige Weise, sehr gut aus: mit dunklen Augen unter schweren Lidern und braunem Haar, so dicht wie Stechginster. Sein Gesicht war noch sonnengebräunt aus der Zeit, als er zwei Jahre mit seinem Regiment in Indien gewesen war.

Sein vier Jahre jüngerer Bruder hätte gar nicht gegensätzlicher sein können. Lady Oughterard hatte ihn nie verstanden und fragte sich oft, ob sie irgend etwas versäumt hatte. Als Kleinkind war Fingal kränklich und überängstlich gewesen, später quengelig und ein Einzelgänger, ständig mit einem Buch vor der Nase. Er hatte es mit Hilfe eines Stipendiums geschafft, nach Cambridge zu kommen, und lebte nun als Rechtsanwalt in London. Lady Oughterard vermutete, daß er anständig verdiente – wie sonst hätte er sich silberne Zigarettenetuis oder seine ausgeklügelten ›ländlichen‹ Aufzüge leisten können, die direkt aus der Operette entsprungen zu sein schienen? Sie hatte so eine Ahnung, daß er irgend etwas vor ihr verbarg. Muttonhead schien mehr zu wissen, doch jedesmal wenn sie fragte: »Lucius, meinst du, daß da etwas nicht stimmt?« nahm er bloß kurz die Pfeife aus dem Mund und grunzte: »Laß ihn in Frieden. Dem fehlt schon nichts.«

Fingal war die Eleganz in Person; er war gertenschlank, hatte lange gepflegte Finger und schmale Glieder, die ihn immer graziös wirken ließen. Sein scharfgeschnittenes weißes Gesicht war fein gemeißelt, und er hatte schöne haselnußbraune Augen mit dichten Wimpern. Nur sein Mund, schmallippig und verdrießlich, beeinträchtigte den Eindruck ansehnlicher Eleganz. Vulgarität brachte ihn auf, und während seines kurzen Aufenthalts auf Castle Carey hatte er sich über Tertius' Gekasper geärgert.

Beim bloßen Gedanken an Tertius krampfte sich Lady Oughterards Herz vor Liebe zusammen. Er war der Liebling seiner Mutter und, in letzter Zeit, ihr Sorgenkind. Ihr unwiderstehlich reizender Junge war zu einem unwiderstehlich reizenden, verzogenen, müßiggängerischen jungen Mann herangewachsen. Wenn es je eine menschliche Lilie auf dem Felde gegeben hatte, dann war das The Honourable Tertius Carey. Ganz gewiß ackerte und spann er nicht, doch Salomo in all seiner Pracht konnte es mit ihm an Schönheit nicht aufnehmen. Er war der bestaussehende Carey seit zehn Generationen. Keiner der in

Öl gemalten Vorfahren, deren Porträts an den Wänden des Salons hingen, konnte mit seinen Augen mithalten, die so blau waren wie Vergißmeinnicht, seinen schimmernden schwarzen Locken oder seinem frischen engelhaften Gesicht.

Doch wozu war sein Aussehen gut, außer dazu, ihm Schwierigkeiten mit den Mädchen der Gegend einzutragen? Lady Oughterard wartete immer noch darauf, daß er sich für irgendeinen handfesten Beruf entschiede. Muttonhead behauptete, auf dem Gut sei er noch unnützer als unnütz, weil er seine ganze Zeit mit Zeichnen verbrachte oder schlafend im Schatten einer Hecke lag. Seine Mutter argwöhnte, auch wenn sie das niemals so ausgedrückt hätte, daß er sich hauptsächlich fürs Herumhuren interessierte. Was sollte bloß aus ihm werden? Wann immer Lady Oughterard sich überhaupt sorgenvolle Gedanken gestattete, galten sie Tertius.

Muttonhead und Fingal waren beide nach Uppingham geschickt worden, doch als Tertius dann alt genug war, reichte das Geld nicht mehr für ein englisches Internat. Er hatte seine Schulbildung bei Mr. Phillips im Pfarrhaus erhalten. Es war ebenfalls keine schlechte, aber doch eine etwas altmodische Schulbildung gewesen. Es ließ sich nicht leugnen, daß Tertius, verglichen mit seinen Brüdern, der weltmännische Schliff fehlte. Er hatte kaum je einen Fuß aus Connemara herausgesetzt. Wie Muttonhead es ausdrückte – er war ›wieder zum Eingeborenen geworden‹. Als Lady Oughterard in ihrer Mädchenzeit den ganzen Winter über am Hof des Vizekönigs in Dublin Walzer getanzt hatte, wäre es ihr nie in den Sinn gekommen, daß sie einen Sohn in die Welt setzen würde, der den starken Akzent der Gegend sprechen und sich mit den Dorfbewohnern auf gälisch unterhalten würde.

Die Zeiten änderten sich jedoch, wie Muttonhead ebenfalls sagte. Im letzten Januar hatten sie auf dem Carey Hill Teerfässer angezündet, um die dritte Lesung des Home Rule Bill zu feiern. Schwer zu sagen, was aus dem alten protestantischen Landadel werden würde, wenn Irland endlich ein gewisses Maß an Unabhängigkeit erhielte. Die anglo-irischen Güter und Vermögen waren weniger und weniger geworden, und es gab kaum eine Familie in der Grafschaft, die den Gürtel nicht enger schnallen mußte. Wir werden von unserem Land vertrieben, dachte Lady

Oughterard traurig, bis wir nur noch diese lachhaft prächtigen Häuser übrig haben, in denen zu leben wir uns ebensowenig leisten können, wie sie zu verlassen, und unsere lachhaften gesellschaftlichen Stellungen.

Fingal und Rory taten ganz recht daran, anderswo nach einer Zukunft Ausschau zu halten.

In der stillen Stunde vor dem Abendessen, während der Himmel sich rasch entfärbte und die Schatten sich vertieften, zog sich Muttonhead in die Waffenkammer zurück. Diese steingeflieste unbequeme Zelle am Ende des Küchenflurs war sein privates Reich. Die meisten seiner freien Augenblicke verbrachte er hier, zwischen Fischreusen, Angelruten, Gewehren und Patronenschachteln. Die Regalbretter waren angefüllt mit stockfleckigen Aktenordnern und Jagdverzeichnissen aus der Zeit vor fünfzig Jahren. Unter dem vergitterten Fenster befand sich ein ramponierter Schreibtisch mit Rollkonsole, auf dem sich die Pfeifenständer, die unbezahlten Rechnungen und die Marmeladengläser mit lebenden Ködern drängten.

An diesem Abend war der übliche Schimmelgeruch von Teerseifenduft überlagert. Muttonhead saß in einer Zinkbadewanne, rauchte seine Pfeife und las im Feuerschein den *Cork Examiner*. Er blickte nicht auf, als Tertius, ohne anzuklopfen, hereingepoltert kam.

»Muttonhead, tust du mir einen Gefallen?«

»Wieviel?«

»Genug, daß ich bis London komme.«

Tertius hockte sich auf die Schreibtischkante, während sich die Räder in Muttonheads Kopf in Bewegung setzten. Die Pfeife wurde mehrmals aus dem Mund genommen, ehe er sagte: »Du wirst sie niemals kriegen. Zwecklos, ihr hinterherzujagen.«

»Dann spuckst du also nichts aus?«

»Das habe ich nicht gesagt. Was willst du denn dort machen?«

»Das einzige, was ich kann. Ich will Maler werden.«

Muttonhead grunzte angewidert. »Wahrscheinlich besser als nichts. Ist nur gut, wenn du von hier wegkommst. Hier bist du keinen Pfifferling wert.«

Nach dieser langen Rede hüllte er sich samt seiner Pfeife erneut in nachdenkliches Schweigen. Tertius zündete sich eine Zigarette an. Die Antwort seines Bruders kränkte ihn nicht im mindesten. In den Tiefen von Muttonheads dunklen Augen konnte er einen amüsierten Schimmer sehen, den diejenigen, die ihn gut kannten, als Zeichen der Zuneigung zu deuten wußten. Das Schweigen wurde nur ab und zu vom Prasseln des Feuers unterbrochen.

Tertius dachte, wie riesenhaft sein Bruder ohne Kleidung doch aussah. Seine muskulösen behaarten Beine hingen über den Wannenrand hinaus, und das Wasser ging ihm kaum bis an den Nabel. Sein langer Penis in der dichten schwarzen Hecke des Schamhaars schwang sacht mit der Bewegung des Wassers hin und her, die sein atmender Brustkorb verursachte.

»Mutter wird ein Problem sein«, bemerkte er schließlich. »Sie wird dich gar nicht gern verlieren.«

»Du kannst sie doch beruhigen, Mutt. Sie hat ja selbst gemeint, es sei an der Zeit, daß ich eine ernsthafte Beschäftigung finde.«

»Sie ist eine Frau. Da darfst du keine Logik erwarten. Trotzdem, sie wird schon damit fertig werden.« Erneutes Schweigen. »Ist Rory der einzige Grund?«

»Ja, natürlich. Sie liegt mir ständig damit in den Ohren, daß ich meine Malerei ernstnehmen soll.«

»Du warst gerade mit einer im Bett«, sagte Muttonhead. »Das rieche ich bis hierher.«

»Wer, ich?« Tertius setzte eine gekränkte Miene auf.

»Du hast doch wohl nicht irgendeine geschwängert?«

»Aber i wo.«

»Freut mich zu hören.« Muttonhead erwähnte die sexuellen Abenteuer seines Bruders nur selten. Tertius hätte furchtbar gern gewußt, wie sein Bruder selbst zu seiner Befriedigung kam. Ohne kommt er bestimmt nicht aus, dachte er; nicht so ein Mann wie er, mit einem solchen Kaliber von Schwanz. Doch wo und mit wem? Auf dem Lande, wo die Klatschsucht bis in den allerletzten Winkel drang, hatte Muttonhead anscheinend das Unmögliche erreicht – vollkommene Diskretion.

»Also, wie steht es?« fragte Tertius. »Kriege ich das Geld für die Überfahrt?«

»Kommt drauf an, wann du aufbrechen willst. So etwa eine Woche werde ich noch ein bißchen klamm sein.«

»In Ordnung. Sag es noch niemandem. Behalt es für dich.«

»Ganz wie du willst. Wie wirst du dich denn über Wasser halten?«

»Du kennst mich doch. Ich komme immer zurecht.«

»Stimmt.« Muttonhead hob seine Pfeife und senkte sie wieder. »Erwarte nicht, daß Fingal sich um dich kümmert.«

»Wieso denn nicht?« Tertius war verblüfft. Wozu waren Brüder gut, wenn man sie nicht anzapfen konnte?

»Weil ... allein schon, weil er sich das nicht leisten kann. So, und jetzt geh und zieh dich zum Essen um. Mutter will es ein bißchen festlich haben. Rorys letzter Abend und so weiter.«

»In Ordnung. Wo ist denn Rory?«

»Oben«, sagte Muttonhead. Er runzelte plötzlich die Brauen. »Sie war vorhin in einer fürchterlichen Laune. Doch wohl nicht deinetwegen?«

»Nein, Mutt. Ich schwör's dir.«

»Jetzt hör mal zu ...« Langsam und vorsichtig stand Muttonhead aus dem Bad auf und ließ das Wasser von seinem Körper laufen. Es war ein beeindruckender Anblick. »Gib mir mal das Badetuch da. Danke. Also, hör zu. Wenn mir je zu Ohren kommt, daß du Rory belästigst, dann kriegst du von mir eine Tracht Prügel, die sich gewaschen hat. Ich breche dir sämtliche Knochen. Ist das klar?«

»Ja.«

»Na gut. Dann troll dich jetzt.«

Tertius flitzte nach oben, um sich den schäbigen suppenflekkigen Abendanzug anzuziehen, den er von seinem Vater geerbt hatte. Er war spät dran. Während er den Hals in den ungewohnten steifen Kragen zwängte, hörte er Kutschenräder auf dem von Unkraut durchwachsenen Kies der Auffahrt knirschen, und gleich darauf trompetete die laute Stimme seiner Mutter zur Begrüßung die Treppe hinunter.

Lady Oughterard hatte sehr gern Gäste, wenn auch die großen Tage ihrer Gastfreundschaft vorüber waren. Zur Feier von Fingals Besuch und Rorys letztem Abend zu Hause hatte sie ihre drei nächstwohnenden Nachbarn eingeladen: Justus Carlington, Reverend Phillips und die alte Emma Billinghurst. Miss Billinghurst war eine unleidliche alte Jungfer, die ein wenig exzentrisch war – sie schlief bei jedem Wetter in einem Zelt im Garten, und morgens sah man sie in einem Badeanzug aus Flanell Kniebeugen machen. Als Rory und Tertius noch Kinder waren, hatten sie sie als ihre Erzfeindin betrachtet, und noch jetzt stöhnte Tertius bei der Vorstellung, einen ganzen Abend lang höflich zu ihr sein zu müssen.

Das Abendessen würde in jedem Fall unerträglich sein, solange er seinen Frieden mit Rory nicht gemacht hatte. Sie sollte zwar von seinem Plan, ihr nach London zu folgen, nichts wissen, doch es war wichtig, daß er sie vorher besänftigte, damit sie sich dann auch freute, ihn wiederzusehen. Während er sich auf eine herzergreifende Entschuldigung vorbereitete, ging er den langen Flur zu ihrem Schlafzimmer hinunter.

Die Tür stand offen, und das Grammophon plärrte die Ouvertüre zu ›Mignon‹. Er konnte Rory lachen hören, als Fingal mit hoher Stimme rief: »Das Gold, Kindchen, das Gold ... es paßt einfach himmlisch zu deinem Haar.«

Die schäbigen Samtvorhänge waren bereits zugezogen. Dutzende von Kerzen flackerten auf dem Kaminsims und dem Toilettentisch. Am Boden lag ein geöffneter Schrankkoffer, aus dem ein Gewirr altmodischer Kleider herausquoll, Relikte einer längst verblichenen Lady Oughterard. Fingal hakte Rory gerade das Kleid aus dunkelgelber Seide zu. Es war altersteif. Es stammte aus den dreißiger Jahren des letzten Jahrhunderts. Die schmale Taille, die weiten Ärmel und die wallenden Röcke milderten Rorys eckige Figur und ließen sie in ihrer Magerkeit überraschend anmutig wirken. Ihre Schultern erhoben sich schwanenweiß über dem runden Halsausschnitt, und ihr kurzgeschnittenes Haar wirkte fast weinrot, wie es gegen den üppigen Stoff abstach.

Tertius stand in der Tür und starrte Rory an. Er war krank vor Liebe und betete nur, daß er keine Erektion bekäme. Das Kleid schien Rorys Flucht in das Erwachsenenleben zu symbolisieren. Es entfernte sie weiter von ihm als die Irische See. Er war so geblendet, daß er eine Weile brauchte, bis er bemerkte, daß Fingal ebenfalls ein Kleid trug. Es war blau, hatte eine eingefallene Turnüre und eine Schleppe. Am Rücken stand es offen, und Fingals Smokinghemd und seine weißen Hosenträger sahen daraus hervor. Auf dem Schreibtisch stand eine Flasche Gin, und Rory hielt ein Glas in der Hand. Beide lachten.

»Nun sieh dir an, was er aus mir gemacht hat!« rief Rory, als sie Tertius erblickte. »Ich kann doch unmöglich so gehen!«

»Sag du's ihr, Tershie«, drängte Fingal. »Sieht sie nicht himmlisch aus?« Sie tanzten im Walzertakt durchs Zimmer, traten einander auf den Rocksaum und brachen kichernd auf dem Bett zusammen.

»Gin, wie?« Tertius trat ins Zimmer und nahm einen kräftigen Schluck aus der Flasche. »Hast du den die ganze Zeit gehabt, ohne uns was davon zu sagen? Jesus, was für ein gemeiner kleiner Knicker du bist.«

»Goldjunge«, kreischte Fingal, »wer ist denn ›Jaysus‹? Wirklich, ihr beiden … ich hab' schon irische Matrosen kennengelernt, die besser Englisch sprachen als ihr. Oh, wie ich den Augenblick herbeisehne, da die Zivilisation mich wiederhat!«

Tertius und Rory schnitten ihr ›Fingal-Gesicht‹; sie zeigten einander eine gräßliche Grimasse – das Kinn zurückgeschoben und die Unterlippe unter die Schneidezähne herabgezogen und fingen so haltlos zu lachen an, daß Fingal schließlich mit einstimmte.

»Feinde«, sagte er freundlich, »gebt mir die Flasche. Ich brauche Nährstoffe für den schrecklichen Abend, der mir bevorsteht.« Er nahm noch einen kräftigen Schluck Gin. »Stunden um Stunden Politik und rustikales Getratsche. Denkt nur«, er parodierte vor dem Spiegel und erwies sich als sehr geschickt im Umgang mit seiner Schleppe, »wenn ich das heute abend unten beim Essen anhätte, diese alte Lesbierin Emma Billinghurst würde mich wahrscheinlich zum Anbeißen finden.«

»Wir sollten wohl besser nach unten«, sagte Rory und trocknete sich die Augen. »Mal im Ernst, ihr beiden … bin ich nicht die reinste Schießbudenfigur in diesem schimmeligen alten Kleid?«

»Ich bestehe darauf, daß du es anbehältst!« Fingal stieg aus seinem Gewand. »Es steht dir tausendmal besser als der schaudererregende Suffragetten-Sack, den du anhattest, als ich reinkam. Du solltest dem Himmel danken, daß ich mich an Mutters Koffer mit den feinen Kleidern erinnert habe.«

»Behalt es doch an«, bat Tertius. »Du weißt ja gar nicht, wie schön du darin aussiehst.«

Fingal nahm sein Jackett vom Bettpfosten und rückte die Schleife seiner schwarzseidenen Halsbinde zurecht. »Sie ist zwar schön, doch dir kommt es nicht zu, das zu sagen, du schlimmer Junge. Aurora hat mir erzählt, wie zügellos du dich heute vormittag aufgeführt hast. Sie hat mich, als jemanden, der sich in Herzensangelegenheiten auskennt, um Rat gebeten, und ich war einfach entsetzt!«

»Lügner!« rief Rory. »Du hast gesagt, nur Ladenmädchen machten heutzutage noch so ein Theater um ihre Reinheit!«

»Nun, das mag zwar sein, aber du mußt ihm ja nicht zeigen, daß du ihm so ohne weiteres verzeihst.«

Rory fing endlich Tertius' hungrigen Blick auf. »Ich verzeihe ihm immer. Du wirst ihn doch nicht bei Muttonhead verpetzen, wie?«

»Barmherzigkeit mildert mein Gerechtigkeitsempfinden«, erklärte Fingal. »Nicht mal eine Herde Wildpferde könnte es aus mir herausholen ... auch nicht wenn sie vor mir auf den Knien lägen und herrlich lange Wimpern hätten.«

Tertius küßte Rory die Hand. »Es tut mir aufrichtig leid. Ich werde mir nie wieder irgendwelche Freiheiten herausnehmen ...«

Die anderen beiden brachen daraufhin in ein solches Gejohle aus, daß er beschloß, den Rest seiner Entschuldigung für sich zu behalten.

»Jetzt muß ich aber wirklich dies alberne Kleid ausziehen«, sagte Rory.

»Nein, wirst du nicht! Halt sie fest, Tershie.«

Fingal und Tertius ergriffen jeder einen ihrer Arme und schleppten Rory die Treppe hinunter. So platzten sie in den Salon, mit triumphglänzenden Augen.

Reverend Phillips, der weißhaarige rotgesichtige protestantische Geistliche, hatte sich am Kamin gerade über irgendein Thema verbreitet. Er verstummte und starrte seiner ehemaligen Schülerin entgegen.

»Aurora, mein Kind ... nun, das nenne ich eine Verwandlung. Ist der Schmetterling also doch geschlüpft. Mein Gott, wie rasch diese Kinder erwachsen werden.«

»Schatz, wie hübsch du aussiehst!« sagte Lady Oughterard und wandte sich Justus Carlington zu, der mit hochgezogenen Schultern am Fenster saß wie eine bebrillte Gottesanbeterin. »Ist sie nicht das Ebenbild der armen Charlotte?«

»Ja, es besteht eine gewisse Ähnlichkeit«, räumte Justus ein und beäugte seine Tochter neugierig. »Aber bekommst du denn keine kalten Schultern?«

»Papa, jetzt sei aber kein Pedant!« Rory spürte, wie ihre Wangen sich röteten. Sie hatte das Seidenkleid zum Scherz angezogen, doch aus den Mienen um sie herum sprach ein ungewohnter Respekt. Es war schmeichelhaft und ein wenig peinlich.

Muttonhead musterte sie von Kopf bis Fuß mit einem so tiefernsten Schweigen, daß sie schon befürchtete, seine Mißbilligung erregt zu haben. Schließlich pfiff er und verkündete: »Bei deinem Anblick verschlägt es einem glatt die Sprache!«

Verlegen brachte Rory die Begrüßung der Gäste hinter sich, indem sie Mr. Phillips und Miss Billinghurst die Hand reichte und ihrem Vater pflichtschuldig einen flüchtigen Kuß auf die hagere Wange drückte.

Mr. Phillips wandte sich wieder Muttonhead zu, um mit seinen Ausführungen fortzufahren. »Mißstimmung ist das, was wir um jeden Preis vermeiden müssen, Oughterard. Doyle hat großen Einfluß auf diese Leute. Er stachelt sie unablässig von der Kanzel herab an ...«

»Und wiegelt sie öffentlich zur Widersetzlichkeit auf«, unterbrach ihn Miss Billinghurst mit ihrer Grabesstimme. Da sie gefürchtet und nicht gemocht wurde, bekam sie stets von allem das Beste und saß nun am bequemen Ende des alten Hepplewhite-Sofas. Sie trug ein formloses Kleid aus braunem Rippensamt, an das sie an seltsame Stellen Broschen gesteckt hatte – »wie die Schrumpfköpfe ihrer Feinde«, flüsterte Rory Tertius zu –, und bei jeder Bewegung verbreitete sie den Geruch von Mottenkugeln.

»Das Home Rule wird das dünne Ende der Wurst sein«, sagte

Mr. Phillips kopfschüttelnd. »Wenn Männer wie Doyle sich durchsetzen können, wird in Irland kein einziger Protestant übrigbleiben.«

»Unsinn«, sagte Justus scharf. »Der irische Bauer hat doch keine Ahnung von Religion oder Politik. Das einzige, woran diesen Menschen liegt, ist der Boden. Man muß ihre historische Beziehung zur Scholle begreifen. Doyle kann sich den Mund fusselig reden ... alles Abstrakte übersteigt einfach ihr Fassungsvermögen.«

»Die würden ihre Mutter umbringen für einen halben Morgen Land«, stimmte Miss Billinghurst zu. »Ich brauche kein neues Home Rule Bill, um zu wissen, daß ich mit dem geladenen Gewehr neben dem Bett schlafen muß. Ich habe die Land Wars noch nicht vergessen.«

»Herrgott, ja«, sagte Lady Oughterard, »was waren das für gräßliche Zeiten. Die Pachten waren im Keller, und wenn man jemanden hinaussetzte, kriegte man keinen neuen Pächter an dessen Stelle, weil die alle Angst vor den Männern in den Hügeln hatten. Denken wir nur an das, was unserem Paddy Finnegan passiert ist ... er ist in ein leerstehendes Cottage gezogen, und die Land Leaguer sind nachts mit rußgeschwärzten Gesichtern gekommen und haben ihm ein Ohrläppchen abgeschnitten. Schrecklich.«

»Einfach kriminell«, pflichtete Miss Billinghurst bei. »Banditentum bei hellichtem Tage, und die Regierung war erpreßt mitzumachen. Phillips hat ganz recht ... das Home Rule ist doch der reine Betrug.«

»Und wer wird betrogen?« fragte Rory. »Wir Iren. Warum sollen wir damit einverstanden sein, von einem anderen Land regiert zu werden?«

Mr. Phillips war schockiert. »Das ist doch kein anderes Land. Es ist England. Du scheinst nicht bedacht zu haben, mein Kind, was wir verlieren werden, wenn Irland in die Hände der Katholiken fällt. Ich weiß auch nicht, was Doyle sich vorstellt, was aus seiner kleinen schwarzen Rose werden soll, ohne eine Schicht gebildeter Protestanten.«

»Also, wenn wir je etwas zu verlieren hatten, dann haben wir es doch schon verloren«, sagte Rory mit der Schonungslosigkeit der Jugend, und ihr Blick fing den heruntergekommenen Glanz des Salons ein. »Die Engländer halten uns nicht für Engländer, und die Iren halten uns nicht für Iren, also ist die Reihe an uns zu entscheiden, wohin wir gehören wollen. Wenn wir einander immer nur erzählen, wie zivilisiert wir sind, während wir keinen roten Heller haben und uns die Häuser über den Köpfen einfallen, dann sind wir doch nichts als Witzfiguren.«

Alle beobachteten Muttonhead. Der Landadel der Gegend versuchte ständig, ihm seine politischen Ansichten abzuringen, doch es war schwer zu sagen, wo seine Sympathien lagen. Er stand da, massiv und undurchschaubar, von den rauchgeschwärzten Porträts seiner Vorfahren umgeben. Sein eigenes, das von Tertius stammte, blickte zwischen den beiden französischen Fenstern auf sie hinab. Er sagte lediglich: »Wir müssen uns anpassen oder sterben.« Er vergaß, daß er im Abendanzug war, und stampfte auf eins der Scheite auf dem Kaminrost, daß die Funken stoben.

»Dann sterbe ich lieber«, sagte Miss Billinghurst grimmig. »Wenn die Regierung uns nicht schützt, müssen wir uns selbst schützen.«

»Wovor denn bloß?« Rory ließ sich nicht beirren. »Es gibt heute doch gar keine Ribbon Society oder Land Leaguer oder Partisanen mehr. Um so schlimmer.«

Lady Oughterard lachte. »Sie ist die geborene Fenierin.«

»Aber eine sehr hübsche«, sagte Mr. Phillips galant. »Ehe Sie sich versehen, wird sie mit einem englischen Großkopf am Bändel nach Hause zurückkehren. Daß du ja keinem von diesen Wichtigtuern das Jawort gibst, ohne uns vorher um Erlaubnis gefragt zu haben!«

»Nun fangen Sie auch noch an«, seufzte Rory. »Ich kann keinen weiteren Ratschlag mehr verkraften. Papa hat mir schon die ganze Zeit in den Ohren gelegen, obwohl er seit Urzeiten nicht mehr in London gewesen ist. Und Muttonhead ist geradezu redselig geworden. Er hat mir gestern abend einen Vortrag gehalten ... das erstemal, daß ich ihn lange genug den Mund aufmachen sah, um eine Fliege reinzulassen.« Sie genoß das hochmütige Geraschel ihrer langen Röcke, als sie die Hand nach der Whiskykaraffe ausstreckte.

»Davon laß mal die Finger, Miss«, sagte Muttonhead und zündete seine Pfeife wieder an.

»Sei kein Spielverderber ... an meinem letzten Tag!«

»Sherry.«

»Ehrlich, du bist dermaßen altmodisch.« Doch sie gehorchte und goß sich ein Gläschen von dem blassen Sherry ein.

»Muttonhead mag zwar eine Art Dinosaurier sein«, meinte Fingal, »doch ich finde, diese vorsintflutlichen Einstellungen stehen ihm recht gut zu Gesicht. Jede Familie sollte einen haben, der die Knute schwingt.«

»Dann wirst du also bei deiner Tante wohnen?« fragte Mr. Phillips.

»Charlottes Schwester«, erklärte Justus. »Sie ist einmalig. Sie hat damals nach der leidigen Geschichte mit dem Internat zwar behauptet, mit Aurora habe sie nichts mehr im Sinn, doch am Ende siegt immer noch ihr Pflichtgefühl. Sie meint es gut.«

»Da siehst du's mal, Muttonhead«, rief Rory. »Ich habe dir doch erzählt, daß Tante Hilda gräßlich war. Was nutzt das schon, wenn sie einem auf den Grabstein schreiben: ›Sie meinte es gut‹.«

Muttonhead stieß ein kurzes schnaubendes Gelächter aus. »Hoffentlich zieht sie dir eins mit dem Pantoffel über, wenn du unverschämt wirst. Verdient hättest du's.«

Una kam herein und wischte sich die Hände an der Schürze ab. »Das Essen ist angerichtet, My Lady.« Una war eine resolute irische Schönheit mit einem ausgeprägten Sinn für Auftritte. Mittlerweile über sechzig, war sie immer noch breitschultrig und von blühender Gesichtsfarbe, und ihre schweren schwarzen Ringellocken schimmerten jugendlich. Sie stand seit ihrer Mädchenzeit auf Castle Carey in Dienst und nahm dessen materiellen Niedergang bitter übel. »Kommen Sie schnell nach drüben, ehe die Soße eiskalt wird. Selten genug kann ich mal etwas Anständiges kochen, und dann möchte ich auch, daß es gewürdigt wird.«

Die Stimmung hob sich allgemein, denn Una war eine ausgezeichnete Köchin. Fingal, der in einer Ecke vor sich hin gegähnt hatte, erwiderte: »Daß jetzt nur nicht noch mehr Politik aufgetischt wird. Es muß doch noch andere Gesprächsthemen geben.«

»Daran sieht man nur, wie lange du weg warst«, sagte Tertius.

Justus reichte Lady Oughterard den Arm. »Ich bin sicher, daß du Wunder vollbracht hast, Una. Wenn Mrs. MacNamara die Hühner doch bloß braten könnte wie du, statt sie zu kochen.«

»Ich bemühe mich, das Beste draus zu machen«, sagte Una hochmütig, »seit hier Schmalhans Küchenmeister ist und alle weggehen und die Todesfee die ganze Zeit unter dem Gesims schreit.«

Muttonhead schnaubte verächtlich.

»Ich weiß, Sie glauben nicht dran, Mr. Muttonhead, und Sie sind sehr undankbar, während sie Sie liebt bis ins letzte Haar. In der Nacht, als Ihr Vater starb, hat sie so geheult, daß man es bis in die Küche hören konnte.«

»Und hast du sie heute abend wieder gehört?« Lady Oughterard führte seit Jahren einen zähen Kampf gegen den Aberglauben der Gegend, doch das heimliche Interesse an der Todesfee von Carey hatte sie nicht zu bezwingen vermocht. Una zufolge suchte dieses geisterhafte Geschöpf die Familie ausschließlich zu dem Zweck heim, deren Mißgeschicke zu beweinen.

»Manche würden sagen, es war der Wind. Ich sage, es war die Todesfee.«

»Ich wünschte bei Gott, wir könnten sie verkaufen«, sagte Muttonhead. »Wenn sie das Dach ausbessern könnte, statt darunter zu hausen, wäre sie wenigstens irgend etwas wert.«

»Mögen Sie diese Worte nicht zu bereuen haben, solange Sie leben«, fauchte Una ihn an, während alles in Gelächter ausbrach.

Sie begaben sich ins angrenzende Eßzimmer. Una hatte getan, was sie konnte, um den Tisch anständig zu decken, indem sie Leuchter auf die geflickten Stellen des alten Damasttischtuchs gestellt hatte. Das Kerzenlicht ließ die Gesichter zwar weicher werden, die ausgeblichenen Säume ihrer Kleidung traten jedoch grausam hervor. In seinem strahlend weißen Hemd mit den goldenen Manschettenknöpfen schien Fingal einer anderen Welt zu entstammen. Sein sorgfältig pomadisiertes Haar wirkte neben den struppigen Lockenköpfen seiner Brüder glatt wie Kunstleder.

Was die Politik betraf, so war er vom Schicksal dazu verurteilt, sich falsche Hoffnungen zu machen, denn sie fingen sofort wieder damit an, sobald Una die Suppenteller abgeräumt und das Gemüse herumgereicht hatte.

»Sie sind hier ja kaum geschützt«, verkündete Miss Billinghurst. »Durch diese Fenster kann doch jeder herein.«

Rory, Fingal und Tertius, die nach dem zuvor genossenen Gin bereits bester Stimmung waren, wagten einander nicht ins Gesicht zu sehen. Miss Billinghurst löste unweigerlich eine kaum zu bezwingende Lachlust in ihnen aus.

»Wer sollte daran schon Interesse haben?« meinte Lady Oughterard. »Es weiß doch sowieso jeder, daß die Haustür ständig unverschlossen ist.«

»Wenn es zum Kampf kommt«, erklärte Miss Billinghurst der Tischgesellschaft, »bin ich jedenfalls gerüstet. Selbst für den Ringkampf, wenn es sein muß.«

Das war dann doch zuviel. Mühsam unterdrücktes Kichern war zu hören, das durch einen gestrengen Blick Muttonheads gerade noch aufgefangen wurde.

»Pistolen«, sagte Miss Billinghurst, während sie ihre Gabel mit Huhn belud, »das ist es, was Sie brauchen. Nehmen Sie die alten Steinschloßgewehre da von der Wand.«

»Soweit wird es niemals kommen«, sagte Justus. »Dem hat das neue Gesetz einen Riegel vorgeschoben. Wir werden kein zweites 67 erleben.«

»Die Protestanten in Ulster bewaffnen sich bereits«, bellte Miss Billinghurst. »Die Frage ist nur, wann Sie sich ihnen anschließen werden, Oughterard? Die Ulster Volunteers brauchen Männer wie Sie mit Erfahrung im Umgang mit Waffen.«

Rory konnte das nicht hinnehmen. »Mutt hat keine Lust, seine Zeit damit zu vergeuden, irgendwelche alten Knaben mit aufgerollten Regenschirmen in Ulster zu drillen! Das sind doch nur Bankangestellte, die Soldat spielen.«

Der Mottenkugelgeruch, der Miss Billinghurst umgab, wurde intensiver. »Eines Tages, Aurora, wirst du dieselben Bankangestellten dafür segnen, daß sie dein Land verteidigt haben.«

»Lassen sie denn auch Damen zum Dienst zu?« fragte Tertius scheinheilig.

»Bild dir bloß nicht ein, daß ich mich ihnen nicht anschließen würde, wenn ich könnte, junger Mann! Ich würde die Union bis zum letzten Blutstropfen verteidigen! Glücklicherweise brauchen sie mich nicht. Anders als dein Bruder wollen sich nämlich viele Offiziere in den Dienst der Sache stellen. Und dann sollen sie mal versuchen, das Gesetz durchzubringen. Welcher britische Offizier würde sich wohl bereit finden, auf seine eigenen Kameraden zu schießen?«

Muttonhead runzelte die Brauen. »Ich bin kein britischer Offizier mehr, ich bin ein Landwirt in Galway. Sonst nichts.«

»Sonst nichts? Dann würden Sie andere Männer für sich kämpfen lassen? ... Oh ...«

Es folgte ein lautes Krachen. Miss Billinghurst kreischte auf und stürzte mit den Bruchstücken ihres Stuhls zu Boden, wobei sie freigiebig ihre Flanellpumphosen vorführte.

»Der schlechte Stuhl!« rief Lady Oughterard besorgt. »Ich wußte ja, daß einer von ihnen lädiert war, und habe nur gebetet, daß es meiner wäre! Ach, Emma, Emma!«

Während Muttonhead und Mr. Phillips aufsprangen, um Miss Billinghurst auf die Füße zu helfen, tauchte sie nach einem zerbrochenen Stuhlbein, das von Holzwurmlöchern übersät war wie von winzigen Einschüssen. »Die Stühle meiner Mutter mit der geschwungenen Rückenlehne ... ach, wie schade! Emma, haben Sie sich verletzt?«

»Ihr drei!« Muttonheads Stimme übertönte drohend das kreischende Gelächter. Rory, Tertius und Fingal waren völlig hysterisch und hielten sich mit hochroten Gesichtern hilflos keuchend die Bäuche. »Raus!«

»Ihr kleinen Ungeheuer!« Lady Oughterard schwenkte mahnend das Stuhlbein. »Wie könnt ihr nur so gefühllos und unhöflich sein!«

Miss Billinghurst bekam rote Flecken vor Zorn. »Grace Carey, Sie haben die vulgärsten, unmanierlichsten Kinder in der ganzen Grafschaft ... jeder weiß das, nur Sie nicht. Carlington wird den Tag noch verwünschen, an dem er seine Tochter Ihrer Obhut überlassen hat. Auf mein Mitgefühl dürfen Sie nicht rechnen, wenn sie Sie an den Rand des Grabes gebracht haben. Ich fahre sofort nach Hause.«

»Ich begleite Sie hinaus.« Muttonhead bot ihr den Arm und versetzte Tertius im Vorbeigehen einen Schlag mit der Serviette.

»Sparen Sie sich die Mühe, Lord Oughterard. Ich glaubte, einen Offizier und Gentleman zum Nachbarn zu haben und keinen Galwayer Landwirt, der zu selbstsüchtig ist, um die Fahne seine Landes zu verteidigen!«

Und sie fegte hinaus wie die böse Fee beim Tauffest. Muttonhead, der sehr finster aussah, folgte ihr, um sich der unerfreulichen Aufgabe zu unterziehen, ihr, wie es die Höflichkeit gebot, in ihren zweirädrigen Wagen zu helfen.

»Herrje!« sagte Fingal, der immer noch nervös vor sich hin kicherte. »Jetzt können wir was erleben!«

»Und recht geschieht es euch.« Lady Oughterard war beunruhigt. »Lucius hat völlig recht, wenn er böse auf euch ist.«

Rory war nicht gewillt, sich durch die Aussicht auf einen von Muttonheads ebenso seltenen wie schrecklichen Zornesausbrüchen einschüchtern zu lassen. »Hör gar nicht auf sie, Mutter. Wir gereichen dir vielleicht nicht gerade zur Ehre, doch das ist nicht deine Schuld. Und mit Papa hat sie sich bloß anlegen wollen wegen des Streits, den sie bei Parnells Tod hatten.«

»Elefanten und Billinghurst, wissen Sie«, sagte Justus vage, »sie ist eben nachtragend.«

Sie hörten Muttonhead mit schwerem Schritt zurückkehren. Mr. Phillips und Justus hüstelten und starrten auf ihre Teller.

Er nahm mit finsterer Miene seinen Platz ein. In peinlichem Schweigen begannen sie wieder zu essen.

Dann sagte Rory: »Es wird schon furchtbar dunkel. Ich hoffe nur, daß ihr Klepper Laternen dran hat.«

Alles zuckte zusammen. Muttonhead richtete den Blick sehr langsam auf sie und ließ dazu ein tiefes Grollen hören.

Ihr Blick hielt seinem unerschütterlich stand. »Diese Brisen im Mai können so tückisch sein. Gott sei Dank hat sie ja wenigstens ihre warme Unterwäsche an.«

Muttonhead ließ sein Messer so hart auf den Tisch krachen, daß sämtliche Gläser tanzten. »Schluß jetzt.«

»Ode auf Miss Billinghurst«, kündigte Rory an; sie rollte die Augen und streckte theatralisch die Hand aus:

»Oh, du gute Billinghurst, die du kommst aus dem Westen!
Landauf, landab sind deine Schlüpfer die besten!
So dick, so rauh, so unerschrocken im Krieg!
Kein Ritter wird gegen sie erringen je einen Sieg!«

Für einen Augenblick sah Muttonhead aus, als würde er explodieren, doch dann brach er plötzlich in ein gewaltiges, röhrendes Lachen aus.

Sofort prusteten, als hätte er ein Schleusentor geöffnet, auch alle anderen los – selbst Una, die an der Tür lauschte – und konnten minutenlang nicht mehr aufhören.

Der Rest des Abends verlief ausgelassen. Muttonhead schenkte selbst den Wein ein und genehmigte seiner Mutter und Rory gutmütig mehr, als er ihnen normalerweise zubilligte. Lady Oughterard lachte immer noch über das Gedicht, als die beiden Frauen in den Salon verbannt wurden.

»Du bist ein schlimmes Mädchen. Ich weiß nicht, weshalb wir solche schmutzigen Verse auch noch bejubeln.«

»Früher glaubte ich, ich würde einmal eine große Dichterin«, seufzte Rory und streckte sich auf dem Sofa aus, um ihren schmerzenden Rippen Erholung zu gönnen. »Doch mehr als schmutzige Reime sind es nicht geworden. Ich muß mich wohl damit abfinden, daß meine Knittelverse die Welt nicht in Brand setzen werden. Das ist nun aus meinen jugendlichen Träumen vom literarischen Salon geworden.«

Die Männer überließen die beiden jedoch nicht lange sich selbst. Nur zwanzig Minuten verbrachten Rory und Lady Oughterard damit, so zu tun, als hörten sie das Ächzen der Wasserrohre nicht, während die Männer einer nach dem anderen die Toilette im Erdgeschoß aufsuchten. Dann erschien Muttonhead und trug selbst das schwere Silbertablett mit dem Kaffee herein, um Unas Rücken zu schonen.

Fingal, der glänzend aufgelegt und rosig überhaucht war, holte sein Grammophon herunter und brachte Rory Foxtrott und den Twostep bei. Als ihm die Luft ausging, legte Muttonhead einen Walzer auf, und Rory stand auf seinen Füßen, während er mit ihr durchs Zimmer tanzte, genau wie sie es immer getan hatten, als sie noch klein war.

Tertius beobachtete sie die ganze Zeit still, auf die Sessellehne seiner Mutter gestützt. Rory war sich bewußt, daß sein Blick auf sie geheftet war, und während sie lachte und lärmte, spürte sie doch, wie sie bei der Vorstellung, daß sie ihn am nächsten Morgen verlassen sollte, ein klammes Gefühl beschlich. Wenn er doch bloß begreifen wollte …

Als Justus und Mr. Phillips sich verabschiedeten, nutzte sie die Gelegenheit, zu ihm zu gehen und ihm die Hand auf den Ärmel zu legen.

»Tershie …«

»O Gott, Rory-May, bitte sag es nicht!« Seine warme Hand bedeckte ihre kalte. »Zweimal am Tag ertrage ich es nicht. Dein Anblick tut mir weh. Ich liebe dich so.«

»Und ich liebe dich … das weißt du auch genau. Doch nicht auf die Weise, die du dir wünschst, das ist alles. Ich habe weiß Gott alles probiert.«

»Wirklich?«

»Ja, und es klappt einfach nicht. Da mit dir alles in Ordnung ist, muß es ja wohl an mir liegen.«

»Kannst du es nicht noch ein bißchen weiterversuchen?« Seine Stimme war gefährlich sanft und einschmeichelnd.

»Ich glaube nicht, daß das viel Zweck hat.«

»Ich kann warten. Unterdessen laß es dir gutgehen und denk manchmal an mich.«

Die unschuldig blauen Augen trübten sich kläglich, und die arglosen Mundwinkel hoben sich zu einem herzerweichend melancholischen Lächeln. Boshafterweise regte sich in Rory ein leiser Verdacht. Nein – sie schämte sich sofort dafür. »Aber natürlich, mein Lieber.«

Sie wußte nicht, daß Lady Oughterard die ganze Szene beobachtet hatte.

Als Fingal erschöpft vom Trinken und von so viel Ausgelassenheit zu Bett gegangen war und Tertius sich zum Rauchen zu Muttonhead in seiner Waffenkammer gesellt hatte, sagte sie: »Rory … bin ich dir eine gute Mutter gewesen?«

Die Frage war so seltsam und so unerwartet, daß Rory nicht wußte, was sie antworten sollte. »Ich ... du warst doch immer ... ich meine, ich hatte doch immer nur dich als Mutter.«

»Aber ich war nicht deine richtige Mutter. Als du noch klein warst, schien dir das nichts auszumachen.«

Rory sprach schroff. Wenn es um Gefühle ging, war ihr stets unbehaglich zumute. »Fragst du das jetzt wegen der Bemerkung, die Emma vorhin gemacht hat?«

»Ich habe mir mit dir eine ganz besondere Verantwortung aufgeladen. Ich könnte es mir nie verzeihen, wenn ich bei deiner Erziehung ... irgend etwas falsch gemacht hätte.«

Es war verwirrend, sie so unsicher zu sehen. Rory bemerkte – und es versetzte ihr einen Stich –, wie tief die Falten um ihre Augen waren.

»Papa hätte es keinesfalls besser gekonnt«, sagte sie.

»Und in meiner Vorstellung bist du mein Kind. Das ist nicht recht von mir.«

»Doch! Ich bin es ja auch.«

»Ich habe dir nie erzählt, Schatz ...« Lady Oughterard hatte Mühe, die richtigen Worte zu finden. »Ich habe das den Jungen nie erzählt ... ein paar Monate nachdem du geboren worden warst, verlor ich das Mädchen, mit dem ich schwanger ging. Ach, sie war nur so groß ...« Sie zeichnete einen winzigen Fleck in die Luft. »Doch ich hatte sie mir so sehr gewünscht. Und da warst du, drüben in Marystown. Ich weiß, ich tat so, als wäre es eine noble Geste von mir, dich deinem Vater abzunehmen, doch ich frage mich jetzt manchmal, ob es nicht eigentlich eine Art Diebstahl war.«

»Mich wollte ja sonst niemand«, murmelte Rory bitter.

»Du warst mein Trost und meine Freude, und ich hoffe, du wirst es immer sein. Doch, Rory, mein Liebes, es bleibt eine Tatsache ... und zwar eine wichtige ... daß meine Jungs nicht deine Brüder sind.«

»Für mich sind sie es.«

»Nein.« Lady Oughterard fand ihre Entschiedenheit wieder. »Du mußt aufhören, das zu glauben.«

»Wegen Tertius?« Sie hatten darüber noch niemals ausdrücklich gesprochen. Rory hatte Angst. Der Wind hatte sich gedreht, und sein Hauch war eisig.

»Ja. Er ist wirklich in dich verliebt.«

»Und wenn? Ich habe ihn niemals ermutigt.«

»Ich weiß, ich mache dir auch keinen Vorwurf.« Sie nahm Rorys Hände und schüttelte sie sanft, um ihren Worten Nachdruck zu verleihen. »Aber er ist so halsstarrig, er kann mit seiner Ausdauer Steine erweichen. Und dann hat er diese Art, daß man sich wie ein Ungeheuer vorkommt, wenn man ihm irgend etwas abschlägt. Ich mag ja seine alte Mutter und in ihn vernarrt sein, doch selbst ich kann sehen, daß du dich wegwerfen würdest. Ich darf nicht vergessen, daß er ein erwachsener junger Mann ist und du eine junge Frau, die meiner Obhut anvertraut ist. Auch du darfst das nicht vergessen. Wenn ich dich hier bei ihm behielte, würde ich dir wirklich schaden. Du verstehst doch ... nicht wahr? ..., daß ich dich um deiner selbst willen fortschicke? Es geht ja nicht darum, daß ich dich nicht gern hierbehielte.«

Rory stand auf – die seidenen Falten raschelten – und trat ans Fenster, um zu den Sternen hinauszusehen. Die Nacht war klar und schön. In der dunklen Fensterscheibe erblickte sie eine andere Rory; eine erwachsene Frau stand dort, allein, in einem langen Kleid. Und es war, als wäre der Schatten auf der anderen Seite des Glases ihr eigentliches Ich, das die kindliche Rory im Salon von draußen anstarrte.

Es stimmte. Der Wandel mußte vollzogen, die einstigen Bande als das gesehen werden, was sie waren. Sie wandte Lady Oughterard das Gesicht zu.

»Du hast recht. Du und die Jungs, ihr werdet zwar immer meine Familie bleiben, doch ich kann mir nicht länger etwas vormachen. Wenn ein Meer zwischen uns liegt, kann Tertius mich ja vielleicht sogar vergessen.«

»Aber du ... du wirst doch uns nicht vergessen?«

Rory erkannte, was es die arme Lady Oughterard gekostet hatte, sie in die Freiheit zu entlassen. Sie kniete neben ihr nieder und schlang die Arme um sie.

»So groß kann kein Meer sein, Mutter.«

3

Schottische Grenze

Es war erst drei Uhr, doch Jenny hatte bereits Kopfschmerzen von so viel fruchtloser Anstrengung. Rosalys und Gertrude Kentish hatten nun eine geschlagene Stunde dasselbe französische Verb angestarrt, und jedesmal, wenn sie es konjugieren sollten, wie sie es ihnen gezeigt hatte, glotzten sie wie zwei Fische. Mrs. Kentish war gezwungen gewesen, sie ganz plötzlich wegen einer Masernepidemie aus ihrem Internat zu nehmen. Man hatte Jenny vorübergehend als Erzieherin eingestellt. Gehässig fragte sie sich jetzt, ob sich die beiden nicht ohne alle Anzeichen die Masern zugezogen hatten und an irreparablem Hirnschaden litten. Derart dummen Kindern war sie noch nie begegnet.

»Versuch es noch einmal, Rosalys«, sagte sie freundlich. »Es klappt bestimmt schon ganz gut, wenn du dich bemühst.«

»Ich hasse Französisch«, sagte Rosalys, eine verdrießliche Zehnjährige mit käsigem Gesicht. »Und ich hasse Schottland. Ich will wieder nach London.« Sie schaute anklagend aus dem Schulzimmerfenster. »Immer regnet es hier. Und man kann überhaupt nichts unternehmen.« Die Hügel und Wälder draußen waren weitgehend von einer niedrig hängenden grauen Nieselwolke verdeckt.

Jenny lechzte nach der samtigen Liebkosung der Feuchtigkeit und ein paar tiefen Zügen der erdig duftenden Luft. »Wenn ihr beide, ohne ins Buch zu gucken, *être* aufsagen könnt, machen wir einen Spaziergang.«

Beide Mädchen erhoben weinerliches Protestgeschrei.

»Spazierengehen ist eklig«, sagte Gertrude, eine gräßliche Zwölfjährige. »Da wäre ich lieber in der Schule geblieben und hätte die Masern bekommen.«

»Warum können wir denn bloß nicht Ferien machen«, murmelte Rosalys rebellisch. »Das ist richtig gemein, daß wir den ganzen Tag arbeiten sollen.«

»Gerade eben habt ihr euch doch noch darüber beklagt, daß

man hier überhaupt nichts unternehmen kann«, begann Jenny. Doch dann schloß sie seufzend die französische Grammatik. »Hat eure Mutter denn noch nichts von der Abreise gesagt? Ich dachte, sie hätte das Haus nur für einen Monat gemietet.« So dringend sie das Geld brauchte, sie zählte die Tage, bis sie wieder nach Edinburgh zurückkehren konnte.

»Sie rührt sich von hier nicht weg, weil sie denkt, daß Mr. MacNeil Isola einen Heiratsantrag macht«, sagte Gertrude und ahmte unbewußt die hektische, aufgeblasene Art ihrer Mutter nach. »Wenn er sich doch bloß ein bißchen beeilen würde.«

»Der ist ganz schön verknallt in sie«, schwatzte Rosalys drauflos. »Schon ewig macht er ihr schöne Augen.«

Jenny gab sich einen Ruck und bemühte sich, ihre Kopfschmerzen zu überwinden. Das Dasein als Erzieherin war zwar hassenswert, Gertrude und Rosalys waren dank einer Mischung aus Verzogenheit und Vernachlässigung unerträgliche Kinder geworden, und Mrs. Kentishs aufgeplusterte Vulgarität stellte ihre Nerven auf eine harte Probe. Doch jede Woche, die Mr. MacNeil es unterließ, Isola um ihre Hand zu bitten, trug dazu bei, die Bürde zu erleichtern, die ihren Eltern durch die Studiengebühren auferlegt war. Sie mußte versuchen, wenigstens dafür dankbar zu sein, und aufhören, Trübsal zu blasen, weil die Kentishs sich weigerten, ihr gemietetes Feriendomizil zu verlassen und nach St. John's Wood zurückzukehren.

»Nun wollen wir unsere Französisch-Bücher mal ein Weilchen beiseite legen«, sagte sie in munterem Ton. »Rosalys, hol uns doch ›Lamb's Tales‹ aus dem Bücherschrank, und zeig mir, wie schön du schon die Grammatik analysieren kannst.«

Rosalys' Miene verfinsterte sich, und sie kaute am Ende ihrer Haarschleife. Die Worte »Ich hasse Grammatik« lagen ihr auf der Zunge, doch sie blieben Jenny erspart. Mrs. Kentish kam in ihrem seidenen Hauskleid mit den weiten Ärmeln ins Zimmer gesegelt. Das grelle Blumenmuster schien sämtliche Farben um sie herum zu erschlagen. Sie war auf ihre aufgetakelte Weise gutaussehend, etwa wie eine frisch lackierte Kleiderpuppe in einem Laden im West-End. Ihr ausladender Busen lag unter einem Gewirr von goldenen Ketten, von denen Schlüssel, Spangen und Medaillons herabhingen.

»Wie geht es denn meinen fleißigen Bienchen?«

»Mummy, wir haben den vielen Unterricht so satt!« jammerte Gertrude.

»Armer Schatz.« Mrs. Kentish hatte gar nicht richtig hingehört. Die Hauptbeschäftigung ihres Lebens bestand darin, ihre älteste Tochter zu verheiraten. Jenny war weniger zu dem Zweck in Dienst genommen worden, ihre Töchter zu unterrichten, als dazu, sie ihr vom Hals zu halten.

»Können wir nicht runterkommen?«

»Später, Liebchen. Ich habe schrecklich viel mit der Vorbereitung des Fests zu tun, und da steht ihr mir nur im Weg. Miss Dalgleish, geben Sie ihnen doch irgendeine Aufgabe und kommen Sie dann ins Frühstückszimmer herunter.« Mit festem, königlichem Schritt, der die Fensterscheiben erklirren ließ, fegte sie wieder hinaus.

Jenny stand ruhig auf, strich sich den grauen Tweedrock glatt und knirschte unauffällig mit den Zähnen. Die Dienstboten waren, von der Zofe der Herrin abgesehen, mit dem Haus zusammen gemietet worden und hatten mit Mrs. Kentish nicht viel im Sinn, die sich angewöhnt hatte, alles, was das störrische Personal nicht erledigte, Jenny aufzubürden. »Kinder, ihr könnt jetzt in euren Lesebüchern lesen ...«

»Ich hasse ...«, fing Rosalys wieder an.

»Dann macht das, wozu ihr Lust habt. Doch um Himmels willen bleibt hier oben und fallt der Köchin nicht zur Last.« Sonst muß ich sie nämlich nachher wieder besänftigen, setzte sie im stillen hinzu. Sie ging hinunter und hoffte, daß man von ihr nicht verlangen würde, den Nachmittag damit zu verbringen, Peek-a-Boo, Mrs. Kentishs grimmigem Pekinesen, Blätter und Ästchen aus dem Fell zu bürsten.

Das Erkerfenster im Frühstückszimmer bot einen weiten Ausblick auf die khakibraunen Hügel. Isola Kentish lag, in einen rosa Seidenkimono gehüllt, auf dem Sofa und blätterte im *Strand Magazine*. Isola war unbestreitbar die Schönheit der Familie. Sie war gertenschlank, hatte eine Alabasterhaut und trug das üppige kastanienbraune Haar zum Knoten geschlungen. Sie war jedoch träge und verdrießlich, und ihre üppigen Lippen waren meist zu einem verächtlichen Ausdruck ihres Gelangweiltseins gekräuselt. Sie hob den schläfrigen blauen Blick nur flüchtig, als sie Jenny sah.

Mrs. Kentish wühlte mit den beringten Fingern in einem Haufen Papier auf ihrem Sekretär herum. »Miss Dalgleish, ich habe sämtliche Tischkarten für heute abend im Papierwarengeschäft liegenlassen, und ich kann diesem gräßlichen kleinen Kutscher nicht begreiflich machen, daß ich die Kutsche noch einmal brauche. Sie sind doch so gut zu Fuß ... Sie haben bestimmt nichts dagegen einzuwenden, in die Stadt zu laufen und sie für mich abzuholen?«

»Aber nein«, sagte Jenny eilfertig. »Ich gehe am besten sofort, wenn Sie meinen, daß die Kinder gut aufgehoben sind.«

»Arme Häschen«, sagte Mrs. Kentish geistesabwesend. »Sie könnten außerdem im Hotel vorbeischauen und noch einmal daran erinnern, daß die Kellner rechtzeitig heraufgeschickt werden. Ich weiß schon gar nicht mehr, wo mir der Kopf steht, und Isola will einfach keinen Finger rühren.«

»Es zwingt dich doch kein Mensch, ein Fest zu veranstalten«, murmelte Isola. »Du kennst die meisten Leute ja nicht mal, die du eingeladen hast.«

»Schatz, ich tue das für dich!« Sie wandte sich mit gönnerhaftem Lächeln wieder Jenny zu. »Die Kinder haben Ihnen bestimmt schon erzählt, daß Isola demnächst heiraten wird. Kindermund tut Wahrheit kund, und man braucht von Kindern erst gar keine Diskretion gegenüber Außenstehenden zu erwarten. Der arme Mr. MacNeil ist zwar hin und weg von ihr, hat jedoch nicht den Mut, mit seinem Antrag herauszurücken. Daran ist natürlich auch die ganze Umgebung schuld. Wie soll einer denn hier romantische Gefühle hegen ... in einer derart deprimierenden Gegend. Doch wenn das Haus voller Blumen und Musik ist ...«

»Du brauchst mich ihm nicht gleich beim Reinkommen aufzudrängen«, sagte Isola hinter ihrer Zeitschrift. »Warum kannst du mich das mit dem Heiratsantrag nicht selbst in die Hand nehmen lassen?«

Mrs. Kentish zog es vor, diesen Einwurf gar nicht zu beachten. »Sie haben selbstverständlich schon von Mr. MacNeil ... dem Gutsherrn ... gehört? Er bewohnt das herrliche Schloß oben auf dem Hügel, und das ganze Land meilenweit im Umkreis gehört dazu. Als wir ihn gestern besuchten, hat er Isola ganz allein mitgenommen, um ihr die neue Abflußanlage zu zeigen.«

»Es war wahnsinnig romantisch«, sagte Isola.

»Und du hättest ruhig ein bißchen Interesse zeigen können!« wies Mrs. Kentish sie zurecht.

»Kann ich sonst noch etwas in der Stadt erledigen?« fragte Jenny, die das Gespräch so schnell wie möglich beenden wollte.

Isola richtete den trägen Blick auf sie. »Meine Güte, Miss Dalgleish, was seid ihr Schotten doch für Tatmenschen. Aber Sie sind vermutlich an dies abscheuliche Wetter gewöhnt.«

»Hier sind ein paar Zeilen für den Papierwarenhändler.« Mrs. Kentish schwenkte die brillantenfunkelnde Hand. »Machen Sie ihm klar, daß ich Sie persönlich geschickt habe. Wie ich feststellen konnte, wirkt mein Name bei den einfachen Leuten hier wahre Wunder. Ach ja, und ich hoffe doch, daß Sie an unserer bescheidenen Veranstaltung teilnehmen werden. Ich bin doch ruhiger, wenn ich weiß, daß Sie ein Auge auf die Kleinen haben. Sie brauchen sich nicht großartig umzuziehen ... das weiße Kleidchen, das Sie haben, reicht völlig aus.«

»Das ist sehr freundlich von Ihnen, Mrs. Kentish«, sagte Jenny trocken. Sie wußte genau, was sich hinter dieser Einladung verbarg. Sie würde den ganzen Abend Mäntel entgegennehmen und Kaffee anbieten wie ein besseres Hausmädchen, und sie hatte doch gehofft, auf ihrem Zimmer ein bißchen für sich arbeiten zu können.

»Ach, nicht der Rede wert«, flötete Mrs. Kentish huldvoll. »Und nun laufen Sie nur.«

Erleichtert machte Jenny, daß sie aus dem Zimmer kam. Zehn Minuten später hatte sie ihre graue Tweedjacke an und die scharlachrote Schottenmütze auf dem weichen braunen Haar und entfernte sich von Craig Lodge und den Kentishs so rasch sie konnte. Sie hatte nun schon sechs Wochen lang ihre Ungeduld und ihren verletzten Stolz durch ausgedehnte Spaziergänge im Grenzgebiet beschwichtigt und begann, Glen Ruthven mit seinen dunstigen Braun- und Grüntönen zu lieben. Was für eine Schande, dachte sie, daß Isola Kentish, der das bald alles gehören sollte, derart blind für diese Schönheiten war. Ihre Stimmung hob sich, als sie die Abkürzung durch den Wald einschlug.

Sie genoß die kühle Mailuft und badete ihr Gesicht in dem hauchfeinen Nieselregen. Währenddessen dachte sie über den Brief nach, den sie am Morgen von Eleanor bekommen hatte. »Viola heiratet am Monatsende«, stand darin, »warum kommst Du jetzt nicht her und gönnst Dir für einen Monat oder auch zwei etwas Abwechslung? Mutter würde sich so sehr freuen.« Eleanor war ein liebes Ding, doch sie vermochte sich einfach nicht vorzustellen, daß ein Mädchen, das sich durchs College arbeitete, nicht gut alles stehen- und liegenlassen und zu einer Hochzeit der besseren Kreise nach London eilen konnte. Rory kam offensichtlich aus Irland herüber, und Jenny sehnte sich danach, sie wiederzusehen. Sie hatte sich zwar im letzten Sommer während ihrer Ferien im Lake District mit Eleanor und Francesca getroffen, doch Rory hatte sie seit dem Morgen vor sechs Jahren, als sie Winterbourne House verlassen hatte, nicht wieder zu Gesicht bekommen.

Es war natürlich völlig unmöglich. Ihre Ersparnisse würden gerade ausreichen, um den bescheidenen Jahresbedarf an Handschuhen, Kleidern und Strümpfen zu decken. Eine derart geringe Summe wäre der reichen Eleanor Herries oder auch der verwöhnten Isola Kentish geradezu lachhaft erschienen. Doch sie begründete Jennys einzige Hoffnung auf spätere finanzielle Unabhängigkeit. Nach zwei langweiligen Erzieherinnenjahren hatte sie genug zusammen, um ihre Ausgaben in Somerville bezahlen zu können, soweit sie über das Stipendium hinausgingen, das sie erhalten hatte. Und danach würde sie sich wohl als Lehrerin ihren Lebensunterhalt verdienen. Miss Maud Westwood, die immer noch mit fester Hand das Ruder am Winterbourne House führte, hatte ihr geschrieben und ihr versprochen, ihr eine Stelle zu reservieren. Es war einfach sinnlos, von Londoner Bällen, Gesellschaften, Konzerten und anderen Vergnügungen zu träumen, die reichen Mädchen vorbehalten waren. Jenny hatte längst gelernt, ihre Lage hinzunehmen und das Beste daraus zu machen.

Als hätte sie in einen Spiegel geblickt, darin jedoch eine Bewegung hinter sich eher erahnt als gesehen, blieb Jenny ruckartig stehen. Das Herz krampfte sich ihr zusammen, und ein schrecklicher Hilferuf durchdrang den stillen Wald. Die Gewißheit bevorstehenden Unheils durchflutete sie. Etwas Entsetzliches würde passieren, wenn sie nicht unverzüglich handelte.

Sie lauschte und hörte ganz in der Nähe einen kehligen Laut – den Schrei eines Geschöpfs in Lebensgefahr. Sie folgte dem Geräusch bis an den Saum der Lichtung. Jenseits der schützenden Bäume fiel der Boden jäh zu einer kleinen Schlucht ab. Ein seichter Fluß schäumte, etliche Meter darunter, über die Felsen. Der Rand der Schlucht war gezackt, und nackte Wurzeln wanden sich aus dem Erdreich. Der Schrei ertönte erneut, und nun sah sie, wonach sie Ausschau gehalten hatte. Ein Hund, ein großer brauner Terrier mit struppigem Fell, war in die Schlucht gefallen und mit dem Halsband an einem Ast hängengeblieben. In Todesangst zappelte er in der Luft, und seine Beine suchten verzweifelt nach Halt.

Jennys Panik legte sich und wich der Entschlossenheit. Sie war nicht ganz schwindelfrei und suchte nicht eben die Gefahr, doch hier mußte sie handeln. Sie kniete nieder und schätzte die Entfernung bis zu dem Hund ab. Wenn sie sich mit einem Fuß auf dem soliden Felsgrund abstützte und sich mit einer Hand an einer der nackten Wurzeln festhielt, würde sie wohl mit der anderen Hand den Hund erreichen und aus seiner Lage befreien können.

»Ich komme«, sagte sie laut und knöpfte ihre Handschuhe zu. Während das Herz ihr in der trockenen Kehle klopfte, stieg sie vorsichtig hinunter. Ihre Handfläche schmerzte vom Griff um die Wurzel, und ihr Handschuh platzte auf dem Handrücken auf. Sie streckte den anderen Arm aus, erreichte das Halsband des Hundes und riß es mit größter Anstrengung los. Das Gewicht des Hundes schien ihr die Arme auszureißen. Einen Augenblick lang sah es so aus, als würden sie alle beide hinabfallen, und wenn der Sturz auch nicht sehr tief gewesen wäre, so könnte sie sich doch leicht etwas brechen und stundenlang dort liegenbleiben. Sie hatte ihre Glieder für das Leben des Hundes aufs Spiel gesetzt, als hinge ihr eigenes davon ab.

Dies alles dauerte nur Sekunden. Wunderbarerweise sprang

der Hund auf einen Felsvorsprung und kletterte aus der Schlucht heraus, über Jennys Kopf und Schultern hinweg, die ordentlich Erde abbekamen. Jenny spürte, wie sie unter ihrem Hutband zu schwitzen anfing. Nach Atem ringend, begann sie, sich emporzuziehen, während der Hund über ihr seinen Triumph hinausbellte.

»Inky, wo in Gottes Namen hast du denn gesteckt, du Dummkopf? Allmächtiger Scott ...« Eine Hand schloß sich um Jennys Handgelenk und zog sie auf festen Boden. »Was um Himmels willen treiben Sie denn hier? Sind Sie gestürzt?«

Jenny schüttelte sich erleichtert den Schmutz von der Jacke und bedauerte flüchtig, daß ihr Handschuh zerrissen war. Sie hielt sich einiges darauf zugute, immer sauber und adrett gekleidet zu sein.

»Ihr Hund«, erklärte sie. »Er ist mit dem Halsband hängengeblieben. Er hätte sich sonst stranguliert.«

Der Mann, den sie für den Besitzer des Hundes hielt, starrte sie verwundert an. Sie konnte es ihm nicht verübeln. Die Unbesonnenheit ihrer Heldentat war ungeheuerlich, wenn man mit kühlem Kopf darüber nachdachte. Und es wäre sinnlos gewesen, dem Mann erklären zu wollen, was es mit dem Augenblick der Vorahnung auf sich gehabt hatte.

»Wollen Sie damit allen Ernstes sagen, Sie sind aus freien Stücken runtergeklettert, nur um diesen dämlichen Hund zu retten?«

Er war in den Augen der zwanzigjährigen Jenny kein junger Mann mehr – vielleicht sieben- oder achtunddreißig. Seine blaßblauen Augen waren von einem Netz von Fältchen umgeben. Fünfzehn Jahre früher mußte er ein hübscher blonder junger Mann mit roten Wangen gewesen sein. So viel war seinem Gesicht immerhin an Fülle und Farbe geblieben, um das zu verraten. Es war kein schönes Gesicht, doch es war freundlich und anziehend, und Jenny gefiel es, ohne daß sie sich darüber recht klar wurde, auch wenn der Mann sie offensichtlich für verschroben bis an den Rand der Verrücktheit hielt.

Der Ansatz seines kurzgeschnittenen gelben Haars begann zurückzuweichen, und seine vorspringende Stirn bildete das Gegengewicht zu einem Kinn, das eine Spur zu breit geraten war. Er war groß und eher dürr, strahlte jedoch Gesundheit und natürliche Gutmütigkeit aus. Wichtiger noch, wie die Adleraugen von Jennys Mutter sofort entdeckt hätten: seine Knickerbocker und sein Jackett waren aus jenem extrafeinen Tweed maßgeschneidert, den Mrs. Dalgleish in der Princess Street stets mit einem Seufzer bedachte, ehe sie sich mit etwas beschied, das um einige Stufen weniger vollkommen war. Seine braunen Lederschaftstiefel waren blank wie Karamel. Seine Haltung war aufrecht und selbstsicher, und seine Stimme verriet nur einen Anflug des Grenzlandakzents. Er war ein Gentleman.

»Ich konnte ihn doch nicht einfach sterben lassen«, sagte sie. »Finden Sie das etwa nicht?«

»Mein liebes Kind, es hätte Sie Ihr Leben kosten können …« Er unterbrach sich, als der Hund ein komisches Kläffen ausstieß und auf die Bäume zujagen wollte. »Inky! Komm sofort her.« Der Hund, der offensichtlich ein Kaninchen gewittert hatte, kehrte widerstrebend an die Seite seines Herrn zurück. »Was für ein Benehmen! Ich entschuldige mich für ihn. Wir sind einander wohl noch nicht begegnet?«

»Nein, ich bin nur zu Besuch in der Gegend.«

Die Falten um seine Augen vertieften sich zu einem Lächeln, und Jenny entspannte sich, als sie spürte, daß das sein gewöhnlicher Ausdruck war.

»Gefällt es Ihnen hier?«

»Ich finde es sehr schön«, sagte sie ernst. »Ich werde ungern wieder abfahren.«

»Sie sind aus Edinburgh?«

»Ja. Ich wohne im Craig Lodge.«

»Ach ja?« Er schien nachzudenken. »Was macht denn so ein schlaues schottisches Mädchen in *La Maison* Kentish?«

Jennys Stolz drängte sie, mit der Wahrheit herauszurücken. »Ich bin die Erzieherin.«

»Die … ach ja. Zwei kleine Gören. Die hatte ich ganz vergessen.«

»Alle tun das … die armen Dinger.« Nun, da Klarheit über ihre gesellschaftliche Stellung herrschte, fühlte sie sich wohler. »Kennen Sie denn die Kentishs?«

»Aber gewiß. Ich bin ihr Vermieter.« Er straffte die Schultern.

»Entschuldigen Sie bitte. Ich bin Alistair MacNeil, von Ruthven.«

»Ach natürlich ... darauf hätte ich auch von selbst kommen können! Sie sind Mr. MacNeil, der ... ich meine ...« Erschrocken biß Jenny sich auf die Zunge, ehe ihr der Name Isola über die Lippen kam. Liebesaffären gingen Erzieherinnen nun mal nichts an. »Ich bin Miss Dalgleish.«

»Ich fühle mich geehrt, Miss Dalgleish. Und wenn es auch völlig verrückt war, so bin ich Ihnen doch ungeheuer dankbar, daß Sie meinem Hund das Leben gerettet haben.«

»Siehe, ich bin des Herrn Magd«, sagte Jenny schlagfertig.

MacNeil knuffte den Hund liebevoll. »Das ist Inkerman.«

»Nach der Schlacht benannt?«

»Das nenne ich ein gutes Gedächtnis für die Schulweisheit. Ich wette, Sie wissen auch noch das Datum«, neckte er.

Sie lachte. »Im Krimkrieg.«

»Richtig. Mein Großvater hat sich dort Verdienste erworben, und ich hatte die Hoffnung, der junge Inkerman würde seinem Ruf nacheifern.«

Jenny streichelte Inkermans Kopf. »Ein schönes Tier. Man braucht ihm bloß einen Pantoffel in die Schnauze zu stecken, und er sieht aus wie von Landseer gemalt. Ich habe mich schon gewundert, warum Sie ihn Inky rufen, wo er doch gar nicht schwarz ist.«

»Ja, das ist verwirrend«, stimmte MacNeil heiter zu. »Ich habe einen Labrador, der ist schwarz wie ein Teerfaß, und der heißt Parker.«

»Parker Quink«, sagte sie. »Die blauschwarze Tinte.«

»Sie sind aber schnell. Die meisten Leute müssen erst darüber nachdenken.«

Seine Hand ruhte dicht neben ihrer auf Inkys ergebenem Kopf. Der Gutsherr trug am kleinen Finger einen goldenen Siegelring, dessen Prägung halb abgewetzt war. »Sie mögen Hunde, hm?«

»O ja. Alle, bis auf einen.«

»Ich weiß Bescheid. Die Ratte mit den Reißzähnen, die Madame Kentish mit Schleifchen herausputzt.«

Sie lachten. Er ist nett, dachte Jenny, er ist wirklich sehr unterhaltsam und nett. Das war schon komisch mit den netten Männern. Unweigerlich stiegen sie Frauen wie Isola nach.

»Haben Sie bei sich zu Hause einen Hund, Miss Dalgleish?«

»Wir hatten einen Collie, als ich klein war. Vater war zu der Zeit Landpfarrer.«

»Vater ist also Pfarrer, wie? Das erklärt alles.«

»Was?«

»Das ist jetzt unhöflich von mir, doch habe ich mich schon gefragt, wieso eine Dame wie Sie auf das Gold der Kentishs angewiesen ist. Hätte ich mir gleich denken können.«

Das war unverblümt bis an den Rand der Unverfrorenheit, doch Jenny spürte, daß es freundlich gemeint war. Und obwohl sie sich schämte, war die Tatsache, daß er die Dame in ihr erkannt hatte, doch Balsam für ihren verletzten Stolz. »Ja, ich fürchte, arme Kirchenmäuse müssen ihre Töchter immer Fußböden scheuern lassen.«

»So hätte ich es nicht ausgedrückt.«

»Aber Sie sind damit nicht einverstanden?«

Er betrachtete sie mit einer humorvollen Neugier, die sie auf angenehme Weise beunruhigte. »Nein, das stimmt. Vielleicht mag es Fälle geben, wo es sich nicht vermeiden läßt, doch ich kann damit nicht einverstanden sein, daß Frauen aus aristokratischen Familien sich bei anderen Leuten verdingen. Ich habe zu Hause noch eine kleine Schwester, und ehe ich die für ihren Lebensunterhalt arbeiten lassen würde, ginge ich lieber Steine klopfen.«

Jenny lächelte etwas gequält und sprach in einem kühlen, zynischen Ton, um ihren Kummer zu verbergen: »Vielleicht würde Ihre Schwester es Ihnen ja gar nicht danken, wenn Sie Steine klopfen gingen. Vielleicht zöge sie es ja vor, ihre eigenen Fähigkeiten zu nutzen, um sich ihren Lebensunterhalt zu verdienen.«

»Ich glaube nicht, daß die Fähigkeiten des armen Kindes von der einträglichen Sorte sind«, erwiderte MacNeil und sah sie unverwandt an.

»Nur wenige junge Damen erhalten allerdings Gelegenheit, ihre wahren Gaben zu entwickeln.«

»Was brauchen sie denn zu wissen, was man ihnen nicht auch

zu Hause beibringen kann. Sie sollten alles Nötige erlernen, um eine Ehe und einen Haushalt führen zu können.«

»Leider müssen einige von uns sich selbst ihr Brot verdienen, auch wenn Sie das nicht billigen können«, sagte Jenny.

»Sie sind wahrscheinlich ein Ausbund an Bildung?« fragte er neckend.

»Du meine Güte, ja, vollgestopft mit Jahreszahlen und toten Sprachen bis zur Hirnschale. Ich bin ungeheuer klug. Außer wenn ich über Klippen springe, um Hunde zu retten.«

»Und obendrein noch so dumme Hunde. Doch immerhin verdanke ich der Tatsache, daß ein so dämliches Geschöpf mir gehört, Ihre Bekanntschaft, Miss Dalgleish. Dann sehen wir uns also heute abend im Sommerhaus?«

»Heute abend?« wiederholte Jenny unsicher. Die Tischkarten und die Erkundigungen nach den Kellnern fielen ihr wieder ein, und sie war schlagartig ernüchtert. »Ich muß leider schnell weiter, Mr. MacNeil. Auf Wiedersehen. Ich freue mich wirklich, daß dem armen Inkerman nichts passiert ist.«

Während sie in Richtung Stadt eilte, kam sie zu dem bedauerlichen Schluß, daß Mr. MacNeil nicht halb so locker und zum Scherzen aufgelegt sein würde, wenn sie ihm in der Rolle einer Dienstbotin wiederbegegnete.

Jenny blieben noch knapp zehn Minuten Zeit, um sich für den Abend umzuziehen, als sie endlich in ihr Zimmer entkommen konnte. Drei Stunden lang hatte sie wie eine Wilde gearbeitet. Obwohl sie sich sagte, daß das Fest nicht in ihre Zuständigkeit fiel, hatte die Begegnung mit Mr. MacNeil sie dazu angestachelt, wenigstens die größten Albernheiten wieder rückgängig zu machen, die zu Mrs. Kentishs Vorbereitungen gehörten.

Da waren beispielsweise die japanischen Lampions. Es wäre sinnlos, ihrer Brotgeberin zu erklären, daß bunte Lampions in den düsteren Kiefern vor einem verwitterten schottischen Jagdhaus lächerlich wirkten. Statt dessen gelang es ihr, Mrs. Kentish davon zu überzeugen, daß es demnächst einen gewaltigen Wolkenbruch geben würde, der die Lampions in klägliche triefnasse Fetzen verwandeln würde, von denen die Farbe herunterliefe. Mit Erleichterung stellte sie nun fest, daß sie sich als echte Prophetin erwiesen hatte, denn es schüttete nur so vom Himmel. Mrs. Kentish war kindlich enttäuscht, daß Craig Lodge, nach allem, was sie an Kosten und Mühe aufgewendet hatte, doch nichts anderes werden wollte, als es war – ein rechteckiges graues Steinhaus mit altmodischen, gesichtslosen Möbeln und angelaufenem Leihsilber. Es weigerte sich beharrlich, sich in die romantische Laube zu verwandeln, die sie sich für die Verlobung ihrer Tochter vorstellte.

Jenny hatte sich bemüht, ihre Aufmerksamkeit eher auf die erfolgversprechenderen Einzelheiten zu lenken, etwa die prächtigen Treibhausblumen, die mit dem Zug von Glasgow gekommen waren und die Jenny eigenhändig zu tadellosen Arrangements geordnet hatte. Exotische Lilien, Orchideen und Tuberosen prangten in sämtlichen Räumen des Erdgeschosses und füllten das Sommerhaus mit dem atemberaubenden Duft von erhitztem Fleisch. Mrs. Kentish konnte sich zwar nicht beklagen, was Jennys Geschicklichkeit betraf, wohl aber, und das tat sie denn auch ausgiebig, was das Fehlen anständiger Vasen anging. Statt sich an den Blütenkaskaden zu erfreuen, die Jenny gestaltet hatte, jammerte sie über die Wasserkrüge und Steinguttöpfe, in denen die Blumen standen.

Überhaupt war sie mit allem unzufrieden. Auf der Efeuranke, die die Tafel schmückte, hatte man eine klebrig glänzende Nacktschnecke entdeckt. Der Teppich im Salon hatte verblichene Stellen. Die Kaminfeuer rauchten. Die Kellner aus dem Hotel waren unhöflich und unaufmerksam. Die Musiker – ein Pianist und ein Geiger, die zusammen mit den Blumen per Zug von Glasgow angereist waren – rochen ungeheuer nach Bier. Sie hatten sich als verschlagene Siebzigjährige mit unrasiertem Stoppelkinn, altertümlichen Smokingjacken und schmuddligem Zelluloidkragen entpuppt, deren Repertoire bei den Savoy-Operas stehengeblieben zu sein schien.

Ehe sie nach oben gehastet war, hatte Jenny noch einen Blick auf Mrs. Kentish und ihre Töchter erhascht, die sich im Salon niedergelassen hatten und nun in steifer Haltung auf die Gäste warteten. Mrs. Kentish trug ein dunkelviolettes Satinkleid im Stil von vor etwa zehn Jahren, das tief über ihrem monumentalen Busen ausgeschnitten war und eine lange Schleppe hatte. Ein

Perlenhalsband mit einem schweren Amethystverschluß umspannte ihren Hals, und sie hielt einen Fächer aus Pfauenfedern in der Hand. Gertrude und Rosalys fröstelten in identischen blaßblauen Seidenkleidern mit Quetschfalten, die von auf der Hüfte sitzenden Gürteln zusammengehalten wurden – ihren ›guten‹ Sommerkleidern aus der Schule. Riesige blaue Schleifen spickten ihr glatt herabhängendes braunes Haar. Sie kabbelten sich im Flüsterton und wärmten sich die weißbestrumpften Beine an dem unzulänglichen Kaminfeuer.

Isola freilich, die zurückgelehnt im bequemsten Sessel saß und lässig mit der Troddel ihres perlenbesetzten Abendtäschchens spielte, war unbestreitbar die Krönung des Abends. Sie sah einfach hinreißend aus in ihrem hauchzarten Kleid aus korallenrotem Chiffon, wenn sie auch nicht gerade an eine aufgeregte junge Frau denken ließ, über deren Schicksal der Abend entscheiden sollte. Jenny hatte neiderfüllt die Einzelheiten ihrer Aufmachung studiert: den verzwickt drapierten und gewagt kurzen Humpelrock, die Ärmel, die knapp über dem Ellbogen aufhörten, die spinnwebzarten Seidenstrümpfe und die hochhackigen Schuhe aus korallenrotem Atlas. Es wäre nicht Jennys Stil gewesen, doch irgendwie unterstrich es Isolas trägen, schlangenhaften Reiz.

Ihr eigenes Abendkleid war aus welk aussehender weißer Seide; sie hatte es für die Große Preisverleihung am Ende ihrer Schulzeit bekommen. Und wenn auch einige Veränderungen an seinem züchtigen Ausschnitt vorgenommen worden waren, so war es doch immer noch ganz eindeutig das Kleid eines Schulmädchens. Jenny bürstete ihr üppiges braunes Haar und schlang es rasch im Nacken zu einem Knoten. Zugleich verachtete sie sich dafür, daß sie auf Mrs. Kentishs albernem Fest gute Figur machen wollte. Es wäre ihr wohl nicht so viel daran gelegen gewesen, wenn sie nicht an Mr. MacNeil gedacht hätte. Es war deprimierend, daß sie in der eindeutigen Verkleidung der armen Pastorentochter vor ihm erscheinen sollte. Glücklicherweise würde er ihr wohl wenig Aufmerksamkeit schenken, da er durch Isolas Schönheit hinreichend abgelenkt wäre. In letzter Sekunde kam ihr noch der Einfall, ihr goldgefaßtes Emaillemedaillon umzubinden – ihr einziges vorzeigbares

Schmuckstück –, und sein Schimmer in ihrer Halsgrube tröstete sie.

Dann läutete es, und sie eilte hinab, um ihren Platz bei den Kindern einzunehmen. Mrs. Kentish stand mitten im Salon in Habachtstellung, als würde die Nationalhymne gespielt. Die ersten Gäste ließen sich in der Diele aus ihren nassen Hüllen schälen und bewegten sich mit ausgestreckten behandschuhten Händen auf die Gastgeberin zu. Als die Begrüßungsformalitäten beendet waren, trat ein peinliches Schweigen ein. In der Diele begannen die Musiker plötzlich eine verdrießliche Version von ›Braid the Raven Hair‹ zu intonieren.

»Miss Dalgleish«, sagte Mrs. Kentish mit überströmender Freundlichkeit, »würden Sie wohl den Kaminschirm vor Mrs. Laings Sessel rücken?«

In der nächsten halben Stunde unterbrach Mrs. Kentish immer wieder ihren Small talk, um Jennys Namen zu rufen. Sie spie Befehle aus wie ein Feldwebel. Ihre kräftige Gesichtsfarbe vertiefte sich zu üppiger Röte, und ihre Augen verloren den kritischen Schimmer, weil die Dinge sich gut anließen. Die Zimmer sahen besser aus, wenn sie voller Menschen waren, und die Musiker hörten sich hinter dem Geplätscher der Gespräche weniger trostlos an. Eine häßliche alte Jungfer, die nur zähneknirschend eingeladen worden war, hatte unerwartet einen blendend aussehenden jungen Vetter mitgebracht, der bei der Marine Dienst tat; sein dunkelblaues goldbetreßtes Jackett war unleugbar ein Gewinn, und der junge Mann erweckte Isola mit seinem liebenswürdigen Auftreten zu einer gewissen Lebhaftigkeit. Erleichtert, daß der Abend so glatt lief, füllte Jenny gehorsam Gläser mit Obstpunsch, trieb die Mietkellner an, schickte die Kinder mit Extraportionen Schichtpudding zu Bett und führte die Damen in Mrs. Kentishs Schlafzimmer, wo sie sich frisch machen konnten.

In letzter Minute mußten Veränderungen an der Sitzordnung im Eßzimmer vorgenommen werden. Mrs. Kentish wünschte, daß Leutnant Mackendrick, der junge Marineoffizier, einen besonders guten Platz an der Tafel bekäme. Während Jenny hastig eine weitere Tischkarte für ihn ausfüllte, hörte sie Fetzen eines Gesprächs durch die offene Tür.

»... ein ziemlich großes Vermögen aus irgendwelchen ... vermutlich höchst dubiosen ... Handelsgeschäften«, sagte eine weibliche Stimme. »Und was die hier oben zu suchen haben, weiß kein Mensch. Was ist bloß in Alistair gefahren?«

»Das Mädchen sieht in der Tat blendend aus«, erwiderte ihr männlicher Begleiter. »Doch er sollte wenigstens den Blick lange genug von ihr lösen, um sich die Mutter anzuschauen. Genauso wird sie in zwanzig Jahren aussehen.«

Jenny erstarrte und fragte sich, ob sie hüsteln sollte, damit sie merkten, daß jemand mithörte.

»... dies Kleid und diese großen, funkelnden Brillanten«, sagte die Frau. »Und ich wette, daß sie eine fürchterliche Leuteschinderin ist. Ich beneide das arme Mäuschen von Hauslehrerin wirklich nicht.«

Sie entfernten sich, und Jenny blieb schmerz- und zornerfüllt zurück. Für den Rest ihres Lebens wäre sie der Gnade solcher Snobs ausgeliefert, die meinten, das Recht zu haben, jeden Neureichen zu verlachen und ihre elenden Untergebenen herablassend zu behandeln. Sie war genauso kultiviert, genauso Dame wie jede andere unter diesem Dach. Die Erniedrigung, die das Dienstbotendasein bedeutete, überkam sie wie eine mächtige Woge der Übelkeit und ging dann vorüber, wie sie es immer tat. Man mußte das Beste aus allem machen, wie ihre Mutter sagte. Das Glück bestand nicht darin, zu bekommen, was man haben wollte, sondern das haben zu wollen, was man bereits hatte.

Freudiger Lärm aus der Diele sagte ihr, daß Mrs. Kentishs Genugtuung vollständig war. »Mein lieber Mr. MacNeil! Aber keineswegs ist es spät. Und Miss MacNeil ... wie lieb von Ihnen, daß Sie gekommen sind! Eine furchtbar zwanglose Angelegenheit, wie Sie sehen können, doch Sie müssen uns nehmen, wie wir sind. Isola! Isola, so komm doch und kümmere dich um Mr. MacNeil ... Isola? Ach, wo steckt sie denn bloß? Miss Dalgleish, würden Sie Miss MacNeil nach oben begleiten?«

MacNeil hatte seine Schwester mitgebracht, das Mädchen, um dessentwillen er Steine klopfen wollte. Es war eine linkische Bohnenstange von fünfzehn, sechzehn Jahren mit strähnigem blondem Haar und knochigen roten Ellbogen. Es war deutlich, daß sie sich vor Mrs. Kentish fürchtete und sich folglich ängstlich an den Arm ihres Bruders klammerte. Jenny erinnerte sich mitfühlend an ihre ersten Ausflüge auf die Feste der Erwachsenenwelt, als sie noch ein Schulmädchen war. Doch immerhin, sie hatte selbst in jenem peinlichen Alter eine gewisse Haltung gezeigt, während die arme Miss MacNeil vor Schüchternheit beinahe starb. Schlimmer noch, sie gehörte zu denen, die ständig erröteten.

»Das ist sie, Effie«, sagte MacNeil und lächelte Jenny über Mrs. Kentishs Schulter hinweg zu. »Jetzt kannst du ihr persönlich danken. Miss Dalgleish, darf ich Ihnen meine Schwester Euphemia vorstellen?«

»Guten Abend, Miss MacNeil.«

»Meine Erzieherin haben Sie ja offensichtlich bereits kennengelernt«, sagte Mrs. Kentish und bediente sich ihrer drohendsten Stimme, die Jenny ahnungsvoll erschauern ließ. »So eine begabte junge Frau. Ich wüßte gar nicht, wie ich ohne sie fertig werden sollte.«

»Ich ... wir sind Ihnen so dankbar, weil Sie Inky gerettet haben«, platzte Miss MacNeil heraus. »Er sieht vielleicht groß aus, aber eigentlich ist er noch ein ganz junger Hund. Er ist zwar nicht so sehr schlau, doch er ist ... er ist sehr anhänglich und brav ...«

»Es tut mir schrecklich leid, daß ich Sie unterbrechen muß, Miss Dalgleish«, sagte Mrs. Kentish, und ihr liebenswürdiger Ton hatte etwas Unheilvolles, »doch vielleicht setzen Sie Ihr Gespräch ja fort, während Sie Miss MacNeil nach oben begleiten? Isola konnte es gar nicht erwarten, Sie wiederzusehen, Mr. MacNeil. Sollen wir sie suchen gehen?«

»Geh nur, Effie«, sagte MacNeil. »Sie beißt schon nicht, das garantiere ich dir. Ich warte hier unten auf dich.« Sowie er den Arm seiner Schwester losgelassen hatte, nahm Mrs. Kentish ihn in Gewahrsam und schleppte ihn in Richtung Isola.

Effie trat auf den Saum ihres wenig kleidsamen cremefarbenen Spitzenhängers und stolperte hinter Jenny die Treppe hinauf. Sie blickte sich scheu in Mrs. Kentishs Schlafzimmer um und starrte die rüschenbesetzten Kissen, die silbergerahmten Fotografien und die Gläser und Flaschen mit den goldenen Verschlüssen an.

»Ihr Haar geht hinten auf«, sagte Jenny. »Soll ich es Ihnen wieder hochstecken?«

»Nein ... ich meine, machen Sie sich keine Mühe.«

»Es macht mir keine Mühe. Setzen Sie sich an den Toilettentisch.«

Das Mädchen setzte sich und zog die Schultern so sehr hoch, daß die Wirbelsäule aus ihrem mageren Rücken hervortrat und über dem Verschluß ihres Kleides zu sehen war. Jenny machte sich daran, die glatten blonden Zöpfe so festzustecken, daß sie etwas mehr Halt bekamen. Als sie fertig war, betrachtete Effie ihr Spiegelbild und schüttelte versuchsweise den Kopf.

»Danke. Sie sind schrecklich nett. Ich kann das noch nicht sehr gut.«

»Das ging mir anfangs genauso«, versicherte Jenny. »Meine Mutter mußte es für mich machen.«

»Ach so, aber Mutter ist krank, so daß ich alles allein machen muß.«

»Ich verstehe.«

»Miss Dalgleish ... ich ... ich bin Ihnen wirklich so dankbar wegen Inky. Alistair sagt, ich sei reinweg verrückt nach dem Hund. Doch er selbst hat sich auch schrecklich gefreut. Er hat gesagt, so was Schneidiges habe er noch nie erlebt.«

»Da muß ich mir ja wie eine Heldin vorkommen«, sagte Jenny lachend. »Vielleicht sollte ich mich um einen Orden beim Tierschutzverein bewerben. Wollen wir jetzt in den Salon hinuntergehen?«

»Könnte ich nicht einfach hier warten?« Effies Stimme begann bedrohlich zu beben. »Ich war doch fast noch nie auf einer Gesellschaft ... Mutter kann nämlich nicht ausgehen und ich weiß nie, was ich sagen soll. Ich wollte ja auch nicht mitkommen, aber Alistair findet, daß das gut für mich ist.«

»Da hat er recht«, sagte Jenny aufmunternd. »Bald denken Sie gar nicht mehr daran, daß Sie schüchtern sind. Das sind doch alles Leute aus der Gegend, so daß Sie lauter vertrauten Gesichtern begegnen werden.«

»Sie werden mir nicht vertraut sein. Ich kenne doch niemanden.« Effie nestelte am Verschluß ihrer bestickten Tasche herum und holte ein schlaffes Taschentuch heraus.

Jenny beschloß, entschiedenere Töne anzuschlagen. Mrs. Kentish war ohnehin schon so wütend auf sie, weil der Gutsbesitzer Notiz von ihr genommen hatte. Sie würde es nicht gerade gern sehen, wenn Jenny sich hinter MacNeils Schwester versteckte. »Wissen Sie denn nicht, daß jeder nervös ist, wenn er ein Zimmer voller Menschen betritt? Als ich in Edinburgh auf meinen ersten Ball ging, wäre ich am liebsten im Boden versunken. Doch schließlich hat es mir so gut gefallen, daß ich gar nicht mehr nach Hause wollte.«

»Wirklich?« Effie konnte es nicht glauben.

»Ehrenwort. Ich habe meinem Vater sogar vorgeworfen, er sei zu früh gekommen, als er mich abholen wollte.«

Effie schniefte und schenkte Jenny ein mattes vertrauensvolles Lächeln. »Sie sind schrecklich nett.«

»Ach, Unsinn. So, jetzt pudere ich Ihnen noch ein bißchen das Gesicht«, Jenny betupfte die kindlich runden Wangen mit Mrs. Kentishs flaumiger Puderquaste, »und schon sind Sie fertig.«

»Warten Sie! Mutter erlaubt mir nie Puder.« Die feuchten blauen Augen waren bewundernd auf Jennys Gesicht gerichtet. »Wissen Sie, Sie sind überhaupt nicht wie eine Erzieherin! Es stört Sie doch nicht, wenn ich das sage?«

»Ich nehme es als Kompliment.«

»Es war auch so gemeint.«

Jenny erkannte, halb gerührt und halb ärgerlich, daß Effie mittlerweile bereit war, ihr wie ein Schatten zu folgen. Das arme Mädchen war in dem Alter, wo jede kleine Freundlichkeit glühende Ergebenheit auslöste.

»Gehen wir nach unten«, schlug sie vor.

»O ja, ich habe jetzt viel weniger Angst davor.«

Auf der Treppe kam Effie diesmal mit ihrem Rocksaum zurecht und schwatzte vergnügt über die Hunde auf dem Schloß. Jenny, die sich unbewußt viel mehr entspannte, als sie beabsichtigt hatte, hörte sich Slipper beschreiben, den geliebten Collie ihrer Kindheit, den sie zu ihrem Kummer auf dem Land hatte zurücklassen müssen.

Effie hörte das mit großem Ernst. »Ja, ich weiß auch nicht, was ich tun soll, wenn wir nach London fahren. Ich möchte gern hierbleiben, doch Mutter muß ihren Spezialisten aufsuchen, und Alistair meint, wir müssen die Hunde zu Hause lassen.«

Sie waren im Salon angelangt. Zu Jennys Entsetzen ging Effie schnurstracks zu ihrem Bruder, der mit der gelangweilt wirkenden Isola in der Fensternische stand, und hängte sich bei ihm ein. »Alistair, wär das nicht schön, wenn wir Miss Dalgleish ins Schloß einladen würden? Dann könnte sie Parker kennenlernen, und Pferde mag sie auch ...«

»Und um Himmels willen«, sagte Isola gedehnt, »vergessen Sie die Abflußanlage nicht. Die fand ich einfach himmlisch.«

Zu Jennys Erstaunen verengte sich eines ihrer Augen zu einem angedeuteten Zwinkern, und sie blickte bedeutungsvoll zum Kamin hinüber, wo Leutnant Mackendrick die Schwestern Laing unterhielt.

MacNeil bekam davon nichts mit. Aus seiner Miene sprach nur seine große Zuneigung zu Effie. »Ja, warum nicht? Und wenn sie Menschen ebensogern mag wie Pferde und Hunde, könnte sie ja vielleicht auch Mutter kennenlernen.«

»Natürlich, wie blöd von mir, Mutter meinte ich natürlich auch. Sie werden doch kommen, Miss Dalgleish?«

Jenny befand, daß sie etwas tun mußte. So ging es auf keinen Fall weiter. Sie war sich nur allzu bewußt, daß Mrs. Kentish sie durch das ganze Zimmer hindurch anfunkelte. »Ja, das wäre schön. Haben Sie denn schon Miss Mackendricks Vetter kennengelernt? Er wird nämlich Ihr Tischherr sein.« Sie übersah Isolas ärgerlichen Blick und schleppte Effie weg, um sie dem jungen Offizier vorzustellen. Effie wurde über und über rot, bemühte sich jedoch zu lächeln. Sie schien nicht zu bemerken, daß Mackendricks Ohren zwar ihrem stockenden Small talk folgten, sein Blick jedoch auf Isola geheftet blieb.

Mrs. Kentish stürzte sich in der Diele auf Jenny. »Wenn Sie es über sich bringen, sich einen Augenblick loszureißen, könnten Sie mir vielleicht mal verraten, wo Sie den Mackendrick-Jungen hingesetzt haben.«

»Zwischen Miss MacNeil und Isola ...«

»Ach ja, das käme Ihnen so zupaß, das kann ich mir denken. Gehen Sie und tauschen Sie die Tischkarten wieder aus. Ich möchte, daß er so weit weg von ihr sitzt wie möglich. Er kann Sie übernehmen.«

»Ja, Mrs. Kentish.«

Jenny bebte vor Zorn, als sie ins Eßzimmer zurückkehrte. Wie konnte das gräßliche alte Weib es wagen, anzudeuten, daß sie hier irgendwelche Fäden zog, um MacNeil in die Fänge zu bekommen? Die Vulgarität, die daraus sprach, bewirkte, daß sie sich beschmutzt fühlte. Und es ließ sich nicht leugnen, daß sie gleichzeitig ein gewisses Triumphgefühl verspürte. Denn trotz aller Bemühungen Mrs. Kentishs, sie herabzusetzen, mochte MacNeil sie offensichtlich.

»Darf ich hereinkommen? Ich möchte nicht stören.« Mac-Neil selbst stand in der Tür.

»Sie stören nicht«, sagte Jenny. Ihr Puls beschleunigte sich nervös. Wenn Mrs. Kentish ihr unbedingt Ideen in den Kopf setzen wollte, dann mußte sie eben die Konsequenzen tragen. Jenny beschloß, sich das Vergnügen zu gönnen, das seine Aufmerksamkeit ihr bereitete. Wenn sie schon in Ungnade fiel, dann wollte sie wenigstens etwas davon haben.

MacNeil trat ins Zimmer und lehnte sich an den Kamin.

»In Effie haben Sie wirklich eine Eroberung gemacht. Ich wollte Ihnen dafür danken, daß Sie so nett zu ihr waren.«

»Geht es ihr gut?«

»Als ich zuletzt nach ihr gesehen habe, schwatzte sie gerade drauflos wie eine kleine Elster. Ich mache mir manchmal Sorgen ihretwegen.«

»Warum?«

»Es ist ein einsames Leben für sie hier draußen«, sagte er ernst. »Sie ist die letzte von uns, die noch im Haus ist, und unsere Mutter hat einfach nicht die Kraft, sie unter die Leute zu bringen. Ich tue ja, was ich kann, doch was sie braucht, ist weiblicher Umgang. Deswegen beharre ich auch darauf, sie nach London mitzunehmen ... obwohl sie mich für ein Ungeheuer an Grausamkeit hält, weil ich sie von ihren Tieren trenne.«

»Sie wird Ihnen schon verzeihen«, sagte Jenny lächelnd.

»Tja, das hoffe ich. Es stimmt zwar, daß unsere Mutter einen Spezialisten aufsuchen muß, doch wir fahren hauptsächlich Effies wegen in der Ballsaison hin. Sie ist solch ein liebes kleines Mädchen.«

»Ja.« Jenny ahnte bereits, worauf er hinauswollte. Das Ganze hörte sich deprimierend nach Erzieherinnensuche an.

»Ich kann einfach nicht anders, als mich um ihr Wohlergehen zu kümmern«, fuhr er fort. »Ich bin schließlich alt genug, um ihr Vater zu sein. Zwischen ihr und mir gibt es noch fünf weitere Schwestern. Alle hübsch ... und alle verheiratet. Die arme Effie sieht noch wie ein richtiges Küken aus.« Abwesend befühlte er den staubigen Chenillebehang rund um den Kaminsims. »Aus Mädchen in ihrem Alter scheint sie sich nichts zu machen. Ich wüßte gern, ob die Kentishs vorhaben, Sie mit nach London zu nehmen.«

»Das glaube ich nicht.«

»Das ist aber ärgerlich.«

»Ach ja?«

»Für uns, meine ich. Falls Sie während der Ballsaison doch in London sein sollten, könnten Sie sich doch Effies ein bißchen annehmen.«

Jenny, die erkannte, daß er ihr keine Stelle anbot, sondern ihr das Kompliment machte, ihre Freundschaft für seine kleine Schwester zu erbitten, errötete vor Genugtuung.

MacNeil straffte sich und trat einen Schritt auf sie zu. »Ich wollte schon sagen, sie braucht eine ältere Freundin, doch viel älter als ein Schulmädchen können Sie ja selbst nicht sein. Heute nachmittag schienen sie durch und durch Herrin der Lage, doch in diesem Kleid jetzt ...«

Ach, dies gräßliche, schäbige Kleid, dachte Jenny. Wann werde ich wohl etwas Anständiges anzuziehen haben? »Ich bin fast einundzwanzig.«

»Das heißt, Sie sind gerade mal zwanzig.« MacNeils Augen lachten sie an. »Dann sind Sie ja wohl doch nicht so ein Ausbund an Weisheit, wie es den Anschein hat?«

»In wenigen Minuten wird zu Tisch gebeten, Mr. MacNeil.«

»Darf ich Ihr Tischherr sein?«

»Natürlich nicht!« sagte Jenny steif. »Sie führen Miss Kentish zu Tisch. Das ist alles längst festgelegt.«

»Na, das darf ich natürlich nicht durcheinanderbringen.«

Er hielt ihr respektvoll die Tür auf, als sie das Eßzimmer verließen.

Jenny forderte einen der Kellner auf, zu Tisch zu bitten, was er mit einem kaum verständlichen Murmeln tat. Mrs. Kentish, die sich mit einem strahlenden Lächeln, das ihre rasende Wut verbarg, unter ihren Gästen bewegte, war leicht besänftigt, als sie MacNeil ihre Tochter rufen hörte. Huldvoll parodierte sie am Arm eines alten Friedensrichters mit weißem Schnurrbart ins Eßzimmer. Mackendrick, der, weil er mit Isola geflirtet hatte, in die unteren Ränge strafversetzt worden war, beschloß mit Jenny die Prozession.

»Hören Sie, Miss ... eh ..., ist Miss Kentish nicht ein fantastisches Mädchen?«

»Ja, Mr. Mackendrick.«

»Ist sie nicht einfach zum Anbeißen? Sagen Sie, sie ist doch noch nicht verlobt, wie?«

»Nein, noch nicht.«

»Ah, gut.«

Das sonst eher strenge Eßzimmer füllte sich mit Leben. Festlich gekleidete Menschen drängten sich um den Tisch, um die Tischkarten zu lesen.

»Ich glaube nicht, daß Sie neben mir sitzen möchten«, erklärte Isola MacNeil in kühlem Ton. »Ich bin nämlich nicht in der Stimmung, über Vierbeiner zu reden. Ich würde viel lieber hören, wie die Geschichte des Leutnants über die Bermudas ausgeht.«

»Isola!« kreischte Mrs. Kentish.

»Was ist schon dabei, Mutter. Ich brauche doch nur den Platz mit Miss Dalgleish zu tauschen. So, haben wir das nicht gut hinbekommen?« Und sie rutschte gewandt auf den Stuhl, den Mackendrick gerade Jenny hinschieben wollte.

Da war nichts zu machen. Jenny, die vor Verlegenheit rote Wangen bekommen hatte, wich so unauffällig wie möglich auf den Platz neben MacNeil aus und vermied Mrs. Kentishs anklagenden, empörten Blick. Am anderen Ende der Tafel, außer der Reichweite ihrer Mutter, lächelte Isola wohlgemut, winkte den Kellner heran und ließ sich das Glas randvoll schenken. Mrs. Kentish versuchte zwar, gute Miene zum bösen Spiel zu machen, doch mehr als ein gorgonenhaftes Lächeln brachte sie nicht zustande. All ihre Pläne schienen zu scheitern.

Jenny konnte nicht anders, als MacNeil gegenüber ihren unbefangenen Ton beizubehalten. Schon nach kurzer Zeit war sie mehr sie selbst, als sie es in der ganzen Zeit auf Glen Ruthven gewesen war, und erzählte von ihren Eltern, ihrer Vergangenheit und ihren Zukunftsplänen. Er hörte ernsthaft zu und wandte kaum einmal den Blick von ihrem Gesicht. Sowie er merkte, daß seine Fragen sie in Verlegenheit brachten, unterhielt er sie mit Geschichten über seine Vorfahren.

Als Mrs. Kentish durch ein Hüsteln zu verstehen gab, daß es für die Damen an der Zeit war, sich zurückzuziehen, war Jenny sich bewußt, daß ihr Wohlbehagen vom Gefühl der Macht und des Selbstvertrauens herrührte. Es konnte keinen Zweifel daran geben, daß sie ihre erste Eroberung gemacht hatte. Und ganz, ganz tief im Innern, verborgen hinter dem schieren Vergnügen, mit ihm zu reden, regte sich das Wissen, daß ihre Eroberung zugleich einen erheblichen Wert besaß. Sie lächelte träumerisch beim Gedanken an den Herrn von Ruthven und seine Ländereien, während sie, Arm in Arm mit Effie, in den Salon schlenderte.

»Miss Dalgleish, hätten Sie vielleicht die ungeheure Güte, den Kaffee zu servieren?«

»Gewiß, Mrs. Kentish.« Es war Jenny mittlerweile gleichgültig, was ihre Brotgeberin dachte. Es war einfach zu spät, um den Schaden wiedergutzumachen.

»Ich helfe Ihnen«, sagte Effie und übernahm eifrig zwei der Tassen. »Dann schaffen wir es doppelt so schnell. Sie hatten wirklich völlig recht, Miss Dalgleish ... solche Feste sind tatsächlich unheimlich lustig!«

Da Mrs. Kentish im Kerker ihres Zorns gefangensaß, drehte sich das Gespräch der Damen um die vertrauten Dinge unter Nachbarinnen. Isola lag hingegossen auf einem der Sofas, musterte schläfrig die Spitzen ihrer Atlasschuhe und gähnte unverhohlen. Mrs. Kentish hatte jedoch noch einen letzten Trumpf auszuspielen. Über das allgemeine lebhafte Stimmengewirr hinweg, mit dem die Herren begrüßt wurden, rief sie: »Ich bitte jedermann, Platz zu nehmen. Miss Dalgleish, bitten Sie doch die

Musiker, das Piano aus der Diele hereinzurücken. Isola, mein Schatz, du singst doch bestimmt etwas für uns?«

»Tanzen wäre lustiger«, sagte Isola und machte dem bis über beide Ohren verliebten Leutnant auf dem Sofa Platz. »Ob die wohl irgendwelche Twosteps spielen können?«

»Ich finde, eine Mädchenstimme hat etwas so Frisches, Anrührendes, Mr. MacNeil«, vertraute ihm Mrs. Kentish mit lauter Stimme an. »Und Isola singt wunderschön.«

Jenny hatte die beiden Musiker schließlich unter der Treppe gefunden, wo sie in aller Heimlichkeit die Reste aus den Bordeauxflaschen tranken. Sie brachte sie mitsamt dem Klavier in den Salon, und nach langwierigen Verhandlungen stand fest, daß sie ›It's Quite Down Here‹ in Isolas Stimmlage spielen konnten.

Die Resignation derer, die ein gutes Essen hinter sich haben, bemächtigte sich der Gäste, als sie sich auf die verfügbaren Sessel verteilten. Isola sah in der Tat wunderhübsch aus, als sie da in ihrem zarten Kleid in der Farbe der Abendröte neben dem Klavier stand. Mrs. Kentish nahm sie bei den Schultern, drehte sie in Richtung MacNeil und zog sich – nachdem sie im übertragenen Sinne die Lunte angezündet hatte – in den Hintergrund zurück.

Isolas Stimme war dünn und flach und in den hohen Phrasierungen ein wenig blechern. Die Gäste belohnten sie jedoch mit höflichem Applaus und genossen das Schauspiel von Isolas anmutigen Knicksen. MacNeil klatschte begeistert.

»Ganz bezaubernd, Miss Kentish. Entzückend. Vielleicht tut uns ja noch eine der anderen jungen Damen den Gefallen?«

»Aber es fiele mir nicht im Traum ein, etwas Derartiges ...«, hob Mrs. Kentish fassungslos an.

MacNeil beugte sich jedoch bereits über Jennys Sessel. »Ich weiß, daß Sie singen können, Miss Dalgleish.«

»Nein ... wirklich, überhaupt nicht ...«

»Aber Sie haben mir doch erzählt, daß Sie auf der Schule einen Preis dafür bekommen haben!«

»Wirklich?« rief Effie. »Ach, ich würde Sie so gern etwas singen hören! Können Sie sie nicht darum bitten, Mrs. Kentish?«

Zum Nachgeben gezwungen, sagte Mrs. Kentish unfreundlich: »Nun, es gibt offenbar nichts, was Sie nicht können. Singen Sie jedoch etwas Munteres, Kurzes, damit nicht alle einschlafen.«

Jenny stand auf und trat neben das Klavier. Sie hatte zuviel Geschmack, die Szene noch dadurch zu verlängern, daß sie sich zierte. »Von den neuen Liedern kenne ich keines«, flüsterte sie dem Pianisten zu. »Können Sie ›*Auld Robin Gray*‹ spielen?«

Der Schleier hob sich von den trüben Augen. »Selbstverständlich, Miss.«

Er schlug leise ein paar Töne an, und tiefes Schweigen breitete sich aus, als sich die alte schottische Weise in den Raum stahl. Jennys Stimme war tief und lieblich zugleich und hatte etwas unbeschreiblich Eindringliches, was in einem überraschenden Kontrast zu ihrem sachlichen Tonfall stand, wenn sie sprach. In dem Augenblick, da sie begann, erstarrte MacNeil, als hätte sie ihm einen Pfeil durchs Herz geschossen und ihn damit an die Wand genagelt.

»Der junge Jamie liebte mich, er wollte mich zur Frau,
Doch war er mittellos, das wußte man genau ...«
Als sie bei ›*Gedanken, die ich an ihn hätte, wären Sünde*‹ anlangte, bemerkte sie, wie Effie mit zitternden Lippen in ihrer Handtasche nach ihrem Taschentuch tastete, *»... und werde eine gute Frau sein«*, endete sie bescheiden, *»denn der alte Robin Gray ist gut zu mir.«*

Auf die letzten Akkorde des Liedes folgte ein ergriffenes Schweigen, ein so tiefes, daß man die gestärkte Hemdbrust der Herren knistern hören konnte. Während dieser wenigen Sekunden begegnete Jenny MacNeils Blick, und sie fühlte sich auf einmal sehr jung und verwirrt unter einem solchen Ansturm widerstreitender Empfindungen. Irgend etwas an seiner Art, sie anzuschauen, bewirkte, daß sie am liebsten davongelaufen wäre, wie vor einer Falle. Doch dahinein mischte sich eine Art schuldbewußter Neugier und so etwas wie Siegesgewißheit.

Der Beifall war aufrichtig und anhaltend, und nach einer raschen Verbeugung tat sie alles, um die Aufmerksamkeit wieder von sich abzulenken. Mrs. Kentish fing sofort ein lautes

Gespräch an, als wolle sie Jenny klarmachen, daß sie nun alle Aufmerksamkeit gehabt habe, die ihr gebührte.

MacNeil steuerte auf sie zu, doch Effie war vor ihm da. Sie legte Jenny eine Hand mit einem ausgebeulten Handschuh auf den Ärmel. »Das war einfach wunderschön. Sie haben wirklich eine schöne Stimme. Doch warum mußte das bloß so traurig sein? Wenn sie doch nur auf den jungen Jamie gewartet hätte, statt Auld Robin zu heiraten – selbst wenn er nett war.«

»Vielleicht war sie so ja glücklicher«, schlug Jenny vor und wandte sich absichtlich nicht an MacNeil, obwohl er offensichtlich darauf brannte, mit ihr zu sprechen. »Man kann sich die Männer ja nicht einfach so von den Bäumen pflücken.«

»Ich finde, daß jeder auf die große Liebe warten sollte«, erklärte Effie in köstlichem Selbstvertrauen. »Ganz gleich, was passiert. Alistair, warum lachst du denn? Bist du nicht meiner Meinung?«

»Effie, wie willst du das denn alles wissen? Du hast doch weniger Ahnung von der Liebe als Inky.«

Mrs. Kentish platzte dazwischen. »Miss Dalgleish, sagen Sie Jessie, daß ich sie gleich für die Mäntel brauche, und gehen Sie noch einmal mit dem Kaffee herum.«

Jenny tat wie geheißen. Langsam wich ihr Triumphgefühl der Ernüchterung. Sowie die Gäste gegangen wären, würde Mrs. Kentish das Zepter wieder in die Hand nehmen, und ihre empörend geltungssüchtige Erzieherin, Prinzessin für eine Stunde, würde sich im Land der Sterblichen wiederfinden.

Jessie, das ältliche Hausmädchen, saß mit den Kellnern und etlichen Kutschern vergnügt in der Küche zusammen. »Die Mäntel«, sagte Jenny knapp, »und holen Sie besser auch William wegen der Kutschen.«

»Ach wirklich?« murrte Jessie. »Dann sagen Sie der alten Fuchtel mal besser, daß ich nicht an zwei Stellen gleichzeitig sein kann.«

Da Jenny wußte, daß das ›Ja‹ bedeutete, eilte sie den Küchenflur zurück. Die stoffbezogene Tür schwang auf, und sie wäre um ein Haar mit MacNeil zusammengestoßen. Er legte ihr die Hände auf die Schultern, um ihr Halt zu geben, und ließ sie dann dort liegen.

»Jetzt habe ich Sie.«

»Mr. MacNeil ...«

»Sie waren auf und davon, noch ehe ich Ihnen mein Kompliment für Ihr Lied machen konnte.«

»Das ist sehr nett von Ihnen. Doch wenn Sie mich jetzt durchlassen würden, ich muß Kaffee servieren.«

»Zum Teufel mit dem Kaffee«, sagte MacNeil gut gelaunt. »Den ganzen Abend laufen Sie schon vor mir weg ... man mußte Sie sogar zwingen, beim Abendessen neben mir zu sitzen ..., und ich bin es leid, Ihnen ständig hinterherzulaufen, damit wir ein anständiges Gespräch führen können.«

»Könnten wir ...«, begann Jenny, die die Wärme und das Gewicht seiner Hände, die sie durch ihr Kleid hindurch spürte, in Unruhe versetzten, »... könnten wir uns im Salon unterhalten?«

»Nein. Jetzt hören Sie, ich will von Ihnen wissen, was hier eigentlich los ist. Nun kommen Sie, Miss Dalgleish, irgendwas stimmt hier doch nicht.«

»Es ist wirklich nichts. ...«

»Nichts ... von wegen. Warum ist Mrs. Kentish denn so garstig zu Ihnen? Habe ich Sie irgendwie in Schwierigkeiten gebracht?«

Das war eine derartige Untertreibung, daß Jenny lachen mußte. »Sie hätten mir keine Aufmerksamkeit schenken dürfen«, erklärte sie und beschloß, daß er ebensogut die ganze Wahrheit erfahren konnte. »Wir warten die ganze Zeit darauf, daß Sie Isola einen Heiratsantrag machen.«

»Daß ich was? Großer Gott!«

»Hatten Sie das denn nicht vor?«

»Das hat die alte ... das hat Mrs. Kentish also damit gemeint! Bei Scott, so klärt sich alles auf!« Er kicherte in sich hinein, dann blickte er mit beunruhigendem Ernst zu Jenny hinab. »Miss Dalgleish, ich möchte, daß Ihnen eines klar ist ... Haben Sie einen Vornamen?«

»Jenny. Doch Mr. MacNeil ...«

»Der ist wirklich sehr hübsch, und er paßt zu Ihnen. *›Jenny hat mich geküßt, als wir uns trafen/ Sprang auf, flog in meine Arme ...‹*«

»Mr. MacNeil, also wirklich!«

»Das ist doch nur ein Gedicht, Sie unglaublich sittsames kleines Mädchen. Ein schönes Gedicht, in dem nicht ein einziges Gefühl vorkommt, das den Saum jenes lieblichen weißen Kleides besudeln könnte. ›*Ach, ich bin so müde/ Ich bin so betrübt/ Ach, ich bin so arm und krank/ Und langsam werd ich alt/ Und doch*‹«, seine Stimme war sehr leise und tief geworden, »*Jenny hat mich geküßt.*«

Hilflos starrte Jenny wie hypnotisiert in sein Gesicht hinauf. Sie hatte sich noch nie in einer solchen Lage befunden, doch sie spürte die Stärke seiner Empfindung und ängstigte sich auf einmal vor der unbekannten Macht, die sie geweckt hatte.

»Jenny, das ist wichtig. Ich habe zwar mit Isola geflirtet, das gebe ich zu. Doch deshalb bin ich noch nicht der Schwerenöter, für den Sie mich halten müssen.«

»Ach, ich glaube doch gar nicht, daß ...«

»Sie ist eine von denen, die mit allen flirten, und sie hat bloß ihr Spielchen mit mir getrieben, bis etwas Jüngeres, Hübscheres aufkreuzte. Mehr steckt nicht dahinter, bei meinem Ehrenwort. Sagen Sie, daß Sie mir glauben.«

»Ja, selbstverständlich.« Sie wußte bereits, daß MacNeils Ehre über jeden Zweifel erhaben war. Wie begeistert ihre Mutter von einer derart ritterlichen Art zu reden gewesen wäre!

»Und sind Sie nun gewillt, das eine oder andere Kompliment von einem alten Narren entgegenzunehmen, der ein Herz für gefühlvolle Lieder hat?«

»Sie können alles sagen, was Sie möchten, Mr. MacNeil.« Sie blickte hinauf in sein Gesicht und fand, daß er im trüben Licht des Flurs bei weitem nicht so alt aussah.

Nachdenklich drückte er ihre Schultern. »Das war das Lieblichste, was ich seit langer, langer Zeit gehört habe. Und die Sängerin ist genauso frisch und wohltuend wie das Lied. Sie sind ein Zweig hübscher weißer Erika unter diesen ganzen Treibhausbuketts. Ihr Anblick tut meinen müden alten Augen wohl.«

Die Stimmen hinter der Tür schienen aus einer ungeheuren Entfernung zu kommen. Sie standen beide in einer abgeschiedenen Welt der Schatten und eines atemlosen Schweigens.

MacNeil durchbrach es, indem er leise kicherte. »Sehen Sie, was für ein Dichter ich sein kann? Lassen Sie sich nicht gern von mir umgarnen?«

»Ich ... ich muß gehen.«

»Wann darf ich Sie wiedersehen?«

»Das weiß ich nicht. Ich bin nicht in der Lage, eigene Pläne zu machen.«

»Dann werde ich für Sie welche machen.« Er kam ihr so nahe, daß sein Atem ihr Haar streifte und sie den Duft seiner Rasierseife riechen konnte. »Ich habe nicht vor, Sie wieder zu verlieren, Jenny.«

»Wo ist denn Miss Dalgleish bloß?« schrie Mrs. Kentish gefährlich nah hinter der Tür.

Jenny ließ ihn stehen und eilte hinaus. Sie spürte, daß ihre Wagen rosig waren und ihr Blick nicht ganz klar.

»Ich möchte Sie im Frühstückszimmer sehen«, flüsterte Mrs. Kentish ihr bedeutungsvoll zu, »sowie alle weg sind.« Und sie setzte mit lauter, unangenehmer Stimme hinzu: »Ach, da sind Sie ja, Mr. MacNeil. Danke, daß Sie uns heute abend die Ehre Ihres Besuchs erwiesen haben. Ich bedaure nur, daß das Haus für derlei Anlässe nicht geeigneter ist. Ich kann Ihnen versichern, bei uns zu Haus pflegen wir doch einen ganz, ganz anderen Stil.«

»Es war ein reizender Abend, Mrs. Kentish.«

»Zwei der Spülbecken sind immer noch verstopft«, erwiderte Mrs. Kentish unfreundlich. »Vielleicht könnten Sie morgen Ihren Hausbesorger vorbeischicken. Und das Klavier scheint Spuren auf dem Parkett hinterlassen zu haben. Ich bekenne mich freiwillig schuldig. Setzen Sie das mit auf die Rechnung.«

Im Durcheinander des Aufbruchs steckte Effie Jenny ein Fetzchen Papier in die Hand. »Nur für den Fall, daß Sie uns nicht besuchen kommen können ... das ist unsere Anschrift in London. Das Haus meiner Schwester in Hyde Park Gate. Wir werden in vierzehn Tagen dort sein.«

Nun, da das Haus sich geleert hatte, nahte die Stunde der Abrechnung. Nur noch ein Gast stand in der Diele – die häßliche alte Jungfer, die den jungen Marineoffizier mitgebracht hatte. Mrs. Kentishs finstere Miene und ihr klopfender Fuß bewirkten, daß sie ganz zappelig wurde vor Nervosität. »Meine Güte, wo steckt Douglas nur so lange? Vielleicht gehe ich ihn besser holen ...? Ich habe ihm doch gesagt, daß es Zeit zum Aufbruch sei. Zweimal sogar.«

Endlich tauchte der Leutnant auf, mit schwerer Zunge und rot wie eine Pfingstrose. Auf den Schultern seiner Ausgehuniform glitzerten Regentropfen.

Mrs. Kentish scheuchte ihn auf eine Weise hinaus, mit der sie gerade noch ein Mindestmaß an Höflichkeit wahrte. Jenny bemerkte, wie Isola sich nach oben stahl, das Haar voller kleiner Wasserperlen.

»Nun gut.« Mrs. Kentish stieß die Tür zum Frühstückszimmer auf. »Hier hinein, bitte.«

Sie baute sich großartig vor der Glut des verlöschenden Feuers auf. Jenny stellte sich ihr gegenüber auf den Kaminvorleger und versuchte, keinen eingeschüchterten Eindruck zu machen.

»Ich wüßte gern, was Sie zu Ihren Gunsten vorbringen können, Miss Dalgleish?«

»Ich verstehe nicht recht, Mrs. Kentish ...«

»Es gibt keine männlichen Zeugen, Miss Dalgleish, die Ihren Auftritt miterleben. Ich bin der einzige Mensch im Zimmer, und mich lassen Ihre Schliche völlig unbeeindruckt. Sie brauchen also gar nicht die Unschuldige zu spielen. Nie ... niemals habe ich ein derart schändliches, schamloses Benehmen von irgendeiner meiner Angestellten erlebt.«

Jenny summte das Blut in den Ohren. Sie hatte Angst vor der Frau, war jedoch entschlossen, ihre Würde zu wahren. »Ich fürchte, das müssen Sie mir erklären.«

»Na schön. Ihr unverhohlenes Anbändeln mit Mr. MacNeil hat mich zutiefst schockiert und meine Gäste in Verlegenheit gebracht.«

»Ich habe nichts dergleichen getan«, sagte Jenny und versuchte, den Kopf zu heben. »Ich habe nichts Unrechtes getan. Sie können sich über mein Betragen nicht beschweren. Ich lasse diese Anschuldigungen nicht auf mir sitzen.«

»Sehr rührend, gewiß«, höhnte Mrs. Kentish. »Sie sind wirklich eine begabte kleine Schauspielerin ... ganz die gekränkte Unschuld. Ich habe mich zwar sehr in Mr. MacNeil getäuscht, der gewiß nicht der Gentleman ist, für den ich ihn gehalten habe, doch noch mehr habe ich mich in Ihnen getäuscht. Ich hätte nicht übel Lust, Sie auf der Stelle zu entlassen.«

»Danke«, sagte Jenny in einer Mischung aus plötzlich aufwallendem gerechtem Zorn und innerem Jubel, »das wird nicht nötig sein. Ich fahre mit dem ersten verfügbaren Zug.«

»Das könnte Ihnen so passen!« kreischte Mrs. Kentish. »Wir haben eine Abmachung getroffen! Es kommt überhaupt nicht in Frage, daß ich hier ohne Erzieherin hockenbleibe. Sie gehen nicht, bis Ihre Kündigungsfrist abgelaufen ist, oder Sie bekommen keinen Penny von mir!«

»Da Sie ja so enttäuscht von mir sind, werde ich keinen Lohn verlangen.«

»Sie werden die Nase nicht mehr ganz so hoch tragen, wenn Sie wegen einer Empfehlung angekrochen kommen!«

»Und eine Empfehlung werde ich auch nicht verlangen«, versetzte Jenny verächtlich.

»Wie können Sie es wagen!« Mrs. Kentishs Busen bebte zornig. »Eine derartige Frechheit ...«

Eine heiße weiße Zornesflamme brannte den letzten Rest von Jennys Angst weg. Da sie ja keine Angestellte mehr war, ging sie einfach aus dem Zimmer und ließ die in ohnmächtigem Zorn vor sich hin schnaubende Mrs. Kentish zwischen verschmierten Punschgläsern und welkenden Tuberosen zurück. Es war ein Augenblick der köstlichsten Genugtuung, der sie wie auf Wolken nach oben trug.

»Was ...?« Auf der Schwelle ihres Schlafzimmers blieb sie verblüfft stehen.

Das war zuviel. Isola lag in einer schlaffen Chiffonwolke auf ihrem Bett. Ihr gelöstes Haar floß in üppigen parfümierten Wolken auf die Bettdecke. Sie rauchte eine Zigarette und schnappte die Asche ins Wasserglas.

Jenny knallte die Tür hinter sich zu. »Was wollen Sie?«

»Nur ein Wort«, sagte Isola, »ehe Sie den Weg aller Erzieherinnen gehen.«

»Ich sehe dafür keine Notwendigkeit.«

»Ach, mein Gott«, sagte Isola ermattet, »nun kommen Sie schon runter von Ihrem hohen Roß. Ich werde Ihnen bestimmt nicht vorwerfen, daß Sie mir meinen Galan ausgespannt haben, falls Sie das befürchten sollten.«

»Dann ist es ja gut.« Jenny stieß nachdrücklich das Fenster auf.

»Wirklich, nur eine Sache. Sie haben Ihre Karten wirklich ungeheuer geschickt ausgespielt.«

»Wie bitte?«

»Sie haben sich in aller Heimlichkeit mit MacNeil getroffen, wie? Und wir sind so blöd und haben nicht den leisesten Verdacht.«

»Wie kommen Sie denn auf so etwas!« Jenny war aufrichtig entsetzt. »Wir sind uns heute nachmittag zum erstenmal begegnet.«

»Dann sind Sie ein absolutes Genie. Dies sackartige weiße Ding, was Sie da anhaben, ist genau die Art keusches Gewand, das einen langweiligen alten Knochen wie ihn anspricht. Wenn Mutter nicht so dumm gewesen wäre, hätte sie mich auch in so eins gesteckt. Und das Medaillon ist ein Geniestreich. Ich nehme an, darin verbirgt sich ein winziges Bild Ihrer Mama, und wenn nicht, es schaut ja doch keiner hinein! Wirklich, meine Liebe, als Erzieherin vergeuden Sie nur Ihr Talent.«

Es war die längste Rede, die Jenny je aus Isolas Mund gehört hatte, und sie war zu verblüfft, um zu antworten. Ihr Vater hatte sie einmal gewarnt, daß das Gehirn der Bösartigen auf andersartige und unauslotbare Weise arbeitete, doch bis zu diesem Augenblick hatte sie daran nicht geglaubt. Sie war gekränkt und verletzt und fühlte sich auf einmal so einsam, daß sie am liebsten losgeheult hätte.

»Wir sind beide in Ungnade gefallen«, bemerkte Isola, »doch dank Ihnen werde ich wohl billig davonkommen. Ihnen ist doch wohl klar, aus welch gräßlicher Zwickmühle Sie mich erlöst haben? Wenn MacNeil mir einen Heiratsantrag gemacht hätte, und ich hätte abgelehnt, hätte sie mir mein Kleidergeld gestrichen. Sie ist ganz versessen darauf, daß ich jetzt irgendeinen strengen älteren Mann heirate, weil sie findet, daß ich zu unartig bin, als daß man die Entscheidung mir überlassen könnte. Und eigentlich«, setzte sie hinzu und ließ die Zigarettenkippe in das Glas fallen, »hat sie damit völlig recht. Ich habe jedoch

keine Lust, mir Fesseln anlegen zu lassen, ehe ich nicht ein bißchen Spaß gehabt habe. Ich bin Ihnen also sehr dankbar. Falls
Sie je nach London kommen ... und nach dem Triumph heute
abend wären Sie verrückt, das nicht zu tun ..., lade ich Sie zu
Gunter's zum Tee ein.«

Jenny, die zwischen Abscheu, Schmerz und Zorn hin- und
hergerissen war, mußte zu ihrer eigenen Überraschung plötzlich
lachen. Ihre Welt war in den Grundfesten erschüttert, und dieses Erdbeben war von immer neuen Absurditäten begleitet. Im
Verlauf eines einzigen Abends hatte sie sich auf irgendeine Weise von der mickrigen Erzieherin zu einer durchtriebenen Aben-
teurerin gemausert. Sie war zwar zutiefst in ihrer Würde verletzt, zugleich aber empfand sie die unerwartete Wende als aufregend.

Isola beobachtete sie teilnahmslos. »Sie hat sie vermutlich
rausgeschmissen?«

»Ich habe von selbst verzichtet.« Jenny verging das Lachen,
als ihr klar wurde, was sie getan hatte. Sie war von allen guten
Geistern verlassen gewesen. Wie sollte sie denn erklären, daß
sie ihre Stelle ohne Zeugnis aufgegeben hatte, falls ein künftiger
Arbeitgeber das zufällig herausbekam? Um ihrer Würde willen
hatte sie sich einen ordentlichen Schandfleck eingehandelt – im
Hinblick auf ihre berufliche Untadeligkeit. Jahrelange Arbeit
war damit zunichte geworden, und dabei hätte es nur ein kleines bißchen Demut gebraucht, um sie zu retten.

»Na, da kann ich nur sagen: Kompliment«, sagte Isola. »Auf
dem Schreibtisch liegt ein Fahrplan. Sie sind nicht die erste Erzieherin des Hauses Kentish, die ihn aufschlägt.«

»Sie irren sich völlig, was mich betrifft«, sagte Jenny.

»Nein, das tue ich nicht.« Isola setzte sich im Bett auf. »Ich
irre mich nie im Hinblick auf Menschen. Und ich fresse einen
Besen, wenn ich mich im Hinblick auf Sie geirrt haben sollte.
Leben Sie wohl.«

Als sie gegangen war, setzte Jenny sich benommen ans Fußende. Sie wußte, sie hätte auf der Stelle mit dem Packen beginnen sollen, doch sie vermochte noch keine Ordnung in ihre
Empfindungen zu bringen. Isolas Unterstellung machte sie zwar
wütend, aber vielleicht hatte sie ja recht? Jenny erinnerte sich

an den Moment der Erregung, als sie an MacNeils Geld und seine gesellschaftliche Stellung gedacht hatte, und ihr Gesicht brannte vor Scham. Für einen Augenblick hielt sie sich selbst für so durchtrieben, wie Mrs. Kentish sie sah.

Und dann begann sie, über ihre Zukunft nachzudenken. Sie konnte zwar, erniedrigt und in Schande, nach Edinburgh zurückkehren und sich eine neue Stelle suchen. Doch weshalb eigentlich? Ihre Geistesbildung hatte ihr nichts eingetragen als nimmer endende Plackerei. Zum erstenmal kam ihr die Idee, daß sich vielleicht verlockendere Preise gewinnen ließen, wenn sie statt dessen mehr Energie auf ihr Äußeres verwendete.

Es wäre natürlich ein Glücksspiel. Doch ihre Chancen standen günstig. MacNeil hatte versprochen, sie wiederzufinden, und sie brauchte nichts weiter zu tun, als es ihm zu erleichtern. Er war nett, er war einigermaßen gutaussehend, und da er ihr schon wesentlich besser gefiel als irgendein Mann, dem sie bisher begegnet war, müßte es ihr doch ein leichtes sein, sich in ihn zu verlieben. Wenn sie Prüfungen in Latein und Algebra bestand, dann konnte sie sich auch dazu bringen, Alistair MacNeil zu lieben.

Zitternd vor Eifer überdachte sie rasch die praktischen Erfordernisse und erkannte, daß es gelingen könnte, wenn sie das Projekt nur mit absoluter Entschlossenheit in Angriff nahm. Da waren ihre Ersparnisse. Ihr Vater würde zwar entsetzt sein, doch sie wußte, daß sie nur auf den Ehrgeiz ihrer Mutter zu setzen brauchte. Mrs. Dalgleish würde sogleich die Chance erkennen, die sich nur einmal im Leben bot. Sie zog Effies Papierfetzchen aus der Tasche. Es war zwar gemein, Effie zu benutzen, um an ihren Bruder heranzukommen, doch sie wußte, daß ihr das keine allzu großen Gewissensbisse bereiten würde.

Statt die ermüdende Aufgabe in Angriff zu nehmen, ihre Habseligkeiten einzupacken, griff Jenny nach ihrem intarsiengeschmückten Reiseschreibpult und riß den Federhalter und ein Blatt Papier heraus.

»Liebe Eleanor«, schrieb sie, »ich habe mich über Deine Einladung wirklich sehr gefreut. Ich habe große Lust, den Sommer in London zu verbringen. Wenn ich nichts mehr von Dir höre, werde ich am Elften aus Edinburgh abfahren ...«

4

Hampstead, London

Blasses Nachmittagssonnenlicht durchflutete den Salon und fing sich gleißend in den silbernen Rahmen der Fotografien, die dicht gedrängt auf dem Kaminsims standen, und in den Glastüren der mit Einlegearbeiten verzierten Vitrinen. Ein Lufthauch zupfte an den Quasten der Brokatvorhänge und brachte die Kristallgehänge des Kronleuchters zum Schwingen. Beide Flügeltüren standen offen und gaben den Blick auf gestreifte Rasenflächen und eine makellose französische Gartenanlage frei.

Eleanor saß am Flügel und spielte sich in aller Muße durch eine bewegende Fantasie von Chopin. Sie genoß den Frieden. Der Garten war so steif und künstlich wie das Haus. Doch jenseits der Hecken und der Tennisplätze lag Hampstead Heath, eine Wildnis aus Weißdorn und Moschusrosen. So brauchte man nur noch das ferne Dröhnen des Londoner Verkehrs und den einschläfernden Duft von sonnenwarmer Bienenwachspolitur auszuschließen, und schon wähnte man sich in Arkadien.

Der Frühling steigerte Eleanors Hunger nach Romantik und Poesie – diesen Hunger, der sie in letzter Zeit mit Unzufriedenheit gegenüber ihrem wohlgeordneten Leben erfüllte. Sie war jedoch Herrin ihrer Gefühle, solange sie sie in die Musik leiten konnte. Wenn sie sich anderswo Bahn brachen, bezichtigte ihre Mutter sie des ›Trübsinns‹. Mrs. Herries hatte ein niederschmetterndes Talent, alles auf langweilige Prosa zu reduzieren. Wirklich, was hatte das alles für einen Sinn? Träge ließ Eleanor eine schwierige Stelle aus. Da niemand da war, der sich hätte beklagen können, gab sie Chopin schließlich zugunsten des lärmenden Twosteps ›Ragging the Baby to Sleep‹ auf.

Er hörte sich in der erstickenden Pracht des Salons ihrer Mutter wundervoll deplaziert an. Mrs. Herries bevorzugte Waring und Gillow – alles, was gut und teuer war, bei größtmöglichem Gegenwert, sofern das Ganze etwas hermachte. Man konnte ihr nicht eigentlich Vulgarität vorwerfen, doch gab es zuviel Hochglanz, zuviel plumpe Bequemlichkeit. Das Haus der Herries' war in den neunziger Jahren erbaut worden, und der Architekt hatte, unter dem Einfluß der *Arts-and-Crafts*-Bewegung, ein verschachteltes Herrenhaus aus mosaikartig zusammengesetzten Mansarden und hohen ornamentalen Schornsteinen entworfen. Mrs. Herries war es jedoch weniger um Arts and Crafts als um moderne Bequemlichkeit zu tun. Eleanor hätte lieber die alte Unbequemlichkeit gehabt – Möbel mit dem spröden Charme des Alters und Bilder, auf denen etwas anderes zu sehen war als Pferde und Eßbares.

Sie hörte auf zu spielen und reckte sich ausgiebig. Wie ruhig es doch ohne Mutter war. Erst wenn sie nicht da war, wurde Eleanor klar, wie sehr ihr ständiger Kampf sie ermüdete. Unablässig drängte Mrs. Herries sie, ›etwas aus sich zu machen‹ – als könnte sie etwas dafür, daß sie im Schatten von Viola und Francesca stand. »Du gibst dir überhaupt keine Mühe«, war der Refrain. Doch wie Eleanor nur zu gut wußte: noch das heißeste Bemühen konnte sie nicht in eine Schönheit verwandeln. Ihr breiter Mund und ihre Stupsnase verliehen ihr etwas Rührendes, und das war alles.

Mrs. Herries beschwerte sich auch über Eleanors Benehmen. »Mir soll es recht sein, daß du deine Zeit über Büchern und deiner Musik verträumst, wenn du nichts Besseres zu tun hast, doch deshalb brauchst du dich noch nicht wie eine tragikumwitterte Königin aufzuführen, wenn wir ausgehen. Doch, das tust du ... du schleichst mit einer Märtyrermiene umher, als wärst du über gewöhnliche gesellschaftliche Verpflichtungen erhaben. Du hältst dich vermutlich für wer weiß wie gescheit, doch das stößt andere Menschen ab. Und insbesondere Männer.« Männer kennenzulernen und schließlich mit einem von ihnen eine Ehe einzugehen war der einzige Sinn eines Mädchendaseins. Eleanor hatte jedoch den rotgesichtigen Knaben, die sie ungeschickt übers Parkett schoben, nichts zu sagen. Sie wartete darauf, daß sich der eigentliche Sinn und Zweck ihres Lebens offenbarte. Doch so etwas konnte man Mutter natürlich nicht sagen.

Eleanor griff nach ihrer Brille und wanderte ziellos hinaus in die Frühlingssonne. Mrs. Herries und Viola waren nach dem Mittagessen im Daimler zu Lady Gaisford gefahren, die heute empfing, und wollten anschließend einen überraschenden Besuch bei dem Weißwarenhändler in der Bond Street machen, der an Violas Aussteuer arbeitete. Viola war mit Lady Gaisfords Sohn verlobt, The Honourable Gus Fenborough, und seit der Verlobung befand sich ihre Mutter in einem Freudentaumel. Sie konnte nun einmal nicht vergessen, daß ihr Großvater sein Geld mit der Herstellung von Salbe verdient hatte. Daß sie ihre Tochter in den Hochadel verheiraten konnte, schien jenem vulgären Vermögen die Adelskrone zu verleihen.

Nun, da Mrs. Herries' lästige Rührigkeit in eine andere Richtung gelenkt war, hatte das ganze Haus seine Korsettstäbe gelockert. Aus dem offenen Küchenfenster hörte Eleanor die beiden Hausmädchen beim Vorbereiten der Teetabletts lachen. Sie ließen sich Zeit mit den gerollten Gurkensandwichs und dem Biskuit. Die Köchin war ins Dachgeschoß hinaufgestapft, um sich auszuruhen. Sharp, der Butler, studierte in der Vorratskammer die Pferderennsportseiten. Im Untergeschoß herrschte heitere Gelassenheit.

Im Erdgeschoß war Tante Flora Herries, vor dem Adlerauge ihrer Schwägerin sicher, auf der Terrasse in einem Korbstuhl eingeschlafen. Selbst noch im Schlaf hatte ihr ausgeblichenes Kaninchengesicht einen gehetzten Ausdruck. Ihre schmalen Lippen waren geöffnet, und aus ihrem grauen Knoten hatten sich ein paar spröde Strähnen gelöst.

Francesca war rundum ein lieblicherer Anblick, wie sie da zusammengekauert auf den Stufen der Terrasse saß und Jennys Brief überflog.

»Wird das nicht lustig sein, wenn wir alle wieder zusammen sind?« sagte sie befriedigt. »Wußte ich doch, daß Jenny kommen könnte, wenn sie wirklich wollte. Die Arme, sie scheint das Unterrichten ernsthaft leid zu sein.«

Eleanor setzte sich neben sie auf die Treppenstufe. »Mutter freut sich wie ein Schneekönig. Du weißt ja, wie gern sie das Haus voller Leute hat. Und wenn sie an Whiteley's schreiben und sich die perfekte Tochter bestellen könnte, dann wäre Jenny genau das Modell ihrer Wahl.«

»Und Rory, das lustige alte Haus, kommt endlich nach London. Sie muß ja mittlerweile so verwildert sein wie ein irischer

Häuptling. Ich habe ihr Gedicht immer noch in meiner Hand-schuhschachtel ... das, das sie uns gegeben hat, als wir einander den Schwur geleistet haben.«

Eleanor mußte lachen. »»*Halt diese vier Mädchen im Frühling des Lebens* ...‹ Ja, ich habe es auch aufgehoben.«

»Lach nicht. Ich habe die Absicht, euch alle auf den Schwur zu verpflichten, so daß ich ganz bestimmt einen herrlichen Sommer haben werde.«

Eleanor drückte ihr liebevoll die Hand. »Armer Schatz. Du warst die ganze letzte Zeit so betrübt.«

»Nur Mummys wegen«, sagte Francesca stockend. »Ich hatte mich ja so auf ihre Rückkehr gefreut und auf das Häuschen, das wir zusammen nehmen wollten ... da mußte ich doch enttäuscht sein, obwohl ich wirklich gern hier bin. Deine Mutter ist so nett zu mir.«

»Wir finden es alle herrlich, daß du bei uns bist.«

»Ehrlich? Ich hatte schon Angst, ich würde im Weg sein, als Mummy es sich so plötzlich anders überlegt hat. Doch weißt du, ich habe nachgedacht. Vielleicht ist es ja am Ende besser, wenn sie in New York bleibt. Onkel Archie sagt, das Haus auf Long Island sei wunderschön, und es wäre ja auch peinlich gewesen ... es hätte sie doch niemand besucht, auch wenn sie inzwischen mit Onkel Archie verheiratet ist.«

Eleanor wußte nicht, was sie darauf antworten sollte. Nicht zum erstenmal war sie entsetzt über Francesca Hang zum Praktischen. Die jungfräuliche Lieblichkeit, die sie umgab, bewirkte, daß solche stocknüchternen Erklärungen einigermaßen schokkierten. Dabei waren ihre langbewimperten braunen Augen so mädchenhaft lauter wie eh und je, und von ihren Lippen erwartete man nichts als reizende Töne.

»Onkel Archie war ja ungeheuer lieb wegen dieser Geschichte«, fuhr sie lächelnd fort. »Daß er mir eine so riesige Summe angewiesen hat und mir diesen wunderschönen Perlenschmuck und das Samtcape geschickt hat! So ist es im Grunde doch am besten, davon bin ich überzeugt.«

In ihrem weißen Voilekleid mit dem Spitzenfichukragen und dem knöchellangen Rock sah sie so zart aus wie eine Kamelie. Ihr kastanienbraunes Haar lag in einer schimmernden Innenrolle in ihrem Nacken, und um die Schläfen wagten sich kleine Löckchen hervor. Eleanor wußte, daß dieses bildhübsche Geschöpf, wenn sie gemeinsam in der Öffentlichkeit waren, eine Tarnkappe aufsetzte, und sie liebte sie viel zu sehr, um daran Anstoß zu nehmen. Francesca brauchte sie, und sie sehnte sich danach, gebraucht zu werden. Sie wußte mit zwanzig, wie sie es mit vierzehn gewußt hatte, daß sie eine nahezu unerschöpfliche Fähigkeit zur seelischen Aufopferung besaß.

Gedämpft erklang aus der Tiefe des schlafenden Hauses die Türglocke.

»Ach, verdammt«, seufzte Eleanor. »Wer kann denn an einem Tag wie heute auf die Idee kommen, Besuche zu machen? Wahrscheinlich der Pfarrer. Mutter sollte ihn nicht dazu ermutigen.«

»Zu spät«, sagte Francesca. »Er weiß jetzt, wann wir Tee trinken.«

»Immerfort versucht er, mich zu ›nützlicher‹ Arbeit anzuhalten«, klagte Eleanor, »weil er mich für einen ernsthaften Menschen hält.«

»Aber Herzchen, das bist du doch auch.«

»Bin ich nicht! Jedenfalls nicht auf die fade Weise, die er sich vorstellt.«

Margaret, das ältere der beiden Hausmädchen, kam mit zwei Karten auf einem Silbertablett auf die Terrasse hinaus.

»Miss Flora«, sie beugte sich über den Korbstuhl, »wachen Sie auf, Miss Flo.«

Flora fuhr schuldbewußt aus dem Schlaf empor. Ein Knäuel Häkelgarn rollte ihr vom Schoß. »Was ist?«

»Zwei junge Herren möchten Sie sprechen, Miss. Ich habe sie in die Bibliothek gebeten.«

»Herrje, das muß ein Irrtum sein«, rief Flora entsetzt aus. »Eleanor, weißt du etwas davon? Du bittest doch bestimmt niemanden her, wenn sie nicht da ist?«

»Nicht wenn ich so angezogen bin«, sagte Eleanor und bedachte ihren weißen Flanelltennisrock und ihre schlichte weiße Bluse mit einem flüchtigen Blick.

»Margaret«, sagte Flora besorgt, »Sie hätten ihnen nicht sagen dürfen, daß wir zu Haus sind. Ich glaube nicht, daß wir zu Haus sein sollen, sonst hätte Mrs. Herries etwas gesagt.«

»Aber Sie haben nach Ihnen gefragt, Miss, ganz ausdrücklich.«

Margaret ergriff eindeutig Partei für die beiden jungen Männer. Sie streckte die Hand mit dem Tablett aus. Flora nahm die Karten und versuchte, die Namen ohne Brille zu lesen. »Wirklich? Nach mir? Ja, dann ...«

»Soll ich Mr. Sharp bitten, den Tisch herauszubringen, Miss? Es wäre doch schade, den Tee an einem so schönen Nachmittag drinnen zu nehmen.«

Die Bediensteten liebten und hätschelten Flora, hauptsächlich deshalb, weil sie meist tat, was sie von ihr verlangten. Sie sagte: »Danke, Margaret, das wäre sehr nett«, und war insgeheim völlig sprachlos, weil es ihr gelungen war, zwei fremde junge Männer zum Tee einzuladen, ohne auch nur ihre Namen gelesen zu haben. Was Sybil bloß dazu sagen würde?

In großer Aufregung eilte sie in die Bibliothek.

»Mr. Carr-Lyon und Mr. Hastings, Miss«, kündigte Margaret die beiden mit zustimmender Handbewegung an.

Ihre Namen sagten Flora absolut nichts, und sie vergaß sie sofort wieder. Sie stand einfach nur da und starrte die beiden jungen Männer mit offenem Mund an. Der eine war dunkelhaarig, der andere blond, und beide wirkten in ihren hellen Sommeranzügen bedrohlich groß. Junge Männer waren ja immer so groß. Sie ragten drohend vor einem auf und hinterließen Fußspuren, und man brauchte mindestens drei Anstandsdamen, um sie im Zaum zu halten, wenn Mädchen da waren. Sybil würde wütend werden.

Flora fragte sich, was sie tun sollte, als der Blonde mit sanfter, neckender Stimme sagte: »Na aber, Tante Flora, Sie wollen doch wohl nicht behaupten, daß Sie mich vergessen haben?«

»Ich ... ich ... tut mir leid«, stammelte sie entsetzt.

»Na ja, wer könnte Ihnen das verübeln? Was muß ich auch unbedingt erwachsen werden!«

Sein Lächeln bewirkte, daß es Flora in einem abgeschiedenen Winkel ihres Gedächtnisses plötzlich zu dämmern begann. Sie sah ein sonniges Zimmer vor sich und einen kleinen Jungen mit goldblondem Haar im Matrosenanzug, der sich gegen ihre Schulter lehnte, während sie aus ›*Peter Parley's Annual*‹ vorlas.

Das Bild war für einen Augenblick so eindrücklich, daß sie meinte, den Druck seines spitzen Ellbogens in ihre Korsettstäbe zu spüren und den Duft von seinem frisch geseiften Hals und seiner seidigen gelben Haartolle wahrzunehmen.

Spontan streckte sie die Arme aus: »Sie sind doch nicht etwa der kleine Stevie?«

Das Traumkind ergriff lachend ihre Hände. »Ich hab' dir ja gesagt, daß sie mich wiedererkennen würde«, sagte er zu seinem Begleiter. »Lassen Sie sich mal anschauen, Tante Flo ... und anders kann ich Sie einfach nicht nennen. Sie haben sich überhaupt nicht verändert. Wissen Sie noch, wie Sie immer Kuchen für mich gemopst haben?«

»Stevie ... Mr. Carr-Lyon ... ach, hätten Sie uns doch bloß vorher Bescheid gesagt, daß Sie kommen würden!«

»Es war eine verrückte Anwandlung. Und eigentlich habe ich eher gehofft, daß Sie immer noch ein Stück Kuchen übrig hätten.«

»Ja, natürlich. Sie müssen zum Tee bleiben.« Flora strahlte. Früher hatten die Familien Carr-Lyon und Herries an demselben Platz in Kensington gewohnt, und Stevie war in das Kinderzimmer der Herries' hinübergebracht worden, um mit Eleanor zu spielen. Was für ein liebes Kind das war ... weitaus empfänglicher für ihren Vorrat an brachliegender Liebe als die Familie ihres Bruders. Daß er sich an sie erinnert hatte, erwärmte ihr Herz. Die Menschen taten das so selten. Natürlich war er eigentlich gekommen, weil er wußte, daß das Haus voller Mädchen war, doch sein Lächeln war immerhin echt genug, um ihre alte Zuneigung wiederzubeleben. Und, was am besten war, es war auch völlig in Ordnung, daß sie ihn zum Tee einlud, weil Stevies Mutter mit Sybil zur Schule gegangen und reich war. Statt für ihre Unbesonnenheit getadelt zu werden, würde Flora mit Lob für ihr einfühlsames Verhalten überschüttet werden.

»Ist denn eins von den Mädchen zu Haus?«

»Eleanor ist im Garten draußen, und sie wird sich ungeheuer freuen, ihren alten Spielkameraden wiederzusehen ... sie war doch immer die, die Sie am liebsten von allen mochten, nicht wahr? Viola ist mit ihrer Mutter unterwegs ... sie wird demnächst heiraten, wissen Sie? ..., und Nancy, Nancy, das Küken, ein prächtiges Kind ist das, sie ist im Internat ...« Während sie so vor sich hin plapperte, musterte Flora Stevie wehmütig von Kopf bis Fuß und versuchte, den goldigen Jungen von einst wiederzufinden. Wie oft hatte sie insgeheim geträumt, er wäre ihr Sohn!

Er mußte zwanzig sein, vielleicht einundzwanzig, und die vergangenen Jahre hatten das reine Blond seiner Haare weder verfärbt noch verdunkelt. Er war wenigstens einen Kopf größer als sie und hatte das ausgeprägte Kinn und die hohe Stirn eines Mannes. Seine Augen waren jedoch noch von demselben sanften Blau, und sein Mund war voll und entspannt wie bei einem Kind. Der kleine Stevie war zu einem blendend aussehenden jungen Burschen herangewachsen – genau so hatte sie sich immer Sir Galahad vorgestellt, als sie noch jung und albern genug war, Tennyson zu lesen und Träume zu hegen.

Ihr kinnloses Gesicht strahlte vor Freude, als sie ihn – und seinen stummen Freund – auf die Terrasse hinausführte.

»Eleanor, Liebes, rate mal, wer ...«

Eleanor hatte keine Mühe, Stevie wiederzuerkennen, obwohl ihr Herz einen unerwarteten Sprung tat, weil er so gut aussah. Eine Minute lang war sie verstört. Stevie nahm jedoch unbeschwert ihren alten Freundschaftston wieder auf, als teilten sie immer noch ein Baumhaus in den Gärten am Platz. Er hatte einen anmutigen, ungezwungenen Charme, der so gerecht für alle strahlte wie das schöne Wetter. Eleanor erkannte sofort, wie er es angestellt hatte, Margaret zu erobern: Wenn er lächelte, hatte man das Gefühl, liebevoll von seiner ungeteilten Aufmerksamkeit umhüllt zu werden. Binnen fünf Minuten schwelgten sie alle in diesem Gefühl.

»Du hast dich überhaupt nicht verändert.« Eleanor nahm an, daß er sich gefragt hatte, ob sie wohl hübsch geworden sei, nun hatte er die Gewißheit, daß dies nicht der Fall war. Sein Blick stahl sich immer wieder über ihre Schulter dorthin, wo Francesca ihn mißtrauisch beobachtete. Er gefiel ihr, erkannte Eleanor, doch sie war viel zu schüchtern, um den Mund aufzumachen.

Er war so gescheit, sie ins Gespräch mit einzubeziehen, ohne eine Antwort zu erwarten, und so fand sie schließlich den Mut zu murmeln: »Ich weiß jetzt, wer Sie sind. Sie haben Eleanor die kleine sichelförmige Narbe am Knie zugefügt.«

»Was für ein gräßlicher kleiner Grobian ich war«, sagte Stevie. »Hat sie Ihnen auch erzählt, daß ich das mit ihrem eigenen Federmesser getan habe? Wir haben Chirurg gespielt, und ihres war besser als meines.«

Eleanor segnete ihn für den Takt, mit dem er Francescas flammendrotes Gesicht ignorierte. Armes Schätzchen, sie hatte solche Angst vor Fremden, daß die meisten gesellschaftlichen Anlässe ihr Höllenqualen bereiteten.

»Ihr wart zwei ganz Schlimme«, sagte Flora glücklich. »Das Haus, so wie es früher war, fehlt mir zwar manchmal, doch es war sowieso nicht mehr das alte, als ihr alle weg wart, Stevie.«

Sie stand untätig herum, während Sharp und Margaret das Tischtuch auflegten und die beiden vollen Tabletts von ihrer Last befreiten. Dann, sie bezog gerade Position hinter der silbernen Teekanne, erinnerte sich Flora plötzlich an Stevies Begleiter, der die ganze Zeit geschwiegen hatte.

»Mr. ... es tut mir schrecklich leid, doch ich glaube nicht ...«

»Lorenzo«, unterbrach Stevie munter. »Wir nennen ihn alle so, weil er so viel Ähnlichkeit mit einem italienischen Drehorgelspieler hat. Da möchte man natürlich das Äffchen nicht missen – das ist auch der einzige Grund, weshalb er es auf sich nimmt, sich mit mir zu zeigen. Versuchen Sie gar nicht erst, ihn zum Plaudern zu bewegen.«

»Warum nicht?«

»Unverfängliche Gespräche machen ihn rasend. Schieben Sie ihm einfach nur ab und zu ein Milchbrötchen zu. Er beißt nie, solange er gefüttert wird.«

›Lorenzo‹ seufzte und sagte: »Du bist ein Idiot.« Aus seiner verdrießlichen Stimme sprach eine so offenkundige Langeweile, daß Flora ganz betreten war.

Stevie, der gerade noch den Sessel neben Francesca ergatterte, ehe Eleanor ihn erreichen konnte, lachte nur. »Setz dich und iß was. Wenn meine Oberflächlichkeit dich dermaßen schockiert, sprich mit Eleanor. Sie war schon immer eine von der schlauen Sorte.«

Eleanor, die diese schreckliche Beschreibung ihrer Person als zutiefst niederschmetternd empfand, riß sich sogleich die Brille von der Nase, so daß der prächtige Garten mit seinen kräftigen

Farben vor ihren Augen verschwamm. Mit einem schlauen Mädchen wollte doch nie jemand reden.

Ihre Tante machte es, wie gewöhnlich, nur noch schlimmer. »Sie ist der Musik wahrhaftig ergeben, Mr. ...«, sagte sie bemüht, als Lorenzo sich verdrießlich auf einem Stuhl niederließ und ein Sandwich von Margaret entgegennahm. »Ernster Musik natürlich. Und der Dichtung. Interessieren Sie sich für Dichtung?«

Er starrte vor sich hin, ohne auch nur mit einem Wimpernzucken auf ihre Worte einzugehen. Flora war dank ihrer niedrigen Stellung als unverheiratete Tante zwar an Unhöflichkeit gewöhnt, aber an so etwas dann doch nicht. Sie blickte hilflos in die Runde.

Stevie stieß einen scharfen Pfiff aus. »Larry!«

Lorenzo wandte Flora das Gesicht zu. »Haben Sie etwas zu mir gesagt?

»Ja«, flüsterte sie

»Ich habe es nicht gehört. Ich bin auf einem Ohr taub. Sie haben das falsche erwischt.«

»Ach so. O je.« Sie war derart fassungslos, daß sie sich die Finger an der Teekanne verbrannte und die Untertassen überflutete. Dieser Lorenzo hatte etwas an sich, was ihr, um einen Ausdruck Margarets zu gebrauchen, eine richtige Gänsehaut verursachte. Für einen Augenblick verband sich sein Gesicht mit irgend etwas Unangenehmem, was sich in ihrem Hinterkopf regte. Ob sie ihn irgendwo schon einmal gesehen hatte? Wie hieß er denn eigentlich richtig? Sie konnte ja wohl kaum noch einmal danach fragen.

»Lassen Sie mich das machen, Miss Flo.« Margaret nahm ihr sanft die Teekanne aus den Händen.

Flora versank in den Tiefen ihres Sessels, viel zu eingeschüchtert, um einen weiteren Angriff auf Lorenzos taubes Ohr zu unternehmen. Ihr graute davor, sich lächerlich zu machen, indem sie ihm ins Ohr brüllte.

Stevie an der anderen Seite des Tisches gelang es, Francesca ihre Nervosität zu nehmen – als hätte er einen Zauberstab geschwenkt, dachte Flora. Sybil, die das Kind mehr oder minder als hoffnungslosen Fall abgeschrieben hatte, wäre erstaunt gewesen, sie so lebhaft zu sehen.

»Halten Sie still, Miss Garland ... da ist eine Biene nicht weit von ihrem Haar.«

»Eine Biene! Wie entsetzlich!«

»Mögen Sie keine Bienen?«

»Nein! Wenn sie mich nun sticht ... Ist sie sehr groß?«

»Riesig. Möchten Sie, daß ich sie für Sie verscheuche?«

»Ja bitte, wenn Sie so nett sein wollen ...«

»Bienen lieben nun mal Blumen, wissen Sie.«

»Ach ja?«

»Sehr sogar. Sie riechen immer die hübschesten heraus.«

»Wie schlau. Wo sie doch nicht mal richtige Nasen haben.«

Eleanor konnte es nicht länger mit anhören. Sie war zwar ebenfalls beeindruckt von Stevies Art, Francescas Vertrauen zu gewinnen, fragte sich jedoch, was die beiden bloß an einem derart albernen Gespräch fanden. Sie setzte ihre Brille auf, um Lorenzos dunkles Gesicht in Augenschein zu nehmen. Er pickte die Rosinen aus einem Stück Teekuchen und unterdrückte dabei ein Gähnen.

»Woher kennen Sie Stevie?« fragte sie.

»Wir waren zusammen auf der Schule. Jetzt sind wir beide in Cambridge.«

»Ach.« Sie hatte irgendwie angenommen, daß er älter wäre als Stevie. Seine Stimme hatte den bitteren Beiklang, den sie mit Lebenserfahrung verband. Jetzt, da sie ihn richtig sehen konnte, fand sie ihn sehr gut aussehend. Vielleicht hatte er italienisches Blut in den Adern, wie sein Spitzname anzudeuten schien. Er war so dunkel wie ein Florentiner, hatte volles glattes Haar, sirupfarben, und herrliche, ausdrucksvolle Augen – Augen wie die Nacht, so schwarz wie Ebenholz oder Gagat. Sie beherrschten das schmale kluge Gesicht mit der großen scharfgeschnittenen Nase und den vorspringenden Backenknochen. Er war nicht hübsch wie Stevie. Doch er war interessant. Er war zwar zu einer Statue des Gelangweiltseins erstarrt, aber Eleanor meinte zu erahnen, daß sich dahinter eine ungeheure Anspannung verbarg. Vorsichtig unternahm sie einen erneuten Versuch, seine Aufmerksamkeit zu erregen.

»Sind Sie am selben College?«

»Ich bin am Trinity. Er ist am King's.«

»Und gefällt es Ihnen?«

»Soweit mir überhaupt etwas gefallen kann ... ja.«

Sie ließ nicht locker. »Ich dachte, die Vorlesungen hätten schon wieder angefangen. Müßten Sie nicht schon dort sein?«

»Ich war im Krankenhaus.«

»Ach so. Waren Sie krank?«

»Sie haben es erraten. Hätte sonst ein ganz netter Aufenthalt werden können.«

Sein träger Sarkasmus verletzte sie, doch sie wußte, daß sie ihn verdient hatte. »Was fehlte Ihnen denn?«

»Ich habe mir den Blinddarm entfernen lassen. Stevie hat mir zwar verboten, unter kultivierten Menschen davon zu sprechen, und unter solchen befinde ich mich wohl. Aber wenn Sie schon fragen. Und wenn ich es Ihnen nicht gesagt hätte, würden Sie vielleicht denken, es wäre etwas noch Unfeineres gewesen.«

»Hat man ihn Ihnen gezeigt, nachdem er draußen war?«

Er ließ erstmals einen Anflug von Interesse erkennen. »Wie kommen Sie bloß auf solch eine Frage?«

»Ich wüßte gern, wie ein Blinddarm aussieht.«

»Das möchte ich bezweifeln. Sie haben ihn mir tatsächlich gezeigt, in Formaldehyd eingelegt, und ich fand ihn ziemlich ekelhaft.«

»Aber fanden Sie ihn denn nicht interessant?« fragte sie.

»Ich war überrascht. Wenn Sie es wirklich wissen wollen ... er sah aus wie das allervulgärste Essiggürkchen: enttäuschend klein und gewöhnlich für etwas, was mir derart gigantische Beschwerden verursacht hat.«

»Es wäre doch ungeheuer hilfreich«, meinte Eleanor ernsthaft, »wenn die Ärzte alles rausnehmen könnten, was unangenehm oder schmerzhaft ist, und es in ein Glas legen wie einen Blinddarm.«

Das war die Art Bemerkungen, mit denen sie auf Bällen die Männer regelmäßig verscheuchte. Lorenzo jedoch dachte ernsthaft darüber nach.

»Die Fehler, die man hat, meinen Sie. Oder die schlimmsten Erinnerungen. Alles, was den Organismus vergiftet. Das könnte man jedoch nie riskieren, denn was, wenn sie sich als derart schrecklich erweisen, daß man sie gar nicht betrachten möchte.«

»Können die Fehler eines Menschen denn derart schrecklich sein?« fragte sie erstaunt. »Außer, sie hätten etwas Furchtbares angerichtet ... daß einer zum Mörder geworden ist vielleicht. Ich kann mir nicht vorstellen, daß das Gewissen von Charlie Peace in ein einziges Glas passen würde.«

»Stimmt.« Lorenzos Wangenmuskeln traten hervor, und er wandte wütend den Blick von ihr. »Wie anschaulich Sie das doch darstellen.«

Stevie hatte von diesem Gespräch einiges mitbekommen. »Du bist ein Unhold, Larry. Hör jetzt auf, dauernd von deiner Operation zu reden. Sprich mit Eleanor über Musik oder etwas Ähnliches.«

Offensichtlich hatte Eleanor etwas Falsches gesagt, gerade als ihr Gespräch in Gang zu kommen schien. Da sie befürchtete, ihn verletzt zu haben, nahm sie Stevies Anregung auf und wechselte das Thema. »Musik? Spielen Sie ein Instrument?«

»Ja.«

»Ich auch.«

»Sind Sie denn gut?« Sein Interesse war minimal.

»Ich wäre gern besser. Meine Mutter scheint nicht zu begreifen, wieviel es mir bedeutet. Sie kann mit einer musikalischen Tochter nichts anfangen, abgesehen davon, daß man immer jemanden hat, der nach einem Abendessen irgendwelche Tanzmusik aus dem Ärmel schütteln kann.«

»Während Sie weit anspruchsvollere Ambitionen haben«, meinte Lorenzo dazu. »Die ›Lustige Witwe‹ lehnen Sie strikt ab, verachten den Twostep und verabscheuen den Ragtime.«

Eleanor dachte an ihre Darbietung von ›Ragging the Baby to Sleep‹ früher am Nachmittag und hoffte, daß er sich nicht über sie lustig machte. »Ich versuche, es richtig zu lernen, doch meine Eltern möchten gern etwas Flottes mit einer richtigen Melodie.«

»Diese Banausen. Wie die Ihre empfindsame Seele verletzen müssen.«

Das hatte sie oft gedacht – und war ganz geknickt, weil er es so mühelos erraten hatte. »Bitte lachen Sie mich nicht aus. Bestimmt spielen Sie so glänzend, daß Sie nie jemand bittet, den Teppich aufzurollen und den ›Cakewalk‹ herunterzudreschen.«

Seine schmalen Lippen verzogen sich zu einem schiefen, ziemlich säuerlichen Lächeln. »Ganz im Gegenteil. Tanzmusik ist gegenwärtig das einzige, was ich gern spiele. Das ist meine einzige Möglichkeit, mich beliebt zu machen.«

»Tanzmusik?« Das Lächeln hatte Eleanor völlig unvorbereitet erwischt. Es löste einen beängstigenden köstlichen Schauder in ihrer Magengrube aus. Dann spürte sie zu ihrer Verlegenheit eine heiße, feuchte Aufwallung zwischen den Beinen, die sich bis in den Haaransatz fortsetzte. Sie stürzte sich wieder ins Gespräch. »Ich dachte, sie wären eher an den ernsthafteren Komponisten interessiert.«

»Unter ›ernsthaft‹ verstehen Sie offenbar solche übelkeiterregenden Viktorianer wie Chopin und Brahms, die vor salbungsvoller Frömmigkeit und Gefühlsduselei nur so vibrieren.«

»Aber große Musik soll doch gefühlvoll sein«, widersprach Eleanor. Das prickelnde Gefühl war immer noch da, und sie hatte Mühe, nicht allzu erregt zu klingen. »Sie drückt doch die Art universaler Leidenschaften aus, die sich nicht in Worte fassen lassen.«

»Unsinn. Die Worte für die Art von Plunder finden sich in jedem Schnulzenroman. Die Rhythmen der neuen amerikanischen Musik sind unendlich bedeutender, weil sie den wahren Geist des modernen Zeitalters zum Ausdruck bringen.«

»Aber die sind doch so ... so aufdringlich und gefühllos!«

»Genau. Gefühle sind der Tod der Kunst.«

»Die Kunst«, sagte Eleanor hitzig, »sollte schön sein.«

»Nein. Sie sollte brutal und kompromißlos sein.«

»Was ich meine, ist, daß die Kunst schön genug sein sollte, um Gefühle zu wecken. Ich erkenne große Kunst daran, daß sie mich zum Weinen bringt.«

»Zum Weinen bringt Sie das Leben«, verbesserte er. »Sie sind offensichtlich eine Sensualistin.«

»Ach ja?« Sie war fasziniert. »Heißt das, daß ich mich nur von den falschen Dingen einnehmen lasse? Wollen Sie damit sagen, daß etwas, was zu mögen einem leichtfällt, nichts wert ist?«

»Von Mögen oder Nichtmögen sollte gar nicht die Rede sein. Große Kunst *ist* einfach.«

Flora gab sich alle Mühe, dem Gesprächsfaden zu folgen, weil Sybil später einen Bericht von ihr fordern würde. Sie verstand kein einziges Wort und konnte nur beten, daß es um nichts Unschickliches ging. Eleanor war sich wahrscheinlich gar nicht bewußt, daß sie sich eifrig diesem jungen Mann zuneigte, den angeblich alle Lorenzo nannten, und daß ihr fahles Gesicht sich gerötet hatte. Wären ihre Worte nicht gewesen, man hätte schwören können, daß sie mit ihm flirtete. Erst recht wünschte Flora sich nun, sie hätte seinen richtigen Namen verstanden. Diese seltsamen dunklen Augen, die er hatte, beunruhigten sie insofern, als sie ihr irgendwie vertraut vorkamen. Es war wie der Nachgeschmack einer bitteren Erinnerung, und er schwand schon wieder, ehe sie seiner habhaft werden konnte. Nein, sie konnte wirklich nicht sagen, ob sie ihn schon mal gesehen hatte.

Sie kramte in ihrem Gedächtnis, als Stevie aufstand und sagte: »Tante Flora, du bist ein Engel, doch Lorenzo und ich müssen jetzt sehen, daß wir unseren Zug kriegen.«

Lorenzo sprang zu Eleanors Entsetzen mit unmißverständlicher Erleichterung auf und schüttelte ihr die Hand, ohne ihr in die Augen zu sehen. Kaum hörte sie Stevies überschwengliche Dankesworte, als er sich verabschiedete und sie alle zur *May Week* einlud, worüber Francesca und Flora noch lachten, als sie sich wieder an den Teetisch gesetzt hatten. Keine von beiden bemerkte, daß Eleanor Lorenzos Teller nahm und verehrungsvoll die rosinenlosen Kuchenkrümel aß, die er verschmäht hatte.

»Ich bin wahnsinnig verliebt!« schrie Stevie, riß sich den College-Strohhut vom Kopf und warf ihn in die Luft. »Sie ist das süßeste, himmlischste, anbetungswürdigste, erlesenste kleine Juwel, das ich je im Leben gesehen habe!«

»Tatsächlich?« fragte Lorenzo. »Ich habe sie mir gar nicht angesehen.«

Stevie zerrte seinen Hut aus einem Stechginsterbusch. »Nein, selbstverständlich nicht. Darüber bist du doch erhaben, so hoch, wie du über uns allen stehst.«

»Na, was hätte ich denn davon gehabt? Du hast sie ja voll mit Beschlag belegt. Es war ein widerwärtiger Anblick.«

Sie gingen den East Heath Drive in Richtung des Taxistandes in der Hampstead High Street hinab und rauchten Lorenzos türkische Zigaretten.

»Ich kann nicht begreifen, wie du derart unempfänglich für Schönheit sein kannst«, sagte Stevie vorwurfsvoll. »Das herrliche, lachhaft kleine Näschen, das böse Mündchen. ...«

»Das völlig leere Köpfchen«, war Lorenzos Beitrag.

»Entzückend leer. Mädchen sollten nichts wissen. Sie sollten erholsam und erfrischend sein. Sieh dir doch die arme alte Eleanor an ... vertrocknet wie ein Regierungsbericht. Es war wirklich heldenhaft von dir, sich mit ihr zu beschäftigen.«

»Ich habe es nicht für dich getan«, sagte Lorenzo. »Ich fand sie ganz nett. Mädchen mit Himmelfahrtsnasen sind immer gutherzig.«

»Worüber habt ihr denn um Himmels willen gesprochen?«

»Über Kunst. Auf ihre Meinung hätte ich zwar verzichten können, die war erstaunlich dämlich. Wie alle ernsthaften Frauen umhüllte sie sich mit so einer klebrigen Romantik. Eigentlich schade. Der fehlt nichts anderes, als einmal gründlich und intensiv durchgevögelt zu werden. Dann wird sie vielleicht gescheit.«

»Larry, untersteh dich!« rief Stevie. »Das ist doch ein anständiges Mädchen ...«

»Ich schreibe nur das Rezept aus. Ich habe nicht vor, auch noch das Medikament zu verabreichen.«

Stevie trat vor Lorenzo und legte ihm die Hände auf die Schultern. »Was ist denn los?«

»Nichts.«

»Ich vergesse immer, daß du eigentlich noch krank bist. Fühlst du dich gut?« Liebevoll schob er eine von Lorenzos schwarzen Haarsträhnen zurück. »Habe ich dich zu sehr angestrengt?«

Lorenzo bog den Kopf weg und ging weiter. »Da machst du dies ganze Theater und kommst von Cambridge runter, um mich abzuholen, weil du beschlossen hast, daß ich noch schonungsbedürftig bin, und dann schleppst du mich durch die ganze Stadt zum Teetrinken mit so einem Haufen elender Weiber.«

»Ich dachte, es würde dich aufheitern!«

»Stephen, diese Zwangsvorstellung, mich aufheitern zu müssen, langweilt mich maßlos. Sie ist so einfältig.«

»Nun sag schon«, drängte Stevie, »was ist los?«

»Du hättest ihnen ruhig meinen Namen sagen können. Keine von ihnen wußte, wer ich bin.«

»Ich habe deine Visitenkarte reingeschickt. Was willst du mehr?«

»Die alte Schachtel konnte sie nicht lesen. Du hättest etwas sagen können ... die hätten mich doch nie reingelassen, wenn sie gewußt hätten ...«

Stevie, der Mühe hatte, mit ihm Schritt zu halten, ergriff Lorenzos Arm. »Nun hör mal, wem schadet das denn? Du sagst doch ständig, wie sehr du Konventionen verachtest. Ich finde, du machst zuviel Aufhebens von der Sache. Mir war sie nie wichtig.«

»Nein, weil du so nett bist«, sagte Lorenzo, »so entsetzlich, so unerbittlich nett – als hockte man ohne Schatten in einer Hitzewelle. Dir ist doch nie irgend etwas sonderlich wichtig.«

Stevie lachte. »Danke.«

»Das ist eine Gabe. Pflege sie.«

»Um Himmels willen, Larry, was hat es denn für einen Sinn, sich wegen etwas zu quälen, was man nicht ändern kann?«

»Dafür sorgen schon die anderen. Du kannst dir nicht vorstellen, wie das ist, wenn man wie ein lebendes Ausstellungsstück aus dem Gruselkabinett behandelt wird.«

»Ach, das ist doch alles Jahre her«, sagte Stevie unbeschwert. »Du bist viel zu empfindlich. Als die arme alte Eleanor von Mördern zu reden anfing, sahst du aus, als wolltest du sie gleich beißen. Ehrlich gesagt, ich glaube, die war ziemlich angetan von dir. Was hältst du denn nun wirklich von ihr?«

»Sie ist in Ordnung.« Lorenzo überlegte einen Augenblick. »Vermutlich besser als die meisten anderen.«

Sybil Herries, eine Frau mittleren Alters, eine vertrocknete Karikatur von Eleanor mit stechendem Blick, war ganz erfüllt vom Triumph ihres Nachmittags. Violas strahlende, gletscherkühle blonde Schönheit hatte bei Lady Gaisford für eine Sensation gesorgt, und als sie nun noch von Stevies Wiederauftauchen hörte, war sie endgültig im siebten Himmel.

»Was für ein netter Junge, wie lieb von ihm, uns aufzusuchen«, sagte sie zu Flora. »Marian Carr-Lyon hat mir zwar geschrieben, daß sie aus Indien zurück seien, doch wegen Viola und Gus bin ich nie dazu gekommen, bei ihr vorbeizuschauen. Morgen müssen wir hinfahren. Du kommst mit.«

»Ja, selbstverständlich«, sagte Flora demütig.

»Er scheint Francesca verzaubert zu haben. Das arme kleine Ding, wo sie doch normalerweise solche Angst vor Fremden hat. Und wen wundert das bei ihrer gräßlichen Mutter? Ach, sie sagt, Stevie hätte einen Freund mitgebracht. War das jemand, den wir kennen?«

Flora wappnete sich innerlich. »Leider ... in dem Durcheinander, verstehst du, habe ich seinen Namen nicht ganz mitbekommen.«

Sie erwartete ein Riesendonnerwetter, doch Sybil lächelte weiter. Sie war im Geist mit dem ansehnlichen Vermögen der Carr-Lyons und der Möglichkeit einer weiteren Verlobung im Haus vor Ende der Saison beschäftigt. »Macht nichts. Er ist bestimmt passend, wenn Stevie ihn kennt.«

»Ja«, strahlte Flora, »genau das habe ich auch gedacht.«

»Wirklich, Flora, wie gut, daß du daran gedacht hast, sie zum Tee einzuladen. Schick Stevie doch eine Einladung zu Violas Ball, Liebes, und schreib noch dazu, daß Mr. Wieheißternoch auch kommen soll. Man kann nie genügend junge Männer an der Hand haben.«

Flora kam zu dem Schluß, daß alles im Lot sein mußte, wenn man ohne die geringste Anstrengung so viel Lob ernten konnte. Sie würde all ihre unguten Gefühle, die dieser Lorenzo in ihr ausgelöst hatte, vergessen. Sybil würde sonst wer weiß was für Nachforschungen anstellen, und man mußte sich ja den Ärger nicht freiwillig an den Hals ziehen. Es gab ohnehin schon genug auf der Welt.

Zweiter Teil

AURORA

Brief an meine Tochter

Da sind wir vier, sepiabraun verblichen auf der Fotografie, die auf meinem Schreibtisch steht. Festgebannt für alle Zeiten in Kleidern, die erst modisch wirkten und dann grotesk und einem inzwischen nur noch verschroben vorkommen. Es ist Sommer 1913, und wir sind auf der Terrasse der Familie Herries in Hampstead. Ich stehe rechts und habe den Arm um Eleanor gelegt. Warum ich lache? Das weiß ich nicht mehr. Doch wir haben damals ununterbrochen gelacht.

Jener Sommer wirkt mittlerweile so seltsam wie ein fremdes Land. Wenn man uns heute darüber reden hört, glaubt man, es sei das goldene Zeitalter gewesen. Mr. Asquith war Premierminister, und – ob Regen, ob Sonne – jeden Abend, während er Bridge spielte, überließ er es der Nation, sich zwei Stunden lang selbst zu regieren. Die Zeitungsjungen mit ihrer ständigen Litanei des ›Extrablatt! Extrablatt! Die allerneusten Meldungen!‹ waren noch keine unheilvollen Kobolde, weil die Nachrichten nie sonderlich schlecht zu sein schienen. Tatsächlich aber war es keineswegs das Goldene Zeitalter. Über Ulster braute sich ein Bürgerkrieg zusammen. Die Suffragetten hatten den Höhepunkt ihrer Militanz erreicht, zerschnitten Gemälde und legten Bomben. Die Arbeiter waren in Aufruhr, und es gab Streiks und Aussperrungen. Papa und Mr. Phillips hatten einigen Anlaß, sich Sorgen zu machen, wenn sie über ihren Frühstücksbücklingen saßen.

Es war für uns jedoch eine unschuldige Zeit, weil wir selbst unschuldig waren. Wir lebten im Herzen eines reichen Empire, in der schützenden Watte unseres Geschlechts und unseres gesellschaftlichen Standes. Wir glaubten an die Ehre und die Ritterlichkeit und das hohe Ziel des gerechten Krieges. Die Leute sprachen wissend davon, daß man ›ein britisches Kanonenboot‹ an die Unruheherde schicken werde, als würde die bloße Anwesenheit unserer Flagge dem Recht über Nacht zum Sieg verhelfen. Unsere Generation war jung und idealistisch, und wie alle jüngeren Generationen glaubten wir insgeheim, daß wir niemals alt werden würden. Das tragische daran war, daß sich das für so viele von uns als wahr erweisen sollte.

Fürs erste war jedoch einfach alles herrlich. London war ein rußiger Karneval unter einem warmen Maihimmel. Wir tanzten und klatschten und trieben die Älteren zum Wahnsinn, wenn wir die neusten Ragtimes auf dem Klavier herunterdroschen. Ich hielt mich zwar für einen ernsthaften, intellektuell veranlagten Menschen, aber meine politischen Obsessionen schienen dem Reigen organisierter Lustbarkeiten nicht im Wege zu stehen. Tennisgesellschaften waren der letzte Schrei, und ich verbrachte Stunden auf dem Tennisplatz der Herries' damit, den anderen Mädchen meinen todsicheren Aufschlag beizubringen.

Mrs. Herries schien mich nicht sonderlich zu mögen. Wer will es ihr verdenken? Meine Stimme war laut und ungeschliffen und so irisch, als hätte ich sie während der letzten sechs Jahre in einem Whiskyfaß mariniert. Ich trug niemals eine Korsage und legte Wert darauf, mich in einem ›bohemehaften‹ Stil zu kleiden, der meine armen Freundinnen entsetzte. Du mußt mich Dir in meinem bevorzugten Russenkittel vorstellen, der von einem grellen Eidechsengrün war und locker über einem formlosen schwarzen Rock zusammengehalten wurde, um zu verstehen, was für eine Vogelscheuche ich damals aus mir machte. Ich war weiß Gott ein peinlicher Anblick.

An meiner Unschuld war so überhaupt nichts Zartes. Eine samtene Blume war sie beileibe nicht – eher schon eine eherne Rüstung, die in abscheulicher Weise schepperte, sowie ich den Mund aufmachte. Ich bildete mir ein, alles zu wissen, und hielt das Glück für mein Geburtsrecht.

Dabei dämpfte die Notwendigkeit, daß ich bei Tante Hilda wohnen mußte, meinen Übermut um einiges. Tante Hilda Veness lebte in einer düsteren Stadtvilla in Bayswater, zusammen mit vier kauzigen alten Bediensteten und neun Papageien. Diese reizbaren Vögel, die sich ständig mauserten, kollerten und kreischten die ganze Nacht, und ich wünschte mir, man hätte sie nicht dazu ermuntert, im Haus herumzufliegen – ich konnte mich nie daran gewöhnen, daß ihre schuppigen Füßchen plötzlich auf meiner Schulter landeten.

Arme Tante Hilda, wie herzlich wenig wir einander doch leiden konnten. Sie war aufgedunsen wie ein zwei Tage alter Flammeri, und sie roch nach Kohl. Sie war eine sehr strenge Vegetarierin, so daß das Essen unsäglich war. Nach einer Woche hatte ich einen solchen Heißhunger auf Fleisch, daß ich einen Ochsen mitsamt dem Geschirr hätte verschlingen können. Außerdem war sie Spiritualistin und hielt jeden Dienstagabend in ihrem Eßzimmer eine Séance ab. Diese obsessive Vorliebe für die Toten ließ eine Atmosphäre entstehen, die für eine lebenslustige Zwanzigjährige gräßlich bedrückend war. Ich schäme mich nicht, Dir zu gestehen, daß ich während der ersten Nächte vor Heimweh heulte, und ich hätte meine Seele dafür verpfändet, Tertius einen Augenblick sehen zu können. Immerhin konnte ich mich mit meinen Blutsschwestern trösten. Bis zum Wiedersehen mit ihnen hatte ich keine Ahnung, wie wertvoll die Freundschaft mit Frauen sein kann. Die Männer haben durchaus ihre Vorzüge – wer wollte das bestreiten? –, doch man fühlt sich so richtig in seinem Element nur in Gesellschaft von Frauen. Ich war in der Meinung aufgewachsen, ein mißglückter Junge zu sein. Dank Eleanor, Francesca und Jenny lernte ich jedoch, stolz auf mein Geschlecht zu sein. Die alte Liebe, die uns verband, erwies sich als unvermindert stark, obwohl wir zunächst die eine oder andere Reiberei hatten. So brauchte ich beispielsweise eine Weile, um mich daran zu gewöhnen, daß Jenny, die ich ja am meisten liebte, eine makellose junge Dame geworden war. Offen gesagt, ich fand, sie sei enttäuschend hochnäsig geworden. Und das sagte ich ihr auch.

»Du brauchst gar nicht so lauwarm und vornehm mit mir zu sein«, sagte ich. »Was hast du denn vor?«

»Was ich vorhabe?« echote Jenny vage.

»Ich kenne diesen Ausdruck doch von der Schule her. Du bist wieder mal auf eine Plakette aus.« Ich hatte ins Schwarze getroffen. Wir bummelten um den Teich in den Kensington Gardens herum und schauten den kleinen Jungen mit ihren Spielzeugbooten zu. »Ich möchte wissen, weshalb du auf einmal wie eine Modepuppe herumläufst«, setzte ich nach, »und deine bezaubernde Nase rümpfst, wenn es darum geht, sich seinen Lebensunterhalt zu verdienen. Hast du ein Vermögen geerbt?«

»Schön wär's.«

»Dann mußt du ja den ganzen Inhalt deines Sparschweins für einen lächerlichen Haufen Handschuhe und Strümpfe verpulvert haben. Und ich kann nicht glauben, daß du so dämlich bist, das ohne guten Grund zu tun.«

Jenny, die sich kaum je zur Unverblümtheit hinreißen ließ, versetzte, ich hätte kein Recht, anderen Leuten Vorschriften bezüglich ihrer Garderobe zu machen – ob ich in letzter Zeit vielleicht mal in den Spiegel geschaut hätte? Wir bekamen einen handfesten Streit, der damit endete, daß sie mit ihren Heiratsplänen herausrückte und mich schwören ließ, den beiden anderen nichts davon zu sagen. Ich kann nicht behaupten, daß mich das erbaute. Beim bloßen Gedanken ans Heiraten sträubten sich mir schon die Haare.

Wenn Du uns im geringsten verstehen willst, mußt Du Dir vor allem unsere erbarmungswürdige Unwissenheit vor Augen halten. Wir besaßen nur eine klägliche Ahnung von sexuellen Dingen. Alles, was wir wußten, war, daß es katastrophale Folgen hatte, wenn man einen Mann ›zu weit‹ gehen ließ. Wir vier erörterten immer wieder lange, was mit ›zu weit‹ wohl gemeint war. Da ich vom Land kam, hatte ich zwar Tiere bei der Paarung gesehen, doch hatte niemand mir auch nur den geringsten Anlaß zu der Annahme gegeben, daß der menschliche Geschlechtsakt ähnlich sein könnte. Niemand sagte Mädchen irgend etwas.

Für unverheiratete Mädchen vor dem Krieg war das Leben ein Spinnennetz von kleinlichen Restriktionen – dazu angetan, uns vor der Wahrheit zu beschützen. Wo warst du denn, mein Kind? Mit wem warst du denn zusammen? War das auch der richtige Umgang? Es kostete mich unendliche Mühe, Tante Hilda einen eigenen Hausschlüssel abzuluchsen. »Als ich ein junges Mädel war, Aurora, da gingen junge Damen niemals allein irgendwohin.« Wir waren junge Damen. Und junge Damen wurden nun einmal so lange bewacht, bis sie in die Obhut eines Gatten übergeben wurden oder bis ihre Jungfräulichkeit so abgestanden war, daß sie für das andere Geschlecht keine Verlockung mehr darstellte.

Männer konnten selbstverständlich tun und lassen, was sie wollten. Diese Ungerechtigkeit machte mich wahnsinnig. Denn ich hatte den Ehrgeiz, die Welt zu verändern, und sah nicht, wie ich das zuwege bringen sollte, wenn ich schon darum kämpfen mußte, allein mit der Straßenbahn fahren zu dürfen. Man konnte in jenem Sommer keine Zeitung aufschlagen, ohne von Suffragetten zu lesen, die Politiker angriffen, Fenster einschmissen oder Sirup in Briefkästen gossen. Ich sehnte mich danach, eine von ihnen zu sein.

Im nachhinein erstaunt mich die Ungerechtigkeit, die darin lag, den Frauen das Wahlrecht zu verweigern. Vergiß sie niemals, jene Heldinnen, die dafür gelitten und gekämpft haben, daß Du in der Regierung Deines Landes Sitz und Stimme haben kannst. Vergiß die Gefängnisstrafen nicht, die Hungerstreiks, die grausame Zwangsernährung. Als ich in London eintraf, hatte die liberale Regierung gerade die geniale Foltermethode des Katz-und-Maus-Gesetzes erfunden. Bis dahin hatte das Innenministerium Frauen, die in den Hungerstreik getreten waren und die Zwangsernährung hatten erdulden müssen, aus gesundheitlichen Gründen entlassen – so daß sie den Kampf wiederaufnehmen konnten. Nach dem Katz-und-Maus-Gesetz hingegen wurden sie in den Hausarrest entlassen, und sowie sie sich erholt hatten, wieder ins Gefängnis zurückgebracht, um die restliche Strafe zu verbüßen. Mrs. Emmeline Pankhurst kam infolge jenes Gesetzes so oft ins Gefängnis von Holloway und wieder heraus, daß die *Daily Mail* die Berechnung anstellte, sie würde ihre Strafe nicht vor 1930 abgesessen haben.

Auch ihre Tochter Sylvia kannte das Innere einer Gefängniszelle. Christabel Pankhurst, die Vorsitzende der Women's Social and Political Union, hielt sich in Paris versteckt. Versammlungen von militanten Organisationen waren verboten worden – die Polizei hatte Weisung, sie gewaltsam aufzulösen und die Wortführerinnen zu verhaften. Das war das Klima, das die WSPU umgab, als ich mich ihr anschloß – gefährlich, gewalttätig und ungeheuer fesselnd.

Doch wie konnte ich da mitmachen, solange ich Tante Hilda im Nacken hatte? Ständig drohte sie damit, Papa zu schreiben, und ich wußte, wenn ich zu weit ginge, würde ich im Handumdrehen nach Irland zurückspediert werden. Ich mußte einen Weg finden, ehe mein Tatendrang wie ein Vulkan explodieren würde.

I

London

Vielleicht war dies ja der Ort für ihre erste grandiose politische Geste, dachte Rory. Sie konnte ›Wahlrecht für die Frauen‹ in dieses alberne Ölgemälde ritzen, auf dem die Hinrichtung Marys, der Königin von Schottland, zu sehen war. Dann würde die Polizei sie hinausschleppen, und sie würde schreien. Man würde sie wegen Schändung nationaler Kulturdenkmäler ins Gefängnis stecken, nachdem sie vor Gericht eine aufrüttelnde Rede über die Ungerechtigkeit des Katz-und-Maus-Gesetzes gehalten hätte.

Ungeduldig seufzte sie und ließ die Stiefel grollend über das Parkett schleifen. Wozu sollte das am Ende gut sein? Es machte keinen Spaß, ganz allein auf sich gestellt militant zu sein. Sie wanderte nur deshalb in der National Gallery umher, weil sie nichts zu tun hatte und nicht wußte, wohin sie gehen sollte. Eleanor, Francesca und Jenny waren auf einem Wohltätigkeitsbasar, und in Bayswater war Séance-Tag. Tante Hilda hatte ihr befohlen, sich rar zu machen: »Weil ich nicht möchte, daß Madam Gerlinskas Aura durch deine Skepsis und deine Unhöflichkeit behindert wird.«

Sie hätte zwar den Gehorsam verweigern, zu Hause bleiben und über Tante Hildas leichtgläubigen Damenzirkel und ihr dickes polnisches Medium lachen können, doch wer lachte schon gern allein? Zum tausendstenmal sehnte sich Rory nach Tertius. Himmel, wie ungeheuer sie ihn vermißte, auch wenn sie ihm das nie gesagt hätte.

»Aurora?« Plötzlich berührte eine Hand ihren Ärmel. »Ich wußte doch, daß Sie das sind! Dinah, sieh nur ...«

»Also, ich bin sprachlos.«

Verblüfft wandte sich Rory zu den beiden Frauen um, die lautlos hinter sie getreten waren. Sie waren etwa Mitte Dreißig und mit der intellektuellen Freudlosigkeit aufgemacht, die Menschenfreundlichkeit, eine edle Denkungsart und eine frugale Lebensweise verriet. Die Frau, die Rory begrüßt hatte, war klein und rundlich; sie trug ein formloses Kleid aus blauer Tussahseide, das am Hals einen rostroten Besatz in Form von Früchten hatte, und eine lange Bernsteinkette. Unter dem großen, ziemlich schlappen Hut – blaues Stroh, mit orangefarbenem Bast bestickt – war ihr strähniges, dünnes braunes Haar im Nacken zu einem kunstvollen Knoten geschlungen. Sie hatte feuchte, lebhafte haselnußbraune Augen und leicht vorstehende Schneidezähne.

Ihre Freundin, im scharfen Kontrast zu ihr, hatte das Aussehen einer sehnigen Zigeunerin, die sich unpassenderweise in Tweedjackett und -rock gezwängt hatte. Das blaßgelbe Gesicht über dem männlichen Kragen und der Krawatte war zwar faltendurchzogen und bitter, doch die schwarzen Augen funkelten humorvoll.

»Miss Curran ... Miss Scott!« Rory erkannte ihre ehemaligen Lehrerinnen am Winterbourne House wieder und hätte um ein Haar ihre Hände nach Tintenflecken abgesucht.

Dinah Curran ließ ein kurzes bellendes Lachen hören und weidete sich an ihrer Verwirrung. »Aurora Carlington, hätte ich mir doch gleich denken können, daß wir Sie nicht für immer aus den Augen verloren haben. Solche wie Sie sind dazu geboren, lebenslang die Geißel ihrer Erzieherinnen zu sein. Und meine Güte, Kind, ist Ihr Haar denn immer noch nicht nachgewachsen?«

»Es gefällt mir so besser«, erwiderte Rory, die sich erst klarmachen mußte, daß es nicht länger in der Macht von Miss Curran stand, ihr einen Tadel für unordentlich gebundene Schnürsenkel zu geben. »Der lange Zopf war so hinderlich. Wissen Sie noch, wie Sie mich nach meinem Rauswurf mit dem Zug nach Haus gebracht haben? Mir sind fast die Ohren abgefallen, solche Vorträge haben Sie mir gehalten.«

»Ja, doch wie wir hinterher darüber gelacht haben«, warf Miss Scott ein und legte den Kopf mit dem sanften Gesicht unter dem schlappen Hut zurück. »Sie sahen so ungeheuer komisch aus, genau wie ein Stachelschwein.«

»Wie geht's denn der guten alten Maudie ... ich meine, Miss Westwood? Sind Sie noch am Winterbourne House?«

»Nein, Gott sei Dank nicht«, sagte Miss Curran. »Wir sind vor zwei Jahren weggegangen. Die süße Milch der Menschenfreundlichkeit wurde für mich über dem ewigen Versuch, Weisheit in die Köpfe unwissender kleiner Mädchen zu trichtern, allmählich sauer. Ich halte mich jetzt mit dem Schreiben von Artikeln über Wasser, und Cecil macht Holzdrucke.«

»Sie haben sich wirklich herausgemacht, Kind«, murmelte Scottie. »Das habe ich ja schon immer gesagt.«

»Hm«, antwortete Miss Curran trocken. »Was führt Sie denn in die National Gallery? Die Liebe zur Kunst kann es ja nicht sein, da Sie die letzten zehn Minuten damit verbracht haben, das schlechteste Bild im ganzen Saal anzustarren.«

Rory lachte. »Ich habe meinen ganzen Mut zusammenzunehmen versucht, um mit dem Federmesser hineinzustechen.«

Miss Curran und Miss Scott warfen einander einen bedeutungsvollen Blick zu.

»Das heißt wohl«, sagte Miss Curran, »daß Sie den Traum hegen, sich als Suffragette auf die Schlachtbank zu begeben, wie?«

»Ja. Doch ich habe noch nichts dafür getan, um ihn zu verwirklichen. Und außerdem ist es hier so ruhig. Wer würde das überhaupt merken?«

»Aurora, Sie sind unvergleichlich. Es ist Ihnen schon immer gelungen, Ihre Untaten mit Glanz und Gloria zu umgeben!«

»Entschuldigen Sie, Miss Curran« – Rory konnte den Blick nicht von einem unauffälligen grün, violett und weiß gestreiften Band lösen, das an ihren Jackenaufschlag geheftet war –, »sind Sie etwa Mitglied der WSPU?«

»Schon seit Jahren«, antwortete Miss Curran stolz. »Dann kann ich Ihnen auch gleich alles andere erzählen. Es ist schließlich keine Schande. Ich bin nicht von Winterbourne House weggegangen, ich bin rausgeschmissen worden.«

»Warum?« Rory horchte auf. »Was haben Sie denn getan?«

»An einer Demonstration der WSPU im Hyde Park teilgenommen. Maudie hätte das niemals erfahren, wenn mein Bild nicht in der *Illustrated London News* erschienen wäre.«

»In voller Größe und nicht zu übersehen«, warf Miss Scott

ein. »Miss Westwood hat für das Frauenwahlrecht nichts übrig und sie hat eine furchtbare Szene gemacht ... nun, darüber brauche ich Ihnen ja wohl nichts zu erzählen, Kindchen.«

»Ich wurde aufgefordert, die Kündigung einzureichen«, fuhr Miss Curran fort, »und Cecils habe ich gleich mit eingereicht.«

»Fantastisch!« rief Rory.

»Das kann man nun nicht gerade sagen«, erwiderte Miss Curran unwirsch, aber doch offensichtlich erfreut über so viel Bewunderung. »Ein großes Opfer war es ja nicht.«

»Schauen Sie sich ihre Anstecknadel an«, drängte Miss Scott mit stolzfunkelndem Blick.

»Ach, Cecil, also wirklich!«

Miss Currans einziges Schmuckstück war eine kleine goldene Anstecknadel, in die ein Stück Feuerstein eingelassen war. Rory brauchte einen Augenblick, um dahinterzukommen, was das war, doch dann packte sie der Neid.

»Das Steinewerferabzeichen! Sie sind ... Sie sind im Gefängnis gewesen!«

»Vierzehn Tage dafür, daß ich einen Ziegelstein in die Fensterscheibe der National Provincial Bank in der Regent Street geworfen habe«, gab Miss Curran lächelnd zu.

»Und sind Sie«, Rory hatte es fast den Atem verschlagen, »sind Sie in den Hungerstreik getreten?«

»O ja. Nach fünf Tagen entlassen. Doch das war vor der Zwangsernährung und lange vor dem Katz-und-Maus-Gesetz.« Miss Currans Miene verfinsterte sich. »Jetzt würde ich das nicht mehr machen.«

»Was für ein Glück«, platzte Rory heraus. »Ich bin so froh, daß ich Sie getroffen habe ...«

Miss Curran mußte lachen. »Sie hoffen wohl, ein paar Tips von uns zu bekommen?«

»Ich bin doch noch nie einer richtigen Suffragette begegnet. Ich will alles hören. Würden Sie und Miss Scott mit mir Tee trinken gehen?« Sie dachte an die abgetragene Kleidung der beiden und setzte hinzu: »Ich meine, darf ich Sie wohl zum Tee einladen?«

Miss Curran und Miss Scott sahen einander zögernd an. Die nun eintretende Pause war so lang, daß Rory schon fürchtete, etwas Falsches gesagt zu haben. Schließlich begann Miss Scott ihr höflich mit allen Anzeichen der Eile zu bedeuten, daß sie leider keine Zeit hätten. Miss Curran unterbrach sie.

»Wie es aussieht, haben wir beide keinen roten Heller in der Tasche, außer dem Fahrgeld für den Bus. Doch wenn Sie uns wirklich einladen wollen, nehmen wir dankbar an.«

»Dinah!« stöhnte Miss Scott.

»Mein liebes Kind, Armut ist keine Schande. Warum sollen wir es noch schlimmer machen, indem wir auch noch stolz sind? Führen Sie uns an die Futterkrippe, Aurora, und achten Sie gar nicht auf Cecil. Sie wird es zwar nicht zugeben, doch wir haben beide einen höllischen Hunger. Wir haben aufs Mittagessen verzichtet, um uns den Bus leisten zu können, doch ich befinde mich derzeit keineswegs im Hungerstreik.«

Rory war fasziniert. Die gute alte Miss Curran war schon immer ein Original gewesen. Als Schulmädchen hatte Rory ihre Zunge zwar gefürchtet, doch nun begann sie, die Ehrlichkeit und den Humor hinter der Bissigkeit zu schätzen. Diese Begegnung war das Beste, was ihr passiert war, seit sie das Schiff verlassen hatte.

Sie fanden eine Teestube mit leicht künstlerischem Anstrich in einer Seitenstraße des Strand. Sie war mit gehämmerten Kupfervasen voller Rohrkolben dekoriert, und die Kellnerinnen waren von der gezierten Sorte und trugen zerknitterte Kittelkleider und Ohrgehänge aus venezianischem Glas. Miss Curran und Miss Scott blickten sich nun, da sie ihren Anfall von Stolz überwunden hatten, zufrieden um. Sie genossen die unerwartete Einladung, und als der Kuchenteller kam, fielen sie gierig darüber her.

Offenkundig hatte das unabhängige Dasein, nach dem Rory lechzte, auch seine rauhe Seite. Miss Curran und Miss Scott – bzw. Dinah und Cecil, wie Rory sie zu nennen aufgefordert wurde – hatten zwar ein gewisses Maß an Freiheit gewonnen. Doch sie lebten, wie Dinah freimütig bekannte, während sie ein Rosinenbrötchen kaute, hart an der Armutsgrenze. Von Cecils schmalem persönlichem Einkommen bezahlten sie die Miete ihrer Dachwohnung. Ihr Essen, ihre Kleidung, ihre Reisen bestritten sie jedoch von dem, was sie mit dem Schreiben und

Zeichnen verdienten. Manchmal, so mutmaßte Rory, litten sie tatsächlich Hunger.

»Ich selbst brauche ja nicht viel«, erklärte Dinah, »aber Cecil ist nicht so kräftig. Ich mache mir ihretwegen wirklich schreckliche Sorgen.«

»Die Leute sind so nett zu uns«, erklärte Cecil, während sie sich Erdbeermarmelade auf ihr Milchbrötchen löffelte. »Die Dame, bei der wir wohnen, hat uns erst letzte Woche einen schönen Schinken heraufgeschickt. Jemand hatte ihn ihr geschenkt, und weil sie Jüdin ist, konnte sie ihn ja nicht selbst essen …«

»So hat sie es jedenfalls dargestellt«, unterbrach Dinah.

Beide lachten und erklärten Rory, was für ein Glück sie in mancher Hinsicht doch hätten. Dinah gab eine Suffragettenzeitschrift namens *Atalanta* heraus, die ihrer Wirtin, Miss Berlin, gehörte und von ihr vertrieben wurde. Cecil entwarf Plakate und Postkarten für das Suffrage Atelier, eine Künstlerinnengruppe, die sich der Durchsetzung des Wahlrechts für Frauen verschrieben hatte. Außerdem verkaufte sie Stoffentwürfe an ein Kunstgewerbegeschäft in der New Oxford Street. Es war eine unsichere Existenz, aber eine glückliche.

»Miss Berlin weiß, daß wir allein und unabhängig sein wollen«, sagte Cecil nun, »doch sie ist wunderbar großzügig, wenn es darum geht, uns zum Abendessen nach unten zu bitten.«

»Allzu großzügig, denke ich manchmal«, sagte Dinah. »Ihre Gäste haben wunderbarerweise die Angewohnheit, in letzter Minute abzusagen, immer gerade dann, wenn wir besonders ausgehungert sind. Und immer gleich paarweise.«

»Doch sie stellt es so taktvoll an, daß man unmöglich ablehnen kann.«

Dinah bedeckte Cecils mollige Hand flüchtig mit ihrer geäderten braunen. »Es ist die Gesinnung, die hinter der Hilfe steht und die mehr zählt, als die Hilfe selbst.«

Die beiden tauschten einen seltsam ausdruckslosen Blick, als befänden sie sich jenseits der alltäglichen Vertraulichkeit und bezögen beide ihre Kraft aus einer unsichtbaren Strömung, die aus dem Blick der anderen kam. Es war nur ein ganz kurzer Augenblick, dann nahm Dinah das letzte Milchbrötchen in Angriff, aber Rory fiel plötzlich wieder ein, wie sie die beiden in der Schule gesehen hatte, als sie im intimen Schein der Lampe zusammen Gedichte lasen. Die Erinnerung berührte sie eigenartig peinlich. Sie bestellte schnell noch eine Kanne Tee und lenkte Dinah wieder auf das Thema Suffragetten.

Dinah wurde schlagartig streng und geschäftsmäßig. Wenn Rory ernsthaft daran gelegen sei, dann habe sie sich einen kritischen Augenblick ausgesucht.

»Um es kurz zu sagen, nach so viel Erfolg scheinen wir an einem toten Punkt angekommen zu sein.«

»Aber das Bombenlegen, das Steinewerfen ...«, widersprach Rory. »Die Militanten sind doch noch nie so stark gewesen. Und so viele Menschen sympathisieren damit ...«

»Drei kleine Wörtlein, Kindchen«, Dinah schüttelte erbittert den Kopf. »Katz-und-Maus. Wissen Sie, was das bedeutet, eine Maus zu sein? Unendlich viele von uns können sich das einfach nicht leisten. Wie sollte Cecil denn um Himmels willen allein zurechtkommen, wenn ich ständig ins Kittchen und wieder raushüpfen würde?«

»Dinah«, warf Cecil sanft ein.

»Schon gut, ich halte Vorträge. Ich steige schon wieder runter von meiner Seifenkiste. Doch manchmal könnte ich verzweifeln. Denn wir wissen doch alle, welche Überlegungen hinter dem Gesetz stehen: Es geht darum, alle Führerinnen wieder ins Gefängnis stecken zu können, sowie sie sich nur im geringsten mucksen. Und jetzt gibt es selbst innerhalb der WSPU Stimmen, die meinen, schuld daran sei nur die übertriebene Militanz.«

»Und ich wette, andere sagen wieder, sie ginge nicht weit genug!« meinte Rory.

Dinah bedachte Rory mit ihrem bitteren Lächeln, das ihr braunes Gesicht runzlig werden ließ wie eine Walnuß. »Glauben Sie das wirklich?«

»Ja«, sagte Rory. »Die Regierung muß erkennen, daß sie den Kampf der Frauen nicht aufhalten kann ... wenn sie mehr Druck ausüben, werden wir den Kampf verstärken!«

Dinah nickte zustimmend. »Es wird nicht mehr lange dauern, dann wird jemand Asquith, Lloyd George und Churchill in ein Auto stopfen und über die Klippe schicken. Recht geschähe ihnen.«

»Doch dann werden die Konservativen ans Ruder kommen«, wandte Rory ein. »Und dann wird es noch schlimmer. Wir sollten uns mit der Labour-Bewegung zusammentun, so daß die Frauen, wenn sie politische Macht bekommen, auch etwas Nützliches damit anfangen können!«

Statt sich zu ärgern, grinsten Dinah und Cecil einander an.

»Sie sollte Frieda kennenlernen, wirklich«, murmelte Cecil.

»Was das alte Mädchen für eine Freude an ihr hätte!« stimmte Dinah zu. »Hören Sie, Aurora ... haben Sie Freitag abend Zeit? Miss Berlin hält eine Sitzung unseres Komitees bei sich ab, und ich kann Ihnen bestimmt einen Platz beim Abendessen beschaffen.«

»Das wäre herrlich.« Rory lehnte sich auf ihrem Stuhl zurück. Sie war einfach selig. Es war, als wäre eine Mauer gefallen und hätte den Blick auf eine Landschaft verheißungsvoll schimmernder Möglichkeiten freigegeben. Die Gästeschar in der Teestube hatte sich verlaufen, und die Kellnerinnen bürsteten die Krümel von den Tischen. Draußen kündigte sich die Abenddämmerung an. Rory war verzaubert vom Anblick der aufflammenden Lichter in den Fenstern der gegenüberliegenden Straßenseite, von dem Menschengewimmel und dem dichten Verkehr und wünschte sich, daß dieser Augenblick fortdauern würde.

»Sie werden all den schlechten Einflüssen begegnen, nach denen Sie sich offensichtlich sehnen«, sagte Dinah. »Das ist das mindeste, was wir für Sie tun können, wenn wir uns schon auf Ihre Kosten den Bauch vollschlagen.« Sie winkte einer vorbeigehenden Kellnerin mit dem leeren Teller zu. »Wie wär's denn mit einem kleinen Nachschub an Milchbrötchen?«

2

Jenny holte einen winzigen Spiegel aus ihrer Handtasche und überprüfte ihr Äußeres, so gut es eben ging. Ja, sie sah tadellos aus. Und das sollte ich auch, dachte sie, während sie sich in der Droschke zurücklehnte. Alles, was sie nach London mitgebracht hatte, bis hin zu den Knöpfen ihrer Handschuhe, war jungfräulich neu. Als Rory ihr vorwarf, sie hätte all ihre Ersparnisse für einen Haufen Handschuhe und Strümpfe verpulvert, hatte sie ins Schwarze getroffen. Jenny und ihre Mutter hatten eine ganze Aussteuer zusammengestellt und einfach so getan, als gäbe es einen zukünftigen Ehemann. Denn wenn man sich einmal entschloß, ein derartiges Risiko einzugehen, waren halbe Maßnahmen sinnlos.

Zu Hause in Edinburgh hatte Jenny noch Anfälle von Panik gehabt. Der letzte Zweifel war jedoch verschwunden, als sie an ihrem allerersten Abend in Hampstead ihr grünes Abendkleid auf die Satindaunendecke ihres überaus komfortablen Schlafzimmers gelegt hatte. Hierher gehörte sie eigentlich; in diese Welt der Bediensteten auf leisen Sohlen und der Treibhausblumen. Das frühere Leben hatte bereits die Fremdheit eines unangenehmen Traums angenommen.

Während der letzten drei Tage hatte sie sich eine gewisse Position im Haushalt der Herries' verschafft. Und wie gewöhnlich hatte sie die Situation genau richtig eingeschätzt. Sie schrieb Briefe für Mrs. Herries, sang Mr. Herries nach dem Abendessen etwas vor, hörte sich geduldig Floras wirre Reden an und läutete niemals, wenn es die Dienstboten stören könnte. Mrs. Herries hörte gar nicht mehr auf, ihr Loblied zu singen. »Dies Kind«, hatte Jenny sie zu ihrem Mann sagen hören, »ist dazu geboren, andere zu erfreuen.«

Dabei hatte sie durchaus Pläne, was ihre eigene Freude betraf. Sie war hier, um sich um die arme kleine Effie MacNeil zu kümmern, mit dem Hintergedanken, ihren Bruder zu heiraten, und sie hatte nicht die Absicht, ihre Zeit zu verplempern. Zum letztenmal überprüfte sie den Sitz ihres Hutes, stieg aus dem Taxi und trat in das riesige kühle Säulenportal von Hyde Park Gate 5 – dem Haus von MacNeils Schwester Mrs. Hamish MacIntyre.

Es war ein wuchtiges sechsgeschossiges Wohnhaus mit gelber Stuckfassade, und es lag auf der besten Seite des Parks. Jenny mußte tief durchatmen, um sich für die Eröffnung ihres Feldzuges zu sammeln. Es bestand kein Anlaß zur Nervosität, schärfte sie sich ein, weil es unwahrscheinlich war, daß um diese Uhrzeit ein Mitglied der Familie zu Hause wäre. Sie brauchte lediglich eine Karte zu hinterlassen.

Ein Hausdiener in gestreifter Weste führte Jenny in eine mit schwarzem und weißem Marmor gefliese Halle, über der der Schatten einer riesigen Treppe lag. Alles wirkte prachtvoll, doch beruhigenderweise auch bewohnt. Unter der Treppe war ein Teil eines Kinderwagens zu sehen, und der ziselierte Rand am Tablett des Hausdieners war abgegriffen.

Der Diener bat sie zu warten und stieß eine hohe Tür auf. Inkerman schoß lauthals bellend heraus und schlidderte auf dem Marmor.

Effie kam hinter ihm hergerannt und griff nach seinem Halsband. »Miss Dalgleish? Sind Sie's wirklich! Ach, wie schön!«

Jenny war einigermaßen entsetzt darüber, wie jung sie aussah. Ihr glattes langes Haar hing bis zur Taille hinab, nur von einem schlaffen roten Band zusammengehalten, und sie trug die weiße Bluse und den marineblauen Gabardinerock eines Schulmädchens. Ihr rundes stupsnasiges Gesicht strahlte in einer so ungekünstelten Freude, daß Jenny zugleich erfreut und beschämt war.

»Ich habe Ihnen ja gesagt, ich würde vorbeischauen, wenn ich nach London käme, Miss MacNeil, obwohl ich das zu dem Zeitpunkt nicht für sehr wahrscheinlich hielt.«

»Haben Sie irgendeine Stelle angenommen?«

»Nein, Freunde haben mich netterweise für den Sommer eingeladen.«

»Ach so.« Effie war sensibel genug, um zu erkennen, daß sie etwas Falsches gesagt hatte, doch wußte sie nicht, wie sie es wiedergutmachen sollte. Verlegene Röte breitete sich über ihre Wangen und Ohren aus. »Entschuldigen Sie ... ich dachte ich hätte nicht fragen dürfen ...«

»Das sind zwei Mädchen, mit denen ich auf der Schule war«, sagte Jenny rasch mit einem Seitenblick auf den Hausdiener, der sie genau musterte. »Meine ältesten Freundinnen.«

»Ich habe Sie aus dem Taxi steigen sehen«, sagte Effie und betrachtete Jennys Aufmachung mit großen Augen, »doch ich habe Sie nicht erkannt. Ich dachte, Sie müßten jemand schrecklich Bedeutendes sein, der zu Cornelia will. Was für ein wun-

derschöner Hut!« Sie besann sich auf ihre Manieren. »Ich ...
wollen Sie nicht in den Salon kommen? Cornelia ist oben, im
Kinderzimmer. Sie hat heute keinen Empfangstag.«

»Ich wollte ja auch Sie besuchen, Miss MacNeil. Ich hätte
nur eine Karte dagelassen, wenn Sie nicht zu Hause gewesen
wären.«

»Ach, ich bin immer da.«

Ungeübt übernahm Effie die Rolle der Dame des Hauses. Sie
führte Jenny in den verblichenen, etwas altmodischen Salon
und ließ sie am äußersten Ende eines langen Sofas neben dem
leeren Kamin Platz nehmen. Sie selbst setzte sich etwa zehn
Schritt weit weg auf einen Stuhl und sah Inkerman stirnrunzelnd an, als er ihr auf den Schoß zu springen versuchte. Der
Hausdiener schloß die Flügeltür, und sie blieben in steifer Förmlichkeit allein zurück.

»Gefällt es Ihnen denn in London?« begann Jenny. Sie bemerkte einen angekauten, schmuddeligen Tennisball neben ihrem Fuß und lachte. »Ich habe Sie beim Spielen gestört, wie?«

Effie wurde erneut feuerrot, stimmte jedoch in ihr Lachen
ein. »Ja, ich habe ihn unter die Möbel gerollt und Inky hinter-
herrennen lassen. Er soll hier eigentlich nicht rein ... deshalb
sind die Bediensteten auch so schlecht auf mich zu sprechen.
Doch ich weiß sonst nicht, wie ich mich beschäftigen soll.« Sie
kam zu Jenny und nahm ihr den Ball aus der Hand, kniete sich
dann auf den Läufer und streichelte Inkermans Kopf. »Um Ihnen die ganze schreckliche Wahrheit zu sagen, es gefällt mir
kein bißchen. Es ginge ja noch, wenn ich Inky ein bißchen mehr
ausführen könnte, doch ich darf nur mit Alistair in den Park
oder mit dem Kindermädchen, wenn sie mit den Kleinen ausgeht. Und sowieso ist es nicht dasselbe wie Glen Ruthven.«

»Nein, das ganz bestimmt nicht«, bestätigte Jenny. »Aber Sie
gehen doch aus und besuchen andere Leute?«

»Cornelias Freundinnen sind doch so alt«, sagte Effie betrübt. »Sie reden nur von Babys. Wenn Alistair da ist, ist es nicht
so schlimm ... er hat mich letzte Woche ins Theater mitgenommen, um ›Mikado‹ zu sehen, und das hat mir Spaß gemacht.
Doch er ist die meiste Zeit weg. Wohl in seinem Klub.«

»Sie sind ja noch nicht lange hier. Es wird Ihnen sicher mehr

Spaß machen, wenn Sie erst öfter ausgehen. Sie amüsieren sich bestimmt.«

Effie heftete ihren traurigen Blick wieder auf Jennys Kleidung. »Sie sehen einfach großartig aus. Ich hoffe, es ist nicht ungehörig, das zu sagen.«

In Jenny regte sich Mitleid, was sie irritierte, weil sie darauf nicht gefaßt war. Das arme kleine Ding, es mußte ja für das Mädchen so trostlos sein wie auf einem Friedhof. Warum hatte MacNeil bloß so viel Aufhebens davon gemacht, daß er sie nach London mitnehmen wollte, wenn er sie dann den ganzen Tag allein ließ? Sie begann vom Leben im Haus der Herries' und von ihren Vergnügungen zu erzählen, von den Abendessen, den Bällen, den Hochzeitsvorbereitungen. Ihr Mitleid wuchs noch, als sie das sehnsüchtige Verlangen in Effies Augen registrierte.

»Vor der Trauung wird es ein Fest geben, und ich werde eine der Brautjungfern sein.«

»Sie Glückliche, ach, Sie Glückliche«, sagte Effie aus ganzer Seele. »Alistair kennt Mr. Fenborough ... er hat mir ein wunderschönes Bild von Miss Herries im *Bystander* gezeigt. Sind Ihre Schulfreundinnen Violas Schwestern?«

Und Jenny erklärte zu ihrer eigenen Überraschung bereitwillig, was es mit Eleanor, Francesca und Rory und dem Schwur auf sich hatte, den sie auf der Schule mit ihrem Blut besiegelt hatten. Vor einer derart hingerissenen Zuhörerin kam man nur allzuleicht ins Reden.

Effie, die alles begierig aufsog, hatte sich auf den Bauch fallen lassen und stützte das runde Kinn in die mageren Hände – ein seltsamer Kontrast. »Ich wußte ja, daß Sie keine richtige Erzieherin waren«, erklärte sie, »jedenfalls nicht so eine, wie ich sie hatte. Und Alistair fand das auch. Wir haben uns gesagt, daß Sie sich verkleidet hatten, so wie die Hexe im Märchen. Ach, ich bin ja so froh, daß Sie gekommen sind! Sie sind mein erster Besuch überhaupt.«

»Haben Sie denn in London keine Freundinnen?«

»Nein, Inky ist mein bester Freund, nicht, Jungchen?« Sie knuffte den Hund liebevoll. »Ich hätte auf Alistair hören und ihn zu Hause lassen sollen. Er kann mit einem Ort, wo er keine Kaninchen jagen kann, nicht sehr viel anfangen.«

Ihre Munterkeit rührte Jenny. »Ich finde es ganz schrecklich, daß Sie so wenig Spaß haben ... und das müßte auch gar nicht sein. Sie sagen, Mr. MacNeil kennt Mr. Fenborough ... dann erlauben Ihre Mutter und Ihre Schwester Ihnen ja vielleicht, nachmittags mal nach Hampstead rauszukommen?«

»Au ja ... wann denn?«

»Tja«, Jenny überlegte. Es war wichtig, daß sie in dieser Angelegenheit keinen Schnitzer machte. »Mrs. Herries hat gern das Haus voller Gäste, und außer zum Frühstück hat sie offenbar immer welche ... aber ich sollte doch erst Ihre Schwester fragen.«

»Ja, wahrscheinlich.«

Es tat Jenny leid, das Mädchen so enttäuscht zu sehen. »Morgen geben wir eine Tennisgesellschaft ... ganz ungezwungen, nur wir und ein paar Nachbarn. Es macht nichts, wenn Sie nicht spielen können. Keiner von uns kann viel ...«

»Das wäre herrlich!«

»Aber, Miss MacNeil, Sie müssen verstehen, daß das Ganze ein bißchen peinlich wäre, da ich Ihrer Schwester noch nicht vorgestellt worden bin. Vielleicht wäre es besser, eine andere Gelegenheit abzuwarten ...«

»Warten Sie, ich frage sie gleich.« Und ehe Jenny noch widersprechen konnte, stürzte Effie aus dem Salon, Inkerman hinterher.

Jenny glättete ihre Handschuhe und wunderte sich über ihre neuentdeckte Gabe, impulsiv zu handeln.

Dann hörte sie schwerere Schritte in der Halle, stand auf und wandte sich zur Tür, bemüht, sich nicht einschüchtern zu lassen.

»Miss ... Dalgleish? Ich bin Euphemias Schwester.« Die blonde hübsche Frau von Ende Dreißig hatte die kleinen stahlblauen Augen ihres Bruders und sein kantiges Kinn.

»Guten Tag, Mrs. MacIntyre.«

Jenny erkannte sofort, daß Mrs. Hamish MacIntyre normalerweise eine umgängliche, freundlich lächelnde Frau war. Jetzt lächelte sie jedoch nicht. Argwohn trat in ihre Miene, als sie es Effie gleichtat und Jennys Aufmachung musterte.

»Verzeihen Sie, Miss Dalgleish, doch so geht das wirklich nicht. Das alberne Ding ist oben und liegt Mutter mit irgendeiner Tennisgesellschaft in den Ohren. Ich wußte gleich, daß da ein Mißverständnis vorliegen mußte, und ich wäre Ihnen dankbar, wenn Sie ihr das klarmachten.«

Jenny befand sich in einer Klemme. Es passierte ihr selten, und es war demütigend. »Es tut mir leid. Verstehen Sie, ich nahm an, weil Mr. MacNeil in Schottland, wo ich ihn kennengelernt habe ...«

»Ja«, unterbrach Mrs. MacIntyre streng. »Sie sind Lehrerin, nicht wahr? Oder war es Erzieherin? Ich erinnere mich durchaus, daß von Ihnen die Rede war.«

Offensichtlich war sie davon nicht erbaut gewesen. Jenny reckte den Kopf. Sie hatte sich nicht vorgestellt, daß MacNeil hier von einer weiblichen Leibgarde umgeben wäre, die gewillt war, ihn gegen Pläne wie ihre zu verteidigen.

»Ich war vorübergehend bei Mr. MacNeils Mietern angestellt. Ich bin hier in London bei Freunden.«

»Wie nett. Wir würden Sie gern an unserem Empfangstag begrüßen, Miss Dalgleish. Es ist der Donnerstag. Jedenfalls werden Sie mir darin recht geben, daß ich Euphemia nicht mit Fremden ausgehen lassen kann ...«

»Aber es sind doch keine Fremden!« Effie hatte ihre letzten Worte gehört. Sie kam atemlos ins Zimmer gerannt. »Alistair kennt Mr. Fenborough, und Mr. Fenborough ist verlobt mit ...«

»Ich dachte, ich hätte dir gesagt, daß du dies Tier in der Vorratskammer lassen sollst«, beschwerte sich Mrs. MacIntyre und zog ihren Rock beiseite.

»Cornelia, bitte, bitte, laß mich doch hinfahren!«

»Nun sei aber nicht albern, Kind. Du bringst Miss Dalgleish in Verlegenheit. Du weißt genau, daß Mutter das niemals erlauben würde.«

»Aber nie darf ich irgendwohin!« Effie war den Tränen nahe. »Es kann mir doch überhaupt nicht schaden. Wenn ich den Wagen haben könnte, würde ich nicht einmal den Fuß aufs Pflaster setzen.«

»Und wie soll ich ohne den Wagen auskommen?«

»Ach, bitte! Nur dies eine Mal.«

Die Eingangstür in der Halle fiel ins Schloß. Ein Pfiff ertönte, und Inkerman schoß davon.

»Runter, Jungchen ... runter, Inky. Zum Donnerwetter, gehst du wohl runter, du elende Landplage ...«

Als Jenny Alistair MacNeils Stimme hörte, begann ihr Herz schmerzhaft zu flattern, als stünde sie kurz davor, einen lebenswichtigen Handel abzuschließen. Doch als MacNeil den Salon betrat, während Inkerman ihm um die Beine sprang, war ihre erste Empfindung lebhafte Enttäuschung. Ihr selbst unbewußt, hatte sie ihn in der Fantasie verschönert. Er war älter, und das sandfarbene Haar war schütterer als in ihrer Erinnerung; ein unauffälliger Herr mittleren Alters in einem Straßenanzug und Gamaschen.

Als MacNeil sie erblickte, blieb er abrupt stehen, starrte sie an und errötete auffällig. Dadurch verwandelten sich seine Augen in lebhafte blaue Kiesel, und die Falten um sie herum schmolzen.

»Herrje ... Miss Dalgleish ...«

Das war nun wiederum so viel mehr, als sie sich zu erhoffen gestattet hatte, daß Jenny innerlich frohlockte. Und wie er sie ansah! Auf dem Fest der Kentishs hatte er ihr das Gefühl gegeben, ihn versehentlich mit einer unsichtbaren Waffe verwundet zu haben, mit der sie nicht umzugehen verstand. Und hier war nun wieder derselbe Blick – funkelnd, sehnsüchtig, schrecklich verwundbar.

Effie brach den Bann. »Sie ist extra gekommen, um mich zu besuchen. Ist das nicht unglaublich nett von ihr?«

»Ja, in der Tat.« MacNeil fand seinen üblichen Ausdruck versteckter Belustigung wieder, als Effie seine Aufmerksamkeit auf sich zog.

»Sie geben morgen eine Tennisgesellschaft, und sie hat mich eingeladen, aber Cornelia sagt, ich darf nicht. Und ich finde das so gemein.«

»Ach, um Himmels willen, Alistair«, sagte Mrs. MacIntyre verärgert, »red ihr das aus. Mutter regt sich bloß auf.«

»Warum muß sie denn davon erfahren? Was spricht denn dagegen?«

Mrs. MacIntyre wurde verlegen. »Ich weiß, es ist schrecklich nett von Miss Dalgleish, doch ich kann mir nicht vorstellen, daß Mutter sich darüber freut, wenn Effie Fremde besucht.«

»Wenn ich mitgehe, wird sie wohl nichts dagegen einzuwenden haben.«

Effie schlang die spindeldürren Arme um seinen Hals. »Oh, du bist meine Rettung!«

»Nun mal sachte, Kindchen. Du erwürgst mich ja. Darf ich mich selbst einladen, Miss Dalgleish?«

»Aber selbstverständlich.« Jenny lächelte, und Miss MacIntyres Niederlage erfüllte sie schändlicherweise mit Genugtuung. »Wenn Sie wirklich Lust haben ... wir spielen allerdings sehr schlecht. Um drei Uhr im Laburnum House am East Heath Drive.«

»Prächtig. Dann wäre das also abgemacht. Du brauchst nicht wütend zu werden, Corney. Es wird dem Kind guttun, an die frische Luft zu kommen.«

»Ja«, platzte Effie eifrig dazwischen, »ich finde, ich sehe in letzter Zeit ganz blaß aus.«

»Blaß ... ja, wirklich!« Mrs. MacIntyre mußte wider Willen lachen. »Wir verwöhnen dich zu sehr.«

Sie reichte Jenny durchaus wohlwollend die Hand, und Jenny fiel auf, daß es für MacNeil, bei all seiner Nettigkeit, selbstverständlich war, daß seine Schwestern sich seinem Willen fügten. Ihr Triumph war vollkommen, als er darauf bestand, sie zum Taxi hinauszubegleiten.

Während sie an seinem Arm die Vordertreppe hinabstieg, hatte Jenny das eigenartige Gefühl, daneben zu stehen und etwas zu beobachten, was sie sich ausgedacht hatte – als wäre sie an ihrem Schreibtisch in Edinburgh eingeschlafen und mitten in einem ihrer Träume aufgewacht.

Sobald sie jedoch allein auf der Straße waren, galt ihre Aufmerksamkeit eher MacNeils konkreter männlicher Gegenwart als seinem symbolischen Wert. Sie wurde sich des frischen Geruchs seiner Sandelholzrasierseife und der Haarbüschel auf den Handgelenken unterhalb seiner Manschetten bewußt. Sie war sich nicht sicher, ob sie das als angenehm empfand.

Er räusperte sich mehrmals, ehe er unbeholfen sagte: »Vielen Dank, daß Sie gekommen sind ... um Effie zu besuchen, meine ich. Es tut mir leid, wenn meine Schwester den Eindruck erweckt hat ... Effie muß mehr unter Menschen ihres Alters. Meine Schwester und ich sind zu alt für sie.«

Jenny fühlte sich zu ihrer Überraschung ganz Herrin der Lage. »Es ist immer schwer zu entscheiden, was für Schulmädchen richtig ist, die vor dem Schritt ins gesellschaftliche Leben stehen. Doch ehrlich gesagt, Mr. MacNeil, ich finde, ein bißchen gescheiter hätten Sie es schon anstellen können. Sie wirkte so verloren, daß sie mir wirklich von Herzen leid tat.«

»Was soll ich denn ändern?«

»Das sollten Sie mich nicht fragen. Ich möchte mich nicht einmischen.«

»Unsinn. Ich frage Sie. Sie sind die ideale Beraterin, da Sie ja selbst noch ein junges Ding sind. Effies Kleidung zum Beispiel.«

Sie gingen langsamer. Jenny lächelte zu ihm empor.

»Soll ich aufrichtig sein?«

»Schonungslos.«

»Fürchterlich. Viel zu kindlich für sie.«

MacNeil lachte. »Dann werden wir mit ihr einkaufen fahren.«

Instinktiv scheute Jenny vor dieser Vertraulichkeit zurück. Sie war sich nicht sicher, wie ernsthaft er es meinte. »Es wird allerdings wenig Sinn haben, ihr Kleider zu kaufen, wenn Sie nicht die Absicht haben, Sie darin auszuführen. Sie hat sich dazu natürlich nicht ausdrücklich geäußert ... doch ich hatte den Eindruck, daß Sie sie ziemlich viel allein lassen.«

Sie blieben mitten auf dem Bürgersteig stehen. Aus dem Augenwinkel sah Jenny ein freies Taxi vorbeirattern. MacNeil starrte mit diesem Ausdruck auf sie herab, der den Wunsch in ihr weckte davonzulaufen.

»Jenny.« Sie spürte die Wärme seiner Finger auf ihrem Handschuh. Jetzt gab es kein Entrinnen mehr. »Raten Sie mal, was ich gemacht habe, seit ich Sie zuletzt gesehen habe ...«

»Keine Ahnung ...«

»Ich habe Sie gesucht.«

»Was?«

»Sehen Sie mich doch nicht so an. Seien Sie nicht böse. Jedesmal, wenn ich die Augen schließe, stehen Sie da in Ihrem weißen Kleid. Ich träume davon, Sie singen zu hören, bis ich das Gefühl habe, gleich wahnsinnig zu werden. Ich habe sogar Mrs. Kentish dazu gebracht, mir die Anschrift der Agentur zu geben, die Sie an sie vermittelt hat. Sie armes Ding ...« Er ließ ein kurzes reuiges Lachen hören. »Sie wirken völlig entsetzt. War das denn so abscheulich von mir?«

»Aber nein!«

»Die verdammte Agentur wollte mir natürlich Ihre Anschrift nicht geben ... die hielten mich wahrscheinlich für einen Sklavenhändler ..., so daß ich mit meinem Latein am Ende war. Nun habe ich Sie ja wiedergesehen, doch ich war drauf und dran, eine Anzeige für die Edinburgher Zeitungen aufzusetzen: Gesucht wird junge Erzieherin aus der Gegend um Morningside, liebliche Stimme, haselnußbraune Augen ...«

»Mr. MacNeil ...«

»Nicht doch, Sie brauchen nicht zu antworten. Doch ich mußte es Ihnen sagen. Ich werde nicht wieder darauf zu sprechen kommen, wenn es Sie aufregt.«

»Es regt mich doch gar nicht auf«, murmelte Jenny, doch das stimmte nicht. Sie brannte darauf, von ihm loszukommen. »Sehen Sie, da kommt wieder eins.«

»Ein was?«

»Ein Taxi.«

MacNeil schien sich mühsam aus einem Traum zu befreien. »Mein Gott, was müssen Sie von mir denken?« Er winkte das Taxi heran, verneigte sich mit feierlicher Miene und half ihr hinein, als wäre sie Kleopatra beim Besteigen ihrer Sänfte.

Jenny riskierte einen Blick über die Schulter, als das Taxi losfuhr, und sah, mit einer eigenartigen Mischung aus Ärger und Genugtuung, daß er immer noch am Bordstein stand, den Hut in der Hand. Gott sei Dank hatte er sie nicht geküßt. Aber auf diesen schrecklichen Augenblick mußte sie sich nun wohl vorbereiten.

Für Alistair MacNeil waren keine Netze mehr nötig. Wenn man grob sein wollte, konnte man sagen, er sei nicht nur gestellt und erlegt, sondern praktisch schon gehäutet und gegart. Noch ein Petersiliensträußchen zur Garnierung, und er wäre tischfertig.

Doch der Geschmack des Erfolgs war unerwartet herb. Ein

Mann von Ehre, aufrecht und gut, ein Mann, der die Frau verdiente, die er in seiner Unschuld in Jenny erblickte, hatte sich in sie verliebt. Was sie ihm dafür bieten konnte, waren so kühle Gaben wie Respekt und Wertschätzung. Sie verachtete sich dafür, doch wem sollte das etwas nützen? Skrupel waren eine teure Angelegenheit und überstiegen ihre Mittel.

Müde blickte Jenny auf ihre weißen Glacéhandschuhe, die besten, die sie kaufen konnte. Die Freude daran war verflogen. Denn da gab es ein schreiend billiges Accessoire, das ihre Aussteuer völlig ruinierte. Und das war, natürlich, sie selbst.

3

Sie hörte die Haustür ins Schloß fallen, sie hörte, wie er seinen Spazierstock auf den Dielenboden fallen ließ, sie hörte seinen gepreßten Atem, als er sich niederbeugte, um ihn aufzuheben.

Wie war er bloß hereingekommen?

Kein Haus der Welt, keine Macht auf Erden konnten ihn aussperren. Francescas Glieder wurden unter der warmen Bettdecke steif und kalt wie Stein, und ihre Zunge schwoll an, als panische Angst sie überfiel. Seine Schritte kamen die Treppe herauf. Er stolperte und fluchte zerstreut vor sich hin. Er war auf dem Treppenabsatz angekommen, schwarz geflügelt in seinem Abendcape wie eine gewaltige Fledermaus.

Sie hatte die Augen zugepreßt und sah ihn dennoch. Sie rollte sich zu einer Kugel zusammen, um sich unsichtbar zu machen, und umklammerte die Knie. Das ganze Zimmer roch nach dem Bösen. Es hatte keinen Sinn, nach Mummy zu schreien, weil sie weit weg war und niemand Francesca sagen wollte, wann sie zurückkäme.

Seine Hand lag auf dem Türknauf, und der heftige Alkoholgeruch drang ihr bereits in die Nase. Diesmal mußte sie schreien – nach Mummy, nach Gott, nach irgend jemandem –, ehe sein Schatten über ihr Bett fiel. Sie hatte eine trockene Kehle, und ein Gewicht drückte auf ihre Brust, das ihr Übelkeit verursachte.

Er stand in der Türöffnung und starrte sie an. Grauen überkam sie, uferlos, wie eine schwarze Woge. Oh, bitte, bitte ...

Dann baute sich die unheilvolle Gestalt vor ihr auf. Als Francesca schweißgebadet aufwachte, stand Mrs. Herries neben ihr,
sie war gerettet.

»Mein Lämmchen ...«

Die Matratze senkte sich unter ihrem Gewicht. Mrs. Herries
roch nach Schlaf und Lavendel. Ihre Hand lag kühl auf Francescas Stirn.

»Mutter?« Eleanor stand verschlafen blinzelnd in der Tür.

»Sie hat bloß wieder geträumt. Leg dich wieder hin, Kind.
Ich bin ja hier.«

Francesca schloß die Augen und versuchte, sich auf den hypnotischen Rhythmus von Mrs. Herries' Hand zu konzentrieren,
die ihr über das Haar strich.

Stevies Schatten fiel langgezogen und schlaksig in den Strahlen
der Nachmittagssonne über das Gras. Francesca war müde und
plötzlich von quälender Unruhe erfüllt, weil sie nach Hause
wollte. Sie rückte näher an Eleanor heran, die wartend bei Viola
und Gus saß, während die jungen Männer darüber stritten, wie
sie sich auf die Flußboote verteilen sollten.

»Miss Garland nehme ich, aber den Picknickkorb nicht. Und
dich auch nicht, Squeakie ... so viel Platz ist nicht übrig. Twisden kann dich übernehmen.«

»Von wegen, Twisden ist ein hoffnungsloser Fall. Und du
hattest die Mädchen schon. Das ist nicht gerecht.«

Eleanor mit ihrem immerwährenden Hunger nach Schönheit
beobachtete Stevie. Sein Haar war von ätherischem Gold, wenn
die Sonne darauf fiel. In seiner weißen Flanellhose und dem
weißen Flanellhemd mit offenem Kragen war er die Verkörpe-
rung von Anmut und jugendlichem Schneid. Einfach großartig,
dachte sie. Wie das Bild eines jungen Kavaliers in Spitzenkragen
und Brustharnisch, der im Salon ebenso zu Haus war wie auf
dem Schlachtfeld.

Und Stevie war nur das Mittelstück einer Szene, die idyllisch
hätte wirken sollen. Trauerweiden berührten die glitzernde
Wasseroberfläche des Cam. Die Luft roch nach Hochsommer,

doch die Blätter hatten noch einen frühlingshaften Glanz, der Lichtdiademe auf das frische Gras warf.

Eleanor hatte den Tag jedoch nur durch den Nebelschleier der Enttäuschung wahrgenommen. Stevie hatte sie zu diesem Teepicknick auf dem Fluß nach Cambridge eingeladen. Er hatte Freunde angekündigt, und Eleanor hoffte, daß Lorenzo darunter sein würde. Er war es nicht. Statt dessen mußte sie sich mit einem dünnen, blassen, ganz und gar drögen jungen Mann begnügen, der Hilary Twisden hieß, und mit eineiigen Zwillingen, die man ihr als Miles und Cedric Burlington vorgestellt hatte, die jedoch nur mit ›Bubble‹ und ›Squeak‹ angesprochen wurden.

Sie hatte den schrecklichen Verdacht, daß Mr. Twisden speziell im Hinblick auf ihre vermeintliche Ernsthaftigkeit eingeladen worden war. Er saß während des Tees neben ihr und sprach von altnordischen Mythen und Tennyson. Selbstverständlich wollte er Geistlicher werden. Er war der geborene Hilfspfarrer. Bubble und Squeak zogen ihn unablässig auf. Sie waren so lebhaft wie ein paar junge Hunde; groß und mager, mit unschuldig erstaunten braunen Augen und drahtigen dunklen Haarbüscheln, die wie die Punkte von Ausrufezeichen wirkten.

»Hör mal«, legte Bubble jetzt los, »wenn ich Fenborough und Miss Herries nehme ...«

»Liebes«, sagte Gus zu Viola, »ist dir kalt?«

Viola, die reglos unter ihrem Sonnenschirm stand, zuckte die Achseln. »Nein.«

»Soll ich dir eine Stola oder so etwas holen?«

»Eine Stola? Ich bin doch keine Großmutter.«

Eleanor dachte gehässig, daß schon mehr als eine Stola nötig wäre, um ihre Schwester zu wärmen. Sie war so kalt wie ein Eiszapfen, und es war erstaunlich, daß der gute alte Gus nach einem ganzen Tag nimmermüder Bemühungen um sie noch nicht blau angelaufen war.

Viola war das Familienwunder; eine blasse Gazelle mit einer weißblonden Haarwolke und Augen von ausgefallenem Blaugrün wie makellose Aquamarine. Sie verströmte eine silbrige Aura der Unantastbarkeit, die kein Bild einzufangen vermochte. Alle jungen Männer fürchteten sich vor ihr und fragten sich offensichtlich, wie Gus jemals den Mut aufgebracht hatte, ihr einen Heiratsantrag zu machen.

Gus mußte man einfach mögen. Violas Verehrer war ein kleiner stämmiger Mann von siebenundzwanzig mit schütterem hellbraunem Haar, einem kleinen Lippenbart und einem unauffälligen runden Gesicht. Doch war er ein durch und durch netter und gutherziger Mensch. Er liebte Viola mit verzweifelter Hingabe, und Eleanor gab sich jedesmal Mühe, nett zu ihm zu sein, wenn ihre Schwester seine romantischen Anwandlungen schroff zurückgewiesen hatte.

»Warst du gut im Flußbootfahren, Gus, als du hier warst? Ich finde, sie sollten dich mal ranlassen!«

Er grinste. »Hab' den Dreh nie wirklich rausgekriegt.«

»Es ist alles geklärt«, verkündete Stevie. »Twisden kriegt den Picknickkorb, Eleanor und Squeakie. Bubble nimmt Sie und Viola, Fenborough ...«

Francesca zupfte an Eleanors Ärmel. »Das heißt, daß ich allein mit ihm sein werde«, flüsterte sie. »Das kann ich nicht!«

»Aber Schatz, du hast doch wohl keine Angst vor Stevie! Ich dachte, du magst ihn.«

»Nicht ganz allein.«

Die eigene Enttäuschung hatte Eleanors Geduld aufgezehrt. Selbstverständlich hätte sie alles getan, um Francesca zu beschützen, doch diesmal war sie wirklich einfach nur albern. Vielleicht hatte Mutter ja recht, wenn sie sagte, daß man nicht zu nachsichtig gegenüber ihren eigenartigen Ängsten sein sollte. »Du wirst doch gar nicht allein mit ihm sein. Er wird dich schon nicht entführen. Und wenn du dich jetzt anstellst deswegen, stehen wir hier noch eine Ewigkeit.«

»Na gut.« Francesca schien förmlich einzuschrumpfen, und Eleanor kam sich gemein vor.

»Ich werde Mr. Twisden bitten, in eurer Nähe zu bleiben«, sagte sie beruhigend. »Denk doch nicht, daß ich nicht auf dich aufpasse.«

Sie kam sich noch gemeiner vor, als sie den grenzenlosen Glauben in Francescas Blick bemerkte. Es erinnerte sie daran, daß ihr Francescas Vertrauen weniger bedeutete, seit sie Lorenzo kennengelernt hatte. Daß sie über diese alte Liebe hinauszuwachsen schien – ob das hieß, daß sie seelische Kräfte für eine neue, eine größere frei machen wollte? Eleanors Vorstellungen über das Sichverlieben hatten sich weitgehend aus romantischen Romanen genährt, und sie vermochte nicht zu erkennen, inwiefern ihre bislang einzige Begegnung mit Lorenzo etwas mit konventionellem Liebeswerben zu tun haben sollte. Sie war sich jedoch auf eine verschwommene Weise bewußt, – daß sie ungeheuer stark auf sein Unglücklichsein ansprach.

Doch wenn Francesca Angst davor hatte, mit dem armen Stevie allein zu sein, der wahrscheinlich den ganzen Tag auf die Chance hingearbeitet hatte, ein paar Minuten unbewachten Flirts zu ergattern, dann durfte es dazu eben nicht kommen.

»Paß mal auf«, schlug Eleanor vor, »ich komme mit zu dir und Stevie ins Boot. Was soll er schon sagen, wenn ich plötzlich auch da bin.«

»Ach, würdest du das tun?«

Endlich strebten sie auf die Boote zu. Squeak räumte die Teller und Tassen in den Picknickkorb, während Hilary Twisden und Gus gewissenhaft die Champagnerflaschen vergruben und die Reste des Feuers austraten. Stevie sprang in seinen Kahn und streckte Francesca die Hand entgegen.

Das brachte Eleanor auf die Lösung. Sie imitierte seinen gewandten Sprung vom Ufer, verfing sich mit dem Fuß im Tau und schlug mit einem würdelosen Bauchklatscher aufs Wasser. Der Fluß – unerwartet eisig und wesentlich unangenehmer als vom Boot aus – schlug ihr mit solcher Wucht entgegen, daß ihr die Brille von der Nase gerissen und die Hutnadeln aus dem Haar gezogen wurden. Während sie an die Oberfläche zu gelangen versuchte, geriet sie in Panik, und die Strömung riß ihr die Beine weg.

Binnen Sekunden waren Stevie und Gus ihr nachgesprungen. Selbst in dieser extremen Lage kam Eleanor der Gedanke, wie gedemütigt sie sich fühlen würde, wenn sie überlegte, welche Teile ihres Körpers sie berührt hatten, um sie ans Ufer zurückzuschleppen. Sie wurde auf Gus' Armen an Land getragen und zitternd und von grünem Schleim bedeckt neben Viola niedergelegt.

Es war eine Katastrophe. Wenn Eleanor nicht so gefroren hätte, wäre sie vor Scham errötet.

Viola betrachtete sie mit einem verächtlichen halben Lächeln. »Ach, Eleanor. Wirklich. Typisch.«

»Sag, daß dir nichts fehlt«, flehte Francesca, den Tränen nahe. »Bitte, sag doch!«

»Ja ... es ist alles in Ordnung ... Ach, Gus, es tut mir so furchtbar leid. Du kannst mich jetzt loslassen, wirklich ...«

»Ich hab' den Hut!« rief Stevie. Er watete heran und hielt Eleanors triefenden Strohhut empor wie eine Trophäe.

Gus wandte seine Aufmerksamkeit wieder dem Fluß zu. »Sie hat ihre Brille verloren. Hat jemand gesehen, wo sie unterge-gangen ist?«

»Wir tauchen danach!« schrie Bubble und riß sich frohlok-kend den Blazer herunter.

»Nein, das dürfen Sie nicht ...«, fing Eleanor an.

Doch Bubble und Squeak stürzten sich bereits ins Wasser und ließen gewaltige Fontänen von Spritzern aufsteigen. Gus konnte nicht widerstehen und tat es ihnen mit einem Kopfsprung nach.

»Na, das wär's dann wohl«, sagte Viola. »Jetzt kommen wir nie wieder nach London zurück. Sieh sie dir an ... die amüsie-ren sich prächtig.«

Stevie, Gus und die Zwillinge bespritzten und jagten einan-der, brüllend vor Lachen, und verschwanden mit zugehaltener Nase unter den Kähnen. Eleanor biß sich auf die bibbernde Oberlippe. Sie hätte ertrinken können, und sie nahmen das zum Anlaß, im Wasser zu spielen. Daß man eine Brille trug, ließ offenbar alles, was man tat, von vornherein lächerlich erschei-nen. Wenn sie sie auf dem Sterbebett trüge, würden wohl alle um sie herumstehen und vor Vergnügen johlen.

»Hier, ziehen Sie das an.« Hilary legte ihr sanft seinen Krik-ketpullover um. »Sie sollten sich bewegen, wissen Sie ... sonst kriegen Sie eine scheußliche Erkältung.«

Eleanor bedachte ihn mit einem dankbaren Lächeln. Sein ernstes, verletzliches Gesicht strahlte Mitgefühl aus, Balsam für ihre gekränkte Würde.

»Ihre Zähne klappern ja. Gehen Sie ein bißchen auf und ab ... nehmen Sie meinen Arm.«

»Mir fehlt wirklich nichts.«

Francesca, die immer noch mit den Tränen kämpfte, versuchte sich ohne Erfolg mit ihrem Taschentuch an Eleanors Kleid. »Das war grauenhaft. Hoffentlich muß ich so etwas nie wieder erleben. Ich dachte, du ertrinkst. Ist das Wasser giftig, Mr. Twisden? Hast du welches geschluckt, Herzchen?«

»Mutter kriegt einen Schlaganfall«, bemerkte Viola. »Du bist wirklich blöd.«

»Das hätte jedem passieren können«, sagte Hilary verteidigend. »Ich bin im letzten Semester reingefallen, als ich mit dem Fahrrad an den toten Flußarmen entlangfuhr. Es war ekelhaft.«

Er hielt sie dazu an, am Ufer auf und ab zu hopsen, an seinen Arm geklammert, bis sie wieder, ohne zu zittern, atmen konnte.

Hurra-Rufe und noch übertriebeneres Gespritze waren vom Fluß her zu hören. Bubble hatte sich zum Spaß Eleanors Brille auf die Nasenspitze gesetzt. Die vier wateten ans Ufer und warfen sich ins Gras, wo sie unter immer neuen Heiterkeitsausbrüchen Stückchen von Wasserpflanzen ausspuckten.

Stevie erholte sich als erster. Er entriß Bubble die Brille, wischte sie sorgfältig an Hilarys Pullover ab und gab sie Eleanor zurück.

»Armes kleines Ding, Sie sehen aus wie ein gerupftes Huhn.«

Eleanor verzieh ihm, daß er gelacht hatte, denn er hüllte sie in seinen Blazer und legte auf eine liebevolle, brüderliche Weise den Arm um sie, die, ungeachtet der Tatsache, daß er noch nasser war als sie, ungeheuer tröstlich war.

»Hört mal, was machen wir jetzt bloß?« wollte Gus wissen. »Wir können doch so nicht wieder in die Boote steigen. Und Eleanor sollte das nasse Zeug ausziehen. Sie holt sich noch den Tod.«

»Wir alle!« Squeak vollführte Laufbewegungen auf der Stelle.

»Wer wohnt denn am nächsten?« fragte Gus. »Weiß jemand, wo genau wir sind?«

»Bei Newnham«, antwortete Stevie. »Ich finde, wir versuchen es am besten bei Lorenzo. Das ist höchstens eine Viertelmeile von hier.«

Die Zwillinge stöhnten laut auf. »Nicht zum ollen Blausäure«, widersprach Bubble. »Dann hole ich mir lieber eine Lungenentzündung.«

Lorenzos Name und die plötzlich aufkeimende Hoffnung,

ihn doch noch zu sehen, bewirkten, daß Eleanor vor lauter Erwartungsfreude nervös zusammenzuckte. Stevie mißdeutete dies und verstärkte den Druck auf ihre Schulter.

»Um deine Lungenentzündung geht es mir nicht, du Esel. Kommen Sie, Eleanor ... es ist nicht weit.«

Eleanor stolperte unbeholfen neben ihm her, und ihr durchnäßtes Kleid schlug bleischwer gegen ihre Beine. »Er ... wird doch nichts dagegen haben?«

»Aber nein. Achten Sie gar nicht auf die beiden. Lorenzo lebt in letzter Zeit ein bißchen zurückgezogen, weiter nichts. Er wohnt außerhalb des Colleges.«

»Auf einem Hügel des Parnaß«, steuerte Squeak erklärend bei. »Nur mit den Musen, den Neunmalklugen, als Gesellschaft. Wenn der beim Anblick von uns armen Sterblichen bloß nicht wütend wird.«

»Du mußt ihn ja nicht ärgern. Er ist gar kein übler Kerl.«

»Der Apfel fällt nicht weit vom Stamm«, sagte Squeak heiter.

»Halt die Klappe!« Stevie war wütend. Eleanor spürte, ohne den Grund zu kennen, wie sich seine Muskeln anspannten.

Bubble und Squeak deuteten in gekonnter Pantomime an, wie sie sich die Münder zunähten, und Stevies Anspannung löste sich. »Sie müssen zu zweit mit einem einzigen Gehirn auskommen«, sagte er zu Eleanor. »Traurig, traurig.«

»Sorg dafür, daß sie ihren Kreislauf in Gang hält«, rief Hilary. Er trabte neben ihnen her und bewegte ermunternd ruckartig Knie und Ellbogen auf und ab. »Sie sollten laufen, Miss Eleanor ... so, wie ich es mache.«

»Kein Mensch außer dir kann so laufen!« spottete Bubble.

»Sie mochten Lorenzo doch, wie?« fragte Stevie Eleanor.

»Ja.«

»Ich habe ihn aufgefordert, heute mitzukommen, doch er will nicht unter Menschen gehen. Er will im Augenblick keinen von uns sehen.«

»Ach so.« Sie versuchte, das zu verstehen und ein Körnchen Trost darin zu finden. Wenigstens war es nicht ihre Gegenwart, die Lorenzo von der Teilnahme am Picknick abgehalten hatte.

»Twisden hat recht«, sagte Stevie und knuffte sie energisch.«Wir gehen nicht schnell genug. Ihre Mutter dreht mich durch den Wolf, wenn Sie sich erkälten.«

Die stolpernde, triefnasse Prozession schlängelte sich einen holprigen Weg am Rand des Dorfes Newnham entlang. Flache Felder lagen schläfrig im verblassenden Licht, und durch die Lücken in den Hecken zu beiden Seiten sah man nur noch wenige schäbige Häuschen, die sich im offenen Land verloren.

Bubble und Squeak rannten zu dem letzten Haus voraus; es war ein langgestrecktes zweistöckiges Bauernhaus mit einigen ungepflegt wirkenden Anbauten – einem Kuhstall, einem Hühnerhaus und einem schamlosen Außenklo, das wie ein kleines Wachhäuschen aussah. Die Farbe blätterte von den Wänden, und die bemoosten Dachziegel hatten sich gesenkt.

»Ach herrje!« murmelte Viola unhöflich.

»Im Sturm ist jeder Hafen recht«, sagte Gus.

Die Zwillinge schrien zu den Fenstern im Obergeschoß hinauf. »Windy! Lorenzo! Seid ihr da?«

Von innen rief eine Stimme: »Welch Engel ruft mich wach von meinem Blütenbette?« Ein Fenster öffnete sich, und ein struppiger brauner Kopf erschien, dem die Pfeife aus dem Mundwinkel hing.

Nach einer Flut verworrener Erklärungen verschwand der Kopf, und sein Besitzer trat gleich darauf auf den Hof vor dem Haus. Eleanor, die wieder zitterte, wäre froh gewesen, wenn die jungen Männer sich bei ihren Vorstellungen etwas mehr Mühe gegeben hätten. Der junge Mann war offenbar Lorenzos Mitbewohner, ein amerikanischer Studienanfänger namens Windrush. Er wirkte älter als alle anderen – wahrscheinlich war er Ende Zwanzig; er war ein korpulenter, freundlich wirkender Mann mit einem Walroßschnauzbart und Bartstoppeln, leger gekleidet in ausgebesserter Reithose und einem Fußballtrikot.

Er kicherte hinter seiner Pfeife. »Da soll Hastings mal zusehen, daß er seine Ungastlichkeit schleunigst überwindet.«

»Das ist überaus freundlich von Ihnen«, sagte Gus, dessen formvollendete Höflichkeit angesichts seines durchnäßten Flanellanzugs etwas Absurdes hatte.

Eleanor raffte ihr letztes bißchen Würde zusammen. Lorenzo stand in der Haustür, ein offenes Buch in der herabhängenden

Hand. Wieder erhob sich erklärendes Stimmengewirr, während Lorenzo Stevie stumm mit einem finsteren Blick bedachte. Er war unrasiert, und sein dichtes schwarzes Haar hing ihm wirr in die Stirn. Sein Blick war argwöhnisch; sein Körper war angespannt wie ein Flitzbogen. Er vermied es, sie anzusehen.

Mrs. Fuller, die Besitzerin des Hauses, war mittlerweile herausgerannt und ergötzte sich offenkundig an dem Drama, denn sie umkreiste sie mit den Worten: »Ach, ihr armen Dinger! Und die arme junge Dame! Kommen Sie mit mir herein, meine Liebe. Ich hole Ihnen etwas heißes Wasser und hänge die Kleider vor dem Feuer in der Küche auf.«

Die Gruppe teilte sich. Mrs. Fuller führte Eleanor, Viola und Francesca in ihren dunklen, nach Kohl riechenden Flur, während die Männer hinter Windrush die enge Treppe hinaufdrängten.

»Tee«, sagte Mrs. Fuller kundig, »eine schöne Tasse heißer Tee. Das ist jetzt genau das richtige.«

»Wir haben doch gerade erst Tee getrunken«, flüsterte Viola Francesca erbost zu.

Lorenzo machte keinerlei Anstalten, zur Seite zu gehen. Als Eleanor sich an ihm vorbeidrängte, wagte sie aufzublicken und stellte fest, daß er insgeheim über sie lachte.

»Da wächst ja einiges aus Ihnen heraus«, sagte er und zupfte den Halm einer Wasserpflanze aus ihrem Haar. »Das kann nur von einer allzu blühenden Fantasie herrühren.«

Der Schock seiner Berührung löste ein Prickeln in ihrem Magen aus. Sie war so dicht bei ihm, daß sie ihn riechen und den Schimmer auf den dichten Wimpern seiner pechschwarzen Augen sehen konnte.

»He, Lorenzo!« Hilarys dünne Stimme brach den Bann. »Du könntest mal langsam kommen und ein paar trockene Sachen raussuchen!«

»Komme schon.«

Er ging nach oben, und Eleanor folgte den anderen benommen in Mrs. Fullers rußgeschwärzte Küche. Francesca begann sofort, ihr das Kleid aufzuhaken.

»Meine Güte, du bist ja eiskalt. Du solltest am besten alles ausziehen.«

»Das kann ich nicht!« Eleanor hatte für ihr Gefühl genug Peinlichkeiten hinter sich. Die Balken der niedrigen Decke knackten unter den Füßen von nicht weniger als sieben Männern, die sich nur ein paar Fingerbreit über ihnen befanden. Sie hörte, wie Schubladen geöffnet wurden. Das Gebrummel ihrer Unterhaltung wurde immer wieder durch Gelächter unterbrochen.

»Bis auf den letzten Faden«, sagte Francesca unbeirrt. »Mrs. Fuller wird dir irgend etwas zum Überziehen holen.« Sie hatte die Miene einer umsichtigen Mutter aufgesetzt. Eleanor war jedesmal überrascht, wenn die furchtsame Francesca energisch wurde. Ehe sie noch weiter protestieren konnte, war sie bis auf die Haut ausgezogen, und Mrs. Fuller hängte ihre feuchte Unterwäsche auf einem Kleiderbock vor dem Herd auf, während Francesca ihren nackten Körper mit einem Handtuch abrieb.

Viola hockte sich halb auf einen der Kiefernholzstühle und beäugte verächtlich Mrs. Fullers rohe rote Ellbogen. »Das Kleid ist völlig ruiniert.«

»Wie wär's denn hiermit, Miss?« Mrs. Fuller hielt Francesca zustimmungheischend ein schmuddeliges Kattunkleid und ein Paar grobgestrickte Stümpfe hin.

»Genau richtig. Sie sind wirklich nett.« Francesca wand Eleanor das Handtuch zu einem Turban um den Kopf. »Ist dir jetzt wärmer, Schatz?«

»Viel wärmer.« Lorenzos Lächeln und das Küchenfeuer hatten Eleanors Gesicht rosig überhaucht.

»Nun zieh dich mal an«, sagte Viola. »Ich höre sie kommen.«

Eleanor erhaschte einen Blick auf die untergehende Sonne durch das liebliche Gewirr der Klematis um das Küchenfenster und verspürte ein plötzliches Glücksgefühl; ein in seiner Intensität fast schon religiöses Hochgefühl. Die Schönheit dieses Augenblicks in Lorenzos Haus überwältigte sie, so als hätte sie der Zeit ein Schnippchen geschlagen und könnte ihn in alle Ewigkeit ausdehnen.

Das Leben war herrlich, und in den Fluß zu fallen war ein Heidenspaß. Als Gus und Windrush mit Hilary und den Zwillingen herunterkamen, paradierte sie in ihrem Aufzug vor ihnen und stimmte in das Gelächter der anderen über die Kleidungsstücke ein, die Windrush und Lorenzo zur Verfügung gestellt hatten. Sie waren eine Harlekintruppe, wie sie da in ihren Narrenkostümen aus schlechtsitzenden Pullovern und Hosen auftraten.

Selbst Viola lachte. Sie war durchaus nicht ohne Humor, wenn er auch eine Spur boshaft war. »Oh, Gus! Welch ein Anblick!«

»Buntscheckig wie ein Flickenteppich«, sagte er grinsend und zeigte seine geliehenen Hosen vor, die zu eng und zu lang waren. »Wenn du möchtest, ziehe ich die zur Trauung an.«

»Das Wasser kocht, Mr. Windrush«, rief Mrs. Fuller. »Tee für alle ist doch recht, mein Lieber?«

Im Obergeschoß sammelte Lorenzo nasse Kleider vom Fußboden und von den Möbeln. Das Zimmer sah aus, als wäre ein Wirbelsturm hindurchgefegt.

»O Gott.« Er hob ein Hemd von einem Stuhl und entdeckte den fast vollen Nachttopf darunter. »Wie ekelhaft.«

»Bubble und Squeak.« Stevie sagte es entschuldigend. »Sie machen doch immer alles gemeinsam.«

»Die haben sich bestimmt wahnsinnig gefreut, daß sie das ganze Zimmer vollpinkeln konnten, die kleinen Schweinehunde. Du hättest sie ersäufen sollen, als die Gelegenheit da war.«

»Nun werd nicht garstig, Larry. Die sind schon in Ordnung. Warum mußt du bloß gegen alle und jeden was haben?«

»Erspart einem viel Ärger.« Lorenzo warf einen prüfenden Blick auf die Papiere auf seinem Schreibtisch. »Da, sieh mal ... sie haben eine Nachricht auf dem Löschpapier hinterlassen. ›Danke für die Klamotten, Blausäure!‹ Ist ja zum Brüllen komisch. Ich nehme an, das ist an mich gerichtet.«

»Die meinen es doch nicht böse, wirklich.«

Lorenzo warf die Kleidungsstücke über das eiserne Bettgestell. In seinem Gesicht zuckte es wütend. »Und dann fragst du mich, warum ich in Ruhe gelassen werden will.«

Stevie hatte sich nackt auf dem Bett ausgestreckt und rauchte eine Zigarette. Das verblassende Sonnenlicht lag in Goldbarren auf seinem flachen Bauch. »Trotzdem, das ist 'ne komische

Wohnung, die du da hast. Fühlst du dich denn nicht einsam, so allein mit Windrush?«

»Nein ...«

»Du fehlst mir. Sogar mächtig.«

»Wirklich, mein Schatz? Nun, dann will ich dir ein Küßchen genehmigen. Aber wenn du unartig wirst, schreie ich.«

Der Hohn seiner Stimme war ätzend, und Stevie errötete. »Ach, halt die Klappe. Du weißt genau, was ich meine.«

»Ich versuche lediglich, dich daran zu hindern, sentimental zu werden. Das macht dich so langweilig.«

Stevie lächelte. »Du kannst mich nicht vergraulen. Ich mag dich trotzdem.«

Zögernd, argwöhnisch ließ Lorenzo es zu, daß seine finstere Miene sich verflüchtigte. »Ich vermute, ich muß dich ziemlich gern haben, da ich dir die vorzeigbarsten Kleidungsstücke aufgehoben habe. Du wirst die Garland kaum verführen können, wenn du wie ein Kesselflicker herumläufst.« Er warf Stevie eine Flanellhose zu und zog sich den Pullover aus, unter dem ein ausgefranstes kragenloses Hemd zum Vorschein kam.

»Larry, du bist ein feiner Kerl.« Stevie zog den Pullover an, streifte ihn über das feuchte blonde Haar. »Wie soll sie mir jetzt noch widerstehen können?«

Sie hatten sich aus Mrs. Fullers überfüllter Küche in den Garten verlagert. Der warme Sommerabend war erfüllt von ländlichen Gerüchen und Blumenduft. Im Zwielicht wirkten die Farben der prächtigen Bauernblumen gespenstisch blaß.

Mrs. Fuller hatte ihnen Tee serviert, so braun wie Bratensaft, und dazu dicke Scheiben muffigen Rosinenkuchen. Sie saßen im Schneidersitz auf dem Rasen, wohlig entspannt, zufrieden schwatzend und nicht dazu aufgelegt, sich in dieser Stimmung den Kopf wegen der praktischen Einzelheiten ihrer Rückkehr nach Cambridge zu zerbrechen.

Viola war so weit aufgetaut, daß sie Gus' Arm um ihre Taille duldete. Sie hatte den Kopf an seine Schulter gelehnt, und ihr Blick war träumerisch. Eleanor hatte Gus seit dem Tag seines Heiratsantrags nicht mehr so selig gesehen. Sie wußte, wie ihm zumute war ... er liebte diese Augenblicke so sehr, daß er sie für die ganze Wahrheit nahm. Alles andere konnte man als unwichtig, als unwirklich vernachlässigen.

Francesca, so bemerkte sie zufrieden, hatte ihre Anwandlung von panischer Angst Stevie gegenüber überwunden; vielleicht weil er in Lorenzos Pullover so jung aussah. Er lag auf den Ellbogen gestützt und sagte etwas, was sie zum Lächeln brachte. Nur seine Hände, mit denen er geistesabwesend Grashalme ausrupfte, verrieten sein fieberhaftes Interesse.

»Welch Nacht der Liebe zugedacht.« Lorenzo, der neben ihr im Gras lag, beobachtete sie ebenfalls. Seine Stimme klang säuerlich. *»In jener Nacht stand Dido, ein Zweig in ihrer Hand, am Ufer des wilden Meeres ...«*

»... und hoffte, ihre Liebe kehrt zurück nach Karthago«, fuhr Eleanor fort und ließ sich die tragische Süße des Zitats auf der Zunge zergehen.

»Ja richtig, Sie sind ja eine von den Gebildeten. Hatte ich ganz vergessen.« Er machte im Halbdunkel ein krächzendes Geräusch, das Eleanor als Lachen erkannte. »Eine Nymphe in Blaustrumpf und Brille.« Er setzte sich auf. »Sie sehen hübsch aus so.«

»Ach ja?« Sie war hingerissen.

»Mädchen wie Sie sollten nicht versuchen, sich nach der Mode zu kleiden. Bei Ihrer Schwester ist das etwas anderes, weil sie so schön ist. Ach mein Gott, nun machen Sie doch kein so verletztes Gesicht. Sie nehmen vermutlich an, daß ich Sie beleidigen will. Aber Sie müssen doch wissen, daß Sie nicht schön sind ... oder haben Sie zu Hause keine Spiegel?«

Sie war zutiefst beschämt, doch die Beschämung hatte zugleich etwas Genußvolles. Eleanor hungerte nach seiner Aufmerksamkeit, selbst wenn das hieß, in die Dornen zu greifen und von glühenden Kohlen versengt zu werden.

»Ich wüßte gern«, sinnierte Lorenzo, »warum es als grob gilt, Frauen die Wahrheit zu sagen.«

»Ich finde nicht, daß Sie unhöflich waren«, sagte sie hastig. »Steckte darin nicht irgendwo auch ein Kompliment?«

»Was? Ich höre Sie nicht.«

»Ich habe gesagt ...«

»Brüllen Sie nicht. Ich wende Ihnen mein gutes Ohr zu.« Er wälzte sich auf die andere Seite.

Geschmeichelt riskierte Eleanor eine persönliche Frage. »Wie schlimm ist denn Ihr taubes Ohr? Hören Sie gar nichts?«

»Nicht viel. Gedämpfte Unterwassergeräusche.«

»Hatten Sie das von Geburt an?«

»Nein«, sagte er unwirsch.

»War das ein Unfall in der Kindheit oder ...«

»Sie haben einen Hang zu grausigen Einzelheiten, wie?« fuhr er sie an. »Letztesmal haben Sie mich über meinen Blinddarm ausgefragt.«

»Es tut mir leid«, sagte Eleanor zerknirscht. »Doch die Neugier gehört nun mal zu meinen Schwächen.«

»Weil Ihnen das eine Handhabe gibt, wenn Sie alles über jemanden wissen. Dadurch kriegen Sie den anderen in den Griff. Eine einzige Tatsache reicht Ihnen, und schon gehen die Pferde mit Ihnen durch, und Sie reimen sich sonstwas zusammen.«

»Das tue ich bestimmt nicht, wenn Sie mir die Wahrheit sagen«, erwiderte sie kühn.

Lorenzo erstarrte zu völliger Reglosigkeit. Sie wußte, daß er wütend war, und der Kitzel der Gefahr berauschte sie bis zum Übermut.

»Was können Sie denn bloß wissen wollen?«

»Ihren Namen.«

Sein Schweigen war spannungsgeladen.

»Hat Stevie Ihnen den nicht gesagt?«

»Nein.«

»Hastings.« Er spie seinen Namen aus. »Laurence Hastings.«

»Laurence Hastings.« Eleanor wiederholte ihn probeweise. Für einen Sekundenbruchteil erschien er ihr vage vertraut. Sie kam zu dem Schluß, daß das ein schicksalhafter Beigeschmack sein mußte. »Der Laurence paßt nicht zu Ihnen«, erklärte sie. »Ich werde Sie weiter Lorenzo nennen.«

»Ich höre auch auf keinen anderen Namen.«

Der Ausdruck seiner Augen war unauslotbar – Wachsamkeit, Verblüffung und Erleichterung, fast Zärtlichkeit. Eleanor hätte ihn zu gern mit Fragen bombardiert, doch der Wunsch, ihn nicht zu verletzen, hinderte sie glücklicherweise daran. Ehe sie es sich anders überlegen konnte, wurden sie von den Freunden ins Gespräch gezogen, das sich allgemeinen Themen zugewandt hatte.

»Schön, dann fragen wir eben Lorenzo«, sagte Bubble gerade hitzig. »Ich glaube nicht, daß wir wie Vierzigjährige sein werden, wenn wir mal vierzig sind … was meinst du? Wir werden genauso sein wie jetzt, und die Tatsache, daß wir vierzig sind, wird nichts anderes sein als ein ärgerlicher Zufall.«

»Von wegen«, sagte Windrush, und um seine Augen bildeten sich amüsierte Lachfältchen. »Ihr werdet Ehefrauen und Kinderscharen haben, und ihr werdet euren Frauen erzählen, ihr hättet euch verändert, weil ihr lebensklüger geworden seid. Wie sollte man das sonst auch aushalten können?«

»Es müßte doch möglich sein, an bestimmten Werten festzuhalten«, widersprach Lorenzo. »Die Menschen verwerfen die Vorstellungen ihrer Jugend gewiß nur deshalb, weil sie gezwungen sind, sich einer Gesellschaft anzupassen, die den Stumpfsinn und die kleinkarierte Prüderie über alles stellt.«

»In zwanzig Jahren werden wir die Gesellschaft sein«, gab Stevie zu bedenken, »und wir werden die Maßstäbe setzen.«

»Warte nur ab, bis du vierzig bist«, sagte Windrush schmunzelnd, »und der Bart dir bis an die Knie geht.«

»Was für eine gräßliche Vorstellung, vierzig zu sein«, stöhnte Squeak. – »Das reine viktorianische Grauen … da wacht einer morgens auf und stellt fest, daß er Stadtrat geworden ist, seine Köchin anbrüllt und über die Leserbriefe der *Morning Post* in Wallung gerät!«

»*Wohin sind all unsere Hoffnungen?*« murmelte Hilary. »*Unser Stolz und unsere Träume?*«

»Daran führt kein Weg vorbei«, setzte Stevie hinzu. »Es sei denn, man fände einen Weg, um die Vision Splendid wiederzufinden.«

»Das könnte man aber, technisch gesehen.« Lorenzo zündete sich eine Zigarette an und inhalierte gierig. »Wenn man rücksichtslos genug wäre, könnte man sich weitere zwanzig Jahre Jugend erobern. Nehmen wir einmal an, daß die Jugend bloß ein seelischer Zustand ist. Wir könnten jetzt beschließen, uns … sagen wir mal, 1933 … an einem bestimmten Ort zu treffen.

Ganz gleich, was wir gerade machen oder wie viele Ehefrauen, Geliebte und Kinder wir haben. Wir können schwören, das alles hinter uns zu lassen und uns sämtlicher angesammelter Gewohnheiten und Lebensbedingungen zu entledigen, wenn wir zu unserem Treffpunkt kommen.«

»Ziemlich rabiat«, lautete der Kommentar von Gus, der Viola einen liebevollen Blick zuwarf. »Da könnt ihr auf mich nicht zählen.«

»Ich finde es großartig!« rief Bubble. »Das machen wir! Alle außer Fenborough ... und du willst sicher auch nicht dabeisein, Twisden, wie?«

Eleanor fand diese Aussonderung zwar ziemlich grob, aber Hilary lachte bloß gutmütig. »Das bezweifle ich«, sagte er. »Für einen Geistlichen wäre das wohl kaum passend. Die würden denken, ich wäre mit der Kollekte der Gemeinde verschwunden.«

»Na und, warum tust du das nicht?« fragte Stevie, der Hilary, anders als die Zwillinge, wirklich zu mögen schien. »Du könntest deinen Kragen doch richtig herum drehen, deinen Namen ändern und dir einen schönen Tag machen, indem du dich an den Fleischtöpfen·versuchst. Welcher Art auch immer.«

Bubble bebte vor Begeisterung. »Das wären dann also du, ich, Squeak, Lorenzo und Windrush ... wir treffen uns am ersten Januar 1933. Schnurrbärte bitte vorher abrasieren.«

Eleanor begann das Gespräch zu mißfallen. Nicht nur, daß die Frauen von diesem Vorhaben ausgeschlossen blieben – sie wurden als lästige Anhängsel betrachtet, die es hinter sich zu lassen galt; die Schlingpflanze, die sich um einen Mann rankte und seine jugendlichen Ambitionen erstickte und ihm nichts ließ als den Weg zum Grab. Ist das ein Naturgesetz, daß die Männer zu neuen Ufern aufbrechen wollten und die Frauen sie in Fesseln zu legen versuchten? Wie wollten sie denn wissen, daß nicht auch sie etwas haben könnte, dem sie gern entrinnen würde, an jenem in weiter Ferne liegenden Morgen des Jahres 1933?

Stevie, der den Blick in Francescas sanften braunen Augen bemerkte, wurde klar, daß man die Mädchen übergangen hatte. »Und was ist mit den Mädchen? Sind die auch eingeladen?«

»Ja«, Lorenzo willigte ein, »wenn sie kein Gepäck mitbringen und nicht erwarten, daß man ihnen alles abnimmt. Nur von gleich zu gleich.«

»Ich komme«, sagte Eleanor prompt.

»Ich nicht«, erklärte Francesca.

»Wo wollen wir uns denn treffen?« fragte Squeak.

»In Havanna«, schlug Windrush vor, »oder vielleicht Kairo. Was es da für Fleischtöpfe gibt!«

»Am Comer See«, sagte Squeak bestimmt.

»Und dann kann Eleanor reinfallen!« rief Bubble.

Das Gespräch steigerte sich zu immer neuen Heiterkeitsausbrüchen. Als sie sich gelegt hatten, gab Gus Viola widerstrebend frei und erklärte, daß sie, wenn sie die Absicht hätten, auf dem Fluß bis in die Stadtmitte von Cambridge zurückzukehren, das wohl besser täten, ehe das letzte bißchen Licht verschwunden wäre.

»Holen wir unsere Sachen von oben und lassen die Mädchen allein, damit sie sich in Ruhe hier unten fertigmachen können«, meinte Stevie, der mit dem für ihn üblichen Takt auf die peinliche Lage des Außenklos anspielte.

Ein allgemeiner Aufbruch in Richtung Haus setzte ein. Eleanor, die es kaum ertrug, sich von diesem Augenblick zu lösen, stand unschlüssig neben Lorenzo.

»Ich hab' mich gefreut, Sie wiederzusehen«, wagte sie schließlich zu sagen.

»Ach ja?«

»Vielleicht könnte ich Ihnen ja irgendwann einmal zuhören, wenn Sie spielen. Hat Stevie Ihnen gesagt, daß Sie zu Vis Ball eingeladen sind?«

»Jaja.«

Sie wollte sich auf keinen Fall anmerken lassen, wieviel ihr daran lag, daß er kam. »Und werden Sie kommen?«

»Nein. Nett von Ihnen, und was man so sagt. Doch selbstverständlich nicht.«

»Bitte«, versuchte sie ihn zu überreden. »Ich würde mich so sehr freuen.«

Er seufzte. »Na, mal sehen, falls ich dann in London bin.«

Lorenzo stand auf und reichte Eleanor die Hand. »Ich hoffe, Sie sind eine bessere Gastgeberin als ich ein Gastgeber war.«

Die Manschette seines Hemds war offen, und es durchfuhr sie wie ein lähmender Schock, als sie sah, daß die Haut auf der Innenseite seines Handgelenks durch eine lange tiefe Narbe entstellt war.

Er wußte, daß sie sie gesehen hatte, doch er zog die Hand nicht zurück. Sie ergriff sie, und seine Finger umspannten unerwartet warm die ihren.

Die Stimmen der Zwillinge drangen aus dem Fenster in die Dämmerung: »Wir werden niemals alt ... wir werden niemals alt!«

4

Die Berlin-Schwestern waren die häßlichsten Frauen, die Rory je gesehen hatte; ein Trio runzliger Schildkröten mit wissenden schwarzen Korinthenaugen und schmalen Mündchen unter riesigen knochigen Nasen. Als Dinah und Cecil sie in das übermöblierte, dunkle Empfangszimmer im Haus der Berlins in Notting Hill führten, trafen sie Frieda, Berta und Dorrie nähend um einen Tisch sitzend an. Sie blickten auf, die geöffneten Scheren und die zum Stich erhobenen Nadeln verharrten reglos, und Rory hatte das Gefühl, in die Höhle der drei Schicksalsgöttinnen genötigt worden zu sein, um ihnen dabei zuzuschauen, wie sie den Lebensfaden sämtlicher Menschenleben spannen und durchschnitten.

Beim Abendessen hatte sie Mühe, die Schwestern auseinanderzuhalten. Alle drei trugen schwarze Kleider, die sehr schlicht geschnitten waren, und hatten das Haar in widerspenstigen Zöpfen um die hexenhaften Köpfe gewunden. Nach und nach wurde ihr jedoch klar, daß Miss Berta und Miss Dorrie sich mit voller Absicht der ältesten Schwester, Miss Frieda, anverwandelt hatten.

Frieda Berlin (die nach Friedrich Engels, dem Freund ihres Vaters, genannt war) war die treibende Kraft, Herz und Kopf des Haushalts. Zu sagen, daß sie sich für progressive Anliegen einsetzte, wäre eine bläßliche Untertreibung gewesen. Sie war das fleischgewordene Prinzip; eine Frau, die ganz in ihren Überzeugungen aufging. Oder besser gesagt, den Überzeugungen, die sie von ihrem Vater geerbt hatte, dessen Andenken sie in höchsten Ehren hielt.

Dr. Berlin lag nun schon seit zwanzig Jahren auf dem Kensal Green Cemetery, doch Frieda, die mittlerweile Ende Vierzig war, setzte seine Arbeit mit intensiver, beinah religiöser Hingabe fort. Berta und Dorrie, die jede für sich durchaus tatkräftige und lebenstüchtige Frauen waren, sahen zu ihr als ihrer Anführerin auf.

Einen ersten Eindruck von der geballten Kraft ihrer Spottlust bekam Rory während der Sitzung des Suffragetten-Komitees, die im Eßzimmer stattfand, nachdem die Reste von kaltem Pökelfleisch und Sauerkraut abgetragen worden waren. Frieda nahm den Tranchierstuhl am Kopf der Tafel ein, und Berta und Dorrie flankierten sie wie Stabsoffiziere einen General, der sich ihres Vertrauens und ihrer Zuneigung erfreut. Dinah setzte sich ans andere Ende des Tisches.

Ausnahmsweise hielt Rory ihre Zunge im Zaum. Sie war ganz Auge und Ohr und ließ sich von dem berauschenden Klima eines hochherzigen Idealismus und des politischen Aktionismus überwältigen. Einfach hierzusein, in diesem vollgestopften, ausländisch anmutenden Zimmer mit den großen Porträts von Engels und Dr. Berlin, die einander von gegenüberliegenden Wänden feurig anblickten, war Aufregung genug. Wenn Muttonhead sie jetzt bloß sehen könnte!

Die Komiteemitglieder trafen zu zweit oder dritt ein, schälten sich aus ihren Handschuhen, verstreuten Gedrucktes und sprachen mit solcher Entschlossenheit, daß der Raum bald vor Lärm vibrierte. Schließlich kam Becky, das Hausmädchen, mit dem Kaffee herein und schloß die Tür. Sie war ein auffällig klein geratenes jüdisches Mädchen aus dem East End mit scharfgeschnittenem Gesicht, und sie trug keine Dienstkleidung, weil die Berlins nicht an die gesellschaftliche Kluft zwischen Herrin und Dienerin glaubten. Beckys Angewohnheit, das Tischgespräch zu unterbrechen, während sie das Abendessen auftrug, hatte Rory zwar nicht sonderlich überrascht, da sie an Unas Einmischungen zu Hause gewöhnt war. Doch als Becky sich zum Essen mit ihnen an den Tisch setzte, war sie doch erstaunt. Nun sah es so aus, als sei sie auch ein Mitglied des Komitees, denn die letzte Tasse goß sie sich selbst ein und setzte sich auf den freien Stuhl neben Cecil, die Protokoll führte.

»Die Sitzung ist hiermit eröffnet.« Friedas gütige Stimme setzte sich durch und ihr Lächeln galt allen dreizehn Frauen gleichzeitig, die dicht gedrängt um den Tisch saßen. »Bist du bereit, Cecil? Ich möchte gern eine neue Genossin begrüßen, Aurora Carlington aus Irland.«

Es erfolgte höfliches Begrüßungsgemurmel, und Rory spürte, wie sie durch Nickelbrillen und Hutschleier hindurch gemustert wurde.

Sie staunte über die Tagesordnung – Plakatträgerinnen für Holloway, solange Mrs. Pankhurst in Haft war, die Darstellung der nächsten illegalen WSPU-Versammlung im Hyde Park und, am aufregendsten überhaupt, Selbstverteidigungswaffen gegen Polizisten und organisierte Rowdys, die gegen das Frauenwahlrecht waren. Das war das wahre Leben.

Die Frauen liebten offensichtlich Meinungsverschiedenheiten und hitzige Auseinandersetzungen, doch die Sitzung endete freundschaftlich mit Kaffee und Gewürzkuchen im Salon. Becky reichte mit vollem Mund die Platten herum, und Rory wurde von freundlichen Komiteemitgliedern umringt, die darauf brannten, sich richtig vorzustellen.

»Danke, daß Sie mich mitgenommen haben«, sagte sie zu Dinah, sowie sie sie allein zu fassen bekam. »Es war einfach großartig.«

»Hab' ich mir doch gedacht, daß es Ihnen gefallen würde. Aber Sie reden ja, als ob es jetzt vorbei wäre. Die Frage ist, was Sie für uns tun können. Haben Sie irgendwelches Geld in der Hand?«

»Entschuldigung?«

»Ich meine, müssen Sie sich Ihren Lebensunterhalt selbst verdienen?«

»Na ja, nein.« Rory war etwas verlegen. »Ich bin zwar keineswegs reich, aber ich wohne ja bei meiner Tante, und ich habe etwas Geld von meiner Mutter ...«

»Wunderbar! Besser könnte es gar nicht sein. Wollen Sie für uns arbeiten?«

»Oh, gern!«

Dinah mußte über so viel Enthusiasmus lächeln. »Ich brauche eine Redaktionsassistentin für *Atalanta*.«

Rory, die bereit gewesen war, jegliche heroische Aufgabe zu übernehmen – etwa den Premierminister mit ihrer Reitgerte zu schlagen oder das Parlament zu bombardieren –, war einigermaßen ernüchtert. »Glauben Sie denn, daß ich das könnte? Ich meine, ich habe keine Ahnung von Zeitschriften ...«

»Die brauchen Sie auch nicht zu haben«, erklärte Dinah. »Sehen Sie, wir stellen uns alle unentgeltlich zur Verfügung, und die meisten von uns wissen kaum, woher sie die Zeit nehmen sollen. Ich brauche jemanden, der die Druckfahnen korrigiert, Briefe beantwortet und die Druckplatten bei den Druckern ansieht.«

Das klang ziemlich einfach – und wie großartig würde das sein, wenn sie Jenny und den anderen Mädchen erzählen könnte, daß sie Redaktionsassistentin geworden war. »Ich will's versuchen, obwohl Sie Geduld mit mir haben müssen ... Sie kennen meine Zeichensetzung doch noch von der Schule her, und sie ist seitdem nicht besser geworden.«

»Sofern sie nicht noch schlechter geworden ist«, sagte Dinah, »können Sie sich als eingestellt betrachten, Miss Carlington, für das umwerfende Entgelt von absolut gar nichts.«

Rory lachte. »Miss Curran, ich weiß gar nicht, was ich sagen soll. Wie kann ich das bloß alles ausgeben?«

Dies, so befand Rory zwei Wochen später, ist die glücklichste Zeit meines Lebens. Sie fragte sich, wie viele Menschen die glücklichste Zeit ihres Lebens als solche zu erkennen vermochten, während sie sie gerade erlebten, und seufzte vor Zufriedenheit. Ihre Arbeit für *Atalanta* war zwar weitaus anstrengender, als sie erwartet hatte. Sie kostete sie täglich Stunden und bestand in der Hauptsache in der Plackerei, über sehr langweiligen Artikeln zu hocken und winzige Symbole an den Rand zu zeichnen – doch sie genoß jeden Augenblick, weil sie durch die Arbeit fast täglich ins Haus der Berlins kam.

Je näher sie die Berlins kennenlernte, desto lieber mochte sie

sie. Sobald man sich daran gewöhnt hatte, bekam ihre reptilienhafte Häßlichkeit etwas seltsam Anrührendes. Jeder Zug und jede Falte der Gesichter mit starker Familienähnlichkeit strahlte Intelligenz und Freundlichkeit aus. Rory dachte an Mr. Phillips Redensart: ›An ihren Früchten sollt ihr sie erkennen.‹ Wenn man die Schwestern nach ihren Taten und nicht nach ihrem Äußeren beurteilte, waren sie von engelhafter Schönheit.

Frieda hatte etwas Geld von ihrer Mutter geerbt und verwendete es dazu, ihr Haus zu einem Hafen für jeden zu machen, dessen Vorstellungen auch nur ungefähr mit den ihren übereinstimmten. Sie war außerdem stets bereit zu helfen, und Menschen in Not konnten immer auf ihr Mitgefühl rechnen. Ihre Hand war stets geöffnet, ob sie nun einer zwangsernährten Suffragette wieder auf die Beine half oder die Familie eines verkrüppelten Werftarbeiters unterstützte. Berta und Dorrie waren auf ähnliche Art idealistisch und weichherzig.

Außerdem gab es, zu Rorys leiser Überraschung, noch einen Berlin-Bruder. Joe Berlin war der Nachkömmling des Doktors; das Andenken an eine kurze zweite Ehe. Joes Mutter war bei der Geburt gestorben, und Frieda – die fünfundzwanzig Jahre älter war als er – hatte ihn großgezogen. Er war gerade aus Oxford zurückgekehrt und arbeitete als Sekretär eines Labour-Abgeordneten. Alle drei Schwestern trugen ihn auf Händen, doch seine besondere Liebe galt Frieda. ›Meine Älteste‹, nannte er sie. Berta war ›Medium‹, und Dorrie war ›Dot‹.

In der Familie ging es betriebsam zu wie in einem Bienenstock. Cecil und Dinah schrieben und malten in ihrem luftigen Dachgeschoß. Der andere Mieter war ein Homöopath, der das Vorderzimmer im zweiten Stock als Praxis benutzte. Rory erledigte die tägliche Routine für *Atalanta* im kleinen hinteren Empfangszimmer. Und ein Schwarm von Genossinnen und Sympathisanten kam zu jeder Tages- und Nachtzeit vorbei – gewöhnlich noch aufgekratzt von dieser oder jener Propagandarede und mit Stößen von Pamphleten bewaffnet.

Rory hatte Mr. Keir Hardie kennengelernt, den knorrigen Schotten, der die Labour-Interessen im Parlament vertrat. Sie hatte auch Mr. Bernard Shaw und seine Fabier-Mitstreiter Sidney und Beatrice Webb kennengelernt, die Frieda zwar in allem heftig widersprachen, aber dennoch ungeheuer viel aßen und ewig blieben. Die Gespräche waren erstaunlich und häufig beunruhigend. Während vom zerbröckelnden Empire und von brennenden Palästen die Rede war, hatte Rory manchmal das Gefühl, sich mehr und mehr von Jenny, Francesca und Eleanor zu entfernen. Doch sorgte sie dafür, daß der Kontakt nicht abriß, denn Spaß und Ausgelassenheit waren bei den Berlins dünn gesät.

Das war Pech für Rory, denn ihr Übermut ging immer wieder mit ihr durch. Am Abend zuvor hatte eine wütende Autorin Dinah angerufen und sich beschwert: Rory hatte über die korrigierten Fahnen ihres Artikels über die schottische Militanz ein – wie sie fand – ›ungebührliches Gedicht‹ gekritzelt:

»Eine süße Suffragette mit Namen Miss Brady
Wollte sich einfach nicht aufführen wie eine Lady
Drum ging sie zum Tee
Mit nem schottischen MP
Und schob ihm ne Bombe unter sein Plaidie.«

Glücklicherweise hatte Dinah das komisch gefunden, auch wenn es ihr gelungen war, das die Autorin nicht anmerken zu lassen. »Aber um Himmels willen, Kind«, sagte sie hinterher, »Sie arbeiten hier nicht für den *Punch*. Wir halten die militante Strategie nicht für komisch.«

Ja, das Leben auf diesem olympischen Niveau war eine ernste Angelegenheit. Rory gähnte und konzentrierte sich mühsam wieder auf die Fahnen. So langweilig sie waren, sie mußten am Abend zurück in die Druckerei. Sie ärgerte sich, als die Türglocke ging. Das verdammte Ding schien alle zwei Minuten zu läuten, und es gehörte zu Rorys Aufgaben, die Tür aufzumachen. Alle anderen waren zu beschäftigt.

Rory hatte mittlerweile die Erfahrung gemacht, daß viele Kampfgenossinnen sterbenslangweilig waren. Sie durchquerte die Diele, um die Tür zu öffnen, und nahm resignierend an, daß sie sich wieder selbst um eine Textilarbeiterin aus dem East End kümmern müßte oder um einen Balkan-Flüchtling, der einen ganzen Sack schrecklicher Geschichten aus dem Krieg mitschleppte, oder um einen Spinner, der der Meinung war, die ganze Welt solle laufmaschensichere Jaeger-Knickerbocker tragen – sie kannte sie mittlerweile alle.

Der Besucher war jedoch ein junger Mann, der groß, blaß und auffällig abgerissen war und dem ein zusammengerolltes Manuskript aus der Jackentasche ragte.

»Guten Tag«, sagte Rory. »Kann ich Ihnen helfen?«

»Ich wollte zu Miss Berlin. Ist sie da?« Seine Augen hatten die Farbe von nassem Schiefer, und sie wirkten unnatürlich groß in seinem abgezehrten Gesicht. Violette Schatten der Erschöpfung umgaben sie. Er nahm seine Tweedmütze ab und versuchte, sein Haar zu glätten, das unordentlich abstand, wo es hätte geschnitten werden müssen.

»Ja, aber sie ist gerade in einer Sitzung.«

»Ach so. Dann gehe ich wieder.«

»Nein, bitte kommen Sie rein. Es wird nicht lange dauern.« Rory, die sich schwer damit tat, die unterschiedlichen englischen Akzente zu identifizieren, siedelte ihn irgendwo im Norden an. Er sah so schmächtig und asketisch aus wie ein Heiliger aus dem Mittelalter, fand sie; der Körper verschlissen von einem Übermaß an Geistigkeit.

Er funkelte sie anklagend an. »Ich habe keine Zeit zu verlieren. Sagen Sie mir, wann sie Zeit hat, und dann komme ich wieder.«

»Ich habe Ihnen doch gesagt, es dauert nicht mehr lange. Sie können warten ...«

»Ich warte auf niemanden.« Er hieb sich die Mütze auf den Kopf und wandte sich zum Gehen.

»Ganz wie Sie wollen«, sagte Rory erbost und schloß die Tür.

Gleich darauf hörte sie ein eigenartiges Geräusch – als hätte jemand einen Sack Kohlen auf der Treppe fallen lassen.

Sie riß die Tür wieder auf und fand den jungen Mann bewußtlos am Boden liegend. Entsetzt starrte sie auf ihn nieder. Er wirkte wie ein schlaffes Kleiderbündel ohne Inhalt.

Sie gab sich einen Ruck, ließ sich neben ihm auf die Knie fallen und begann, die Knöpfe seines ausgefransten Pappkragens zu lösen. »Becky!« rief sie. »Kommen Sie schnell, und bringen Sie etwas Wasser!«

Frieda, die die Gabe hatte, überall aufzutauchen, wo es Probleme gab, schaute aus dem Eßzimmer, um zu sehen, was los war. Ein halbes Dutzend eilfertige Komiteemitglieder drängte hinter ihr in die Diele. Es hagelte Ratschläge.

»Schlagen Sie ihm ins Gesicht ...«

»Nein, nein, halten Sie ihm einfach eine brennende Feder unter die Nase ...«

»Man muß ihm die Hände massieren ...«

»Frauen, wartet bitte drinnen auf mich«, sagte Frieda entschlossen und scheuchte sie weg. »Es ist bloß der arme Mr. Eskdale.«

»Soll ich schnell einen Arzt holen?« fragte Rory, die der Anblick der aschfahlen Lippen des jungen Mannes beängstigte. »Er sieht schrecklich aus.«

»Nein, liebes Kind, er ist nicht krank. Gehen Sie in die Küche runter und bitten Sie Becky, sie möchte einen anständigen Teller Sandwiches mit kaltem Huhn machen.«

»Sie meinen, er hat einfach nur Hunger?«

»Einfach nur Hunger«, wiederholte Frieda in vielsagendem Ton. »Ja.«

»Tut mir leid ... ich wollte damit nicht sagen ...«

»Es braucht Ihnen nicht leid zu tun, Liebes. Um ehrlich zu sein, Mr. Eskdale benimmt sich ziemlich töricht, was seine Gesundheit betrifft. Tom, können Sie mich hören? Da sehen Sie, was Sie angerichtet haben!«

Eskdale blinzelte verwirrt und stemmte sich auf den Ellbogen hoch. »Ich hab' es fertig ... mein Buch ... Ich war die ganze Nacht auf, und ich bin von Queen's Park zu Fuß hergelaufen ...«

»Später, später«, Frieda tätschelte ihn beruhigend. »Immer diese Hetzerei.«

Frieda warf Rory einen listigen Blick zu. »Nun laufen Sie, Aurora. Ich kümmere mich schon um ihn.«

Zögernd machte Rory sich auf den Weg zur Küche, um die Sandwiches zu besorgen. Als sie zurückkehrte, fand sie Eskdale im Salon, wo er auf Frieda einredete, während sie ihm Zucker in den Kaffee tat. Der Raum war voller Menschen. Die Komiteemitglieder hatten sich eingefunden, um einen Kaffee zu trinken, und drängten sich um den Flügel, wo sie über die silbergerahmten Familienfotos hinweg in gedämpftem Ton miteinander stritten.

»Sie werden es garantiert wollen!« Eskdale stürzte achtlos seinen Kaffee hinunter und biß in ein Sandwich.

»Mein lieber Tom«, sagte Frieda, »Sie sind zwar sehr klug, und Ihre Ideen sind zweifellos von Bedeutung, doch wo käme ich hin, wenn ich die Drucklegung jedes Buches bezahlen wollte? Lassen Sie es hier. Ich werde es lesen.«

»Wann?«

»Wenn ich Zeit habe. Oder ich gebe es Aurora, und sie wird mir sagen, was sie davon hält.«

Während er ein weiteres Sandwich hinunterschlang, wandte er Rory seine Aufmerksamkeit zu. »Versteht sie denn überhaupt etwas von Politik?«

»Ich kenne den Unterschied zwischen schlecht geschriebenen und gut geschriebenen Büchern«, versetzte sie. »Und darauf kommt es an.«

Er sah sie zum erstenmal richtig an und lächelte plötzlich. Eine auffällige Kerbe erschien auf einer seiner hageren Wangen, der erloschene Krater eines Kindheitsgrübchens. »Ich bin Ihnen hier noch gar nicht begegnet, stimmt's?«

»Ich bin Aurora Carlington.« Sie nahm sich selbst ein Sandwich. »Ich arbeite mit Dinah zusammen, und ich komme aus Irland. Ein Produkt der herrschenden Klasse, keine ehrliche Bauerstochter, um Ihrer Frage zuvorzukommen.«

Seine Miene war wieder streng. »Darüber gibt es nichts zu lachen.«

»Entschuldigung. Doch ich bin die vielen Dinge, über die es nichts zu lachen gibt, leid. Und ich habe es mehr als satt, daß man mir Vorträge über Irland hält. Wäre mit mir irgend etwas ernstlich nicht in Ordnung, wäre ich dann hier? Seine Herkunft kann sich niemand aussuchen.«

»Stimmt, doch Sie können sich nicht einfach jeglicher Verantwortung dafür entziehen«, erwiderte er. »Jeder Mensch wird durch seine gesellschaftliche Klasse geprägt, ob Sie wollen oder nicht. Sehen Sie sich doch an. Ein Blinder erkennt, daß Sie eine sogenannte Dame sind. Wenn Sie in meiner Straße in der Grafschaft Durham geboren wären, dann würden Sie keine solchen geistreichen Bemerkungen über die Bauern machen, und Sie würden lieber sterben als das gräßliche grüne Hemd da anziehen.«

»Tom!« mahnte Frieda.

»Lassen Sie nur. Das stört mich nicht.« Rory war fasziniert.

»Solche wie Sie erzählen mir immer, sie kämen aus einer Klasse, wo sie tun und lassen können, was ihnen gefällt. Nur eine Dame hält es für unter ihrer Würde, sich zu kleiden wie alle anderen auch.«

Die Komiteefrauen hatten ihre Tassen geleert und verließen eine nach der anderen den Raum. Frieda stand auf und blickte zweifelnd von Rory zu Tom. »Fühlen Sie sich jetzt besser, mein lieber Junge?«

»Ja. Das vorhin tut mir leid«, sagte Eskdale. »Die Körperfunktionen sollten keine solche Tyrannei über den Menschen ausüben. Beispielsweise ...« Er war offensichtlich drauf und dran, sich über eins seiner Lieblingsthemen zu verbreiten.

Frieda schnitt ihm kurzerhand das Wort ab. »Rühren Sie sich nicht weg, ehe Sie die Sandwiches aufgegessen haben, und seien Sie höflich zu Aurora.« Da sein Mund sich bereits wieder öffnete, setzte sie hinzu: »Selbst wenn Sie nicht an die bürgerliche Tyrannei der Höflichkeit glauben.«

»Ja, das ist noch eine vom alten Schlage, Miss Berlin«, sagte Eskdale, als sie gegangen war. »Eine der besten überhaupt. Worüber lachen Sie?«

»Glauben Sie denn an überhaupt nichts Gewöhnliches?«

Er war nicht gekränkt. Er lächelte ihr durchaus freundlich zu. »Kommt drauf an, was man darunter versteht, Miss Carlington. Vermutlich haben Sie und ich völlig verschiedene Blickwinkel, was das betrifft.«

»Ist das der Gegenstand Ihres Buches?« fragte sie.

»Gewiß. Es ist ein Manifest für den Umsturz der Welt. Ich habe es ›Der Phönix der Neuen Ordnung‹ genannt. Die herrschende Klasse bildet sich ein, sie hätte den Kapitalismus unter Kontrolle, doch das trifft nicht zu ... er ist ein Moloch, der sich, seinem eigenen Antrieb folgend, auf die Massenvernichtung zubewegt. Ich sage einen Krieg gigantischen Ausmaßes zwischen den Großmächten voraus, der in der internationalen Wirtschaftspleite und dem Triumph des Arbeiterstaates enden wird. Ach, das wird ein großartiges Spektakel werden!«

»Sie bezeichnen den Krieg als etwas Großartiges?« fragte Rory empört.

»Ja, wenn er den ersehnten Wandel mit sich bringt. Sehen Sie sich doch die Deutschen an, die bauen ihre Flotte auf. Sehen Sie sich den Balkan an und das Parlament, das unsere Steuern für den Bau von Mordmaschinen verwendet ...«

»Es wird aber nicht zum Krieg kommen! Niemand glaubt, daß der Kaiser es wagt, sich mit unserer Flotte anzulegen!«

»Ach ja? Die Leute auf der Straße können den Ausbruch von Kriegen zwar nicht verhindern, sie können sich jedoch weigern, daran teilzunehmen. Wie ich das sehe, werden sich Massen von Arbeitern weigern, die imperialistische Kampfmaschinerie zu unterstützen. Wenn sich aber das traditionelle Kanonenfutter weigert, die Waffe gegen seine Brüder zu richten, wird das ganze System zusammenbrechen.«

Rory hatte noch nie jemanden mit einer derart glühenden Überzeugungskraft reden hören. Es war ungeheuer einleuchtend. »Wie sind Sie denn zu einem solchen Propheten geworden, Mr. Eskdale?«

»Sie möchten wohl gern wissen, was ich für einer bin, wie? Versuchen, mich auf der sozialen Skala einzuordnen, in der Hoffnung, daß meine Vorstellungen dann einfach wegzuerklären sind. Schön, ich könnte Ihnen Dinge erzählen, die ich gesehen habe, Sie würden mir nicht glauben. Mein Dad war nämlich Bergarbeiter. Sieben Leute in zwei Zimmern. Die einzige Chance, die mein Dad und meine Mum hatten, noch ein Kind zu zeugen, war am Sonntagnachmittag. Dann steckten sie uns alle in die Sonntagsschule. Und der Pfarrer hat erkannt, daß ich ein helles Bürschchen war, und hat die beiden überredet, mich nicht unter Tage zu schicken.« Seine Wortwahl war zwar aggressiv, doch erläuterte er dies alles mit der größten Liebenswürdigkeit, während er ihnen Kaffee aus der Kanne nachschenkte, die Frieda hatte stehenlassen. »Na ja, das ist schon ein anständiger Mensch, dieser Pfarrer, ist er wirklich. Doch, das muß ich ihm lassen. Er wollte einen aus dem Haufen retten, und das hat er getan. Er hat mich für ein Stipendium in Oxford vorbereitet und meine Kosten übernommen.«

»Dann waren Sie also in Oxford?«

»Sehen Sie ... das überrascht Sie. Wußte ich's doch gleich.«

»Ich wollte nicht ...«

»Ist schon gut. Sie meinen es nicht böse, anders als einige meiner Kumpel auf dem College. Ich hätte ebensogut vom Mond kommen können. Aber ich habe meinen Abschluß, und den verdanke ich niemandem als mir selbst.«

»Und Ihrem Pfarrer«, erinnerte ihn Rory.

»Ja, obwohl wir so unsere Meinungsverschiedenheiten hatten. Er glaubte an Gott als Garanten der Hierarchie. Meinen Sozialismus konnte er nicht akzeptieren. Ich hab' damit natürlich nicht hinterm Berg gehalten.«

»Aber i wo«, murmelte sie und verkniff sich das Lachen.

»So habe ich auch Miss Berlin kennengelernt. Ihr Bruder Joe hat mich eines Nachts aus dem Fluß gezogen, nachdem ich meine Pamphlete am St. Giles verteilt hatte. Ich wurde ununterbrochen ins Wasser getaucht. Ich habe mehr Zeit in den Brunnen der Colleges verbracht als irgendein steinerner Wasserspeier.«

Diesmal mußte Rory einfach lachen. »Sie haben offensichtlich einen Hang zum schwierigen Leben.«

»Ich sehe das so, Miss Carlington: Ein Mann in meiner Lage steht vor einer eindeutigen moralischen Wahl. Er kann seine Herkunft entweder völlig vergessen und die Bourgeoisie stützen, indem er eins ihrer Mitglieder wird. Oder er kann seine gute Schulbildung dazu nutzen, um seine eigenen Leute zu organisieren. Verstehen Sie das?«

»Ja.«

»Gefährlicher Unsinn, würden Sie sagen.«

»Nein, keineswegs. Ich finde das bewundernswert. Für die meisten Menschen, die eine gute Schulbildung haben, müssen Armut und Ungerechtigkeit ja bloße Vorstellungen bleiben, hinter denen keinerlei Erfahrung steht.«

»Na, endlich mal eine gescheite Frau«, erklärte Eskdale. »Womöglich hole ich gar noch etwas aus Ihnen heraus.«

»Geld nicht. Ich bin nicht reich genug, um irgend jemanden fördern zu können.«

»Dann eben Arbeit.« Er klatschte sein Manuskript auf das Kissen neben sich. »Lesen Sie das, und sagen Sie Miss Berlin, daß sie es veröffentlichen muß. Ich bin nicht zu stolz, um etwas zu betteln, wovon ich überzeugt bin.«

Rory nahm das unordentliche, tintenfleckige Bündel mit Respekt an sich. Die Zielstrebigkeit, mit der er seine Sache verfolgte, verschlug einem den Atem. »Ich werde es heute abend lesen, Mr. Eskdale.«

Er schenkte ihr wieder sein strahlendes, offenes Lächeln. »Tom.«

»Vielleicht verstehe ich es ja überhaupt nicht.«

»Jedes Kind kann das verstehen.«

Rory lachte. »Ist das Ihre Einschätzung meiner Intelligenz?«

»Wir werden ja sehen«, sagte er ernst. »Ich kenne euch Suffragetten doch ... ihr denkt, ihr seid schlauer als alle anderen miteinander. Neun von zehn Malen könnt ihr jedoch nicht weiter denken als bis an die Spitze eurer Regenschirme.«

»Wie charmant!« rief Rory aus. »Liegt Ihnen etwa nichts am Frauenwahlrecht?«

»Wahlrecht für alle. Man muß die gesellschaftlichen Veränderungen auf breiter Front angehen ... und sie beginnen und enden mit dem Arbeiter. Er ist derjenige, der die Last auf seinen Schultern trägt.«

»Und was ist mit der Arbeiterin?«

Er antwortete nicht, weil Joe Berlin hereinstürmte, seine Schwestern und ihre Gäste im Schlepptau.

Er war ein heiterer, tatkräftiger Mensch, seinen Schwestern sehr ähnlich, nur weniger häßlich, da das Berlin-Gesicht sich an Männern besser ausnahm.

»Tom! Du bist also fertig, wie? Gieß uns mal 'ne Tasse von dem Kaffee da ein, Rory, sei ein braver Kumpel.«

Rory goß ihm Kaffee ein. Sie mochte Joe – er war der einzige Mensch im Haus, der es wagte, sich über die Genossinnen lustig zu machen. Sobald er Berta und Dorrie geküßt und die sozialistischen Gäste begrüßt hatte, hellte sich die Atmosphäre beträchtlich auf. Es wurde sogar gelacht, als er den Bericht über seinen Arbeitstag herunterrasselte und dabei eine Imitation seines Labour-Parlamentariers lieferte, wie er in breitem Yorkshire-Akzent vor dem Unterhaus gesprochen hatte.

»Also«, sagte Tom, als sich die Gesellschaft wieder in Grüppchen aufgelöst hatte, »glaubst du immer noch an die parlamentarische Lösung, hm?«

»Hat er Sie weichgeklopft, Rory?«

»Ziemlich. Ich werde sein Buch für Frieda lesen.«

»Tatsächlich? Ich hoffe nur, du hast nicht schon das Datum deines Krieges eingetragen, Tom. Du wirst schön blöd dastehen, wenn er dann nicht stattfindet.«

»Verschanz dich nur hinter deinem Spott, um von der Wirklichkeit abzulenken«, sagte Tom ungerührt. »Dir wird das Lachen schon noch vergehen, wenn du erkennst, daß ich recht habe.«

Rory konnte den Blick kaum von ihm lösen. Er wirkte so stark und mutig, wie das Auge eines gewaltigen Sturms. Er sprach zu ihnen, als könnte er über ihre Köpfe hinweg die fernen Spitztürme der Zukunft sehen.

Joe schüttelte den Kopf. »Ich war nie imstande, die Dinge schwarzweiß zu sehen, wie du das tust. Du bist dafür, die ganze Welt wegzupusten und ganz von vorn anzufangen. Doch sie hat auch einiges Gute, das man erhalten sollte. Ein wenig Gärteig, der der neuen Ordnung dienlich sein kann.«

»Anstand!« sagte Tom verächtlich. Er stand auf, den Rücken zum Kaminsims gewandt. »Ist es das, was du meinst? Allgemeines Anstandsgefühl, so nennt man das, weil es für den kleinen Mann eine allgemeinverständliche Sache ist. Die Imperien der Reichen jedoch bilden ihre Allianzen und lösen sie wieder auf, und es wird kein Anstand mehr übrig sein, wenn sie ihre Armeen aufmarschieren lassen.«

Joe, der immer noch lachte, imitierte das Hört-hört!-Geschnalze des Parlaments.

»Nein«, sagte Tom bedeutungsvoll, »es liegt was in der Luft.« Er starrte plötzlich mit solch zorniger Intensität auf Rory nieder, daß sie das Gefühl hatte, er könnte direkt in ihre Seele blicken, die ihm all ihre verstaubten ererbten Vorurteile und ihre schändliche damenhafte Oberflächlichkeit offenbarte.

»Etwas so Großes, so Gewaltiges, daß es die alte Ordnung zu Pulver zermalmen wird. Mein Pfarrer würde sagen, daß Fürsten und Könige sich davor verneigen werden, und das würde ich auch sagen. Nur daß er von Gott spricht. Und ich spreche vom Tod.«

5

»Es ist schrecklich nett von Ihnen, daß Sie gekommen sind.«
Alistair drückte Jenny ungeduldig die Hand; sie hatte ihn noch
nie so nervös gesehen. »Mutter möchte Sie so gern kennenlernen.«

»Es geht ihr gar nicht gut«, sagte Cornelia MacIntyre. »Sie
kann leider nicht herunterkommen. Wir werden oben erwartet.« Sie stieg ihnen voran die Treppe hinauf und vermied kühl
Jennys Blick.

»Ich weiß, daß Sie ihr gefallen werden«, murmelte Alistair,
und es klang, als müßte er sich selbst überzeugen.

»Ihr Herz war in letzter Zeit sehr schwach«, sagte Cornelia
und warf Jenny einen unfreundlichen Blick über die Schulter zu.
»Ich muß Sie bitten, Sie nicht aufzuregen.«

»Meine Güte«, sagte Alistair gereizt, noch ehe Jenny antworten konnte. »Was erwartest du denn ... daß sie kreischt und sich
die Haare ausreißt wie eine Mänade?«

»Du weißt schon, was ich meine. Jede Kleinigkeit regt sie
auf.« Flüchtig drehte sie sich auf dem Treppenabsatz zu Jenny
um und musterte deren graues Moireekostüm, die Kopie eines
von Violas Pariser Modellen. »Sie sind heute sehr elegant, Miss
Dalgleish. Ich hätte Sie vorsorglich darauf hinweisen sollen,
was für eine ungeheuer ruhige Angelegenheit das werden wird.
Alles andere als mondän. Nur wir und Mutter sind da. Effie
verbringt den Tag mit ein paar Cousinen in Epsom.«

»Ich möchte dem armen kleinen Ding wirklich keine derartige Atmosphäre zumuten«, murmelte Alistair halblaut. »Selbst
wenn sie sie nicht durchschaut.«

Cornelia überhörte das, führte sie einen kurzen Flur entlang
und blieb vor einer geschlossenen Tür stehen. Sie zögerte nur
einen Sekundenbruchteil, ehe sie anklopfte, doch es reichte aus,
um Jenny zu verraten, wie sehr sie sich vor ihrer Mutter fürchtete. Und ja, Alistair fürchtete sich ebenfalls, wenn er es auch
dadurch anzeigte, daß er die Schultern straffte und entschlossen
die Stirn runzelte.

Die Tür wurde von einer grauhaarigen Krankenschwester

geöffnet; auf ihrer Oberlippe glitzerten Schweißperlen. Sobald Jenny das Krankenzimmer betreten hatte, war ihr klar, weshalb. Es war heiß wie in einem türkischen Bad. Die schweren Samtvorhänge sperrten den Sommernachmittag aus, und im Kamin brannte ein Kohlenfeuer.

Eine schwache, zittrige Stimme drang aus einem Bündel Wolldecken neben dem Feuer hervor.

»Alistair, mein Lieber, bist du es?«

»Ja, Mutter. Wie geht es dir?«

»Der schlimmste Schmerz ist vorüber, Gott sei Dank.«

»Mutter, ich habe sie mitgebracht.« Er schob Jenny sacht in den Kreis des Lampenlichts. »Hier ist sie. Das ist Miss Dalgleish.«

Jenny streckte Mrs. MacNeil die Hand hin. »Guten Tag.«

Die alte Dame ließ sie mit ausgestreckter Hand stehen, während sie sie von oben bis unten musterte. Jenny ihrerseits fragte sich, wie ein solch hinfälliges, schwächliches Bündel Haut und Knochen ihre Kinder im mittleren Alter dermaßen nervös machen konnte. Ihr Gesicht, von weichem weißem Haar umrahmt, war mitleiderregend schmächtig und faltig, doch ihre blauen Augen blickten scharf. Schließlich reichte sie Jenny die Spitzen ihrer knochigen Finger.

»Nehmen Sie Platz. Bates wird uns den Tee bringen.« Sie sprach so leise, daß alle anderen sich vorbeugen mußten, um sie zu verstehen. »Setz Miss Dalgleish in den Lehnstuhl, Alistair. Ich möchte ihr Gesicht sehen.«

Jenny versank in einen Berg von erstickenden Daunenkissen auf der anderen Seite des Kaminfeuers. Schweiß bildete sich an ihren Haarwurzeln. Alistair betupfte sich den spärlich behaarten Schädel mit dem Taschentuch.

»Es ist eine reizvolle Abwechslung und ein Vergnügen für mich, ein junges Gesicht zu sehen«, wisperte Mrs. MacNeil, »wo ich doch tagaus, tagein in meine vier Wände eingesperrt bin.«

»Was für ein Unsinn, Mutter!« rief Cornelia bemüht unbekümmert. »Du kannst doch Effie und die Kinder jederzeit sehen!«

»Die strengen mich so an. Miss Dalgleish dagegen wirkt erholsam.«

»Ich hab' dir ja gesagt, daß sie dir unmöglich lästig fallen kann«, sagte Alistair. Er klang ungeduldig. »Sie ist so sanft wie eine Taube.«

»O nein, mein Lieber, nicht wie eine Taube«, sagte Mrs. MacNeil traurig. »Von Tauben erwartet man, daß sie Frieden bringen.«

Alistair zuckte zusammen, als sei er gestochen worden, und Jenny – die immer noch ihr taubensanftes Lächeln lächelte – staunte über die Grobheit des alten Raubvogels. Es war schon bemerkenswert, was man sich alles erlauben durfte, wenn man rührend aussah und sich die zitternde Hand ans Herz hielt.

Bates, die Krankenschwester, füllte die Tassen auf dem Teewagen. Beim Anblick der blauen Flamme des Spirituskochers unter dem silbernen Kessel fühlte sich Jenny wie ein Klumpen schmelzender Butter. Als sich Bates über die Sessellehne beugte, hielt sie den Atem an, um den verschwitzten Stärkegeruch nicht einatmen zu müssen.

»Lieber Gott, Mutter«, Alistair lockerte sich mit dem Zeigefinger den Kragen, »hier drinnen kann man ja Dampfpudding kochen. Das ist doch unmöglich gesund.«

»Es tut mir leid, mein Schatz«, wisperte seine Mutter, »doch jede Art von Kälte löst den Schmerz wieder aus. Zug, frische Luft«, ihr Gesicht legte sich schmerzlich in Falten, »selbst Herzenskälte.«

Alistair zog ein Gesicht wie ein gemaßregelter Schuljunge. Er tat Jenny zwar leid, doch zugleich ärgerte sie sich über ihn. Warum ließ er sich das gefallen?

Mrs. MacNeil nahm ihre Teetasse mit bebenden Händen entgegen. »Nun müßt ihr uns allein lassen. Ich möchte ein wenig unter vier Augen mit eurer Miss Dalgleish plaudern.«

Alistair und Cornelia funkten wechselseitig stummen Alarm.

»Ganz bestimmt?« fragte Mrs. MacIntyre. »Wirst du auch die Kraft haben?«

»Aber selbstverständlich. Geh bitte hinauf, Cornelia, und bring die Kinder zur Ruhe. Warum müssen deine Jungen nur so schwere Stiefel tragen? Der Lärm geht mir direkt in den Kopf.«

Alistair und Cornelia stahlen sich gehorsam aus dem Zimmer. Jennys Puls begann unangenehm zu rasen, doch sie wollte sich auf keinen Fall einschüchtern lassen. Denn eins war ihr mittlerweile völlig klar – diese liebe, kleine weißhaarige Frau, wie von Whistler gemalt, war das einzige Hindernis auf ihrem Weg zum Erfolg. An seine Mutter hatte Alistair jedesmal gedacht, wenn er sich kurz vor einem Heiratsantrag zurückgehalten hatte. Und die alte Dame bildete sich offensichtlich ein, seine Herzensregungen jederzeit fest im Griff zu haben. Jenny war sich da jedoch nicht so sicher. Sie beherrschte mittlerweile selbst den einen oder anderen Griff.

»Sie auch, Bates.«

»Ja, Madam.« Bates wirkte enttäuscht. »Rufen Sie, wenn Sie mich brauchen … ich bin gleich draußen vor der Tür.«

Sie waren allein. Jenny nippte sittsam an ihrem Tee und wartete darauf, daß Mrs. MacNeil anfinge. Die kaum verhohlene Grobheit dieser Frau und ihrer Tochter waren das Zeichen dafür, daß die Samthandschuhe abgelegt und die Dolche gezückt waren. Na gut, sagte sie sich. Das heißt ja wohl, daß ich die besseren Karten habe. Bewußt verschloß sie sich der Stimme ihres Gewissens. Später wäre immer noch Zeit, sich schäbig vorzukommen.

Eine glühende Kohle fiel langsam in sich zusammen.

»Alistair und Euphemia sprechen ziemlich viel von Ihnen, Miss Dalgleish«, sagte Mrs. MacNeil honigsüß.

»Sie waren sehr nett zu mir. Ich habe nicht viele Freunde in London.«

»Sie kommen aus Edinburgh, glaube ich?«

»Ja.«

»Ehe mein Mann starb, kannte ich die Edinburgher Kreise ziemlich gut. Doch ich kann mich nicht erinnern, dort irgendwelche Dalgleishs kennengelernt zu haben.«

»Das ist auch kaum möglich«, Jenny war entschlossen, gleich klarzustellen, daß sie nichts zu verbergen hatte. »Mein Vater ist Geistlicher und kann es sich nicht leisten, zu Gesellschaften zu gehen. Ich bin so erzogen worden, daß ich mir meinen Lebensunterhalt selbst verdienen sollte.«

»Höchst bewundernswert«, sagte Mrs. MacNeil. »Mein Sohn ist viel zu empfindsam, wenn es um Damen geht, die sich ihren Lebensunterhalt selbst verdienen. Ich halte es für eine ausgezeichnete Sache.«

»Ich auch.«

»Ja, ich habe Alistair schon gesagt, daß Sie es ihm bestimmt nicht danken würden, wenn er deshalb so viel Gewese macht. Er hält Sie beinahe für eine Heldin.«

Jenny lächelte. »Wie nett von ihm.«

»Er ist Kavalier vom Scheitel bis zur Sohle, der liebe Junge, doch ich habe ihm gesagt, daß er sein Mitgefühl nicht vergeuden soll. Sie ist absolut glücklich und zufrieden, Erzieherin zu sein. Sie braucht keinen Ritter. Wir können nicht alle feine Damen sein.« Die trübsinnige, seufzende Stimme nahm einen pathetischen Unterton an. »Sie werden einzuschätzen wissen, Miss Dalgleish, was für ein guter Mann er ist. Ich möchte Ihnen von ihm erzählen ... deshalb mußte ich auch allein mit Ihnen sprechen. Ich denke manchmal, Alistair ist alles, was mich am Leben erhält. Ich kann seine Ergebenheit, seine Achtsamkeit meinen noch so kleinen Wünschen gegenüber gar nicht beschreiben. Sehen Sie, Miss Dalgleish, die trostlose Verfassung meines Herzens erlaubt es nicht, daß ich mich jemals Unglück oder Aufregung anheimgebe ... ach, es ist alles so lästig.«

»Das glaube ich«, sagte Jenny und dachte, wie nützlich ein solcher Zustand offenbar sein konnte.

»Ich weiß, daß er seine eigenen Wünsche immer den meinen opfert. Er hat niemals geheiratet, weil er dachte, daß mich das aufregen würde. Doch er tut mir damit unrecht, Miss Dalgleish. Alistairs Glück ist das einzige, was mir noch zu wünschen bleibt. Ich weiß, ich könnte ruhig schlafen, wenn er nur die richtige Frau fände.«

Eine lange Pause trat ein, während deren sie ein Taschentuch aus dem Ärmel zog und an die Augen hob.

»Er ist zu romantisch, zu gut«, sagte sie. »Er meint, ich sei hart und materialistisch eingestellt. Aber Sie sind doch ein gescheites Mädchen ... Sie sehen doch, daß er jemanden aus bestem Hause oder wenigstens mit Geld heiraten muß. Eine Frau aus seinen Kreisen, die ihn um seinetwillen lieben könnte. Mit ansehen zu müssen, wie er einer berechnenden Frau ins Garn geht, der es nur um seinen Reichtum und seine Stellung zu tun ist, würde mich einfach umbringen. Verstehen Sie?«

»Selbstverständlich«, sagte Jenny beschwichtigend, während

sie innerlich raste. »Es ist doch nur natürlich, daß Sie sich Sorgen machen. Welch ein Trost muß Ihr Sohn für Sie sein.«

»O ja«, fuhr Mrs. MacNeil ernsthaft fort, »und Sie können sich wohl vorstellen, welch entsetzlicher Schatten auf mein Leben fiele, wenn jemand zwischen uns träte. Aber niemand kann doch wohl grausam genug sein, Alistair zu zwingen, seiner Mutter das Herz zu brechen.«

»Mrs. MacNeil, so etwas würde er im Traum nicht zulassen!«

»Männer sind manchmal zu den ungeheuerlichsten Dingen imstande. Sie verlieren so rasch den Kopf.« Ihre Hand flatterte und legte sich dann an ihre magere Brust.

Erneut trat Schweigen ein. Jenny fühlte den Schweiß zwischen ihren Brüsten hinabrinnen. Dann begann die papierene Stimme erneut.

»Alistair weiß gar nicht, was für ein guter Fang er ist. Ich weise ihn immer wieder darauf hin, daß es gefährlich für einen Mann in seiner Stellung ist, so wenig von sich herzumachen. Andere nutzen das aus.«

»Das glaube ich auch«, sagte Jenny.

»Meine Liebe, ich bin froh, Sie so verständnisvoll zu sehen. Ich erkenne, daß Sie bei der bloßen Aussicht, das Glück einer Familie zu gefährden, einfach entsetzt wären. Und ich bin mir sicher, daß Sie ihm das auch sagen würden.«

»Ihm sagen würden?« echote Jenny vorsichtig.

Mrs. MacNeil mußte erst nachdenken. Sie befand sich in einer Zwickmühle, denn wenn sie jetzt direkt fragte, ob Alistair schon irgend etwas gesagt hätte, dann riskierte sie, Jenny überhaupt erst die Augen darüber zu öffnen, daß sie ihren Sohn am Gängelband hatte. Und das wiederum würde ihre derzeitige Taktik verächtlicher Herablassung durchkreuzen. Sie versuchte es also mit einem weniger direkten Angriff.

»Es war so nett von Ihnen, daß Sie gekommen sind«, schloß sie. »Haben Sie Dank dafür, daß ich mir meine Last von der Seele reden durfte.« Lächelnd sank sie in ihre Kissen zurück. »Ich hoffe doch, daß wir uns irgendwann einmal wiedersehen. Darf ich Sie um den Gefallen bitten, mir Bates hereinzuschikken?«

Jenny zog sich mit einer Verbeugung aus dem Zimmer zurück, erleichtert, auf den kühlen Flur hinauszukommen. Bates lungerte draußen herum und wirkte so ertappt, daß man den Abdruck des Schlüssellochs an ihrem Ohr zu sehen meinte.

Sie huschte sofort zu ihrer Arbeitgeberin zurück. Um über mich zu sprechen, dachte Jenny, und darüber, was ich für eine schlechte, berechnende junge Frau bin. Sie fühlte sich plötzlich müde und den Tränen nahe. Sie hatte in keiner Weise vorgehabt, derart beängstigende Empfindungen aufzurühren. Könnte sie die nur alle wieder in ihre Schachtel zurückdrängen und den Deckel zumachen. Doch dafür war es zu spät.

Das schlechte Gewissen schnürte ihr die Kehle zu, als sie Alistair in der Halle auf sie warten sah. Er nahm sie bei beiden Händen.

»Meine Liebe«, murmelte er. Aus seinen Augen im Netz der feinen Fältchen sprach Qual. Einen Augenblick verharrten beide schweigend. »Ich werde Sie wiedersehen.«

Aber seine Bemerkung galt weniger Jenny als ihm selbst und der Welt im allgemeinen. Jenny drückte seine Finger sanft und merkte, daß ihn dies um Jahre jünger aussehen ließ.

»Es ist so, wie Cornelia gesagt hat. Sie benutzt dich, um an ein Vermögen heranzukommen.«

»Mutter«, ein Muskel zeichnete sich auf Alistairs Wange ab, »ich werde nicht zulassen, daß du in dieser Weise von ihr sprichst.«

Mrs. MacNeil hatte unterdessen den Platz gewechselt und lag nun unter einem Berg indischer Tücher in ihrem Bett. Sie hielt die Hand ihrer ältesten Tochter umklammert. Die Tränen rannen ihr übers Gesicht. Alistair stand auf der anderen Seite des Zimmers und hatte ihr den Rücken zugewandt.

»Mein Schatz, ach mein Schatz ... sie ist ein ehrgeiziges kleines Nichts, das sieht doch jeder. Wie kann sie dich nur derart zum Narren halten?«

»Das tut sie ganz und gar nicht ... und sie ist durch und durch Dame.«

»Sie ist Erzieherin«, sagte Cornelia in scharfem Ton, »eine hübsche, zugegeben. Doch man sieht es ihr schon von weitem an. Denk doch mal, was die Leute sagen würden.«

»Was sollen sie schon sagen?« Alistair fuhr herum, um sie anzusehen. »Ich warne euch, ein einziges abfälliges Wort über Miss Dalgleish zu sagen!«

»Die Leute müssen sich ja irgendwelche skandalösen Vorkommnisse ausmalen, Alistair. Das ist doch alles wie im Groschenroman.«

»Sie sollen denken, was sie wollen. Tatsache ist nun mal, daß ich in sie verliebt bin.«

Beide Frauen wußten, daß ihm die Worte aus dem Herzen kamen – er wirkte einen Fuß größer, als er sie aussprach. Eine Weile herrschte entsetztes Schweigen. Dann brach Mrs. Mac-Neil in hohe, qualvolle Schluchzer aus.

»Mutter!« fieberhaft tastete Cornelia nach dem Riechsalz. »Ach du mein Gott ...«

Die Farbe wich aus den schmalen Lippen, und ihre Haut hatte eine tödlich graue Farbe angenommen.

»Hol Bates!« kreischte Cornelia. »Hol den Arzt!« Sie sprang auf, um den bestickten Klingelzug zu ziehen, und warf fast ihren Stuhl um. »Siehst du«, zischte sie ihrem Bruder zu. »Da siehst du, was du ihr angetan hast!«

Die Worte durchbohrten ihn wie Dolche. Er kniete sich neben das Bett seiner Mutter und nahm ihre Hand mit angstvoller Zärtlichkeit.

Sie rang nach Luft, jeder Atemzug war mühevoll und schmerzlich. Doch es gelang ihr ein keuchendes: »Alistair ...«

»Sprich nicht, Mutter. Das ist schlecht für dich.«

»Noch ein Weilchen ... warten ...«

»Was?« Er hielt das Ohr näher an ihren Mund. »Corney, was sagt sie?«

»Noch nicht«, würgte Mrs. MacNeil hervor, »frag sie jetzt noch nicht ...«

»Aber ich muß sie fragen! Soll sie von mir denken, daß ich mich wie ein Schurke benehme?«

»Versprich es mir!«

Er war sehr weiß und still geworden.

»Versprich es ihr!« bat Cornelia.

»Das kann ich nicht. Es ist nicht anständig, das von mir zu verlangen.«

»Um alles in der Welt, willst du sie denn umbringen?«

Mrs. MacNeil begann zu ächzen. »Aaah ... aaaah ... versprich es!«

Alistair und Cornelia starrten einander in panischer Angst an.

»Ja, ja!« sagte Alistair hastig. »Ich verspreche es, Mutter. Ich verspreche alles, was du willst.«

Viel später, als der Arzt gekommen und wieder gegangen war und man ein Taxi losgeschickt hatte, um eine zweite Krankenschwester zu holen, trat Cornelia leise in die Bibliothek.

»Alistair ...«

Er stand am Fenster, ein Glas Whisky in der Hand. »Ja?« Er wandte sich nicht um.

Sie sank in einen der Ledersessel. »Sie meinen, sie wird sich erholen. Doch der Arzt sagt, ich muß die Kinder nach Bournemouth schicken, damit Ruhe im Haus herrscht.« Unendlich müde strich sie sich eine lose Haarsträhne aus der heißen Stirn. »Wie kann ich sie denn dorthin schicken und nicht mitfahren? Wo Peterkin doch Geburtstag hat. Aber wie kann ich Mutter allein lassen?«

Er schwieg.

»Alistair, ich ... ich wollte mit dir reden.«

»Hast du noch nicht genug angerichtet?«

»Ich wollte dir sagen ... Es tut mir leid, daß ich dir die Schuld an ihrem Anfall gegeben habe.«

»Ich verzeihe dir«, sagte er bissig, »und nun laß mich in Ruhe.«

»Ich könnte dieses Mädchen fast hassen für das, was sie uns angetan hat. Mein Haus ist aus den Fugen. Meine Dienstboten kündigen. Meine Kinder müssen in Hausschuhen im Kinderzimmer umherschleichen, und mein Mann verbringt jede freie Minute in seinem Klub. Ich bin mit meinen Nerven am Ende!«

»Jenny hat daran doch nicht die geringste Schuld«, sagte er. »Mutter wäre gar nicht in diesen Zustand geraten, wenn du ihr nicht von vornherein lauter Unsinn eingeredet hättest.«

Cornelias Ton war vorwurfsvoll. »Du weißt, daß das nicht stimmt.«

»Laß es gut sein, Corney, ja?«

Er konnte nicht verbergen, daß die Stimme ihm vor Kummer zu brechen drohte. Cornelia eilte zu ihm. Seine Augen waren rotgerändert und seine Wangen tränennaß.

»Armer Kerl!« Sie legte ihm sanft die Hand auf den Arm. »Sie hätte dir das Versprechen nicht abnehmen dürfen.«

»Was konnte ich denn anderes tun? Wie ich es auch drehe und wende, ich muß eine von beiden verletzen.«

»Sie hatte kein Recht dazu. Das war grausam von ihr.«

Das waren ungeheuerliche Worte. Vierzig Jahre Tyrannei erstreckten sich vor ihren Augen. Sie starrten einander erstaunt an.

Cornelia riß zwar in fassungslosem Entsetzen über ihre eigene Kühnheit die Augen auf, konnte jedoch nicht mehr aufhören. »Sie will nicht, daß du glücklich wirst. Sie hat dich nie mit jemandem teilen wollen. Doch sie sieht, daß du bis über beide Ohren in das Mädchen verliebt bist.«

Er griff nach ihrer Hand. »Wie ging das Lied noch … das über den alten Junggesellen? ›*Er glaubte sich für die Liebe verloren, doch dann hat sie ihn erkoren, / Und er liebte sie so sehr.*‹«

»Alistair, mein Schatz! Ich will tun, was ich kann, um höflich zu dem Geschöpf zu sein, um deinetwillen. Doch siehst du denn nicht, weshalb ich so gegen sie eingenommen war?« Cornelias Lippen bebten. »Sie liebt dich nicht!«

»Ich weiß.« Er lächelte wehmütig. »Nur leider ändert das auch nichts.«

6

Tertius wußte, daß er niemals an dem Portier vorbeikommen würde. Selbst an seinem besten Tag sah er mehr wie ein Stallknecht als wie ein Gentleman aus, und nach seiner langen Fahrt von Liverpool quer durchs Land war sogar ihm klar, daß er genau der allgemeinem Vorstellung von einer äußerst zwielichtigen Gestalt entsprach. Das Haar reichte ihm fast bis zu den Schultern. Er hatte sich seit zwei Tagen nicht rasiert, seine Kleider waren staubverkrustet, und er war braun wie ein Zigeuner. Außerdem hatte er keinen Penny, und ihm war schwindlig vor Hunger.

Echt Fingal, in einem Haus zu wohnen, wo vor jeder Tür ein Aufpasser stand, dachte er. Aufgang G, Albany, Piccadilly; ein klösterliches Refugium für alleinstehende betuchte Herren. Keiner, der hier wohnte, wäre erfreut, einen zerlumpten Bruder sein eigen zu nennen, der sich in den letzten Monaten seine Mahlzeiten als reisender Schildermaler verdient hatte, doch jetzt war es zu spät, sich darüber Gedanken zu machen.

Er achtete darauf, im Schatten zu bleiben, und beobachtete den Mann hinter dem Fenster der Portiersloge. Es war ein alter Knabe mit purpurrotem Gesicht und einer Reihe Ordensbänder am Jackenaufschlag. Und er aß gerade einen Teller Kekse leer, der Glückspilz. Gott, dachte Tertius, ich bin doch nicht nach London gekommen, um den Hungertod zu sterben. Wenn sie mich wegen Hausfriedensbruch verhaften, kriege ich wenigstens auf der Wache etwas zu essen.

Er umklammerte die Mappe unter seinem Arm und huschte durch den Kreis des trüben Gaslichts auf den Steinboden am Eingang von Aufgang G zu. Dann wartete er mit trockenem Mund – für den Fall, daß der Portier gehört hatte, wie die schwere Tür sich hinter ihm schloß. Sekunden vergingen, und nur das Geräusch seines eigenen Atems störte die feierliche Kirchenstille des Hauses. Es war wie am Grunde eines Brunnens.

Er stahl sich die dunkle Treppe hinauf und musterte die Namen, die an den polierten Türen standen. Hier war es. G3 – Mr. A. Russell & The Hon. Mr. F. Carey. Während er die Hand zum Türklopfer hob, wunderte sich Tertius flüchtig darüber, weshalb Fingal diesen Mr. A. Russell nie erwähnt hatte – eigenartig, wo er doch die Wohnung mit dem Mann zu teilen schien.

Vermutlich war es Mr. Russell, der die Tür von G3 öffnete. Er war dünn und sah gallenkrank aus, und das Weiße seiner Augen war gelb, als wären sie in Essig eingelegt gewesen. Bei Tertius' Anblick trat er nervös einen Schritt zurück und ein Muskel zuckte in seinem Gesicht.

»Wer sind *Sie* denn, um Gottes willen?« fragte er. »Was wollen Sie?«

Tertius versuchte es mit seinem einschmeichelndsten Lächeln. »Ist Fingal da?«

»Fingal?« Der Muskel zuckte erneut. »Was wollen Sie von Mr. Carey?«

»Ich bin sein Bruder.«

Er hatte angenommen, daß damit alles erklärt wäre, doch Russells Reaktion war absolut verblüffend – eine Aufwallung bitteren Zorns, die sogleich durch den Ausdruck der Angst abgelöst wurde. Er blickte rasch die Treppen hinauf und hinab und stieß Tertius grob an die Wand, ins Dunkel.

»Na schön. Verstehe. Doch bei mir zieht das nicht … haben Sie verstanden?«

»Wie?«

»Und jetzt gehen Sie so wieder raus, wie Sie reingekommen sind. Hat Sie jemand gesehen?«

»Nein, aber …«

»Na schön. Ein Sovereign, das ist alles, was Sie kriegen. Und den gebe ich Ihnen auch nicht, ehe Sie mir sagen, wer Ihnen diese Anschrift gegeben hat.«

Tertius kam zu dem Schluß, daß der Mann nicht ganz richtig im Kopf sein konnte. »Na, er natürlich. Fingal.«

»Ha! Beschreiben Sie ihn.«

»Was?«

»Wenn Sie so ein naher Verwandter sind … beschreiben Sie ihn.«

»Ja, Herr im Himmel noch mal!« Tertius verlor langsam die Geduld. »Seidener Hut … Monokel … lange Zähne … Mund wie ein Hühnerarsch …«

»Sprechen Sie doch leise! Kommen Sie besser rein.« Er packte Tertius am Arm, zerrte ihn in die Wohnung und fuhr herum, um ihn zu betrachten, sowie er die Tür geschlossen hatte.

Tertius ließ seinen Knappsack und seine Mappe fallen und musterte den Mann, in dem er Russell vermutete. Er war schmallippig und drahtig, hatte spärliche ölige Haarsträhnen und lange gelbe Finger. Ein unbequemer Mann, der wahrscheinlich nicht auf den Kopf gefallen war – an den Einschnitten um Mund und Nase sah man, daß sein üblicher Ausdruck der der Überlegenheit war. Doch aus irgendeinem Grund hatten seine Klugheit und seine Überlegenheit ihn jetzt verlassen.

»Also«, sagte Tertius, »ist er da?«

Er bemerkte, daß Russell zusammenfuhr, als er die Hände in die Hüften stemmte. Die Aggressivität der Geste schien ihn zugleich zu ängstigen und zu faszinieren.

»Ihr lange vermißter Bruder?« Russell ließ ein wütendes kleines Schnauben hören, als er lachte. »Nein, leider. Sie müssen den falschen Abend erwischt haben.« Er starrte Tertius an und kniff die Augen zusammen, um ihn von Kopf bis Fuß zu mustern. Allmählich zeichnete sich so etwas wie kokette Verachtung in seinem zerfurchten Gesicht ab. »Da wird er aber tieftraurig sein, daß er Sie verpaßt hat, wie?«

»Kann ich nicht auf ihn warten?«

»Oh, wir haben's aber mächtig eilig. Was hat der Onkel Fingal uns denn versprochen, muß ich mich fragen.«

Er hätte ebensogut Sanskrit brabbeln können. Tertius hatte keine Ahnung, wovon er redete. »Hören Sie, kann ich nun auf ihn warten, oder was?«

»Ja, warum denn nicht? Ich bin gespannt, was er für ein Gesicht machen wird, wenn er Sie hier sieht. Er wird mir jedenfalls keinen Mangel an Gastfreundlichkeit vorwerfen können.« Lächelnd führte Russell Tertius in ein holzgetäfeltes Zimmer von üppiger, äußerst farbenprächtiger Ausstattung. »Ich kann genauso nett sein wie er.«

Tertius hörte kaum hin. Argwohn, Hunger und Erschöpfung – das alles war vergessen, als er die Bilder erblickte, die an sämtlichen Wänden hingen. Im ersten Augenblick schienen sie ihm grell und häßlich, dann elektrisierte ihn ihre Schönheit. Nein, nicht Schönheit. Das Wort war zu betulich für eine derartige Kraft. Sie waren drängend, dynamisch, nackt – anders als alles, was er gesehen hatte, außer in der Fantasie. Seine Hand kribbelte, er hätte zu gern ein Stück Zeichenkohle gehabt, als er wie geblendet die Konturen studierte. Da war eins mit lauernden, fast formlosen Tieren, deren primitive schwarze Umrisse kaum die Gewalt der Farben zu bändigen vermochten. Da war ein rohes Stilleben mit dickem Farbauftrag, knallroten Äpfeln in einer grünen Schale. Da war das Innere eines mit Spiegeln ausgekleideten Cafés, das von herumlümmelnden Spukgestalten mit blaugefärbten Gesichtern bevölkert war.

Russell beobachtete ihn neugierig. »Gefallen sie Ihnen?«

»Ja«, sagte Tertius abwesend, »von wem sind die?«

»Grant, Sickert, Ginner, Spencer Gore ...« Russell spulte die Namen so schnell herunter, daß Tertius sie den Bildern nicht zuordnen konnte. »Welches mögen Sie denn am liebsten?«

»Das da.« Tertius zeigte auf ein zackiges abstraktes Bild aus orangefarbenen und blauen geometrischen Figuren über dem Kamin, das seine Aufmerksamkeit einhämmerte, seit er das Zimmer betreten hatte. »Es ist erstaunlich.«

»Ich bin ganz Ihrer Meinung, obwohl ich sagen muß, ich bin überrascht, daß Sie sich gerade das ausgesucht haben. Fingal ... Ihr Bruder, haha ... kann es nicht ausstehen.«

»Wie heißt denn der Maler?«

»Bomberg. Er würde Ihnen nicht gefallen, er ist in keiner Weise attraktiv.«

Die seltsame Antwort, seine Erschöpfung und die Eindrücklichkeit der Bilder – das alles bewirkte, daß Tertius das Gefühl hatte, in einen Traum geraten zu sein.

»Ich habe keine Ahnung, wovon Sie reden.« Er hatte das verrückte Gefühl, daß er sagen konnte, was er wollte – es würde nicht die geringste Wirkung haben.

»Was für ein hinreißendes Irisch Sie sprechen«, sagte Russell mit unangenehmer Vertraulichkeit. »Ich könnte das Messer hineintauchen und es mir auf den Toast streichen.«

»Ach ja.«

»Wo wir schon davon reden, möchten Sie vielleicht etwas essen? Ah ... da kommt doch Leben in die blauen irischen Augen!«

Der Tisch war zum Essen gedeckt. Russell war gerade beim Abendessen gewesen. Eine Illustrierte stand gegen eine Schüssel gelehnt. Tertius fiel über die Reste der Seezunge und die Kartoffeln, den Obstkuchen mit Eierkremfüllung und den Rahmkäse her und war sich bewußt, daß er aß wie ein Schwein, doch Russell schien das – seltsamerweise – eher zu begrüßen.

»Iß schön deinen Teller leer, wie mein Kindermädchen immer

gesagt hat, dann wirst du zu einem schmucken, strammen Burschen. Möchten Sie einen Schluck Whisky?«

»Ja.« Tertius kaute mit vollen Backen.

»Der kräuselt einem die Haare ... obwohl Sie das nicht nötig haben. Ich wette, die Mädchen beneiden Sie um Ihre Locken.«

Tertius stürzte den Whisky in einem Zug hinunter. »Danke.«

»Oh, Sie kleiner Schurke von einem Kesselflicker!« rief Russell aus. »Kein Wunder, daß er Ihnen nicht widerstehen konnte ... ich kann es auch nicht.«

In diesem Stadium hatte Tertius keinerlei Sinn mehr für höfliches Betragen. Wärme durchströmte seinen Magen und breitete sich wie eine weiche Decke über seinen Körper aus. Die Farben der Bilder wogten durch die Schläfrigkeit, die ihn umfing wie ein Sog. Er gähnte, bis ihm die Augen tränten, und war sich nur vage bewußt, daß Russells bleiches Gesicht vor Erregung gerötet war.

»Was für ein müder Junge ... kommen Sie, legen Sie sich hier aufs Sofa ... ach, was für ein erschöpfter junger Mann ...«

Mit bleischweren Füßen stolperte Tertius durchs Zimmer und warf sich in die weichen, samtbezogenen Daunenkissen. Sofort umspülten ihn Wellen der Schläfrigkeit und zogen ihn in ein glattes schwarzes Meer des Friedens hinab.

Nach wer weiß wie langer Zeit tauchte er in einem Traum wieder auf. Er war wieder im Blue Posts, einem Wirtshaus am Rand von Market Harborough. Die verwitwete Wirtin hatte eine Schwäche für ihn und behielt ihn drei Tage bei sich, während er ihr Schild neu malte. Mrs. Clegg hatte zwar nicht besonders ausgesehen, doch das hatte sie dadurch mehr als wettgemacht, daß sie ihre falschen Zähne herausnahm und an seinem Schwanz saugte, bis er um Gnade flehte. Und da war sie wieder, zu seinen Füßen kniend, und knöpfte ihm die Hose auf – er spürte tatsächlich ihren heißen Atem in seinem Schamhaar. Sein Penis zuckte erwartungsvoll. Jetzt leckte sie ihn – o mein Gott –, sie ließ ihn in ihren nassen Mund gleiten, und das Blut schoß in seinen Schwanz. Er konnte ihn hart an ihrer Zunge schwellen fühlen. Sie saugte mit einem himmlischen Rhythmus an ihm, der ihn fast wahnsinnig machte. Er stöhnte, spannte das Gesäß an und stieß ihn ihr tief in die Kehle.

Das war ein bemerkenswert realistischer Traum.

Es war gar kein Traum, doch er wollte nicht, daß es aufhörte.

Wenn es kein Traum war, was war es dann?

Tertius war schlagartig hellwach und sah, daß Russells Kopf sich in seine Lenden bohrte. Er kniete neben dem Sofa und umklammerte fieberhaft seinen erigierten Penis.

Für einen Sekundenbruchteil machte der Schock Tertius blind.

»Aaargh!« blökte er. Er riß seinen Schwanz weg, kam ruckartig auf die Knie und versetzte Russell einen Hieb gegen das Kinn, der ihn kopfüber in den Kamin schickte. Schürhaken, Feuerzange und Schaufel flogen lärmend um ihn herum.

»Du ... du Stück Scheiße«, keuchte er.

Die Tür flog krachend auf. Fingal stand im Zimmer, bebend vor Empörung. Noch ehe einer von beiden sich rühren konnte, hatte er das leere Rahmkäsegefäß ergriffen und in den Kamin geschleudert. »Scheißkerl! Verräter!« schrie er. »Das treibst du also, kaum daß ich den Rücken gewendet habe!«

Russell rappelte sich hoch und schüttelte die Rußflocken von seiner Smokingjacke. »Ich ein Verräter?« höhnte er. »Verzeih mir, mein Lieber, ich habe dir alles gegeben, doch es reicht offensichtlich noch immer nicht ...«

»Schaff mir diese dreckige Kanalratte aus den Augen!« kreischte Fingal. »Schaff ihn raus, ehe ich euch beide umbringe!«

Er fuhr zum Sofa herum, begegnete Tertius' Augen, die ihn wie vom Donner gerührt ansahen, und erstarrte.

»Dein Bruder«, sagte Russell hohntriefend, »oder war es dein Cousin oder vielleicht deine Nichte?«

Fingal wurde aschfahl, und seine hageren Wangen fielen ein. »Tertius!«

»Nun erkennen wir ihn also doch, wie?«

»Halt die Klappe, Aubrey«, keuchte Fingal. »Er ist ... er ist wirklich ... mein Bruder.«

»Du meinst ...« Russell blickte entsetzt/von einem zum anderen.

Fingal ballte auf einmal die Fäuste. »Was hast du mit ihm gemacht? Wie konntest du es wagen, ihn anzurühren?« Er schwankte, umklammerte die Sofalehne und brach in ein trok-kenes, abgehacktes Schluchzen aus.

»Ach du meine Güte«, stöhnte Russell. »Ich dachte, du hät-test wieder angefangen, Stricher aufzulesen. O Gott, wie sollte ich das denn wissen?« Er legte Fingal den Arm um die Schulter. »Nicht, Kleiner, du wirst nur wieder krank ...«

Fingal schüttelte ihn wütend ab und ging auf Tertius los. »Du! Was hast du denn hier zu suchen? Spionierst wohl für Muttonhead, was? Stimmt's?«

Tertius, der immer noch schützend seinen nassen Penis um-klammerte, erschauderte. Das war es also, was Fingal geheim-gehalten hatte. Der Magen drehte sich ihm um, und ein Schwall übelschmeckender Galle brannte ihm in der Kehle, tröpfelte ihm aus dem Mund und fiel auf ein Petit-Point-Kissen.

Die nächsten Minuten erlebte er durch einen Nebel der Übel-keit. Sie entlud sich schließlich auf ein Bild des Windsor Castle, das das Innere einer Toilettenschüssel zierte. Würgend übergab er sich wieder und wieder. Jedesmal, wenn sein Kopf empor-fuhr, duckte Fingal ihn grob wieder nieder und preßte seine Nase gegen den Namen des Herstellers.

Schließlich lag er allein auf einem kühlen Fliesenboden und wünschte sich, tot zu sein. Aus einem anderen Raum konnte er erhobene Stimmen hören, denen versöhnliche Töne folgten, dann herrschte Stille. Tertius setzte sich auf, holte vorsichtig Atem und stellte fest, daß es ihm gut genug ging, um die Ver-geudung eines guten Abendessens zu bedauern. Jetzt mußte er seinem Bruder irgendwie gegenübertreten. Vor Verlegenheit juckte es ihn am ganzen Leibe. Herrje, war das widerlich, sich ihn mit dem anderen Mann vorzustellen. Wie sollte er ihm bloß in die Augen sehen?

Er kehrte in den Salon zurück und hoffte, er würde sie nicht bei irgend etwas antreffen. Tatsächlich saß Fingal jedoch auf dem Sofa und nippte an einem Glas Brandy, und Russell lehnte am Kaminsims; Tertius errötete dennoch.

»Also«, sagte Fingal, »dies, Gott steh mir bei, ist Tertius.«

Russell betrachtete ihn hochmütig. »Ich habe mich bei Ihrem Bruder entschuldigt. Ich dehne meine Entschuldigung auch auf Sie aus. Und nun schlage ich vor, daß Sie gehen.«

»Wo soll er denn hin?« fragte Fingal ärgerlich.

»Das ist mir gleichgültig.«

»Aubrey, er ist gerade erst vom Schiff gekommen. Er kennt keine Menschenseele in London. Ich kann ihn doch nicht einfach auf die Straße setzen.«

»Bring ihn in ein Hotel. Ich bezahle es ... nur schaff ihn hier raus!«

»Sieh ihn dir doch an. Welches anständige Haus würde ihn denn nehmen? Und es ist nach elf.«

»Quince«, sagte Russell. »Arthur Quince ... der sucht jemanden, der sein Atelier mit ihm teilt. Und er ist immer knapp bei Kasse.«

»Ja, richtig. Gute Idee.« Fingals Blick wurde kühl, als er sich Tertius zuwandte. »Geh wieder ins Bad, und kratz dir den Dreck runter. Ich gebe dir zehn Minuten.«

Es war Tertius, der das bedrückende Schweigen im Taxi schließlich brach. »Na ja, ist wohl immer noch besser, als es mit Schafen zu machen.«

Im Licht der Straßenlaternen erhaschte er immer wieder einen flüchtigen Blick auf Fingals weißes angespanntes Gesicht.

»Tersh, hör mal ... tut mir wirklich leid. Ich weiß nicht, was ich sagen soll. Es gibt nichts zu sagen.«

»Nein.«

»Wirst du es Muttonhead erzählen?«

»Wofür hältst du mich? Außerdem glaube ich, daß er es sowieso schon erraten hat. Er hat mir gesagt, daß ich nicht zu dir gehen soll.«

Fingal lachte trübsinnig. »Ich wünschte, du hättest auf ihn gehört.«

»Ich auch. Herrgott noch mal«, setzte er hinzu, als er sah, daß Fingal sein Taschentuch herauszog, »nun hör bloß auf zu flennen.«

»Ich kann nicht anders.« Fingal schneuzte sich kräftig. »Na ja, jetzt weißt du sowieso alles.«

»Wer ist denn dieser Russell? Wann hast du den kennengelernt?«

»In Cambridge. Man hatte mich eingeladen, einer Gesellschaft beizutreten. Er kam immer zu den Versammlungen.«

»Wo hat er denn die Bilder her?«

»Hätte ich mir denken können, daß sie dir auffallen. Er ist verrückt nach moderner Kunst. Er besitzt eine Galerie. Die wirft kein Geld ab, aber das macht ihm nichts aus.«

»Wohl reich, wie?«

»Ja. Er hält mich aus. Wie ein Bühnentür-Johnny mit einem Ballettmädchen. Ist das nicht eklig?«

»Fingal, wenn du nicht aufhörst zu heulen, steige ich aus.«

»Du verachtest mich.« Er schneuzte sich erneut. »Und wieso auch nicht? Doch ich kann nicht dagegen an. Und es ist nicht besonders lustig, immer dies Versteckspiel und Gelüge und daß einem jedesmal der kalte Schweiß ausbricht, wenn man einen Polizisten sieht ... daß man hören muß, wie die eigenen Freunde von irgendeinem käuflichen kleinen Schläger erpreßt werden ... oder in flagranti bei einer Tollerei mit einem Gardisten erwischt worden sind.«

Ein unerfreulicher Gedanke kam Tertius. »Was ist denn das für ein Bursche, zu dem du mich bringst? Er ist doch wohl nicht ... ist der auch ...?«

»Wer, der olle Quince?« Fingal ließ ein bitteres Kichern hören. »Um Himmels willen, nein. Da bist du sicher wie in Abrahams Schoß.«

»Na, das freut mich zu hören. Ich hab' mich schon gefragt, ob ich es je wieder wagen würde, die Augen zu schließen.« Er warf Fingal einen flüchtigen Blick zu, und beide fingen auf einmal an zu lachen.

»Dein Gesicht«, keuchte Fingal, als er halbwegs wieder sprechen konnte.

»Du hast mich Kanalratte genannt!«

»Du bist ja auch eine. Oh, Tershie, wie konntest du mir das antun?« Immer noch bebend, zündete Fingal eine Zigarette an und reichte auch seinem Bruder eine. »Wenn du dich sehen könntest. Als hättest du die ganze Reise von Irland in einem Müllwagen zurückgelegt.«

»Habe ich ja auch, mehr oder minder.«

»Dafür siehst du immer noch ziemlich wohl aus.«

Tertius bemerkte, wie mager Fingals Hände waren. Der goldene Siegelring rutschte am Finger auf und ab. »Ich wünschte, ich könnte das auch von dir sagen. Warst du krank oder was?«

»Mir geht's gut«, sagte Fingal wegwerfend. »Wir sind da.« Das Taxi kam ruckend zum Stehen. »Nicht gerade ein Palast, das gebe ich zu. Doch ungefähr dein Niveau, würde ich sagen.«

Russells Freund wohnte am Torrington Square in Bloomsbury. Im trüben Gaslicht erkannte Tertius nicht mehr als schwarze Häuserklötze, die auf ein kümmerliches Stück von Büschen bewachsenen Gartens hinausgingen. Die erleuchteten Fenster sprenkelten die hohen Fassaden wie Goldpartikel in einem Mosaik. Fingal bat den Taxifahrer zu warten und führte Tertius in einen schäbigen Hausflur, der braun gestrichen war und die ganze Palette der Gerüche von tausend Mahlzeiten gespeichert hatte.

»Das ist ein Doppelhaus«, erklärte Fingal. »Quince hat beide Dachböden verbunden, um ein Atelier draus zu machen.«

Sie stiegen endlose Treppen hinauf und kamen an Fenstern voll Spinnweben und an Reihen von Türen vorbei. Durch die Türen drangen Gesprächsfetzen – gelegentlich im Redestrom einer fremden Sprache.

Fingal rang nach Atem und wischte sich den Schweiß von der Lippe, als er an die letzte der Türen klopfte. »Q, bist du da? Ich bin's, Fingal Carey.«

»Komm rein!«

Am Ende einer schmalen wackligen Treppe traten sie auf einen weitläufigen staubigen Dachboden, auf dem ein verwirrendes Durcheinander von Schatten herrschte. Der Nachthimmel war durch vier schmutzige Dachfenster zu sehen. Ein Teil der Decke war mit Planen behängt, und das Licht spendeten Kerzen, die in Flaschen steckten und zwei nackte Gasflammen. Der Geruch von Leinöl und Terpentin stieg Tertius in den Kopf wie Wein. Er starrte auf riesige Leinwände, die hintereinander an den Wänden standen und von Deckenbalken herabhingen. Sie waren offenbar Teile eines gewaltigen Bildes, denn er sah Köpfe wie aus dem Mittelalter, mit Helmen und Heiligenscheinen, gepanzerte Arme, die Schwerter hielten, und juwelenbedeckte Frauenbrüste.

Der Mann, der aus den Schatten aufragte, um sie zu begrüßen, schien auf den ersten Blick ebenso monumental wie diese Figuren. Quince war fast so groß wie Muttonhead und zweimal so breit; ein Hüne mit einem dichten braunen Bart und einer Stimme, die die Dielenbretter erbeben ließ.

»Ich habe einen Mieter für dich gefunden«, sagte Fingal. »Und du kriegst die Miete auf die Tatze, weil ich sie bezahlen werde.«

»So siehst du aus«, grummelte Quince. »Ich werde keinen von deinen leichten Jungs aufnehmen ...«

»Sollst du ja auch gar nicht. Das ist mein Bruder. Er wird dir gefallen ... er malt, und er ißt einfach alles.«

Quince langte mit einer fleischigen Hand nach Tertius' Kinn und wandte dessen Gesicht mit einem Ruck dem Licht zu. »Hm. Ich verstehe, warum du den nicht in Russells Nähe zu lassen wagst. Er wird einen prächtigen Ritter Parzival abgeben. Ich arbeite an einem Wandgemälde des Heiligen Grals für ein Rathaus«, setzte er hinzu und wandte sich zum erstenmal direkt an Tertius. »Du bist genau der, den ich gesucht habe. Hast doch wohl nichts dagegen, mir Modell zu sitzen, wie?«

»Nein.«

»Na schön, Carey. Ich nehme ihn.«

»Gott sei Dank.« Fingal zog eine Handvoll Sovereigns aus der Tasche und ließ sie auf den Tisch fallen. »Paß ein bißchen auf ihn auf, Q.«

»Der ist froh, daß er dich los ist«, meine Quince, als Fingal gegangen war und sie allein zurückblieben.

»Ja«, sagte Tertius. »Er ist fast gestorben, als ich bei ihm aufgekreuzt bin.«

»Das glaube ich gern. Kannst du wirklich malen?«

»Ja.«

»Irgendwelches Talent?«

»Jede Menge.«

Quince lachte. »Nimm dir Wein.« Er nahm Tertius' abgestoßene Mappe und trug sie unter das Gaslicht, um sie durchzusehen.

Tertius goß sich sauren Roten in einen schmierigen Becher, den er auf dem Tisch fand. Jetzt sah das Ganze doch schon anders aus – diese Wohnung war genau das richtige für ihn. »Kann ich eine von diesen Würsten haben?«

»Ja«, sagte Quince abwesend. »Mein lieber Mann, du ißt wohl wirklich alles, was?«

»Ich bin nicht wählerisch. Ein bißchen Schimmel hat noch keinem geschadet.«

»Hör mal ... wer hat dich denn unterrichtet?« wollte Quince wissen.

»Niemand.«

»Aber die hier ...« Quince verstreute die Zeichnungen über den Tisch und fischte die Skizze heraus, die Tertius an Rorys letztem Tag in Irland von ihr gemacht hatte. »Wie bist du denn darauf gekommen?«

»War so ein Einfall. Wie denn sonst?«

Quince blätterte die heimlichen Skizzen von Tertius' Eroberungen durch – Molly O'Dwyer mit gespreizten Beinen, die zahnlose Mrs. Clegg mit ihren Hängebrüsten. »Tja, ich will verdammt sein, wenn ...«, murmelte er vor sich hin. »Die hier ... ungeheuerlich. Hat Russell welche davon gesehen? Und dies ... also, dafür lege ich mich glatt hin.«

»Ich mich nicht«, sagte Tertius bestimmt. »Davon hatte ich für heute abend genug.«

AURORA

Brief an meine Tochter

Wenn ich Dir doch Tertius zeigen könnte, wie er vor dem Krieg war, voller jugendlicher Energie und Unverschämtheit, noch mit diesem Schimmer im Haar und die Hände von Ölfarbe verschmiert. Irgendwo im West Country gibt es ein Rathaus mit Arthur Quinces Wandgemälde, auf dem Tertius als Ritter Parzival dargestellt ist. Ich habe es schon seit Jahren nicht mehr gesehen, doch ich erinnere mich, daß wir die Figur eine Spur zu melancholisch fanden, um wirklich Tertius zu gleichen. Tertius selbst behauptete, das läge daran, daß er nach all den Stunden des Modellsitzens einen steifen Hals hatte.

Und dann gibt es natürlich Fotos. Schau Dir das einmal

gründlich an, das ich hier an die Seite gesteckt habe. Es ist in einem verwegenen Keller in Soho aufgenommen worden, der Wormwood Club hieß und wohin wir immer gingen, um zu tanzen, zu trinken, über die Zweite Renaissance in der Kunst zu reden und uns überhaupt ungeheuer welterfahren vorzukommen. Ich habe vergessen, bei welcher Gelegenheit es gemacht wurde, doch heute ist das Foto geradezu ein historisches Dokument.

Der gutaussehende dunkelhaarige Mann im Hintergrund ist Duncan Grant. Neben ihm sieht man Percy Wyndham Lewis und Henri Gaudier-Brzeska, Zufallskumpane von Q, wenn sie auch von seiner Kleckserei nicht viel hielten. Q ist der bärtige Leviathan, der alle anderen überragt. Ich sitze vorn auf dem Boden, in dem berühmten Russenkittel. Tertius sitzt neben mir und grinst übers ganze Gesicht. So sah er in jenen Tagen meistens aus, und wenn ich das Bild allzulange betrachte, habe ich das Gefühl, daß mir gleich das Herz brechen wird. Geliebter Tertius – was gäbe ich dafür, wenn ich die Uhr zurückstellen und wieder, wie an jenem längst vergessenen Abend, seine Hand berühren und ihn ein Lied brüllen hören könnte – denn wenn er einen gewissen Alkoholpegel erreicht hatte, schmeichelte er sich mit der Vorstellung, musikalisch zu sein, obwohl er stockunmusikalisch war. Wenn ich einst in der Stunde meines Todes jenes Krakeelen hören sollte, werde ich sicher sein, daß es einen Gott gibt.

Innerhalb weniger Tage nach seiner Ankunft in London hatte Tertius sich ins Zentrum meines neuen Lebens verwoben, gerade als ich begonnen hatte, mich selbständig zu machen. Es hatte jedoch keinen Sinn, ihm das zu verargen. Nichts und niemand konnte sich seinem Charme verschließen. Er war einer der wenigen Männer, die die Gesellschaft von Frauen aufrichtig zu schätzen wußten, und verstand sich auf den Umgang mit meinen drei Freundinnen, als hätte er sie schon immer gekannt. Sehr bald hatte er den Status eines Lieblingsbruders erobert, der ebensosehr geneckt wie verwöhnt wurde. Mrs. Herries war reinweg verrückt nach ihm. Erstens war sein Bruder ein Lord, und sie hatte nun einmal eine Schwäche für Titel, selbst wenn es nur ein irischer war. Zweitens war

sie zu dem Schluß gelangt, daß er ein großer Künstler sei –
»ein junger Leonardo«, wie sie es ausdrückte. Ma Herries verstand von Kunst soviel wie ich von Gehirnchirurgie, doch sie gefiel sich in der Rolle der Gönnerin. Und sie war einfach überwältigt von den Skizzen, die er von ihrer Familie machte. Das waren wunderbare Augenblicks-Sachen, oft nahe an der Karikatur. Glücklicherweise hatte die alte Klette keinerlei Sinn für Humor, und so lag ihr der Gedanke, daß ihr grandioser Haushalt Gegenstand der Satire sein könnte, völlig fern. »Nun sehen Sie sich dies hier an«, rief sie, wenn sie ihren Gästen die ganze Galerie unter die Nase hielt, »Flo, wie sie leibt und lebt. Sogar den unsicheren Augenausdruck hat er getroffen! Der liebe Tertius ist ja ein so gnadenloser Beobachter!« Mrs. Herries war es denn auch, die Gus dazu bewegte, ihm den Auftrag für das Hochzeitsporträt von Viola zu erteilen. Sie handelte auch den Preis aus – vierzig Guineen –, weil sie fand, Tertius sei in Gelddingen allzu unbekümmert. Und sie hatte recht. Er gab sich damit zufrieden, mit Hilfe von Fingals Zuwendungen und dem, was er sonst noch ergattern konnte, so eben über die Runden zu kommen – Gus pumpte er mit atemberaubender Kühnheit an.
»Ich muß alles Geld zusammenraffen, das ich nur irgendwie kriegen kann, Rory-May«, sagte er, als ich ihn darauf ansprach. »Und es ist mir gleich, wo es herkommt. Ölgemälde wachsen nicht auf den Bäumen.«
Wunder über Wunder, Tertius arbeitete. Und härter, als er es je im Leben getan hatte. Das Atelier war dermaßen vollgepfropft mit Gemälden in unterschiedlichen Stadien, daß man kaum wußte, wo man hintreten sollte. Ich war hoch erfreut, wenn ich auch zugeben muß, daß ich einige seiner Bilder schwer begreiflich fand. Nicht die Porträts, denn es war für jedermann erkennbar, wie glänzend er ein Gesicht zu erfassen verstand.
Doch seine wahre Leidenschaft galt jenen heftigen, atemberaubenden Orgien der Farben und phantastischen geometrischen Figuren. Sie waren überaus seltsam. Q, der viel von Tertius hielt, gab zu, daß er sie auch nicht verstand.
»Taugen sie denn was, Q?«

»Ob sie was taugen?« bellte Q. »Wenn er an sie glaubt, müssen sie wohl was taugen. Der Junge ist ein verdammtes Wunder ... doch sagen Sie ihm das ja nicht. Er ist auch so schon eingebildet genug, und dann wird er womöglich träge.«

Der Londoner Tertius war jedoch niemals träge. Sein Vergnügungsleben war genauso anstrengend wie seine Arbeit, und durch ihn entdeckte ich eine unkonventionelle neue Welt der Dachstuben, Schornsteine, Souterraintreppen und Keller – das Bohemeleben jener Tage fand entweder hoch über oder tief unter dem Bürgersteig statt. Wenn ich die Politik satt hatte, schleppte er mich in den Wormwood Club oder auf die Tanzfläche einer Music Hall, und danach gab es Fisch und Chips und Flaschenbier. Das war für mich das wahre Leben – mochten die anderen Mädchen doch bei ihren feinen Abendessen und ihren Opernlogen bleiben. Wir fanden beide, wie schade es sei, daß ihnen so viel Spaß entging.

Als Q endlich sein Rathausfresko fertig hatte, beschloß Tertius, daß ein Atelierfest stattfinden müsse. Und er war entschlossen, auch Eleanor, Jenny und Francesca dazu einzuladen. Mrs. Herries sollte jedoch nichts davon hören. Sosehr sie Tertius liebte, sowenig kam es für sie in Frage, daß ihre Mädchen sich unter einen Haufen Künstlermodelle mischten, die zweifellos nicht besser wären als ihr Ruf. Schließlich schaffte Gus es, indem er so tat, als wollte er sie ins Konzert begleiten. Er brachte sie alle zusammen an – Jenny, Eleanor, Francesca und die königliche Viola –, und Q erklärte, ihre Abendkleider verliehen dem Anlaß erst ›Stil‹.

Was war das für eine Nacht! Das Bier floß in Strömen, und die Männer ließen die Whiskyflaschen kreisen. Wir haben bestimmt den Großteil von Qs Honorar für die Rathausbilder vertrunken. Das Atelier war brechend voll. Sie hatten alle und jeden eingeladen, einschließlich ihrer irischen Hauswirtin und der drei indischen Jurastudenten aus der Etage darunter. Es war ulkig, meine Schulfreundinnen auf einem Bett hocken und vorsichtig Bier nippen zu sehen. Nur Viola hielt auf Abstand und sah sich mit kühlem, gleichmütigem Interesse um. Tertius hatte in einem der irischen Wirtshäuser in Somers Town einen betrunkenen alten Fiedler aufgetan, und wir tanzten Jigs und Reels. Die anderen Mädchen mußten die Schritte erst lernen, doch meine Füße waren nicht mehr zu halten, sowie der erste Takt erklang. Bald tanzten alle. Es war großartig, Gus in seinem Abendanzug mit der Hauswirtin drauflosjiggen zu sehen und die schüchterne kleine Francesca, die sich lachend von Q wie Distelflaum herumschwenken ließ.

Viola erstarrte zur Salzsäule und bedachte alle, die sie zum Tanzen aufzufordern wagten, mit vernichtenden Blicken.

»Das wollen wir doch noch sehen«, erklärte Tertius. Sein lokkiges Haar war schweißfeucht, und seine Augen funkelten. »Paddy, spiel mal den ›Blue-Eyed Rascal‹.«

Kühn trat er vor Viola und streckte die Hand aus.

»Ich möchte lieber nicht«, murmelte sie.

»Ach, nun kommen Sie schon, Miss Vi! Das ist ein ganz vornehmer, gemessener Schritt.«

Sie zögerte, lächelte dann plötzlich zu ihm empor und nahm seine Hand. Er führte sie in die Mitte der Tanzfläche, und wir sahen staunend zu: Die hochnäsige Viola tanzte mit rosigen Wangen den ›Blue-Eyed Rascal‹ – mit dem Schurken selbst! Als das Stück vorbei war, küßte er ihr die Hand und sagte: »Sie haben getanzt wie eine Kaiserin. Und jetzt tanzen wir ganz speziell für Sie ... ›Haste to the Wedding‹!«

Später trieb Viola den armen Gus fast zu Tränen der Glückseligkeit, als sie ihn küßte und erklärte, das sei der schönste Abend ihres Lebens gewesen. Tertius hatte eine Begabung dafür, das Eis zu brechen, und alle hatten ihn gern.

Das heißt fast alle. Der einzige, bei dem er nicht ankam, war Tom Eskdale, der erklärte, ›abtrünnige Adlige, die den Künstler mimen‹, nicht ausstehen zu können.

»Wollen Sie nicht endlich aufhören, ihn The Honourable Tertius zu nennen?« beschwerte ich mich. »Das ist doch Snobismus unter umgekehrtem Vorzeichen. Er selbst macht nie von diesem Titel Gebrauch, und wenn Sie wüßten, wie arm seine Familie ist ...«

»Arm?« entgegnete Tom bissig. »Sie meinen, für Adlige. Sie halten das wohl für edel und tragisch, wenn die wie normale Menschen leben müssen. Während die Bettler an ihren Auffahrten ...«

»Nein, ich will diese Vorträge nicht hören. Er ist für mich wie ein Bruder.«

»Sentimentales Gefasel«, sagte Tom. »Er will mit Ihnen schlafen.«

»Tom!« Ich war jedoch nicht wirklich schockiert. Ich hatte mich an seine Art zu reden gewöhnt.

»Es schmeichelt Ihrer weiblichen Eitelkeit, daß er dauernd um Sie herumtanzt.« Er lachte gehässig. »Sie sind erst zufrieden, wenn die Eier von The Honourable Tertius so blau sind wie sein Blut.«

Ich hatte keine Ahnung, was er damit sagen wollte, und wiederholte Tertius in aller Unschuld diese Bemerkung. Er war wütend.

»Dem werde ich die Eier blau malen, diesem selbstgerechten Windbeutel ...«

»Tershie, er ist kein Windbeutel!« Ich nahm die entgegengesetzte Position ein und verteidigte Tom. »Seine Arbeit ist ungeheuer bedeutend.«

»Gott sei's gepriesen, Rory-May, bist du nun wirklich so grün? Merkst du denn nicht, worauf er aus ist?«

Nein, ich hatte es nicht bemerkt. Ich war naiv, das stimmte schon. Ich hatte wirklich nicht mitgekriegt, daß die instinktive Feindseligkeit zwischen Tertius und Tom irgend etwas mit mir zu tun hatte. Und ich hatte andere Dinge im Kopf.

Am 4. Juni erreichten die Suffragetten-Agitationen jenes Sommers einen tragischen Höhepunkt. Emily Wilding Davison warf sich beim Derby unter das Pferd des Königs und starb vier Tage später an ihren Verletzungen. Ob sie ihren Märtyrertod nun gewollt hatte oder nicht, er wurde weithin als krönendes Symbol für unseren verzweifelten Kampf um das Wahlrecht betrachtet. Die Bewegung warf sich in ausgiebige Trauerfeiern.

Ich war zutiefst beeindruckt. Ich hatte Miss Davison noch am Abend vor dem Derby gesehen, als sie bei einem WSPU-Basar in Kensington einen Kranz an einer Statue von Jeanne d'Arc niederlegte. Danach war sie an den Stand unseres Komitees gekommen, um ein paar eilige, aber fröhliche Worte mit Dorrie Berlin zu wechseln. Ich hatte Mühe, mein Bild dieser großen lächelnden Frau mit der Heroine in Einklang zu bringen, die durch ihr Opfer für unsere Sache die kühle Würde von Marmor angenommen hatte. Und nun erst begann ich den Ernst des Kampfes zu verstehen, dem ich mich so unbekümmert angeschlossen hatte.

Noch etwas anderes geschah beim Derby von 1913, was meine Weltsicht erweiterte. Fingal hatte sich mit der Entschuldigung von Russell weggestohlen, daß er in sein Anwaltszimmer am Gericht fahren wolle. Statt dessen fuhr er mit einigen jungen Arbeitern nach Epsom und lud sie zu Bier und Wetten nach Tattenham Corner. Sie waren nur ein paar Schritte vom Ort der Tragödie entfernt, und Fingal wurde ohnmächtig. Er wurde von zwei arbeitslosen Gasarbeitern nach Albany zurückgebracht, und Russell – dem sein Ohnmachtsanfall keinerlei Mitgefühl entlockte – warf ihn kurzerhand hinaus.

Er landete in Qs Atelier, wo er eine ganze Woche unablässig weinte. Leider waren Tertius und ich zu sehr von den Vorbereitungen für Emily Davisons Trauermarsch in Anspruch genommen, um ihm viel Aufmerksamkeit widmen zu können. Seine Tränen und seine quengeligen, unerfüllbaren Ansprüche, was Essen und Trinken betraf, trieben Tertius und Q fast zum Wahnsinn. Der arme alte Fingal. Es kann nicht sehr komisch für ihn gewesen sein, daß er in einen Winkel des schmutzigen Dachbodens verbannt war, weil Tertius und Q den Boden mit einem riesigen Transparent bedeckt hatten. Endlich eines Nachmittags, als ich im Atelier war, um den purpurroten Hintergrund des Transparents ausmalen zu helfen, kam Russell ihn holen. Sie hatten einen lautstarken Streit auf der Treppe, und ich hörte mit Erstaunen, wie Fingal Russell ein ›rachsüchtiges altes Mistvieh‹, nannte. Dann folgten noch mehr Tränen, Umarmungen und ein rührender dritter Akt gegenseitigen Verzeihens.

Nachdem sie, liebevoll untergehakt, gegangen waren, sagte ich: »Also, worum drehte es sich denn nun eigentlich?«

Tertius hielt nichts davon, Frauen die Tatsachen des Lebens vorzuenthalten. Er legte den Pinsel hin, nahm die Zigarette aus dem Mund und erklärte mir die Liebe, die ihren Namen nicht auszusprechen wagt, unverhüllt bis in alle Einzelheiten.

Ich war sprachlos und angewidert zugleich – nicht durch die Tatsache der Homosexualität als solcher, sondern eher aus der universalen Scham (so schien mir) über den Sexualtrieb. Wie widerlich und unlenkbar unsere Körper waren mit ihren lüsternen Anwandlungen und Absonderungen.

Etwas Gutes bewirkte diese Episode jedoch. Am nächsten Abend lud ein bußfertiger Russell Tertius, Q und mich zum Abendessen ins Savoy, um den schlechten Eindruck auszulöschen, den er bei uns hinterlassen hatte. Ich wollte eigentlich nicht mitgehen, doch Tertius mahnte mich, nicht albern zu sein, wir dürften Fingals Gefühle nicht verletzen, und außerdem besitze Aubrey Russell eine bedeutende Galerie.

Zunächst war das Ganze entsetzlich peinlich, weil Tertius und Aubrey einander aus irgendeinem Grund nicht ins Gesicht sehen konnten. Aubreys tadellose Manieren und etliche Gläser eines ebenso tadellosen Champagners brachen das Eis jedoch bald. Aubrey und ich kamen großartig miteinander zurecht, und das war der Anfang einer seltsamen, aber herzlichen Freundschaft, die bis zum heutigen Tag andauert. Von ein paar hungrigen Blicken auf Tertius abgesehen (der, rasiert und im Abendanzug, einfach hinreißend aussah), benahm er sich an jenem Abend tadellos.

Weil ich ihm mit meiner Politik in den Ohren gelegen hatte, begann Aubrey, ein amüsiertes Interesse an unseren Forderungen zu nehmen. Am 14. Juni befand er sich unter den Zuschauern von Emily Davisons Trauerzug. Er stand am Piccadilly Circus auf dem Dach eines gemieteten Bentley – mit einem Lunchkorb, der vielleicht nicht so recht zur düsteren Stimmung des Anlasses paßte. Jenny, Francesca und die Herries-Mädchen schauten von einem Fenster der Buckingham Palace Road aus zu und hatten eine großartige Sicht auf den Sarg, als er aus der Victoria Station herauskam. Er war in ein purpurrotes Leichentuch drapiert, dem silberne Pfeile appliziert waren – ein Tribut an Emily Davisons Gefängnisaufenthalte.

Diejenigen von uns, die mitmarschierten, reihten sich hinter der Bahre ein. Ich war unter den Londoner Mitgliedern, die alle in Weiß hatten erscheinen sollen. Frieda überreichte uns karmesinrote Madonnenlilien, die wir hinter dem Sarg hertragen sollten.

Tausende säumten die Straßen, den ganzen Weg zur St. Georges Church in Bloomsbury. Als der Sarg auftauchte, hatte es vereinzelte Zischlaute gegeben, doch nach und nach trat respektvolles Schweigen ein. Vielleicht hatte die Großartigkeit des Schauspiels eine gewisse Ehrfurcht hervorgerufen; vielleicht löste auch der Anblick der Suffragetten-Schwesternschaft, die ihre erste Märtyrerin betrauerte, echte Anteilnahme aus.

Sylvia Pankhurst schritt, geisterhaft blaß, hinter der blumenbeladenen Bahre ihrer Freundin her. Sie war die einzige anwesende Pankhurst. Christabel hielt sich immer noch in Paris versteckt, und die Kutsche ihrer Mutter, von einer Garde von Hungerstreikenden umringt, war leer. Sie war am selben Morgen unter Berufung auf das Katz-und-Maus-Gesetz erneut verhaftet und nach Holloway gekarrt worden.

Über unseren Köpfen flatterten die riesigen Transparente wie die Segel von Galeonen. Cecil und Berta Berlin trugen das Transparent, das Tertius und Q gemalt hatten: ›O Deed Majestic!‹ stand in schimmernden Buchstaben aus Lorbeerzweigen darauf geschrieben. Ich trug den Kopf hoch, durchdrungen von der Erhabenheit meiner Ziele. Die Vorstellung des Opfers war für uns Junge damals heilig und schön. Wenn Emily Wilding Davison für uns ihr Leben gegeben hatte, welch eine Zukunft würden wir unseren ungeborenen Töchtern errichten!

Und wir bekamen alsbald schon Gelegenheit, unsere romantischen Vorstellungen im Feuer der Wirklichkeit einer Probe zu unterziehen. Es war der Sommer, als die liberale Regierung auf die Suffragetten losging wie der Wolf auf die Lämmer. Tom und ich wurden in einen wahren Strudel der Aktivitäten gesogen – wir pinselten Slogans mit Kalkfarbe auf die Bürgersteige, verteilten Handzettel und trommelten Demonstrationsteilnehmer zusammen. Ich stand im Hyde Park, gegen Sylvia Pankhursts Rednertribüne gedrückt, halb London trat mir auf die Füße und bohrte mir seine Regenschirme in den Rücken, und lauschte verzückt, als sie uns drängte, die

Regierung so sehr zu beuteln, daß ihr Hören und Sehen verginge.

Auf dem Höhepunkt ihrer Rede wurde die Versammlung durch eine Rotte von Schlägern und Rowdys gesprengt. Die Männer in der Menge und auch viele der Frauen begannen, mit ihnen zu rangeln, und wir wurden von einem Meer von Polizisten umringt. Wieder konnte ich etwas lernen. Ich war in dem Glauben erzogen worden, daß die Polizisten meine Freunde und Beschützer seien. Als einer von ihnen Tom mit dem Gummiknüppel zu Boden schlug, wurde ich in Sekundenschnelle zehn Jahre älter.

Ich benahm mich jedoch nicht erwachsen. Tom wurde verhaftet und in einen Polizeiwagen mit vergitterten Fenstern gepfercht. Ich brach in Tränen aus und ließ mich nicht trösten, bis Joe Berlin Tom überredet hatte, sich zu verpflichten, künftig keine Unruhe mehr zu stiften, und sein Bußgeld bezahlte.

Bei all seinem revolutionären Feuer war Tom kein starker Mann. Er litt unter Asthma – die Armut seiner Kindheit hatte seiner Gesundheit dauerhaften Schaden zugefügt. Der Gedanke, daß er blutend und voller Prellungen in einer kalten Gefängniszelle schmachten könnte, machte mich nahezu krank vor Sorge. Er beschwerte sich zwar später darüber, daß ich seinetwegen so ein Theater gemacht hätte, doch ich glaube, eigentlich freute es ihn. Jedenfalls erlaubte er, daß ich ihm Jod auf den verletzten Kopf strich.

Dieses Erlebnis härtete mich jedoch ab. Anfang Juli, als wir, Teil einer vielköpfigen Leibwache, im East End waren, um Sylvia vor der Verhaftung zu bewahren, vermochte ich einer Polizeikette gegenüberzutreten, ohne mit der Wimper zu zukken. Wir bildeten eine Menschentraube um Sylvias graubraune, untersetzte kleine Gestalt, und ich verlor die Schuhe und zerriß mir einen Ärmel im Getümmel. Die Polizisten gewannen die erste Runde, und schon war sie unterwegs zu ihrer Mutter in Holloway. Nach einem Hunger-und-Durst-Streik, der sie fast das Leben kostete, wurde sie gemäß Katz-und-Maus entlassen.

Sylvia stand wieder auf dem Podium, noch ehe einer ›Wahl-

recht für die Frauen!‹ sagen konnte, und Hunderte von uns
schützten sie vor den Schlägern. Tom und ich verbrachten
den Juliabend auf der Tram, die uns von Bow zurückbrachte.
Wir waren ramponiert und erschöpft, aber zugleich glänzend
aufgelegt.

Am Monatsende war ich bereit zu einem ersten wirklichen
Kontakt mit der Gewalt, obwohl ich nicht darauf gefaßt war.
Frieda, Dinah und ich nahmen an einer WSPU-Versammlung
im gemäßigten London Pavillon teil. Mrs. Pankhurst, vorübergehend aus Holloway entlassen, sollte illegal auftreten,
und etliche Dutzend stramme Anhänger waren für alle Fälle
um die Plattform postiert.

Wir waren zu spät eingetroffen und standen dicht hinter der
Tür im Innern des Versammlungssaales, als ich mich umwandte und eine zierliche, elegant gekleidete ältere Dame mit
einer samtenen Toque sah. Dinah stieß mich an, und ich wußte plötzlich, daß ich Mrs. Pankhurst persönlich gegenüber-
stand. Sie war nur einen Schritt hinter mir. Der Anblick der
Königin Boudicca in ihrem Triumphwagen hätte mich nicht
tiefer beeindrucken können.

Auf einmal war sie von Polizeibeamten in Zivil umringt. Die
Flegel mit den Melonen waren aus dem Nichts aufgetaucht.
»Frauen!« rief sie mit ihrer klaren Stimme. »Frauen, man will
mich verhaften!«

Dinah und ich eilten ihr zu Hilfe, ohne recht zu wissen, was
wir taten. Ich kann nicht mehr sagen, wie viele andere Frauen
sich ins Getümmel stürzten, doch das chaotische Gedränge
von Federhüten, Ellbogen und einer Gladstone-Tasche, die
eine hübsche Delle in einen der Bowler hieb, ist mir im Gedächtnis geblieben. Die Polizeibeamten öffneten eine Tür und
drängten Mrs. Pankhurst in einen Nebenraum. Wir stürzten
ihnen nach.

Das Licht verlosch, und ich fand mich in einem konfusen
Dunkel wieder. Um mich her Schreie, Kreischlaute und ran-
gelnde Gliedmaßen. Ich spürte die rauhe Jacke eines der Polizisten, Sekunden ehe er seine Faust gegen meine Brust hieb.
Mir wurde schlecht von der Wucht des Schlages. Während
ich noch nach Atem rang, brach das Universum in einem

schmerzhaften Aufblitzen über meinem Kopf zusammen, und ich verlor das Bewußtsein.

Als ich wieder zu mir kam, lag ich auf dem Boden des leeren Saales, den Kopf auf Dinahs Arm und ihr Riechsalz unter meiner Nase. Eine mütterlich besorgte Unbekannte gab mir einen Schluck Brandy aus ihrer Taschenflasche, und ich wurde in einem jämmerlichen Zustand zu Tante Hilda nach Hause gebracht.

Eine Gesichtshälfte schwoll an wie ein Pudding, und alsbald hatte ich ein wunderschönes Veilchen. Tante Hilda bekam fast einen Anfall, als sie mich sah. Am nächsten Morgen wurde sie noch wütender, als sie in der Zeitung las, daß fünf Frauen wegen Körperverletzung verhaftet worden seien. Dinah hatte mich gerade noch rechtzeitig hinausgeschleppt. Wären die Mädchen nicht gewesen, ich glaube, ich wäre gestorben, so unglücklich war ich. Eleanor, Francesca und Jenny übernahmen es (Mrs. Herries' tiefster Mißbilligung zum Trotz) abwechselnd, mir Gesellschaft zu leisten und rohes Rindfleisch auf mein Auge zu legen. Sie waren großartig, der Himmel segne sie. Tertius behandelte mich wie eine Heldin, und Aubrey Russell sandte mir einen riesigen Korb mit weißen Trauben. Doch die ganze Zeit sehnte ich mich schmerzlich nach einem einzigen Wort, einer einzigen Nachricht – von Tom. Sie blieb aus. Selbstverständlich. Wie konnte ich mir einbilden, Anspruch auf seine Aufmerksamkeit zu haben? Ich sagte mir, daß nur der bourgeoise Unernst schuld an meinem Kummer sein konnte, und versuchte, mit allem, was in meiner Macht stand, ernsthafter zu sein.

Als mein blaues Auge zu einer vorzeigbareren Farbpalette verblaßt war, holten die Mädchen mich nach Hampstead, damit ich etwas frische Luft schöpfen und mir ein bißchen Villenkomfort genehmigen konnte. Ich saß in einem Korbstuhl auf dem Rasen, in Schultertücher eingehüllt. Jenny saß neben mir und nähte an einem Spitzenkragen für eins ihrer neuen Kleider.

Allein schon, sie bei der Arbeit zu sehen, hatte etwas Beruhigendes. Sie sah so hübsch und gelassen aus, wenn der Blick ihrer sanften braunen Augen auf der Nadel ruhte und die braunen Locken ihr herzförmiges Gesicht umrahmten. Sie schien jedoch müde zu sein. Sie hatte einen vergrämten Zug um den Mund.

»Wie geht es dir eigentlich?« fragte ich und versuchte, meine eigenen Sorgen ausnahmsweise einmal zu vergessen.

»Sehr gut.«

»Und wie geht es ...« Vergeblich versuchte ich, mich an den Namen des alten Mannes zu erinnern, den sie heiraten sollte. »Alistair?« Sie half meinem Gedächtnis nach und starrte auf ihre Arbeit. »Sehr gut.«

Sie wollte auf dies Thema offensichtlich nicht eingehen. Sie lächelte mir zu. »Du solltest ausschließlich an dich selbst denken. Ehrlich, Rory, du hättest böse verletzt werden können. Der arme Tertius war weiß wie die Wand, als er uns Bescheid gesagt hat.«

»Das kann ich mir denken.«

»Er ist so ein lieber Kerl. Kein Wunder, daß du ihn so gern hast.«

»Aber nicht gern genug«, sagte ich ungnädig, »das willst du doch sagen, wie? Ich wünschte, er würde seine Gefühle für sich behalten. Wenn er demnächst wieder davon anfängt, dann gib ihm eins hinter die Löffel.«

»Er ist schrecklich verknallt in dich«, sagte Jenny lachend. »Hör bloß auf! Gerade eben hat Mrs. Herries mir einen Vortrag darüber gehalten, was für ein reizender, sensibler Junge er doch sei. Der alte Drachen hatte die Stirn, über die Liebe zu sprechen. Ich sage dir, Jenny, ich bin fast die Wände hochgegangen.«

»Aber er ist doch so unterhaltend«, neckte sie. »Wir können alle gar nicht begreifen, wie du es schaffst, ihm zu widerstehen.«

»Das ist leichter, als man glaubt, danke der Nachfrage.«

Eine winzige Pause trat ein, und ich spürte, wie Jenny die Gangart wechselte, um sich auf schwieriges Terrain zu begeben.

»Ich muß ehrlich sagen«, meinte sie zögernd, »ich finde ihn wesentlich netter als Mr. Eskdale.«

Zu meinem Verdruß errötete ich. »Tom braucht nicht nett zu sein. Er ist nützlich, und Tertius ist nur ornamental.«

»Rory, jetzt werd aber nicht gemein.«

»Wenn ihr nur nicht immer versuchen wolltet, mir Tertius schmackhaft zu machen«, rief ich. »Er quält mich so schon genug.«

»Gib's doch zu, seine Verehrung ist ungeheuer rührend.«

»Ich dachte, wenigstens du wärst immun dagegen«, sagte ich vorwurfsvoll. »Du hattest doch noch nie etwas für Luftikusse übrig.«

»Ich hab' aber etwas für Menschen übrig, die aufrichtig sind«, versetzte sie. »Tertius mag ja nicht so von sich überzeugt sein wie dein Mr. Eskdale, doch er weiß zu geben und nicht nur zu nehmen. Hinter all dem Gekasper verbirgt sich ein anständiger Mensch.«

Von ihrer Ernsthaftigkeit angesteckt, fragte ich: »Bin ich zu schroff zu ihm?«

Sie zuckte die Achseln und blickte auf ihre Hände. »Ich weiß nicht. Was ich dir zu sagen versuche ... und nichts berechtigt mich dazu, außer daß ich deine Freundin bin ..., laß dich nicht von den falschen Vorzügen beeindrucken. Du kennst doch die Redensart vom abgewiesenen Engel an der Tür ...«

»Oh, nun trag aber nicht so dick auf!« Dies war ein bißchen stark.

»Nein, hör zu.« Sie war ernst. »Ich habe nur das Gefühl, daß es so jammerschade für dich wäre ... daß du deine Liebe schlecht investierst, statt sie dorthin zu wenden, wo sie dir hundertmal entgolten würde. Glaub mir, ich weiß«, ihre Stimme zitterte ein wenig, »daß ein wahrhaft liebend Herz mehr wiegt als alle Klugheit der Welt. Ich könnte es nicht ertragen mit anzusehen, wie du dich an jemanden wegwirfst, der dich nicht verdient.«

Was genau wollte sie mir eigentlich sagen? Ich war mittlerweile zwar puterrot, doch hatte ich das unheimliche Gefühl, daß sie gar nicht mich meinte.

Sie bemerkte meine Verblüffung und lächelte ironisch. »Ich versuche nicht, dich dazu zu bewegen, Tertius zu heiraten. Im Grunde will ich dich nur davor warnen, dich in Tom Eskdale zu verlieben.«

Ich konnte natürlich nicht antworten, weil ich bereits in Tom verliebt war. Rettungslos und mit jedem Tag rettungsloser.

7

»Mein Gott, ist das gräßlich«, klagte Tertius. »Ich hab' schon Sardinen gesehen, die mehr Platz hatten.«

Er hatte sich mit einem fürchterlichen Kater aus dem Bett geschleppt, um sich in die dichtgedrängte, verschwitzte Menschenmenge auf dem Trafalgar Square zu zwängen. Er hatte sich ein paar Reden angehört, ein paar Sandwiches vertilgt und eine Frau dadurch erschreckt, daß er sich mit einer Flasche Bier in der Tasche von hinten an sie gedrängt hatte. Nun langweilte er sich.

»Nun hör schon auf zu maulen«, sagte Rory. »Kein Mensch hat dich gezwungen mitzukommen.«

Tertius bemerkte das freudige Aufleuchten in ihrem Gesicht, als Tom etwas zu ihr sagte, und die Eifersucht senkte ihre vergifteten Fangzähne in sein Herz.

Rory hatte keine Ahnung, wie grausam sie ihn verletzte, weil sie so rundum glücklich war in einer Welt, die nicht die seine war. Sie hätte überhaupt nicht auf diese Demonstration gehen sollen. Tertius hatte sie angefleht, es nicht zu tun. Es war gerade mal eine Woche her, daß sie diesen Schlag auf den Kopf bekommen hatte, und ihr Auge sah immer noch aus wie ein Turnerscher Sonnenuntergang. Aber Tom Eskdale brauchte ja nur zu pfeifen, und schon stand sie bei Fuß.

»Was für ein Schauspiel!« dröhnte Quince neben ihm. »Trafalgar bedeckt mit einem brodelnden Teppich radikaler Menschenfreunde! Ich sollte das im Format zehn mal zwanzig malen … eine Art sozialistische Version von Friths ›Derby Day‹: Arbeiter aus dem East End, die unter ihren Transparenten vom Strand herbeiströmen, und Sylvia Pankhurst auf der Tribüne.«

»Ich glaube nicht, daß die Pankhurst überhaupt auftaucht«, sagte Tertius verächtlich, in der Hoffnung, daß Rory ihn hörte. »Sie hält sich angeblich versteckt, und hier wimmelt es ja von Polizei. Ich wette zehn Scheine, daß sie sie verhaften würden, ehe sie auch nur die Fußspitze auf die Tribüne setzen kann.«

Die Polizisten in Zivil machten keinen Versuch, sich unter die Menge zu mischen, und die Seitenstraßen, die auf den Platz

mündeten, waren kompakte Blöcke aus blauen Sergeuniformen. Offiziell fand die Demonstration im Namen der Men's
Federation for Women's Suffrage statt, doch es war allgemein
bekannt, daß sie nur die Tarnung für die verbotene WSPU ab-
gab. Es war außerdem bekannt, daß Sylvia – gegenwärtig die
meistgesuchte ›Maus‹ in London – den Blaukatzen doch wieder
ein Schnippchen schlagen würde, um ihre Anhänger mit ihrer
Rhetorik in Wallung zu versetzen.

»Ich wette ein Pfund, daß sie ihre Rede halten wird«, sagte
Quince.

»Abgemacht.«

Sylvias Name wurde in triumphierendem Ton angesagt. Die
Menge erstarrte in spannungsgeladenem Schweigen, dann
sprang eine Frau in einem häßlichen Schottenkostüm hinter einem der steinernen Löwen hervor auf die Tribüne und riß sich
die Perücke herunter.

»Frauen! Arbeiter! Freunde der Freiheit!«

Ein Ausbruch hysterischen Jubels folgte. Die Menge drängte
so heftig nach vorn, daß Tertius und Quince sich aneinanderklammern mußten, um nicht umgerissen zu werden.

»Siehst du!« bellte Quince über das Getöse hinweg. »Du
schuldest mir ein Pfund!«

Ein paar Polizisten in der Nähe der Tribüne ruderten durch
die Menschenmenge auf Sylvia zu, doch ihre inoffizielle Leibwache hatte bereits einen Kreis um sie gebildet und sich untergehakt. Offensichtlich hatte die Polizei Weisung erhalten,
nicht zuviel Unruhe auf dem überfüllten Platz auszulösen. Sie
wich zurück und ließ Sylvia sprechen. Ihre Stimme war zart,
schnitt jedoch wie eine Messerklinge durch das atemlose
Schweigen.

»Wieder und wieder«, rief sie, »hat man uns gesagt, die öffentliche Meinung sei gegen uns. Doch die Zeichen der Zeit
ändern sich. Die Männer und Frauen in diesem Land werden
nicht tatenlos mit ansehen, wie Hungerstreikende ins Gefängnis
geworfen und wieder hinausgezerrt werden. Hört euch an, was
sie jetzt wieder über uns schreiben . . .« Sie las aus einer Zeitung
vor. »›Die Frauen machen wieder Boden gut. Was sie durch das
Einwerfen von Fensterscheiben eingebüßt hatten, ist ihnen hun-

dertfach durch das Katz-und-Maus-Gesetz der Regierung vergolten worden.‹ Das können wir bei Gott nicht hinnehmen!«

Wieder ertönten Jubelrufe, ohrenbetäubend und bedrohlich. Die Leute waren kampfbereit. Rory hielt einen Regenschirm mit scharfer Spitze umklammert, und Tom hatte eine Waffe, die als ›Saturday nighter‹ bekannt war, ein dickes Stück geteertes Tau. Die Frau vor ihnen holte einen großen Feuerstein aus der Handtasche und wog ihn in der behandschuhten Hand.

Tertius spürte die Spannung, die in der Luft lag, den kollektiven Adrenalinstoß, und sein Puls begann beängstigend zu rasen. Sylvia hielt eine Schriftrolle empor, ihre ›Unabhängigkeitserklärung der Frauen‹, und schlug vor, sie in die Downing Street zu bringen. Der Beifall kam einer Explosion gleich, als hätten die vier steinernen Löwen rund um die Säule ihre gewaltigen Mäuler zu einem Brüllen geöffnet, und Bewegung kam in die Menge, als fegte ein Windstoß über ein Gerstenfeld. Von allen Seiten von Ellbogen und Schultern geschoben, versuchte Tertius, Rorys Rotkopf im Auge zu behalten, als sie von ihm weg in Richtung Parliament Street getrieben wurde.

Er mußte rennen, oder er wäre gefallen. Sie strömten so schnell hinter Sylvia her, daß die Polizei keine Zeit mehr hatte, von ihren strategischen Positionen in den Nebenstraßen hereinzurücken. Mittlerweile waren die Hochrufe einem leisen, dräuenden Grollen gewichen. Um sich herum erblickte Tertius Gesichter mit glühenden Augen und Hände, die Stöcke und Steine hielten. Er war schweißüberströmt. Rory und Tom waren noch weiter abgedrängt worden.

Zwei Reihen berittener Polizisten war es gelungen, am Anfang von Whitehall Aufstellung zu nehmen. Sylvias Leibwache versuchte, sich zwischen den Flanken der Pferde hindurchzudrängen, und für einen Augenblick sah es so aus, als gelänge der Durchbruch. Dann erhoben sich hinter Tertius Schreie: »Coppers von hinten! Paßt auf, was hinter euch los ist!«

Tertius wagte einen Blick über die Schulter und sah eine offenbar gewaltige Armee von Polizisten, die am Ende des Zuges nachdrängte. Sie saßen in der Falle, und der Kampf hatte begonnen. Er hörte das Geräusch und brauchte einen Augenblick, um es zu erkennen – es war der dumpfe rhythmische Aufschlag von Polizeiknüppeln, die auf ungeschützte Köpfe trafen. Fast wäre er über den schmerzverkrümmten Körper eines jungen Mannes gestolpert. Quince löste sich aus dem Mahlstrom und half ihm, den Mann in die relative Sicherheit des Bürgersteigs zu tragen.

»Wo ist Rory?« brüllte Tertius. »Wir müssen sie hier heraus-holen!«

Rory war mit der Herde weitergestürmt und hatte dabei kei-nen anderen Gedanken, als sich durch den Polizeikordon zu kämpfen, der das Ende der Downing Street abriegelte. Sie war von blauen Flecken übersät und heiser vom Schreien, doch eine rauschhafte Energie hatte sie ergriffen. Die Hand eines Polizi-sten schloß sich um ihr Handgelenk, und sie schüttelte ihn ab wie eine lästige Fliege. Er packte ihren Arm und drehte ihn ihr mit boshaftem Vergnügen auf den Rücken.

»Frauenwahlrecht! Frauenwahlrecht!« Sie spürte gar keinen Schmerz, nur die ungeheure Helligkeit und Wärme ihres Zorns. Sie schlug mit dem Regenschirm auf den Mann ein. »Nieder mit dem Katz-und-Maus-Gesetz!«

Der Polizist zog sie zu einem wartenden Polizeiwagen. Sie würde jeden Augenblick verhaftet werden. Wie durch einen Nebel gewahrte sie Tertius und Quince, die durch die dünner werdende Menge auf sie zurannten. Alles war absolut unwirk-lich.

Plötzlich raubte ihr der süßliche Duft von Toms billigem Ta-bak die Sinne. Er drosch mit dem ›Saturday nighter‹ auf den Arm des Polizisten, der sie festhielt, warf ihn ruppig aufs Pfla-ster und zerrte Rory in das schützende Chaos zurück.

Blut sickerte Tom aus der Nase. Eine Seite seines Kragens hatte sich gelöst und flatterte unter seinem Ohr. Er schlang ihr die Arme um die Taille. Seine Lippen drückten sich auf ihre, seine Zunge drang in ihren Mund. Es war nur ein Augenblick, dann wurden sie von zwei Polizisten auseinandergerissen und in zwei Polizeiautos gepfercht.

Rory wurde in ein dunkles Abteil gestoßen, das von dem der anderen Festgenommenen getrennt war. Sie schnappte tau-melnd nach Luft und bekam kaum mit, daß die Frau im näch-sten Abteil kreischend gegen die Wände des Gefangenentransporters schlug: »Frauenwahlrecht!« Sie spürte nur die Wärme ihres Mundes, der noch taub war und von der Wildheit von Toms Kuß brannte.

Die nächsten Stunden waren eine langsame, niederdrückende Rückkehr auf den Boden der Wirklichkeit. Rory, Tom und die anderen dreiundzwanzig Häftlinge wurden auf der Polizeiwache in der Cannon Row zusammengepfercht, wo ein gepeinigter Sergeant, ungeachtet eines Protestgeschreis wie im Affenkäfig, ihre Personalien aufzunehmen versuchte.

Sylvia Pankhurst, die ja nichts Erfreulicheres zu erwarten hatte als einen weiteren Hunger- und Durststreik in der Festung von Holloway Prison, packte einen Glaskrug und schleuderte ihn durchs Fenster. Sie wurde unter Beifallsgejohle abgeführt. Das mochte ja noch angehen. Rorys Blick begegnete Toms, und sie fühlte sich endlich wert, neben ihm zu stehen. Er liebte sie, sie war seine Partnerin. Gemeinsam würden sie die Paläste der Mächtigen erstürmen und im Namen der Freiheit unvorstellbare Qualen erleiden.

Die Hochstimmung verflog jedoch, als sie der geringfügigen Störung der öffentlichen Ordnung angeklagt und mit einem Dutzend anderen Protestlerinnen in eine unterirdische Zelle gesperrt wurde.

»Wahlrecht!« rief eine tapfer. »Tod den Katzen!«

»Tod euch verdammten Miststücken!« Sie hatten eine betrunkene Stadtstreicherin geweckt, die in einer Ecke ihren Rausch ausschlief und mit schwerer Zunge Beleidigungen vor sich hin zu murmeln begann. »Leckt mich am Arsch ... ihr elenden dämlichen vornehmen Kühe ...«

Es war ekelhaft. Es stank nach Schmutzwasser und Lysol, und der Himmel wußte, was einem alles ins Haar kriechen konnte. Rory sank auf eine der Holzbänke, die an die Wand geschraubt waren. Sie war erschöpft. Die Knochen taten ihr weh, ihr Auge pochte, und sie würde sterben, wenn sie hierbleiben müßte. Sie bekämpfte tapfer einen albernen Anfall von Sehnsucht nach Muttonhead und der Mutter, schloß die Augen und bemühte sich, nicht zu weinen.

Zwei Stunden später wurde sie hinausgescheucht und erfuhr,

daß sie gegen Kaution entlassen sei. Aubrey Russell erwartete sie, unter allen Zeichen eleganter Herablassung, am Schalter.

»Na, Sie sind mir ja vielleicht ein Früchtchen. Ich habe weinen und betteln und schwören müssen, daß Sie es nie wieder tun würden und was noch alles.«

»Aubrey, Sie sind großartig!« Rory umarmte ihn feurig. »Woher wußten Sie denn, wo ich bin? Hat Tertius Sie hergebracht?«

»Leider nicht. Der blauäugige Schurke ist geflüchtet, wohin, vermögen wir nicht zu sagen. Quince ist fort, um nach ihm zu suchen, glaube ich ... er ist losgesaust, sowie er uns gesagt hatte, was mit Ihnen los ist.«

Die Erinnerung an Tertius' Gesicht, das sie flüchtig aus dem Augenwinkel erblickt hatte, als sie von Tom getrennt wurde, verursachte Rory Gewissensbisse. Sie beschloß, das Thema zu wechseln.

»Ich hoffe, ich habe Sie kein Vermögen gekostet.«

»Wir wollen doch nicht von Geld sprechen. Ich werde mich als ausreichend entschädigt betrachten, wenn Sie uns sämtliche Einzelheiten liefern. Fingal beneidet Sie glühend um Ihr Scharmützel mit dem Polizisten. Er wollte selbst auch kommen, doch es ging ihm nicht gut. Ich habe ihn zu Hause gelassen, um den Champagner nach oben zu bestellen.«

»Champagner?«

»Zum Feiern natürlich ... meine Liebe, das war Ihre erste Verhaftung!«

Tertius hatte sich hinter dem Klavier im Wormwood Club verschanzt. Er war sturzbetrunken und sang laut.

»Sperrstunde, wenn ich bitten darf!« sagte Quince. »Wir gehen nach Hause.« Er hängte sich Tertius' schlaffen Arm über die Schulter und bekam eine Kostprobe seines Atems ab. »Allmächtiger ... Junge, wieviel hast du denn intus?«

»*Ich bin ja so verliebt, ich muß es allen sagen*«, sang Tertius einsam. »*Mein Herz zerspringt in meiner Brust ...*«

Quince packte ihn in ein Taxi und brachte ihn nach Hause zum Torrington Square. Auf halbem Weg zum Dachboden hörte Tertius zu singen auf und wurde aggressiv.

»Hau ab ... Laß mich los ... Ich bring den Scheißkerl um!«

»Morgen«, schlug Quince besänftigend vor, »morgen bringst du ihn um, wenn es dir bessergeht.«

»Sie hat sich von ihm küssen lassen ... Ich darf sie nicht anfassen, o nein, doch das Arschloch darf sie küssen ...« Tertius ließ sich an der Wand hinabgleiten und sackte auf dem Kokosläufer zu einem schlaffen Haufen zusammen. »Laß mich doch in Ruhe ... laß mich sterben ...«

»Du kannst hier nicht sterben. Nun komm weiter.«

»Nein!« Sein Kopf sackte zu Boden, und er brach in lautes Weinen aus.

Sein hemmungsloses Geheul bewirkte, daß einer der indischen Jurastudenten vom dritten Stock auf den Treppenabsatz hinaustrat.

»Was ist denn das für ein Lärm, bitte? Wir würden gern arbeiten.« Er beäugte Tertius neugierig. »Ihr Freund ist vielleicht krank?«

Quince, der sich durch Tertius' Schluchzer nicht aus der Ruhe bringen ließ, packte seine Schultern mit festem Griff. »Mein Freund ist voll, und das nicht nur vielleicht. Nimm seine Beine, Kapoor, sei ein guter Junge.«

Sie trugen ihn die letzten Stufen hinauf und ließen ihn auf der Couch im Atelier fallen.

»Das weinerliche Stadium«, erklärte Quince, als sie allein waren. »Ach, dieser übertriebene Jammer der Jugend.« Er zündete die Flamme unter einem Topf mit trübschwarzem Kaffee an. »Ich kann nicht glauben, daß ich mit jemandem zusammenlebe, der jung genug ist, um seine erste Enttäuschung als romantischer Liebender zu erleben.« Grüblerisch rührte er Kondensmilch in den Kaffee. »Und mit einem, der noch jung genug ist, um feuchte Träume zu haben. Dieser ganze wahnsinnige Energieaufwand. Linkes Ei weiß nicht, was rechtes tut. Überkandidelt, die Jugend.«

Er setzte sich neben Tertius und wischte ihm Tränen und Rotz mit einem Zipfel der Decke ab. »Setz dich auf und trink das.«

Tertius stemmte sich mit trübem Blick auf den Ellbogen und trank den Kaffee. Kurz danach murmelte er: »Tut mir leid, Q.«

»Braucht dir nicht leid zu tun.«

»Es war nicht, daß er sie geküßt hat ... es war ihr Gesichtsausdruck. Ich hatte das Gefühl, ein Messer im Rücken zu haben. Hast du es gesehen?«

»Ja. Leider.«

»Ich hätte ihn umbringen können«, sagte Tertius. »Ich hätte ihn mit bloßen Händen erwürgen können.«

»Um Himmels willen, Junge, was würde das denn nützen? Nicht daß mir viel an Eskdale liegt ...«

»Ein Stück Scheiße ist der!«

»Schön, kann ja sein. Doch wenn Rory ihn mag, dann geht das uns ja wohl nichts an, wie?«

»Ich kann nicht tatenlos mit ansehen, wie sie einen anderen liebt.«

Quince seufzte. »Das glaubst du jetzt. Du hast das Gefühl, es nicht aushalten zu können. Doch an der Liebe ist noch niemand gestorben. Wenn du darüber hinwegkommen mußt, dann tust du das auch.«

»Woher weißt du das?«

»Ich habe es selbst geschafft, daher. Ich habe letztes Jahr, als ich nach Hull fuhr, ein Mädchen kennengelernt. War auch wirklich ein nettes Mädchen. Tochter eines Tuchhändlers. Hatte keinen Schimmer von Kunst, was mich nicht weiter gestört hat. Ach, sie war ein Engel. Ich bin fast verrückt geworden, als ich mir ausgemalt habe, wie glücklich ich mit ihr hätte sein können.«

Tertius schneuzte sich in die Decke. »Wollte sie dich nicht haben?«

»Ich habe sie nicht gefragt«, sagte Quince traurig. »Das wäre ganz sinnlos gewesen.«

»Warum denn?«

Sein Blick verfinsterte sich. »Weil ich bereits verheiratet bin.«

»Was?« Tertius setzte sich auf. »Seit wann denn?«

»Ich habe sie kennengelernt, als ich ungefähr in deinem Alter war, so etwa vor fünfzehn Jahren ... 'nen großen Busen hatte sie. Ließ mich nicht anfassen, ehe es legal und anständig war. Also habe ich sie geheiratet ... und dann durfte ich immer noch nicht. Ich hab' sie seit zehn Jahren nicht gesehen. Sie ist zu ihrer Mutter zurückgekehrt. Das war damals eine Katastrophe. Doch ich mußte damit leben, und das habe ich denn auch getan.« Er fuhr Tertius liebevoll durchs Haar. »Hat keinen Zweck, wegen etwas Trübsal zu blasen, was man nicht haben kann. Paß mal auf ... sobald du dich besser fühlst, gehen wir los und genehmigen uns ein paar Huren. Du brauchst Zerstreuung.«

»Ich will keine Hure. Ich will nur Rory. Wenn ich sie nicht kriegen kann, ist mir alles andere egal.«

»O nein, das ist es nicht. Deine Arbeit ist dir nicht egal. Die ist das Wichtigste in deinem Leben ... Und so soll es verdammt noch mal auch sein.« Quince wies auf Tertius' halbfertiges Porträt von Viola Herries. »Sieh dir das da an.«

»Konventionelles Zeug«, sagte Tertius. »Süßlicher Kram.«

Quince angelte sich einen Zigarettenstummel von einer schmutzigen Untertasse und zündete ihn an. »Mein Gott, du kannst vielleicht arrogant sein. Es fällt dir alles zu leicht, das ist dein Problem. Hast du überhaupt eine Ahnung, wie viele Jahre manche Männer arbeiten müssen, um ein derartiges Bild zustande zu bringen? Es wird großartig ... Ich weiß auch nicht, wie es kommt, doch du hast es geschafft, daß sie wie eine Frau aussieht und nicht wie ein Eisberg. Warte nur ab, bis du in meinem Alter bist ... dann wirst du erkennen, daß dein Talent mehr wert ist als sämtliche Röcke der Welt.«

8

Das weiße Atlaskleid würde er dem Porträt später hinzufügen. Heute malte Tertius Violas Gesicht und ihren Hals.

Zumindest versuchte er es. Sie hatte ihn aus der Fassung gebracht, als sie zu ihrer Sitzung im Atelier ohne die übliche Anstandsdame aufgetaucht war. Daß er sie jetzt anschauen mußte, ohne daß eine dritte Person ihn von der atemberaubenden Ausstrahlung ihrer Schönheit ablenkte, machte es ihm verdammt schwer, sich zu konzentrieren.

Viola saß kühl und ungerührt in ihrer förmlichen Pose da. Sie hatte nicht erklärt, weshalb und wie sie eine derartige Unschicklichkeit hatte begehen können. Ob sie das womöglich ganz bewußt getan hatte? Tertius verwarf den Gedanken sofort wieder. Nicht in einer Million Jahren. Die zukünftige Mrs. Fenborough war ganz entschieden nicht für solche wie ihn bestimmt.

Die Frau mochte ja ein Eisberg sein, doch sie war bildschön bis ins letzte Detail. Er musterte die weichen Wellen ihres hellen Haars, ihre ungewöhnlichen blaugrünen Augen, ihre makellos geformte Kehle, die so weiß war wie die vier Perlenreihen an ihrem Hals, ihre festen Brüste unter der cremeweißen Spitzenbluse ...

Nicht die Brüste, beschwor er sich zähneknirschend, nicht die Brüste ansehen – doch es war zu spät. Sein Herz pochte, und es war, als ob das Blut aus jedem seiner Glieder in seine Lenden strömte. Der Pinsel zitterte in seiner Hand.

Es war nicht auszuhalten. Seine schmerzhafte Erektion fühlte sich an wie eine glühende Stange Dynamit. Wenn Viola das sah, wäre es mit der lukrativen Nebenbeschäftigung als Gesellschaftsmaler aus, noch ehe es begonnen hatte. Er beschloß, sich lieber höflich zu entschuldigen und sich im Besenschrank auf dem Treppenabsatz Erleichterung zu verschaffen.

Die Entschuldigung auf den Lippen, begegnete er Violas Blick. Für einen Moment lang starrten sie einander in knisterndem Schweigen an. Dann wanderte ihr Blick ganz langsam nach unten und heftete sich auf die Schwellung in seiner Hose. Der Knoten des Spitzenbandes auf ihrer Brust hob und senkte sich unter einem stoßweisen Seufzer, und eine liebliche Röte überzog ihre Wangen. Als sie wieder zu ihm aufblickte, verspürte Tertius eine so heftige Woge des Begehrens, daß er sich mit aller Gewalt bezähmen mußte, um keinen Orgasmus zu bekommen.

Es konnte keinen Zweifel mehr geben – ihr erwartungsvollsehnsüchtiger Ausdruck war unmißverständlich. Tertius ließ den Pinsel in das Glas zurückfallen. Armer alter Gus. Die Vorstellung, ihn zu betrügen, gefiel ihm nicht, doch die Einladung einer Dame konnte man nicht ausschlagen.

Er kniete sich neben sie, so daß sie seinen Schweiß riechen konnte, in den sich Öl und Terpentin und die süßen, erotisierenden Ausdünstungen seiner Erektion mischten. Ihre feuchten Lippen öffneten sich, und Tertius küßte sie wild. Er spürte, wie sie seiner Umarmung nachgab. Er löste sich von ihr und begann, ihr die Bluse aufzuknöpfen. Viola stand passiv da, während er sie entkleidete, Stück für Stück, bis sie nackt vor ihm stand.

Ihre Brüste waren weiß wie Marmor. Die Hüften zeichneten sich in einer exquisiten Linie unter ihrer schlanken Taille ab.

»Sie sind wundervoll«, flüsterte er. Geübt zog er ihr die Schildpattkämme aus dem Haar und beobachtete, wie es auf ihre Schultern fiel.

Er riß sich die Kleider vom Leib, und der rosige Hauch ihrer Wangen vertiefte sich, als sie seinen mächtig geschwollenen Penis sah. Tertius fegte die schmutzigen Steingutassen von der Couch und drückte sie sanft darauf nieder.

»Sind Sie sicher, daß Sie das wollen?«

Sie nickte und starrte immer noch auf seine Erektion. »Wird es weh tun?«

»Vielleicht. Ich werde so behutsam sein, wie ich kann.«

Bemüht, dem überwältigenden Drang nicht nachzugeben und mit roher Gewalt in sie einzudringen, spuckte er auf seinen Finger und rieb damit sacht über ihre Klitoris. Seufzend vor Wonne drückte Viola das Kreuz durch. Er schob den Finger in ihre Vagina und spürte die straffe Haut ihres Hymens. Die Verantwortung, ihr die Jungfräulichkeit zu nehmen, kühlte ihn ein wenig ab.

»Stecken Sie ihn rein«, sagte Viola.

Er umspannte ihr Hinterteil mit den Händen und ließ sich auf sie sinken. »Sagen Sie mir, wenn es weh tut.«

Vorsichtig schob er seinen Penis in sie hinein. Sie zuckte zusammen, doch als er zögerte, drängte sie ihre Hüften gegen ihn. Er stieß fester zu und durchtrennte ihr Hymen, und er hörte, wie sie den Atem einsog. Jetzt war sein Penis umspannt von den warmen, feuchten Wänden ihrer Vagina. Sein Herz klopfte unerträglich. Er konnte nicht anders und fing an, sich rhythmisch zu bewegen.

Viola zitterte unter ihm und keuchte sanft bei jedem Stoß. Allmählich bekamen die Keuchlaute etwas von freudiger Überraschung. Tertius spürte, wie ihm das Bewußtsein beim Nahen des Höhepunkts zu schwinden begann. Mit äußerster Willensanstrengung zog er sich gerade noch rechtzeitig zurück und spritzte das Sperma in seine Hand, während er den Kopf in ein Kissen vergrub, um seine Schreie zu unterdrücken.

Sie schaute mit unbeteiligter Neugier zu, als die konvulsivischen Zuckungen seinen Körper ergriffen.

»So ist das also«, bemerkte sie. »Mutter hat mir nichts darüber sagen wollen.«

Tertius ließ sich ermattet von ihr hinabrollen, die Hand auf dem rasenden Herzen. »Ging es denn?«

»Ich weiß nicht. Ich denke.«

»Mit der Übung wird es besser.«

»Ach ja?« Viola fuhr mit der Hand über seinen schrumpfenden Penis. »Vielen Dank, daß Sie es mir gezeigt haben.«

Tertius lachte. »Ich habe Ihnen als Versuchskaninchen gedient, stimmt's? Sie sind vielleicht eine. Ich dachte, ich werde wahnsinnig, als Sie hier ganz allein ankamen.«

»Ich hab' Mutter gesagt, ich ginge mit Tante Flo weg«, sagte Viola ruhig. »Und Tante Flo hab' ich gesagt, ich ginge mit einer Schulfreundin Einkäufe machen.«

»Wie lange haben Sie das denn schon geplant?«

»Seit Wochen.«

»Allmächtiger.« Er stand auf und reckte sich wollüstig. »Möchten Sie Tee?«

»Ja, bitte.« Viola lehnte sich wieder gegen die Kissen. »Ich ziehe mich noch nicht an. Es ist so ein angenehmes Gefühl, nackt zu sein.«

Mit einem zufriedenen halben Lächeln schaute sie ihm beim Teemachen zu. Sie tranken ihn kameradschaftlich, ihre Glieder ineinander verschlungen.

»Der ist widerlich«, bemerkte sie alsbald.

»Tut mir leid. Alles ist widerlich in dieser Bruchbude.«

»Tertius ...«

»Ja?«

»Finden Sie mich ... bin ich schön?«

Er war gerührt. »Habe ich Ihnen das denn noch nicht gesagt?«

»Sagen Sie's mir jetzt.«

Er setzte ihre beiden Tassen ab und ließ die Hand über ihren seidigen Schenkel gleiten. »Sie sind eine Venus am Nachthimmel. Sie sind ein Juwel. Sie sind das achte Weltwunder. Ja, Sie sind die schönste Frau, die ich je gesehen habe.«

»Wirklich?« Sie lächelte ihn träumerisch an, und ihr Blick wanderte wieder zu seinem Penis. »Wie fühlt sich das denn an, wenn das ganze Zeug aus Ihrem Ding herauskommt? Ist das schön?«

»Himmlisch. So schön, daß ich es nicht beschreiben kann.«

»Kein Wunder, daß die Männer so erpicht darauf sind«, sagte sie nachdenklich.

»Es kann für Frauen genausoschön sein. Haben Sie nichts gefühlt?«

Viola überlegte. »Ich glaube schon. Am Schluß. Aber gut gefallen hat es mir, als Sie mich mit dem Finger berührt haben.«

Tertius kniete am Boden nieder und zog Viola zu sich herum, so daß sie ihn ansah. Er öffnete ihre Beine. Es war Blut an ihrer Vagina zu sehen. Keineswegs scheu, nahm sie Tertius' Hand und führte sie zu ihrer Klitoris.

»Hier. Nur daß es jetzt ein bißchen empfindlich ist.«

Er öffnete ihre Beine noch weiter. »Ich zeige es Ihnen.« Er vergrub sein Gesicht zwischen ihren Beinen, sog hingerissen den Moschusduft ein und schloß den Mund um ihre Mitte, massierte die geschwollene Klitoris sacht mit der Zunge und leckte ihre salzigen Säfte auf. Viola schrie laut auf und packte sein Haar. Sie bebte hemmungslos und drückte sich gegen seine Zunge. Er hörte sie stöhnen und schluchzen und fühlte den Aufruhr ihres Körpers, als der Orgasmus nahte.

»Jetzt ... jetzt«, keuchte sie und entwand sich ihm, »komm in mich rein ...«

Ihre Erregung hatte Tertius zur Raserei getrieben. Er warf sich auf sie und drängte sich mit wilden Stößen in sie hinein. Sie waren beide schweißnaß, mitgerissen von einer Welle der Triebhaftigkeit.

»O Gott ... nein ... nein«, schrie Tertius verzweifelt.

»Weiter ... weiter ...«

Er kam mit einem gewaltigen Schrei. Ihre Muskeln umspannten ihn und entrangen ihm noch den letzten Tropfen, bis er völlig erschöpft auf ihr zusammenbrach.

Danach band er sich ein Handtuch um die Hüften, goß ihnen

beiden ein Glas von Quinces Whisky ein und fertigte rasch eine Skizze von Viola an, als sie noch nackt lag. In ihrem Zustand aufgelöster Zufriedenheit wirkte sie wie eine perfekte Marmorstatue, die wie von Zauberhand zum Leben erweckt worden war.

Es war faszinierend, dachte Tertius, mit anzusehen, wie sie ihre kühle, distanzierte Miene wieder aufsetzte, als sie sich anzog. Wie sollte man wissen, was hinter jenem blassen Gesicht vorging? Binnen Minuten war jeder Knopf und jeder Haken geschlossen, und ihr Haar war ordentlich mit seinen Kämmen aufgesteckt. Kein Mensch hätte erraten können, was geschehen war.

Sie strich die Handschuhe über den Knöcheln glatt, rückte ihren Hut vor dem Spiegel zurecht und griff nach ihrer Handtasche.

»Du bist heute nicht sehr weit gekommen mit deinem Porträt, hm?«

»Nein, ich werde einiges aufholen müssen.«

»Ich komme übermorgen wieder. Es ist noch schrecklich viel daran zu tun.«

»Ja«, stimmte Tertius zu, »Stunden um Stunden.«

»Bitte Mr. Quince besser, daß er uns nicht stören soll.«

Er lachte. »Weißt du, ich werde aus dir überhaupt nicht schlau. Du siehst so züchtig aus. Dabei bist du ein schamloses Flittchen.« Er küßte sie leicht auf die Lippen. »Ich wollte schon immer mal eins kennenlernen.«

Tom war verstummt und schritt tief in Gedanken im hinteren Empfangszimmer der Berlins auf und ab. Rory nutzte die Gelegenheit, um ihre verkrampften Rückenmuskeln zu strecken. Sie saß seit dem Abendessen über die Schreibmaschine gebeugt, und Tom hatte ihr seinen Artikel ›*Warum Großbritannien nicht wieder aufrüsten sollte – die anglo-deutsche imperialistische Verschwörung*‹ diktiert.

»Tom?«

»Wo war ich stehengeblieben?« fragte er zerstreut.

»Geht's dir gut?«

»Aber ja.«

»Vielleicht bist du müde«, schlug sie vor. Er war mit seinen

Gedanken während des Abends immer wieder von der Bedrohung für den internationalen Sozialismus abgeschweift, und das sah ihm gar nicht ähnlich.

»Du meinst wohl, du bist müde«, fuhr er sie an. »Warum sagst du es dann nicht einfach?«

»Es ist nur, daß ich noch Fahnen für Dinah lesen muß, also wenn du lieber Schluß machen willst ...«

»Du hast recht, wir kommen sowieso nicht weiter.« Er blieb stehen und sah sie ärgerlich an. »Ich kann nicht arbeiten, wenn ich abgelenkt bin. Das ist deine Schuld.« Mit geschäftsmäßiger Eile zog er einen Stuhl heran und setzte sich neben sie.

Rorys Puls beschleunigte sich. Er hatte sich von der Politik gelöst und wandte sich ausschließlich ihr zu. So sehr sie sich dessen schämte, sie lebte auf diese Augenblicke hin.

»Meine Schuld?« wiederholte sie hoffnungsvoll.

»Ich denke unentwegt darüber nach. Erst habe ich beschlossen, dich nicht mehr zu sehen. Doch dazu ist es zu spät. Eine gewisse chemische Reaktion ist bereits ausgelöst worden.«

»Tom, mein Lieber, wovon redest du denn?«

»Ich fühle mich körperlich zu dir hingezogen.«

Gegen alle Absicht errötete Rory heftig. »Ich weiß. Du hast mich geküßt, auf der Demonstration.«

»Ja ... und wie blödsinnig von mir. Ich hatte weiß Gott wichtigere Dinge zu erledigen.« Er nahm ihre Hand. »Genau das meine ich mit Ablenkung. Nein, sag jetzt nichts. Ich will es erklären. Ich habe mir seit eh und je geschworen, daß ich mich niemals von meinen körperlichen Bedürfnissen gängeln lasse. Deshalb dachte ich auch, daß ich mit dir gefahrlos zusammenarbeiten könnte. Karottenrotes Haar und dürr wie eine Bohnenstange. Ich hab' mir gesagt: Keine Gefahr. Doch aus irgendeinem Grund mußte ich dann ständig an dich denken. Was ist daran so komisch?«

Rory hatte zu lachen begonnen. »Ist das deine Vorstellung von einer Liebeserklärung?«

»Das ist auch wieder so etwas ... daß du ewig lachst«, klagte Tom. »Die Leichtfertigkeit gehört ...«

»... in den Salon«, sprach Rory den Satz für ihn zu Ende. »Ich weiß. Tut mir leid. Bitte fahr fort.«

»Na schön, als letztes habe ich dann nachts zu masturbieren versucht, um dich aus meinem Körper herauszubekommen. Doch es hat nicht geklappt, und sowieso ist es schlecht für die Bronchien ... Na schön, ich gehe aus dem Zimmer und gebe dir zehn Minuten, um dich auszukichern.«

Das Wort ›masturbieren‹ hatte bei Rory ein hysterisches Lachen ausgelöst. Sie schämte sich ihrer Unreife und versuchte, sich zusammenzunehmen. »Tom, tut mir leid, wirklich ...«

»Verdammt und zugenäht!« Tom drückte wütend ihre Hand. »Willst du mir mal zuhören, Frau? Ich habe beschlossen, daß es nur einen Weg für mich gibt, wieder normal zu werden, ehe ich meine Arbeit ruiniere ... von meiner Eichel ganz zu schweigen. Ich muß anfangen, mit dir zu schlafen.«

Das Lachen erstarb ihr in der Kehle. Sie fühlte sich verletzt. Wie konnte er vom Vollzug ihrer Liebe sprechen wie von der Lösung eines physischen Problems, als müßte er ein Furunkel aufschneiden? Aber nein, schalt sie sich einen Augenblick später, diese Reaktion bewies nur ihre Unwürdigkeit. Sie erkannte, daß sie romantische bürgerliche Fantasien gehegt hatte, sich vorgestellt hatte, wie man ihr den Hof machen würde. Und natürlich, wie Tom ihr schon oft gesagt hatte, waren ihre Fantasien primitiv und restriktiv. Wie üblich legte seine Rationalität nur ihre anerzogene Oberklassenalbernheit bloß. Sie würde modern sein und sich der Lage gewachsen zeigen.

»Sobald unsere Beziehung körperlich wird«, erklärte Tom, »finden wir zu einem perfekten Gleichgewicht. Du bist eine vernünftige Frau, Rory, und ich weiß, du möchtest von gleich zu gleich behandelt werden. Du wirst dich bestimmt nicht ändern und mich damit plagen, daß ich dich heiraten soll. Ich gehe im übrigen davon aus, daß du die gleiche Anziehung verspürst.«

»Ja«, sagte sie mit zittriger Stimme.

»Gut.« Er umschloß ihre Hände und fixierte sie mit seinem eindringlichen Blick. »Denn, ich geb's ja gerne zu, die chemische Gleichgewichtsstörung macht mich verrückt. Ich kann nicht mal richtig essen, wenn du im selben Zimmer bist.«

»Ach Tom!«

»Steh auf.«

Er zog sie vom Stuhl, hielt sie feierlich um Armeslänge von

sich entfernt und vertiefte sich in den Anblick ihres Haars, das im Licht der Deckenlampe loderte.

»Ich werde mit keiner anderen schlafen, solange ich mit dir zusammen bin«, verkündete er streng. »Und ich gehe davon aus, daß du mein Mädchen bist ... ich werde nicht zulassen, daß The Honourable Tertius um dich herumschnüffelt.«

»Ich bin dein Mädchen«, versicherte Rory. Das Blut sang in ihren Adern. »Ich könnte niemals einen anderen ansehen.«

»Dann sind wir also einig?« fragte er.

»Ja ...«

Er stürzte sich übergangslos auf sie, preßte die Hand zwischen ihre Brüste und schob ihr die Zunge in den Mund.

Rory bekam weiche Knie, sie fühlte, wie sie schwach wurde und eine herrliche Hitze in der Magengrube und zwischen den Beinen aufstieg.

Die Tür öffnete sich, und sie fuhren auseinander.

Es war Miss Berta mit einem Tablett. »Frieda hat mich gebeten, euch beiden eine schöne Tasse Fleischbrühe zu bringen.«

»Danke«, sagte Rory atemlos, ohne Miss Berta anzusehen. Sie wagte nicht daran zu denken, welche Farbe ihr Gesicht haben mochte.

»Aurora, *Liebling*, es wird langsam furchtbar spät. Vielleicht sollten Sie ja lieber mit dem Taxi nach Hause fahren.«

»Ich bringe sie schon nach Hause«, sagte Tom.

»Ach so. Na gut.« Miss Berta schien nicht wohl dabei zu sein. »Ich werde es Frieda sagen.«

Sie ließ die Tür offen, als sie hinausging, so daß die beiden das Stimmengemurmel im Salon der Berlins hören konnten.

»Geben wir's auf«, sagte Tom. »Gehen wir lieber zu mir.«

»Heute abend?« Rory hatte auf einmal Angst. »Das geht nicht! Ganz unmöglich ... Tante Hilda erwartet mich.«

»Ruf sie an. Sag ihr, daß du hierbleibst.«

»Nein!«

»Rory! Ich kann nicht länger warten, verdammt noch mal!« Mit finsterer Miene griff er nach ihrer Hand und preßte sie gegen die harte Schwellung in seiner Lendengegend. Sie zuckte zurück, als hätte er sie gebissen. »Siehst du, was du mir antust?« Er stöhnte, und sein Ton wurde milder. »Rory, Liebling, fang jetzt nicht an mit mir herumzuspielen. Ich dachte, du wolltest auch ...«

»Will ich ja auch, aber ...«

»Niemand wird davon erfahren, und es wird auch ... nichts passieren. Ich habe Vorsorge getroffen. Du weißt schon.«

Rory wußte zwar nicht, straffte jedoch die Schultern und beschloß, tapfer zu sein. Sie war nicht der Typ Mädchen, das nicht zu seinem Wort stand. Wenn das der Preis dafür war, Toms Freundin zu sein, dann mußte sie damit fertig werden.

»Warte hier.«

Sie vergewisserte sich, daß sie unbeobachtet war, stahl sich nach oben zum Telefon, das der Homöopath benutzte, und flüsterte dem Fräulein vom Amt die Nummer zu. Tante Hildas Hausmädchen war am Apparat.

»Motson? Miss Aurora. Sagen Sie Miss Veness bitte, daß ich heute abend nicht nach Hause kommen werde. Ich bleibe bei meinen Freundinnen, den Berlins.«

»Ja, Miss, gern.«

Es war vollbracht. Rory verließ an Toms Arm das Haus und war wie von einem seltsamen Traum umfangen, während sie ihm in die Tram nach Queen's Park folgte.

Was tat sie bloß? Was um Himmels willen tat sie da? Sie hatte zwar über Worte wie ›Ehre‹ und ›guter Ruf‹ gelacht, doch sie klangen ihr jetzt wie gewaltige Warnglocken in den Ohren. Tom führte sie weg aus dem sicheren Gelände der Tugendhaftigkeit, düstere, schlecht beleuchtete Straßen entlang, in denen sich vulgäre kleine rote Backsteinhäuser und verrauchte Kneipen drängten. Ein schreckliches Bild zeichnete sich in ihrer Vorstellung ab – Muttonheads Gesicht, wenn er das je herausbekäme. Dann gnade ihr Gott – sie wäre in seinen Augen eine Verworfene. Ehre und guter Ruf bedeuteten ihm alles.

»Da sind wir«, sagte er und kramte in der Tasche nach dem Schlüssel. »Sei leise im Treppenhaus ... der Hauswirt berechnet mir mehr, wenn er glaubt, daß ich eine Frau mit nach Hause bringe.«

Durch einen schmutzigen Vorgarten voller Katzen und Mülltonnen gelangten sie in ein pechschwarzes Treppenhaus, das nach fadem Essen und Wachstuch roch. Rory griff nach Toms

Hand und schlich die Treppe hinauf. Bei jedem Knarren der Stufen zuckte sie zusammen.

Tom schloß die Tür seines Zimmers hinter sich ab, ehe er ein Streichholz an die Gaslampe hielt. Es war wie in einer Mönchszelle: weißgetünchte Wände, ein schmales Bett, eine Waschschüssel und auf dem Schreibtisch haufenweise Bücher und Papier.

Einen Augenblick verharrten sie reglos und starrten einander mit ernsten Gesichtern an. Rory verzehrte sich nach seiner Umarmung, doch er küßte sie nicht. Statt dessen begann er, sich auszuziehen. Sie beobachtete ihn, fasziniert von der sachlichen Art und Weise, wie er seine Krawatte und seine Weste über die Stuhllehne hängte.

Zögernd, da sie nichts falsch machen wollte, schlüpfte sie aus ihrem Mantel und hakte mit tauben, ungeschickten Fingern ihre Bluse auf. Bleischwere Peinlichkeit lastete auf ihr. Nur das wachsende Gefühl der Unwirklichkeit verhinderte, daß sie in Panik geriet.

Tom war nackt. Seine langen Glieder waren weiß und mager, und seine Rippen sprangen in mitleiderregender Weise über seinem eingefallenen Bauch hervor. Seine Erektion war gewaltig, Rory konnte Tom nicht ansehen; sie hatte seit ihrem fünften Lebensjahr kein nacktes männliches Wesen mehr gesehen – seit sie mit Tertius in derselben Wanne gebadet hatte.

Er half ihr schweigend, sich auszuziehen, und sie bedeckte ihr Schamhaar automatisch mit der Hand. Tom schob sie beiseite.

»Rot«, flüsterte er. »Hab' ich mir doch gedacht. Leg dich aufs Bett.«

Ungeheuer befangen gehorchte Rory. Die Bettdecke war kratzig und roch nach ihm. Wieder spürte sie die Hitzewallung zwischen den Beinen. Sie verebbte jedoch, als Tom etwas aus seiner Schreibtischschublade nahm – ein Stück weißliches Gummi, das in einer Blechdose mit Talkumpuder lag. Er blies den Puder herunter und zog die Gummihülse zu Rorys Verwunderung über seinen geschwollenen Penis.

Sie konnte den Blick nicht davon wenden, denn etwas derart Bizarres hatte sie noch nie gesehen. Tom stieg ins Bett und legte sich so auf ihren Körper, daß der zuckende gummibedeckte

Knüppel fast auf ihrem Schambein ruhte. Noch verwunderter war sie, als er draufspuckte, bis die Oberfläche von seinem Speichel glänzte.

Dann zwang er ihre Knie auseinander und führte das Ding in ihre Vagina. Sie erstarrte, als sie seine Härte spürte, und klammerte sich an die Bettkanten.

Lodernder Schmerz durchfuhr sie. Sie wurde auseinandergerissen. Ihr Mund öffnete sich zu einem stummen Schrei.

Tom umklammerte ihre Brüste und stieß in ihre Scheide, die Stirn gerunzelt vor Konzentration. Das Bett quietschte fünf-, sechsmal heftig. Sein Gesicht nahm einen Ausdruck entrückten Erstaunens an und verzerrte sich dann wie in Qualen. Sein Rükken wölbte sich krampfhaft, sein Kopf schoß empor, und er schrie zur stockfleckigen Decke empor.

Es war offensichtlich vorbei. Er sackte keuchend auf sie nieder.

»Meine Güte, welche Erleichterung!«

Er löste sich von ihr, und der Gummi glitt naß von seinem Penis.

Rory unterdrückte die feige Anwandlung zu weinen. Der Schmerz brannte in ihr. Gott sei Dank hatte es nicht lange gedauert.

»Sieh mal ...« Tom hielt den Gummi hoch. Er war blutbeschmiert. Er grinste sie an. »Jetzt bist du eine richtige Frau.«

Und dann wusch er den furchtbaren Gegenstand, trocknete ihn sorgfältig mit seinem Taschentuch ab und legte ihn in die Dose zurück.

»Schlafen wir mal ein bißchen«, sagte er. »Ich hab' gleich morgen früh eine Versammlung in Stepney.« Er drehte das Gaslicht aus, und das Zimmer versank im Schatten. »Rück mal, Alte.«

Sein warmer Körper, der sich neben sie ins Bett quetschte, hatte etwas Tröstliches.

»Tom ...«

»Was?«

»Ich liebe dich.«

»Hm, brav so.« Er küßte sie auf die Stirn. »Du bist zwar eher von der spilligen Sorte, aber es wird schon gehen.«

Fünf Minuten später schnarchte er.

9

Nichts war geeigneter als ein Ball, dachte Sybil Herries, um junge Leute zu verlocken, ihre Pflicht zu tun. Die Mädchen vergaßen sämtliche albernen Vorstellungen von Unabhängigkeit, und die Männer vergaßen ihre Angst vor der Ehe. Man brauchte ihnen nur reichlich Champagner zu geben, über das Geturtel auf den Treppenstufen hinwegzusehen, und alles regelte sich auf ganz natürliche Weise. Violas Verlobung konnte die anderen eigentlich nur ermutigen.

Sie hatte die perfekten Bedingungen für einen Flirt geschaffen. Die Kapelle in der Ecke hinter dem Sichtschutz aus Topfpalmen spielte sich unauffällig mit einem ›Floradora‹-Medley ein. Eine rosenduftende Brise wehte durch die Glastüren herein. Die Terrasse war von einem üppigen Septembervollmond erhellt, und auf dem gewienerten Parkett tummelten sich bereits hübsche junge Geschöpfe, die alle darauf brannten, Tango und Twostep zu tanzen, bis ›John Peel‹ erklingen und die Kutschen vorfahren würden.

Sharp, der Butler, verkündete die Namen an der Tür, wenn die Gäste ihm ihre Karten überreichten.

»Mr. und Mrs. Danvers und Miss Danvers ... Sir Arthur und Lady Burlington ... Colonel und Mrs. Carr-Lyon ...«

Marian Carr-Lyon, eine knochige Frau, deren Haut nach fünfzehn Jahren in Indien gegerbt war wie Leder, ergriff Mrs. Herries' weißbehandschuhte Hand.

»Sybil, meine Liebe, was für ein erfreulicher Anlaß! Wie froh Sie sein müssen!«

Mrs. Herries ließ ihre Standardantwort hören. »Froh für Viola, selbstverständlich, doch es ist nicht leicht, sich von seiner Tochter zu trennen. Mir graut richtig vor morgen.«

»Wer's glaubt«, murmelte Mrs. Carr-Lyon ihrem Gatten zu, sobald sie außer Hörweite waren. »Sie kann es doch gar nicht abwarten. Kein Mensch hätte geglaubt, daß sie das deichseln würde ... doch der arme junge Fenborough ist angeblich völlig vernarrt in das Mädchen.«

»Ist ja auch kein Wunder«, sagte der Colonel und starrte zur anderen Seite des Raums, wo Viola stand. »Sie ist einmalig schön.«

»Ja, sie ist die Schönheit der Saison, das steht außer Frage.« Mrs. Carr-Lyon taxierte Violas auffällig schlichtes gelbes Kleid mit kundigem Blick. »Paris«, verkündete sie. »Ein echtes Poiret, und es muß ein Vermögen gekostet haben.«

»Seine Familie wird froh sein über ihr Geld«, bemerkte der Colonel. »Der alte Gaisford ist doch bettelarm. Markenmedizin, war es das nicht? Auf Sybils Seite?«

Seine Frau prustete los. »Sybils Großvater hat Rutherford's Balsam erfunden ...«

»Du meine Güte! Doch nicht das Zeug, das ich mir auf meine Hämorrhoiden schmiere?«

»Sprich doch leiser, Harry! Wir haben sie auf der Schule immer so furchtbar damit aufgezogen.«

Er starrte Viola immer noch an. »Sieht nicht sehr nach Braut aus, wie? Die junge Salben-Prinzessin, 'n bißchen nach Eiszapfen.«

»Ach, ich glaube nicht, daß an ihr viel dran ist ... kein Mensch hat sie je reden hören. Ob sie wohl glücklich ist?«

»Töchter müssen ein hartes Stück Arbeit sein«, sinnierte der Colonel. »Bis man einen für sie an Land gezogen hat und das alles.«

Mrs. Carr-Lyon nahm ein Glas Champagner von einem Tablett, das ein Hausdiener herumtrug. »Söhne sind schon schlimm genug. Wo ist denn Stevie? Er hat doch versprochen, daß er hier wäre.«

»Er holt den jungen Hastings ab.«

»Er holt was?« Mrs. Carr-Lyon kreischte nahezu auf. »Du willst doch nicht sagen, daß er ihn mitbringt?«

»Er ist offensichtlich eingeladen.«

»Unsinn, Harry. Das fiele Sybil nicht im Traum ein. Du mußt dich irren.«

Mr. Bartholomew Herries auf der anderen Seite des Raumes hatte alle Hände voll zu tun, den Anordnungen seiner Gattin nachzukommen und seinen Namen in die Ballkarten der unansehnlichen Mädchen einzutragen, die wahrscheinlich unter Partnermangel leiden würden. Er war ein beleibter, backenbärtiger Mann, der mal so blond wie Viola gewesen war und mittlerweile – Alter und Geldmacherei – wie ausgeblichen aussah. Nancy, seine jüngste Tochter, die aus dem Internat nach Hause gekommen war, tänzelte vor ihm herum und breitete den Rock ihres rosa Seidenkleides aus.

»Allerliebster Dad, sag Mutter doch, daß ich nicht vor dem Essen schlafen gehen kann ... es ist zu grausam!«

Die fünfzehnjährige Nancy war mollig und sommersprossig und durfte sich alle möglichen Freiheiten herausnehmen, da sie der Liebling ihres Vaters war.

»Du kennst doch die Regeln, Kindchen. Sei schön artig, und ich schenke dir einen Walzer.«

»Einen Twostep!«

»In meinem Alter?«

»Ach ja, bitte ...«

»The Honorourable Mr. Carey«, verkündete Sharp, »und Miss Carlington.«

Herries' Aufmerksamkeit schwenkte in Richtung Tür. »Na also!«

Jenny stupste Eleanor. »Herrje, sieh dir Rory an!«

»Schändlich«, sagte Mrs. Herries halblaut. »Absolut schändlich.«

Ein smaragdgrünes Chiffonkleid, mit Rechtecken aus scharlachroten Perlen verziert, umhüllte Rorys schlanken Körper wie eine Schlangenhaut. Vorn und hinten war es tief ausgeschnitten und ließ ihre auffallend weiße Haut sehen. Der Rock war fast bis zum Knie geschlitzt. Ihre Arme waren bloß bis auf ein dickes silbernes Armband, das über einem Ellbogen saß.

»Die gaffen mich alle an«, flüsterte sie Tertius zu. »Spießer. Haben die denn noch nie das Russische Ballett gesehen?«

Aubrey hatte darauf bestanden, ihr das Kleid zu schenken, die Kopie eines der Entwürfe von Léon Bakst für das *Ballet Russe*, weil er es, wie er sagte, nicht mit ansehen konnte, daß eine schöne Frau sich nicht zu kleiden wußte. Rory hielt das für einen herrlichen Jux. Sie schockierte gern, und als Schönheit betrachtet zu werden war etwas Neues.

»Die sind viel zu beschäftigt mit anderen Sachen, um ans Ballett zu denken«, sagte Tertius. Er war hypnotisiert von der

Bewegung ihrer Brüste und Hüften unter dem Stoff, wenn sie ging. »Trägst du überhaupt was drunter?«

Sie grinste ihn an. »Das geht dich nichts an.«

»Was hält denn Eskdale davon?«

»Auch das geht dich nichts an.« Die Antwort war patziger herausgekommen, als sie beabsichtigt hatte. »Wenn du doch bloß aufhören wolltest, so eifersüchtig zu sein.«

»Ich liebe dich.«

Rory quittierte das unliebenswürdigerweise mit Schnarchlauten.

»Na schön. Doch was soll ich denn für Gefühle haben, wenn du halb nackt dastehst?«

»Tershie, mein Schatz«, sie nahm seinen Arm. »Wir haben einander eine Ewigkeit nicht gesehen. Laß uns nicht streiten.«

Tertius hatte alle Mühe, eine Aufwallung von rasender Eifersucht zu unterdrücken; daß Rory nicht streiten wollte, war ein sehr schlechtes Zeichen.

»Entschuldige«, sagte er. »Dann erzähl mir mal lieber, was du so getrieben hast. Ohne Eskdales Namen mehr als dreimal zu erwähnen. Das ist ein neues Gesellschaftsspiel ...«

Sie lachte. »Wo wir schon dabei sind ... was hast *du* eigentlich getrieben?«

»Ach, ich habe gearbeitet. Um Violas Porträt rechtzeitig zur Hochzeit fertig zu kriegen.«

Offensichtlich wollte er es ihr nicht verraten. Zum erstenmal im Leben hatten sie Geheimnisse voreinander. Und ebenso offensichtlich war ihnen beiden die Barriere zuwider. Tertius besann sich auf seinen Charme und reichte Rory eine Ballkarte. »Halt sie einfach nur hoch und pfeif, und du wirst niedergetrampelt. Keine der Frauen hier wird je wieder ein Wort mit dir wechseln.«

Eleanor trat zu ihnen.

»Du hast es geschafft«, erklärte sie Rory. »Ich dachte, Mutter würde in Ohnmacht fallen, als sie dein Kleid erblickt hat.«

»Gefällt's dir?«

»Ich finde es himmlisch. Du siehst wunderschön darin aus.«

Rory drückte ihr die Hand. »Du siehst selbst sehr schön aus.«

Eleanor war ein Chamäleon, das sich entsprechend seinen Empfindungen veränderte. Heute abend war sie in ihrer blaßblauen Tüllwolke ganz strahlende Glückseligkeit, und ein inneres Leuchten verlieh ihrem bläßlichen Gesicht einen pikanten Reiz, der ganz eigentümlich und bezaubernd war. Ihre Erwartungsfreude war so übergroß, daß der Abend für sie nur in Seligkeit oder Verzweiflung enden konnte. Doch das hatte sie nicht selbstsüchtig werden lassen.

»Tertius, ich weiß, was für ein netter Mensch Sie sind, sonst würde ich gar nicht erst darum bitten ... doch haben Sie etwas dagegen, wenn ich Sie für ein paar Tänze mit Francesca aufschreibe? Ich fülle ihre Ballkarte aus, weil sie sich oben versteckt. Vielleicht kommt sie ja herunter, wenn Sie weiß, daß nur Sie es sind.«

»Armes kleines Ding ... aber selbstverständlich«, sagte er. »Ich mache ihr bestimmt nicht angst. Wie steht's mit Ihnen?«

»Ach, ich fülle meine Ballkarte erst später aus.« An Eleanors Handgelenk baumelten nicht weniger als drei Ballkarten. »Sind Sie ein wahrer Engel und tanzen mit Tante Flo? Es fordert sie nie jemand auf, und sie tanzt doch nun mal so gern. Bis jetzt haben sich nur Gus und Vater bereit erklärt.«

»Seien Sie unbesorgt. Ich werde das alte Mädchen ordentlich auf Trab halten.«

»Sie sind ein Schatz.«

Rory entdeckte Jenny, die gerade in den Wintergarten verschwand. »Entschuldigt mich.«

Sie eilte ihr nach und war sich bewußt, daß die Männer ihr Kleid anstarrten. Oder besser gesagt, die freien Stellen, wo kein Kleid war. Vielleicht hätte sie es doch nicht anziehen sollen. Sie hatte kein Recht, sich jetzt, wo sie zu Tom gehörte, noch so zur Schau zu stellen.

Es war eine einsame Sache, zu Tom zu gehören. Sie konnte den Mädchen auf keinen Fall erzählen, wie ihre Beziehung in Wahrheit beschaffen war. Tom hatte sich angewöhnt, seinen Pariser überall in der Tasche mit sich herumzutragen, so daß er seine chemischen Störungen jederzeit beheben konnte, wenn er den Drang danach verspürte. Am Tag zuvor hatte er sie doch tatsächlich auf dem Sofa bei Tante Hilda genommen, während die alte Dame im Nebenzimmer eine Séance abhielt. Glücklicherweise dauerte es niemals lange. Rory betete Tom zwar an und lebte für die seltenen Augenblicke, wo er seine Zuneigung bekundete, doch die körperliche Seite gefiel ihr überhaupt nicht. Sie konnte gar nicht begreifen, weshalb die Leute ein solches Gewese darum machten.

»Jenny?«

Der mit Lampions geschmückte Wintergarten in seiner tropischen Pracht bildete einen idealen Hintergrund zu Jennys nilgrünem Seidenkleid, dessen Schnitt ihre überschlanke Taille und ihre üppigen Brüste betonte. Sie trug keinerlei Schmuck. Der einzige Blickfang war ein Kameliensträußchen in ihrem goldbraunen Haar.

Rory küßte sie. »Du bist eine wahre Schönheit. Keine von uns kann dir das Wasser reichen.«

Aus Jennys sanftem Blick sprach Belustigung. »Ich sollte mich besser nicht mit dir sehen lassen. Das Kleid ist der absolute Skandal.«

»Was machst du denn hier? Erzähl mir nicht, daß du dich auch versteckst.«

»Ach, dauernd bittet mich jemand um einen Tanz, und ich mochte meine Ballkarte nicht gar so früh ausfüllen.«

»Du wartest wohl auf deinen Galan«, neckte Rory. »Rob Roy, oder wie hieß er noch. Wird er seinen Kilt tragen?«

Jenny lächelte nicht. »Ich sage dir jetzt die Wahrheit, doch du mußt schwören, daß du den anderen kein Wort davon verrätst.«

»Ich schwöre.«

»Ich bin es leid, zu harren und zu hoffen. Bis zum Ende des Abends werde ich Gewißheit über mein Schicksal haben.«

Sie sah nicht aus, als erfreute sie diese Aussicht.

»Mein Gott, das kleine Schätzchen«, sagte Stevie halblaut. »Sie ist einfach hinreißend.«

Stevie und Lorenzo standen an die Wand gelehnt und beobachteten Francesca im Geschiebe der Tänzer. Sie waren zu spät gekommen, um noch angekündigt zu werden, zu spät auch für den Begrüßungschampagner. Lorenzo hatte eine silberne Taschenflasche Whisky dabei, aus der sie abwechselnd einen Schluck nahmen.

»Ihre Ballkarte ist bestimmt rappelvoll«, klagte Stevie. »Warum hast du mich bloß so lange warten lassen.«

»Du hättest ja allein hingehen können.«

»O nein. Ich habe es Eleanor versprochen.«

Francesca wirbelte in Tertius' Armen vorbei. Ihr weißes Kleid, eine Flut winziger Falten im griechischen Stil, war ein echtes Fortuny-Modell, das ihre Mutter ihr geschickt hatte. Brillanten funkelten in ihrem dunklen Haar und an ihrem zarten Hals. Sie war der Inbegriff jungfräulicher Anmut, doch sie schien sich unbehaglich zu fühlen und hielt den Blick stets gesenkt. Als der Tanz zu Ende war, klammerte sie sich an Tertius' Arm und kehrte mit offenkundiger Erleichterung zu Eleanor und Jenny zurück.

»Drei kleine Schulmädchen«, sagte Stevie.

»Vier kleine Schulmädchen«, verbesserte Lorenzo, als Rory zu ihren Freundinnen trat.

»Ach ja. Vier keusche Jungfräulein.«

»Drei.« Lorenzo starrte Rory an. »Wenn der Rotkopf da Jungfrau ist, fresse ich einen Besen. Wer ist das denn?«

»Eine Schulfreundin, glaube ich«, sagte Stevie steif. »Scheint ein rechter Wildfang zu sein, so wie sie aussieht.«

Lorenzo schnaubte verächtlich. »Ein Wildfang! Stephen, wenn du dich manchmal hören könntest. Sie ist das einzige passable weibliche Wesen im ganzen Raum.«

»Sie ist halb nackt.« Stevie errötete.

»Und damit nicht annähernd nackt genug. Würdest du mich bitte mit ihr bekannt machen?«

Stevie sah Eleanors hoffnungsvolles Gesicht und erklärte mit ungewöhnlicher Festigkeit: »Nein. Du hast versprochen, keinen Ärger zu machen.«

Rory auf der anderen Seite des Raums hatte sich in der Schlinge des herausfordernden Blicks aus Lorenzos dunklen Augen verfangen. Die Art und Weise, wie er sie ansah, hatte etwas ungeheuer Unverschämtes, fand sie. Sie starrte zurück und hatte das seltsame Gefühl, daß er ihr bis ins Mark sehen konnte.

»Eleanor, wer ist denn der Mann da drüben?«

»Untersteh dich.« Tertius umfaßte besitzergreifend ihre Taille. »Dies ist mein Tanz, und ich möchte doch um etwas Aufmerksamkeit bitten.«

Mrs. Herries' gesellschaftliche Antennen sagten ihr, daß irgend etwas nicht stimmte. Ihre älteren Gäste bedachten sie mit seltsamen Blicken, aus denen Verblüffung und eine Spur Verachtung sprachen. Das strahlende Lächeln unbeirrt im Gesicht, verschaffte sie sich rasch einen Überblick. Ihre Mädchen benahmen sich doch alle anständig? Ja. Die Dienstboten? Ja. An der Oberfläche lief alles wie am Schnürchen. Sie folgte den Blicken zu dem dunkelhaarigen jungen Mann neben Stevie.

Ganz vage regte sich eine Erinnerung. Eine häßliche, schmerzliche Erinnerung, die sich nicht zuordnen lassen wollte.

»Flora, wer ist denn der Mann da?«

»Wieso ... du hast mir doch aufgetragen, ihn einzuladen.«

»Wirklich? Wie heißt er denn?«

»Wieso ... wieso«, stammelte Flora, »ich weiß es nicht. Es ist der Freund, den Stevie zum Tee mitgebracht hat. Er gefiel Eleanor so gut.«

In diesem Augenblick wandte Lorenzo den Kopf, und Mrs. Herries sah sein Gesicht von vorn. Jene Augen. Groß, teuflisch schön und schwarz wie die Nacht. Sie waren genau wie die von ...

»Grundgütiger Himmel!« Das Blut wich ihr aus den Lippen, und eine blitzartige Erkenntnis lähmte sie.

»Sybil«, fragte Flora zaghaft, »dir fehlt doch nichts?«

Mrs. Herries packte ihre Schwägerin beim Handgelenk und zerrte sie aus der Menge in die Bibliothek, wo Violas Hochzeitsgeschenke für den nächsten Tag aufgebaut waren.

»Du dummes Ding!« Sie bebte vor Zorn. »Ist dir klar, was du getan hast?«

»Nein, ich ...«

»Sowie ich ihn gesehen habe, hatte ich das Gefühl, von einer Totenhand berührt zu werden. Es sind die Augen. Ich hätte sie überall wiedererkannt. Ich verwette mein Leben, daß das Sir Laurence Hastings ist.«

Der Name traf Flora wie ein Hammerschlag. Sie trat nervös einen Schritt zurück. »Aber der ... der ist doch tot!«

»Doch nicht der tote, du dummes Ding! Da gab es noch einen Sohn.«

»Lizzies Kleiner«, flüsterte Flora. »Ja, natürlich. Das war's. Er sieht genauso aus wie sie. Aufs Haar. Ihren Jungen hatte ich ganz vergessen ...«

»Ja, nicht wahr? Und dann hast du Sir Laurence Hastings zu Vis Ball eingeladen.« Sie fächelte sich wütend Luft zu. »Warum auch nicht? Warum nicht gleich Sweeney Todd und Jack the Ripper?«

»Nein«, flehte Flora. »So schrecklich ist das doch nicht!«

»Denk bloß, was die Leute über mich sagen werden ... daß ich so versessen darauf bin, meine Mädchen zu verheiraten, daß mir jeder recht ist, ohne daß ich auch nur einen Gedanken auf Anstand und guten Ruf verschwende!«

»Was sollen wir denn nun machen?«

»Du machst gar nichts, Flora, du hältst nur den Mund.« Sie beruhigte sich langsam, während sie grübelte, wie sich der Schaden begrenzen ließ. »Was Bartholomew sagen wird, ist gar nicht auszudenken. Ich hätte Lust, ihm zu erzählen, daß das allein deine Schuld ist.«

»O nein«, stammelte Flora, den Tränen nahe. »Ach, bitte tu das nicht!«

»Hör mal zu. Du hast doch behauptet, er gefiele Eleanor.«

Flora hauchte: »Ja.«

»Ich kann ihn wohl kaum bitten zu gehen, also laß sie nicht aus den Augen. Hast du verstanden?«

»Ja. Ach, Sybil, verzeih. Ich kann es nicht ertragen, wenn du mir böse bist.«

»Ich verzeihe dir. Jetzt reg dich nicht so auf.« Mrs. Herries setzte ein frisches Lächeln auf, und sie kehrten in den Salon zurück.

Es war mühselig, so zu tun, als wäre nichts, denn ihr war schneidend bewußt, daß die Leute redeten.

»Wenn ich's dir doch sage. Erinnerst du dich nicht, daß es da einen kleinen Jungen gab? Na ja, und der ist mittlerweile in Cambridge ...«

»Großer Gott, der Sohn des Bestialischen Barons. Der Apfel fällt nicht weit vom Stamm, würde ich sagen. Was macht der denn hier?«

Marian Carr-Lyon sagte: »Das nenne ich Mut, den jungen Hastings einzuladen. Stevie hängt zwar sehr an ihm, doch kein Mensch lädt ihn irgendwohin ein.«

»Marian, meine Liebe«, sagte Mrs. Herries, »wollen Sie nicht ins Eßzimmer hinübergehen?«

Fieberhaft hielt sie nach Eleanor Ausschau.

Es war die reine Katastrophe. Eleanor tanzte mit dem jungen Hastings, und es war nicht zu übersehen, daß sie bis über beide Ohren in ihn verliebt war; Eleanor hatte aus ihrem Herzen noch nie eine Mördergrube gemacht. Mrs. Herries fühlte sich schuldig. Wäre sie bloß nicht so mit Violas Hochzeit beschäftigt gewesen, dann hätte sie die Zeichen vielleicht früher erkannt.

Sie war keine ungerechte Frau und sah völlig ein, daß es jammerschade war, wenn Laurence Hastings für seinen Namen büßen sollte. Das mußte schrecklich für ihn sein. Doch ihre Töchter gingen vor, und man konnte die Vergangenheit nicht ändern. Sie hatte für den gesellschaftlichen Triumph, den Violas Heirat bedeutete, sehr viel Mühe aufgewendet, und nichts und niemand sollte diesem Triumph in die Quere kommen. Lieber wäre sie gestorben, als zuzulassen, daß auch nur ein Tropfen Hastings-Blut das Ansehen ihrer Familie befleckte.

Statt Tertius' Arm zu nehmen, als die Quadrille an der Reihe war, murmelte Viola: »Ich muß mit dir sprechen.«

Ehe er Gelegenheit hatte, etwas zu sagen, entfernte sie sich bereits, gemessenen Schrittes und ohne jede Eile. Sie nickte und lächelte den Leuten zu, die sie ansprachen, als sie an ihnen vorüberglitt.

Weitaus vorsichtiger schlängelte sich Tertius durch das Gedränge und folgte ihr in die menschenleere Diele hinaus. Er sah ihre königliche Gestalt in dem wogenden blaßgelben Kleid bereits oben auf der Treppe. Das elektrische Licht fing sich in den Brillanten ihrer Ohrringe. In diesem Augenblick fragte er sich, wie er es jemals hatte wagen können, sie anzurühren.

Sie führte ihn den mit dicken Teppichen ausgelegten oberen Flur entlang in ihr Schlafzimmer und schloß die Tür ab.

»Viola ...«

»Ich weiß, was wir abgemacht haben. Doch ich bin noch nicht mit ihm verheiratet.«

Ihr Hochzeitskleid hing in seiner Musselinhülle außen an ihrem Kleiderschrank. Elle um Elle weißer Seidenvoile ergossen sich über die Rückenlehne des Sessels. Ihr Brautstrauß wurde auf der Fensterbank in einer Schüssel mit Wasser frisch gehalten und füllte das Zimmer mit Rosen- und Maiglöckchenduft.

Sie zitterte. Tertius konnte niemals widerstehen, wenn es darum ging, ihre makellose Oberfläche zu zerstören. Er legte ihr die Arme um die Taille, und die überströmende Bereitwilligkeit ihres Körpers brachte sein Blut in Wallung. So groß das Risiko auch war, das er einging – er hätte sie auf den Altarstufen vögeln können, unter den Augen von Gus und ihrer ganzen Familie.

Sie küßten sich, und Viola preßte sich gegen seine Erektion.

»Tu mir weh«, murmelte sie in seine Lippen, »ich will, daß du so grob bist, daß ich mich immer daran erinnern werde.«

Sie legte sich auf dem Bett zurück und zog ihre Röcke und Unterröcke hoch, um ihren goldenen Hügel bloßzulegen. Tertius nestelte an den Knöpfen seiner geliehenen Smokinghose, ungeschickt vor Erregung.

Viola stieß seine Hände weg, machte die Knöpfe selbst auf und befreite seinen Schwanz mit einem Seufzer des Verlangens. Ganz langsam nahm sie ihn in den Mund.

Er packte ihre Schultern und erschauderte bei jeder Bewegung ihrer Zunge, bis die schwindelerregende Ekstase fast nicht mehr zu ertragen war.

»Nein, nein«, wimmerte er. »Ich komme gleich ... ich komme ...«

Sie löste sich von ihm, und ihre blassen Lippen schimmerten. »Bitte, noch nicht!«

Tertius begann bis hundert zu zählen, um wieder Herr seiner selbst zu werden. Sie war heiß und naß, als er in sie hineinglitt. Sie drückte den Rücken durch und sog ihn bei jedem Stoß tiefer in sich hinein, ihre starken Muskeln um seinen Schaft gepreßt. Die Zahlen wurden zum Zahlensalat – er hätte sich nicht einmal an seinen Namen erinnern können. Die konvulsivischen Zukkungen von Violas Orgasmus ließen ihn außer sich geraten. Endlich konnte er sich ergeben.

Die nächsten fünf Minuten lagen sie atemlos und regten sich nicht, während der Schweiß unter ihren Kleidern trocknete. Durch das offene Fenster hörten sie Stimmen und Gelächter und die lärmenden Takte der Quadrille.

Tertius ließ sich auf den Rücken rollen und rieb sich den Hals, wo der gestärkte Kragen seine Haut wund gescheuert hatte.

»Nun geh mal besser zu deinem Ball zurück.«

»Mein Ball?« sagte Viola, die Beine immer noch gespreizt. »Mutters, meinst du wohl. Ihr großer Augenblick. Sie ist dermaßen besessen von Gus' blauem Blut, daß man meinen könnte, sie wäre ein Vampir.«

Er lachte. »Trotzdem, die werden dich schon suchen.«

»Sollen sie doch. Was schert mich das.«

Tertius mochte sie, wenn sie in dieser zügellosen, lüsternen Stimmung war. Er beugte sich über sie, um sie zu küssen. »Du wirst mir fehlen.«

»Wirklich?«

»Und wie. Du bist Gift, wenn es um die Arbeit geht. Für das Porträt habe ich länger gebraucht als Rembrandt für seine ›Nachtwache‹.«

Seufzend stand sie auf und schüttelte ihr Kleid glatt. Die Seide war so schwer, daß es kaum zerknittert war. Ihr Haar hatte sich jedoch gelöst, und sie setzte sich an ihren Toilettentisch.

»Tertius«, ihre Stimme war gleichmütig und vorsichtig, »weißt du eigentlich, wie reich ich bin?«

»Nein. Damit habe ich nichts zu schaffen.«

»Oh, du könntest aber sehr viel damit zu schaffen haben. Ich kann ganz allein über mein Geld bestimmen, und ich kann es schenken, wem ich will. Ich meine, es geht dahin, wohin ich gehe.« Sie bürstete sich das Haar mit langen, gleichmäßigen Bürstenstrichen. »Und du sollst wissen, daß du nur mit den Fingern zu schnipsen brauchtest, und ich würde mit dir gehen. Ich würde das alles hier zurücklassen, ohne mich auch nur einmal umzudrehen ... der ganze Aufruhr würde mich nicht schrecken. Du brauchst mich nur zu bitten.«

Schweigen tat sich zwischen ihnen auf. Tertius wußte zwar, daß er sich eine Antwort einfallen lassen mußte, doch er war erstaunt. Dieses seltsame, würdige verschlossene Geschöpf gestand ihm, daß sie ihn liebte. Seinetwegen war sie bereit, einem Skandal zu trotzen, der ihr ganzes Leben lang nachhallen würde. Er stellte sich den Aufruhr vor – die feine Dame, die ihren aristokratischen Bräutigam am Abend vor der Hochzeit verließ, um mit dem abgerissenen Zigeuner durchzugehen, der ihr Porträt gemalt hatte. Und es war ihr ernst damit. Er sehnte sich mit jeder Faser nach ihr. Was konnte er schon sagen?

Sie lieferte die Antwort selbst. »Ich weiß, daß du das niemals tun wirst.«

Die Bürste fiel ihr aus der Hand. Sie vergrub den Kopf in den Armen und brach in bittere Tränen aus.

»Vi, Liebling ...« Es war Tertius unerträglich, mit anzusehen, was er ihr angetan hatte. Er kniete neben ihr nieder, nahm sie in den Arm und wiegte sie sacht, während sie an seiner Schulter schluchzte.

»Ich liebe ihn nicht, niemand hat mich je danach gefragt ... Mutter nicht, nicht einmal Gus. Ich hab's ja versucht ... doch ich kann nicht! Wenn er mich berührt, könnte ich schreien.«

»So schlimm wird es schon nicht werden«, sagte er beschwichtigend. »Du bist jetzt bloß nervös, weiter nichts. Er ist ein guter Kerl. Er wird alles tun, um dich glücklich zu machen.«

»Ja. Ich weiß. Das macht es nur noch schlimmer. Alle glauben, daß ich kein Herz habe ... doch ich habe eins, und es kann nur gebrochen sein, so weh tut es.«

»Vi, sag so was nicht. Das zeigt mir nur, was für ein Schweinehund ich war. Ich hätte das niemals tun dürfen. ...«

»Nein.« Sie hob den Kopf. »Du bist das größte Glück in meinem Leben gewesen. Es geht ja auch nicht darum, daß ich Gus heiraten soll ... es ist die Vorstellung, daß ich dich niemals wiedersehen werde. Ich könnte sterben, wenn ich daran denke.«

»Aber Liebling, selbstverständlich wirst du mich wiedersehen.«

»Wirklich? Wenn ich weiß, daß ich dich sehen kann, werde ich alles ertragen! Darf ich ab und zu ins Atelier kommen?«

Tertius war klar, in welche Falle er jetzt zu geraten drohte. Eine flüchtige Affäre mit einem Mädchen, das sich vor der Ehe einmal richtig austoben wollte, das war eine Sache. Ein Verhältnis mit einer verheirateten Frau der besten Gesellschaft eine ganz andere. Und der arme Gus? Der Mann war ungeheuer nett zu ihm gewesen. Konnte er so schäbig sein und ihm das dadurch vergelten, daß er ihm die Frau wegnahm? Die Schuldgefühle, die er Gus gegenüber hegte, wurden jedoch durch ein viel größeres Viola gegenüber ausgelöscht, weil er ihre Liebe nicht zu erwidern vermochte. Er verspürte das verzweifelte Verlangen, sie zu trösten.

»Doch, es wird uns schon etwas einfallen. Es kommt alles in Ordnung, du wirst sehen. So, und nun wein nicht mehr, damit deine wunderschönen Augen nicht ruiniert werden.«

Viola wandte sich sofort dem Spiegel zu und schniefte nur noch ein wenig.

»Geh die Hintertreppe hinunter ... durch die stoffbespannte Tür am Ende des Flurs. Wir dürfen nicht miteinander gesehen werden.«

Sie begann, ihr Haar zusammenzudrehen und es mit Haarnadeln zu spicken.

Tertius verließ sie mit der bedrückenden Vorahnung, daß dies nur das erste von vielen Versteckspielen gewesen war.

In der Diele unten lief er Gus in die Arme.

»Tertius, alter Junge! Genau Sie suche ich. Hören Sie, ich habe ein paar Kumpel für nachher in meine Wohnung gebeten ... wenn diese Tea-Party vorbei ist. Wir wollen einen trinken, damit ich auch flüssig ins Eheglück rutsche. Sie kommen doch auch, oder?«

»Ja, selbstverständlich«, sagte Tertius, bemüht gut gelaunt. »Ich muß doch dafür sorgen, daß dieser Anzug mich in guter Erinnerung behält. Der soll morgen früh wieder auf dem Bügel hängen.«

Gus kicherte. »Ich fühle mich geehrt ... hätte nie gedacht, Sie mal in eine weiße Halsbinde gezwängt zu sehen. Nebenbei gesagt, das Porträt ist einfach fantastisch.«

»Freut mich, daß es Ihnen gefällt.«

»Gefällt? Sie hätten das Doppelte berechnen sollen. Wobei

Sie mir sicher nachsehen, daß ich das Original vorziehe. Ah, da ist sie ja.«

Gemeinsam sahen sie Viola entgegen, die die Treppe herunterkam, makellos wie eine Emaillefigur. Gus schob sich eine ihrer teilnahmslosen Hände in die Armbeuge. »Morgen werden mir beide gehören.«

Francesca zog die Knie unters Kinn und drückte sich in den Schatten der Wand. Sie wollte winzig sein; ein Pünktchen, ein Tüpfelchen. Sie wollte unsichtbar sein. Das Stimmengewirr im Salon dröhnte ihr in den Ohren und zerrte an ihren Nerven.

Sie würden sich alle über sie ärgern, doch sie hatte so lange ausgehalten, wie sie konnte. Wann immer sie den Blick gehoben hatte, bemerkte sie, wie die Männer in ihren schwarzen Abendanzügen sie angafften. Der ganze Raum hatte nach ihnen gerochen ... nach Haaröl und Rasierseife und dem Alkohol in ihrem Atem.

Als einer von ihnen sich bedrohlich über ihren Stuhl gebeugt und behauptet hatte, daß Eleanor ihn in ihre Ballkarte eingetragen hätte, war ihr alles zuviel geworden. Sie war in Panik geraten und in diese dunkle Nische hinter der grünbespannten Tür geflüchtet. Doch wenn er nun wütend geworden war und sich auf die Suche nach ihr machte?

»Lauf mir nicht nach! Lauf mir nicht nach!« flüsterte sie. Sie leierte es vor sich hin wie einen Bannspruch. »Lauf mir nicht nach! Lauf mir nicht nach!«

Tränen stahlen sich ihre Wangen hinab. Wie blöd sie doch war. Mrs. Herries würde ihr den Kopf waschen, und das völlig zu Recht. Es war unvernünftig von ihr und hysterisch und albern und alles, was sie ihr immer nachsagten. Sie konnte ihnen ihre Angst unmöglich verständlich machen. Sie mußte einfach irgendwo sein, wo es still war.

Sie hörte Wasser rauschen, eine Tür wurde geöffnet, und gelbes Licht ergoß sich auf den Flur. Francescas Herz tat einen entsetzten Sprung, und der Schweiß begann ihr in den Achselhöhlen zu prickeln. Wie gräßlich. Sie hatte vergessen, daß die Toilette im Erdgeschoß für die männlichen Gäste reserviert worden war. Und nun kam einer von ihnen heraus. Wie ungeheuer gräßlich.

»Was ist denn um Himmels willen ... ich meine, tut mir schrecklich leid. Ich hatte keine Ahnung, daß hier jemand ist.«

Sie wand sich vor Verlegenheit. Natürlich mußte es ausgerechnet der hübsche Stevie sein, der sie an einem so unmöglichen Ort am Boden zusammengekauert fand.

»Hallo«, sagte sie hilflos.

»Francesca ... Miss Garland.« Stevie errötete bis an die Haarwurzeln. »Es fehlt Ihnen doch nichts? Sie sind doch nicht krank oder so etwas?«

»Nein, nein!«

Er kauerte sich neben sie auf die Dielen. »Aber, Sie armes kleines Ding, Sie weinen ja!«

Sie wagte es, ihn anzusehen. Seine Augen waren so freundlich und arglos wie der helle Tag.

»Ich verstecke mich«, erklärte sie. »Ich bin weggelaufen. Ich hatte solche Angst, daß ich nicht anders konnte.«

»Wer hat Ihnen denn angst gemacht? Soll ich jemandem eins auf die Nase geben?«

»Ach nein, das ist ja nur meine eigene Albernheit. Ich hasse Gesellschaften so sehr ... irgendwann verstecke ich mich immer.«

Er setzte sich bequemer hin und lehnte sich an die Wand. »Ich kann es Ihnen nicht verdenken. Es ist ziemlich turbulent da drin.«

»Doch alle werden böse auf mich, wenn ich das mache. Sogar Eleanor.«

»Na schön, ich bin Ihnen nicht böse deswegen. Aber erschreckt haben Sie mich schon. Ich bin ja fast über Sie gestolpert.«

»Sie finden mich gewiß komisch«, sagte Francesca untröstlich.

Er lächelte. »Ich finde Sie himmlisch.«

»Nein, bitte sagen Sie nicht solche Sachen!«

»Mögen Sie keine Komplimente?«

»Ich weiß dann gar nicht, wo ich hinsehen soll.«

Stevie lachte leise. »Wenn das so ist, dann nehmen Sie eben statt dessen mein Taschentuch.«

»Danke ... ich meine, im Ernst? Es sind nämlich nicht nur die Tränen. Ich muß mir die Nase putzen.«

»Das macht gar nichts. Sie können es behalten. Hier.« Er legte ihr das Taschentuch in die Hand.

»Sie sind wirklich ein netter Mensch!«

»Nun mal langsam. Sonst weiß ich auch nicht mehr, wo ich hinsehen soll.«

Francesca kicherte und putzte sich geräuschvoll die Nase. »Jetzt fühle ich mich wieder besser.«

»Gut, denn hier können Sie sich nicht länger verstecken. Ich begleite Sie ins Eßzimmer.«

»Nein!«

»Haben Sie denn gar keinen Hunger?« Er versuchte, sie zu überreden.

»Ich kann nicht!«

»Nicht einmal, wenn ich mich um Sie kümmere und schwöre, Ihnen keinen einzigen Augenblick von der Seite zu weichen?«

»Na ja …« Francesca überlegte. Seltsamerweise fühlte sie sich sicher, wenn Stevie bei ihr war. Sie vertraute ihm, und das war eigenartig, denn normalerweise fürchtete sie sich schon bei dem bloßen Gedanken, daß sie mit einem Mann allein sein sollte. Doch Stevie war nicht aus demselben Stoff wie die anderen; die garstigen, behaarten. Das Licht, das durch die Türöffnung fiel, legte einen Heiligenschein um sein Haar, er war eher ein Engel als ein Mann. Vor einem Engel konnte sich nun wirklich niemand fürchten.

Sie lächelte. »Na gut.«

Im Eßzimmer herrschte Gedränge. Die Gäste standen in Zweier- und Dreierreihen ums Büfett; die Jüngeren machten kühne Vorstöße, um an das Huhn in Aspik heranzukommen, und kreischten albern, wenn ihnen die Mayonnaise aufs weiße Tischtuch tropfte. Pochierter Lachs lag auf silbernen Platten im Petersilienbett; der Fisch war mit Kapernschnüren verziert wie mit Perlen. Es gab einen Tafelaufsatz mit Früchten, von einer Ananas gekrönt, und große Kristallschüsseln mit Schichtpudding, auf dem die abgezogenen Mandeln schimmerten. Margaret und der zweite Hausdiener eilten, hochrot von der Hitze, mit frischen Tellern zwischen Büfett und Küche hin und her. Im Küchentrakt bedeutete solch ein Ball endlose Arbeitsstunden und zermürbende Anspannung, doch schienen alle Dienstboten auf ihre Kosten zu kommen. Auch sie ließen sich anstecken von der Hektik und der gehobenen Stimmung, blenden vom Farbengewirr der Kleider und Früchte und betäuben von den Rosen- und Patschulidüften, die von der warmen Haut der Frauen aufstiegen.

Jenny, die in der Türöffnung stand, wunderte sich darüber, daß Bälle sich immer so endlos hinzogen. Stundenlang lief man von Raum zu Raum, und das sich ständig verändernde Kaleidoskop der Gesichter wurde einem allmählich so vertraut wie die eigene Familie. Bald kannte man jedes Bild und jeden Zierat und jeden Teppichflor auswendig. Man beobachtete, wie die Seidenkleider welk wurden und die Blumen braune Ränder bekamen. Man hatte das Gefühl, im Abendkleid geboren zu sein.

Die Morgendämmerung schien einem anderen Zeitalter anzugehören, zu weit entfernt, als daß man sich Sorgen darüber machen müßte. Jenny tat so, als gäbe es die Zukunft nicht, und heftete ihre Sinne störrisch an den Gang der Gegenwart. Wie seltsam das war, ihre Schulfreundinnen als Erwachsene zu erleben, wie sie sich auf dem gesellschaftlichen Parkett bewegten. Da war Rory, die sich aus einem dürren Gestell in eine Sirene verwandelt hatte – wenigstens fünf Männer machten einander den Platz an ihrer Seite streitig, während Tertius sie alle mit Dolchblicken bedachte. Eleanor an Lorenzos Seite befand sich im Zustand einer überwältigenden Glückseligkeit, und Jenny verspürte einen Stich des Neides. Daß man allein deshalb, weil man an der Seite eines bestimmten Mannes den Abend verbrachte, auf den Inseln der Glückseligen war – das war etwas, was sie niemals kennenlernen würde.

Selbst Francesca schien beneidenswert glücklich, an Stevie Carr-Lyons Rockschößen hängend, der einen Pfirsich für sie zu ergattern suchte. Offenbar hatte sie es ausnahmsweise geschafft, nicht davonzulaufen. Ruhelos tat sich Jenny nach einer Aufgabe um, die sie ablenken würde. Sie hatte erhebliche Energie darauf verwendet, sich um Effie zu kümmern, die das geborene Mauerblümchen war. Jetzt hatte sie allerdings der freundliche Mr. Herries unter die Fittiche genommen, und sie aß mit rosigen Wangen Schichtpudding und kicherte über seine plumpen Scherze. In einem überfüllten Eßzimmer gab es jedoch immer noch ein Opfer. Flora saß mutterseelenallein da, einen abgenagten Hühnerknochen auf dem Teller, und der Saum ihrer Stola hing in einem Glas mit Claret, das jemand auf dem Boden hatte stehenlassen. Das arme alte Mädchen, sie sah kreuzunglücklich aus. Jenny steuerte auf sie zu.

»Nein, bitte nicht schon wieder!« Auf einmal schlossen sich Alistairs Finger um ihr Handgelenk. »Tun Sie mir das mit Absicht an?«

»Was tue ich Ihnen denn an?«

»Jedesmal, wenn ich mich Ihnen nähere, eilen Sie irgendwohin. Verdammt noch mal, ich habe doch erst einmal mit Ihnen getanzt. Versuchen Sie, mir aus dem Weg zu gehen?«

»Nein!« Doch sie hatte in der Tat versucht, ihm aus dem Weg zu gehen, wurde ihr jetzt klar. Es war ungeheuerlich, wie sie instinktiv gegen ihre ureigensten Interessen arbeitete. »Aber ich habe Mrs. Herries versprochen, dafür zu sorgen, daß auch alle Damen genug zu essen bekommen, und jetzt muß ich wirklich der armen Miss Flora etwas holen, also ...«

»Schon wieder dasselbe. Zum Kuckuck mit Miss Flora. Auf die Pfefferinseln mit ihr ...«

»Ich verstehe nicht ...«

»Allesamt, auf die Pfefferinseln mit ihnen. Ich hab's satt, Ihnen hinterherzurennen, mein kleines Rührmichnichtan, und ich lasse Sie erst wieder los, wenn Sie mit mir gesprochen haben. Ich kann nicht länger warten.«

»Na schön, doch deshalb brauchen Sie mich nicht abzuführen. Ich gehe freiwillig mit.«

Jetzt mußte es kommen. Jenny schlug einen unbeschwerten Ton an, doch ihr Herz pochte wild. Sie hatte sich daran gewöhnt, daß ihre Gefühle im Hinblick auf Alistair gespalten waren. Zum einen brannte sie darauf, daß ihre Investition endlich Früchte trug. Zum anderen graute ihr davor, mit seinen Gefühlen fertig werden zu müssen.

Er mißverstand ihr kurzes angewidertes Zurückschrecken als mädchenhafte Scheu, und sein harter Ausdruck milderte sich zu unverhohlener Sehnsucht. »Es tut mir leid, meine Liebe. Ich mache Sie nervös, und das ist das letzte, was ich gewollt habe.

Es ist nur diese Flut von stampfenden jungen Leuten ... die machen mich ganz rasend. Ich bin verdammt nochmal zu alt für solche Bälle. Ich sollte im Spielzimmer sitzen und mit den anderen Mumien Whist spielen.«

»Nun sind Sie aber albern, Alistair.« Sie nahm seinen Arm. »Ich werde Ihren taperigen Schritt zur Terrasse lenken. Es ist himmlisch draußen, und ich lechze nach Luft.«

Sie traten in eine warme Nacht hinaus, die von Sternen erhellt und von Rosenduft parfümiert war. Wie auf ein Zeichen begannen die Musiker im Salon im Stil eines langsamen Walzers ›I'll Be Your Sweetheart‹ zu spielen. Die Inszenierung war auf lächerliche Weise perfekt. Wäre Alistair ein paar Jahre jünger, hätten sie beide eine wunderschöne Illustration für den Deckel einer Bonbonnière abgegeben.

Er räusperte sich, und sie beobachtete teilnahmslos, wie die Röte an seinem Hals emporkroch.

»Jenny, ich habe mich Ihnen gegenüber unehrenhaft betragen. Ich habe versucht, Ihnen meine Empfindungen zu verhehlen, als ich mich offen dazu hätte bekennen sollen. Ich habe mich weiß Gott dumm angestellt. Wenn ein Mann wartet, bis er so alt ist wie ich, um sich zum erstenmal bis über beide Ohren zu verlieben, dann muß er sich notgedrungen wie ein Esel aufführen.«

Sie beschloß, ihm zu helfen. »Sie mußten doch an das denken, was Sie Ihrer Mutter schuldig sind. Und sie kann mich nicht leiden.«

»Nein, sie ... sie versteht Sie nicht. Sie hatte ja keine Gelegenheit, Sie kennenzulernen. Doch sie ist so sehr auf mich angewiesen.«

»Sie sind ihr ein guter Sohn, Alistair. Ich habe Sie dafür schon immer bewundert.«

»Mein liebes kleines Mädchen«, er ergriff ihre Hände, »Sie können sich ja gar nicht vorstellen, wie elend mir Ihretwegen zumute war. Ich bin schrecklich in Sie verliebt, und das geht mittlerweile so weit, daß ich den Gedanken nicht ertrage, ohne Sie leben zu müssen. Ich glaube, ich könnte für Sie sterben.«

Jenny schwieg. Sie war tief beschämt. Wie sollte sie solchen Empfindungen Genüge tun, ohne ihn zu belügen?

»Meine Mutter kennt meine Gefühle. Ich habe ihr gestern abend mitgeteilt, daß ich mit Ihnen sprechen würde. Sie mag mir zwar nicht direkt ihren Segen erteilt haben« – Segen! Jenny konnte sich das Entsetzen der selbstsüchtigen Alten nur zu gut vorstellen – »doch sie weiß Bescheid. Ich habe keinerlei Versprechen gebrochen. So daß Sie auch nicht denken müssen, Sie täten irgend etwas Unanständiges oder Betrügerisches, indem Sie mir zuhören.«

Sie fühlte sich schäbig und gedemütigt, weil Alistair annahm, sie sei genauso anständig wie er selbst. Es wäre so viel einfacher, wenn er sie weniger geliebt hätte. Seine ungeheure Güte rührte sie so sehr, daß sie fast etwas wie Liebe empfand.

»Ich weiß, von Ihnen werde ich nie ein Wort hören, das nicht durch und durch gütig und anständig ist. Sie könnten niemals jemanden hintergehen.«

Er lächelte. »Dann mögen Sie mich also ein wenig?«

»Oh, nur ein ganz klein wenig. Sie sind schließlich nur der netteste Mann, den ich kenne. Ich fühle mich schrecklich, weil ich Ihnen Scherereien bereite und Sie unglücklich mache.«

»Mein Engel«, murmelte er, »Sie haben es in der Hand, mich in Wahrheit sehr glücklich zu machen. Sie brauchen nur zu sagen, daß Sie mich heiraten werden.«

»Ja, Alistair. Ich werde Sie heiraten.«

»Ich werde demnächst vierzig. Ich bin fast zwanzig Jahre älter als Sie.«

»Das macht nichts«, sagte sie. »Junge Männer sind so kindisch.«

»Bei feuchtem Wetter werde ich das Zipperlein kriegen. Nach dem Abendessen werde ich sofort einnicken. Wissen Sie denn, ob Sie sich nicht langweilen mit einem Mann, der schon ausgeprägte Verhaltensweisen hat?«

»Ich mag Ihre Verhaltensweisen.«

»Ja, das glaube ich Ihnen. Wenn Sie an meiner Seite sind, werde ich so munter sein wie ein junger Hund. Sie werden mich noch über die Zäune springen sehen, wenn ich achtzig bin.«

Das Glück hatte jede Falte aus seinem Gesicht getilgt. Es leuchtete ihm aus jeder Pore, umgab ihn wie ein Dunstkreis. Er hatte gesagt, er könnte für sie sterben. Sie verdiente das nicht.

Zu ihrer Verwunderung schossen Jenny die Tränen in die Augen.

»Sie sind doch nicht alt, Alistair. Ich will das nicht hören. Sie sind einfach nur Sie ... ich würde Sie um alles in der Welt nicht anders haben wollen«

»Oh, Jenny, Jenny!« Er fing eine ihrer Tränen mit der Fingerspitze auf. »Ich verdiene Ihr zärtliches Herz nicht.«

Sie lachte mit bebender Stimme. »Wie albern von mir ...«

»Ich würde sie am liebsten in Gold fassen und an meine Uhrkette hängen. Es ist egoistisch von mir, doch ich bin schrecklich stolz darauf, daß ich Sie zum Weinen gebracht habe. Sie sind immer so kühl ... so rein, da fühlt so ein Kerl wie ich sich schon wie ein roher Klotz, weil er sich wünscht, Sie zu berühren.«

Er fingerte in der Tasche seiner weißen Weste herum. »Den habe ich schon seit einer Woche immer bei mir.« Ein Ring lag auf seiner Handfläche; ein Ring mit Brillanten und Saphiren.

»Der ist ja wunderschön!« Jennys niedrigeres Ich ergötzte sich an dem Glitzerding.

Sie hatte es geschafft. Sie würde nie wieder im Leben auch nur einen Tag arbeiten müssen. Sie war verlobt.

Alistair ließ ihr den Ring auf den Finger gleiten und drehte ihre Hand so, daß die Steine das Licht einfingen. »Hübsch«, bemerkte er.

»Viel zu gut für mich.«

»Nichts ist zu gut für die künftige Mrs. MacNeil. Ich hoffe nur, Ihr Vater wird mich nicht für unverschämt halten ... ich habe nicht einmal an ihn geschrieben.«

Jenny lächelte. »Heute schreibt doch niemand mehr an Väter.«

»Trotzdem, ich werde ihn um Erlaubnis bitten, ehe ich ihn seiner Perle beraube.«

Er legte ihr die Arme um die Taille. Jenny erstarrte abwehrend, ehe sie Zeit hatte, überhaupt nachzudenken. Sofort löste er sich wieder von ihr.

»Jenny ...« Sein Gesicht war unerträglich nett. »Haben Sie Angst vor mir?«

»Ach ... ach nein«, stammelte sie. »Wie könnte ich?«

Er hob ihr Kinn empor und musterte lange ihr Gesicht, ehe

er sagte: »Nicht vor mir haben Sie Angst. Sind Sie jemals geküßt worden?«

»Nein.«

»Nein«, murmelte er, »selbstverständlich nicht.«

Sie sah, daß ihr Zögern ihm gefiel, weil er es mißdeutete. Sein rotes Gesicht kam näher. Sie schloß die Augen. Sein Geruch überwältigte sie. Sein Schweiß roch unerwartet streng und nach Pferd, und dazu kam die Sandelholz-Rasierseife. Seine Lippen preßten sich auf ihre.

Das war gar nicht so schlimm. Sie konnte es aushalten.

Er löste sich wieder von ihr. Als sie die Augen öffnete, schaute er sie schmunzelnd an.

»Mein süßes Kind!« Ungeheuer sanft öffnete er ihr die Lippen.

Jenny war gänzlich unvorbereitet auf den Schock, seine dicke nasse Zunge in ihren Mund eindringen zu spüren. Sie konnte kaum atmen. Als sein Speichel ihr die Kehle hinabbrann, verspürte sie den Drang, sich zu übergeben. War es das, was man unter Küssen verstand? Es war ekelhaft – und jetzt, wo sie ihm ihr Jawort gegeben hatte, stand es nicht mehr in ihrer Macht, es zu unterbinden.

Alistair rang stöhnend nach Atem: »Herrgott, wie lange habe ich gewartet ...«

Er preßte sie an sich, und wieder fiel er mit seinem Mund über sie her, und sein rauhes Kinn scheuerte an ihren Wangen.

Rorys amüsierte, herausfordernde Stimme brach den Bann: »Was ist heute abend bloß in dich gefahren? Ich könnte ebensogut mit Pater Doyle tanzen!« Sie war am anderen Ende der Terrasse aus der Tür getreten, Tertius auf den Fersen.

Alistair ließ Jenny los und erstarrte vor Ärger. »Verdammt!« flüsterte er.

Die Eifersucht und der Alkohol hatten dazu geführt, daß The Honourable Tertius der Grammatik nicht mehr recht mächtig war. »Ich will das nicht haben, ja, die Kerle, die dich angaffen, wie wenn du 'n Stück Fleisch in 'nem Fleischer sein Schaufenster wärst.«

Rory erwiderte: »Herrgott, wie provinziell du dich anhörst. Da tönst du nun immer großartig, wie man sich über die Konventionen hinwegsetzen soll, doch wenn's einer dann tut, redest du wie ein irischer Wanderprediger!«

»Ich hab' die Nase voll!« schrie Tertius. »Wie 'ne Hure siehst du aus, daß du's weißt!«

Alistair legte besitzergreifend den Arm um Jennys Schultern und drängte sie ins Haus zurück. »Ich bin überrascht, daß Mrs. Herries diesen irischen Flegel hier im Haus herumlungern läßt. Er ist schändlich voll. Und was das Mädchen angeht ... ich weiß, sie ist eine Freundin von dir, Liebes, doch ich muß schon sagen ...«

»Zerbrechen wir uns doch über die beiden nicht den Kopf.« Jenny wollte ihn vom Thema Rory abbringen. »Darf ich Effie meinen Ring zeigen?«

»Das sieht dir ähnlich, daß du so lieb an sie denkst! Aber unbedingt mußt du ihn ihr zeigen. Sie ist schließlich das einzige Mitglied meiner Familie, das dich mit offenen Armen aufnehmen wird, Gott segne sie.«

Er strahlte. Jenny lächelte. Sie schluckte den Geschmack seines Kusses herunter und bemühte sich, das hartnäckige Stimmchen in ihrem Innern zu überhören, das wieder und wieder fragte: »Was hast du bloß getan?«

»Sie scheinen entschlossen, eine Mission aus mir zu machen«, sagte Lorenzo verdrießlich. »Es dauert nicht mehr lange, und Sie händigen mir ein blaues Ordensband aus und fordern mich auf, eine Bittschrift zu unterschreiben. Oder vielleicht wird es auch auf ein Erbauungstraktätchen und eine heiße Mahlzeit hinauslaufen.«

Eleanor seufzte. »Ich stelle schon wieder zu viele Fragen. Ich will aber gar nicht neugierig sein.«

»Aber gewiß wollen Sie neugierig sein. Sie sind das neugierigste Mädchen, das ich je kennengelernt habe. Und außerdem müssen Sie von allem und jedem den moralischen Beweggrund herausfinden.«

Sie wanderten zwischen den gespenstisch blauen Schatten des Gebüschs umher. Das Haus war ein hellerleuchtetes Schiff, weit weg jenseits des mondbleichen Rasenmeeres.

»Ich möchte Sie kennenlernen.« Eleanor nahm seinen Arm. In dieser rosenduftenden Dunkelheit spürte sie seine schreckliche, dornige Einsamkeit. Sie wußte, es war seine Angst davor, für abstoßend gehalten zu werden, die ihn daran hinderte, sich ihr zu offenbaren. »Warum wollen Sie bloß nicht, daß ich Sie gern habe?«

»Weil Sie dann Ansprüche stellen werden. Sie tun es ja jetzt schon. Ich hätte heute nicht kommen dürfen.«

»Ich bin unheimlich froh, daß Sie es getan haben.«

»Ich habe es aber nicht Ihnen zuliebe getan«, sagte er schroff. »Ich empfand den unwiderstehlichen Drang, alle anderen vor den Kopf zu stoßen.«

»Vor den Kopf zu stoßen?« Eleanor war verblüfft. »Tut mir leid, aber ...«

Unerwartet lachte er. »Ich habe ganz vergessen, daß Sie Ihre Brille nicht aufhaben. Die Blinde führt den Tauben.«

»Was hätte ich denn sehen sollen?«

Er schwieg. Sie wartete einen Augenblick, dann zupfte sie ihn am Ärmel. »Lorenzo? Was denn?«

»Deshalb mußte ich auch nach draußen gehen ... ich errege mehr Aufmerksamkeit als Ihre Schwester. Sie könnten mich ebensogut in einem Käfig zur Schau stellen.«

»Warum?«

»Warum, warum, warum? Da haben wir's schon wieder.«

»Das kommt nur daher, daß ich Rätsel nicht ausstehen kann.« Eleanor bemühte sich, nicht bittend zu klingen.

»Sie haben eine Leidenschaft für Rätsel«, verbesserte er. »Das ist der einzige Grund, weshalb Sie sich für mich interessieren. Sie hegen die romantische Vorstellung, daß sich hinter meiner Weigerung, Ihnen meine Lebensgeschichte zu erzählen, irgend etwas Aufregendes verbirgt. Sie sind zu dumm, um sich klarzumachen, daß es meist einen unschönen Grund hat, wenn jemand sich weigert, von sich zu sprechen.«

Eleanor verzehrte sich nach ihm. Sein Unglück schien die Dunkelheit um ihn herum noch zu vertiefen. Seine Grobheit bewirkte lediglich, daß sehnsüchtige Gefühle sie überwältigten. Es war zwecklos, ihn mit Worten erreichen zu wollen. Sie mußte die Tür zu seiner Zelle aufbrechen.

Impulsiv umschlang sie ihn und drückte die Lippen auf seinen Mund.

Sie waren kalt und fest zusammengepreßt. Sein Körper war eine eiserne Säule des Zorns.

Sie löste sich von ihm, gekränkt über seine mangelnde Reaktion, doch ohne Scham. Sie schämte sich nie, wenn sie ihren Gefühlen folgte. Sie schwiegen.

Schließlich fragte Lorenzo: »Weshalb haben Sie das getan?«

Da sie keinerlei Stolz mehr zu überwinden brauchte, antwortete Eleanor: »Weil ich Sie liebe.«

»Schön, schön.«

Erneutes Schweigen.

Als er wieder sprach, kroch die kalte Gehässigkeit seiner Stimme ihr in die Adern wie Gift. »Das sollte mich wohl kaum wundern. Seit ich Sie kennengelernt habe, flehen Sie mich an, Ihnen den Blödsinn aus dem Leib zu vögeln. Nennen Sie es Liebe, wenn Ihnen das besser gefällt. Wie weit reicht Ihre Liebe denn, wüßte ich doch gern … bis *hierhin*?«

Seine Hand fuhr ihr plötzlich zwischen die Beine und zerknüllte ihr Kleid. Sie schnappte vor Entsetzen nach Luft.

»O nein«, murmelte er, »schreien Sie bloß nicht. Das wäre nicht fair. Wenn junge Damen herumlaufen und Liebeserklärungen machen, dann sollten sie auch wissen, was passiert. Oder vielleicht wissen Sie's ja auch? Ist es das, was Sie sich wünschen?«

Fassungslos und wie gelähmt spürte Eleanor, wie er ihre Rökke hochhob. Das durfte nicht wahr sein; es war nicht möglich. Seine Hand nestelte an den Knöpfen ihrer Unterwäsche herum. Ungeduldig riß er die feuchte Seide auf, die ihr Schamdreieck verdeckte.

Sein Finger glitt an ihrer Spalte entlang bis zur Klitoris. »Ja … Sie sind naß.«

»Nein!« wimmerte sie. »Bitte …«

»Mein Gott, Sie lechzen doch danach.«

»Lorenzo, nein …«

»Halt die Klappe.« Er verschloß ihr den Mund mit seinen Lippen.

Es war kein Kuß. Er biß ihr so stark in die Zunge, daß ihr das Wasser in die Augen trat.

Eleanor hatte noch nie solche Angst und solche Verwirrung

erlebt. Sie war eine Fremde in ihrem eigenen Körper. Das Herz schien ihr durch den Magen gesackt zu sein und pochte nun gegen Lorenzos Finger. Sie rieb sich instinktiv an seiner Hand, ehe sie überhaupt wußte, was sie tat. Wonneschauder durchliefen sie, so intensiv, daß sie fast nicht mehr vom Gefühl des Grauens zu unterscheiden waren.

Er löste sein Gesicht von ihrem, und immer noch war sie außerstande, sich zu bewegen. Seine Berührung hatte sie zur Gefangenen gemacht, obwohl er sie so leicht umfaßt hielt, daß sie sich mühelos von ihm hätte entfernen können. Verzehrt von einer schrecklichen, schwächenden Süßigkeit des Empfindens, blickte sie in sein Gesicht empor.

Sein Atem ging keuchend und unregelmäßig, unnatürlich laut gegen das ferne Stimmengewirr und die Musik.

»Mehr kriegen Sie nicht«, sagte er und nahm die Hand von ihrer Klitoris. »Genug, um Sie zu lehren, daß Sie sich nicht verlieben sollen.«

Eleanor glättete benommen ihren Taftrock. Lorenzo ging ein paar Schritte und ließ sie stehen. Sie verspürte ein quälendes körperliches Verlangen und wußte nicht, wie sie es stillen sollte. Und in irgendeiner Weise hatte sie ihm etwas Grauenhaftes angetan.

»Lorenzo«, sie rannte ihm nach, »warten Sie!«

»Na schön, tut mir leid«, fuhr er sie an. »Erzählen Sie's Ihrer Mutter. Lassen Sie mich rauswerfen. Rufen Sie die Polizei.«

»Bitte! Warten Sie doch einen Augenblick. Ich wollte Sie nicht ärgern. Es ist alles meine Schuld ...«

Lorenzo blieb stehen, wandte sich zu ihr und packte sie grimmig bei den Armen. »Was muß ich tun, um Sie von mir fernzuhalten?«

»Ich ... ich dachte, Sie mögen mich!«

»Oh, mein Gott!« stöhnte er.

»Stimmt das nicht?«

Er ließ sie los. »Hören Sie, es geht nicht darum, ob ich Sie mag oder nicht. Obwohl ich das in gewisser Weise wohl tue.«

»Oh, Lorenzo!« Eleanor fühlte, wie sich ihr Inneres auftat wie die Blüten einer fleischigen Blume. Ihr wurde schwindlig von dem Verlangen, in seinen Armen zu liegen.

»Nun hören Sie schon auf, mich mit diesen Kalbsaugen anzusehen. Ich weiß einfach nicht, wie ich mit netten Mädchen umgehen soll. Was wollen Sie denn von mir?«

Eleanor wußte nicht zu entscheiden, ob sie plötzlich den Verstand verloren oder ihn gefunden hatte. Die Worte sprangen ihr einfach so von der Zunge. »Ich möchte Sie heiraten.«

»Sie möchten was?« Eine verblüffte Pause, dann lachte er unfreundlich. »Miss Herries, das kommt aber ein bißchen zu plötzlich. Sind Sie sicher, daß Sie für meinen Lebensunterhalt sorgen können?«

»Lachen Sie nicht so«, bat sie. »Alles andere kann ich ertragen, doch ich hasse es, wenn Sie so lachen.«

»Entschuldigen Sie bitte, doch ich dachte, es wäre üblich, daß die Herren den Heiratsantrag machen.«

»Das ist mir gleichgültig.« Eleanors Gefühle hatten die Oberhand gewonnen, und es bereitete ihr ein hemmungsloses Vergnügen, ihnen freien Lauf zu lassen. »Ich weiß, daß ich Sie glücklich machen könnte. Bis ich Sie kennengelernt habe, wußte ich nicht, was ich mit meinem Leben anfangen sollte ... es erschien mir so oberflächlich und albern. Seit Jahren halte ich schon nach einem Ziel Ausschau, nach etwas oder jemandem, dem ich alles geben kann ...«

»Warum treten Sie dann nicht in die Heilsarmee ein?«

»Sie verstehen das nicht. Die Liebe ist das einzige, worauf ich mich verstehe. Ich habe soviel Liebe zu verschenken, Lorenzo, und in dem Augenblick, als ich Sie sah, wußte ich: Sie sind derjenige, dem ich sie schenken muß.«

»Nun, das ist zwar schrecklich nett gemeint, doch ich fürchte, ich muß das Angebot ausschlagen.«

»Ich bin Ihnen nicht hübsch genug«, sagte sie unglücklich.

»Sie sind gar nicht übel. Doch das spielt keine Rolle, da ich nun mal nicht zu haben bin.« Er seufzte erschöpft, sprach dann jedoch in sehr freundlichem Ton. »Ich schulde Ihnen zwar keine Erklärung, doch besser gebe ich Ihnen eine, sonst werde ich Sie überhaupt nicht mehr los.«

Er nahm ihre Hand und führte sie zum Gartenhaus, einem offenen, modrigen Gebäude hinter dem Gebüsch. Schmiedeeiserne Schnörkel entwarfen ein kunstvolles Schattenmuster im Mondlicht.

Lorenzo zog sie auf eine unbequeme Holzbank und zündete sich eine Zigarette an. Eleanor erhaschte einen Blick auf seine wunderschönen dunklen Augen, als das Streichholz aufflammte, und verspürte eine Aufwallung von feuchter Hitze zwischen den Beinen. Wenn er sie bloß wieder anfassen würde – es war ihr gleich, wie wütend er wäre oder wie sehr er ihr weh täte.

Er stieß eine Rauchwolke aus. »Haben Sie jemals vom Fall Hastings gehört?«

»Nein.« Eleanor verschränkte die Arme über dem Magen, um ihr Zittern zu unterdrücken.

»Sie sind wahrscheinlich zu jung. Damals war der Fall Hastings die Wonne sämtlicher Illustrierten. Ein Komiker brauchte ihn bloß zu erwähnen, um die Lacher auf seiner Seite zu haben.« Die Bitterkeit seiner Stimme ließ Eleanor zusammenzucken. »Wenn's um Unterhaltung geht, ist nichts so zugkräftig wie ein anständiger Mord?«

»Ein Mord?« Sie schwieg entsetzt.

»Einer der besten überhaupt. Gerade erst habe ich einen Artikel gelesen, in dem der Mangel an klassischen Giftmörderinnen beklagt wurde. Wo, so hieß es dort, sind Frauen wie Florence Bravo und Lady Elizabeth Hastings geblieben? Wo sind die Heldinnen, die den Claret ihres Gemahls mit Blausäure würzen und in aller Seelenruhe zuschauen, wie er nach dem Abendessen unter schrecklichen Qualen stirbt?«

Eleanors Herz klopfte so wild, daß sie es gegen den Stoff ihres Kleides pochen fühlte. Sie starrte wie hypnotisiert auf sein dunkles Profil.

»Lady Elizabeth Hastings«, sagte Lorenzo, »war meine Mutter. Am Valentinstag des Jahres 1896 ermordete sie Sir Laurence Hastings, meinen Vater.«

Ihr Atem reichte gerade noch für ein gehauchtes »Warum?«

»Sie brauchte keinen Grund. Sie war wahnsinnig. Die Geschworenen hätten sich mühelos davon überzeugen können. Zwei ihrer Brüder sitzen, glaube ich, immer noch in der Irrenanstalt. Und ihr Verteidiger enthüllte obendrein bestimmte pikante Tatsachen über meinen Vater, die jede Frau zum Wahnsinn getrieben hätten. Ach, die haben damals wirklich viel Freude geschenkt ... posthum verlieh man ihm den Titel ›Der

Bestialische Baron‹. Wenn das schon alles gewesen wäre, hätte man sie nachsichtiger behandelt. Denn tatsächlich gab es viel Mitleid für sie.«

»Was ... was ist denn aus ihr geworden?«

»Sie wurde gehängt. Die öffentliche Meinung konnte nicht vergessen oder verzeihen, daß sie, ehe sie dem Bestialischen Baron den Garaus machte, ihrem vierjährigen Sohn mit der Kohlenschaufel auf den Kopf schlug und ihn, in der Annahme, er wäre tot, im Keller liegenließ.«

Er sprach über diese Tatsachen mit so kühler Distanziertheit, daß Eleanor einen Augenblick brauchte, um wirklich zu begreifen, was er ihr da erzählte.

»Das waren Sie«, sagte sie leise.

»Ja.«

Nun verstand sie. Anfangs hatte sie sich geängstigt, weil sie nicht wußte, daß die Tragödie im wirklichen Leben ein so garstiges Gesicht hat. Doch die Schönheit von Lorenzos Unschuld überstrahlte die ganze schmutzige Geschichte. Wie grauenhaft das war, doch auch wie romantisch. Sie empfand eine so heftige Zärtlichkeit für ihn, daß schon ein Atemhauch sie hätte verletzen können. Natürlich, so sagte sie sich, war es das Kind, das mich so angezogen hat; das Kind, das aus Lorenzos Augen schaute, hat mich mit dieser Liebe zu ihm erfüllt. Sie nahm seine Hand. »Erinnern Sie sich daran?«

»Nein.«

»An überhaupt nichts?«

»Die Dunkelheit«, sagte Lorenzo mit zusammengebissenen Zähnen. »Ich weiß noch, daß ich im Dunkeln lag, mit schmerzendem Ohr, und dachte, daß niemals jemand kommen würde. Und an die Blicke, die die Leute mir danach zuwarfen ... ihre vorsichtige Art, mit mir umzugehen, als könnte ich sie beißen.«

»Wie gemein, wo Sie doch noch so klein waren.«

»Oh, ich verstehe das durchaus. Sie beobachteten mich, um herauszufinden, welchem Elternteil ich am meisten ähnelte. Hatte ich die väterliche Verworfenheit geerbt oder den mütterlichen Wahnsinn? Das fasziniert die Leute heute noch. Sie sind überzeugt davon, daß ich demnächst den Kopf verlieren und jemanden vergiften werde. Wenn ich jemandem angst machen möchte, brauche ich ihn nur zum Abendessen einzuladen.«

»Scherzen Sie nicht darüber!«

»Was bleibt mir anderes übrig?« fragte er und wandte sich ihr zornig zu. »Stellen Sie sich das mal vor. Stellen Sie sich einfach nur vor, wie das sein muß, ich zu sein und durchs Leben zu gehen mit dem Namen dieses Vaters; und der Name hängt einem am Hals wie ein gottverdammter Mühlstein, und dann mein taubes Ohr ... das Kainsmal, das meine Mutter mir sinnigerweise verpaßt hat.« Er warf seine Zigarette weg und griff nach Eleanors Händen, schüttelte sie, wie um seinen Worten Nachdruck zu verleihen, die jetzt in einem verzweifelten, wütenden Strom aus ihm herausbrachen. »Stellen Sie sich vor, auf der Schule Sir Laurence Hastings zu sein. Nein, das können Sie nicht, weil Sie nicht wissen, daß eine Jungenschule der grausamste Ort von der Welt ist. Selbstverständlich wurde ich sofort in ›Blausäure‹ umgetauft. Oder, von meinen engsten Freunden, einfach nur in ›der Bestialische‹. Stellen Sie sich vor, wie das ist, wenn die Eltern anderer Jungen an den Rektor schreiben, weil sie ihre kostbaren Söhne nicht im selben Schlafsaal mit Sir Laurence Hastings wissen wollen ... es könnte ja sein, daß, sowie die Lichter gelöscht sind, sein obszöner alter Vater in ihm durchkommt. Stellen Sie sich einfach nur vor, was das heißt, wenn die ganze Welt weiß, daß man eine Mißgeburt ist, eine greuliche Verirrung ... jemand, der niemals hätte gezeugt, geschweige denn geboren werden dürfen.«

»Lorenzo, hören Sie auf!« Ihr Mitgefühl war so heftig, daß seine Qual sich auf sie übertrug. »Ich kann das nicht ertragen!«

»Nein, nein ... Sie wollten alles wissen. Nun, dann sollen Sie es haben.« Er ließ ihre Hände sinken und schob seine Manschetten zurück. »Sehen Sie das hier?« Er drehte seine Handgelenke um, so daß ein Streifen silbernes Mondlicht auf seine Narben fiel. »Das habe ich getan, als ich auf der Schule war. Nur los, schauen Sie sie richtig an. Gruselt es Sie nicht?«

Eleanor hatte das Gefühl, das Vergangene mit eigenen Augen zu sehen. Sie spürte die Einsamkeit des Aussätzigen. Sie würde mit ihm ins finstere Tal hinabsteigen. Das Grauen vor dem, was er ihr erzählt hatte, verbunden mit dem Aufruhr ihres Körpers, gab ihr die Gewißheit, daß sie am Wendepunkt ihres Lebens angelangt war. Das war es, wozu sie geboren war – ihn vor Leiden zu beschützen, die Qualen selbst zu ertragen. Die Schönheit ihres Geschicks erfüllte sie mit einer Art ekstatischer Ehrfurcht.

Lorenzo hingegen nahm nun, da sein Zorn verebbt war, prosaischen Konversationston wieder auf. »Stevie fand mich, ehe ich verblutete. Er hat mir das Leben gerettet. Ich glaube, deshalb liebt er mich auch so.«

Stevie liebte ihn. Ja, dachte Eleanor, das war eigentlich nur natürlich.

»Ich mag das aber nicht, geliebt zu werden«, erklärte Lorenzo. »Gefühlsduselei ist der Fluch des Zeitalters. Es ist mir ebenso zuwider, angehimmelt zu werden, wie es mir zuwider ist, wenn man mich anstarrt. Wenn die Leute mich bloß in Frieden lassen würden. Die Anonymität des Todes war es, die mich so verlockte. Nun, gehen wir jetzt lieber wieder rein. Ich langweile mich und könnte einen Drink gebrauchen.«

»Danke, daß Sie es mir erzählt haben, Lorenzo.«

Er stand auf. »Da können Sie ihren Enkeln was erzählen. Und es tut mir aufrichtig leid, daß ich mich so benommen habe. Es war sehr großzügig von Ihnen, daß Sie kein Theater deswegen gemacht haben. Ich werde es nicht wieder tun.«

Sie sehnte sich danach, daß er es wieder täte, war jedoch klug genug zu wissen, wie tief sie in seiner Achtung sinken würde, wenn sie das sagte. Es war ein so heikles Vorhaben, ihn nicht zu verstimmen.

Er bot ihr zwar nicht den Arm, als sie zum Haus zurückgingen, sträubte sich jedoch auch nicht, als sie ihn nahm.

»Lorenzo ...«

»Hm?«

Eleanor war so berauscht, daß sie es sagen mußte: »Wann kann ich Sie denn wiedersehen? Ich weiß, Sie haben mir das mit Ihren Eltern erzählt, um mich abzuschrecken. Sie dachten, ich würde mir alles anders überlegen, doch das ist nicht der Fall. Ich könnte Sie nur immer noch mehr lieben. Ich verspreche Ihnen, daß ich nichts von Ihnen verlange. Doch es kann Ihnen nicht schaden zu wissen, daß ich da bin, wann immer Sie mich brauchen, und bereit, Ihnen alles zu geben, was Sie haben möchten.«

Er antwortete nicht.

Sie traten in den Lichtschein am Fuß der Terrassenstufen, und sie war tief enttäuscht, als sie seine verdrossene, gelangweilte Miene sah. Sie hatte ihm angeboten, sich auf dem Scheiterhaufen seiner Kümmernisse zu opfern, und das bewirkte nichts weiter, als daß er ihre Hand von seinem Arm schüttelte, als wäre sie ihm lediglich lästig.

»Das Ödeste überhaupt«, erklärte er, »ist, daß mir jemand teilnahmsvoll Vorträge in mein schlimmes Ohr schreit und dann von mir erwartet, daß ich darauf antworte. Das ist etwas, was Sie lernen müssen, für den Fall, daß wir uns wiedersehen sollten.«

Er ging mit langen Schritten voran ins Haus.

»Laß mich nur machen«, sagte Mrs. Herries zu Flora. »Wenn wir schnell genug handeln, braucht Bartholomew das niemals zu erfahren.«

Der letzte Gast war vor einer halben Stunde aufgebrochen, und sie überwachten den Abbau des Büfetts. Es war nach zwei, und bis zu Violas Hochzeit waren es nur noch zwölf Stunden, doch die Mädchen waren noch auf, und man hörte sie hinter der Tür der Bibliothek lachen. Mr. Herries hatte darauf bestanden, zu Ehren von Jennys Verlobung noch eine Flasche Champagner zu öffnen.

»Ach Sybil, glaubst du wirklich, daß das in Ordnung kommt? Ich habe mich so schrecklich gefühlt!«

»Geh jetzt schlafen.«

»Ja, Liebe, danke. Aber, Sybil ...«

»Was?«

Flora nahm all ihren Mut zusammen. »Bitte sei nicht so streng mit ihr. Ich meine, sie ist doch so weichherzig, und sie hat doch gar nicht wissen können ...«

»Vielen Dank, Flora«, sagte ihre Schwägerin in hoheitsvollem Ton, »doch ich glaube wohl zu wissen, wie ich mit meiner eigenen Tochter fertig werde.«

»Ja, meine Liebe. Selbstverständlich.«

Mrs. Herries ging in die Bibliothek. »Wirklich, Bartholomew, weißt du eigentlich, wie spät es ist? Das ist doch ungezogen von dir, die Mädchen so lange am Zubettgehen zu hindern.«

»Aus besonderem Anlaß«, sagte Herries hinter einem Zigarrenrauchschleier.

Mrs. Herries' Unmut legte sich, als sie sich Jenny zuwandte. Was für ein liebes, reizendes Mädchen, dachte sie; sie hat ihrer Mutter bestimmt im ganzen Leben keinen Augenblick Sorgen gemacht. Wenn nur Eleanor auch jemanden finden könnte, der so durch und durch passend ist wie Mr. MacNeil.

»Ich werde sofort, wenn ich oben bin, an Ihre Mutter schreiben, mein liebes Kind. Ich könnte nicht glücklicher sein, wenn Sie eine meiner eigenen Töchter wären.«

Jenny lächelte und befühlte verlegen ihren Ring. Mrs. Herries war zu beschäftigt gewesen, um ihn aus der Nähe zu betrachten, doch sie erkannte schönen Schmuck, wenn es darauf ankam. Er mußte ein kleines Vermögen gekostet haben. Und das Kind hatte auch eine so schöne Farbe. Sie liebte den Mann. Warum konnten nicht alle Mädchen solch gescheiten Gebrauch von ihren Empfindungen machen?

»Ist das nicht romantisch, Tante Sybil?« fragte Francesca. »Sie wird Moorhühner schießen und beim Baumstammwerfen mitmachen und in einem schottischen Schultertuch tanzen gehen!«

»Ja, mein Hühnchen, das ist einfach wunderhübsch.« Mrs. Herries liebkoste Francescas weißen Nacken. »Doch ehe Jenny selbst Braut wird, muß sie erst einmal Brautjungfer sein ... und du auch. Husch ins Bett, Kinder.«

Nicht zum erstenmal regte sich ihr schlechtes Gewissen, weil sie Francesca mehr liebte als Eleanor. Dieser Kuckuck in ihrem Nest erweckte eine mütterliche Leidenschaft, die sie für ihre eigene Tochter nie empfunden hatte. Eleanors chaotische, vibrierende Emotionalität war ihr immer ein Dorn im Auge gewesen. Sie war zwar klug, doch es war eine weltfremde Art von Klugheit. Mrs. Herries traute dieser Klugheit nicht. Ihrer Meinung nach war Eleanor, wenn es um die wichtigen Dinge im Leben ging, ein Hühnerhirn wie Flora.

»Bartholomew, wenn du dies Ding rauchen mußt, dann geh

damit auf die Terrasse.« Sie legte eine Hand auf Eleanors Arm. »Warte noch einen Augenblick. Ich möchte mit dir sprechen.«

Sie schloß die Tür, als die anderen draußen waren. Eleanor stand im gleißenden Licht der Deckenlampe und wartete mit diesem Ausdruck tragischen Märtyrertums, vor dem Mrs. Herries graute, auf das Verhör. Sie machte sich auf eine Szene gefaßt.

»Habe ich irgend etwas falsch gemacht, Mutter?«

»Um Himmels willen, es besteht kein Anlaß zu solcher Dramatik. Hast du dich denn gut unterhalten heute abend?«

»Ja, danke.«

»Setzen wir uns doch. Mir fallen fast die Füße ab.« Mrs. Herries sank mit einem Seufzer der Erleichterung in einen Ledersessel. Eleanor blieb betont stehen. Ihre Wangen waren hektisch gerötet, und außer Trotz sprach noch etwas anderes aus ihrer Miene – Wollust, befand ihre Mutter und mußte einen Ekelschauder unterdrücken. Herrgott, das Mädchen bringt mich auf die Palme, dachte sie. Wenn man sie so sah – da stand sie wie Sarah Bernhardt, bereit, die tragisch umwitterte Liebende zu spielen. Na, sollte sie doch. Eleanor würde keine Gelegenheit erhalten, alles zu ruinieren.

»Ich war den ganzen Abend so beschäftigt, daß ich dich kaum gesehen habe. Mit wem hast du denn getanzt?«

»Das weißt du doch ganz genau, also warum rückst du nicht einfach raus mit der Sprache?« Eleanors Kinn bebte. »Ich habe mit Sir Laurence Hastings getanzt. Und dann bin ich mit ihm im Garten spazierengegangen.«

»Ach, tatsächlich? Ich glaube, ich kläre dich besser über ein paar Dinge auf, mein Kind ...«

»Wenn es um seine Eltern geht, spar dir die Mühe. Er hat mir die ganze Geschichte erzählt.«

Mrs. Herries rang verzweifelt um Geduld. »Und was hältst du davon?«

»Es ist das Traurigste, was ich im Leben gehört habe.«

»Ja. Es war eine schrecklich schmutzige Geschichte. Es tut mir sehr leid für den jungen Mann. Doch es versteht sich wohl von selbst, daß ich ihn nicht noch einmal im Haus dulden kann.«

»Warum nicht?«

»Nun mach mich nicht böse, Eleanor. Keine anständige Frau kann Umgang mit ihm haben ... nicht, wenn man an seinen Vater denkt ...«

»Aber was hat denn sein Vater eigentlich getan?«

»Das geht dich nichts an!« antwortete Mrs. Herries in scharfem Ton. »Reicht dir die Tatsache nicht aus, daß es in dieser Familie Fälle von Wahnsinn gibt?«

»Das ist mir gleich.« Tränen schwammen in Eleanors Augen. »Ich liebe ihn.«

»Was für ein Unsinn. Das ist schon wieder eine deiner albernen Anwandlungen ... wie damals, als du Nonne werden wolltest oder als du deinem Vater damit in den Ohren gelegen hast, daß du in Leipzig Musik studieren wolltest. Darüber kommst du schon weg ... bist du gottlob bislang noch immer.«

»Diesmal nicht.« Eleanor reckte stolz den Kopf empor. »Es ist mir gleichgültig, was über ihn gesagt wird. Ich liebe Lorenzo, und ich will ihn heiraten.«

»Ihn heiraten!« schrie Mrs. Herries auf, und mit ihrer Fassung war es vorbei. »Nur über meine Leiche heiratest du den!« Ihre schmerzenden Füße waren vergessen, und sie sprang aus dem Sessel auf. »Bist du wirklich zu dumm, um zu begreifen, was das bedeuten würde? Das ist nämlich erblich. Deine Kinder wären verrückt wie die Märzhasen und würden im Irrenhaus hocken wie die halbe Familie seiner Mutter! Er sollte das wissen, wenn du es schon selbst nicht weißt! Hat er es etwa gewagt, mit dir zu schlafen? Denn in diesem Fall ...«

Eleanor fing an zu schluchzen. »Nein. Doch wenn er es nur täte.«

»Ich verbiete dir, ihn wiederzusehen, hörst du?«

»Ich werde ihn trotzdem wiedersehen!« schluchzte Eleanor. »Ich würde bis ans Ende der Welt laufen, um ihn zu sehen. Aber du brauchst dir gar keine Sorgen zu machen. Er liebt mich nicht. Er hat es mir selbst gesagt, und ich bin so unglücklich, daß ich am liebsten tot wäre. So ... bist du nun zufrieden?«

Und sie stürzte türenschlagend hinaus.

AURORA

Brief an meine Tochter

Alle hielten Violas Hochzeit für einen wunderschönen Abschluß der Sommersaison, und auch ich muß sagen, daß es ein hübsches Bild war, wenn man nicht gerade nahe genug stand, um Eleanors verschwollenes Gesicht über dem blauen Organdykleid der Brautjungfer sehen zu können. Viola war leichenblaß, und Gus war so furchtbar nervös, daß er fast den Ring fallen ließ. Die ersten Regentropfen machten sich bemerkbar, als wir dem Brautpaar in seiner Kutsche nachwinkten. Eleanor fing das Bukett auf, und Mrs. Herries' Miene verfinsterte sich wie der Himmel über uns. Der Regen wurde zum Wolkenbruch. Der Sommer war vorüber.

Ein paar Tage später schloß die Familie Herries ihr Haus, setzte die Bediensteten auf Kostgeld und schlug ihr Domizil in Deauville auf. Jenny fuhr als Gast der MacIntyres für vierzehn Tage nach Schottland, um Alistair und seinem Schwager bei der Moorhuhnjagd zuzuschauen. Aubrey und Fingal zog es nach Italien, auf der Suche nach großer Kunst und dunkeläugigen Gondolieri, und Tertius und ich kratzten genug Geld für eine Fahrt nach Irland zusammen.

Ich wollte Tom zwar nicht allein lassen, doch Tante Hilda buchte einen Urlaub in einem Vegetarierhotel in Bournemouth und wollte mich in ihrer Abwesenheit nicht in Bayswater wohnen lassen, so daß ich keine Wahl hatte. So fuhr ich denn nach Hause, verfluchte meinen Mangel an Bewegungsfreiheit und schwelgte in Fantasien, die darum kreisten, daß Tom und ich verheiratet wären und eine eigene Wohnung hätten.

Es war merkwürdig, wieder nach Hause zu kommen. Tertius und ich hatten beide das Gefühl, Jahrhunderte weg gewesen zu sein, nicht nur ein paar Monate. Paddy Finnegan holte uns in Galway ab und erzählte uns eine wichtige Neuigkeit. Wir wußten aus der Zeitung bereits, daß die Home Rulers eine eigene Bürgerwehr aufgestellt hatten, die Irish Volunteers, zur Verteidigung gegen die Ulster Volunteers von Sir Edward Carson. Doch ob wir denn auch gehört hätten, wollte Paddy wissen, daß der Captain (wie er Muttonhead immer nannte) sich ihr angeschlossen hatte? Die Hälfte der Familien in der Grafschaft weigere sich mittlerweile, mit ihm zu sprechen. Mr. Phillips habe offenbar fast der Schlag getroffen, als er das erfahren habe, und Emma Billinghurst habe ihn öffentlich bezichtigt, ein verräterischer Fenier zu sein.

Muttonhead bei den Volunteers! Tertius und ich fanden das großartig. Paddy war ihnen ebenfalls beigetreten und Papa auch. Bei der Vorstellung allerdings, wie der arme alte Papa jetzt das Marschieren und Strammstehen lernen mußte, konnte ich mir das Lachen nicht verkneifen. Sie waren etwa fünfzig, hauptsächlich Farmer, mit Mistgabeln und Hacken bewaffnet, und teilten sich fünf alte Schrotflinten. Muttonhead drillte sie an drei Abenden der Woche auf der großen Koppel. Wir sahen uns das an und waren doch sehr beeindruckt, als wir Muttonhead Befehle brüllen hörten. Im übrigen war Castle Carey völlig unverändert.

»Hier bleibt im Grunde immer alles beim alten«, sagte Tertius. »Die Politik sorgt für ein bißchen Aufregung, aber drei Viertel sind Portweintrinker in langen Unterhosen, wie eh und je.« Wir angelten, ritten und wanderten zusammen, so glücklich und schmutzig wie zwei Kesselflicker. Die Barriere zwischen uns bestand zwar nach wie vor, doch nun, wo Tom sich auf der anderen Seite der Irischen See befand, schien sie nicht wichtig zu sein. Und weder Tertius noch ich waren so herzlos, Mutters Glück durch Streitereien zunichte zu machen.

»Gott segne sie, was die sich freut, ihren Jungen wieder in den Armen zu halten«, meinte Una zu mir. »Sie hätte am liebsten noch das letzte Stück Vieh zur Heimkehr des verlorenen Sohnes geschlachtet, wenn ich nicht ein Machtwort gesprochen hätte.«

Mutter befand, ich sähe dünn und blaß aus, und ich versuchte, das zu meinem Vorteil zu nutzen.

»Das kommt von dem Essen bei Tante Hilda«, beklagte ich mich so mitleiderregend wie möglich bei Papa. »Keine Milch, keine Butter, kein Fleisch … nur greuliche schwarze Pilze und gekochtes Gemüse.«

»Da kann sie nicht bleiben, Justus!« rief meine Mutter beunruhigt. »Sie kommt ja völlig auf den Hund!«

»Und diese Séancen, wie mir vor denen graut«, fuhr ich fort und wich dem Blick von Muttonhead aus, den die dick aufgetragene Schilderung meiner Qualen mit Argwohn erfüllte. »Ob du's glaubst oder nicht, Papa, sie liegt mir ständig damit in den Ohren, daß ich Kontakt mit meiner Mutter aufnehmen soll!«

»Tischerücken, wie?« schrie Una, die noch päpstlicher war als der Papst. »So ein Aberglaube!«

»Charlotte wollte mit Hilda schon nicht sprechen, als sie noch lebte«, lautete Papas trockener Kommentar. »Ich kann mir nicht vorstellen, daß sie, seit sie tot ist, ihre Meinung geändert hat. Aber gleichwie, das ist schon äußerst geschmacklos. Vielleicht sollten wir irgendwo etwas Geeigneteres finden.«

Darauf hatte ich nur gewartet. »Könnte ich nicht eine eigene Wohnung haben, Papa?«

Entsetztes Stimmengewirr und ein leises Grollen von Muttonhead waren die Antwort, doch ich ließ mich nicht beirren. »Unheimlich viele Mädchen wohnen heute so. Das ist inzwischen überhaupt nichts Anstößiges mehr. Miss Curran und Miss Scott, meine früheren Lehrerinnen, würden ein Auge auf mich haben, wenn ich etwas in ihrer Nähe fände …«

Papa hatte ich immer schon herumzukriegen verstanden, und am Ende des Aufenthalts hatte ich seine widerstrebende Einwilligung, mich nach einem Zimmer umzusehen. Ich achtete darauf, Muttonhead aus dem Weg zu gehen, während diese Debatte im Gang war, doch konnte ich seine Mißbilligung förmlich riechen.

An einem herrlichen Tag, als wir mit den Galway Blazers auf der Jagd waren, bekam er mich an einer einsamen Stelle zu fassen und mahnte mich, ja anständig zu bleiben, sonst würde ich was erleben.

»Traust du mir etwa nicht?« fragte ich. Da mir plötzlich peinlich bewußt wurde, was ich mit Tom getrieben hatte, tat ich so, als beobachtete ich die Jäger und den Master, die vor uns einen Unterstand errichteten.

»Nein.«

»Wie reizend.«

»Ich möchte nicht, daß Mutter sich Sorgen macht.«

»Ich habe nicht die Absicht, ihr Sorgen zu bereiten.«

»Rory ...«

Das war der Ton, der besagte, daß man ihm ins Gesicht sehen mußte. Ich tat es. Auf dem Pferderücken sah er ganz besonders imposant aus, auch wenn sein Rock so alt war wie die Welt und ein starker Windstoß ihm die Stiefel zerfleddert hätte. Er hatte in ganz Irland den besten Sitz und den geradesten Rücken. Sein gebräuntes Gesicht war streng, und als ich dem Blick seiner dunklen Augen begegnete, verlor ich doch ein wenig den Mut.

»Rory, du bist als Dame geboren worden und wirst eine Dame bleiben, verdammt noch mal. Schlag dich mit idiotischen Ideen herum, wenn du nicht anders kannst ... doch wenn ich irgend etwas höre, das dem Namen deines Vaters Schande macht, kriegst du's mit mir zu tun, aber gewaltig.«

»Du hast kein Recht, mir Vorschriften zu machen«, erwiderte ich so kühn, wie ich eben konnte.

»Du bist in meinem Haus aufgewachsen«, sagte Muttonhead. »Soweit es mich betrifft, stehst du auch weiterhin unter meinem Schutz, und ich erwarte, daß du dich aufführst, als wärst du meine Schwester.« Seine Miene blieb zwar ernst, doch sein Blick wurde nachgiebiger. »Undankbares Gör. Ich habe sehr wohl ein Recht, dir Vorschriften zu machen, weil mir nämlich an dir liegt.«

Ich fühlte mich schrecklich. Zum erstenmal ging mir auf, wie unabdingbar Muttonheads Liebe und mein sogenannter ›guter Ruf‹ aneinander gebunden waren. Würde ich es ertragen, sie zu verlieren, und sei es auch um Toms willen?

Ich machte mich auf Wohnungssuche, sowie ich wieder in London war. Tante Hilda grunzte zwar entsetzt, war jedoch so froh, mich bald aus dem Haus zu haben, daß sie sich unerwarteterweise als hilfreich erwies. Eine ihrer Séancen-Freundinnen, eine Miss Thompson, vermietete Zimmer in ihrem Haus in Kensington, und ihre Dachwohnung war frei – ein Vorraum mit einem Gasbrenner, ein winziges Schlafzimmer, ein großes Wohnzimmer mit schrägem Dach und ein Badezimmer, das ich mit Miss Thompsons Dienstmädchen teilen sollte. Die Treppen waren endlos hoch, das Haus war voller Schusterpalmen, und die Kanalisation ächzte wie eine gepeinigte Seele. Ich fand es einfach vollkommen.

Ich weißte die Wände, bedeckte die Möbel mit farbenfrohen Stoffen und versteckte die greulichen Porzellannippes im Besenschrank. Tertius schenkte mir eins seiner Bilder (ein Stilleben mit Früchten – es löste oft Hungergefühle in mir aus), das ich über dem Gasofen aufhängte. Ich hatte einen eigenen Hausschlüssel und war endlich frei.

Miss Thompson war alt und schwerhörig und öffnete niemals ihre Tür im Erdgeschoß, um zu sehen, wer nach oben ging. Wenn es Tom gelang, sich abends für ein, zwei Stunden ins Haus zu schleichen, war ich im siebten Himmel. Ich tat so, als wären wir verheiratet. Ein-, zweimal blieb er über Nacht, wenn er auch zusehen mußte, daß er hinauskam, ehe es hell wurde. Ich betrachtete ihn, wenn er neben mir schlief und seine Wimpern spitzige Schatten auf seine bleichen Wangen zeichneten, und dann weinte ich, weil ich ihn so sehr liebte.

Der arme Tom – er hat niemals wirklich geahnt, wie verzweifelt ich ihn liebte. Er hatte den Kopf zu voll mit sozialistischen Idealen, um sich mit romantischen Vorstellungen abzugeben. Er nahm an, daß wir Partner waren, die für eine gemeinsame utopische Vision arbeiteten. Er wußte nicht, daß er mein Utopia war. Manchmal legte er sein Manuskript nieder, nahm mein Gesicht zwischen die Hände und erklärte mir, ich sei seine Beste, und dann zehrte ich eine ganze Woche von meiner Freude. Tom konnte jedoch nicht allein von Freude zehren. Ihm ist es zu verdanken, daß ich ein bißchen kochen kann. Ich hielt meine ekelerregenden Versuche, eine Mahlzeit zustande zu bringen, für ulkig, doch er erklärte mir, daß ich, wäre ich in Armut geboren, an ungenießbarem Essen nichts komisch finden würde. Todernst zeigte er mir, wie man walisische Brotecken machte und Eier kochte. Ich lernte, selbst zurechtzukommen – keine Kleinigkeit in einer Zeit, als man davon ausging, daß es in alle Ewigkeit Dienstpersonal geben würde.

Ein paar Wochen nachdem ich mich eingerichtet hatte, kam Jenny zum Tee. Sie brachte Alistair mit, was mich sehr überraschte. Ich wußte, daß er mich nicht mochte, und er schien sich sehr unbehaglich zu fühlen, als er da auf einem der windschiefen Korbstühle von Miss Thompson hockte. Jenny inspizierte die Wohnung bis in den hintersten Winkel und bombardierte mich mit Fragen, die das warme Wasser und die Pflege der Wäsche betrafen.

»Ist es genehm, Madam?« fragte ich scherzhaft.

Und Jenny antwortete zu meinem Erstaunen: »Ja, wenn du mich haben willst. In dem kleinen Schlafzimmer ist doch jede Menge Platz, und ich kann dir einen Teil der Miete abnehmen.«

»Jenny«, stöhnte Alistair.

Sie legte ihm die Hand auf den Arm. »Das kann ich mir leisten. Du weißt doch, daß ich Mrs. Herries nicht ewig weiter auf der Tasche liegen kann, so nett sie auch ist.«

»Aber hier! Ich meine, kannst du denn nicht zu deinen Eltern zurückgehen?«

»Ist es vielleicht dem Herzen deiner Mutter nicht zuträglich, wenn ich mich in London aufhalte?« Jenny lächelte, doch ich spürte, daß sie ungeheuer wütend war.

»Mein Gott«, Alistair sackte erschöpft in sich zusammen, »wenn ich dir doch bloß helfen dürfte!«

»Nein. Du weißt, daß das nicht in Frage kommt. Es wird mir überhaupt nichts fehlen, wenn ich hier auf dich warte ... sollte Rory mich aufnehmen..«

Ich konnte es ihr nicht abschlagen. Über Tom würde ich mir später den Kopf zerbrechen. »Selbstverständlich, Schatz. Furchtbar gern. Doch was ist denn bloß los? Ich dachte, ihr würdet in ein paar Monaten heiraten?«

Sie tauschten bedeutungsvolle Blicke. Alistair ließ wie beschämt den Kopf hängen.

»Alistairs Mutter«, erklärte Jenny behutsam, »hat einen weiteren Rückfall gehabt. Unmittelbar nachdem wir den Hochzeitstermin festgesetzt hatten. Ihre Ärzte meinen, sie müsse den Winter in Südfrankreich verbringen, und sie will ohne Alistair nicht hin.«

»Könnt ihr denn nicht erst heiraten und dann beide mit ihr hinfahren?« fragte ich.

»Davon will sie nichts hören«, sagte Alistair gepreßt. »Sie hat erst zugestimmt, als ich ihr versprochen habe, daß sie mich für sich allein hätte. Sie sehen, Miss Carlington, daß ich ... daß wir es ihr nicht verweigern konnten. Sie hat mich in eine unmögliche Lage gebracht.«

Er war so unglücklich, daß Jenny einlenkte. »Unmöglich nun auch wieder nicht, Alistair. Nun sieh doch nicht alles so schwarz. Wir werden eben ein bißchen länger warten müssen. So, und nun laß mich mit Rory allein. Ich habe hundert Fragen an sie, und ich möchte dich nicht langweilen.«

Widerstrebend ging er, mit einem anbetenden Blick auf Jenny und einem unbehaglichen auf mich.

Ich nahm mir Zeit, um mit der neuen Situation fertig zu werden, und bereitete frischen Tee, während Jenny sämtliche Schubladen und Schränke untersuchte. Schließlich, als wir auf dem Läufer vor dem Gasofen saßen, sagte ich: »Na, da war ja offenbar einiges los!«

Jenny kicherte leise. »Du kannst dir nicht vorstellen, was für einen Krach es gegeben hat. Das alte Schreckgespenst benimmt sich einfach abscheulich. Cornelia hat meine Partei ergriffen, und nun spricht ihre Mutter nicht mehr mit ihr. Cornelia ist im Grunde gar nicht so übel ... sie hat mich sogar aufgefordert, bei ihnen zu bleiben, solange Alistair nicht da ist.«

»Und warum hast du abgelehnt? Ist Hyde Park Gate nicht eher nach deinem Geschmack?«

»Eigentlich nicht. Cornelia hat es gewiß gut gemeint, aber ich weiß, daß ich mich am Ende doch wieder um die Kinder kümmern müßte. Und um die ganze Wahrheit zu sagen, Rory, in gewisser Hinsicht bin ich froh darüber, daß ich nicht jetzt gleich heiraten muß. Du weißt ja gar nicht, wie sehr ich dich um deine Unabhängigkeit beneide.«

Nein, das wußte ich ganz gewiß nicht – Jenny konnte mich immer wieder überraschen. Da gab es jedoch etwas, was sie wissen mußte. Stotternd und knallrot erzählte ich ihr das mit Tom.

Sie schwieg so lange, daß ich schon fürchtete, sie würde nie wieder mit mir sprechen. Ich nahm ihre kalte Hand.

»Bist du jetzt wütend auf mich? Hältst du mich für sehr verderbt?«

»Will er dich denn heiraten?«

Ich gab mich erhaben. »Wir glauben nicht daran.«

»Ach Rory!« Erneutes Schweigen. »Und habt ihr wirklich ... habt ihr es wirklich getan, als ob ihr verheiratet wärt?«

»Ja.«

»Und wie war es?«

»Anfangs ziemlich scheußlich«, gab ich zu, »doch man gewöhnt sich daran.«

»Wie weißt du denn aber, daß du wirklich kein Kind bekommst?«

Ich fing an, ihr das Gummiding zu beschreiben, das Tom benutzte, und noch ehe ich damit fertig war, wälzten wir uns tränenlachend auf dem Läufer. Unter ihrer protestantischen Korrektheit einer Pfarrerstochter hatte Jenny einen beachtlichen Sinn für Humor.

Es war eins jener Arrangements, die allen gerade recht kommen. Mutter war unaussprechlich erleichtert zu hören, daß ich mit einem anderen Mädchen zusammenwohnte, und schrieb, Muttonhead habe gesagt, diese Jenny scheine ja nach allem, was man bislang gehört habe, ›ein vernünftiges Frauchen‹ zu sein – das höchstmögliche Lob. Tom beklagte sich zwar anfangs, doch Jenny wußte es einzurichten, daß sie während seiner Besuche verschwand. Nachdem sie eine erste Kostprobe von Jennys Kochkunst genossen hatten, suchten Tertius und Q uns heim wie wenig vertrauenerweckende Gespenster. Der arme alte Alistair hatte zwar immer noch nichts mit mir im Sinn, war aber froh, seine Angebetete so zufrieden zu sehen.

Denn Jenny wirkte nicht wie ein Mädchen, dessen Heiratspläne man durchkreuzt hatte. Im Gegenteil, sie blühte richtig auf. Sie lächelte und sang und benahm sich, als sei ihr eine Last von den Schultern genommen worden.

»Falls ich je wieder arbeiten gehen müßte ...«, fing sie eines Tages an.

»… wirst du aber nicht«, fiel ich ihr ins Wort. »Jetzt, wo du mit Alistair verlobt bist.«

»Nein, doch wenn ich es täte, würde ich nicht wieder als Erzieherin arbeiten«, erklärte sie bestimmt. »Ich wäre lieber Krankenschwester. Ich weiß, daß ich das gut könnte. Wäre ich bloß Lernschwester an einem Krankenhaus geworden, statt diese ganzen Prüfungen abzulegen.«

»Aber dann hättest du Alistair niemals kennengelernt«, wandte ich ein.

»Wahrscheinlich nicht.« Sie hielt sich damit nicht auf. »Wenn es wieder Krieg geben sollte, brauchen sie Krankenschwestern.«

Vielleicht sollte ich an dieser Stelle einfügen, daß Tom bei weitem nicht der einzige Mensch war, der vom Krieg mit Deutschland sprach. Der Kaiser galt als unser natürlicher Feind, und in den Zeitungen wurde darüber geschrieben, weshalb unsere beiden Kulturen niemals wieder versöhnt werden könnten. Cornelia MacIntyre nahm das alles sehr ernst, weil ihr Ältester Kadett am Royal Naval College in Dartmouth war. Eine ihrer Freundinnen hatte in ihrem Haus in Knightsbridge Erste-Hilfe-Kurse eingerichtet, und sie überzeugte Jenny davon, daß es ihre patriotische Pflicht sei, ihr Scherflein beizutragen.

Jenny wiederum überzeugte mich. Und so lernte ich Lady Madge Allbright kennen. Sie war ein gedrungenes Fäßchen von einer Frau, hatte vorstehende Zähne und winzige Händchen wie Hamsterpfoten. Sie hatte ein Dutzend Damen in ihrem Ballsaal versammelt und hüpfte zwischen uns in einer niedlichen Schwesterntracht umher, die der beste Schneider der Bond Street angefertigt hatte.

»O nein«, sagte Jenny halblaut.

»Ganz deiner Meinung«, sagte ich. »Hast du jemals eine solche Ansammlung von alten Wachteln gesehen?«

Doch Jenny starrte ein auffällig hübsches Mädchen mit kastanienbrauner Haarflut an, das in einer Halbtrance der Langeweile am verhüllten Flügel lehnte. Sie erblickte Jenny und raffte sich dazu auf, zu uns geschlendert zu kommen.

»Miss Dalgleish, ist ja zum Piepen, daß ich Sie hier treffe!«

»Miss Isola Kentish.« Jenny machte uns mit geschürzten Lippen bekannt.

»Tag«, sagte Isola. »Na, Miss Dalgleish, haben Sie sich nun am Ende ihren Galan geangelt?«

Gott sei Dank klatschte Lady Madge in ihre Pfötchen, ehe Jenny antworten konnte, und bat um Ruhe.

»Bitte, die Damen! Die Schwester möchte beginnen.« (›Die Schwester‹ war die grimmig dreinblickende ausgebildete Krankenschwester, die sie als Lehrerin für uns angestellt hatte.) »Nun, wer möchte sich gern einmal bandagieren lassen?« Niemand wollte sich bandagieren lassen. Nach langem Hin und Her schlug Lady Madge das Hausmädchen vor und rekrutierte einen widerstrebenden Hausdiener aus der Küche. Dann traf eine äußerst nervöse Cornelia MacIntyre mit ihren beiden Jüngsten im Schlepptau ein.

»Madge, entschuldigen Sie bitte ... das elende Kindermädchen hat Zahnschmerzen, als wenn ich nicht schon genug Ärger hätte.«

»Sie sind zwar noch ziemlich klein«, meinte Lady Madge und beäugte den dreijährigen Peterkin und die fünfjährige Meggy, als hätte sie vor, sie zu verspeisen, »aber es wird schon gehen. Kommt, Kinderchen, und laßt euch von der Schwester Schienen anlegen.«

Beide Kinder fingen vor Angst an zu heulen, doch Lady Madge besaß – wie ich noch erfahren sollte – ein ungeheures Talent, andere Leute dazu zu bringen, das zu tun, was sie wollte. Sie beugte sich mit einem breiten Lächeln, das ihr molliges Gesicht unerwartet schön erscheinen ließ, zu ihnen nieder und sagte: »Danach bekommt ihr ein Stück Schokolade. Und wir nehmen rote Tinte und tun so, als wäre es Blut, ja?« Von da an waren sie die reinsten Lämmchen.

Wir verbrachten zwei Stunden damit, die Kinder und Lady Madges Bedienstete aus Ohnmachten zu erwecken und ihnen die gebrochenen Glieder zu schienen, dann wurden wir zum Tee in den Salon geführt. Isola tat, als bemerkte sie Jennys kühle Zurückhaltung nicht, und heftete sich immer mehr an unsere Fersen.

»Ich glaube wirklich«, sagte sie, »daß ich im Kriegsfall mehr für die Armee tun könnte, als ihnen die Arme in eine Schlinge zu legen. Ist Madges Hausdiener nicht himmlisch? Ich muß sie fragen, wann er seinen freien Nachmittag hat.«

Cornelia hörte das und war so schockiert, daß sie fast ihren Tee verschüttete. Später nahm sie Lady Madge beiseite.

»Was ist denn das für ein gräßliches Mädchen?«

»Isola berechtigt zu den schönsten Hoffnungen«, sagte Lady Madge und setzte wieder ihr seraphisches Lächeln auf. Sie legte mir die kleine Hand auf den Ärmel. »Und Sie, Miss Carlington ... ich habe den Eindruck, das gilt auch für Sie. Ich hoffe, Sie werden nächste Woche wiederkommen.«

Ich hatte es zwar nicht vorgehabt, doch ich tat es. Madge warf sich mit glühendem Enthusiasmus auf ihren Krankenpflegekurs, und diejenigen von uns, die ›zu den schönsten Hoffnungen berechtigten‹, legten schließlich die Prüfung des Roten Kreuzes in Erster Hilfe und Hauspflege ab. Tom fand das überraschenderweise gut. Ich nehme an, er stellte sich vor, daß meine Fertigkeiten uns auf den Barrikaden zustatten kommen würden, sowie die Revolution erst mal im Gange wäre.

Jenny war hingerissen. Die strenge Schwester erklärte ihr, sie sei die geborene Krankenpflegerin. »Wie schade, daß Sie verlobt sind und bald heiraten werden, Miss Dalgleish. Sie sind wirklich großartig geeignet ... großartig.« Madge und Jenny begannen, die Möglichkeit zu erörtern, eine Freiwillige Sanitätsabteilung aufzubauen, die mit den Landstreitkräften ins Manöver ziehen sollte. Es versteht sich, daß Isola von dieser Idee ungeheuer angetan war.

Für die meisten von uns blieb der Rote-Kreuz-Kurs jedoch ein Spiel, ein Spaß, eine verrückte Idee. Ich sehe uns noch in Madges Ballsaal lachen und schwatzen. Jede von uns schmiedet insgeheim ihre Pläne. Immer wieder schweifen unsere Gedanken von dem, was die Schwester gerade sagt, zu den Männern, mit denen wir unser eigentliches Leben verbringen wollen. Draußen vor den hohen Fenstern bricht die Dämmerung an. Bald werden die Menschen aus ihren Klubs und Büros zurückkehren, und wir werden unsere Verbände und unser Jod beiseite legen. Wir müssen Dir doch erbärmlich albern vorkommen. Die meisten von uns sind nur hier, um die männerlose Durststrecke des hellen Tages hinter sich zu bringen. Wir vertreiben uns die Zeit.

Geh aber nicht zu hart mit uns ins Gericht. Für uns und diejenigen, die wir lieben, vergeht die Zeit rascher, als wir wissen. Es bleibt uns nur noch so wenig Zeit.

Dritter Teil

I

1913/14

Viola lehnte die Wange an die kalte Fensterscheibe. Sie konnte nichts darin erkennen als eine Spiegelung des Zimmers hinter ihr: das geräumige, feierliche Schlafzimmer, das Lord und Lady Gaisford ihrem ältesten Sohn und seiner Braut geschenkt hatten. Die hohe Decke war ein Zelt aus dichten, grauen Schatten. Nur die Öllampe neben dem Himmelbett und ein gegen das Verlöschen kämpfendes Kohlenfeuer hielten die Düsternis auf Distanz. Slinfold Park war zwar ein Juwel der Architektur des 18. Jahrhunderts, wie man ihr immer wieder versicherte, aber elektrisches Licht oder ausreichende Heizung zählten nicht zu seinen Vorzügen.

Fröstelnd steckte Viola die Füße in den hauchzarten Atlaspantoffeln unter das Kissen auf der Bank der Fensternische. Herrje, in diesem Haus herrschte eine arktische Kälte. Was für ein mickriges Feuerchen für November, und Gus tat, als wäre es der Gipfel des Luxus, ein paar klägliche Stück Kohle im Schlafzimmer zu haben.

Eine Träne stahl sich zwischen Wange und Fensterscheibe hinab. Abends war die Trostlosigkeit immer noch schlimmer, wenn die unendliche öde Landschaft von Cambridgeshire hinter dem Tor des Parks eher zu erahnen als zu sehen war. Wieder zerrte die Übelkeit an ihrem Magen. Solange es hell war, spielte sie die tapfere Frau, die auch damit fertig zu werden vermochte, doch wenn es dunkel wurde, spürte sie, wie die Lebensgeister aus ihrem Körper über die grauen Felder und die kahlen Wäldchen nach Bloomsbury gesogen wurden. Sie vermochte sich mit solcher Lebhaftigkeit vorzustellen, wie sie durch das verdreckte Oberlicht von Tertius' Atelier starrte, daß sie meinte, er müsse unbedingt wissen, daß sie dort war – er müsse gerade jetzt aufblicken und sie sehen, wie sie, ein armes ruheloses Gespenst, die

Schornsteine und Bleidächer des Torrington Square heimsuchte. Sie war dumm gewesen, als sie geglaubt hatte, ohne ihn leben zu können.

Viola und Gus waren seit zweieinhalb Monaten verheiratet. Gleich nach der Hochzeitsreise hatte Gus seine Frau nach Slinfold gebracht, wo er zu Hause war. Anfangs war es gar nicht übel gewesen. Das Haus war voller Leute. Lady Gaisford war für ihre Hausbälle berühmt, und der erste war von der Art gewesen, die Viola immer ersehnt hatte: der Prince of Wales war zu Gast, Mr. Bonar Law (Slinfold war ein Haus der Torys) und eine ganze Heerschar von Engeln der Oberschicht, deren himmlische Namen regelmäßig im Court Circular auftauchten.

Sie war abgelenkt gewesen, wenn auch nicht glücklich. Eine Woche lang hatte es Jagdessen, Nachmittagsplaudereien und glanzvolle Abendessen gegeben. Aus dem Dienstbotentrakt, in dem man die vielen Kammerdiener und -zofen der Gäste untergebracht hatte, schlugen Wogen der Heiterkeit herüber. Da ihr als Frischvermählte der Vortritt gebührte, war Viola am Arm des jungen Prince of Wales in den Speisesaal paradiert. Er war kleiner, als sie sich vorgestellt hatte, sein Lachen war irritierend, und er war nach Sandringham zurückgekehrt, ohne ihr die sieben Pfund sechs Shilling auszuzahlen, die sie beim Siebzehnundvier gewonnen hatte. Doch das spielte überhaupt keine Rolle, weil er sie formell in die Loge der Aristokratie eingeführt hatte, und Viola konnte jeden Augenblick genießen. Sie fing sogar an zu glauben, daß sie geheilt sei.

Als das Fest jedoch vorüber war, hatte das Kreuz mit der Übelkeit erneut begonnen.

Ihr Magen hob sich protestierend, und ein sauer schmeckender Schluchzer explodierte in ihrem Mund. Wo Tertius jetzt wohl war? Was er wohl gerade machte? Ob er überhaupt je an sie dachte? Sie war so unwissend, als sie Gus geheiratet hatte. Sie nahm an, die Liebe sei schuld daran, daß es ihr so schlecht ging.

Unten im Eßzimmer wartete die Familie. Eleanor und Francesca, die in ihren Abendkleidern fröstelten, saßen so nah am Kamin, wie sie nur konnten, ohne gleich auf dem Rost zu hocken.

»Friert jemand?« fragte Lady Gaisford. Ihre nackten Schultern waren bläulich gefleckt. »Meint ihr, ich sollte nach Kohlen läuten?«

»Aber wozu denn?« Ihr Gatte klang aufrichtig überrascht. »Es ist eher zu warm, würde ich sagen. Sollte mich wundern, wenn es heute nacht Frost gibt, wie, Gus?«

Gus ging auf dem abgetretenen Perserteppich vor den Terrassentüren auf und ab. Sein rosiges Gesicht wirkte besorgt. Er tat Eleanor leid, die ja um den Dauerfrost wußte, der an seinem guten Herzen nagte. Vi war noch nicht heruntergekommen. Jeden Abend kam sie später und später zum Essen. Wenigstens machte einen das dankbarer für das gräßliche Essen, wenn man es dann endlich bekam: die versengten Fasanen, die immer noch mit Schrotkugeln gespickt waren, und das verkochte Gemüse. Viola entschuldigte sich nie für ihre Unhöflichkeit, und Gus' Eltern ließen es sich zur Ehre gereichen, nie ein Wort darüber zu verlieren. Eleanor hegte den Verdacht, daß sie ein wenig Angst vor ihr hatten. Lieber Gott, betete sie, laß sie nicht schon wieder die letzte sein. Mach, daß sie uns nicht wieder alle warten läßt, bis Lord Gaisfords Magen knurrt. Bitte laß sie vor Charlie herunterkommen.

Aus der Halle drang ein schreckliches Krachen, kurz darauf hörte man Porzellangeklirr.

»Nun, da ist Charlie jedenfalls«, sagte Lady Gaisford zufrieden. »Mal sehen, was er diesmal kaputtgemacht hat.«

Charlie Fenboroughs grinsendes Gesicht blickte um die Türkante. Er kam herein, die Scherben einer blau-weißen Vase in der Hand. Sein gestärkter Kragen hatte sich an einer Seite gelöst, und das braune Haar hing ihm über ein Auge.

»Entschuldigt bitte, und was man so alles sagt.«

Gus und seine Eltern brüllten vor Lachen, so daß Atemwölkchen in dem kalten Zimmer aufstiegen. Charlie war achtzehn und hatte riesige Hände und Füße an seinen endlos langen, ungelenken Armen und Beinen. Er überragte den Rest der Familie um einiges und durchlief, wie seine Mutter es liebevoll nannte, ›ein tapsiges Stadium‹.

»Bin wieder die Treppe runtergefallen«, erklärte er. »Ist doch nichts Wertvolles gewesen, wie?«

»Nicht so wertvoll wie du«, erwiderte Lady Gaisford und wischte sich die Lachtränen aus den Augen. »Mach nur soviel kaputt, wie du willst, mein Schatz, Hauptsache, es gelingt dir, selbst irgendwie heil zu bleiben. Leg die Scherben besser in den Kamin, damit sich keiner weh tut.«

Charlie kam der Aufforderung nach und pflanzte eine riesige Schuhsohle auf Eleanors Rocksaum.

Es erhob sich ein allgemeines »Aber Charlie!«, und wieder wurde gelacht.

»Herrje, Eleanor, ist das dein Kleid? Tut mir schrecklich leid. Ich kann mich an die Größe meiner Füße einfach nicht gewöhnen. Was gibt's denn zum Essen?« Er machte seinen flatternden Kragen wieder fest. »Wo ist denn deine Frau Gemahlin, Gus? Ich sterbe vor Hunger.«

Gus' Lächeln erstarb. Lady Gaisford hob warnend die Brauen.

Charlie sagte: »Was ist denn los, Ma? Warum schneidet ihr denn diese Gesichter?«

Eleanor und Francesca tauschten peinlich berührte Blicke. Sie waren nach Slinfold eingeladen worden, um Viola ›zu unterhalten‹, und fühlten sich für ihr abscheuliches Benehmen verantwortlich. Die schwere vergoldete Messinguhr auf dem Kaminsims tickte laut in das Schweigen hinein.

Schließlich sagte Lady Gaisford: »Gus, mein Junge, wir können wirklich nicht länger warten. Es wird ja alles ganz kalt.«

»Ja.« Gus' Miene war finster. »Ich laufe mal rauf und sehe nach, wo sie steckt.«

»Du könntest doch Henderson hinaufschicken«, fing seine Mutter an.

»Nein, ich gehe besser selbst.«

»Unterdessen«, erklärte Charlie, »wird der berühmte Charles Fenborough ... in allen Konzertsälen bekannt als Chucklesome Charlie ... die Gesellschaft mit einem Tanz unterhalten!«

»O nein!« rief Lady Gaisford.

»O doch!« Er hielt sich ein Brokatkissen an den Hosenboden und begann, im Zimmer herumzukapriolen, wobei er immer wieder an die Möbel bolzte, und dazu sang er: »Ihr solltet mich mal Polka tanzen sehen! Ihr solltet mich mal auf den Händen laufen sehen! Ihr solltet mich mal drehen ... drehen ... drehen sehen ...«

Wieder lachten sie. Auf Charlies Gekasper war in solchen Fällen stets Verlaß. Gus blieb an der Tür stehen und fing Eleanors mitfühlenden Blick auf. Wie konnten zwei Schwestern nur so verschieden sein? Er hatte langsam das Gefühl, daß er gern einen guten Teil von Violas Schönheit gegen ein wenig von Eleanors Sanftmut eintauschen würde.

Während er die Treppe hinaufstieg, fiel ihm wieder ein, was seine Frau über elektrisches Licht gesagt hatte. Ja, sie könnten es sich, dank Violas Geld, jetzt erlauben, elektrisches Licht zu legen. Doch darum ging es nicht. Vi verstand nicht, wie sehr dieser Vorschlag seine Eltern kränken würde. Slinfold war mehr als ein Haus. Es repräsentierte den Geist einer ungebrochenen Ahnenreihe von Fenboroughs. Wollte man darüber klagen, daß moderner Komfort fehlte, so konnte man genausogut bemängeln, daß ein geliebter Verwandter alt war. Was ihn selbst betraf, so konnte er mit Vis Stimmungen fertig werden. Doch wenn Viola die nettgemeinten Versuche seiner Eltern, es ihr in ihrem neuen Heim angenehm zu machen, immer wieder brüsk zurückwies, so hätte er weinen können. Wie oft mochten die Eltern sich fragen, ob seine Heirat wohl ein Fehler gewesen sei.

Natürlich wurden diese Dinge nicht offen erörtert. Das wäre schlechter Stil. Doch er hätte gern versichert, daß er mit ganzem Herzen zu seinem ›Fehlgriff‹ stand. Das Zusammenleben mit Vi konnte zwar die Hölle sein, doch es war für ihn völlig undenkbar, ohne sie zu existieren. So kalt sie sein mochte, so hart sie sein mochte, er hatte noch in keiner Minute bereut, sie geheiratet zu haben – nicht einmal während dieses nervenaufreibenden Monats auf Slinfold, als er sich mindestens einmal täglich gefragt hatte, wie es bloß weitergehen sollte.

»Vi«, setzte er an, als er die Schlafzimmertür aufstieß.

Im Dämmerlicht konnte er nur das Bett mit dem säuberlich zurückgeschlagenen Überwurf erkennen. Violas Bett, in dem er nur selten schlafen durfte. Sein eigenes stand in dem kargen kleinen Umkleidezimmer nebenan.

»Wo bist du denn?«

»Hier.«

Sie hockte auf der Bank in der Fensternische; die seidenen Röcke bauschten sich wenig elegant um ihre Beine. Sie war in eine Steppdecke gewickelt. Das ganze Zimmer schien von ihrer Feindseligkeit erfüllt zu sein.

»Was willst du denn?«

Gus riß der Geduldsfaden. »Was zum Teufel soll das denn? Weißt du eigentlich, wie spät es ist?«

»Nein.«

»Verdammt noch mal, wie oft mußt du zum Abendessen gerufen werden? Wie kannst du es wagen, meine Eltern in ihrem eigenen Haus warten zu lassen?«

»Ich dachte, der Sinn einer Heirat bestünde darin, daß man ein eigenes Haus bekommt«, sagte Viola kalt. »Schön dumm von mir.«

»Nein!« schrie Gus. »Darauf lasse ich mich nicht noch einmal ein! Wir gehen nach London zurück, wenn ich bereit dazu bin, eher nicht!«

»Na schön. Doch erwarte nicht von mir, daß ich deinen Eltern zuliebe ständig in Festlaune herumlaufe. Ich finde es scheußlich hier. Es ist eiskalt, und es stinkt nach toten Vögeln. Die Nachbarn sind provinzielle Tölpel, und wenn ich noch einen von Charlies dümmlichen Witzen mitanhören muß, fange ich an zu schreien. Ich habe dich geheiratet und nicht deine langweilige Familie.«

Sie hatte es noch nie so gezielt darauf angelegt, ihn zu verletzen. Ihre Augen funkelten, als sie beobachtete, wie der Schmerz seine Miene überwältigte.

»Ich ... ich habe getan, was ich nur konnte.« Seine Stimme war rauh, als hätte Vi ihm einen Schlag in die Magengrube versetzt. »Ich habe alles nur Erdenkliche getan, um dich glücklich zu machen. Wir alle. Und du hast dich nicht im mindesten bemüht, die Liebe zu vergelten, die wir dir entgegengebracht haben.«

»Keiner von euch liebt mich«, sagte sie wütend. »Euch liegt nur an meinem Geld.«

»Ich habe die Nase voll von deinem verdammten Geld!« bellte Gus. »Ich habe die Nase voll davon, daß du dich aufführst, als hättest du uns gekauft!«

»Und ich habe die Nase voll davon, daß ihr euch alle auf-führt, als tätet ihr mir einen Riesengefallen, wenn ihr mir er-laubt, das neue Dach zu bezahlen. Ja, ist das nicht vulgär, wenn ich so rede?« fügte sie hinzu, als er Anstalten machte, sich ab-zuwenden. »Doch ich fürchte, mit meiner grauenhaften Vulga-rität müßt ihr leben. Das gehört alles mit zum Handel.«

»Vi, was ist denn mit dir los? Was habe ich denn getan?« Er konnte ihr nicht böse sein. Sie machte ihn so fertig, daß ihm nichts mehr blieb, um seine Wunden zu bedecken. »Ich habe dich aus Liebe geheiratet. Das weißt du, und du scheinst mich dafür zu hassen.«

Sie schloß die Augen und schluckte ein paarmal. »Nein«, sagte sie müde, »ich kann dich bestimmt nicht hassen. Obwohl ich mir wirklich alle Mühe gegeben habe.«

»Hast du das wirklich getan?«

»Es tut mir leid, Gus. Ich hätte nicht so gemein von deiner Familie reden sollen. Es ist kein Wort wahr davon. Mir geht es nur so schlecht, daß ich mich überhaupt nicht darum geküm-mert habe, was die anderen von mir dachten. Ich fühle mich krank und erschöpft, und ich kann beim besten Willen nicht die Rolle der braven Schwiegertochter spielen.«

»Krank?« Er war einfach fassungslos. Viola sah ihn so selt-sam an, als wollte sie ihm gleich etwas eröffnen, wozu sie ihren ganzen Mut brauchte. Er mußte sich wohl auf etwas Furchtba-res gefaßt machen.

»Ich glaube«, sagte Viola mit weißen Lippen, »ich erwarte ein Kind.«

Es war, als hätte er die Welt durch das falsche Ende des Teleskops betrachtet, und Vi drehte es nun einfach herum. Sei-ne Empfindungen überschlugen sich – Verwunderung, Freude, unbeschreibliche Erleichterung. Deshalb war sie also so übel-launig gewesen, konnte den Gedanken ans Abendessen nicht ertragen, weigerte sich, mit ihm zu schlafen. Es war ja be-kannt, daß Frauen sich seltsam benahmen, wenn sie schwan-ger waren.

»Mein Liebling ... mein Prachtmädchen! Wann darf ich es den anderen erzählen?«

»Dann ... dann hast du also nichts dagegen?«

Gus setzte sich neben sie und nahm ihre Hand, die mit dem Ehering. »Es ist die beste Nachricht seit ewigen Zeiten. Kein Wunder, wenn du mir dauernd damit zusetzt, daß ich dich in die Stadt zurückbringen soll. Du mußt so rasch wie möglich einen guten Arzt aufsuchen. Den besten, den es gibt.«

»Ach Gus«, sagte Viola, »du brauchst nicht so nett zu mir zu sein.«

Der ungeduldige Unterton in ihrer Stimme entging ihm.

»Unfug, bis zur nächsten Woche ist das Haus in London in Ordnung, und wenn ich die Tapeten selbst ankleben muß. Liebling, du hast ja eiskalte Hände. Komm an den Kamin.«

»Ich muß doch jetzt runter ...«

»Aber nein. Du mußt dich hinlegen, und ich schicke dir eins der Mädchen mit Kohlen herauf.«

Sie ließ sich zu ihrem Bett führen und mit der Steppdecke zudecken.

»Nun mach aber kein Theater«, sagte sie dann unwirsch. »Sag nur Winters, daß sie raufkommen und mir das Kleid aufhaken und die Haare bürsten soll, und dann laß mich in Ruhe.«

»Ja, Liebling, selbstverständlich, wenn du gern allein sein möchtest.«

»Ach, Gus, warte ...«, Viola krallte sich in seinen Ärmel und sagte mit äußerster Selbstüberwindung: »Könntest du ... könntest du heute nacht hier schlafen?«

Gus errötete glückstrahlend. »Ich glaube nicht, daß wir ... du weißt schon ..., das könnte ja schädlich sein. Doch wenn ich dich einfach nur im Arm halten dürfte ...«

»Einfach nur im Arm halten, ja.« Sie konnte ihn nicht ansehen.

Behutsam schloß er die Schlafzimmertür, ehe er in den Salon hinuntereilte, wo die anderen immer noch warteten, frierend und hungrig.

»Viola kommt nicht runter, Mama. Sie fühlt sich nicht gut.«

Sein Gesicht strahlte dermaßen, daß Lady Gaisford sofort begriff.

»Wirklich? Ach, Gus, wie herrlich!«

Viola oben schluchzte lautlos und tief unglücklich vor sich hin. Es war so ungeheuer ungerecht. Hätte sie es rechtzeitig gewußt, hätte Tertius sie niemals zurückweisen können. Und nun war es zu spät.

> *Mit schwärzestem Moos*
> *Waren die Blumentöpfe*
> *Wie verkrustet,*
> *Einer und alle ...«*

Eleanor las laut aus einem Band von Tennyson, und ihre Stimme bebte vor Anteilnahme. Es traf genau die Stimmung des Tages, dachte sie; die Nebelschwaden, die über den Rasenflächen wogten, der perlgraue Nachmittagshimmel, die Raben, die krächzend in den zerzausten Ulmen kreisten.

Francesca saß mit gefalteten Händen da und lauschte höflich. Sie hätte zwar wesentlich lieber die neue Ausgabe des *Bystander* gelesen, die auf Violas Sofa lag, doch sie wollte Eleanors Gefühle nicht verletzen. Das arme Ding, irgendwie mußte sie ihrem Kummer ja Luft machen. Francesca zählte die Tage, bis sie wieder von Slinfold Park wegkonnten. Das Landleben war furchtbar langweilig, fand sie, besonders in den Stunden zwischen Mittagessen und Tee. Und Vi war immer so eklig zu ihr. Sie machte sich gar nicht die Mühe zu verhehlen, daß sie Francesca für ein dummes Ding hielt. Während dieses Besuchs war Francesca so oft zurechtgewiesen worden, daß sie kaum den Mund aufzumachen wagte. Gus war natürlich nett zu ihr und Charlie auch. Auch Lady Gaisford war sehr lieb. Mummy war eine ihrer Brautjungfern gewesen, und Lady Gaisford schien sie nicht für halb so verderbt zu halten, wie sie in Tante Sybils Vorstellung war. »Sie war ja erst ein kleines Mädchen, doch was für ein kleines Luder. Wir waren also kein bißchen überrascht, als sie später so eine Schlimme wurde. Schicken Sie ihr bitte einen ganz lieben Gruß von mir, wenn Sie ihr schreiben.«

Doch noch soviel Freundlichkeit konnte nicht über den wahren Grund hinwegtäuschen, weshalb Eleanor und Francesca nach Slinfold verfrachtet worden waren. Mrs. Herries war immer noch böse auf Eleanor wegen Sir Laurence Hastings und wollte sie unter Aufsicht wissen. Wenn Eleanor nur ein ganz kleines bißchen so tun könnte, als hätte sie ihn vergessen. Doch Francesca, die scharfsinniger war, als die Leute ihr zutrauten, erkannte, daß Eleanor ihr öffentliches Martyrium brauchte. Es war die einzige Verbindung zu Lorenzo, die ihr geblieben war – sie hatte seit dem Ball nichts mehr von ihm gehört. Ihre Mutter zu zwingen, sie beaufsichtigen zu lassen, war immer noch besser, als die schreckliche Vorstellung, daß er sich nichts aus ihr machte.

»Sie sagte nur, mein Leben ist öde,
Er kommet nicht, sagte sie.
Sie sagte, ich fühl mich so müde,
Und wäre am liebsten tot!«

»Eleanor, hör bloß auf, dies langweilige Zeug herunterzuleiern«, sagte Viola vom Schreibtisch in der Fensternische des Salons aus, »sonst fange ich noch an, dich mir auch tot zu wünschen. Ich versuche gerade, Mutter zu schreiben.«

Eleanor legte traurig das Buch beiseite. »Sag ihr, ich könnte meine Gefühle nicht ändern, nur um es ihr recht zu machen.«

»Sag's ihr doch selbst«, sagte Viola. »Ich kann leider nicht länger die Verantwortung für deine Dummheiten übernehmen, da Gus mich nach London zurückbringt. Sie hat dich bloß hierhergeschickt, um dich von großen dunkelhaarigen Mördern aus vom Wahnsinn befallenen Familien fernzuhalten. Davon gibt's in dieser Gegend ja nicht allzu viele.«

Eleanor war entschlossen, sich nicht provozieren zu lassen. »Dann ist euer Haus also fertig?«

»Ja, dem Himmel sei Dank. Übermorgen setzt Gus euch beide in den Zug, und dann bin ich die Verantwortung für euch los.«

Hinter ihrem Rücken warf Francesca die Röcke in die Luft, und ihr Mund formte ein stummes ›Hurra!‹

»Ehrlich, Eleanor«, fuhr Viola fort. »Warum kannst du denn nicht mit dem Unsinn aufhören, Mutter unnötig in Aufruhr zu versetzen? Du weißt doch, wie sehr sie sich davor fürchtet, daß eine von uns eine unpassende Ehe eingehen könnte. Was glaubst du, weshalb sie immer diese häßlichen Chauffeure hat?«

Eleanor errötete. »Wahrscheinlich werde ich überhaupt nicht heiraten.«

»Das würde mich nicht im geringsten wundern«, sagte Viola. »Am albernsten an der ganzen Angelegenheit ist, daß dieser Hastings offensichtlich keinen Gedanken an dich verschwendet. So viel Trara, bloß weil du dich jemandem an den Hals wirfst, der dich nicht will.«

»Ich will nichts als die Freiheit, ihn wiederzusehen«, erwiderte Eleanor. »Davon wird mich nichts und niemand abhalten.«

»Herrje«, sagte Viola. »Fast tut er mir leid.« Sie verschloß den Brief, adressierte ihn und schob ihn beiseite. »So«, sie hielt zwei Stoffmuster hoch, »welchen Brokat würdest du denn für das Frühstückszimmer wählen?« Ohne eine Antwort abzuwarten, meinte sie: »Wahrscheinlich doch den blaßgrünen. Viel gefälliger fürs Auge, wenn auch dreimal so teuer. Bin ich froh, daß Gus mich endlich mal ein bißchen Geld ausgeben läßt.«

Viola wirkte zufriedener, seit sie ihre Schwangerschaft verkündet hatte. Weil sie alles kriegt, was sie will, dachte Eleanor mißgestimmt. Das ganze Haus drehte sich nur um ihre Wünsche. In allen Räumen brannten riesige Feuer, und sie aß eigens für sie zubereitete Omeletten und Schichtpudding in ihrem Zimmer. Gus ließ ihr freie Hand, was das Haus in London betraf – Eleanor hatte gesehen, wie seine Eltern angesichts der Summen, die sie ausgab, die Brauen hochzogen. Doch Viola weigerte sich, ihr Eheleben in einem Haus zu beginnen, das seit 1870 nicht renoviert worden war.

Daß sie in allem ihren Kopf durchsetzen konnte, hatte Viola die Fassung wiederfinden lassen. Sie stürzte sich mit einem Feuereifer auf die Aufgabe, eine Königin der Gesellschaft zu werden, als hinge ihr Leben davon ab.

»Was für ein Service?« murmelte sie jetzt vor sich hin. »Das Spode für gut, natürlich, und das Minton für alle Tage ...«

Das Quäken einer Hupe drang herein. Ein Motorrad, neben dem ein Beiwagen hüpfte, wand sich die lange Zufahrt vom Tor des Parks zu ihnen herauf.

Francesca flog zum Fenster und rief: »Oh, das ist Stevie ... ich meine, es ist Mr. Carr-Lyon ..., und er hat noch jemanden in dem wannenähnlichen Ding mitgebracht! Woher weiß er denn bloß, daß wir hier sind!«

»Na, woher wohl«, sagte Viola höhnisch.

Eleanors Stimme klang trotzig. »Ich habe ihm eine Postkarte geschickt.« Ob er Lorenzo mitgebracht hatte? Zu gern wäre sie zum Fenster gerannt, doch sie beschloß, die Würde zu wahren und zu bleiben, wo sie war.

»Ich kann nicht erkennen, wer es ist«, sagte Francesca. »Sein Gesicht ist von einer Schutzbrille bedeckt. Ach wie nett, es ist Mr. Twisden.«

Eleanors hoffnungsvolle Miene erstarb, und Viola drehte lachend das Messer in der Wunde der Enttäuschung herum.

»Du dummes Schaf! Hast du dir wirklich eingebildet, Stevie würde Sir Laurence Hastings mitbringen? Mutter kann wirklich froh sein ... so wie du gebaut bist, würdest du ja nicht einmal auf einer menschenleeren Insel eine heimliche Liebesaffäre zustande bringen!«

Das Motorrad kam tuckernd vor dem Fenster zum Stehen, und Hilary Twisden in seinem Beiwagen wurde ziemlich heftig nach hinten geworfen. Einen Augenblick später kündigte der Hausdiener die beiden im Salon an.

»Viola ...« Stevie, der einen schlammbespritzten Ledermantel trug, trat auf sie zu, um ihr die Hand zu reichen. »Sie haben hoffentlich nichts dagegen, daß wir hier so hereinschneien, doch wir haben uns das Motorrad erst heute morgen ausgeliehen. Sie erinnern sich an Hilary Twisden?«

»Hallo«, sagte Hilary atemlos.

Zu Stevie war Viola immer huldvoll. »Wollen Sie etwa sagen, daß Sie den ganzen Weg von Cambridge auf diesem Apparat zurückgelegt haben?«

»Und ob. Er gehört einem Burschen von unserer Etage. Ich trage mich mit dem Gedanken, mir selbst eins zu kaufen. Wenn Sie möchten, fahre ich Sie eine Runde umher.«

»Tun Sie das nicht, Mrs. Fenborough, um Himmels willen«, sagte Hilary ernsthaft. »Da wird man dermaßen durchgeschüttelt.«

»Fiele mir im Traum nicht ein. Was für eine Überraschung, Stevie. Wie schön. Sie bleiben doch zum Tee?«

»Das würden wir sehr gern.« Stevie warf das blonde Haar zurück und grinste Francesca zu.

»Ich weiß, daß Gus sich freuen würde, Sie zu sehen«, sagte Viola ruhig. »Er ist mit Charlie draußen zum Schießen. Warum gehen Sie den beiden nicht entgegen?«

Sie waren entlassen. Alle vier gingen hinaus. Viola lauschte auf ihr Lachen in der Halle. Sie schienen erleichtert, daß sie nicht länger höflich zu ihr zu sein brauchten. Sie wartete, bis ihre Stimmen draußen auf der Eingangstreppe zu hören waren und dann auf dem Rasen des Parks langsam schwächer wurden.

Sie legte ihren Stapel Briefe für den Postsack von Slinfold sorgsam zur Seite und nahm einen neuen Bogen Briefpapier. Die Röte stieg ihr in die weißen Wangen, doch sie schrieb, ohne zu zögern: »Geliebter Tertius ...«

Eleanor und Hilary schlenderten voraus, als sie an der hohen immergrünen Wand des Irrgartens von Slinfold entlanggingen. Über ihren Köpfen schwebte blauer Rauch, denn ganz in der Nähe verbrannte ein Gärtner Laub.

Stevie verlangsamte seinen Schritt, so daß Francesca und er ein wenig zurückfielen. Das letztemal, als er sie gesehen hatte, trug sie ein Fortun-Modell und Brillanten. Heute erinnerte sie in ihrem braunen Tweedkostüm, der Baskenmütze und dem scharlachroten Halstuch an ein Rotkehlchen. Ihre Wangen und ihre Nase waren rosig von der Kälte. Er war bezaubert und fürchtete sich zugleich davor, sich lächerlich zu machen. Er hatte noch nie ein Mädchen geküßt, und sie war solch ein zartes Dingelchen – wenn er ihr nun weh tat oder ihr angst machte?

»Der Irrgarten ist hundert Jahre alt«, erzählte sie. »Ist er nicht hübsch? Gus hat mir gesagt, König Edward hätte sich einmal darin verirrt. Lord Gaisford hat versucht, ihn von einer Leiter aus hinauszulotsen, doch Mrs. Keppel war dabei, und sie haben dauernd gerufen, daß er weggehen sollte.«

Er lachte. »Das ist aber keine Geschichte für einen billigen Reiseführer.«

»O nein.« Sie warf einen Blick voraus. »Arme Eleanor. Sollen wir sie nicht lieber wieder einholen?«

»Was ist denn mit ihr los?«

Francescas braune Augen blickten vorwurfsvoll. »Das sollten Sie aber wissen. Sie hätte sich so gefreut, wenn Sie Lorenzo mitgebracht hätten.«

»Was? Wie hätte ich das denn anstellen sollen?«

»Na ja, Sie wissen, daß das nicht ging, und ich weiß es auch«, sagte sie, »doch Eleanor will keine Vernunft annehmen. Das einzige, was sie beschäftigt, ist, wie sie Lorenzo wiedersehen kann.«

Stevie war entsetzt. »So schlimm steht es also?«

»Ich weiß auch nicht, was in sie gefahren ist. Was hat er denn gesagt, als Sie ihm die Postkarte gezeigt haben?«

»Nichts. Ich meine, ich habe sie ihm gar nicht gezeigt. Darauf stand ja nur, daß Sie und Eleanor in Cambridgeshire seien. Von Larry kein Wort.«

»Selbstverständlich nicht!« rief Francesca. »Doch sie hat gedacht, wenn Sie kämen, käme er mit. Sie glaubt, Sie beide hätten ein so enges Verhältnis wie siamesische Zwillinge.«

Stevie runzelte die Stirn. Ein paar Minuten gingen sie schweigend weiter, während er nachdachte.

»Sie muß sich das aus dem Kopf schlagen«, sagte er schließlich. »Er wird sie niemals heiraten. Großer Gott, das Ganze ist grotesk! Sie müssen ihr sagen, daß es aussichtslos ist.«

»Ich hab's ja versucht«, sagte sie achselzuckend. »Wir haben's alle versucht.«

»Hören Sie, ich kenne ihn besser als irgend jemand sonst. Sie hat nur eine Seite von ihm zu sehen bekommen. Und ob man's glaubt oder nicht, es war seine beste. Sie müssen ihr sagen, daß sie ihn in Ruhe lassen soll!«

Die Dringlichkeit seines Tons verblüffte Francesca. »Warum denn?«

»Das ... das möchte ich lieber nicht sagen.«

»Sie denken an irgend etwas Unanständiges«, sagte sie sachlich. »Machen Sie sich keine Sorgen, ich werde nicht insistieren. Sie brauchen gar nicht so verlegen zu sein. Mit unanständigen Dingen kenne ich mich aus, wegen Mummy. Sie haben doch wohl davon gehört, daß sie mit Onkel Archie durchgebrannt ist.«

»Ja«, gab Stevie zu.

»Sie waren beide schon verheiratet, und es gab einen entsetzlichen Skandal. Onkel Archies Frau ist ihnen nach Biarritz gefolgt und hat draußen vor ihrem Hotel gestanden und zu ihnen hinaufgeschrien.«

»Wie schrecklich für Ihre Mutter.«

Francescas Gesicht war so unschuldig wie ein Gänseblümchen. »Es hat ihr nichts ausgemacht. Sie ist auf den Balkon hinausgetreten und hat ihr einen Shilling hinuntergeworfen und sie aufgefordert, noch ein Lied zu singen. Und dann kam ein Polizist und hat Onkel Archies Frau abgeführt.«

Stevie wirkte betroffen. »Wer hat Ihnen denn das alles erzählt?«

»Mummy ... letztes Jahr, als ich sie in Monte Carlo besucht habe. Sie hat sich ausgeschüttet vor Lachen.«

»Aber nein!«

»Und dann hat sie mir erzählt, wie Onkel Archies Frau mit einer ganzen Reporterschar ins Hotel eingerückt ist und sich immer wieder vor Mummys Kutsche auf die Straße legen wollte. Und dann ist mein Vater mit einer weiteren Reporterschar gekommen ...« Sie verstummte und ließ unglücklich den Kopf hängen.

»Arme Kleine«, murmelte Stevie in einer Mischung aus Zärtlichkeit und empörter Ritterlichkeit. »Wie furchtbar.«

Francesca blickte ihn an. »Ich wollte Ihnen ja nur sagen, daß es mir leid tut für Sir Laurence, weil ich selbst so schlechte Eltern habe. Aber deswegen glaube ich noch nicht, daß er Eleanor glücklich machen würde. Und das ist doch der Sinn einer Ehe, oder?«

Stevies Anbetung war auf dem Höhepunkt angelangt. Er sehnte sich danach, ihre langen Wimpern zu berühren und die Kontur ihres Mundes nachzuzeichnen, doch je mehr er sich sehnte, desto unmöglicher erschien es ihm. Er wollte ihre Zerbrechlichkeit beschützen, sogar vor sich selbst. Sie zu berühren, dachte er, wäre, wie einen Tautropfen von einer Rose zu schütteln – und er errötete bis an die Haarwurzeln vor Scham über seine poetische Anwandlung. Gott, wie schwach. Man brauchte sich nur in ein Mädchen zu verlieben, um selbst eins zu werden, wenn man sich nicht in acht nahm. Ein Teil von ihm wollte Hals über Kopf Reißaus vor ihr nehmen. Doch sie gingen weiter, Blick in Blick, wie in Trance versunken.

Stevie bekam vage mit, daß Hilary ihm aus einiger Entfernung etwas zurief. Der Boden fiel plötzlich unter seinen Füßen ab, und schon rollte er den steilen Grashang des Grenzgrabens hinunter, der den Park von den Wiesen trennte.

Francesca stürzte mit einem schrillen Entsetzensschrei über ihn. Sie lagen gemeinsam in dem erdigen Graben, die Kleider von Erdkrumen übersät, nur die grasbewachsenen Wände um sich und den weißen Himmel über sich.

»Haben Sie ... haben Sie sich verletzt?« flüsterte er.

Sie schüttelte den Kopf. Ihre Gesichter waren nur ein paar Fingerbreit voneinander entfernt, und sein Arm lag unter ihrer Taille. Sanft, ehrfürchtig küßte er ihren geschlossenen Mund. Stevie lag am Boden eines Grabens und befand sich doch auf einer Höhe mit den Engeln.

2

»Daß die Frau die Stirn hat!« wütete Mrs. Herries. »Nach all den Jahren nach London zurückzukehren. Wie kann sie es nur wagen, sich hier wieder blicken zu lassen. Warum konnte sie nicht in New York bleiben?«

Es war drei Wochen vor Weihnachten, und Sybil Herries tigerte im Salon auf und ab und schleppte ihren langen Samtrock hinter sich her wie ein wutschnaubender Drache. Francesca war oben, in Eleanors Armen liegend, nachdem sie eine Stunde lang einen hysterischen Weinkrampf gehabt hatte.

Flora las den Brief, der diesen Sturm entfesselt hatte – ein kaum zu entzifferndes Gekritzel von Francescas Onkel Archie, aus dem hervorging, wann das Schiff in Southampton anlegen würde und daß Francesca bei ihrer Mutter und ihrem Stiefvater in einem gemieteten Haus in der Half Moon Street, Piccadilly, wohnen sollte.

»So bald soll sie uns schon verlassen! Ach, Sybil ...«

»Daß du ja nicht anfängst zu heulen!« fuhr Mrs. Herries ihre Schwägerin an, während sie selbst mit dem grauenhaften Gefühl in ihrem Herzen fertig zu werden versuchte. Sie hatte es zugelassen, daß sie Francesca mehr liebte als ihre eigenen Töchter, und das war ihre Strafe. Das zarte Geschöpf, das sie so behutsam beschützt hatte, würde dem derben Sturm des

Skandals ausgesetzt werden, und sie wäre gezwungen, ohnmächtig zuzuschauen. »Nun stell dir dies hochnervöse Kind in einem Haus voller ausländischer Bediensteter vor. Nicht auszudenken, was sie da alles mit ansehen und mit anhören muß ...«

»Aber schließlich«, wagte Flora einzuwenden, »geht es doch um Francescas Mutter!«

»O ja!« höhnte Mrs. Herries. »Jetzt fällt ihr das wieder ein, wo Francesca erwachsen und in die Gesellschaft eingeführt ist und sie sich nicht mit ihrer Erziehung herumplagen muß. Doch was weiß die denn schon von Muttergefühlen? Sie hat den Namen Mutter nicht verdient!«

Flora war zwar entsetzt bei der Vorstellung, welche Lücke Francesca im Haus hinterlassen würde, doch sie fühlte sich gehalten, den Advocatus Diaboli zu spielen.

»Wir haben doch immer gewußt, daß wir sie eines Tages verlieren würden.«

Das entfesselte eine weitere Tirade. »Dies ist das einzige Zuhause, das sie kennt. Monica Garland ... oder Monica Templeton, wie wir sie vermutlich nennen sollen ... hat doch keine blasse Ahnung, wie man mit einem derart scheuen, schwierigen Mädchen umgeht. Du weißt doch genausogut wie ich, was das jedesmal für ein Akt ist, Francesca in ein Zimmer mit fremden Gesichtern hineinzubekommen ... und ich spreche von netten Menschen, Menschen unseres Schlages, nicht von solchen, die sich mit den Templetons abgeben.« Sie stöhnte. »Ich habe doch alles darangesetzt, einen passenden Mann für sie zu finden und ihr eine Hochzeit auszurichten. Was weiß eine Monica Templeton denn davon, wie man ein anständig erzogenes Mädchen verheiratet? Mich schaudert's bei dem Gedanken, wen sie da alles kennenlernen wird, und Stevie Carr-Lyon war praktisch drauf und dran, um ihre Hand anzuhalten. Nun, das ist damit wohl alles hinfällig.«

»Aber das wird ihn doch nicht dermaßen stören«, wandte Flora ein und ergriff Partei für ihren Liebling. »Stevie ist nicht der Mensch, der es sich einfach wieder anders überlegt.«

»Nein, aber seine Mutter wird das für ihn übernehmen. Er steht ganz und gar unter ihrer Fuchtel.«

»So schlimm wird es schon nicht werden. Immer noch besser, als wenn Francesca das Land verlassen würde.«

»Meine liebe Flora, sie könnte ebensogut auf den Mond fliegen. Niemand aus unseren Kreisen kann sie je besuchen. Wenn ich daran denke, was für Mühen es mich gekostet hat, das Kind mit den richtigen Leuten zusammenzubringen, und nun erfrecht sich dies unverschämte Weib, das alles zunichte zu machen.«

»Ich wüßte ja gern«, sinnierte Flora, »wie Mrs. Templeton heute aussieht? Sie war doch so hübsch. Weißt du noch, als Sargent sie gemalt hat und die Straße vor der Galerie tagelang völlig verstopft war?«

»Ach, das ist doch endlos lange her«, sagte Mrs. Herries mit grimmiger Genugtuung. »Sie muß ja jetzt über vierzig sein, und bedenk doch, was sie für ein Leben geführt hat. Durch ganz Europa zigeunert, Champagner in Strömen, Casinobesuche bis zum Morgengrauen ...«

Floras blasse Augen hinter den Brillengläsern weiteten sich angesichts dieses üppigen Gemäldes eines sündigen Lebens.

Mrs. Herries beeilte sich, den Aspekt der Vergeltung hervorzuheben. »Das kann ja wohl nicht gut für die Haut sein. Es würde mich nicht überraschen, wenn Monica Templeton das ganze Gesicht voller Rouge hätte.«

»Das ist also Stevie.«

Mit geschmeidiger Anmut erhob sich Monica Templeton vom Sofa und trat aus dem Schatten auf ihn zu.

Stevie verschlug es die Sprache. Er hatte erwartet, daß Francescas Mutter lüstern aussehen würde – eine geschminkte Vettel, deren Gesicht von ihrer skandalösen Vergangenheit künden würde wie ein Theaterplakat –, doch diese Frau war hinreißend.

Sie war genauso feingliedrig und zierlich wie Francesca, hatte den gleichen schmelzenden Blick, die braunen Augen, die milchweiße Haut und das üppige dunkle Haar. Doch während Francesca taufrisch wirkte, hatte ihre Mutter etwas von einem geschliffenen Edelstein – eher ein Werk der Kunst als der Natur. Ihre Lippen stachen verblüffend rot aus dem weißen Gesicht hervor, und die märchenhaften, exotisch anmutenden Augen waren schwarz konturiert.

Wie alt sie wohl war? Es schien unmöglich, ihr Alter zu schätzen. Sie trug einen Hauch von schwarzem Chiffon, der unter ihren kleinen festen Brüsten mit einer einzigen Diamantbrosche zusammengehalten wurde. Ihre Arme, die Schultern und dreiviertel ihrer Brüste waren nackt. Im weichen Lampenlicht hatte ihre Haut einen opalisierenden Schimmer. Stevie versuchte, sie nicht allzusehr anzustarren.

»Guten Abend, Mrs. Templeton.«

Wenn sie lächelte, bildete sich ein provozierendes Grübchen. »Ich habe schon beschlossen, Sie Stevie zu nennen, also müssen Sie Monica zu mir sagen. Meine offizielle Anrede ist mir so zuwider ... es sind doch lästige Assoziationen damit verbunden.«

Stevie schoß unvermutet das Blut ins Gesicht.

Monica gab vor, das nicht zu bemerken. Sie zündete sich eine Zigarette an. Stevie hielt zwar nichts von rauchenden Frauen, war jedoch hypnotisiert vom Anblick ihrer roten Lippen, die das Korkmundstück der Zigarette zu liebkosen schienen.

»Wie nett von Ihnen, daß Sie mit uns ins neue Jahr hineinfeiern wollen. Ich könnte es wirklich nicht ertragen, den Silvesterabend zu Hause zu verbringen. Das ist doch allzu deprimierend. Francesca und Archie kommen gleich. Wir vier werden unter uns sein, wenn es Ihnen recht ist. Archie hat darauf bestanden, daß wir jemanden mitnehmen, der Francesca Gesellschaft leistet, und die Aussicht, den Abend mit irgendeinem langweiligen wohlerzogenen Mädchen zu verbringen, hat mich nicht gerade begeistert.« Sie lachte. »Was nichts ausmacht, da ich mir ohnehin kein wohlerzogenes Mädchen vorstellen kann, das sich darum reißt, den Abend mit mir zu verbringen. Wie geht es denn Ihrer Mutter? Sie sind doch Marian Hopwells Sohn, nicht wahr?«

»Ja, sie ... sehr gut, vielen Dank.«

»Die gute alte Marian, die wird ja schön wütend sein, weil Sie meine Einladung angenommen haben. Grüßen Sie sie ganz lieb von mir, und sagen Sie ihr, ich fordere sie heraus, mich zu besuchen. Mein Gott«, rief sie aus, »es ist schon einmalig, daß England genauso öde ist wie eh und je. Die alte Henne Sybil Herries wirkte, als hätte sie mich am liebsten mit der Feuerzange angefaßt, als ich sie in ihrem grauenhaften Vorstadthaus besuchte.«

Stevie starrte inzwischen zur Tür, wo Francesca stand, eine himmlische Erscheinung in weißer Seide. Er spürte, wie er sich in Anbetung förmlich auflöste. Seit er sie im Grenzgraben von Slinfold geküßt hatte, befand er sich in jenem Zustand, den Lorenzo als ›widerwärtige und schwachsinnige Verknalltheit‹ bezeichnete.

Monicas Augen bekamen einen nachdenklichen Ausdruck, als sie seinem Blick folgte. »Ah, da bist du ja, mein Schatz. Ich habe Stevie für dich unterhalten. Warum hast du mir nicht erzählt, wie gut er aussieht?«

»Ach Mummy, bitte ...«

»Um Himmels willen, nun sei doch nicht gleich so entsetzt! Du bist doch kein kleines Kind mehr. Hat Sybil Herries dich all die Jahre im Schrank eingesperrt?«

»Monica«, Francescas Stiefvater hastete ins Zimmer, während er sich noch die Manschettenknöpfe zumachte, »warum sind die verdammten Karaffen bloß ständig leer? Ich bin völlig ausgedörrt.« Er war ein schmächtiger grauhaariger Mann, auf seine glatte Weise gutaussehend. Wohl ganz schön durchtrieben, dachte Stevie.

Templeton schüttelte ihm flüchtig die Hand. »'n Abend, junger Mann. Ich würde sagen, das Kleid ist ein bißchen zuviel, Monica.«

»Du meinst, ein bißchen zuwenig.« Sie warf Stevie einen belustigten Blick zu. »Was meinen Sie dazu?«

»Laß den Jungen in Ruhe«, sagte Templeton scharf. »Wenn du dich in dieser flittchenhaften Aufmachung in die Öffentlichkeit begeben willst, ist das deine Sache.«

Sie fuhren die kurze Strecke zum Ritz in einem Rolls Royce, der, so vermutete Stevie, im Bedarfsfall einschließlich Chauffeur gemietet wurde. Die Art der Templetons strahlte so etwas wie Wurzellosigkeit aus, etwas Provisorisches, was ihn mit großem Unbehagen erfüllte.

Es machte ihm kein Vergnügen, hinter Monica her das Restaurant zu durchqueren und zu sehen, wie die anderen Gäste sie anstarrten und flüsterten. Francescas Hand zitterte an seinem Arm. Sie litt Höllenqualen, und er hätte sie zu gern davor bewahrt. Es war entsetzlich, daß ein so verrufenes Paar wie die Templetons das Recht haben sollte, seine unschuldige weiße Rose in dieser Weise ins Rampenlicht zu zerren. Als sie sich gesetzt hatten, behielt er ihre Hand im Schutz der Tischdecke in seiner, und sie umklammerte seine Finger, als ginge es um ihr Leben.

Templeton war nicht entgangen, wie unbehaglich sie sich fühlte. »Darf ich dich vielleicht daran erinnern«, zischte er Monica zu, »daß es außer dir noch andere Menschen gibt, auf die du Rücksicht nehmen könntest. Wenn du nun dem Kind zuliebe versuchtest, dich anständig zu benehmen?«

»Mir fehlt gar nichts, Onkel Archie«, murmelte Francesca.

Monica lachte. »Ach Archie, wie ich das liebe, wenn du von Anstand sprichst. Wo hast du das bloß her? Aber sei unbesorgt. Von mir nimmt sowieso niemand Notiz, wenn mein schönes kleines Mädchen bei mir ist, das alle Blicke auf sich zieht.«

Stevie haßte die Vorstellung, daß Francesca von Fremden angegafft wurde, doch Archie schien besänftigt. Er hatte seine Stieftochter sehr gern und war ängstlich darauf bedacht, daß sie auf ihre Kosten kam. Das hieß für ihn allerdings nur, daß der Champagner in Strömen floß. Er wurde ganz nervös, als Francesca ihr Glas nicht anrührte. Er schien noch nichts davon gehört zu haben, daß Damen eigentlich nicht tranken. Jedenfalls nicht in der Öffentlichkeit. Na ja, wie sollte er auch, dachte Stevie, wenn seine eigene Frau das Zeug hinunterschüttete wie Limonade? Stevie trank sein eigenes Glas in einem Zug leer und tauschte es gegen Francescas volles aus. Er war zwar nicht daran gewöhnt, so schnell zu trinken, doch ihr überwältigend dankbarer Blick entschädigte ihn reichlich.

Heldenhaft trank er auch weiter für zwei, bis sich eine Glokke der Unwirklichkeit über ihn senkte. Die neuen Flaschen marschierten auf ihrem Tisch auf, als hätte ein Zauberlehrling unter den Kellnern den falschen Zauberspruch aufgesagt. Eine Kapelle spielte. Die Wände waren mit Blumengirlanden und Bändern geschmückt. Die Leute an den anderen Tischen trugen Feuerwehrhelme aus Papier und Flitterkronen.

Richtig, es war ja Silvester. Stevie verspürte eine champagnerselige Aufwallung von Sentimentalität. Ein neues Zeitalter der Romantik kündigte sich an. Er würde Francesca ihren Eltern auf dem Rücken eines weißen Zelters entreißen – ganz gleich, was seine Mutter sagen würde. Um Francescas willen wollte er ihr die Stirn bieten. Wie himmlisch Francesca in einer keuschen Brautkrone aus Orangenblüten aussehen würde ...

Kanonenschüsse und Geschrei schreckten ihn auf, doch dann merkte er, daß es Knallfrösche und Gelächter waren. Sie standen, und die Kapelle spielte ›Auld Lang Syne‹. Unter lautem Jubel entrollte sich über ihren Köpfen ein schief hängendes Transparent mit der Aufschrift ›1914‹. Er sagte im Schutz des Lärms etwas von Liebe zu Francesca, und ihre Wimpern senkten sich auf so hinreißende Weise, daß er auf der Stelle hätte auf die Knie sinken können.

Statt dessen folgte er Archie, noch ehe er recht wußte, was er tat, durch ein Farben- und Lichtergewirr. Dann standen sie Seite an Seite in der Herrentoilette.

»Ich dachte schon, wir würden es nie mehr bis hierher schaffen«, sagte Archie freundlich. »Monica sitzt über ihrem Essen, bis man drauf und dran ist, auf den Teppich zu pinkeln. Rücksichtslos.« Er knöpfte seinen Hosenschlitz zu und unterdrückte einen Rülpser. »Gehen wir eine rauchen?«

O Gott, dachte Stevie entsetzt, ich bin ja betrunken.

Archie stieß auf ein paar Bekannte, und Stevie eilte an den Tisch zurück. Man ließ Damen doch nicht ohne Begleitung. Glücklicherweise fand er nun, da Archie das Feld geräumt hatte, Gelegenheit, mit Hilfe von Kaffee den Rausch etwas zu vertreiben.

Archie tauchte wieder auf, ein Glas Brandy in der Hand. »Monica, stell dir bloß vor, wer hier ist ... der olle Buckie Van Helsing hat den Weg von Boston bis hierher gefunden, und er weiß, wo wir eine Partie Poker zustande bringen können. Der Junge bringt dich nach Hause.«

Stevie fand diese schlechten Manieren schlicht abstoßend, doch Monica schien nichts dabei zu finden.

»Ja, ja, Stevie paßt schon auf uns auf. Grüß Buckie schön von mir, Schatz, und verlier nicht zuviel Geld.«

Die Nachtluft war köstlich erfrischend und kalt. Monica hatte schon den Fuß auf dem Trittbrett des Rolls Royce, als sie innehielt.

»Ich glaube, ich lasse euch zwei lieber zu Fuß gehen und nehme allein den Wagen. Es ist eine Schande, die vielen Sterne an eine alte Ruine wie mich zu vergeuden.«

Stevie, der die Hoffnung auf einen Augenblick allein mit Francesca bereits aufgegeben hatte, konnte sein Glück kaum fassen. Zum erstenmal konnte er die Gesellschaft seines unerreichbaren Engels genießen, ohne befürchten zu müssen, daß im entscheidenden Augenblick die Anstandsdame dazwischenplatzte.

Er spürte die Knochen ihrer Hand in ihrem Glacéhandschuh und roch das zarte Parfum ihres Haars. Ihr Blick über dem prächtigen Zobelcape, das Archie ihr zu Weihnachten geschenkt hatte, war weich und vertrauensvoll. Ein langer Ohrring pochte gegen seinen Mantelaufschlag, als sie sich enger an ihn schmiegte.

Piccadilly war voller Nachtschwärmer. Eine lärmende Gruppe von Männern in Frack und Zylinder und ein halbes Dutzend kreischende, geschminkte Mädchen zwängten sich in Taxis. Ein paar Gestalten aus dem East End, die eine Spritztour in den Westen gemacht hatten, tranken unter einer Straßenlaterne Bier aus Flaschen und beäugten die vorbeigehenden feinen Pinkel, als wären es Tiere im Zoo.

Ein Polizist patrouillierte am Zaun des Parks entlang. Er salutierte flüchtig, als Stevie und Francesca vorbeischlenderten. Stevie war, als hätte er einen Ballon verschluckt, der in ihm anschwoll, bis er atemlos war vor Glück. Die Sterne am klaren Himmel, die Straßenlaternen und die Blendlaterne, mit der der Polizist in den Park leuchtete, waren in ätherischen weißen Dunst gehüllt.

Sie sprachen nicht, bis sie die Stufen vor der Haustür erreicht hatten. Die Half Moon Street war menschenleer und von gespenstisch grauen und blauen Schatten gestreift. Ehrfürchtig nahm Stevie Francesca in die Arme.

»Meine Liebste.« Er war bereit, für sie zu sterben.

»Bitte nicht ...« Sie zitterte und versuchte, sich von ihm zu lösen.

»Du brauchst keine Angst zu haben«, murmelte er. Ungeheuer zart berührte er mit den Lippen ihre Augen. »Liebling, ich werde dir nicht weh tun.«

Sie entspannte sich ein wenig und erlaubte ihm, ihren Kopf an seine Schulter zu ziehen. Es war, als hielte er einen Vogel, der mit behutsamer Zärtlichkeit gestreichelt und beruhigt werden mußte, damit er nicht fortflog.

Er hauchte ihr ins Ohr: »Willst du mich heiraten?«

Wieder überlief sie ein Angstschauder. »Nein, bitte!«

»Magst du mich denn nicht?« flüsterte er. »Wenigstens ein bißchen?«

»Ach, Stevie, ich mag dich so sehr, doch ich habe solche Angst!«

»Vor mir?«

Ihre Stimme kam halb erstickt von seiner Schulter. »Vor dem ... vor dem, was du vielleicht tun wirst.«

Stevie war bezaubert. Wie rein sie doch war, wie unberührt und unerfahren. »Mein Engel, ich will doch nichts anderes als mich um dich kümmern. Sag doch ja!«

Francesca sagte: »Ja«, und riß sich sofort aus seinen Armen los, um zu läuten.

Ein durchtrieben wirkender italienischer Hausdiener ließ sie in die Diele ein. Stevie hob ihre Hand an die Lippen.

»Ein glückliches neues Jahr!«

Sie musterte besorgt sein Gesicht. Dann schien sie beruhigt. »Ein glückliches neues Jahr, lieber Stevie.«

Er schaute ihr nach, wie sie ihren Rock anhob, die Treppe hinaufstieg und sich immer weiter von ihm entfernte, bis er allein in der Diele stand und sein törichtes Bild im Spiegel betrachtete.

»Nun können Sie kommen und auch mir ein glückliches Jahr wünschen, lieber Stevie«, sagte Monicas Stimme.

Stevie zuckte schuldbewußt zusammen. Die Tür zum Salon stand offen. Er ging hinein und hoffte, keinen einfältigen Eindruck zu machen. Wenn ein Mann drauf und dran ist, eine Mutter in aller Form um die Hand ihrer Tochter zu bitten, brauchte er seine ganze Würde.

»Machen Sie die Tür zu.« Monica lag auf dem Sofa am Kamin. Eine dünne blaue Säule Zigarettenrauch stieg aus den Tiefen der Kissen auf. Sie brach in neckendes Gelächter aus. »Na, Sie machen ja einen so selbstzufriedenen Eindruck ...«

»Mrs. Templeton, ich ...«

»Ich sehe schon, der Sternenschein hat seine Wirkung nicht verfehlt. Ach, wie rührend ist doch eine junge Liebe!« Sie warf die Zigarette ins Feuer, stand auf und reckte sich träge. »Ich werde einen Whisky Soda trinken. Leisten Sie mir Gesellschaft?«

»Nein, danke.«

»Seien Sie nicht albern, natürlich tun Sie das. Meine Güte, wie groß Sie sind!« Sie hob den schwarzgeränderten Blick zu seinem Gesicht. »Wenn Sie sich doch bloß hinsetzen würden!«

»Ich ... ich habe Francesca gebeten, meine Frau zu werden.«

»Und Sie hat eingewilligt?«

»Ja.«

»Gratuliere! Vielleicht könnten Sie sich jetzt setzen, wo der förmliche Teil beendet ist?«

Stevie setzte sich aufs Sofa, während Monica den Whisky eingoß.

»Also«, sagte sie über die Schulter, »sind Sie wirklich gewillt, mir mein armes kleines Mädchen wegzunehmen?«

»Ich weiß, es kommt schrecklich überraschend«, fing Stevie an.

Sie reichte ihm ein Glas und setzte sich neben ihn. Anscheinend merkte sie gar nicht, daß ihr Knie gegen seinen Schenkel drückte. »Wissen Sie auch bestimmt, was Sie da tun?«

»Ich bin furchtbar in sie verliebt.«

»Ach, Sie ritterlicher Junge. Ich meine, was werden Ihre Eltern bloß dazu sagen? Wissen die denn überhaupt schon etwas?«

»Nein. Aber sie müssen Francesca doch einfach lieben, wenn sie sie richtig kennenlernen.«

»Ach Stevie, Sie sind wirklich lieb, und ich komme mir gemein vor, wenn ich Sie so schnell aus allen rosigen Träumen reiße. Selbstverständlich kann man Francesca einfach nur liebhaben. Aber meinen Sie nicht, daß Sie Ihren Eltern einiges zumuten ... ich spreche von meinem Ruf.«

Das war so richtig, daß er nicht antworten konnte.

Monica seufzte und tätschelte seinen Schenkel. »Es wäre ja kein so großes Problem, wenn wir in New York hätten bleiben können. Am besten erzähle ich es Ihnen gleich, irgendwann kommt der Klatsch Ihnen ja doch zu Ohren: Wir mußten von dort weg. Ich habe mich mit jemandem eingelassen, und alles war ziemlich unerfreulich. Die Vereinigten Staaten wurden einfach zu klein für uns. Diese vulgäre Vogelscheuche von einer Mutter hat mir doch tatsächlich Geld angeboten, um mich zum Verlassen des Landes zu bewegen ... können Sie sich das vorstellen? Ich wäre zwar lieber auf den Kontinent zurückgekehrt, aber Archie gefällt die politische Lage dort nicht. Und er hatte Sehnsucht nach Francesca.«

»Er ist schrecklich nett zu ihr, nicht?«

»Nun, das versteht sich wohl«, sagte Monica ruhig, »er ist schließlich ihr Vater.«

Stevie verschluckte sich fast an seinem Whisky. »Ihr Stiefvater, meinen Sie.«

Sie tätschelte ihn erneut, und diesmal ließ sie die Hand auf seinem Schenkel liegen. »Nein, Schatz. Ihr richtiger Vater. Das ist nicht allgemein bekannt, aber ich weiß, Sie werden es für sich behalten.«

»Ja, selbstverständlich.« Er fragte sich, ob er es wagen konnte, sein Bein wegzuziehen. »Ich sage kein Wort.«

Stevie dachte an Francesca, die oben schlief, und sein Herz krampfte sich zusammen, so sehr sehnte er sich danach, ihre Unschuld zu beschützen. »Nein«, erklärte er nachdrücklich, »dadurch ändert sich für mich gar nichts. Es ist mir gleichgültig, was meine Eltern sagen werden. Ich bin über Einundzwanzig, und ich werde sie heiraten, sobald ich mein Studium beendet habe.«

Monica verdarb jedoch die Wirkung seiner Worte, indem sie lachte. »Das habe ich ganz vergessen ... Sie sind ja furchtbar verliebt in sie.«

»Ich bete sie an.«

»Und was stellen Sie sich vor, was Sie mit ihr machen werden, wenn Sie sich das viele Konfetti abgebürstet und sie in Ihr rosenumranktes Cottage getragen haben?«

»Wie bitte?« stammelte er.

Ihre ringgeschmückte Hand strich rhythmisch über sein Bein. Er mußte dem Drang widerstehen, sich hinter das Sofa zurückzuziehen.

»Stevie, haben Sie schon mal mit einem Mädchen geschlafen?«

Er hätte flüchten können, doch ihr Moschusduft und die Nähe ihrer reizvollen exotisch dunklen Augen verwirrten seine Sinne.

»Nein«, sagte er hilflos.

»Gott schütze uns alle vor den englischen Männern. Und haben Sie denn überhaupt die geringste Ahnung, wie das gemacht wird? Sie brauchen mir gar nicht erst zu antworten. Meine Tochter ist so unwissend wie ein Neugeborenes. Da würden Sie beide ja etwas Schönes zustande bringen.«

Er war ungeheuer erleichtert, als sie die Hand von seinem Bein nahm, doch dann folgte ungläubiges Entsetzen. Monika knöpfte ihm den Hosenschlitz auf und holte seinen Penis heraus. Er lag in ihrer Hand wie eine feuchte Garnele. Er ließ das Glas fallen und bespritzte die Kissen mit Whisky.

»Nein!« stöhnte er. Er war jedoch außerstande, sich zu rühren. Sie fing an, die schlaffen Falten seiner Vorhaut ganz sanft hin und her zu bewegen.

»Sie sind so ein hübscher Junge«, flüsterte sie. »Das wird Ihnen gefallen, Sie müssen sich einfach nur entspannen.« Sie lachte ihn aus. »Lehnen Sie sich zurück, und denken Sie an die Ehre Ihrer Schule.« Ihre Berührung wurde fester. »Spielen Sie an sich herum?«

Stevie konnte schon nicht einmal mehr erröten. »Ich versuche, es nicht zu tun.«

»Das sollten Sie aber. Es ist eine ausgezeichnete Übungsmöglichkeit. Archie sagt, er hätte es ununterbrochen getan, als er in Eton war. Aber Archie war ja auch derartig verdorben ... er trieb es mit dem halben Schlafsaal. Gab es auf Ihrer Schule auch solche schlimmen Jungs? Ich finde es schon recht eigenartig, daß die englischen Männer sich erst untereinander verlieben müssen, ehe sie es mit Frauen machen können. Internate sind die Treibhäuser der Leidenschaft, behauptet Archie. Waren Sie auch total verknallt in irgendeinen Krickethelden?«

Er hatte eine Erektion. Monicas Finger bewegten sich gekonnt um seine pulsierenden Hoden. »Das ist doch schön, hm?«

»Ja«, sagte er schwach. Betäubt vor Verlangen und kraftlos in seinem alkoholisierten Zustand ließ er sich auf den Rücken niederdrücken.

Sie stand lächelnd über ihm, als er seinen Penis ergriff und ihn mechanisch zu bearbeiten begann.

»So ist es gut. Denken Sie immer weiter an etwas sehr, sehr Schönes.« Sie hob ihren Rock. Er sah, wie ein Seidenschlüpfer zu Boden fiel.

Der schwarze Chiffon streifte leicht wie Spinnweben seine schmerzenden Lenden. Monica senkte sich langsam rittlings seiner Erektion entgegen. Sie krümmte den Rücken und seufzte, und ihre Augen schlossen sich ekstatisch.

Stevie hatte Angst. Er hatte das Gefühl, in die feuchte Wärme hineingezogen zu werden – als saugte eine Hexe ihm die Seele aus dem Leib. Monica bewegte die Hüften, erst langsam, doch dann immer schneller, bis sie ihn wie entfesselt ritt und gegen seinen Willen in den Strudel hineinriß. Er packte ihre Hüfte. Das Nahen seines Orgasmus war beängstigend, und es war zu spät, um ihn aufzuhalten. Sie schrie. Ihr verzerrter roter Mund war abstoßend.

Zu spät. Seine Hände gruben sich in ihre Haut. Er kam und kam, und das Herz zersprang ihm.

Monica stieg von ihm herunter, sowie er sich beruhigt hatte. Sie atmete stoßweise, und ihre Augen leuchteten, doch dann glättete sie sich mit bemerkenswertem Gleichmut das Haar und zog ihren Schlüpfer wieder an.

Stevie lag in den weichen Kissen. Seine Leistengegend war unangenehm kalt und naß, und er krümmte sich innerlich vor Scham. Er sehnte sich nach seiner Mutter. Er wagte nicht einmal, an Francesca zu denken, weil er sonst in Tränen ausgebrochen wäre.

Monica drückte ihm ein neues Glas Whisky in die Hand.

»So, mein Herz. Jetzt haben wir's geschafft, deine Unschuld ist dahin, und ich glaube nicht, daß sie uns besonders fehlen wird. Glückliches neues Jahr.«

3

Dinah tastete in ihrer Westentasche nach ihrer Uhr. »Noch fünf Minuten.« Die Falten zwischen ihren dunklen Brauen vertieften sich. »Hoffentlich kommen wir halbwegs glimpflich davon. Je näher der Augenblick der Abrechnung heranrückt, desto weniger Lust habe ich auf einen weiteren Aufenthalt in Holloway.«

Rory drückte ihr die behandschuhte Hand. »Was können sie uns schon antun? Schlimmstenfalls läuft es doch auf eine Nacht in der Zelle und eine Geldstrafe hinaus.«

Dinah stieß einen scharfen Zischlaut der Ungeduld aus. »Du hast ja recht, du hast ja recht. Es ist diese Warterei, die mich so kribbelig macht.«

Sie saßen im Fond eines großen Wagens, den sie sich von Freunden der Berlins geliehen hatten. Er war in einer engen Seitenstraße der Hauptstraße von West Surfleet geparkt, einem noch halb ländlichen Vorort im Süden von London. Nächste Woche sollte hier eine Nachwahl stattfinden, und der liberale Kandidat – der von niemand Geringerem als The Rt. Hon. David Lloyd George unterstützt wurde – hielt in der Temperance Hall auf der anderen Straßenseite eine Wahlversammlung ab. Scharen von Männern, die darauf brannten, den Schatzkanzler in Person zu erleben, strömten durch die Reihen der Polizisten in den Saal.

»Aber können wir das wirklich schaffen?« fragte Dinah in einer letzten Anwandlung von Skepsis. »Kommen wir damit wirklich durch?«

Rory kicherte. »Du ganz bestimmt ... du siehst einfach herrlich aus.« Da Frauen zu der Versammlung nicht zugelassen waren und die Polizei scharf nach feministischen Störenfrieden Ausschau hielt, hatten sich Rory und Dinah als Männer verkleidet. Rory, die eine Hose von Tertius, einen weiten Pullover und eine flache Tweedmütze trug, mochte als schlaksiger junger Bengel gerade so durchgehen, vorausgesetzt, sie hielt den Kopf gesenkt. Dinahs Verwandlung hingegen war schon unheimlich. Sie trug einen braunen Anzug, den sie sich von Joe geliehen hatte, komplett mit den dazugehörigen Stiefeln, Melone, steifem Kragen und Krawatte. Ihr Haar war kurz geschnitten, und sie hatte Oberlippe und Kinn mit einem Eintagebart bemalt.

Rory, die sich schon seit Wochen auf dieses Abenteuer gefreut hatte, hielt das Ganze für einen tollen Spaß. »Na hör mal, ist das nicht einfach riesig?« platzte sie heraus. »Bist du nicht auch ganz erpicht darauf, ihre Gesichter zu sehen?«

Dinah wurde streng, statt in ihr beglücktes Lachen mit einzustimmen. »Das hier ist kein Spiel.«

»Ach, das weiß ich doch!«

»Rory, hör mir zu. Wir sind nicht hier, um Spaß zu haben. Hast du verstanden? Du mußt dir absolut im klaren darüber sein, was du da tust.«

Rory zuckte mit den Schultern; es verdroß sie, so rabiat wieder auf den Boden der Tatsachen zurückgeholt zu werden. »Aber selbstverständlich bin ich mir darüber im klaren.«

»Halt dich um Himmels willen an den Plan. Ich weiß, du würdest lieber mit Bomben herumspielen, doch das Ziel dieser Übung ist ausschließlich, Lloyd George daran zu hindern, den Mund aufzumachen. Wegen so etwas werden wir uns nicht das Fell über die Ohren ziehen lassen. Aktionen dieser Art verlangen Disziplin.«

»Du redest wie früher auf der Schule«, beschwerte sich Rory. »Selbstverständlich werde ich mich an den Plan halten … schließlich war es ja meine Idee. Du brauchst mir keine Vorträge zu halten.«

Dinah seufzte ärgerlich. »Ich will ja damit nicht sagen, daß du nicht mutig genug bist … weiß Gott, du hast genügend Schneid für die ganze WSPU. Doch du verwechselst Unbesonnenheit mit Mut, und das macht mir Sorge. Du gehörst nun mal zu denen, die sich auf alles mögliche einlassen, ohne über die Folgen nachzudenken.«

Joe, der am Steuer des Wagens saß und aufpaßte, pustete ins Sprechrohr des Chauffeurs.

»Auf geht's, Mädels. Weidmannsheil!«

Schlagartig vergaßen sie alles außer der Aufgabe, die vor ihnen lag, stiegen eilig aus und gingen zur Einmündung der Gasse, wo sie auf den günstigsten Augenblick warteten, um sich unter die Männer zu mischen. Rory zog sich die Mütze tief über die Augen, und Dinah prüfte nervös den Sitz ihrer Krawattennadel.

Ihr Puls begann unangenehm stark in ihren trockenen Kehlen zu klopfen, als sie unter lauter Männern langsam in die Temperance Hall vorrückten.

Rory vergrub die Hände tief in den Hosentaschen, um ihr Zittern zu verbergen, und hielt sich ganz dicht bei Dinah, während sie sich nach vorn durchdrängten. Erst als sie auf den harten Holzstühlen saßen, wagte sie aufzuschauen.

Der Saal hatte eine Pechkieferntäfelung und nackte Deckenbalken, und an den Wänden waren religiöse Sprüche in altenglischen Lettern geschrieben. Die Bühne, von staubigen roten Vorhängen eingerahmt, war mit einem Tisch und Stühlen bestückt. Auf dem Tisch standen eine Wasserkaraffe und ein paar trübe Gläser. Entlang der hinteren Wand, unter der riesengroß geschriebenen Behauptung, Gott sei Liebe, waren Plakate befestigt, die dazu drängten, Francis Oxleigh, den Liberalen, zu wählen.

Um sie herum wogte das Gemurmel von fünfhundert männlichen Stimmen. Der Geruch der vielen Männerkörper stach Rory in die Nase. Sie hatte sich keine Vorstellung davon gemacht, wie eigenartig das wäre, unter Männern versteckt zu sein, die keine Ahnung hatten, daß Frauen anwesend waren. Und dies war eine der geheiligten Stätten – vom Arbeiterklub bis hin zum Oberhaus –, die die Männer so ängstlich vor weiblichen Eindringlingen zu schützen bestrebt waren. Wie eigenartig wiederum, ein Mann zu sein und Zugang zu diesen verbotenen Stätten als selbstverständlich zu betrachten.

Die Tür an der Seite der Bühne öffnete sich, und die Männer um sie herum sprangen mit Beifallsgejohle von den Plätzen auf. Lloyd George nahm den Applaus müde abwinkend zur Kenntnis und setzte sich auf seinen Platz am Tisch.

Rory starrte ihn an, während ein dicker Mann im Gehrock eine Rede hielt. Lloyd George saß mit übergeschlagenen Beinen, das Gesicht zu einem Ausdruck ernsthafter Aufmerksamkeit erstarrt, behaglich und entspannt, als wäre die Macht ihm selbstverständlich wie ein Paar alte Pantoffeln. Er war kleiner, als sie angenommen hatte, und ungepflegter. Sein Haar war die wirre Matte des verrückten Professors, und sein graumelierter Schnauzbart hing ihm wie eine zerzauste Hecke über den Mund. Wie der wohl seinen Tee trinken mochte, fragte sich Rory.

Der dicke Mann verbreitete sich erst über die bedeutende Rolle, die die Wählerschaft von West Surfleet für die Geschicke der Nation spiele, und stellte dann den Kandidaten vor. Rory konnte eine spontane Regung des Mitleids mit Mr. Francis Oxleigh nicht unterdrücken, denn er schien sich genauso zu ängstigen wie sie. Es war ein junger Mann, vorzeitig kahl geworden, und sein Adamsapfel fuhr in seinem langen weißen Hals auf und ab wie eine Gebirgsbahn.

»Männer von West Surfleet«, begann er.

»Ich gebe dir das Zeichen«, flüsterte Dinah. »Rühr dich nicht, ehe Lloyd George aufsteht.«

Von irgendwo hinter ihnen rief eine Stimme: »Was ist mit dem Home Rule für Irland?«

Der Zuruf wurde von anderen Zuhörern aufgenommen.

»Was ist mit Ulster?«

Und unmittelbar vor Rory brüllte ein Mann mit einem Akzent, als wäre er gerade erst vom Schiff gekommen: »Woher wissen wir denn, daß wir nicht von der Armee verraten werden? Auf welcher Seite stehen Sie, falls es zum Bürgerkrieg kommt?«

Es folgte heftiger Beifall, und die Atmosphäre wurde fühlbar gespannter. Rory, mittlerweile kühn genug, die Gesichter um sich herum zu betrachten, erkannte, daß der Saal voller irischer Immigranten war. Alle waren mit dem jüngsten Hindernis beschäftigt, das der Verabschiedung des Home Rule Bill entgegenstand – der Erklärung bestimmter britischer Offiziere, daß sie sich künftig jedem Schießbefehl gegen die Ulster Volunteers von Edward Carson widersetzen würden.

Mr. Oxleigh holte ein Taschentuch hervor und wischte sich die Stirn, versicherte dann jedoch tapfer, die liberale Regierung stehe unerschütterlich neben Mr. Redmont und den Parlamentsmitgliedern, die für die Nationalists eintraten.

Ein Zornesfunke entzündete das Pulver in Rorys Adern. Sie stieß Dinahs bremsende Hand weg, sprang auf und schrie: »Hört nicht auf ihn! Sie werden die Versprechen brechen, die sie Irland gegeben haben, wie sie die an die Frauen gebrochen haben!«

»Frauenwahlrecht!« schrie Dinah gellend. Sie hatte sich von ihrer Überraschung erholt und ihren Schneid wiedergefunden. »Laßt die Frauen an die Urnen!«

Der Saal bebte von tosendem Gelächter und Buhrufen.

Aus dem Augenwinkel sah Rory – und ihre Wut steigerte sich noch – Lloyd Georges humorvolles, unendlich herablassendes resigniertes Achselzucken. Polizisten schossen aus den verschiedenen Türen wie die Kuckucke aus Kuckucksuhren, und Dinah war im Nu von groben Armen an ihren Sitz gebannt.

Rory war jedoch bereits auf dem Gang. Sie hatte sich so schnell und wendig wie ein Aal durch die Reihe der Männer geschlängelt und so entschlossen nach dem Home Rule gebrüllt, daß einige ihrer Landsleute ihr doch tatsächlich den Weg freigemacht hatten. Jetzt lief sie die Stufen zur Bühne hinauf und schrie mit durchdringender Stimme: »Nieder mit den liberalen Verrätern! *Erin go bragh!* Frauenwahlrecht!«

Mr. Oxleigh sprang vor Lloyd George und packte Rory am Arm.

Instinktiv ballte Rory die freie Hand zur Faust und schwang sie gegen Mr. Oxleighs Kinn. Dies war der gewaltige rechte Haken, den sie als Kind gegen Tertius und Fingal eingesetzt hatte, und sie legte ihre ganze Kraft und Wut hinein. Der Kandidat der Liberalen im Wahlbezirk West Surfleet kippte hintüber und schlug mit dem Kopf auf die Tischkante.

Rory hatte kaum Zeit, den Schmerz in ihren Fingerknöcheln wahrzunehmen. Sie fühlte, wie ihre Füße den Halt verloren und harte Hände ihre Gliedmaßen in unterschiedliche Richtungen zerrten. Der Lärm war unbeschreiblich – Wutgeschrei, Gelächter, Hochrufe, Drohungen und Flüche. Sie rechnete damit, gleich umgebracht zu werden. Während sie durch den Saal geschleppt wurde, verschwand die Szene auf der Bühne – ein Mr. Oxleigh, dem man auf die Füße half, und ein um Ruhe bittender Lloyd George – und wurde durch blaue Sergeuniformen der Polizisten ersetzt. Sie hörte ihre eigenen Schreie, lauter als das Trillern der Polizeipfeifen, und Rufe wie ›Miststück‹ oder ›Hure‹ aus den Reihen der Zuschauer.

Für einen Sekundenbruchteil teilte sich die Wand der blauen Sergeschultern, und sie erblickte Dinahs Rücken, als die Freundin in einen Polizeitransporter verfrachtet wurde. Dann verlosch jedes Licht, und sie landete in der muffigen Finsternis einer Black Maria.

Ihr wurde übel, als der Wagen über das Kopfsteinpflaster schlingerte. Sie holte Luft, um wieder zu schreien, und merkte, daß ihre Kehle zu sehr geschwollen war, als daß sie noch einen Laut hätte ausstoßen können.

»Rory! Aurora!« Dinah rief durch die hölzerne Trennwand. »Um Himmels willen, Kind, sag doch was! Ist alles in Ordnung?«

Rory nahm ihr letztes bißchen Energie zusammen und krächzte: »Ja.«

»Ach, du kleiner Schwachkopf«, stöhnte Dinah. »Dafür kriegst du drei Monate Zwangsarbeit!«

»Sie können sich glücklich preisen, daß Mr. Oxleigh es mit einer ebenso unangebrachten wie bewundernswerten Ritterlichkeit ablehnt, Sie wegen Körperverletzung zu verklagen ...«

Der Richter war ein pensionierter Major mit rotem Gesicht und hoher, überhitzter Stimme. Er arbeitete sich zu seinem Urteil vor – offensichtlich hätte er sie, wenn es in seiner Macht stünde, zu gern hängen sehen –, und Rory gab sich alle Mühe, sich zu konzentrieren. Über Nacht war ihre schmerzende Hand angeschwollen und violett angelaufen, so daß an Schlaf nicht zu denken war. Es waren die längsten Stunden ihres Lebens gewesen.

Nun stand sie, immer noch in ihrer Männerkleidung, vor dem Bezirksgericht von West Surfleet und versuchte, sich klarzumachen, daß dies alles wirklich geschah. Der kleine holzgetäfelte Raum war gedrängt voll, und die Atmosphäre war so bedrohlich, daß man die Spannung förmlich greifen konnte. Die Zeitungsreporter, von Rorys Verkleidung und von der Tatsache entzückt, daß sie ein künftiges Parlamentsmitglied mit einem einzigen Hieb niederstrecken konnte, hatten den Prozeß immer wieder durch brüllendes Gelächter unterbrochen.

»Kein Urteil kann meiner Meinung nach hart genug sein, um eine Frau zu bestrafen, die vorsätzlich Schande über ihr Geschlecht gebracht hat, dem die größte Verehrung gebührt ...«

Cecil, die eingekeilt zwischen Frieda und Joe saß, weinte lautlos in ihr Taschentuch, wie trunken vor Erleichterung, weil Dinah mit einer Geldstrafe davongekommen war. Rory traute sich nicht, zu Tertius und Jenny hinüberzuschauen, die mit Aubrey und Fingal gekommen waren. Tertius' Gesicht war weiß, und er hatte Schatten unter den Augen. Der Gedanke entsetzte sie, daß sie anfangen könnte zu weinen, wenn sie seinem mitfühlenden Blick begegnete – und Suffragetten weinten nie. Doch wo war bloß Tom? Wäre er an ihrer Stelle gewesen, sie wäre barfuß über Stock und Stein gegangen, um bei ihm zu sein. Vielleicht war ihm irgend etwas Schreckliches zugestoßen – ein Zugunglück, ein umgestürzter Bus? Das waren zwar gräßliche Vorstellungen, doch immer noch leichter zu ertragen als der Gedanke, daß er es nicht für nötig hielt, hierher zu kommen.

»... an der Zeit zu zeigen, daß dieses Land sich nicht durch Gewaltakte terrorisieren läßt. Wenn Frauen sämtliche Grenzen des Anstands und des damenhaften Benehmens überschreiten, müssen sie auch entsprechend bestraft werden. Ich verurteile Sie deshalb zu einundzwanzig Tagen Zwangsarbeit.«

Ein Teil von Rory löste sich von dem chaotischen Protestgeschrei im Gerichtssaal, um das Strafmaß von einundzwanzig Tagen zu bedenken. Drei Wochen. Sie verband damit nichts, es hätten ebensogut drei Jahre sein können. Sie verspürte nur ein wildes, primitives Verlangen, für ihre Freiheit zu kämpfen.

Als sie jedoch von der Anklagebank weggeführt wurde, schaute sie Jenny an, und ihre Panik legte sich. Jenny war zwar angespannt und besorgt, doch brachte sie immerhin ein ermutigendes Lächeln zustande, das Rory das Rückgrat stärkte. Sie grinste zurück und fand noch die Kraft, hocherhobenen Hauptes zum Polizeiwagen zu gelangen.

Im Auto eingezwängt, überkam sie segensreicherweise der Schlaf. Sie war immer noch benommen und taumelig, als der Wagen durch die Tore von Holloway Prison donnerte und sie unter Türenschlagen und Schlüsselklirren in eine Arrestzelle gestoßen wurde.

Ihr Magen knurrte laut. Herrgott, wann würde man ihr bloß etwas zu essen geben – eins von Tertius' Backsteinsandwiches, einen Teller von dem Sauerkraut mit Rosinen, das sie bei den

Berlins bekam, selbst eins von Tante Hildas gräßlichen Pilzgerichten. Sie hatte seit dem Vortag keinen Bissen bekommen. Wie spät es wohl war? Sie hatten ihr die Uhr abgenommen, doch ihrem Gefühl nach war es Mittag. Weit weg von hier, auf Castle Carey, würde Una jetzt einen der Jungen mit Muttonheads Brot und Käse auf die Felder hinausschicken. Papa würde sich auf Marystown zu Forelle und Kartoffeln an den Eßzimmertisch setzen – doch sie mußte aufhören, ans Essen zu denken. So konnte man unmöglich einen Hungerstreik beginnen – nach zwei Tagen wäre sie dem Wahnsinn nahe.

Tom kam ihr auf beunruhigende Weise in den Sinn; sie sah ihn vor sich, wie er gestern morgen eilig in die Kleider gestiegen war und dabei vor sich hingepfiffen hatte.

»Nein«, sagte Rory laut. Sie rollte sich auf der harten Holzbank zusammen, schlang die Arme um die Knie und versuchte, sich abzulenken, indem sie das Gekritzel anderer Häftlinge auf den weißgetünchten Wänden las: ›Bert Harris ist ein Aaschloch und soll zur Hölle faren.‹ ›Ich hab's nur für das Baby getan.‹

Die Tür flog auf. Rory zuckte zusammen. Sie war an Störungen ohne jegliche Vorankündigung nicht gewöhnt. Eine Wärterin mit furchterregend an der Hüfte klirrendem Schlüsselbund kam mit einem Bündel aus grobem grauen Stoff herein.

»Stehen Sie auf!«

Rory starrte sie an. Die Frau war untersetzt und häßlich und so vulgär wie überhaupt möglich. Noch nie hatte eine derartige Person es gewagt, ihr Befehle zuzubrüllen.

»Stehen Sie auf, Mädchen!«

Benommen gehorchte Rory.

»Ziehen Sie das hier an.«

Das Stoffbündel entpuppte sich als Häftlingskleidung, die mit fußlangen Pfeilen bemalt war.

»Nein«, sagte Rory. »Ich falle unter Paragraph 243A.« Sie hatte sich oft ausgemalt, wie sie diese pompöse Erklärung abgeben würde, und war enttäuscht über die Gleichgültigkeit, auf die sie stieß. »Sie haben nicht das Recht, mich zu durchsuchen, und ich habe die Erlaubnis, meine eigene Kleidung zu tragen.«

Die Wärterin schürzte ungehalten die Lippen. »Wie Sie wollen. Nur kommen Sie dann nicht an und jammern, wenn Sie die Hose da satt haben. Nun folgen Sie mir, und zwar ein bißchen plötzlich.«

Kalt, kalt, kalt. Nach acht Tagen war es nicht der Hunger, der einen peinigte, sondern die bittere, unbarmherzige Kälte. Sie nagte an Rorys Füßen und Fingern und an ihrem leeren Magen, und sie hatte das Gefühl, ihr Blut habe sich zu einem eiskalten Rinnsal verdünnt.

Dies war ihre Welt; ihre enge Zelle mit einer Pritsche und einem Fenster hoch oben, gänzlich außer Reichweite, mit einem rostverkrusteten Gitter versehen. Jenseits dessen existierte nichts. Manchmal, in den unzähligen Stunden eines leichten Wachschlafs, huschten die blassen Phantome von Tom und Tertius und Jenny durch ihr Bewußtsein, doch sie konnten die gewaltige gläserne Wand der Kälte, die jeden Gedanken und jeden Traum verstellte, nicht durchdringen.

Sie hatte das Stadium hinter sich, als sie beim Anblick des Essens, das sie nicht anrühren durfte, gestöhnt hatte. Seit dem heutigen Tag brachte man ihr keine Häftlingsrationen mehr, sondern versuchte, sie mit Weintrauben und Koteletts aus dem Hungerstreik zu locken. Doch der Geruch des heißen Fleisches bewirkte, daß sie sich am liebsten übergeben hätte.

Rory durchforschte ihr dumpfes Hirn nach irgend etwas, womit sie sich ablenken konnte. Bislang hatte sie sich dadurch bei Verstand gehalten, daß sie sich die Gedichte ins Gedächtnis rief, die sie auf der Schule hatte auswendig lernen müssen.

»Erhaben verhüllte sich Kap São Vicente im Nordwesten«, murmelte sie. »Die Sonne, eine blutrote Pracht, versank im Golf von Cádiz, ein Etwas inmitten von irgend etwas, direkt vor Kap Trafalgar ...«

Plötzlich sah sie Francesca, so deutlich, als stünde sie vor ihr: Sie sagte das Gedicht vor der vierten Klasse auf. Dinah hatte Eleanor bei dem Versuch erwischt, ihr vorzusagen.

Rorys ruheloser Geist sprang zu Dinah über. Sie konnte sich nicht als Heldin betrachten, da sie doch wußte, daß sie Dinahs Anordnungen nicht gefolgt war. Sie war dumm und verantwortungslos und auf eine geradezu kriminelle Weise undiszipliniert gewesen. Es geschähe ihr ganz recht, wenn Frieda ihr nie wieder vertrauen würde.

Verdammte Dinah mit ihren ewigen Strafpredigten. Warum mußte sie nur immer recht behalten? Sie hatte vorausgesagt, daß Rorys Hitzköpfigkeit ihren Plan durchkreuzen würde, genau wie sie ihr unablässig ausmalte, welchen Kummer Tom ihr bereiten würde: »Ein solcher Mann hat in seinem Leben keinen Platz für die Liebe, Aurora ... Er wird deine Zuneigung aufsaugen wie ein Schwamm und dir niemals irgend etwas dafür zurückgeben.«

Rory grub vor Wut die Fingernägel in die Handflächen, weil sie sich wieder hatte hinreißen lassen, an Tom zu denken. Sie hatte bisher noch keine Träne vergossen, und sie würde auch jetzt nicht anfangen zu weinen.

Das metallene Guckloch an der Tür wurde geöffnet, und ein kaltes graues Auge funkelte zu ihr herein. Jedesmal, wenn das geschah, mußte Rory den Impuls unterdrücken, schuldbewußt zusammenzufahren. Sie zog ihre schmerzenden Beine aufs Bett, setzte sich kerzengerade hin und wappnete sich mit ihrem letzten bißchen Stolz.

Die Wärterin polterte herein; ihre robuste Hemdsärmeligkeit zerrte an Rorys zum Zerreißen gespannten Nerven. Sie hielt den beiden Ärzten die Tür auf, die Rory an ihrem ersten Tag im Gefängnis die Hand verbunden hatten; ein großer mit eisengrauem Haar und ausdruckslosem Gesicht und ein jüngerer, der Rory ansah, als röche sie schlecht.

Wortlos legte der ältere Arzt seine kühlen Finger an ihren Puls. Er nickte der Wärterin zu. Sie stürzte sich geradezu auf Rory und zerrte ihren Pullover und ihr Hemd hoch; ihre Brüste waren vom Kampf in der Temperance Hall immer noch fleckenübersät. Sie zuckte zusammen, als das Stethoskop ihre fröstelnde Haut berührte.

»Hm«, sagte der Arzt. »Wie lange ist das jetzt her?«

»Sie ist vor acht Tagen eingeliefert worden, Sir«, beeilte sich die Wärterin zu antworten.

»Und sie hat jegliche Nahrungsaufnahme verweigert?«

»Ja, Sir. Wir haben das Essen vorher und nachher gewogen, Sir, und sie hat keinen Bissen angerührt. Nur gerade mal einen Tropfen Wasser.«

Zum erstenmal sprach der Arzt Rory direkt an. »Sie sind immer noch entschlossen, nicht zu essen?«

»Ja.«

»Sie sind sich doch darüber im klaren, daß Sie sich damit gesundheitlichen Schaden zufügen können?«

»Das ... das ist mir gleichgültig.«

Er legte sein Stethoskop wieder zusammen. »Sie haben bis morgen früh Zeit, zur Vernunft zu kommen. Danach bleibt mir nichts anderes übrig, als Sie zwangsweise zu ernähren.«

Rory hatte das Gefühl, von einer eisernen Faust umklammert zu werden. Sie nahm sich zusammen und ließ sich nicht anmerken, wie sie innerlich vor Angst zitterte. Sie hatte es zwar kommen sehen, doch das machte nichts leichter.

»Was für Scherereien diese Frauen uns machen«, brummelte der Arzt seinem Kollegen zu, »bloß weil sie Märtyrerinnen sein wollen.« Er wandte sich an die Wärterin. »Bringen Sie das Tablett da weg, und holen Sie ihr ein neues.«

»Geht in Ordnung, Sir.«

Als die Ärzte gegangen waren, nahm die Wärterin das Tablett mit dem unberührten Essen und zögerte noch einen Augenblick, die Zelle zu verlassen. Rory machte sich auf die übliche Tirade über die Verschwendung von gutem Essen und Steuergeldern gefaßt.

Statt dessen flüsterte die Frau hastig: »Versuchen Sie, etwas runterzukriegen, Herzchen, zu Ihrem eigenen Besten. Zwangsernährung ist kein Vergnügen.«

Diese unerwartete Freundlichkeit bewirkte, daß Rory das heftige Verlangen zu weinen überkam. Für einen bedrohlichen Augenblick wurde sie schwach und hätte am liebsten nach Essen geschrien, wenn sie die Frau dadurch hätte zurückholen können, um sich von ihr trösten zu lassen. Sie hatte keine Kraft mehr, um die grauenhafte Prozedur der Zwangsernährung über sich ergehen zu lassen. Sie war sich ganz sicher, von Frauen gehört zu haben, die an dieser Tortur gestorben waren.

Doch die angsterfüllte Nacht, die vor ihr lag, wäre ihre allerletzte Mutprobe. Irgendwie mußte sie das unter Aufbietung ihrer verbliebenen Kräfte durchstehen. Sie zwang sich zu tiefen, beruhigenden Atemzügen, wickelte sich die einzige Decke um die Beine, streckte sich auf der Pritsche aus und heftete den Blick an die Decke.

Laut sagte sie vor sich hin:

»Mit blitzender Klinge, seid auf der Hut,
Meine Lanze trifft sicher, ihr Männer.
Meine Kraft ist für zehn von euch gut,
Denn mein Wollen ist rein ...«

Sowie sie die Schritte auf dem Steinboden vor der Zellentür hörte, begann Rory, hilflos zu zittern. Seit der Morgendämmerung hatte sie der Gefängniskakophonie des Türenschlagens, der Schreie, Pfiffe und der vorbeimarschierenden Menschen gelauscht. Doch noch ehe das Guckloch geöffnet wurde und der Schlüssel sich im Schloß drehte, wußte sie, daß die Schritte diesmal ihr galten.

Sie war steif, doch sie stand auf. Während der endlosen Nacht hatte sie diesen schrecklichen Augenblick so oft durchgespielt, daß sie jetzt beinahe erleichtert war. Am meisten ängstigte sie die Aussicht, der quälenden Prozedur nicht gewachsen zu sein und sich als Feigling zu erweisen. Hungerstreik und Zwangsernährung waren in ihrem ursprünglichen Plan nicht vorgesehen, doch sie hatte diese grauenhaften Vorgänge durch das herausgefordert, was Dinah ihre ›Unbesonnenheit‹ nannte. Und nun mußte sie unter Beweis stellen, daß sie nach dieser Unbesonnenheit wirklichen Mut aufbringen konnte.

Die Tür öffnete sich. Die Ärzte traten ein, und sechs Wärterinnen, die sich in ihrer dunklen Dienstkleidung beängstigend ähnlich waren, drängten nach ihnen herein. Die Zelle war so voll, daß man Platzangst bekommen konnte, und es herrschte ein unheimliches Schweigen. Niemand wollte sie ansehen.

Rory hätte sich keine Sorgen zu machen brauchen, daß sie in letzter Minute aufgeben könnte, denn sie erhielt keine Gelegenheit, etwas zu sagen. Man warf sie so plötzlich aufs Bett, daß sie vor lauter Überraschung in Panik geriet und wild um sich schlug.

Nichts und niemand hätte sie auf diese grauenhafte Hilflosigkeit vorbereiten können. Die Wärterinnen hielten ihre Arme, Beine und Schultern mit eisernem Griff, so daß sie sich selbst dann keinen Millimeter hätte bewegen können, wenn sie noch im Vollbesitz ihrer Kräfte gewesen wäre.

Der ältere Arzt band ihr ein Stück Wachstuch unters Kinn und sagte zu seinem Kollegen: »Machen Sie ihr den Mund auf.«

Daß man nicht sehen konnte, was vor sich ging, verschlimmerte das Ganze noch. Die Köpfe der Wärterinnen nahmen Rory die Sicht, und es berührte sie eigenartig, wie deutlich sie in einem der Gesichter eine Warze wahrnahm, auf der zwei graue Haare sprossen.

Sie biß die Zähne zusammen, bis es weh tat, und preßte die Lippen zusammen. Der jüngere Arzt zog ihre Lippen mit Gewalt auseinander – sein Finger schmeckte salzig. »Da ist eine Lücke«, verkündete er.

Ein böser Schmerz durchzog ihren Mund. Sie zwängten ihr ein scharfes Instrument zwischen die Zahnreihen. Ihre Nerven waren zum Zerreißen gespannt, als es ihr in den Gaumen schnitt. Rory versuchte mit aller Kraft, den Kopf zur Seite zu drehen, doch sie hatten ihn fest im Griff. Stahl funkelte vor ihren Augen. Der Arzt drehte an einer Schraube, und mit jeder Drehung öffnete er ihren Mund weiter, und das Instrument krallte sich tiefer in ihren Gaumen.

Der Schmerz war unvorstellbar. Ihr Körper war eine lodernde Flamme der Qual. Über sich sah sie den braunen Gummischlauch, der immer näher kam, und sie würgte krampfhaft, als er ihr Gaumenzäpfchen berührte.

Der Arzt grummelte, als sie das Ende des Schlauchs wieder heraushustete. Die geplatzten Äderchen an seiner Nase traten Rory überscharf vor Augen, als er sich dicht über sie beugte und den Schlauch so lange hielt, bis sie ihn geschluckt hatte.

Wie eine Wahnsinnige wehrte sie sich gegen das grauenhafte Gefühl, daß der Schlauch in ihren Magen hinabwanderte und ihr jede einzelne Rippe zu zerquetschen und Kohlen in ihrer Brust anzuzünden schien.

Die nächsten Minuten waren die widerwärtigsten in ihrem ganzen Leben. Eine Wärterin goß einen Krug warme Milch und rohe Eier in den Trichter am Ende des Schlauchs. Die Flüssigkeit gurgelte in ihren Magen hinab, und der Ekel überschwemmte sie bis in die Haarwurzeln. Eine Erschütterung durchlief ihre Brust, als würde ihr Inneres nach außen gestülpt, und ihre Kehle zog sich zusammen, als der Schlauch herauskam. Der Arzt schraubte die stählerne Zwinge auf und zerrte sie aus ihrem blutenden Mund. Die Wärterinnen ließen sie los und traten zurück.

Sofort erbrach Rory den Inhalt ihres Magens unter so heftigem Würgen, daß ihr Körper gegen das Bett geworfen wurde. Der Anblick und der Geruch der erbrochenen Milch, die auf dem kalten Steinboden dampfte, waren so widerwärtig, daß sie sich weiter übergab, bis sie nichts mehr herausbrachte als ein paar Speichelfäden.

»Das passiert beim erstenmal eigentlich immer, dann gewöhnen sie sich daran«, sagte der ältere Arzt. »Wir versuchen es heute abend wieder. Dann wird sie keine Kraft mehr haben, um dagegen anzukämpfen.«

Gedemütigt und erschöpft holte Rory Luft, während ihr das Blut aus dem verletzten Mund rann, und stieß sie als Schluchzer wieder aus. Ihre brennenden Augen schmerzten, als die Tränen hervorquollen. Sie weinte und weinte, und ein Schluckauf quälte ihr wundes Inneres.

Tom war nicht zur Gerichtsverhandlung gekommen, weil er keine Veranlassung gesehen hatte, seinen überaus wichtigen Zeitplan durcheinanderzubringen. Und das würde er auch niemals tun. Das war es, was einzusehen sie sich während dieser Tage der erzwungenen Einsamkeit so hartnäckig geweigert hatte. Er liebte sie nicht genug. Er hatte ihr alle Liebe gegeben, die er aufbringen konnte, und sie hatte nur aus Schwäche und Selbstsucht mehr gewollt. Doch es brach ihr trotzdem das Herz.

Sie wußte, es war Morgen, denn das Tageslicht sickerte durch das schmutzige Fenster. Jeden Augenblick würden sie mit Schlauch und Zwinge zu ihr kommen. War es viermal gewesen oder fünfmal? Sie hatte das Zählen aufgegeben, doch sämtliche Stunden zwischen den Eingriffen verbrachte sie zusammengerollt auf dem Bett; die Aussicht auf den erneuten Schmerz drückte sie dermaßen nieder, daß sie nicht einmal mehr in der Zelle umherging. Es schien eine Ewigkeit her zu sein, seit sie Toms wegen geweint hatte. Sie lag da und hatte das Gefühl, daß ihr Fleisch auf den Knochen zusammenschrumpfte.

Ihr Mund schmerzte. Jeder einzelne Zahn steuerte seinen

eigenen mißtönenden Schmerzenslaut bei. Ihr geschundener Gaumen schrie auf, wenn sie nur einen Schluck Wasser trank. Kraftlos fragte sie sich, ob sie sich jemals daran gewöhnen würde. Vielleicht würde ihr Mund ja hart werden, wie das Maul eines Pferdes hart wurde, wenn es sich an die Zügel gewöhnte.

Da waren die erwarteten Schritte. Rory rührte sich nicht. Wozu auch? Man konnte nicht von ihr erwarten, daß sie den Kopf hob, wenn sie die Zelle betraten.

»Miss Carlington.«

Die Stimme war nicht vertraut und überraschend höflich. Mit schwindelndem Kopf stemmte sie sich hoch. Heute waren es nur zwei – ihre Wärterin und ein großer Mann mit strohgelbem Haar.

Die Wärterin fuhr sie an: »Stehen Sie auf, wenn der Direktor kommt!«

»Das ist nicht nötig.« Der Gefängnisdirektor bedeutete Rory liegenzubleiben. »Die Ärzte haben mir gesagt, daß Sie auf dem Weg der Zwangsernährung keinerlei Nahrung aufgenommen haben. Sie haben mir mitgeteilt, daß jeder weitere Versuch ihr Herz in Mitleidenschaft ziehen könnte. Ich habe sie folglich angewiesen, die Behandlung abzubrechen.«

Rory starrte ihn mit offenem Mund an. Die Neuigkeit kam so unerwartet, daß sie fürchtete, ihn mißverstanden zu haben.

»Sie haben zwar erst dreizehn Tage Ihrer Strafe verbüßt«, fuhr er trocken fort, »doch wir können die Verantwortung für Ihre Gesundheit nicht länger tragen, solange Sie sich weigern, freiwillig Nahrung aufzunehmen. Sie sind sich zweifellos darüber im klaren, daß es in der Hand des Innenministers liegt, Sie unter Berufung auf das Gesetz zur Vorübergehenden Strafaussetzung wegen Haftuntauglichkeit zu entlassen. In Anbetracht Ihres jugendlichen Alters und Ihrer relativen Unbescholtenheit hat man jedoch beschlossen, Sie ohne Auflagen aus der Haft zu entlassen.«

Immer noch konnte Rory ihn nur mit offenem Mund anstarren.

»Sie werden heute nachmittag um vier Uhr entlassen.«

Die Wärterin knickste, als der Gefängnisdirektor die Zelle

verließ. Dann schloß sie die Tür hinter ihm und trat einen Schritt auf Rory zu.

»Na also, Kindchen«, sagte sie lächelnd. »Nun ist es vorbei. Wie wär's denn mit einer schönen Tasse Tee?«

Rory brach haltlos in Tränen aus. »Nein! Gehen Sie weg! Sie wollen mich bloß reinlegen!«

»Nun seien Sie aber nicht albern, Kindchen!« erwiderte die Wärterin barsch. Rorys Reaktion auf ihr gutgemeintes Angebot kränkte sie. »Die Entlassungspapiere sind doch schon unterzeichnet. Da kann eine Tasse Tee Ihnen wohl nicht schaden!«

Als sie sah, daß Rory gar nicht aufhören konnte zu weinen, wurde ihr Ton sanfter. »Die können Sie jetzt nicht mehr eingesperrt halten. Eigentlich sollte ich Ihnen das nicht erzählen, doch draußen hat es ja solches Aufsehen um Sie gegeben. Sie waren in allen Zeitungen und was noch alles. Er war noch keine Minute im Parlament, da ist er aufgestanden und hat eine Rede über Sie gehalten und gesagt, daß Sie überhaupt nicht hätten eingesperrt werden dürfen.«

Rory wischte sich die Nase am Ärmel ab. »Wer ... wer hat das gesagt?«

Die Wärterin lachte plötzlich. »Na, Mr. Francis Oxleigh natürlich! Und er hat Ihnen heute morgen einen wunderschönen Korb mit Rosen geschickt. Wahrscheinlich wird er als nächstes um Ihre Hand anhalten.«

Der erste Atemzug in Freiheit war so köstlich wie ein Schluck Champagner. Rory sog die Luft tief in ihre durstigen Lungen ein, und in ihrer überschwenglichen Freude wurde ihr schwindlig. Außerhalb der Tore von Holloway Prison bestand die Welt nur aus einem weiten, strahlenden Himmel. Sie tat einen Schritt, fast erwartete sie davonzufliegen.

»Rory! O mein Gott, was haben sie bloß mit dir gemacht?«

Sie lag in Tertius' Armen. Seine warme Wange drückte sich gegen ihre kalte, und er umarmte ihren ausgemergelten Körper, als wollte er sie nie wieder loslassen.

Benommen ließ Rory es zu, daß er ihr Gesicht mit Küssen bedeckte. Sie schaute ihm jedoch bereits über die Schulter – in der wilden Hoffnung, daß Tom auch gekommen wäre.

Er war aber nicht da. Die Enttäuschung war schneidend, doch sie schob sie beiseite. Eins nach dem anderen – sie war mit ihren Kräften am Ende. Wenigstens war Jenny gekommen, die ihr einen Mantel um die Schultern hängte und etwas von einer Salbe für ihre aufgesprungenen Lippen sagte. Ein riesiges, funkelndes Auto parkte am Bürgersteig, und ein Chauffeur hielt den Schlag auf. Daneben stand Fingal, und neben Fingal ...

Der Boden schien unter den Füßen nachzugeben. Dort stand, ein ungewohnter Anblick in dunklem Anzug und Melone, die massive, granitene Gestalt Muttonheads.

»Mutt ...« Sie hörte die eigene Stimme wie das Quieken einer Fledermaus über das Dröhnen ihres Blutes in den Ohren hinweg.

Sein Blick begegnete ihrem, und sie spürte die Kraft seines unerschütterlichen Zorns. Jetzt sah sie sich, wie sie ihm erscheinen mußte, und wußte, daß ein steinernes Tor ihr den Zugang zu seinem Herzen verwehrte. In ihrer Verzweiflung hätte Rory heulen können wie die böse Fee von Carey. Sie taumelte auf ihn zu, von der wahnsinnigen Vorstellung getrieben, sich ihm zu Füßen werfen zu müssen, und wurde ohnmächtig.

Als sie wieder zu sich kam, hatte sie den wirren Eindruck, jemand hätte ihr das Hirn herausgenommen und falsch wieder eingesetzt. Sie lag auf einem Sofa, unter einem Haufen kratziger Decken. Jenny kniete neben ihr. Warum bloß hielt Jenny ein Glas Brandy in der Hand, und warum versuchte sie, es ihr ins Ohr zu kippen – wie Hamlets Onkel? Rory versuchte zu lächeln und verstand nicht, warum alle diese feierlich ernste Miene aufgesetzt hatten.

Dann erst erblickte sie Muttonhead, der starr auf dem Kaminvorleger stand, und erkannte, wo sie war. Das war Tante Hildas Salon in Bayswater, und da – den Lieblingspapagei auf der Schulter – stand Tante Hilda selbst. Rory wimmerte leise. Schweres Geschütz war gegen sie aufgefahren. Sie befand sich in den finstersten Tiefen der Ungnade.

»Warum habt ihr mich hierhergebracht?«

»Rory, nun reg dich bitte nicht auf«, sagte Jenny besänftigend. »Miss Veness kann sich doch richtig um dich kümmern. Es ist ja nur für ein paar Tage, bis du wieder kräftig genug bist, um in die Wohnung zurückzukehren.«

»Wohnung!« bellte Muttonhead so wild, daß Rory, Tertius und Fingal zusammenzuckten. »Ha!«

»Bitte, Lord Oughterard«, sagte Jenny vorwurfsvoll, »sie darf sich doch nicht aufregen.«

»Unfug«, schaltete sich Fingal ein, »sie hat sich einfach fürchterlich aufgeführt. Sie hat es nicht verdient, daß jetzt so viel Aufhebens um sie gemacht wird.«

»Du niederträchtiges kleines Frettchen!« fuhr Tertius ihn an. »Ist sie noch nicht genug bestraft worden?« Er wandte sich Rory zu, und seine blauen Augen füllten sich mit Tränen. »Sieh sie dir doch an!« Er zog ein unbeschreiblich schmutziges Taschentuch heraus und putzte sich geräuschvoll die Nase. Rory hatte den Verdacht, daß er getrunken hatte, und hoffte nur, daß er genug Verstand besaß, Muttonhead das nicht merken zu lassen.

Muttonhead blickte zornfunkelnd auf Rory nieder. »Du bleibst zwei Tage hier. Dann bringe ich dich nach Irland zurück.«

»Das kannst du nicht!« Rory saß kerzengerade auf dem Sofa, und ihr zerzaustes Haar sträubte sich wie eine Fuchslunte. »Ich komme nicht mit!«

»Du wirst tun, was ich dir sage, Miss.« Seine gebräunte Haut nahm einen Mahagoniton an. »Großer Gott, in meinem ganzen Leben bin ich noch nicht so wütend gewesen. Wie kannst du es wagen, dich in der Öffentlichkeit zu prügeln und den Namen deines Vaters durch die Zeitungen zu zerren?«

»Es ist ja auch ihr eigener Name«, sagte Tante Hilda. »Wirklich, Lord Oughterard, wir leben im zwanzigsten Jahrhundert, nicht im Mittelalter. Frauen sind keine Leibeigenen mehr ... und Aurora ist nicht mit Ihnen verwandt, soweit ich weiß. Sie haben kein Recht, ihr irgendwelche Vorschriften zu machen.«

Ein verblüfftes Schweigen trat ein. Rory fragte sich, ob sie richtig gehört hatte. Ein triumphierendes kleines Lächeln hob Tante Hildas teigige Wangen. Das Licht einer neuentdeckten Leidenschaft leuchtete aus ihren Augen.

»Es gehört zu den wenigen Privilegien, die man unserem Geschlecht gewährt«, fuhr sie in hochtrabendem Ton fort, »daß es uns erlaubt ist, unsere Ansichten zu ändern. Es stimmt, in der

Vergangenheit war ich nicht imstande, den Vorteil zu erkennen, der den Frauen aus dem Wahlrecht erwachsen würde. Aber diese ganze Angelegenheit hat mich doch nachdenklich gestimmt. Ich zahle dieser Regierung haarsträubende Summen an Einkommenssteuer … doch ich habe diese Regierung nicht gewählt, und ich habe nicht die Macht, sie wieder abzusetzen. Ich wäre nur froh, wenn Aurora dem Schatzkanzler selbst eine versetzt hätte, denn wenn schon, denn schon, und Mr. Lloyd George ist nicht besser als ein Straßenräuber. Hör auf, Lascar«, setzte sie, an den Papagei gewandt, der an ihrem Ohrring nibbelte, hinzu.

Um Jennys Mund zuckte es, doch Rory war zu verblüfft, um lachen zu können. Tante Hilda war der letzte Mensch, dem sie eine solche Bekehrung zugetraut hätte.

»Meine Nichte hat doch nur getan, was sie für richtig hielt«, erklärte Tante Hilda Muttonhead. »Starke Prinzipien sind ein Kennzeichen unserer Familie … wenigstens in der Hinsicht ähneln wir beide einander. Und ich werde nicht zulassen, daß sie wie ein Postpaket nach Irland zurückverfrachtet wird, nur weil ihr Vater das wünscht.«

Muttonheads Nackenmuskeln schwollen. Rory ertrug es nicht länger, Ursache und Ziel eines solchen Zorns zu sein. Es mußte doch möglich sein, ihn irgendwie zu besänftigen.

»Mutt, Schatz«, fing sie an.

Ausgerechnet in diesem Augenblick platzte Tom ins Zimmer, einen Veilchenstrauß in den Händen und den Hut noch auf dem Kopf. Ohne die anderen auch nur eines Blickes zu würdigen, ließ er sich aufs Sofa fallen, riß Rory in seine Arme und gab ihr einen schmatzenden Kuß auf die Lippen.

»Na sag mal, Herzchen, du bist ja nur noch Haut und Knochen, aber du bist ein tapferes Mädchen, und ich bin stolz auf dich.«

»Ach Tom!« Rorys bleiches Gesicht rötete sich. Sie wagte Muttonhead gar nicht mehr anzusehen.

»Was ist denn los?« Tom musterte Tertius scharf. »Ach so. Die Honourables sind dir aufs Haupt gestiegen. Ich hätte eher kommen sollen. Macht nichts, nun bin ich ja da, und ich werde dich jetzt nach Hause bringen.«

»Sie werden sie nirgendwohin bringen!« fauchte Tertius.

Ganz langsam stand Tom auf. Tertius tat es ihm gleich und ballte die Hände zu Fäusten.

»Tershie!« murmelte Fingal nervös.

»Es ist Rorys Sache, wohin sie geht«, sagte Tom, »und sie will mit mir kommen.«

Muttonheads Stimme klang gefährlich ruhig. »Was haben Sie denn mit Miss Carlington zu schaffen?«

»Sie ist meine Freundin. Das habe ich mit ihr zu schaffen. Und was haben Sie mit ihr zu schaffen?«

Rory pochte das Blut in dem ausgedörrten Mund. Ihre flammendroten Wangen und Toms besitzergreifende Großtuerei sprachen eine deutliche Sprache.

»Aurora«, sagte Muttonhead mit einem solchen Donnergrollen in der Stimme, daß sie zusammenfuhr, »du kannst mit mir nach Irland kommen, und ich werde keinerlei Fragen wegen dieses Mannes stellen. Oder du kannst hier bei ihm bleiben und nie wieder mit mir sprechen. Es liegt bei dir.«

»Nicht doch, Mutt«, sagte Tertius beschwörend, »um Himmels willen ...«

Rory erstarrte. Ungläubig sah sie Muttonhead an. Er konnte doch nicht gemeint haben, daß er sie auf alle Zeiten verstoßen wollte. Das war gar nicht möglich. Das war doch Muttonhead, dessen Liebe zu den verläßlichsten Dingen ihres Lebens gehörte. Sie konnte sich ein Leben ohne diese Liebe gar nicht vorstellen.

»Nun, du hast es ja gehört«, sagte Tom höhnisch. »Der Herr hat's gegeben, der Herr nimmt's auch wieder. Entscheide dich.«

Tertius' Faust schoß vor, aber Muttonhead hatte blitzschnelle Reflexe. Er schien sich kaum zu bewegen, als er Tertius beim Gürtel packte und ihn auf Armeslänge vor sich festhielt – als hätte er es mit einem zappelnden Kätzchen zu tun.

»Manieren, bitte. Wir befinden uns in der Gegenwart von Damen.«

»Wir auch«, sagte Tom und reckte Tertius sein unversehrt gebliebenes Kinn entgegen. »Wir können in der Gegenwart von Damen keine Bauern verdreschen.«

Rory starrte den Mann an, in den sie verliebt zu sein glaubte, und eine grausige Ahnung beschlich sie. Toms Augen hatten sich zu Schlitzen verengt, und sein Lächeln war bedrohlich. Er genoß die Situation – er weidete sich daran. Ihre Verliebtheit hatte sie blind gemacht für diese Seite seines Charakters, doch nun fiel es ihr wie Schuppen von den Augen. Er war nicht gekommen, um seinen Anspruch auf sie durchzusetzen, weil er sie liebte, sondern weil er Muttonhead haßte und alles, wofür er stand.

Er hat dich niemals um deiner selbst willen geliebt, sagte ein hartes Stimmchen in ihrem Kopf. Er wollte dich um dessentwillen, wofür du stehst. Er wollte den Unterdrückern etwas wegnehmen.

Es war eine gräßliche Enttäuschung, doch es mischte sich Wut hinein.

Und nun hatte Muttonhead sie auch noch im Stich gelassen. Diese beiden Männer, die sie doch angeblich liebten, waren gleichermaßen bereit, ihr ihre Liebe in dem Augenblick zu entziehen, wo sie den anderen wählte. Sie sahen in ihr keinen richtigen Menschen mit richtigen Gefühlen. Sie war ihnen völlig egal, wenn sie sie nicht zu ihren Bedingungen besitzen konnten.

»Tom«, sagte sie, »halt den Mund.«

Sie wußte, daß sie recht gehabt hatte, als er sich zu ihr umwandte und sie die Verachtung in seinem Blick sah. »Na, bist es wohl leid, die Sozialistin zu spielen, wie? Möchtest doch lieber eine Dame sein, jetzt, wo du siehst, was du zu verlieren hast? Nun, dafür ist es jetzt ein bißchen zu spät, Kindchen. Daran hättest du denken sollen, ehe du mit mir ins Bett gegangen bist. Du bist keine Dame mehr. Nur eine ganz gewöhnliche Hure.«

Muttonhead stieß einen zornigen Laut aus, es klang wie ein Bellen; er fegte Tertius beiseite und versetzte Tom einen solchen Hieb, daß er durchs Zimmer flog. Der Papagei kreischte und flüchtete sich in einem wahren Federgestöber auf den Sims des Gasofens.

Die Wut gab Rory ihre Kräfte wieder. Sie sprang vom Sofa, stürzte sich auf Muttonhead und bearbeitete seine Brust mit den Fäusten.

»Geh weg! Verschwinde! Ich hasse dich! Ich will dich niemals wiedersehen! Niemals!«

Fingal und Jenny zogen sie, während sie immer noch mit schwachen Fäusten ins Leere schlug, zum Sofa zurück. Ein Teil von ihr erkannte mit Entsetzen die Fassungslosigkeit und Gekränktheit in Muttonheads Blick, doch die Wut hielt sie mit eisernem Griff gepackt.

»Sie sollten sich wirklich alle schämen«, sagte Jenny eisig. »Kümmert es denn hier überhaupt niemanden, daß Rory krank ist?«

Das Schweigen schien sich minutenlang hinzuziehen. Jenny legte die Arme um Rory und beschwichtigte deren rasende Wut durch ihre unerschütterliche Stärke. Tom rappelte sich hoch und massierte seinen Kiefer.

Muttonhead straffte die Schultern.

»Miss Veness«, wandte er sich an Tante Hilda. »Ich bitte Sie um Entschuldigung. Bitte, nehmen Sie meine Entschuldigung an.«

Ohne Rory anzuschauen, ging er hinaus.

Tertius blickte mit einem Mitgefühl auf Rory nieder, das ihr körperlichen Schmerz bereitete.

»Komm schon, Tershie«, sagte Fingal leise, »nun komm schon.«

Sie folgten ihrem Bruder.

Rory vergrub das Gesicht an Jennys Schulter. Sie wagte nicht, Tom in die Augen zu sehen.

»Rory«, sagte er, »tut mir leid, daß ich dich Hure genannt habe. Doch wofür hältst du dich eigentlich? Nur weil irgendein Kerl ein Mädchen herumzukriegen versucht, braucht es ihn noch lange nicht zu erhören. Nicht, wenn sie Selbstachtung besitzt. Es gibt anständige Mädchen in der Fabrik, die würden auf dich hinabsehen, weil du mit mir geschlafen hast. Ich dachte, das hättest du begriffen.«

Dann war er weg.

Rory verbrachte ihren ersten Abend in Freiheit damit, in Jennys Bluse zu weinen und zwischen zwei Schlucken Bouillon Muttonheads Namen zu schluchzen.

4

Lorenzo spielte Beethovens ›*Appassionata*‹ am Klavier in der Fensternische in Mrs. Fullers Wohnzimmer. Die Tonfolgen drangen lieblich durch die Sommerluft, und Eleanors Seele weitete sich zu einem Zustand heiliger Verzückung.

Er spielte wundervoll, und seine Technik war so makellos, daß sie meinte, die Töne wie Diamanten funkeln zu sehen. Verhext, verzückt, hingerissen folgte sie dem Sirenengesang. Statt an die Haustür zu klopfen, wie sie es geplant hatte, ging sie quer durch das Blumenbeet direkt zum offenen Fenster.

Dies war romantischer, als sie es sich in ihren kühnsten Tagträumen ausgemalt hatte. Mit wild pochendem Herzen starrte sie auf seinen dunklen Kopf, der sich über die Tasten beugte. Gleich würde er zu ihr aufsehen, und sie würde seinen jettschwarzen hypnotischen Blick auffangen, der noch von Musik erfüllt wäre.

Dann hob er den Kopf. Der Traum verblaßte zu peinlicher Wirklichkeit. Seine Hände erstarrten, und seine Augen verengten sich zornig. Eleanor wurde sich schlagartig bewußt, daß sie mit offenem Mund in einem Ringelblumenbeet stand und nichts hörte als das Scharren von Mrs. Fullers Hühnern.

»Hallo«, sie wußte, wie lächerlich das klang, und sie verfluchte ihre fatale Neigung, sich von ihren sehnsüchtigen Fantasien verleiten zu lassen. Immer stand sie am Ende da wie eine dumme Gans.

»Was treibst du denn hier?« fragte Lorenzo.

Es kam ihr nicht in den Sinn zu lügen. Daß sie mit ihren Gefühlen nicht hinterm Berg halten konnte, war auch so eine fatale Neigung. »Ich mußte dich wiedersehen.«

»Na schön«, sagte er unfreundlich, »nun siehst du mich.«

Nervös redete sie einfach drauflos. »Ich wußte nicht mal, ob du da wärst. Ich bin heute morgen einfach in einen Zug gestiegen und mit einem Taxi bis zum Dorf gefahren. Ich konnte das Warten einfach nicht länger ertragen, und du hast mir ja nie geschrieben oder ...«

»Warum mußtest du mich aufsuchen?«

»Lorenzo, tut mir leid. Es war sicher dumm von mir. Aber weißt du denn nicht, was heute für ein Tag ist?«

»Müßte ich das wissen?« Zu ihrer Erleichterung wich sein Ärger einer gewissen Belustigung.

»Heute ist der Jahrestag unserer ersten Begegnung.«

»Großer Gott.« Jetzt war er verblüfft. »Wirklich? Woher weißt du das denn um Himmels willen? Warte mal ... laß mich raten ... du führst Tagebuch!« Seine Lippen kräuselten sich zu einem säuerlichen Lächeln. »Liebes Tagebuch, o ewig unvergeßlicher Tag! Ein fremder Mann kam zum Tee und flößte mir himmlische Vorahnungen ichweißwovon ein!«

Eleanors Gesicht war zwar feuerrot, doch er hatte den Stil ihres Tagebuchs so treffend nachgeahmt, daß sie lachen mußte.

»Woher weißt du denn das? Bin ich in allem so leicht einzuschätzen?«

Zu ihrem Entzücken lachte auch er. »Das kann man nun wirklich nicht sagen. Ich dachte eben, ich hätte Wahnvorstellungen, als ich dich da am Fenster lauern sah. Was soll ich denn nun mit dir machen?«

»Mich hereinbitten vielleicht?«

»Das kann ich nicht. Mrs. Fuller ist auf den Markt gegangen, und Windrush ist bei einer Vorlesung. Ich bin allein zu Haus.«

»Das stört mich nicht.«

Seine Augen, glänzender und beunruhigender als in ihrer Erinnerung, musterten sie nachdenklich. »Hast du wirklich nichts dagegen, mit mir allein zu sein?«

»Nein, ich habe keine Angst vor dir.«

»Das solltest du aber, verdammt noch mal. Denk dran, was ich dir beim letztenmal angetan habe.«

»Das habe ich dir verziehen«, sagte Eleanor großmütig.

Diesmal hatte sein Lachen einen unfreundlichen Beiklang. »Du meinst, es hat dir gefallen.« Er stand auf. »Na gut. Wenn dir dein Ruf gleichgültig ist, werde ich mir auch nicht den Kopf zerbrechen. Komm zur Küchentür nach hinten. Sie ist offen.«

Eleanore eilte um das Cottage herum. Er stand in der modrigen kleinen Küche und goß Rotwein in zwei Teetassen. Er hatte seine uralten weißen Flanellhosen und einen von Stopfstellen zusammengehaltenen Kricketpullover an, und sie bewunderte die Eleganz, mit der er wie ein armer Gelehrter diese Lumpen trug.

»Ich kann dir keinen Tee machen«, sagte er, als er ihr eine der Tassen reichte. »Das Feuer ist ausgegangen.«

Sie bemerkte einen zugedeckten Teller auf dem Tisch, auf dem ein Zettel lag: »Mr. L. – Corned beef zum Mittagessen. Lassen Sie den Herd nicht ausgehen!« Der Teller war unberührt, doch daneben stand eine leere Weinflasche.

Lorenzo leerte seine Tasse in einem Zug, und er musterte Eleanor kritisch von Kopf bis Fuß. »Du hast mich davor bewahrt, in den Stupor der alkoholisierten Langeweile zu verfallen«, erklärte er, »und ich sollte vermutlich nur dankbar für deine Anwesenheit sein. Doch irgend etwas ist mit dir ...«

Eleanor senkte den Blick und überließ sich ganz der köstlichen Demütigung seiner Aufmerksamkeit.

»Ich weiß. Es ist dieser lachhafte Hut. Nimm ihn ab.«

Mit bebenden Händen zog sie die Nadeln aus dem blumenbedeckten Strohhut – sechs Guineen beim besten Hutmacher von London – und legte ihn auf den Tisch.

»Hm. Schon besser«, sagte er. »Aber wirfst du dich immer in Samt und Seide, wenn du einen Ausflug aufs Land machst? Wahrscheinlich hattest du die Absicht, mich zu faszinieren. Wie rührend.« Es klang keineswegs gerührt. »Nun, du kannst bleiben und mich unterhalten, wenn du möchtest ... unter einer Bedingung.«

»Ja?« fragte sie.

»Daß du mir nicht wieder einen Heiratsantrag machst.«

»Bestimmt nicht.«

»Weil ich dich«, sagte Lorenzo gedehnt, »wenn ich herausfinde, daß das der Grund für deinen Besuch ist, schnurstracks draußen in einen Kuhfladen werfe, zurück ins Haus renne und die Tür von innen verriegele.«

Sie kicherte, entschlossen, das für einen Scherz zu halten. »Ich verspreche es.«

»Gut. Dann wollen wir mal in den Garten gehen. Das ist der einzige Ort in diesem Schweinestall, der einen gewissen Charme für sich beanspruchen darf.« Er griff nach der Flasche und führte sie hinaus.

In Eleanors entzückten Augen war der Garten ein goldenes Paradies der Vögel und Schmetterlinge. Lorenzo streckte sich auf dem Rasen aus. Sie setzte sich neben ihn, darauf bedacht, sein gesundes Ohr auf ihrer Seite zu haben.

»Du spielst einfach wundervoll«, sagte sie kühn.

»Ja, nicht? Und hast du nicht meine Seele durch jede himmlische Phrase vibrieren hören?«

»Du ziehst mich auf«, sagte sie vorwurfsvoll, »doch du könntest so nicht spielen ... mit solcher Zärtlichkeit und Leidenschaft ... wenn du sie nicht empfändest.«

»Ich war betrunken, und ich konnte ja nicht ahnen, daß jemand zuhört. Wahrscheinlich habe ich mir alle möglichen vulgären Entgleisungen zuschulden kommen lassen.«

»Ach Lorenzo, bist du mir böse, weil ich dich habe spielen hören? Es tut mir leid ... doch es war so schön.«

»Entschuldige dich nicht. Du bist hier, um mich zu unterhalten.«

Eleanor hatte es geschafft, ihren Wein auszutrinken, und ihr Blut schien ihr angenehm warm. Lorenzo war zwar eher beunruhigend, wenn er getrunken hatte, doch dafür konnte man sich leichter mit ihm unterhalten. Sie stützte sich auf den Ellbogen und strich träge über die Gänseblümchen im Gras. »Wie denn?«

»Sprich einfach«, sagte er, »ich habe das Bedürfnis, jemanden reden zu hören. Erzähl mir etwas über dein Leben.«

»Das ist nicht gerade interessant. Ist das Leben von Mädchen nie.«

»Irgendeine olle Kamelle tut es auch. Stevie hat mich immer mit irgendwelchem Unsinn versorgt, doch den sehe ich ja kaum noch, seit das listige Weib ihn in die Falle gelockt hat.«

»Sie hat ihn nicht in die Falle gelockt!« Eleanor konnte es ertragen, wenn Lorenzo wer weiß wie unhöflich zu ihr war, doch daß er schlecht über Francesca sprach, konnte sie nicht durchgehen lassen. »Das ist gemein! Sie ist der unschuldigste und am wenigsten berechnende Mensch von der Welt. Sie sagt, sie wird auf Stevie warten, auch wenn es noch so lange dauert, weil sie Angst hat, ihm seine Zukunft zu verbauen.«

»Mein Gott«, murmelte Lorenzo, »du hörst dich genauso an wie er ... dieser Entrüstungssturm der Loyalität. Ihr seid beide liebe Menschen, jedermann zugetan. Doch wenn ihr liebt, packt ihr zu wie der Leibhaftige.«

»Anders kann man nicht lieben.«

»Ja, das sagt Stevie auch immer. Keiner von euch beiden käme je auf die Idee, daß ihr ermüdend sein könnt, weil ihr so sehr davon überzeugt seid, daß die anderen eure Liebe brauchen, ob sie das selbst sehen oder nicht. Ein betrunkener Bettler könnte ein Goldstück zurückweisen, doch ihr werdet es ihm trotzdem aufnötigen ... er wird sich ja *so sehr* freuen, wenn er wieder bei klarem Verstand ist.«

Die Bitterkeit in seiner Stimme ließ Eleanor für ihn leiden. »Lorenzo, wenn du doch bloß nicht so reden würdest, als wollte ich dir etwas wegnehmen. Ich stelle doch gar keine Ansprüche ... ich möchte dir nur etwas geben. Soviel oder sowenig, wie du willst.«

Er wandte ihr das Gesicht zu. »Du verstehst es nicht, wie? Wenn du es doch bloß mal von meinem Standpunkt aus betrachten wolltest.« Er setzte sich auf, um Wein nachzuschenken, und vergoß dabei ein wenig. Der Wein betupfte die Gesichter der Gänseblümchen wie Blut. »Du bist ein nettes Mädchen, Eleanor. Ich mag dich.«

Eleanor hatte das Gefühl, vor lauter Glückseligkeit zu zerfließen.

»Ich habe mich wirklich geschämt«, fuhr er fort, »nachdem ich dich bei dem Fest so schlecht behandelt habe. Du hättest mich festnehmen lassen können, statt dessen hast du dich wie eine Heilige aufgeführt.« Seine Stirn runzelte sich unheilverheißend. »Also danke. Ich bin dir im Grunde meiner schwarzen Seele zutiefst und ungeheuer dankbar.« Er peitschte sein ›danke‹ wie eine Beleidigung heraus. »Doch Dankbarkeit ist die Grenze. Weiter geht es nicht.«

»Ich habe nicht erwartet«, fing sie an.

»Verschone mich. Deine Erwartungen gehen nur dich etwas an, und ich will davon nichts hören.«

»Aber, Lorenzo«, sagte sie sanft, »ich will dir doch nur sagen, daß ich verstehe, warum du ... warum du diese Sachen mit mir gemacht hast. Du hast doch alles versucht, um mich abzuschrecken. Weil du der bist, der du bist.«

»Mein Gott«, sagte er angeödet, »ich habe schon befürchtet, daß du das mit irgend etwas in dieser Art verquicken würdest. Also, hörst du mir jetzt mal zu? Sag, daß du zuhörst.«

»Ich höre zu.«

Er sprach übertrieben langsam, wie zu einer Schwachsinnigen. »Ich habe mich deshalb schlecht benommen, weil ich schlecht bin.«

»Ach nein ...«

»Eleanor, ein anderes Motiv hatte ich nicht. Und wenn ich danach nichts unternommen habe, um dich wiederzusehen, so nicht aus Scham. Ich hatte einfach keine Lust.«

Das Leuchten in ihrem Gesicht erstarb.

Er seufzte. »Nun mach doch nicht so ein Gesicht. Es ist ja, als wollte ich dich erstechen. Ich versuche doch nur, dir klarzumachen, daß du deine Liebe an jemanden verschwendest, der sie nicht will. Ich werde dich niemals bitten, mich zu heiraten. Hörst du?«

Aus der frostigen Wüste ihrer Trostlosigkeit hauchte Eleanor: »Ja.«

»Sag: Ich höre, Lorenzo.«

»Ich höre, Lorenzo.« Im Geiste war sie jedoch schon auf dem Rückzug aus der Realität und suchte verzweifelt nach irgendeinem Hoffnungsschimmer. Vielleicht meinte er es ja nicht so. Vielleicht versuchte er immer noch, sie zu schonen. Sie würde noch reichlich Zeit haben, darüber nachzugrübeln. Jetzt kam es einzig und allein darauf an, im gegenwärtigen Augenblick aufzugehen und jede Sekunde in seiner Gegenwart zu genießen.

»Du darfst das nicht persönlich nehmen«, sagte Lorenzo. »Du wirst schon bald einen anderen finden, auf den du dich stürzen kannst. Du bist sehr lieb und sehr nett und keineswegs häßlich.«

Er strich ihr mit den Fingerkuppen über die Wange, und sie reckte sich verlangend seiner Berührung entgegen.

»Du hast so ein frisches, rosiges Gesicht.« Seine Augen lachten ihr zu. Sein Atem roch stark nach Wein. »Du siehst genau wie ein unschuldiges Milchmädchen aus, das sich feingemacht hat. Siehst du? Jetzt, wo du begriffen hast, daß ich dich nicht heiraten werde, kann ich durchaus höflich zu dir sein. Je weniger du mich liebst, desto lieber werde ich dich haben. Paß mal auf ... ich spiele dir jetzt den restlichen Beethoven vor, und du kannst deine romantischen Gefühle an ihn verschwenden. Bleib hier draußen ... Mrs. Fullers Klavier klingt in geschlossenen Räumen doch eher blechern.«

Leicht schwankend rappelte er sich hoch und ging ins Haus. Eleanor ließ sich auf den Rücken fallen. Der Himmel war blendend hell. Sie schloß die Augen und lauschte auf das Schwirren der Insekten. Ihr war ganz schwindlig vor Freude über seine lässig hingeworfenen Komplimente, und sie wiederholte sie sich noch einmal Wort für Wort. Zugleich tilgte sie alles, was die Tatsache betraf, daß er sie nicht heiraten wollte, und fast gelang es ihr zu vergessen, daß er überhaupt etwas Derartiges gesagt hatte.

Kurz darauf hörte sie die Musik und reckte sich wollüstig. Die Sonne bedeckte sie mit einer goldenen wärmenden Decke. Lorenzo spielte ganz allein für sie, wie er es in ihren Träumen so oft getan hatte. Lieber Gott, betete sie, laß mich Lorenzo haben. Es ist mir egal, was er mir antut – laß ihn nur meine Liebe annehmen, und ich kann alles ertragen.

Sie spürte, wie sein Schatten auf sie fiel.

»Ich habe dich wohl in den Schlaf gespielt.«

Eleanor öffnete die Augen. Er kniete neben ihr, sein Gesicht nur ein paar Fingerbreit von ihrem entfernt. Wenn er mich berührt, dachte sie, werde ich ohnmächtig.

»Du möchtest, daß ich dich küsse«, sagte er. »Nun, warum nicht? Jetzt zeige ich dir, wie gut ich das kann, wenn ich nur will.«

Sehr langsam näherte er sich ihrem Mund, und als sie seine Zunge spürte, hatte Eleanor das Gefühl, vor Seligkeit sterben zu müssen. Zwischen ihren Beinen brannte eine wilde, unanständige Hitze. Doch wenn sie sich auch schämte und fürchtete, so konnte sie doch nicht aufhören, sich wimmernd an ihn zu drücken.

Die Bewegungen von Lorenzos Zunge wurden fester. Er stieß einen Seufzer aus, preßte sie an sich und wälzte sich auf sie. Eleanor klammerte sich an seinen Pullover und spürte seine Muskeln und seine Wirbelsäule. Die Hitze steigerte sich auf geradezu unerträgliche Weise. Sie wünschte sich, daß das immer und ewig so weiterginge.

Er zog den Kopf weg. »Hören wir besser auf«, sagte er atemlos.

»Nein!«

»Ich lasse mich hinreißen. Muß der Wein sein.«

»Bitte ... bitte ...« Eleanor wußte nicht, worum sie bat.

»Mehr?« fragte er lächelnd.

»Ach, bitte, bitte ...«

»Na, dann noch ein bißchen, wenn du es so gern möchtest.«

Sie hielt den Blick auf sein Gesicht geheftet, als er sich bewegte, um seine Hose auszuziehen. Dann fuhr seine Hand unter ihren Rock, zu ihrem Schlüpfer hinauf.

»Wie kriegt man denn diese verdammten Dinger weg?«

Mit bebenden, ungeschickten Fingern öffnete Eleanor die kleinen Perlenknöpfe. Ein Teil ihrer selbst war entsetzt über das, was sie tat. Noch entsetzter war sie, als sie Lorenzos Penis sah, der hart und gerötet in seiner Hand lag. Vage erinnerte sie sich an die verblümten Worte ihrer Mutter über die Unerfreulichkeit des ›Hochzeitsakts‹, doch es war zu spät, um noch aufzuhören.

Lorenzo zwängte sich zwischen ihre Beine und durchbohrte sie mit einem einzigen Stoß, der direkt ins Zentrum ihrer Begierde traf. Der Schmerz verschlug ihr den Atem, doch es war ungeheuer erleichternd, so als würde eine Wunde verätzt.

Lorenzo stemmte sich auf die Ellbogen und beobachtete sie mit ausdrucksloser Miene.

»Gefällt's dir?« fragte er.

»Ja ...« Ohne recht zu wissen, was sie tat, drängte Eleanor die Hüften an ihn.

»Halt still.« Er drückte ihre Arme zurück und begann – mit demselben ausdruckslosen Gesicht –, rhythmisch gegen ihren Unterleib zu stoßen. Der Schmerz steigerte sich Welle um Welle zur Ekstase, die genau dann nachließ, als sie meinte, daran sterben zu müssen. Heiße, wollüstige Tränen sammelten sich unter ihren Lidern.

»Mein Liebling«, flüsterte sie.

Plötzlich schlug im Haus eine Tür, und Mrs. Fullers schrille Stimme ertönte: »Mr. Lorenzo, sind Sie da, mein Junge?«

Lorenzo zuckte zusammen. Seine Augen weiteten sich vor

Entsetzen, er sackte auf Eleanor nieder und stöhnte: »Nein ...
o Gott! Nein! Nein!«

Ruckartig setzte er sich auf, und Eleanor spürte, wie ein heißes Rinnsal aus ihrer Vagina ins Gras floß. »Verdammt! Verdammt und zugenäht!« Lorenzo hämmerte wütend mit den
Fäusten auf den Boden.

Im Haus begann Mrs. Fuller zu singen:
»Wenn du ein kleines Körnchen Liebe in deinem
Herzen hieltest,
was wäre da auf Tag, auf Jahr ...«
Eleanor setzte sich verwirrt auf. »Lorenzo ...«

Er fuhr zu ihr herum, zornbebend. »Verschwinde!« zischte er.
»Mach, daß du wegkommst, und laß mich in Frieden. Und Gott
steh dir bei, wenn ich dich jemals wiedertreffe!«

»Aber ...«

»Zieh deinen verdammten Rock runter.«

Er stürzte davon, ins Haus, und Eleanor stand hastig auf und
glättete ihre Kleider. Sie kam wieder zur Vernunft, und der Gedanke, von Mrs. Fuller gesehen zu werden, entsetzte sie. Lorenzo kehrte gleich darauf noch einmal zurück, gerade lange genug, um ihr ihren Hut zuzuwerfen, und im Nu war er wieder
im Haus verschwunden und knallte die Tür hinter sich zu.

Wie betäubt vor Qual floh Eleanor und stolperte über die
tiefen Furchen des Feldwegs davon. Erst als sie um die Ecke
gebogen war und das Haus nicht mehr sehen konnte, merkte
sie, daß sie weinte.

Lorenzo bezahlte das Taxi am Piccadilly Circus. Er zog den Hut
tief in die Stirn und ging rasch den Piccadilly entlang und auf
den Park zu. Er hatte beim Abendessen noch eine Flasche Wein
getrunken, doch der Alkohol hatte seinem Haß nur neue Nahrung gegeben. Er war gespannt wie eine Feder und zitterte vor
Wut. Und er wußte, daß er keine Chance hatte, diese Wut unter
Kontrolle zu bringen.

An der Einmündung einer unbeleuchteten Gasse blieb er kurz
stehen und sah sich um, ehe er in ihren Schatten eintauchte. Er
kam zu einer Tür ohne Namensschild, die in der Finsternis gerade noch zu erkennen war, und klopfte dreimal. Die Tür wurde

eine Handbreit geöffnet, und er eilte in den dunklen Flur. Am Ende der nackten Treppenstufen klopfte er abermals.

Ein gebeugtes altes Dienstmädchen ließ ihn in die Diele ein, und er blinzelte im blendenden Licht. Er stand auf einem dicken roten Teppich, umgeben von blauem Zigarrendunst, und nahm streitsüchtige Männerstimmen im Salon wahr. Irgendwo spielte ein Grammophon. Dutzende von Seidenzylindern waren auf der geschnitzten Mahagonianrichte aufgereiht.

Er reichte dem Dienstmädchen seinen Hut, doch sie wollte ihn nicht nehmen. Ihr Blick war zweifelnd auf sein Gesicht geheftet.

»Warten Sie hier einen Augenblick, Sir.« Sie huschte in den Salon.

»Scheiße«, murmelte Lorenzo. Wahrscheinlich konnte er genausogut gehen. Doch sein Zorn ließ es nicht zu. Zähneknirschend blickte er zu der Reihe der Peitschen, Reitgerten und Rohrstöcke empor, die die Wände zierten. Außerdem gab es Stiche im klassischen Stil, auf denen fette nackte Mädchen zu sehen waren, die von prachtvollen jungen Kriegern gezüchtigt wurden. Der Anblick ihrer schwellenden Lippen, die in übertriebener Angst geschürzt waren, heizte seine Wut noch weiter an.

Mrs. Watson kam aus dem Salon, aufgedonnert in einem kobaltblauen Abendkleid mit Schleppe, ein Glas Champagner in der Hand.

»Sie.« Ihr Gesicht war grimmig. »Daß Sie die Stirn haben!« Das Dienstmädchen flüsterte ihr etwas ins Ohr.

»Schon gut«, sagte sie. »Ich kümmere mich schon um ihn. Geh jetzt Alf holen.«

»Ja, Madam.« Das Dienstmädchen verschwand durch eine mit grünem Stoff bespannte Tür.

Mrs. Watson trat einen Schritt näher zu Lorenzo und murmelte: »Ich will keinen Ärger. Machen Sie einfach kehrt und gehen Sie. Solche wie Sie wollen wir hier nicht ... nicht nach dem, was Sie letztesmal angerichtet haben.«

»Ich dachte, das sei die Spezialität des Hauses.«

»Sie haben sich verdammt mehr erlaubt, als Sie bezahlt haben.«

»Verstehe.« Lorenzo griff nach seiner Brieftasche.

»Stecken Sie Ihr Geld weg.« Mrs. Watsons Stimme wurde

zum unterdrückten Knurren. »Ich möchte es mir nicht mit der Polizei verderben. Alf!«

Die stoffbespannte Tür öffnete sich, und ein hünenhafter Mann mit Boxernase kam herausgeschlurft. Er stellte sich hinter Mrs. Watson und musterte Lorenzo mit verdrossener Gleichgültigkeit.

»Verschwinden Sie«, sagte Mrs. Watson. »Und wenn Sie sich hier jemals wieder blicken lassen«, ihre Augen verengten sich zu verächtlichen Schlitzen, »dann wird Alf mit Ihnen das veranstalten, was Sie dem armen Mädchen angetan haben.«

In Lorenzo brodelte rasender Zorn, als er wieder draußen stand. Es war spät. Die Straßen waren dunkel und menschenleer. Er lief, ohne darauf zu achten, wohin er ging. Seine Glieder schmerzten vor Erschöpfung, doch der schreckliche Drang, der ihn gepackt hatte, trieb ihn weiter.

Am Shepherd Market leuchtete ein einsamer Polizist Lorenzo mit der Blendlaterne ins Gesicht, sah, daß es sich um einen feinen Herrn in Abendkleidung handelte, und sagte: »Achten Sie gut auf den Weg, Sir.«

Als er dem Echo seiner Schritte lauschte, die sich die Straße hinab entfernten, überkam Lorenzo eine Angst, die ihm den Schweiß auf die Oberlippe trieb. Geh nach Hause, befahl er sich selbst.

Dann erblickte er sie.

Sie beobachtete ihn von einer Toreinfahrt aus, im trüben Schein einer Lampe, die über ihr an der Wand befestigt war. Sie war dünn und ärmlich gekleidet, und die tiefen Falten zu beiden Seiten des geschminkten Mundes sagten ihm, daß sie über ihre besten Jahre hinaus war.

»Suchen Sie eine Freundin, Mister?«

Langsam ging Lorenzo zu ihr hinüber.

»Nur sieben Shilling Sixpence, Kleiner.«

Er griff in die Tasche und holte eine Handvoll Münzen heraus. Sie ließ einen gierigen kleinen Laut hören, als sie die Goldmünzen glitzern sah. Sie sah jedoch auch das Glitzern in seinen Augen, und obwohl sie nicht aufhörte zu lächeln, zuckten ihre mageren Schultern vor Angst.

Der hier brauchte keine Freundin. Er brauchte eine Feindin.

5

»Lang lebe die große Kunst Vortex, die im Herzen dieser Stadt entstanden ist!« deklamierte Rory. Sie las aus dem schludrig gedruckten hellbraun gebundenen Buch. »Ein vortizistischer König! Warum nicht? Glauben Sie, daß Lloyd George den Vortex in sich hat?«

»Na, wenn ihm den jemand verpassen kann, dann du, Herzchen«, sagte Aubrey, der in seine eigene Ausgabe von *Blast* vertieft war. »Oh, hört euch das mal an: ›Wir wollen Humor nur, wenn er wie die Tragödie gekämpft hat. Wir wollen Tragödie nur, wenn sie sich den Bauch vor Lachen hält, das losbricht wie eine Bombe!‹« Er blickte über den Rand des Buches hinweg zu Tertius. »Es ist glänzend ... ein Manifest für das moderne Zeitalter und die Totenglocke für die Viktorianer. Du bist ein Genie.«

»Einfach zum Totlachen«, warf Fingal ein, der über der Liste der *Blasts and Blesses*, der Sprengungen und Segnungen, vor sich hin kicherte. »›Die Jahre von 1837 bis 1900 sprengen!‹ Da kann ich nur zustimmen. Und was für eine köstliche Idee, die Friseure zu segnen.«

Tertius zuckte die Achseln. Trotz des Erfolgs von *Blast*, der neuen Zeitschrift, die bewirkt hatte, daß halb London über die künstlerische Revolution des Vortizismus sprach, war er in keiner guten Stimmung. »Wyndham Lewis hat das ganze Zeug da geschrieben. Ich habe nur meinen Namen unter das Manifest gesetzt und ein paar Holzschnitte gemacht.«

Aubrey holte sein goldenes Zigarettenetui hervor. »Aber mein lieber Junge, es sind einfach Wunderwerke ... seit Jahren habe ich nichts so Aufregendes gesehen. Und über die Ölbilder kann ich mich immer noch nicht beruhigen. Warum, warum bloß hast du mir deine Arbeiten nicht schon früher gezeigt?«

»Ich habe sie dir überhaupt noch nicht gezeigt.«

»Verdammt und zugenäht«, bellte Quince von der anderen Seite des Raumes herüber, »du schmollst doch nicht etwa immer noch, weil ich Russell deine Leinwände gezeigt habe? Wie willst du sie denn sonst verkaufen?«

Tertius und Quince malten zur Zeit explosive Maschinenbilder an die Wände des Wormwood Club, deren bisheriger Schmuck, Früchtestilleben, bei seinem Inhaber in Ungnade gefallen war. Es war zwar erst fünf Uhr, doch Aubrey, Fingal und Rory waren in den Klub hinuntergestiegen, um den Vortex mit Champagner zu taufen, nachdem sie einen ganzen Abend und bis in die frühen Morgenstunden vor Begeisterung über *Blast* gequietscht hatten. Die Aufregung und die Erschöpfung hatten Fingals eingefallene Wangen mit einer ungesunden Röte überzogen. Seine Finger zitterten, als er sich eine Zigarette anzündete.

»Ich weiß nicht, was in ihn gefahren ist«, sagte er zu Aubrey. »Sieht ihm überhaupt nicht ähnlich, über Geldangebote die Nase zu rümpfen. Irgendwie muß es mit ihm bergab gehen.«

Aubrey wandte sich an Rory. »Ich flehe dich an, Herzblatt. Wenn Tertius mir die Leinwände überläßt, kann er malen, was er will, und er muß seine Zeit nicht länger mit Gesellschaftsporträts verplempern. Kannst du ihn nicht überreden?«

»Ich bin noch nicht soweit, daß ich sie verkaufen will«, sagte Tertius.

»Von Muttonhead kommt kein Penny mehr«, mahnte Fingal, »nicht, nachdem du im großen Vortex des Zorns Rorys Partei ergriffen hast.«

Tertius blickte finster. »Ich hab' dir doch gesagt, du sollst nicht wieder davon anfangen.«

»Na also, ich sehe nicht ein, warum ich dauernd blechen soll, bloß weil du und Mutt gerade nicht miteinander redet.« Tertius beugte sich vor und tupfte Fingal einen Klecks blaue Farbe auf sein Monokel. »Au! Du Mistkerl!«

Die Aktion heiterte Tertius auf, und er lachte dermaßen, daß er sich hinlegen mußte und sich das Hemd mit Farbe beschmierte. Schließlich fiel Fingal mit ein.

»Verdammter Tertius«, kreischte er, »was ist er für ein undankbarer kleiner Aufsteiger, und dann hat er auch noch die Manieren eines Kanalarbeiters!«

»Verdammter Fingal«, brüllte Tertius, »was ist er doch für ein eingebildeter Wichtigtuer!«

Rory schenkte ihnen Champagner nach. »Gesegnet sei dieser Champagner. Und alle, die darin schwimmen. Komm und trink einen Schluck, Tershie, und sei nicht so brummig. Aubrey will dir doch nur helfen.«

Tertius rappelte sich auf und trat an den Tisch. Er küßte Rory auf die Stirn, als er sich setzte. Seit dem Streit mit Muttonhead und dem herzzerreißenden Bruch mit Tom war Tertius sehr zärtlich zu ihr.

»Soso«, sagte er zu Russell, »du meinst also, meine Porträts seien langweilig, wie?«

»Nein, selbstverständlich nicht. Sie sind glänzend, wie alles von dir. Wenn du wolltest, könntest du dir einen Zylinder und eine greuliche Villa in St. John's Wood kaufen und aus dir einen Sir Luke Fildes oder Lord Leighton machen, und sämtliche Margot Asquiths und Lady Madge Allbrights würden zu dir pilgern und fette Schecks schwenken. Doch willst du das wirklich?«

Tertius lachte. »Sehe ich etwa so aus?«

»Um was geht es dann bloß?« Aubrey war ernst. »Du weißt ebensogut wie ich, daß dein eigentliches Werk weitaus wichtiger ist. Als Q mir diese Bilder gezeigt hat, habe ich das sofort gesehen. Lieber Junge, zum erstenmal seit weiß Gott wie langer Zeit habe ich den authentischen Kitzel verspürt. Das ist mehr als Futurismus oder Kubismus oder Vortizismus ... wenn du dich nur genügend ins Zeug legst, wird irgendwann alle Welt von Tertiusismus reden.«

»Hm.« Tertius starrte in sein Glas. Offenbar ließen ihn diese Lobeshymnen völlig ungerührt. »Ich werde darüber nachdenken.«

Quince platzte der Kragen. »Was ist denn bloß mit dir los?« brüllte er. »Er wird gutes Geld zahlen, und er wird dir eine Ausstellung verschaffen, wenn du soweit bist. Nun laß ihn aber nicht betteln, Junge. Wie kommt er denn dazu? Du kannst dich glücklich preisen, daß du keine Etiketten für Marmeladengläser malen mußt.«

Tertius' Miene hellte sich auf. »Armer alter Q, ich vertrinke das Geld für die verfluchten Marmeladeetiketten ja schneller, als du sie malen kannst. Es ist an der Zeit, daß ich ausnahmsweise mal etwas Geld ranschaffe. Na, wie gesagt, ich werde darüber nachdenken.« Er trank sein Glas in einem Zuge aus und kehrte zu seiner Wand zurück.

Rory und Fingal, mittlerweile eindeutig beschwipst, begannen, Listen von *Blasts and Blesses* aufzustellen, doch Aubrey starrte Tertius nachdenklich an, der mit grimmiger Konzentration bei der Arbeit war. Als die nächste Flasche geöffnet wurde, brachte er ihm ein Glas hinüber.

Tertius versteifte sich abwehrend, als Aubrey seine Schulter berührte. »Danke.«

»Du bist mir immer noch böse«, sagte Aubrey.

»Nein. Q hat mich so auf die Palme gebracht ... er ist manchmal so ein Scheißkindermädchen.«

»Tertius, warum willst du dir denn von mir nicht helfen lassen? Ich verstehe das einfach nicht. London ist voller junger Künstler, die sich für eine Chance, wie ich sie dir biete, zerreißen würden. Ich habe Geld und eine Galerie. Ich kann dir den Erfolg verschaffen, den du verdienst.«

»Und was springt für dich dabei raus?«

Aubrey blickte über die Schulter zu Fingal, um sicher zu sein, daß er ihn nicht beobachtete. »Könnte es sein«, meinte er sanft, »daß du befürchtest, ich könnte mir wieder Freiheiten herausnehmen? Nein, mein lieber Junge. Ich tue das nicht um deiner blauen irischen Augen willen. Ich gebe dir mein Wort darauf, daß ich kein anderes Interesse habe, als dir den Weg zu ebnen.«

Tertius malte weiter, wandte sich jedoch flüchtig um und lächelte ihm zu. »Ich weiß. Und ich will auch nicht, daß der Eindruck entsteht, ich sei undankbar. Du hast völlig recht, es wäre wundervoll, keine Königinnen der Gesellschaft mehr pinseln zu müssen. Der Haken ist nur, daß ich neben der Kunst noch andere Verpflichtungen habe.«

»Nichts«, sagte Aubrey, »sollte wichtiger für dich sein als die Kunst. Kannst du dich denn von diesen anderen Verpflichtungen nicht befreien?«

»Ich weiß nicht«, Tertius malte einen zornigen orangefarbenen Strich über sein sperriges, schwarzgerändertes abstraktes Bild. »Leicht wird es jedenfalls nicht werden.«

»Die Aufträge ausschlagen? Die Chance ausschlagen, deine Bilder in den ersten Salons von London zu haben?« Violas Stimme war so eisig wie der Steppenwind. »Kannst du dir überhaupt vorstellen, was es Gus und mich für Anstrengungen gekostet hat, dir diese Aufträge zu verschaffen?«

Sie war wütend. Sie brachte Gus' Namen jedesmal ins Spiel, wenn sie Tertius moralisch in die Enge treiben wollte, weil sie wußte, daß er dann in Schuldgefühlen erstickte. Er spürte die vertraute Hilflosigkeit, als das Netz sich um ihn zusammenzog.

»Vi, bitte, es geht ja nicht darum, daß ich die Unterstützung nicht zu würdigen wüßte ...«

»Offensichtlich tust du es aber nicht. Sonst würdest du mich nicht mit solcher Zielstrebigkeit bloßstellen.«

Tertius zog sich unglücklich ans andere Ende des makellosen Salons in der Brook Street zurück. Der Raum wurde von Tertius' Porträt Violas beherrscht, das über dem Kamin hing. Die leibhaftige Viola lag auf dem Sofa, in ein fließendes Gewand aus elfenbeinfarbener Seide gehüllt. Auf ihn wirkte ihre Schönheit noch überwältigender, seit die Schwangerschaft ihre Brüste hatte schwellen lassen und ihre Wangen gerundet waren. Ihr Anblick lähmte seine Willenskraft.

Sie brach das Schweigen, indem sie frostig erklärte: »Es muß dir ja eine große Genugtuung sein, mir den ganzen Kram vor die Füße zu werfen.«

Er schluckte seinen Unmut hinunter, denn er wußte, daß er sich nur immer heilloser in Verpflichtungen verstricken würde. Sie spielte mit seinen Gefühlen. Es war sinnlos, mit ihr zu streiten. Sie mußte seinen Standpunkt verstehen, oder er würde tagelang unglücklich sein.

»Na komm schon, Vi. Du bist nicht fair.« Er setzte sich ans Ende des Sofas, zog ihre Füße auf seinen Schoß und streichelte sie. Sie war immer zugänglicher, wenn er sie berührte. »Ich habe dich nicht darum gebeten, mir all diese grandiosen Aufträge zu verschaffen. Ich will keine Bezahlung für die Dienste, die ich dir leiste.«

Eine schwache Röte der Empörung kroch über ihre weißen Wangen. »Das ist ja eine Unverfrorenheit.«

Sieh an, dachte Tertius, jetzt habe ich ins Schwarze getroffen. Er behielt seinen leisen Ton bei. »Nur weil ich mit dir schlafe, hast du noch nicht das Recht, meine Angelegenheiten in die Hand zu nehmen. Ich muß die Freiheit haben, mich auf meine eigentliche Arbeit zu konzentrieren.«

»Mit deiner eigentlichen Arbeit meinst du wahrscheinlich diese unsäglichen Schmierereien von Zahnrädern und was weiß ich«, sagte Viola. »Du bestehst darauf, dein Talent an irgendwelchen Kram zu vergeuden, den keiner versteht oder mag. Und dabei könntest du richtig arbeiten und in die besten Häuser eingeladen werden.«

»Das möchtest du für mich«, unterbrach Tertius, »und das muß noch nicht heißen, daß ich es ebenfalls möchte. Ich glaube gern, daß du lieber mit einem erfolgreichen Hanswurst der Gesellschaft fickst, der all deine Freundinnen malt, doch daran kann ich nichts ändern.«

»Verschwinde«, fauchte Viola. Mit ihrem Fuß strich sie jedoch über seine Lende, und Tertius kam zu dem Schluß, daß es vernünftiger sei, sich nicht vom Fleck zu rühren.

»Aubrey Russell gibt mir das Geld, das ich brauche, um richtig an meinen unsäglichen Schmierereien zu arbeiten«, fuhr er fort, »so daß ich keine Brotarbeit mehr annehmen muß, Gott sei Dank.«

»Mehr siehst du also nicht darin, du undankbarer Schweinehund?« Ihr Fuß knetete rhythmisch seinen Schoß, und er wurde steif.

»Nein. Ich bin immer noch ein freier Mensch, und ich werde malen, wie es mir gefällt. Du hast mir diese Aufträge verschafft, ohne mich gefragt zu haben, und nun kannst du sie verdammt noch mal auch wieder rückgängig machen.«

Viola schlug einen kläglichen Ton an. »Nie nimmst du etwas von mir. Nie läßt du mich wirklich an dich heran. Ach Tertius, du gibst mir wirklich das Gefühl, daß ich um jedes Fetzchen Zuneigung betteln muß. Sei doch nicht wütend auf mich! Ich ertrage das nicht.«

Das sanfte, wollüstige Verlangen in ihren Augen steigerte sein Begehren. Es schien jedesmal auf diese Weise abzulaufen. Er war zu irritiert und zu befangen, um irgend etwas zu unternehmen, und sie schaffte es dann, seine Begierde anzustacheln bis zur Raserei. Er fegte die Daunenkissen vom Sofa, warf sich auf sie und preßte seine Hand auf ihren warmen Schenkel. Sie führte seine Finger zu ihrem Venushügel.

Beide bebten vor Erregung, voller Angst entdeckt zu werden, doch zugleich von dieser verzweifelten Ungeduld getrieben, die keine Beherrschung mehr zuläßt. Allen guten Vorsätzen und brennenden Schuldgefühlen Gus gegenüber zum Trotz, liebte Tertius die kraftvolle Zielstrebigkeit, mit der Viola ihn begehrte. Sie wußte genau, was sie wollte, und die hastigen Befehle und Bitten, die sie ihm ins Ohr murmelte, entfachten seine Glut. Er gab sich ganz den Wellen der Seligkeit hin, die sich in ihm aufbauten und sein Bewußtsein verdunkelten, während Viola stöhnte: »Weiter ... fester ... weiter!«

Er kam, wie stets, in Strömen, den Zipfel eines Kissens im Mund, um seinen Schrei der Befriedigung zu dämpfen.

Viola beobachtete ihn, gerötet und gesättigt. »Das dürfte man überall im Haus gehört haben.«

Er spuckte den Zipfel des Kissens aus und stützte sich auf die Ellbogen. »Nur gut, daß du das so komisch findest.«

»Was macht das schon? Es sind doch nur Dienstboten. Ach, bleib noch so!«

»Wer immer sie sein mögen, ich möchte lieber nicht mit dem nackten Arsch in der Luft erwischt werden, auch wenn dir das völlig egal ist.« Er stieg von ihr herunter und zog seine Hose hoch.

Sie strich den Rock ihres Seidenkleids glatt. »Du bist immer noch böse auf mich. Bitte nicht. Ich schwöre dir, daß ich mich künftig nicht mehr in deine Arbeit einmischen werde.«

Tertius musterte sie ruhig. »Das ist es nicht.«

»Was ist es dann?«

»Das hier. Daß ich dich hier, in Gus' Haus, besuche. Das ist nicht richtig.«

»Aber du weißt doch, daß ich nicht ins Atelier kommen kann ... solange ich das Kind stille.«

»Vi«, fing er an, »meinst du nicht ...«

Ihr weiches, wollüstiges Gesicht verhärtete sich schlagartig. »Was?«

»Nichts. Ich gehe jetzt besser. Gus wird bald zurück sein.«

»Er freut sich immer, dich zu sehen.«

Tertius zuckte zusammen und sagte in einer seiner seltenen wirklichen Zorneswallungen: »Herrgott, was dir das für Spaß macht, mir das immer wieder aufzutischen.«

»Gus ist mein Mann, und ich empfinde große Zuneigung und Respekt für ihn«, sagte Viola mit einer Würde, die unter den Umständen erstaunlich, aber völlig überzeugend war. »Unsere Ehe ist unsere Angelegenheit, nicht deine.«

»Mein Gott ... du hast es ihm nie gesagt?«

»Selbstverständlich nicht. Sein Stolz ist mir genausowichtig wie mein eigener. Es ist unverschämt von dir, mein Verhalten zu verdammen, während du immer noch behauptest, in Aurora Carlington verliebt zu sein.«

Tertius haßte es, wenn sie auf Rory zu sprechen kam. »Lassen wir Rory besser aus dem Spiel, ja?«

»Aber klar doch, wenn du Gus rausläßt.«

»Schon gut, schon gut.«

Es klopfte. Tertius zog sich eilends in einen weit entfernten Sessel zurück und warf einen prüfenden Blick auf seinen Hosenschlitz.

Viola sagte: »Das wird das Kindermädchen sein. Ich habe sie gebeten, das Baby zu bringen, damit du es sehen kannst. Herein!«

Das war ihre Trumpfkarte. Tertius versuchte, das rüschenbesetzte Bündel im Arm der Kinderschwester nicht anzusehen, doch Violas kleine Tochter eroberte mit ihrem Geschnüffel sein Herz im Sturm. Als sie im Arm ihrer Mutter lag, konnte er nicht anders, er mußte zum Sofa gehen und sie auf ihren eiglatten Kopf küssen.

»Hallo, Fleur«, sagte er.

Viola entblößte eine schwere, blaugeäderte Brust, und Fleur Fenborough blinzelte verwirrt, während ihre Lippen sich an die Brustwarze herantasteten.

Für Tertius war der Anblick der beiden, die wie zu einer einzigen Person verschmolzen, auf beängstigende, betörende Weise das Schönste, was er je gesehen hatte. Das Netz hatte sich in Ketten verwandelt. Er war machtlos. Eine Viola, die ihr Baby stillte, erinnerte ihn an eine zufriedene, sahnegesättigte Katze.

Das Weinen klang hoch und gequält, als käme es aus einem Abgrund der Verzweiflung. Margaret, die draußen an Eleanors Tür horchte, überlegte, ob sie noch einmal klopfen oder das Tablett mit dem Abendessen wieder in die Küche tragen sollte. Armes Würmchen, dachte sie. Eleanor war bei den Dienstboten am beliebtesten, und sie waren sich seit Wochen darin einig, daß irgend etwas mit ihr nicht stimmte. Miss Flora hatte es ebenfalls bemerkt – Nacht für Nacht, hatte sie Margaret erzählt, hörte sie durch die Wand hindurch ihr herzzerreißendes Weinen. Heute war Eleanor mit dem Taxi losgefahren und Stunden später aschfahl und mit riesigen Tränensäcken unter den Augen zurückgekehrt. Sie hatte gesagt, sie wolle heute nicht unten essen, weil sie von der Hitze Kopfschmerzen hätte.

Von wegen Kopfschmerzen, dachte Margaret. Es stand ihr weiß Gott nicht zu, Spekulationen über Miss Eleanors Charakter anzustellen, doch zwanzig Jahre Dachkammer mit anderen Hausmädchen hatten sie gelehrt, daß es nur eins gab, was eine junge Frau dazu bringen konnte, so zu weinen.

Einer plötzlichen Anwandlung von Entschlossenheit folgend, trat sie ins Zimmer und setzte das Tablett auf der Kommode ab. Eleanor hatte sich offensichtlich aufs Bett geworfen, sowie sie die Tür hinter sich geschlossen hatte. Sie hatte noch nicht einmal den Hut abgenommen.

»Miss Eleanor …«

»Gehen Sie weg!«

Margaret, die Eleanor kannte, seit sie auf der Welt war, zog ihr in aller Ruhe die Nadeln aus dem ruinierten Hut. »Nun erzählen Sie Margaret mal alles, Herzchen.«

»Nein, gehen Sie weg! Bitte!«

»Vielleicht kann ich Ihnen ja helfen, und geteiltes Leid ist halbes Leid, wie es so schön heißt.«

Eleanor hob ihr verschwollenes Gesicht. »Keiner kann mir helfen. Ich wünschte, ich wäre tot.«

Es war an der Zeit, energisch zu werden. »Setzen Sie sich hin … so ist's brav …, und lehnen Sie den Kopf an meine Schulter.

So, ist das nicht besser?« Margaret holte ihr Taschentuch aus dem Ärmel und drückte es Eleanor in die klebrige Hand. »Was immer es sein mag, die Welt geht davon nicht unter.«

»Doch«, sagte Eleanor tonlos.

»Unsinn. Das meinen Sie nur jetzt. Es gibt immer Mittel und Wege.«

»Ach ja? Ich habe mir den Kopf zerbrochen, doch mir fällt überhaupt nichts ein, was ich tun könnte, außer ins Wasser zu gehen. Ich habe mich schon lange gefragt, warum die Mädchen in den Romanen immer ins Wasser gehen, doch jetzt weiß ich es.«

Margaret erkannte, daß sie recht gehabt hatte. Tja, konnte sie sich nicht verkneifen zu denken, diesmal kriegt Mrs. Herries die Quittung – Hochmut kommt vor dem Fall. »Nun sagen Sie mir mal eins, Liebchen ... haben Sie mit Ihrem jungen Freund irgend etwas getan, was Sie nicht hätten tun dürfen?«

»Sie ... Sie werden aber doch Mutter nichts sagen? Schwören Sie!«

»Nicht mal, wenn sie mir die Daumenschrauben anlegt«, erklärte Margaret und dachte insgeheim, daß Mrs. Herries früher oder später ja doch dahinterkommen würde. »Sie können mir vertrauen.«

Eleanor putzte sich die Nase. »Ich hab’ es niemandem zu erzählen gewagt. Alle werden mich für schlecht halten.«

»Wie oft hat es denn ausgesetzt?«

Eleanor wurde knallrot und flüsterte: »Zweimal. Das heißt doch, daß ich ein Kind kriegen werde, nicht?«

»Ja, Kindchen, es sieht ganz danach aus.«

»Margaret«, sie sah bemitleidenswert jung und verängstigt aus, »was um Himmels willen soll ich denn tun?«

»Der Bursche, mit dem Sie zusammen waren ... wenn er ein Gentleman ist, wird er das in Ordnung bringen.«

»Nein, das wird er nicht.« Sie schüttelte tieftraurig den Kopf. »Er will mich nicht. Er hat gesagt, daß er mich nie wieder sehen will.«

Verdammter Kerl, dachte Margaret wütend, verdammte Kerle. »Er wird Sie aber jetzt wollen müssen, mein Herz, oder Ihr Pa wird ihm den Kopf zurechtsetzen.«

»Ich hasse es, ihn zu irgend etwas zu zwingen.«

»Nun seien Sie mal nicht so weich. Wenn er Sie gern genug hatte, um sich Freiheiten rauszunehmen, dann wird er sich doch jetzt auch um Sie kümmern wollen. Haben Sie es ihm denn gesagt?«

Eleanor fing wieder an zu schluchzen. »Ich bin heute zu ihm gefahren, um es ihm zu sagen. Ich bin nach Cambridge gefahren, und da war er nicht. Er wohnt da nicht mehr, und seine Wirtin konnte mir nicht sagen, wo ich ihn finden kann.«

»Irgendwer muß das doch wissen.«

»Ich werde ihn nicht finden können, ehe das Universitätsjahr anfängt, und dann ist es zu spät. Und er wird mich hassen, weil ich sein Leben ruiniert habe. Was soll ich bloß machen?«

Margaret legte die Stirn in Falten. »Wir müssen es schlau anstellen, ehe die alte Katze Wind davon bekommt und alles noch schlimmer macht. Ihre Tante Flo würde Ihnen helfen, die gute Seele, wenn es mir bloß gelänge, ihr klarzumachen, worum es überhaupt geht. Das arme alte Ding glaubt immer noch, daß die Kinder vom Klapperstorch gebracht werden.« Sie seufzte. Das war mal eine harte Nuß, diese Geschichte. »Es bringt überhaupt nichts, daß Sie damit zu Mrs. Fenborough gehen, um gar keinen Preis. Wie ist es denn mit den jungen Damen, Ihren Freundinnen?«

»Das könnte ich nicht! Die wissen doch nichts davon. Ich traue mich jetzt nicht mal in ihre Nähe.«

»Unfug! Das sind doch auch nur Mädchen wie Sie, und Mädchen sollten bei solchen Gelegenheiten zusammenhalten.« Margarets Miene hellte sich auf. »Die würden für Sie durchs Feuer gehen, diese jungen Damen. Sie sagen ihnen Bescheid, daß Sie sie morgen sehen wollen. Morgen habe ich den halben Tag frei ... da kann ich Sie begleiten, und keiner stellt irgendwelche Fragen.«

Sie freute sich, den ersten Hoffnungsschimmer in Eleanors unschuldiger, leidgeprüfter Miene zu sehen. »Ach, Sie sind wirklich so nett ...«

»Sagen Sie so was nicht, sonst fange ich auch noch an zu heulen. Und dann wären wir wirklich ein schönes Paar, wie?« Sie tätschelte Eleanor die Schulter, stand auf und rückte ihr gestärktes Häubchen zurecht. »So, jetzt laufe ich aber nach unten und serviere das Gemüse, sonst schneidet Mr. Sharp mir die Ohren ab!«

Als sie draußen war, trat Eleanor ans offene Fenster und atmete tief die Abendbrise ein. Anfangs hatte sie gedacht, ihre Brüste schmerzten so, weil sie kreuzunglücklich war. Der Schmerz hatte nicht nachgelassen, ebensowenig wie ihr Kummer. Doch der Gedanke an ihre Freundinnen hatte etwas Tröstliches. Es war dumm von ihr, ihnen aus Scham nicht einmal eine Chance zu geben, ihr zu helfen. Hatten sie nicht einen blutigen Schwur darauf geleistet, sie für immer zu lieben?

Es war an der Zeit, diesen Schwur auf die Probe zu stellen.

»Sie hat keine andere Wahl«, erklärte Rory. »Sie muß den Mann heiraten.«

»Ich dachte, du glaubst nicht an die Ehe«, sagte Jenny bissig. Sie trug eine verkniffene Miene zur Schau, seit Eleanor mit der katastrophalen Neuigkeit herausgerückt war. Jetzt saß sie wütend auf dem Kaminvorleger und butterte Milchbrötchen, als hätte jemand sie beleidigt.

Rory reckte streitsüchtig das Kinn empor. »Das ist wohl nicht der geeignete Augenblick, mir meine Prinzipien vorzuhalten. Ich mag ja für mich selbst nicht an die Ehe glauben, für Eleanor ist sie jedoch die einzige Lösung. Was bleibt ihr denn anderes übrig?«

Jenny murmelte: »Wenn du mehr Hochachtung vor der Ehe hättest, Rory, dann wüßtest du auch, wie dumm es ist, jemanden dazu zu drängen. Sie muß mit dem Mann schließlich bis ans Ende ihres Lebens zusammenbleiben.«

»Aber sie ist doch ganz verrückt nach ihm!«

»Die ersten Regungen sind nicht immer die richtigen ... wie du selbst wissen solltest. Was hättest du denn getan, wenn dich jemand hätte zwingen wollen, Tom Eskdale zu heiraten?«

An ihrem wunden Punkt getroffen, fauchte Rory: »Was hat diese Sache mit Tom zu tun!«

»Wir müssen vor allem Eleanors künftiges Glück im Auge haben«, sagte Jenny unbeirrbar, »und alle Möglichkeiten gegeneinander abwägen.«

Die vier hatten sich, gemeinsam mit Margaret, in Rorys und Jennys Wohnung versammelt. Alle waren betrübt und besorgt, und die Ernsthaftigkeit des Problems hatte sie eingeschüchtert. Eleanor war bleich und hatte vom Weinen geschwollene Augen; sie umklammerte Margarets Hand wie ein unterwürfiges Kind. Doch hatte sie zu einer Art stiller Würde gefunden, die sie von den anderen abzuheben schien.

Francesca, die Stevies perlen- und brillantenbesetzten Verlobungsring trug, war natürlich in Tränen aufgelöst und übernahm auf ihre Art die Rolle der wehklagenden Tragödin für alle.

Margaret hielt sich unbewußt an Rory, die offensichtlich das Wesentliche schneller erfaßte als die anderen. »Entschuldigen Sie, Miss, wenn ich kein Blatt vor den Mund nehme, doch vielleicht gäbe es ja noch einen anderen Weg. Ich habe eine Schwester, die Zofe bei einer Dame ist, und als ihre junge Lady in Schwierigkeiten geriet, besorgte sie ihr einen Arzt, der die Sache in Ordnung gebracht hat. Nicht billig, fünfzig Guineen, aber verläßlich. Und niemand braucht je davon zu erfahren ... das ist das Gute daran.«

Die vier Mädchen brauchten ein Weilchen, um überhaupt zu begreifen, wovon sie sprach. Dann sagte Jenny mit ungewohnter Heftigkeit: »Nein. Das ist schlecht und verwerflich, davon abgesehen, daß es illegal ist. Dabei mache ich nicht mit.«

»Das ist zu riskant«, sagte Rory. »Man kann nie hundertprozentig sicher sein, daß das ungefährlich ist ... ich habe die gräßlichsten Geschichten darüber gelesen. Wir würden es uns doch nie verzeihen, wenn wir die arme Eleanor irgendeiner Gefahr aussetzten. Und warum sollte sie leiden, während er völlig ungeschoren davonkommt? Nein, ich bin immer noch dafür, daß er gefälligst die Konsequenzen trägt.«

»Niemand fragt mich, was ich eigentlich möchte«, sagte Eleanor ruhig. »Sie meinen es bestimmt gut, Margaret, doch nichts könnte mich dazu bewegen, Lorenzos Kind Schaden zuzufügen. Ich werde es sowieso bekommen, ganz gleich, was sonst passiert, und ich werde es lieben, wie ich ihn liebe. Eins weiß ich genau: Ich komme nur dann mit einem sauberen Gefühl aus dieser Lage heraus, wenn ich nicht selbstsüchtig handele. Ich weigere mich, Lorenzo als Strafe auferlegt zu werden.

Rory stöhnte ungeduldig. »Nun sei doch nicht so ein Schaf. Warum sollst du denn allein die Verantwortung übernehmen? Warum sollst du denn allein dafür bezahlen?«

»Weil ich um keinen Preis sein Leben ruinieren will. Ich habe davon geträumt, ihm zu helfen und ihn glücklich zu machen. Ich glaube immer noch, daß ich das könnte ... aber nicht so. Wenn er gezwungen werden muß, mich zu heiraten, dann will ich mein Kind lieber im Arbeitshaus kriegen.«

»Nun, Schatz«, sagte Rory, »das hört sich natürlich herrlich großmütig an. Doch was ist denn mit dem Kind? Das Kind wird es dir nicht danken, wenn es ohne Vater aufwachsen muß. Es könnte eine andere Vorstellung von Sauberkeit haben als du.«

Eleanor wirkte niedergeschlagen. »Was willst du damit sagen?«

Rory kniete neben ihr nieder. »Ich will weiß Gott nicht gehässig zu dir sein. Aber bist du sicher, daß dein Stolz dir nicht im Weg steht? Im Grunde sagst du doch, daß du Lorenzo nur dann nehmen willst, wenn er wahnsinnig verliebt in dich ist. Und ist das nicht ziemlich anspruchsvoll? Wie ich das sehe, kannst du von Glück sagen, wenn du ihn überhaupt kriegst ... den verdammten Schuft.«

Eleanor biß sich auf die bebende Unterlippe. »So ... so hatte ich das bislang noch nicht betrachtet. Ich will offenbar immer irgend etwas Schlechtes, selbst wenn ich gut zu sein versuche.«

»Du bist doch nicht schlecht«, sagte Jenny. »Aber Rory hat recht. Auf Lorenzos Gefühle solltest du jetzt keine Rücksicht nehmen.«

»Es nutzt ja alles nichts. Ich weiß doch nicht einmal, wo er ist.«

»Stevie kann uns das sagen«, sagte Francesca plötzlich. »Wie dumm von mir, daß ich nicht eher daran gedacht habe. Er hat Lorenzo erst vorgestern geschrieben.«

»Nein!« rief Eleanor. »Stevie dürft ihr das nicht erzählen ... ich könnte ihm nie wieder ins Gesicht sehen!«

»Das übernehme ich«, sagte Rory. »Er hat dich schließlich mit diesem Menschen zusammengebracht.«

Francesca trocknete sich entschlossen die Augen. »Er geht heute nachmittag mit Mummy ins Konzert. Kommt mit mir nach Hause, und wir warten dort auf ihn.«

»Überlaßt das nur mir.« Die Aussicht, daß etwas geschehen sollte, beflügelte Rory. »Ich übernehme den ganzen peinlichen Teil.«

»Rory, versprichst du mir etwas?« Eleanor griff nach ihrer Hand. »Wenn du Lorenzo siehst, dann setze ihn nicht unter Druck, daß er mich heiraten soll. Wenn er es nicht aus freien Stücken anbietet, dann will ich es nicht.«

Zögernd sagte Rory: »Ich verspreche es.«

Rory streckte ihre langen Beine aus und rutschte ruhelos auf den Plüschpolstern des Erster-Klasse-Abteils hin und her. Es war heiß wie im Glutofen, und der Anblick der sonnengedörrten Felder, die vor den rußigen Fenstern vorbeihuschten, gab ihr das Gefühl, langsam über Holzkohle gegrillt zu werden. Sie hatte noch nie einen solchen Sommer erlebt. Es war zu heiß zum Lesen oder um die Weintrauben zu essen, die Stevie in Paddington gekauft hatte, und so gab es nichts, was sie von ihrer nagenden Besorgnis um Eleanor hätte ablenken können.

Das Ganze war ziemlich scheußlich, ob Eleanor den Mann nun heiratete oder nicht. Warum, fragte sie sich ärgerlich, habe ich ihr bloß dies alberne Versprechen gegeben? Sie hatte nicht die Absicht, sich daran zu halten. Die bittere Kränkung, die Tom ihr zugefügt hatte, nährte ihre Entschlossenheit, Sir Laurence Hastings zu überrennen wie eine Walküre. Dieser hier sollte jedenfalls nicht so billig davonkommen.

Sie betrachtete Stevie, der ihr gegenübersaß und vorgab, die *Times* zu lesen. Er hatte schon seit einer Ewigkeit nicht mehr umgeblättert. Offensichtlich war er ebenso besorgt wie sie, doch nicht Eleanors wegen. Seine Gedanken galten dem Freund. Bei aller Peinlichkeit und bei allem Kummer, die die Geschichte ihm bereitete, hatte Stevie sich doch bewundernswürdig betragen. Seine Sympathien galten zwar der falschen Seite, doch hatte er kein unfreundliches oder taktloses Wort über Eleanor gesagt. Er hatte sich bloß Vorwürfe gemacht, weil er das unselige Paar zusammengebracht hatte. Rory und Francesca waren nach ihrem Treffen am Vortag schnurstracks in die Half Moon Street gefahren. Zu ihrer Überraschung waren Stevie und Mrs. Templeton bereits daheim – das Wetter sei zu warm für Wagner, hatte Mrs. Templeton gesagt, also hätten sie beschlossen, das Konzert sausenzulassen und zu Hause zu bleiben.

Rory hatte den Eindruck, daß Stevie entsetzt war über Francescas frühe Rückkehr. Auf jeden Fall war er entsetzt, als er hören mußte, was sie wollten. Er hatte ihnen sofort erklärt, daß Lorenzo sich in North Devon befinde, um mit ein paar Studienkollegen zu arbeiten, und er selbst werde am nächsten Tag zu ihm fahren. Er hatte noch nicht einmal widersprochen, als Rory verkündete, sie werde mitkommen, obwohl sie nicht die Art Frau war, mit der er in der Öffentlichkeit gern gesehen wurde.

Ohne Hut und Handschuhe, in einem smaragdgrünen Hänger, war Rory eher bequem als elegant gekleidet. Stevie trug eine blütenreine weiße Flanellhose, einen Blazer, den College-Schlips und einen steifen Strohhut. Sein helles Gesicht war von der Hitze gerötet – jedenfalls schob es Rory auf die Hitze. Er war ununterbrochen knallrot gewesen, seit sie ihn gestern mit ihrer Neuigkeit überfallen hatten. Sie hätte ihn zu gern aufgefordert, wenigstens die Jacke auszuziehen, aber sie wollte ihn nicht unnötig beunruhigen. Je mehr sie ihn in Verlegenheit brachte, desto höflicher wurde er.

Er ließ die Zeitung sinken. »Miss Carlington, würde es Sie furchtbar stören, wenn ich das Fenster aufmachte?«

»Aber gar nicht. Und zum letztenmal ... nennen Sie mich Rory.«

»Ja, gut. Entschuldigung.« Er öffnete das Fenster und ließ rußig riechende warme Luft herein. »Herrje, ist das heiß, wie?« Er holte ein silbernes Zigarettenetui aus der Tasche seines Blazers. »Wäre es Ihnen arg zuwider, wenn ich ...«

»Schatz, Sie können tun und lassen, was Sie wollen«, sagte Rory gereizt, »aber hören Sie auf, mich wie eine unverheiratete Tante zu behandeln, oder wir werden einander nicht mehr ausstehen können, noch ehe wir in Exeter sind. Es ist zu heiß für gute Manieren.«

Einen Augenblick war er verblüfft. Dann grinste er und hielt ihr das Zigarettenetui hin. »Möchten Sie eine?«

»Danke.« In das Etui waren die Worte eingraviert: *Für den lieben Stevie von seiner ›Little Mum‹*, und als Rory sich eine

Zigarette nahm, wunderte sie sich darüber, daß das ledrige alte Schlachtroß, das sie auf dem Fest der Herries' gesehen hatte, in dieser Weise von sich reden konnte.

Stevie zündete ihre Zigaretten an. »Ich wollte Sie nicht ärgern. Ehrlich gesagt, ich weiß kaum, was ich tue. Diese ganze Angelegenheit geht mir doch schwer an die Nieren.«

Während des Schweigens, das nun eintrat, rief Rory insgeheim »Arme Eleanor!« und wußte zugleich, daß Stevie dachte: »Armer Lorenzo!«

»Sie haben ihn wohl sehr gern«, sagte sie vorwurfsvoll.

»Ja.«

»Eine jener geheiligten Männerfreundschaften ... Damon und Pythias, David und Jonathan. Die die Liebe der Frauen übersteigt.«

»So etwa. Haben Mädchen das nicht auch?«

Rory dachte an ihre drei Freundinnen und an den blutigen Schwur, der sie verband, und war fast erstaunt, welch heftige Empfindungen in ihr ausgelöst wurden. »Ich könnte Eleanor nicht mehr lieben, wenn sie meine Schwester wäre.«

»Dann sind Sie also hier, um ein Auge auf mich zu haben«, sagte er, »weil Sie nicht glauben, daß ich das Richtige tun werde.«

Rory fand das schlau von ihm. Offenbar steckte doch mehr Pfiffigkeit in jenem goldschimmernden Kopf, als sie ihm zugetraut hätte. »Eleanor braucht jemanden, der sich für sie ins Zeug legt. Sie haben zuviel Mitgefühl mit ihm. Sie werden nicht umhinkönnen, ihm zu der Ansicht zu verhelfen, daß er etwas Edelmütiges für Eleanor tun sollte ... wo doch alles seine Schuld ist.«

Stevie öffnete den Mund, um zu antworten, überlegte es sich jedoch anders.

»Sie finden wohl nicht, daß das seine Schuld ist«, hakte sie unerbittlich nach.

Er blickte auf seine Hände und murmelte: »Es wird seine Karriere ruinieren. Er wird Cambridge verlassen müssen. Seine einzige Chance, mit seiner Vergangenheit fertig zu werden, wird dahin sein.«

Rory war Lorenzos Vergangenheit herzlich gleichgültig. »Pech für ihn. Eleanors Leben ist bereits zerstört.«

»Ich weiß, ich weiß.« Stevie war unglücklich. »Wenn sie ihn doch bloß nicht so ermutigt hätte.«

»Wenn er sich doch bloß nicht hätte ermutigen lassen.« Sie war erbarmungslos. »Wenn ein unschuldiges, glühend verliebtes Ding sich Ihnen an den Hals werfen würde, Stevie, ohne zu ahnen, wohin das alles führen kann, würden Sie das dann ausnutzen?«

Seine verhaltene Röte flammte scharlachrot auf. »Ich versuche ja gar nicht, ihn zu entschuldigen. Doch es wird ein Schlag für ihn sein.« Er beugte sich vor. »Ich wäre Ihnen so dankbar, wenn Sie mir erlaubten, es ihm zu sagen. Nur ich, allein. Ich weiß doch, wie er ist, verstehen Sie.«

Seine Ernsthaftigkeit hatte etwas so Anrührendes, daß Rory sich trotz ihrer Rachsucht besänftigen ließ. »Na gut, dann übernehmen Sie das. Sie kennen ihn schließlich am besten.«

»Danke.« Er bedachte sie mit einem hinreißenden Lächeln, das sie noch mehr besänftigte, und zog sich hinter die grimmigen Schlagzeilen der *Times* zurück.

In Exeter stiegen sie in einen lokalen Bummelzug um, und zusammen mit lauter Bäuerinnen fuhren sie bis Barnstaple. Die nächsten zehn Meilen legten sie in einem alten Lieferwagen zurück, zusammen mit Milchkannen, einer Lattenkiste mit lebenden Küken und einem neuen Eisenbettgestell. Der Fahrer ließ seine Passagiere an einer gottverlassenen Kreuzung aussteigen, die von glutheißen Feldern und staubweißen Hecken umgeben war.

»Es sind noch drei Meilen«, sagte Stevie. »Können Sie so weit gehen?«

»Was würden Sie denn tun, wenn ich nein sagte ... mich auf dem Rücken tragen? In Irland bin ich jeden Tag zwei-, dreimal so weit gelaufen. Lassen Sie mich nur eben hinter der Hecke meine Strümpfe ausziehen.« Sie krabbelte die mohngesprenkelte Böschung hinauf und brach durch die Hecke, ohne einen Gedanken an ihr Kleid zu verschwenden. »Gott sei Dank bin ich nicht so blöd, eine Korsage zu tragen.«

Stevie lachte. Er hatte sein Mißtrauen Rory gegenüber überwunden, indem er beschlossen hatte, sie nicht wie eine Frau, sondern wie einen Jungen zu behandeln, und so fühlte er sich auch nicht bemüßigt, sich zu entschuldigen, als er hinter eine Hecke ging, um zu pinkeln.

Als sie beide fertig waren, zündete er Zigaretten an, und sie machten sich in der Reglosigkeit der Mittagsglut auf den Weg.

»Wird er sie heiraten?« fragte Rory.

Stevie überlegte. »Ich weiß nicht. Den meisten Burschen wäre es nicht egal, was andere von ihnen denken. Lorenzo ist jedoch bereits ein solcher Ismael, daß es in seinen Augen vielleicht darauf nicht mehr ankommt.«

»Sie können ihm versichern, daß Geld kein Problem ist. Eleanor wird in wenigen Wochen einundzwanzig, und dann kriegt sie ihre ganzen Balsamanteile.«

Er lächelte bekümmert. »Die Geldfrage wird ihn am allerwenigsten beschäftigen. Er ist nämlich ziemlich reich, wissen Sie. Das ganze Armutsgehabe ist nur Pose.«

»Warum posiert er bloß nicht in Stadtnähe«, nörgelte Rory und wischte sich die Stirn mit einem ihrer Strümpfe. »Er will wohl nicht gefunden werden, wie?«

An einer zweiten Kreuzung folgten sie einem Wegweiser in einen dichten Wald. Hier war es schattig zwischen den bemoosten Stämmen der Buchen und Eichen, doch Heerscharen von Mücken waren schlimmer als die glühende Sonne. Plötzlich lag das Meer vor ihnen, flach und türkisblau verschmolz es mit dem Himmel. Sie waren in einem Fischerdorf herausgekommen – eine einzige steile, gewundene Straße und eine Handvoll weißer Hütten in den Einschnitten des Kliffs. Vor jeder Haustür türmten sich Netze und Hummerreusen.

Rory fragte sich, ob sie am falschen Ort waren; keine Behausung schien bequem genug, um drei begüterte Männer aus Cambridge zu beherbergen. Stevie erkundigte sich jedoch bei einer alten Frau nach dem Weg und schlug dann einen schmalen Pfad zu dem quadratischen weißgetünchten Häuschen ein, das hoch oben das Dorf krönte wie ein schief sitzender Hut. Schweißüberströmt traten sie durch die offene Gartentür und überraschten Hilary, Twisden und Windrush, die unter einem Baum auf dem Rasen Bier tranken.

»Stevie!« Hilary sprang auf. »Was machst du denn hier, um Himmels willen!«

»Sterben«, keuchte Stevie und warf sich in den Schatten. »Hier, Rory, setzen Sie sich.« Er stellte sie den beiden anderen vor, und Hilary lief ins Haus, um ihnen etwas zu trinken zu holen.

»Eine Zeitung!« krähte Windrush freudig und stürzte sich auf Stevies zerknitterte *Times*. »Neuigkeiten, gebt mir Neuigkeiten, um Himmels willen! Ich lechze nach dem Gang der Dinge in der Außenwelt.«

»Die Außenwelt spielt hier keine Rolle«, meinte Hilary, als er mit einem Krug Limonade wieder herauskam. »Wir kümmern uns hier nur um die Gezeiten und die Jahreszeiten ... die eigentlich wichtigen Dinge. Dies ist meine Gegend«, erklärte er Rory. »Mein Vater hat seine Gemeinde in der Nähe von Bideford.«

»Ist der Krieg denn nun ausgebrochen?« Windrush breitete die Zeitung auf dem Rasen aus und legte sich auf den Bauch, um sie zu studieren. »Hat Österreich Serbien den Krieg erklärt? Verdammt noch mal, in Europa herrscht Aufruhr, und ich klebe hier unten.«

»Ach, in Europa herrscht doch immer Aufruhr«, meinte Hilary forsch. »Wenn wir uns deshalb nicht sorgen, weshalb solltest du das tun? Du bist doch Amerikaner.«

Stevie, den die Limonade wiederbelebt hatte, stützte sich auf den Ellbogen. »Österreich mobilisiert anscheinend die Grenztruppen. Und von meinem Vater steht heute ein Leserbrief drin wegen der Rekrutierungskrise. Er glaubt, der Kaiser wird Frankreich überfallen, und dann sitzen wir da. So redet er, seit der Erzherzog in Sarajevo ermordet worden ist ... doch er ist Soldat, versteht ihr, und sagt den Krieg schon voraus, wenn die Kohlenpreise steigen. Ich würde nichts darauf geben.«

»Vielleicht hast du recht«, sagte Windrush, »da eure liberale Regierung ja so eine feige Schweinebande ist. Die werden dem Kaiser die Stiefel lecken und ihm die Isle of Wight anbieten, damit er seine Schlachtschiffe da andocken kann, wenn sie damit erreichen, daß er sie in Ruhe läßt.«

Rory sagte nachdrücklich: »Ich bin nicht hier, um die serbische Krise zu erörtern.«

Stevie setzte sich auf. »Wo ist denn Lorenzo?«

»Unten am Kai. Er schaut den alten Seebären bei der Arbeit zu«, sagte Hilary. »Ich würde ihn an deiner Stelle aber in Frieden lassen. Er hat mal wieder schrecklich üble Laune.«

»Ich muß mit ihm reden.« Mit einem Blick, der Rory beschwor, ihm nicht zu folgen, ging er.

»O je«, sagte Hilary.

Windrush kniff ein Auge zu und fragte Rory: »Was ist denn los, Ma'am? Erzählen Sie mir nicht, daß Sie hier zufällig vorbeigekommen sind.«

»Halt die Klappe, Windy«, versetzte Hilary. »Das geht dich gar nichts an.«

Rory seufzte. »Sie finden es ja vermutlich doch heraus. Aber Sie dürfen es niemandem erzählen ... auf Ihr Ehrenwort.«

In knappen Worten und ohne Eleanors Namen zu nennen, setzte sie die beiden ins Bild.

»Ach, der arme kleine Stevie«, sagte Windrush. »Und ich dachte, tiefer könnte sein Idol gar nicht mehr fallen.«

»Das ändert für ihn gar nichts.« Hilary war empört. »Ganz gleich, was Lorenzo macht, Stevie wird immer zu ihm halten. In der Schule war das schon so.«

»Warum ist er denn nicht mit Ihnen hierhergekommen?« fragte Rory.

Windrush blickte von der Zeitung auf. »Lorenzo hat ihm nahegelegt, nicht mitzukommen. Er ist manchmal froh, wenn er Stevie entrinnen kann. Er meint, seine Gutmütigkeit deprimiere ihn. Er braucht es, daß er sich in seiner düsteren Stimmung aalen und seine Misanthropie genießen kann, ohne daß ihn jemand durch aufmunternde Worte herauszuholen versucht.«

Die Gartentür wurde geöffnet, und Rory ertappte sich dabei, daß sie den düsteren jungen Mann anstarrte, den sie flüchtig auf Violas Ball gesehen hatte. Sie hatte das Gefühl, daß da eine prickelnd nervöse Vitalität durch ungeheure Willenskraft gebändigt wurde.

Dieser magere, sonnenverbrannte Sarazener, der die arme Eleanor so versklavt hatte, registrierte Rorys Anwesenheit mit den Worten: »Da ist ja eine Frau. Schafft sie raus. Ich will nie wieder eins von diesen Geschöpfen sehen.«

Stevie befand sich wenige Schritte hinter ihm. »Entschuldige, das habe ich ja ganz vergessen. Das ist Miss Carlington. Sie ist ... sie ist eine Freundin.«

Rory fiel auf, daß Lorenzo ungeheuer schöne funkelnde schwarze Augen mit dichten Wimpern hatte, und sie erinnerte sich, wie seltsam sie sich auf dem Ball gefühlt hatte, als er sie anstarrte. Jetzt spürte sie durch seine Wut hindurch wieder diese unverfrorene Vertraulichkeit, als hätte er einen Suchscheinwerfer auf ihre geheimsten Gedanken gerichtet. Fast fürchtete sie sich deshalb vor ihm, bis sie sich auf ihren Stolz besann.

Er war nicht unwiderstehlicher oder furchteinflößender als ein Schurke in einem schlechten Melodrama, befand sie, und Eleanor war eine dumme Gans, wenn sie auf etwas so Offensichtliches hereingefallen war. Schöne dunkle Augen hin und her, doch was für ein Irrsinn, sich um ihretwillen das Leben zu verpfuschen. Sie stand auf.

»Also?«

»Sie wollen wissen, ob ich Ihre Freundin hängenlasse wie die Unschuld vom Lande.«

Sie fand das nicht komisch. »Werden Sie sie heiraten?«

»Ja«, sagte Lorenzo knapp. »Ich werde mit meiner lebenslangen Gewohnheit brechen und mich anständig benehmen. Und Stephen«, er fuhr mit unerwarteter Wildheit zu ihm herum, »wenn ich noch eine Klage über meine ruinierten Zukunftsaussichten höre, dann schmeiße ich dich von der Klippe.«

»Aber Larry ...«

»Zum letztenmal, ich hatte noch nie irgendwelche Zukunftsaussichten, die hätten ruiniert werden können. Also warum soll ich das Mädchen nicht heiraten? Ich habe nichts zu verlieren.«

Rory fiel das Versprechen ein, das sie Eleanor gegeben hatte, und sie begriff dessen tieferen Sinn. Die ätzende Verachtung in seiner Stimme gab ihr das Gefühl, ihre Freundin den Löwen zum Fraß vorzuwerfen.

»Bitte ... bitte verargen Sie es ihr nicht.« Um Eleanors willen war sie bereit zu bitten. »Tun Sie's nicht, wenn Sie nicht wenigstens versuchen können, sie glücklich zu machen.«

»Den Teufel werde ich«, sagte Lorenzo. »Sie weiß, was für ein Mensch ich bin. Wenn sie jemanden wollte, der sie glücklich machen würde, hätte sie mich von vornherein gar nicht in diese Bredouille gebracht.«

Dazu gab es nichts zu sagen, mußte Rory zugeben.

»Sie können ihr ausrichten«, fuhr er fort, »daß ich mein Bestes tun werde, um ihr Unglück nicht noch zu vergrößern. Soll sie meinen Namen haben. Sie weiß, daß das mehr ist, als sie erwarten konnte.«

»Halt die Klappe«, platzte Hilary in verzweifeltem Ton heraus.

»Du brauchst es Rory nicht entgelten zu lassen«, tadelte Stevie sanft. »Sie versucht doch nur zu helfen.«

»Helfen? Sie will mich für die Irrtümer ihres Geschlechts bestrafen. Was zum Teufel weiß sie denn schon von solchen Dingen?«

»Ich weiß von Gummiwaren«, fuhr Rory ihn an, »was man von Ihnen nicht behaupten kann, so wie die Lage ist.«

Lorenzo erstarrte und funkelte sie wütend an, als hätte er sie am liebsten geschlagen. Stevie und Hilary waren entsetzt, doch Windrush brüllte vor Lachen.

»Gummiwaren! Sie schlimme kleine Harpyie! Obwohl sie damit nicht ganz unrecht hat, Hastings.«

Lorenzos Lippen waren zu einem wütenden Strich erstarrt. Er ging mit langen Schritten zum Haus und knallte die Tür so heftig zu, daß die Fensterscheiben klirrten.

»Larry«, Stevie bedachte die anderen mit einem Blick, ehe er ihm hinterherhastete.

Windrush kicherte immer noch. »Gummiwaren, in der Tat. Eine Dame sind Sie nicht gerade, wie? Sie irischer Weibsteufel!«

Rory, die in diesem Augenblick alle Männer verabscheute und auf einen Kampf brannte, ließ ihre ganze Wut an ihm aus. »Und Sie sind kein Gentleman, Sie dreckiger Yankee. Beleidigen Sie mich noch einmal, kriegen Sie meine Faust zu spüren, damit Sie's wissen!«

Das reizte seine Lachlust nur noch mehr. »Mein Gott, wenn ich mir vorstelle, wie Sir Galahad Stevie mit Ihnen am Hals zu seiner Mission aufbricht! Aber hören Sie, wir verletzen den armen alten Twisden. Vergessen wir nicht, daß er ein künftiger Mann der Kirche ist, und schonen wir seine Gefühle.«

Hilary hatte sich zum Baumstamm zurückgezogen und saß da, das Kinn in die Hand gestützt.

»Miss Carlington, ich weiß, es ist schrecklich unverschämt von mir, aber ... aber die junge Dame, die ... ist es Miss Herries?«

Er war derart fassungslos, derart bekümmert und entsetzt über diesen plötzlichen Einbruch menschlicher Verirrungen, daß er Rory leid tat.

»Ja.«

»Ach«, sagte er unglücklich, »verstehe.«

»Setzen Sie sich, Irin«, empfahl Windrush, »und regen Sie sich nicht so auf. Sie haben das bekommen, weshalb Sie hier sind ... nun lassen Sie die beiden das bereden.«

Rory setzte sich. Ihr Zorn war verflogen, und sie war müde. Stevie sollte sich ruhig um alle Einzelheiten kümmern, wie er versprochen hatte. Sie hatte getan, was sie konnte. Sie würden mit konkreten Plänen für Eleanors Zukunft und die ihres ungeborenen Kindes zurückkehren.

Aber warum dauerte das so ewig? Die Schatten wurden länger, das Gras um ihre Füße war von Zigarettenstummeln übersät, und immer noch sprachen Lorenzo und Stevie miteinander.

Endlich kam Stevie aus dem Haus. Er sah erschöpft aus, und Rory fragte sich, ob er geweint hatte.

»Tut mir leid.« Er mied ihren Blick. »Ich habe gar nicht mitbekommen, wie spät es ist. Hilary, wie sollen wir denn um Gottes willen nach Barnstaple zurückkommen?«

Hilary riß sich aus seinem Schweigen. »Da bleibt nur das Motorrad, fürchte ich. Nicht eben bequem ... aber das mußt du ja am besten wissen, weil du es mir verkauft hast. Es steht unten im Bootshaus.«

Rory brannte darauf zu erfahren, worüber Stevie und Lorenzo gesprochen hatten. All ihre Instinkte sagten ihr, daß Stevie irgend etwas im Kopf herumging. Wäre er nicht ein so durch und durch redlicher Mensch gewesen, hätte sie gesagt, daß er unaufrichtig wirkte. Doch sie konnte ihn nicht gut vor Hilary und Windrush aushorchen.

Während der Fahrt nach Barnstaple konnte man unmöglich auch nur ein Wort miteinander wechseln. Rory war noch nie im

Beiwagen eines Motorrads gefahren und stellte fest, daß man sich darin fühlte wie die Schelle am Tambourin der Heilsarmee – es nahm ihre ganze Konzentration in Anspruch, sich festzuhalten und gegen die aufkommende Übelkeit anzukämpfen. Hilary und Stevie zogen sie mehr tot als lebendig heraus, und dann hetzten sie zum Zug, den sie in letzter Sekunde erreichten. Sowie sie im Abteil saßen, schlief Stevie ein.

Rory bekam ihre Gelegenheit erst, als sie beim Essen und einer Flasche Great Western Claret im Speisewagen des Zugs von Exeter nach London saßen. Stevie war so höflich wie immer, aber nüchtern und besorgt zugleich.

»Es ist alles geregelt«, erklärte er. »Wenn ich eine Heiratserlaubnis für Lorenzo bekomme ... und ich habe nicht die mindeste Ahnung, wie ich das anstellen soll ..., dann wird er sie in etwa drei Wochen heiraten.«

»So spät erst?«

»Mir kommt es furchtbar früh vor.«

»Und wo werden sie wohnen?«

Diese Frage schien ihm Unbehagen zu bereiten. »Ich soll mich nach einer möblierten Wohnung umsehen. Eleanor kann die Lage bestimmen. Lorenzo wird bezahlen. Er schreibt an seinen Anwalt, damit der die finanziellen Dinge regelt.«

Vielleicht, dachte Rory, war es ja die Verantwortung für diese Wohnung, die ihn entsetzte. »Überlassen Sie das mit der Wohnung und den Dienstboten ruhig Jenny«, riet sie. »Sie liebt es, in Matratzen zu pieken, Einstellungsgespräche mit Köchinnen zu führen und sich nach den Liefertagen des Fleischers zu erkundigen.«

»Tatsächlich? Damit wäre mir eine Last von den Schultern genommen.«

Doch die eigentliche Last, dachte Rory, lag offensichtlich woanders. Sie wurde argwöhnisch. »Und wann gedenkt Sir Laurence, sich höchstpersönlich zu bemühen? Wann sollen die weisen Jungfrauen ihre Lampen für den Bräutigam zu richten beginnen?«

Stevie zeichnete mit dem Messer Muster auf das Tischtuch und starrte sie mit ernster Miene an. »Er wird ... er wird zur Hochzeit nach London kommen.«

»Nicht früher? Nicht einmal, um mit Eleanor zu reden, ehe er sie heiratet?«

»Er hat einiges zu erledigen.«

»Was denn bloß?«

Rory zupfte an seinem Ärmel, um ihn dazu zu bewegen, sie anzuschauen. »Stevie, da stimmt doch etwas nicht. Ihr führt doch irgendwas im Schilde, ihr beide!«

Er straffte abwehrend die Schultern. »Ich gebe Ihnen mein Wort darauf, daß Lorenzo Eleanor heiraten wird.«

»Aber was ...«

Er neigte sich vor und sagte in einem Ausbruch von Verzweiflung: »Rory, Sie haben mein Wort darauf. Jetzt fragen Sie mich bitte nichts mehr.«

7

In den Sekunden, ehe das Unwetter ausbrach, hatte Eleanor das unheimliche Gefühl, von allem losgelöst zu sein, und empfand beinahe Mitleid mit ihrer Mutter. Mrs. Herries saß im kleinen Salon, umgeben von Rechnungen, Einladungen, Speisezetteln und Wäschelisten – all den Kennzeichen ihres Status der reichen Frau mit tadellos organisiertem Haushalt, die Anspruch auf die Zugehörigkeit zur besten Gesellschaft erhebt. Und nun hatte diejenige ihrer Töchter, die sie am wenigsten mochte, ihre Luftschlösser mit einem einzigen Satz zum Einsturz gebracht.

»Nein.« Sie umklammerte die Schreibtischkante und rang nach Atem. »Das glaube ich nicht.«

»Es tut mir sehr leid, Mutter, daß ich es dir auf diese Weise sagen muß. Aber ein anderer Weg ist mir nicht eingefallen. Und es tut mir auch leid, daß ich das alles so ungeschickt gemacht habe ... auf diese dumme Art.« Eleanor hatte ihre Ansprache viele Male durchgeprobt, und das Reden fiel ihr jetzt leichter, als sie erwartet hatte. Es war die Wahrheit, und die Wahrheit zu sagen war ihr niemals schwergefallen. »Ich finde es gräßlich, daß ich dich und Daddy unglücklich machen muß. Doch ich kann mich nicht dafür entschuldigen, daß ich Lorenzo heirate, weil ich ihn liebe.«

Ganz ruhig, fast wie zu sich selbst, sagte Mrs. Herries: »Du Flittchen.« Dann, als wäre dieses Wort der Funken gewesen, der das Pulverfaß zum Explodieren brachte, sprang sie aus ihrem Stuhl empor und schlug Eleanor ins Gesicht. »Du dreckiges kleines Flittchen! Es tut dir noch nicht mal leid! Du hast uns alle in Schande gestürzt! Uns ruiniert ... Und es tut dir noch nicht einmal leid!«

Mutter und Tochter starrten einander mit offenen Mündern an, zitternd und entsetzt.

Eleanor hielt sich die brennende Wange und erkannte in voller Klarheit, was sie im Innersten immer schon geahnt hatte – daß diese Frau sie nicht liebte, sie nicht einmal mochte. Sie waren Fremde füreinander. Das Gefühl der Einsamkeit traf sie zwar zutiefst, doch in diesem Augenblick war sich Eleanor zugleich eines seltsamen Gefühls der Erleichterung bewußt. Sie brauchte sich nicht länger anzustrengen, um es jemandem recht zu machen, dem sie es doch niemals würde recht machen können. Sie war, in gewisser Weise, frei.

»Raus«, sagte Mrs. Herries. »Du verläßt sofort das Haus. Ich will dich nie wieder sehen.«

Und es war vorbei. Trotz des Gefühlsaufruhrs, den Mrs. Herries' leidenschaftlicher Ausbruch in ihr ausgelöst hatte, packte Eleanor gelassen ihre Koffer. Sie hatte den Weg gewählt, der zu Lorenzo führte, und sie wußte, daß sie nicht hoffen durfte, damit zugleich den Weg zum Glück gefunden zu haben. Doch in diesem Haus gab es keine Liebe für sie, und Eleanor konnte nun einmal ohne die Möglichkeit, Liebe zu finden, nicht leben.

Margaret, die ihr beim Packen half, verstand diese Gelassenheit nicht und fand sie beängstigend. Um sie herum war die Hölle los: Mrs. Herries tobte wie ein Derwisch und putzte Flora wegen ihrer Einfalt und Unfähigkeit herunter. Flora hatte einen hysterischen Anfall, und die arme Nancy, die nur die Ferien zu Hause verbringen durfte, rannte in Tränen aufgelöst durchs Haus und beschwor die Dienstboten, ihr doch zu sagen, was Eleanor getan hatte. Doch Eleanor faltete Nachthemden zusammen und wählte Kleidung aus, als hätte sie lediglich vor, eine

Reise anzutreten. Die Kraft, die ihr immer schon zugewachsen war, wenn sie ihrem Herzen folgte, hatte sich um sie gelegt wie ein Schutzschild.

Die nächsten drei Wochen verbrachte sie im Haus der Templetons in der Half Moon Street. Trotz Francescas zärtlicher Fürsorge war es keine angenehme Zeit. Monica Templeton betrachtete ihre Lage mit einem Gleichmut, der Eleanor auf die Nerven ging. Monica genoß es, wenn jemand seinen guten Ruf verlor, und jetzt, wo Stevie zu Lorenzo gefahren war, hatte sie nichts zu tun, als in einem Kimono im Haus herumzutrödeln und Geschichten zu erzählen, die Eleanor die Schamröte ins Gesicht trieben. Sie saßen jetzt im selben Boot, wollte sie ihr zu verstehen geben, und Eleanor erschauderte bei der Vorstellung, daß andere Menschen sie und diese schamlose Frau auf eine Stufe stellen könnten.

Sie hörte kein Wort von Lorenzo, erhielt nur den wortkargen Brief seines Anwalts, worin er ihr das Einkommen nennen ließ, das er ihr zur Verfügung zu stellen gedachte. Jenny meinte, das sei eine ganz schöne Summe, und wählte dementsprechend eine möblierte Wohnung in der Clarges Street für sie aus. Eleanor bewunderte pflichtschuldig den Salon, das Ankleidezimmer und das Kinderzimmer, ohne zu glauben, daß die Räume mit ihr oder Lorenzo zu tun haben könnten. Sie befand sich in einem Wartezustand, kam sich vor wie ein unerwünschtes Gepäckstück, das irgendwann abgeholt werden mußte.

Am Tag ihrer Hochzeit erwachte sie im Morgengrauen mit schwerem Herzen und revoltierendem Magen und schwor sich hoch und heilig, den Rest ihres Lebens Lorenzo zu widmen. Von heute an waren seine Wünsche auch die ihren. Sie konnte zwar nicht hoffen, daß er eines Tages den Fehltritt segnen würde, der ihn vor den Altar gezwungen hatte, doch sie würde dafür sorgen, daß er nicht allzuschwer daran zu tragen hätte.

Da sie wußte, daß er sie nicht gern aufwendig gekleidet sah, hätte sie am liebsten ein schlichtes marineblaues Kleid angezogen. Doch Francesca wollte davon nichts wissen. Sie überredete Eleanor zu einem Sommerkleid aus elfenbeinfarbener Seide und einem großen weißen Strohhut. Monica küßte sie und überreichte ihr ein Bukett aus blaßroten Rosen und Orangenblüten.

Archie, der sich bereit erklärt hatte, den Brautführer zu spielen, trug eine weiße Rosette am Aufschlag seines Cutaways. Die schlampigen Dienstboten des Templeton-Haushalts versammelten sich auf der Treppe, um Reis zu werfen, als der Rolls Royce losfuhr. Eleanor stand ja kurz davor, wieder achtbar zu werden, und alle taten ihr Bestes, um den peinlichen Anlaß mit ein wenig konventioneller Fröhlichkeit auszustatten.

Eleanor konnte noch immer nicht glauben, daß die Hochzeit stattfand. Unter dem Portal von St. James, Piccadilly, nahm sie Archies Arm und dachte, wie seltsam es doch war, hier im Dämmerlicht zu stehen, während der Alltagsverkehr draußen vorbeibrauste, als wäre dies ein ganz gewöhnlicher Morgen.

Archie geleitete sie in das dämmrige Kirchenschiff. Sie hatte die Brille abgenommen und vermochte die wenigen Gestalten auf den nackten Kirchenbänken kaum zu erkennen. Rory und Jenny waren gekommen. Und da war Margaret, mit einem fantastischen Hut, von Vogelschwingen bedeckt. Sie hatte jemanden bei sich – Tante Flora, die leise weinte und sich ständig umblickte, als wäre die Polizei hinter ihr her.

Jetzt konnte sie den Pfarrer erkennen, der mit aufgeschlagenem Gebetbuch am Altargitter lehnte. Das Blut pochte ihr in den Ohren, als sie nach Lorenzo Ausschau hielt.

Zwei Gestalten in trostlosen grünen Jacken und Reithosen traten aus der vordersten Bank – zwei junge Unteroffiziere mit blanken Stiefeln, kurzgeschorenem Haar und Säbeln an der Seite.

»Na, ich freß einen Besen«, flüsterte Archie, »die haben sich zur Armee gemeldet!«

In dem Augenblick, als sie Lorenzos Gesicht über der Uniform erkannte, wurde Eleanor von einer Welle der Übelkeit übermannt. Sie sah, wie sich die Blütenblätter auf dem Steinboden ausbreiteten, als ihr Brautstrauß zu Boden fiel.

Archie spürte, wie sie schwankte, und zischte ihr zu: »Mein Gott, Sie werden doch wohl nicht ohnmächtig, wie?«

»Nein ... nein, mir fehlt überhaupt nichts.«

Jemand drückte ihr die ramponierten Blumen wieder in die Hand. Mit einem würgenden Gefühl in der Kehle stand sie vor den Altarstufen neben Lorenzo.

»Liebes Brautpaar«, fing der Pfarrer an.

Später dachte Eleanor, wie typisch es doch für die glücklose Angelegenheit gewesen sei, daß sie zu sehr gegen die Übelkeit hatte ankämpfen müssen, um sich auf die Zeremonie zu konzentrieren. So empfand sie, als Lorenzo ihr den goldenen Ring auf den Finger steckte, lediglich entsetzliche Angst davor, sich über das blitzende Standeszeichen hinweg auf seinen Ärmel zu erbrechen. Sie wußte kaum, was sie ins Register kritzelte. Die Mädchen und Flora umringten sie, um sie zu küssen, und sie hatte nur den einen Wunsch: nach draußen zu kommen.

Es war vorbei. Die frischgebackene Lady Hastings stolperte am Arm ihres Gatten den Gang hinunter und atmete dankbar die frische Luft ein, sobald er sie hinausgeleitet hatte.

»Hier, trink einen Schluck.« Lorenzo drückte ihr eine silberne Taschenflasche in die Hand. »Das ist Cognac.«

Eleanor trank einen Schluck, und die scharfe Flüssigkeit brannte die Übelkeit weg. Sie rülpste. »Herrje, entschuldige!«

Er lächelte ganz freundlich auf sie hinab. »Besser?«

»Viel besser. Oh, ich habe mich so gräßlich gefühlt. Hat man es gemerkt?«

»Allerdings. Du sahst aus, als würdest du am Pranger verbrannt.«

Sie waren förmlich und verlegen, einander fernstehende Menschen, Fremde, unvermutet von einer Krise zusammengeführt, die jetzt mit keinem von beiden viel zu tun zu haben schien. Eleanor wußte nicht, wie sie auf seine Uniform zu sprechen kommen könnte. Lorenzo warf einen Blick auf die Uhr und entfernte sich ein paar Schritte von ihr.

Die anderen kamen aus der Kirche heraus und schneuzten sich blinzelnd, ehe sie von der spröden Fröhlichkeit ergriffen wurden, die sich nach Trauungen und Beerdigungen breitmacht.

Flora, deren fahles Gesicht vor Kummer hager wirkte, stahl sich an Eleanors Seite. »Wir wagen nicht, auch nur einen Augenblick länger zu bleiben, Liebes. Deine Mutter weiß nicht, daß ich hier bin.«

Eleanor verspürte einen Stich der Reue, weil sie Flora nicht mehr geliebt hatte, so als wäre Flora gestorben, und sie könnte ihr Versäumnis nie wiedergutmachen. »Danke, daß du gekommen bist, Tantchen.«

»Es ist gräßlich ohne dich. Bartholomew scheint um Jahre gealtert, und die arme kleine Nancy weint jeden Abend um dich, das weiß ich.« Flora begann zu zittern. »Und ich weiß genau, daß deine Mutter dich vermißt, auch wenn sie zu stolz ist, es zuzugeben. Nur ihr Stolz steht zwischen euch, Eleanor. Wenn du nur versuchen wolltest, sie wiederzusehen ... sie hätte bestimmt nicht das Herz ...«

»Ich kann nicht nach Hause zurückkehren«, sagte Eleanor fest, »es sei denn, sie bittet mich darum.«

»Nein, Liebes. Selbstverständlich nicht«, seufzte Flora. »Ach, Eleanor, dies war nicht die Hochzeit, die ich mir für dich gewünscht habe, aber ich wünsche dir Freude im Leben ... ja, wirklich.«

Sie wich vor Lorenzo zurück wie vor einer Kobra und umklammerte nervös Margarets Hand.

»Viel Glück, Miss Eleanor«, sagte Margaret, »oder Ihre Ladyschaft, sollte ich wohl besser sagen. Ich hab' ja gewußt, daß alles ins Lot kommen würde.«

»Es war sehr lieb von Ihnen zu kommen, Margaret.«

»Nicht für einen Wochenlohn hätte ich das versäumen mögen. Passen Sie gut auf sich auf. Nun kommen Sie, Miss Flora.« Sie drängte Flora in ein Taxi.

Stevie kam und küßte Eleanor, die strahlende Francesca am Arm.

»Sehen die beiden nicht gut aus? Und war das nicht schlau von ihnen, einfach zur Armee zu gehen, ohne irgend jemandem Bescheid zu sagen?«

»Teuflisch schlau«, lautete Rorys Kommentar, und ihr ätzender Ton bewirkte, daß Stevie schuldbewußt errötete.

Monica bemächtigte sich seines freien Arms. Um ihren geschminkten Mund lag ein säuerlicher Zug. »Kann der Krieg vielleicht warten, bis wir bei uns zu Hause sind? Archie lechzt nach einem Glas.«

Es war eine trostlose Gesellschaft. Monica hatte genügend Champagner für ein ganzes Regiment besorgt und stellte in letz-

ter Minute noch ein paar Lachssandwiches dazu. Niemand außer Monica und Archie hatte jedoch Lust zu trinken, und die
Sandwiches reichten nicht für alle.

Stevie strengte sich furchtbar an, gesellig zu sein, doch Lorenzo saß mit grimmiger Miene über seinem unberührten Glas
und beantwortete jeden Versuch, ihn ins Gespräch zu ziehen,
mit einem finsteren Blick. Immer wieder schaute er zur Uhr.
Eleanor saß der Form halber neben ihm und lächelte verunsi-
chert nach allen Seiten.

Schließlich stand sie auf. »Ich glaube, ich ziehe mich besser
um.«

Lorenzo hielt ihr mit gleichgültiger Förmlichkeit die Tür auf.
Sie versuchte nicht einmal, ihn anzuschauen. Sie wollte nur
nach Hause, doch sie hatte ja keins mehr, nur noch die funkel-
nagelneue, unpersönliche Wohnung.

In ihrem Gästezimmer ließ sie das Bukett aus der kalten Hand
fallen und starrte zum erstenmal auf den schimmernden goldenen
Ring an ihrem Finger. Das war alles. Hatte sie mehr erwartet?

Das Taxi würde bald kommen. Sie begann, ihr Hochzeitskleid aufzuhaken, das sie niemals wiedersehen wollte, und hielt
dann inne – wie sie es jetzt immer tat, wenn sie sich auszog –,
um ihren Bauch zu betasten. Bald würde er sich plump hervor-
wölben – wie der von Vi, als sie Fleur erwartete.

»Eleanor.«

Lorenzo stand in der Tür und beobachtete sie.

»Oh.« Mechanisch zog sie ihr Kleid wieder hoch, um ihre
Korsage zu bedecken.

Er schloß die Tür hinter sich. »So. Das wäre geschafft.«

»Ja.«

»Zieh dich ruhig weiter um. Meinetwegen brauchst du nicht
aufzuhören. Du hast keinen Anlaß, verschämt zu sein. Wir sind
jetzt ein Ehepaar.«

Eleanor ließ befangen ihr Kleid fallen. »Lorenzo, wenn ich
dir das jetzt sagen darf ... es tut mir sehr leid, daß das alles
passiert ist, und ich bin sehr dankbar dafür, daß du ...«

»Hör auf«, antwortete Lorenzo unwirsch. »Das letzte, was
ich jetzt gebrauchen könnte, ist eine deiner Szenen. Nehmen wir
uns beide vor, das Beste draus zu machen.« Er zog sich zum

Fenster zurück und wandte ihr den Rücken zu. »Ich schulde dir eine Erklärung.«

»Ach nein«, fing sie an.

»Wirklich nicht? Warst du denn nicht überrascht, mich in Uniform zu sehen?«

»Doch.«

»Stevie und ich sind letzte Woche einberufen worden. Der Colonel hat irgendwelche Drähte zum Kriegsministerium. Er hält mich zwar nicht gerade für eine Zierde seines Regiments, doch hat er die fixe Idee, daß es zuwenig Offiziere geben könnte, wenn der Krieg beginnt.«

»Der ... der Krieg?« echote Eleanor dümmlich.

»Der Krieg, Eleanor, der Krieg in Europa. Liest du denn keine Zeitungen?«

»In letzter Zeit nicht.«

Er lachte mitleidig. »Das kann ich mir denken. Nun, Rußland hat mobil gemacht. Deutschland, wie es aussieht, ebenfalls. Wenn der Kaiser Frankreich den Krieg erklärt ... was er unweigerlich tun wird ..., dann sind wir auch dran. Also hat Colonel Carr-Lyon sich bereit gefunden, alles zu vergessen, was er von meinem unbrauchbaren Ohr gehört hat, und mich auf der Grundlage meines Ausbildungszertifikats von der Schule zu nehmen. Stevie hat natürlich auch mitgeholfen. Nichts könnte ihn daran hindern, Cambridge sein zu lassen und mit mir zu gehen.«

Elend und verwirrt, wie sie war, begann Eleanor zu ahnen, daß diese weit entfernten politischen Entwicklungen Auswirkungen auf sie haben könnten.

»Ich finde das großartig von dir«, gelang es ihr zu sagen, während sich ihr die Kehle zuschnürte. »Und natürlich verstehe ich es auch. Wenn wir Soldaten brauchen, hat wohl jeder die Pflicht, sich zu melden, nicht wahr?«

»Ich habe mir das fürchterlich vorgestellt«, sagte Lorenzo gelassen, »so daß es mir jetzt gar nicht schlimm vorkommt. Es scheint um nichts weiter zu gehen, als daß man lernt, ein Kamel auf ein Kriegsschiff zu verladen und sich in der Offiziersmesse von oben herab behandeln zu lassen. Doch ich mußte weg und irgend etwas tun.«

»So daß du nicht mit mir zusammenleben müßtest«, murmelte Eleanor, die endlich verstanden hatte.

Er sah sie an. »Du mußt wissen, daß ich weder mit dir noch mit einem anderen Menschen ... was diesen Punkt betrifft ... enger zusammenleben möchte als bei unserer letzten Begegnung. Ich werde jedoch mit Vergnügen den Schein der Schicklichkeit wahren. Du hast meinen Namen. Dein Kind wird ehelich geboren werden.«

»Unser Kind«, unterbrach sie ihn leise.

»Na schön, unser Kind. Doch bilde dir nur nicht ein, Eleanor, daß ich mich ändern werde.«

»Ich will gar nicht, daß du dich änderst«, sagte sie.

Seine Miene wurde trauriger und weicher. »Du schaffst es, daß ich mir wie ein Mistkerl vorkomme.«

»Du hast getan, was du konntest.«

Lorenzo sah wieder zur Uhr. »Wohnung in Ordnung?«

»Willst du sie dir nicht anschauen?«

»Nein. Stephen und ich müssen sofort nach Salisbury zurück.«

»Ach so.« Eleanor biß sich auf die Lippe, damit sie aufhörte zu zittern. Sie wollte ihn nicht dazu bringen, es laut zu sagen, weil sie das nicht ertragen konnte, doch sie wußte, daß er beschlossen hatte, niemals mit ihr zu schlafen. Er hatte nicht einmal die Absicht, die Hochzeitsnacht mit ihr zu verbringen. »Wann ... wann werde ich dich denn wiedersehen?«

»Keine Ahnung. Wenn ich Urlaub habe, vermutlich.«

»Ach so.«

»Wenn du möchtest, schreibe ich dir.«

»Ja, bitte.«

Lorenzo legte ihr die Hände auf die Schultern, und doch hatte sie das Gefühl, daß sie einander über eine Schlucht hinweg etwas zuschrien. Er blickte auf sie in einer seltsamen Mischung aus Freundlichkeit und Ungeduld hinab.

»Du bist ein tapferes kleines Ding«, verkündete er.

Sie merkte, daß sie die Freundlichkeit kaum ertrug, weil sie allem anderen auf so grausame Weise widersprach. »Nein. Wenn ich wirklich tapfer wäre, hätte ich versucht, allein zurechtzukommen, ohne daß du mich heiraten mußtest. Warst du denn sehr wütend?«

Er bedachte sie mit seinem schiefen Lächeln. »Rasend wütend.«

»Ach, Lorenzo«, rief sie impulsiv, »ich weiß, du magst es nicht, wenn ich mich entschuldige, aber es tut mir so schrecklich leid. Du warst betrunken, und ich habe dich dazu herumgekriegt. Es war wirklich überhaupt nicht deine Schuld ... Warum lachst du denn?«

»Weil du wirklich unbezahlbar bist ... da nennst du mich einen betrunkenen Wüstling und gibst dir im selben Atemzug die Schuld.« Er wurde wieder ernst. »Ich wußte, daß ich um meinen Teil der Verantwortung wegen des Kindes nicht herumkommen würde. Und wegen der Art von Kind, das ich womöglich gezeugt habe.«

»Das wird ein wunderschöner Junge werden«, erklärte Eleanor.

Ihre entrückte Zuversicht schmerzte ihn und verdunkelte seine Miene. »Du weißt schon, was ich meine. Du machst dich am besten auf das Schlimmste gefaßt. Mein Blut ist vergiftet. Ich habe geschworen, daß ich niemals ...«

»Ich habe keine Angst.« Eleanors Wangen waren rosig, und ihre grauen Augen strahlten. »Wollen wir ihn doch nicht verurteilen, ehe er überhaupt geboren ist.«

»Ich werde das Kind nicht mögen«, sagte Lorenzo mit grimmiger Entschlossenheit. »Und versuch ja nicht, mich dazu zu bewegen.«

»Das werde ich nicht tun. Bitte, Lorenzo ... ich verstehe schon. Ich werde nichts erwarten.«

»Du armes Mädchen.« Er hob ihre linke Hand und betrachtete sie stirnrunzelnd. »Was hast du für einen schrecklichen Hochzeitstag. Ich habe dich nicht mal geküßt, wie?« Seine Lippen streiften ihre Stirn. »Da.«

Stevie hatte Francesca in das leere Eßzimmer auf der anderen Seite der Diele geführt. Er hielt ihre Hände und sie blickte mit einem Ausdruck grenzenloser Liebe und Ergebenheit zu ihm auf.

»Ich hoffe, es gibt Krieg«, sagte er nun ernsthaft, »weil das eine ungeheure Chance für mich wäre, etwas Nützliches, Sauberes zu tun. Ich werde das Gefühl haben, daß ich kämpfe, um mich deiner würdig zu erweisen.«

Francesca lächelte, während ihre braunen Augen sich mit der Uniform vertraut zu machen suchten. »Ach Stevie, was sagst du denn da! Warum solltest du meiner nicht würdig sein?«

»Ich bin es nicht. Ich bin es bei weitem nicht. Doch ich werde es sein. Es ist sehr lieb von dir, daß du mir nicht böse bist.«

»Ich könnte nicht stolzer sein ... obwohl ich mich schrecklich um dich sorgen werde.«

»Du kleiner Engel! Wirst du das wirklich?«

»Jeden Augenblick.«

»Mein Liebling.« Er nahm sie in die Arme. »Und wirst du mich denn noch lieben, wenn ich mit einem Arm oder einem Bein weniger nach Hause komme?«

Francesca ließ die Hand über seinen Oberarm gleiten, als wollte sie sich das Entsetzliche vorstellen. »Ich werde dich immer lieben. Doch du wirst dir doch nicht weh tun lassen?«

Stevie lachte. »Ich werde mich bemühen.«

»Ich weiß, daß du tapfer sein wirst. Sei nur einfach nicht allzu tapfer.«

»Ach, hier seid ihr.« Monica wehte herein, ein Glas in der Hand. »Eleanor kommt die Treppe herunter, Schatz, so daß ich den Soldatenabschied wohl leider unterbrechen muß.«

Francesca löste sich aus Stevies Umarmung. »Ich muß zu ihr.«

Stevie wollte ihr folgen, doch Monica legte ihm die Hand an die Brust und schloß die Tür mit einem Fußtritt. »Krieg ich nicht auch meinen Anteil an den Kriegerküssen?«

»Monica, um Gottes willen«, murmelte er verzweifelt, »nicht hier.«

»Wo denn dann?« Jetzt, da ihr Mund wütend verkniffen war, fielen ihm die feinen Linien auf, die sich um ihn herum eingegraben hatten. »Vermutlich hast du vor meiner armen Kleinen dein feines Soldatengefieder gespreizt und ihr erzählt, was für ein edler Junge du bist, wenn du in der Stunde der Not zu den Fahnen deines Landes eilst?«

»Bitte ...«

»Ich kenne die Wahrheit. Du hast es getan, um mir zu entkommen, wie?« Sie stellte das Glas auf den staubigen Tisch, und ihre Hand langte nach dem Hosenschlitz seiner Kavallerie-breeches. Er zuckte zurück.

»Nun«, sagte sie, »das ist mal eine Rüstung, wie? Du glaubst wohl tatsächlich, daß sie die Macht hat, dir deine Reinheit zurückzugeben? Die Wahrheit ist, daß du gar kein edler Junge bist. Du bist sehr undankbar, nach allem, was ich dich gelehrt habe.«

»Es war schändlich von mir«, sagte Stevie. »Wenn du doch bloß verstehen wolltest ... dies ist meine Chance zur Wiedergutmachung.«

»Ein bißchen Blutvergießen, so daß du den Makel des Kontakts mit mir abwischen kannst?« Sie neigte sich ihm zu und umhüllte ihn mit einer Moschusduftwolke. »Wie gelegen dieser Krieg doch all den Hunderten von Männern kommt, die gern vor einer Frau fliehen möchten. Ich wäre froh, wir Mädchen hätten auch irgendein Krieglein, wohin wir gehen können, wann immer uns der Boden unter den Füßen zu heiß wird.«

Er war tief verletzt. »Du wirst das nie verstehen.«

»Im Gegenteil, ich verstehe weitaus mehr, als du denkst. Doch ich verzeihe dir, mein Lamm, weil du so wenig von dir selbst weißt. Du wirst zu mir zurückkehren. Du wirst es müssen. Ich mag zwar deinen ritterlichen Vorstellungen von einer Dame nicht entsprechen, aber ich bin die einzige Frau, die dir zu einem Ständer verhelfen kann.«

»Sei still!« zischte Stevie zornrot. »Damit du's weißt ... es ist absolut aus, aus und vorbei, für alle Zeiten.«

Er stieß sie beiseite und flüchtete in die Diele, wo Jenny, Rory und Francesca um Eleanor herumstanden.

»Laß uns doch mitkommen«, bat Jenny gerade leise. »Wir können dich doch nicht ganz allein lassen!«

Eleanor lächelte, ruhig, ja geradezu fröhlich. »Ich muß mich doch daran gewöhnen. Vergeßt nicht, das ist jetzt mein Zuhause. Und dann sind doch die Dienstboten da.«

»Es ist, als ob wir dich verloren hätten«, sagte Francesca. »Warum müssen Hochzeiten nur so traurig sein?«

Lorenzo, der jetzt sichtlich Mühe hatte, seine Ungeduld zu zügeln, reichte Eleanor den Arm. »Stevie und ich müssen zum Zug. Wenn du hier noch länger herumtrödelst, nehmen wir ein anderes Taxi.«

»Nein, Lorenzo, ich bin fertig. Meine Herzblätter ...« Hastig küßte sie ihre Freundinnen und flüsterte so leise, daß Lorenzo es nicht hören konnte: »Ihr verliert mich nicht. Ich brauche euch jetzt mehr denn je.«

Sie nahm den Arm ihres Gatten, als wären sie das glücklichste Paar der Welt.

Jenny, Francesca und Rory standen mit trostloser Miene auf der Treppe vor der Haustür und sahen zu, wie Eleanor ihrer einsamen Existenz als Lady Hastings entgegenfuhr.

»Warum nur?« platzte Jenny in verzweifeltem Ton heraus. »Warum hat sie das bloß getan?«

»Weil sie um ihrer Liebe willen leiden wollte«, sagte Rory bitter. »Wißt ihr denn nicht mehr, wie sie auf der Schule immerfort davon geredet hat? Nun hat sie ihren Willen bekommen ... mögen sämtliche Heiligen im Himmel ihr beistehen.«

8

Extrablatt! Extrablatt!
Die neueste Meldung:
Es findet ein Fest zum Ende der
Zivilisation statt.
Alle Vortizisten, heidnischen Clowns
Ernsthaften Schießbudenfiguren
Zynischen Athleten
Und neutralen Länder
Sind dazu eingeladen.
Wir feiern am Torrington Square 16
Am 4. August 1914.
Hüte aus Zeitungspapier und Alkohol
Sind obligatorisch.
Dies Ultimatum tritt um 21 Uhr in Kraft.
Danach wird ganz Europa
Im Rausch sein.

Über der Tür des Ateliers hatte jemand die neuesten Zeitungsausgaben angepinnt, worin die Invasion Belgiens und das britische Ultimatum an den Kaiser gemeldet wurden. Darüber stand: ›Willkommen zum Anbruch von Vortex.‹

Rory, Jenny und Francesca mußten sich mühsam ihren Weg durchs Gedränge bahnen. Das Stimmengewirr übertönte fast das Getöse zweier rivalisierender Grammophone, die unterschiedliche Ragtimes stampften. Rory trug eine scharlachrote, grünbestickte Zigeunerinnenbluse und einen weiten Rock, der durch die Weinflaschen in den Taschen noch formloser wirkte. Jenny und Francesca waren in Abendkleidern. Alle drei hatten Dreispitze auf dem Kopf, aus der *Daily Mail* vom selben Tage gefaltet.

Francesca zog Rory von hinten am Rock. »Ach, ich hätte nicht mitkommen sollen! Ich hätte bei Eleanor bleiben sollen!« Sie hatte rosige Wangen und kicherte ständig, weil Rory ihr zwei Glas Wein zu trinken gegeben hatte, ehe sie ins Taxi stiegen.

Das Atelier sah aus wie ein Meer von hüpfenden Papierschiffen. Die künstlerisch Begabteren hatten ihre Zeitung zu verzwickten Fächern und Pfauenschwänzen gefaltet. Eins der Aktmodelle war von Kopf bis Fuß in einen Rock von Spätausgaben gekleidet.

»Hallo, Mädels.« Tertius zwängte sich zu ihnen durch, um sie zu begrüßen. »Wie schön, daß ihr da seid.«

Tertius und Quince trugen Nachttöpfe, die mit Zeitungspapier geschmückt waren. Obenauf saß, aus Pappmaché, der Pikkel der deutschen Pickelhaube. Tertius hatte sich einen riesigen Kaiser-Wilhelm-Schnurrbart über die Oberlippe gemalt und hinterließ Spuren von einem verkohlten Korken auf den Wangen der Mädchen, als er sie küßte.

»Was für eine entsetzlich frivole Angelegenheit«, sagte Jenny mit gespielter Strenge.

»Wir haben beschlossen, daß es ein entsetzlich frivoler Krieg werden soll«, erklärte Tertius. Er legte Francesca den Arm um die Taille. »Daß Sie ja nicht weglaufen und sich vor uns verstekken. Ich werd schon auf Sie aufpassen.«

»Ach, Tertius, versprechen Sie mir, daß Sie mich nicht im

Stich lassen«, Francesca war hilflos vor Lachen. »Ich hab' solche Angst vor der Dame dort, die überhaupt nichts anhat!«

Rory drängelte sich zu der Ecke durch, wo Aubrey Russell in weißer Krawatte und Frack, unpassenderweise Bier aus der Flasche trinkend, einer Gruppe homosexueller Freunde Vorträge hielt.

»Das ist der Triumph der Spießer. Die Kultur wird einfach über Nacht verschwinden. Ihr hättet die verfetteten Holzköpfe in meinem Klub heute hören sollen ... sie gaben doch tatsächlich den Suffragetten und den Vortizisten und den streikenden Arbeitern die Schuld und weideten sich an der Vorstellung, die ganze Bande abzuschlachten, diese dicken Einfaltspinsel.« Seine Miene hellte sich auf, als Rory ihn umarmte. »Mein Herzblatt. Was für eine gräßliche Bluse.«

»Ist Fingal hier?«

»Leider. Ich habe versucht, ihn dazu zu bewegen, zu Hause zu bleiben, doch er hört ja nie auf mich.« Er zeigte in die Ecke, wo Fingal drei echte ... und sehr betrunkene – Soldaten unterhielt. »Und jetzt, wo er Thomas Atkins gefunden hat, werden ihn vermutlich keine zehn Pferde mehr von hier wegkriegen.«

Die Umstehenden lachten.

»Dem muß man sofort, wenn um elf Uhr das Ultimatum abläuft, ein Geschirr anlegen«, meinte einer von ihnen. »Herrje, London wird über und über voll sein von umwerfend attraktiven Wesen in Uniform ... das reine Paradies des Sodomiten.«

»Ein schwacher Trost, fürchte ich.« Aubreys Lippen waren schmal. »Keiner scheint zu ahnen, wie scheußlich das werden wird. Heute hat mir einer einen Backstein durch die Fensterscheibe der Galerie geworfen, nur weil wir kein Porträt des Königs ausgestellt hatten. Ich mußte sämtliche Gaudier-Brzeskas mit Union Jacks verhängen.«

»Und die Abende deutscher Musik bei den Promenadenkonzerten werden gestrichen«, warf ein anderer ein. »Kein Beethoven und Wagner mehr ... zu barbarisch.«

»Ich kann das Fahnenschwenken schon nicht mehr sehen«, erklärte Rory. »Ich glaube, London ist verrückt geworden. Heute bei meiner Tante hörte ich doch tatsächlich, wie sie einer armen Alten erklärt, sie solle ihren Dackel einschläfern lassen:

weil er das Pech hat, einer deutschen Hunderasse anzugehören. Gott sei Dank wird es ja bald vorbei sein ... bis Weihnachten werden wir uns zu Tode gelangweilt haben.«

»Trotzdem, mal im Ernst«, meinte einer der Männer, »es ist aufregend. Auf eine häßliche Art und Weise.«

Rory mußte ihm darin zustimmen. Theoretisch war sie Kriegsgegnerin. Doch die Spannung, die in der Luft lag, hatte etwas Erregendes, und man spürte, daß das ganze Land auf ein einziges Ziel gerichtet war. Die Stadt schien von jungen Menschen übernommen worden zu sein. Dies war ihre Stunde, und die Älteren waren plötzlich nicht mehr gefragt und langweilig und hatten keine andere Aufgabe, als am Straßenrand zu jubeln.

Die Fröhlichkeit auf diesem Fest spiegelte das Fieber wider, das alle gepackt hatte, die unter Dreißig waren. Ihnen allen drehte sich vom berauschenden Geruch des Schießpulvers der Kopf. Rory konnte sich nicht vorstellen, jemals wieder zu schlafen. Es war außerordentlich wichtig geworden, soviel zu trinken wie nur möglich. Sie überließ Aubrey seinen Vorträgen und machte sich auf die Suche nach einem Korkenzieher.

Was für eine Schande, dachte sie, daß Eleanor untätig ans Haus gefesselt war. Sie war froh, daß Jenny und Francesca da waren, wenn es sie auch immer noch wunderte, daß sie sie bereitwillig begleitet hatten. Jenny war den ganzen Tag lang in einer seltsamen Stimmung gewesen und hatte sich auf jedes noch so kleine Vergnügen gestürzt, ohne es allem Anschein nach genießen zu können.

Die Frau vor ihr machte plötzlich einen Schritt zurück, trat Rory auf die Füße und riß ihr die Flasche aus der Hand. Ein beunruhigtes Geschnatter erhob sich, auf das atemlose Stille folgte. Aubrey lag am Boden ausgestreckt, und aus seiner Nase sickerte ein dünnes Rinnsal von Blut.

Ein dicker, muskulöser junger Mann stand schwer atmend über ihm. »Steh auf und kämpfe, du verdammter schwuler Feigling. Ihr mickrigen Pazifisten kotzt mich an!«

Aubrey hob den Kopf. »Ich habe lediglich gesagt, die britische Ehre könne ja wohl kaum davon abhängen, daß man ein paar Deutsche aus einem winzigen Eckchen von Belgien rausschmeißt.«

»Du wärst imstande, dich taub zu stellen, wenn einer um Hilfe schreit, nur um deine Haut zu retten!«

»Meine Haut, ihre Haut ... die Haut all dieser armen jungen Männer.« Aubrey hustete, als seine Freunde ihn wieder auf die Beine stellten. Er holte ein seidenes Taschentuch heraus und drückte es gegen seine Nase. »Ja, das würde ich. Niemand sollte um ein paar zertrampelter Kohlköpfe willen sterben müssen.«

»Warte, du kleiner Verräter ... du gemeiner kleiner teutonischer Schwuler.« Der wütende Patriot packte Aubrey bei der gestärkten Hemdbrust. »Alles nur weil solche wie du das Land aufgeweicht haben ...«

Tertius schnitt dem Mann mitten im Satz das Wort ab, indem er ihn beim Kragen packte und ihm einen Kinnhaken versetzte. Etliche Frauen begannen zu kreischen, und die Zuschauer führten den Streit untereinander fort. Einen Augenblick lang schlug die Erregung im Raum bedrohliche Wellen, dann pflügte Quince durch die Menge. Er schnappte sich den jungen Mann, trieb ihn hinaus, und die Spannung löste sich in einem großen Gelächter.

»Nein, nein, Schatz«, versicherte Rory, »alles in bester Ordnung. Du brauchst deine Rote-Kreuz-Künste nicht auf mich zu verschwenden.«

»Man darf nicht mal mehr seine Meinung äußern«, sagte Fingal, der sich von den Soldaten losgerissen hatte, »ohne daß die gräßlichsten Kerle sich berechtigt fühlen, einen zu verdreschen.«

Tertius hob seinen Nachttopf auf und stülpte ihn sich wieder auf den Kopf. »Warum also überhaupt eine Meinung äußern?«

Aubrey war schockiert. »Weil das wichtig ist.«

»Nein, ist es nicht. Sollen sie ihren verdammten Krieg doch haben. Was geht mich das an?«

»Ach, mein lieber Junge«, sagte Aubrey ernst, »ich hoffe von ganzem Herzen, daß es Sie nie etwas angehen wird.«

»Machen Sie sich mal keine Sorgen um mich, Russell. Ich lasse mich nicht anwerben, ehe die nicht für bessere Verpflegung sorgen.«

Die Leute um sie herum hatten längst glasige Augen. Einige Paare versuchten zu tanzen, wo immer sie ein freies Fleckchen fanden. Tertius' Schnurrbart aus Korkenschwärze rann ihm streifig das Gesicht hinab.

»Los«, flüsterte er Rory ins Ohr, »gehn wir raus aus diesem Zoo.«

»Raus wohin?«

»Du wirst schon sehen.«

»Ich kann die Mädchen doch nicht allein lassen.«

»Dann nimm sie mit. Und was zu trinken.«

Sie prüften die Flaschen, die überall herumstanden, und fanden ein halbes Dutzend volle Bierflaschen. Rory stöberte Jenny und Francesca auf, und sie folgten Tertius' Lockenkopf durch das Gedränge.

Draußen, auf dem von Spinnweben übersäten Treppenabsatz, stieg er eine Leiter empor, die an die Wand gelehnt stand, und stieß eine Falltür auf.

Francesca starrte in den klaren Nachthimmel empor, der samtweich und sternengespickt war. »Wohin gehen wir denn?«

»Aufs Dach!« rief Rory entzückt. »Wie herrlich!«

»Ihr erwartet doch wohl nicht im Ernst von mir ...«, begann Francesca empört.

Zu Rorys Überraschung schnitt Jenny ihr das Wort ab. »Es wird ein Abenteuer«, sagte sie, »und garantiert wunderschön still und kühl. Tertius, helfen Sie mir hinauf?«

Er war bereits draußen und blickte wie ein schmutziger Engel zu ihnen hinab. »Reichen Sie mir Ihre Hand.«

Jenny war sehr flink auf den Füßen und stieg mit wirbelnden Röcken durch die Falltür. »Es ist herrlich!« rief sie frohlockend. Ihre Stimme klang wie befreit.

»So, mein Blümchen«, sagte Rory beruhigend zu Francesca. »Ich schiebe, und er zieht. Ist kinderleicht.«

»Ach, das kann ich nicht«, Francesca kicherte hilflos. »Das ist ja schlimmer als das Speisekammerfenster an der Schule!«

Irgendwie hievten sie sie hinauf. Tertius hielt sie ganz fest, als sie beim Anblick des steil abfallenden Schindeldachs und der dunklen Schlucht des Hofs zu kreischen begann.

Rory kam wie ein Kastenteufel herausgeschossen, die Röcke voller Bierflaschen. Sie alberten solange herum, bis Francesca sich halbwegs entspannt hatte, und hockten sich dann gemütlich auf die gemauerte Brüstung hinter dem Kaminaufsatz. »Wie Vögel«, meinte Francesca. Die frische Nachtbrise hob die feuchten Haarsträhnen um ihr Gesicht und zerrte an ihrem Spitzenkleid. Sie hatte ihre Nerven besiegt und begann, an der Hochstimmung teilzuhaben.

»Die Stadt liegt zu unseren Füßen.« Rory ließ den Blick über den funkelnden Lichterteppich Londons wandern. »Das ist eine andere Welt hier oben.«

Jennys haselnußbraune Augen starrten zu den fernen Höhen von Kent hinüber. »Eines Tages«, sagte sie, »wenn wir alle tot sind, werden wir so im Himmel sitzen.«

Rory kicherte. »Falls sie uns reinlassen.«

»Tertius wird uns schon raufziehen.«

Die Bemerkung ließ Rory plötzlich erschaudern. Sie fröstelte und rückte näher an Tertius heran. Sie sehnte sich nach der Wärme seines verschwitzten Körpers, seiner Anspannung, als er die Flaschen mit den Zähnen entkorkte. »Was ist denn bloß in dich gefahren?« sagte sie gereizt. »Du warst den ganzen Tag schon so seltsam.«

Der Schleier vor Jennys Blick hob sich. »Ich weiß nicht.« Ihre Stimme war härter geworden. »Vielleicht liegt es daran, daß Alistair zurückkommt.«

»Wie schön!« rief Francesca. »Wirst du denn jetzt heiraten?«

»Wahrscheinlich. Falls seine Mutter nicht wieder krank zu werden beschließt. Ich habe das Telegramm heute morgen erhalten, Rory, als du nicht da warst. Sie werden jetzt jeden Augenblick in Dover anlegen. Mrs. MacNeil hat ihn so lange in Nizza festgehalten, wie sie irgend konnte, doch selbst sie vermochte es nicht mit der kaiserlichen deutschen Armee aufzunehmen. Und ich kann mir nicht vorstellen, wie das jetzt nach der langen Zeit sein wird, mit ihm verlobt zu sein.«

Tertius drückte ihnen die Flaschen in die Hand. »Hört mal, trinken wir doch auf den Tod der alten Krähe!«

Sie schwenkten die Flaschen und brüllten in triumphierendem Ton: »Tod der alten Krähe!«, so laut, daß es zu den Sternen hinaufschallte.

Unter ihnen im Atelier brach ein gewaltiges Hurrageschrei aus. Gleich darauf hörten sie es unten auf dem Platz widerhallen

und in einer schwächer werdenden Welle über London hinweg-
rollen. Die Fenster wurden hell, und die Leute strömten auf die
Straße hinaus. Ein Hupkonzert setzte ein. Kirchenglocken läuteten.

»Elf Uhr«, flüsterte Jenny. »Wir haben Krieg.«

Sie saßen stumm da und lauschten reglos auf den Atem der
anderen.

Tertius fragte: »Worauf könnten wir denn jetzt trinken?«

»Auf den Sieg«, schlug Jenny vor.

Rory hob feierlich ihre Bierflasche. »Auf uns.«

Vierter Teil

Der Winter der Welt
Krieg brach aus: und jetzt der Winter der Welt
Zerstörend tiefe Finsternis schließt uns ein.

Wilfried Owen

AURORA

Brief an meine Tochter

Und so verschwand die Alte Welt, die Welt, die wir geliebt
und für selbstverständlich gehalten hatten. Für einen Augenblick glühte sie noch in den letzten Abendsonnenstrahlen,
scheinbar solide und unwandelbar wie eh und je, dann versank sie hinter dem Horizont wie die untergehende Sonne.
Zu dem Zeitpunkt war nur wenigen von uns klar, was wir
verloren hatten. Wenn mir in jenen ersten Tagen jemand gesagt hätte, daß mich in den nächsten vier Jahren eine solche
Bitterkeit und Verzweiflung überkommen würde, daß ich lieber tot wäre, daß ich weinen würde, bis ich keine Tränen
mehr hätte – nun, ich hätte es einfach nicht geglaubt.
Später lasen wir, daß grauhaarige Staatsmänner Tränen über
das Elend und die Verderbtheit der Menschheit vergossen hätten, als sie ihre Ultimaten überreichten und ihre Armeen über
das fette Weideland und die sonnenwarmen Ferienorte Europas hinweg auf den Marsch schickten. Doch am Anfang wußten wir noch nichts von Elend oder Verderbtheit. Die Kako-
phonie der Blaskapellen und aufwühlenden Ansprachen übertönte das Dengeln des alten Sensenmannes.
London prangte in den grellen Farben von Banner und Fah-
nentuch. Die Gesichter König Georges und Lord Kitcheners
starrten aus jedem Krämerladen. Die Zeitungen konnten sich
in ihrem patriotischen Überschwang gar nicht genugtun und
besangen die Morgenröte eines neuen Zeitalters edler menschlicher Größe. Wer immer in einer Uniformjacke steckte, mußte damit rechnen, von der dankbaren Volksmenge gepackt
und auf ein Freibier in den nächsten Pub geschleppt zu werden. Gott, wie gut es den Leuten ging. Alle waren so lebhaft
und fröhlich, man konnte nicht umhin zu denken, daß der
Frieden sie zu Tode gelangweilt hatte.
Man war allgemein davon überzeugt, daß das Ganze in ein
paar Monaten, vielleicht nur Wochen vorüber wäre. Diejenigen von uns, die von Anbeginn gegen den Krieg gewesen waren, stellten sich vor, daß die Deutschen durch Belgien zok-

keln und eben mal höflich den Helm heben würden, ehe die französische Kavallerie ein paar Angriffe reiten und ihnen gründlich die Jacke vollhauen würde. War denn die Welt etwa nicht auf einem Gipfelpunkt der Zivilisiertheit und Gesittetheit angelangt? Die Deutschen waren bekanntermaßen sehr kultiviert, und waren denn nicht alle kultivierten Menschen gegen Gewalt?

Ach, unsere hingemordete Unschuld. Heute mutet sie nahezu komisch an, unsere Vorstellung von moderner Kriegführung – eine Art von Tourismus, nur daß statt Baedekern Säbel mitgeführt wurden. König Alberts Operettenarmee hatte man zwar nicht zugetraut, daß sie überhaupt kampftauglich wäre, doch sie trat den Deutschen mit einem solchen Schneid und einer solchen Tapferkeit entgegen, die die Welt erstaunte.

Es wird ja immer wieder behauptet, all die Berichte über die Greueltaten der Deutschen in Belgien – von vergewaltigten Nonnen und aufgespießten Babys – seien nur überhitzte Propaganda gewesen. Ja, gewiß, einige waren es. Doch ich weiß, wie es wirklich war. Ich sollte bald mit eigenen Augen Dinge sehen, die Du Dir, Gott sei Dank, kaum vorstellen kannst. Jedenfalls waren die Nachrichten aus Belgien das Ende von Rory, der gebildeten Pazifistin. Und ich war nicht die einzige, die eine Kehrtwendung vollzog. Als die Berichte von abgeschlachteten Zivilisten und niedergebrannten Dörfern hereinströmten, schmolz die Opposition der Liberalen und der Labour-Anhänger gegen den Krieg. Jetzt waren das nicht länger nur die Querelen anderer. Wir erkannten das Verbrecherische des preußischen Imperialismus und fürchteten, daß er uns alle überrollen würde, wenn wir ihn nicht von der Erde radierten. Männer meldeten sich zu Tausenden zu den Waffen, so daß die Straßen vor den Rekrutierungsämtern verstopft waren. Ich will damit nicht sagen, daß ich das billige, was nachher kam – wie hätte ich das damals ahnen können? –, sondern daß ich davon überzeugt bin, daß wir in den Krieg gingen, um unsere Werte zu verteidigen.

Der Krieg war noch keine Stunde alt, da traf auf Castle Carey ein Telegramm ein, das Muttonhead zu seinem ehemaligen Regiment zurückbeorderte. Er nahm sämtliche kampf-

tauglichen Soldaten von seinem Kommando der Irish Volunteers mit. Die Mutter bombardierte uns in London mit Bulle-
tins – in der Stunde der Krise verlegte sie sich aufs Schreiben
wie die Heroinen Richardsons. Ich glaube, sie schlief damals
mit der Feder in der Hand.

Mit einem flauen Gefühl im Magen, das mir während der
nächsten vier Jahre nur allzu vertraut werden sollte, las ich
die Namen der Jungen, von denen ich wußte, daß sie Soldaten geworden waren: »Die beiden O'Donnell-Brüder, Andy
Sheehy, Ned Gallagher und der junge Gerry Molloy. Die halbe Landbevölkerung fuhr nach Galway hinunter, um ihnen
das Abschiedsgeleit zu geben, und unser Volk sang ›*Oh, Mis-
sis Gallagher, sagte der Hauptmann/ Wollen sie nicht, daß ihr
Junge Soldat wird, ein ganzer Mann?*‹ ohne die geringste
Spur von Ironie. Das sind Draufgänger, diese jungen Kerle,
und Lucius meint, sie werden nun erst den rechten Schliff erhalten.«

Muttonhead hatte sich, wie es seinem vorsichtigen Wesen entsprach, rechtzeitig vorbereitet. »Er hat seine Uniform ausge-
mottet, sobald er erfuhr, daß die Franzosen mobil gemacht
hätten«, schrieb Mutter. »Sie roch zwar gräßlich nach Kampfer, aber nur der Puschel war aufgefressen.« (Mutts Regiment, die Kilkennies, trug einen Puschel Kaninchenfell am
Kragen, was irgendwie mit der Schlacht von Boyne zu tun
hatte.) »Jetzt, wo er wieder Captain Carey ist, kann man sich
ihn nur schwer als irgend etwas anderes vorstellen. Ich würde
zwar mein Herzblut dafür geben, um ihn vor Schaden zu bewahren, aber zugleich platze ich vor Stolz. Er macht eine gute
Figur in seiner Uniform, und er meint, es sei ein Segen, daß
sie ihm noch so gut paßt, weil das Geld von der Ernte für
eine neue nicht reichen würde. Die Leute vom Dorf haben
ihn mit geweihten Medaillons überschüttet, die ihm Glück
bringen sollen. Lucius meint dazu, er zöge es vor, wenn sie
ihre Hilfe beim Pflügen anbieten würden. Wir wissen nicht,
was während seiner Abwesenheit aus dem Gut werden soll.
Paddy ist zu alt, um allein zurechtzukommen, und Lucius
sagt, ich solle Tertius nicht bitten, nach Hause zurückzukom-
men … obwohl ich keine Minute daran glaube, daß der

schlimme Junge seine trägen Knochen rühren würde, wenn ich ihn bitten würde.«

Wenn mir die Tränen schon in die Augen schossen, als Mutter schrieb, daß sie ›ihr Herzblut geben würde‹, um Muttonhead vor Schaden zu bewahren, dann kannst Du Dir wohl vorstellen, wie mir zumute war, als ich weiterlas: »Rory, ich weiß nicht genau, warum Lucius und Du so erbittert gestritten habt.« – Wie typisch für ihn, daß er das nicht erzählt hatte! – »Ich weiß jedoch, daß er Dich noch genauso liebt wie früher. Das will er natürlich nicht sagen, weil er so störrisch ist ... genau wie Vater, der mich dadurch beinah zum Wahnsinn getrieben hat. Doch seine Empfindungen gehen sehr tief, und wenn er erst einmal liebt, liebt er für immer. Also wenn er vielleicht auch im Unrecht gewesen sein mag, Rory, bitte verzeih, was immer es zu verzeihen gibt, und bete mit ganzer Kraft für ihn.«

Nun, über diesem Brief habe ich Tränenströme vergossen. Selbstverständlich. Nein, ich hatte Muttonhead noch nicht verziehen, daß er mich nach meiner Entlassung aus dem Gefängnis im Stich gelassen und gedemütigt hatte. Ich brachte ihn immer noch in Verbindung mit dem Tod meiner ersten Liebe, mit dem Schmerz über den Bruch mit Tom – einem so grausamen Schmerz, daß er mein Herz versteinert hatte. Immerhin hielt ich Muttonhead zugute, daß er sich nur deshalb so verhalten hatte, weil er die Beherrschung verloren hatte. Ich konnte ihm das nicht gut vorwerfen, da ich sie ebenfalls verloren hatte. Und nun zog er in den Krieg, vielleicht um zu sterben, ohne ein einziges freundliches Wort von mir.

Jenny, die meine Selbstbezichtigungstiraden immer geduldig ertrug, nutzte die Gelegenheit, um mir einen ihrer Vorträge zu halten. »Das alles hätte ich dir schon vor hundert Jahren sagen können, Rory, wenn du mir nicht jedesmal, wenn ich es nur erwähnt habe, fast den Kopf abgerissen hättest. Du bist also dahintergekommen, daß du alles nicht so gemeint hast. Nun, ich bin überzeugt, Lord Oughterard weiß das auch. Und was Tom Eskdale betrifft, so glaube ich nicht, daß du ihn je so übermäßig geliebt hast. Das Problem war bloß, daß du dir nicht die Mühe gemacht hast, über deine wahren

Gefühle für ihn nachzudenken. Es ist so deine Art, impulsiv loszustürmen und keinen klaren Gedanken mehr zu fassen, bis es zu spät ist.«

Das behaupteten alle, und ich war nie imstande zu begreifen, was sie damit sagen wollten, bis es zu spät war. Ich putzte mir die Nase und ging in die Kirche, um für Muttonhead zu beten. Ich stand mit Gott nicht auf sonderlich vertrautem Fuß. Anfangs bemühte ich mich, fromm und demütig zu sein, doch das Ganze endete in einem Zornesausbruch, bei dem ich ihn beschwor, mein Leben nicht zu ruinieren.

Wenigstens war das ehrlich. Danach ging ich in eine katholische Kirche und zündete fünf Kerzen für die Jungs an. Mr. Phillips hätte einen Anfall bekommen, wenn er das erfahren hätte, doch ich wußte, jene Jungs erachteten unseren protestantischen Gott für so unheilig wie einen dicken Stier von Bashan, einen, der es wahrscheinlich mit den Ulstermen hielt. Sie würden von ihm keine Gefälligkeiten annehmen wollen.

Es war erst Mittag, doch beide Kirchen waren voller Frauen, die für die Männer beteten, die sie liebten. Das war das einzige, was eine Frau tun konnte. Krieg war Männerarbeit. Ich hingegen brannte vor Tatendrang, ich hätte mit den Besten gemeinsam kämpfen wollen, doch wenn Lord Kitchener auch auf ungezählten Plakaten zu sehen war, wo er unter dem Slogan ›Dein Land braucht gerade dich!‹ den Zeigefinger ausstreckte, mich meinte er nicht.

»Die sollten ein spezielles Frauenregiment bilden«, erklärte ich den anderen drei Mädchen eines Nachmittags, als wir alle bei Eleanor waren.

Jenny lachte. »Arme alte Rory, es ist eine Schande, daß du dich nicht melden kannst. Alistair meint, wenn er sich dich mit einem Bajonett vorstellt, tun ihm die Hunnen fast schon leid.«

»Es ist nicht gerecht, weiter nichts. Hier bin ich, kerngesund, und es gibt nichts für mich zu tun.«

»Warum bewirbst du dich nicht beim Roten Kreuz wie Jenny?« fragte Eleanor. »Die brauchen solche Frauen wie uns, die nicht bezahlt werden müssen. Ich würde mich liebend gern melden, wenn ich kein Kind bekäme.« Sie seufzte.

»Dann hätte ich das Gefühl, Lorenzo und Stevie zu helfen.«

»Ich habe Stevie geschrieben und ihn gefragt, was ich tun soll«, sagte Francesca. »Und er hat geantwortet, er wolle mein Bild immer vor Augen haben können, wie ich zu Hause und in Sicherheit bin, weit weg von all den Greueln und Gefahren. Dann hätte er das Gefühl, er kämpfe für mich.«

Jenny und ich vermieden es, einander anzusehen. Wir hatten die Zitate aus Stevies unendlich hochgesinnten Briefen langsam satt.

»Vielleicht kommt er ja nicht mal bis Frankreich, ehe es vorbei ist«, gab ich gemeinerweise zu bedenken. »Die größte Gefahr, der er im Augenblick ausgesetzt ist, besteht darin, sich die Augen zu überanstrengen, weil er jeden Abend militärische Vorschriften büffeln muß.«

Francesca überhörte das. »Und bedenk doch nur, was für gräßliche Dinge Krankenschwestern machen müssen ... denk doch an das Blut!«

»Ich bin mir nicht sicher, ob ich die nötige Geduld habe, die man zur Krankenpflege braucht.«

Zu meinem Ärger stimmten die anderen mir zu. Tatsächlich schienen nur Frauen mit weiblichen Fertigkeiten – wie Saubermachen, Stricken, Verbändeanlegen – gefragt. Ich wäre jedoch wahnsinnig gut im Schießen oder Abfeuern von Granaten gewesen. Ich hatte in Irland oft Kaninchen und Hasen geschossen und war beim Kricket eine tüchtige, schnelle Werferin gewesen. Doch all diese Talente waren für die Katz, weil ich eine Frau war. Ich muß in Deinen Ohren wohl schrecklich blutrünstig klingen. Jeder Mann, der den Krieg heil überstanden hat, würde mir sagen, daß ich ungeheures Glück hatte. In jenen frühen Tagen jedoch, als die Luft voller Verheißungen lag, brannten Frauen wie ich, die sich organisiert hatten, um das Wahlrecht zu erobern, förmlich darauf, unsere kollektive Stärke zum Wohl des Landes einzusetzen. Nicht wenige Mitglieder der Regierung werden wohl insgeheim die Deutschen dafür gepriesen haben, daß es ihnen gelungen war, die lästigen Suffragetten wirksam zum Schweigen zu bringen.

Die arme alte Frieda Berlin, sie hatte Schweres durchzumachen. »Ich habe meine Prinzipien«, erklärte sie uns während einer stürmischen Sitzung des WSPU-Komitees, »und von denen kann ich nicht lassen. Mein Gewissen sagt mir, daß dieser Krieg falsch ist.«

Berta und Dorrie an ihrer Seite strömten Wellen des Einverständnisses aus.

»Tut mir leid, Frieda«, sagte Dinah, »doch mein Gewissen erlaubt mir wiederum nicht, meinem Land die kalte Schulter zu zeigen. Ich kann nicht daneben stehen und zuschauen, wie diese preußischen Mistkerle durch Europa marschieren.«

»Wir kämpfen doch für Fairneß und Anstand und alles, was uns teuer ist«, warf Cecil hitzig ein. »Das wird für immer dahin sein, wenn die Deutschen gewinnen.«

»Begreift ihr denn nicht«, fragte Frieda, »daß die alle gleich sind? Deutsche, Franzosen, Briten, Russen ... sie sind doch alle Teil ein und desselben Systems, das uns alle zermalmen wird, wenn wir das zulassen. Wofür kämpfen wir denn eigentlich?« Ihre leise Stimme bebte. Ich hatte sie noch nie so leidenschaftlich erlebt. »Die alte Ordnung der Fürsten und Könige und der Reichen, die die Armen versklaven! Warum haben sie alle denn Millionen in die Wissenschaft des Tötens gesteckt? Die großen Männer schwenken ihre Fahnen, doch wessen Blut wird vergossen? Wenn dieser Krieg vorüber ist, werdet ihr feststellen, daß man die Uhren um hundert Jahre zurückgestellt hat! Die wahre Ehre ist auf seiten der Arbeiter, die sich ihnen allein entgegenstellen!«

»Viele Arbeiter, die sich dem Krieg widersetzen, werden wir aber nicht finden«, sagte Dinah. »Fragt doch die Rüpel, die das Fenster eingeschmissen haben.«

Bei der Erinnerung daran zuckte Frieda zusammen. Am Tag zuvor hatten einige Jungen ihr das Salonfenster mit einem Backstein eingeworfen und geschrien: »Ihr deutschen Hexen! Geht nach Haus und eßt Würstchen!«

Was Berta als doppelt gemein empfand, weil sie Jüdinnen waren und in ihrem ganzen Leben noch keine Würstchen gegessen hatten. Ich war zwar mit dem sturen Pazifismus der Berlins nicht einverstanden, doch als ich von diesem Vorfall hörte, schäumte ich vor Wut. Waren die Menschen denn wirklich so dämlich, daß sie echte Güte nicht zu erkennen vermochten? Die Gabe der Prophetie ist nicht segensreich. Wenn ich heute zurückblicke, frage ich mich, ob Frieda wohl ahnte, welche persönlichen Leiden der Krieg bringen würde, und sich deshalb um so unbeirrbarer an ihre Prinzipien klammerte, als hätte sie gewußt, daß das der einzige Weg war, nicht zu verzweifeln.

Wir stimmten dafür, unser Komitee in ein Wohltätigkeitsgremium für Flüchtlinge und ein Organisationszentrum für die Kriegsleistungen der Frauen umzuwandeln. Nur die drei Berlin-Schwestern stimmten dagegen. Frieda stand auf und hielt eine kleine Ansprache, die uns doch ziemlich beschämte.

»Frauen, wir akzeptieren, daß wir überstimmt sind. Wir werden mit Freuden alles nur Mögliche für Flüchtlinge und notleidende Soldatenfamilien tun. Das ist ein Gebot der Menschlichkeit. Wir können jedoch nicht zulassen, daß unser Haus dazu dient, den Krieg in irgendeiner Weise zu fördern oder zu unterstützen. Im Gegenteil. Unser Bruder Joe hat seine Kräfte in den Dienst von Ramsay MacDonald gestellt, der erklärt, er werde die Arbeiterklasse gegen den Krieg mobilisieren. Ich erzähle das, obwohl ich weiß, daß viele es mißbilligen werden. Alle sind willkommen in unserem Haus, doch werdet ihr wohl keinen Wert mehr darauf legen, uns zu besuchen, wenn wir es erst einmal in einen Zufluchtsort für jene verwandelt haben, die ihr Feiglinge nennen würdet.«

Die Erinnerung daran, wie ihre leise Stimme über diesen letzten Worten brach, schmerzt mich. Wäre ich damals weiser gewesen, hätte ich mich auf der Stelle gegen das kommende Gemetzel gewendet und mich auf die Seite der Berlins geschlagen.

Doch ich war damals so weit von jeglicher Weisheit entfernt, daß ich mich Hals über Kopf in ein Abenteuer stürzte, das man fast als wahnsinnig bezeichnen könnte. Ich habe Dir noch nie davon erzählt, und bis heute weiß ich nicht, ob ich lachen oder weinen soll, wenn ich mich daran erinnere.

Als der Krieg eine Woche alt war, wurden Jenny und ich dringend zu Lady Madge Allbright gebeten. Es war Abend, und wir trafen Madge, die ausgehen wollte, brillantengeschmückt in einem silbernen Umhang an. Wie gewöhnlich befand sie sich im Zustand höchster Erregung.

»So, Kinder, jetzt ist der Augenblick gekommen, wo ihr zeigen könnt, was in euch steckt!«

Die Rolle der untätigen Zuschauerin war nichts für Madge. Sie hatte Zugang zu allen Ballsälen Europas und war nun entschlossen, sich auch Einlaß zu den aufregendsten Kriegsschauplätzen zu verschaffen. Sie hatte zwei große Wolseley-Lastwagen gekauft, die in private Ambulanzen umgebaut wurden. Sie ließ ihre Beziehungen spielen und lag sämtlichen Angehörigen des Kriegsministeriums in den Ohren, deren sie habhaft werden konnte. Mit dem ersten verfügbaren Schiff würde sie an die Front aufbrechen. Ob wir sie begleiten wollten?

Ich war auf der Stelle bereit. Jenny lehnte jedoch ab. Sie ziehe es vor, erklärte sie, in einem von erfahrenen Ärzten geleiteten Rot-Kreuz-Lazarett zu arbeiten. Sie hege Zweifel an der Nützlichkeit einer kleinen ›fliegenden Kolonne‹ von Krankenschwestern und habe den Eindruck, daß es produktiver sei, wenn sie ihre Anstrengungen in den konventionellen Bahnen unternahm.

Auf dem Heimweg tat sie alles, was in ihrer Macht stand, um meine Begeisterung zu dämpfen. »Das wird gefährlich, Rory. Und es ist verantwortungslos. Die Armee hat Besseres zu tun, als sich um wohlmeinende Amateure zu kümmern. Mal ganz davon abgesehen, daß du bei weitem nicht genug von Krankenpflege verstehst, um viel helfen zu können.«

Das alles ließ mich gänzlich unbeeindruckt. In den nächsten Tagen befand ich mich in einem Strudel fieberhafter Vorbereitungen. Madge ließ die Krankenwagen mit Verbandsstoffen und Medikamenten beladen. Dazu kamen Schachteln mit Rosenseife und Glyzerin und Körbe mit Lebensmittelkonserven von Fortnum's. »Eiserne Rationen«, sagte Madge munter und zeigte mir den eingemachten Fasan, »genau wie bei den Tommies im Feld!«

Wir wurden mit Schwesterntracht, Burberry-Regenmantel und rundem Filzhut ausgerüstet. Madge hatte unser Abzeichen eigenhändig entworfen: ein goldumrandetes rotes Kreuz und die Aufschrift ›Allbright Ambulance Brigade‹. Jenny lachte Tränen, als sie das sah. Sie lachte noch mehr beim Anblick der Schwesternhaube aus gestärktem weißem Batist und der

feinen Batistärmelschoner, die die Manschetten gegen Blut-
flecken schützen sollten. Sie würden in der Hitze des Gefechts
nicht gerade sehr praktisch sein, aber Madge fand nun einmal, daß sie reizend aussähen.

Jenny beruhigte sich ein wenig, als unsere beiden Fachkräfte
zu uns stießen. Schwester Ethel Harrow sollte die Rolle unserer Oberin übernehmen. Sie war Stationsschwester am Guy's
gewesen, bis sie vor drei Jahren aus dem Dienst ausgeschie-
den war, um ihre Mutter zu pflegen, die inzwischen verstorben war.

Isabel Beech war als Ärztin angeheuert worden, eine magere,
spitzgesichtige Frau in den Dreißigern. Sie hatte einen so ungeheuerlichen Kampf in der Männerwelt der Medizin führen
müssen, um ihre Ausbildung zu absolvieren, daß sie gut und
gern drei Kriege hätte hinter sich bringen können. Sie hatte
ihr Examen in Schottland abgelegt und es geschafft, in Ameri-
ka und Frankreich zusätzliche chirurgische Kenntnisse zu er-
werben. Madges inoffizielle Ambulanz war ihre einzige Chance, ihre Fertigkeiten an der Front zu erproben – das Royal
Army Medical Corps hatte ihr bereits mitgeteilt, daß man keine Verwendung für sie habe, es sei denn als Krankenschwester.

Dr. Beech brachte einen dringend benötigten Anflug von Disziplin in die Truppe der Allbright Flying Angels. Sie erklärte
Madge, daß sie sich in allem das letzte Wort vorbehalten müsse, und bestand darauf, daß die Champagnerkisten zu Hause
blieben, so daß man zusätzlich Platz für Morphin gewann.
Madge sollte den einen Krankenwagen fahren, Schwester
Harrow den anderen.

Zu Jennys tiefster Mißbilligung vervollständigte Isola Kentish
die Mannschaft. Ich war niemals richtig hinter Jennys Abneigung gegen Isola gekommen. Eigentlich gefiel sie mir ganz
gut. Sie war noch zu den Rot-Kreuz-Kursen gekommen, als
viele andere Frauen abtrünnig geworden waren. Auf ihre Weise war sie tüchtig und pfiffig. Ich hatte den Verdacht, daß
Madge sie richtig einschätzte, wenn sie alle möglichen Fähigkeiten in ihr vermutete.

Ich muß allerdings zugeben, daß ihre Beweggründe, der British Expeditionary Force zu folgen, alles andere als heroisch waren. Tatsächlich mußte man die Motive sämtlicher Flying Angels ziemlich gründlich erforschen, um ein Körnchen echten Heldentums zu finden. Ich kann mich heute über unsere Naivität und schiere Spinnerei nur wundern. Ich möchte die Arbeit anderer privater Ambulanzen an der Front nicht herabsetzen, doch verglichen mit ihnen waren wir, wie Tertius wenig höflich meinte, ›die reinste Operettentruppe‹.

Binnen weniger Tage waren wir bereit zum Aufbruch. Madge hatte ihr Herz daran gehängt, mit der BEF in Frankreich zu landen – möglicherweise gleichzeitig mit Feldmarschall Sir John French persönlich. Dieser Wunsch sollte ihr aber nicht erfüllt werden. So sehr Madge ihre Kontakte spielen ließ, so sehr sie aller Welt, von Winston Churchill bis zu Lady Haig, damit in den Ohren lag, es war kein Quadratzentimeter Deck in Portsmouth oder Southampton zu haben.

Was machte das schon? Jeden Tag wurden die Zeitungsberichte aus Belgien schrecklicher. Dann würden wir eben dorthin fahren. Madge machte sich erneut daran, ihre diversen Bridgepartner im Kriegsministerium zu bearbeiten und quetschte Pässe und Empfehlungsschreiben aus ihnen heraus. Sie wurde mit Nachsicht behandelt, da auf den Korridoren der Macht noch eine Art optimistischer Urlaubsstimmung herrschte.

Bei strahlendem Sonnenschein lenkten wir unsere blitzblanken, perfekt in Schuß gebrachten Krankenwagen in Dover auf einen Kanaldampfer und legten nach Ostende ab.

»Ein letzter Blick noch auf die weißen Klippen«, sagte Madge und sah uns strahlend an, »und dann geht es ernsthaft an die Arbeit. Ade, Gemütsruhe.«

Wie hätte ich, als ich die berauschende Mischung aus Salzluft und jugendlichem Überschwang atmete, ahnen können, daß ich der Gemütsruhe auf alle Zeiten ade sagte.

I

1914/15

»Meine Lieben, es ist alles geregelt.« Äußerst zufrieden eilte Madge in den Salon des Hotels, wo die Allbright Ambulance Brigade bei Kaffee und Kuchen auf sie wartete. »Der reizende französische Arzt hat für alles gesorgt. Ich habe die Papiere und die Empfehlungsschreiben, und wir sollen heute nachmittag losfahren.«

Rory sprang auf. »Ach, Madge, wie tüchtig Sie sind! Wohin fahren wir denn?« Sie hatten ein paar interessante Tage in Brüssel damit verbracht, die makellosen Boulevards, die alten Viertel mit den Kopfsteinpflastergassen und das mittelalterliche Rathaus zu besichtigen. Dies war Rorys erster Besuch auf dem Kontinent, und sie hatte jedes Detail genossen, von den mechanischen Figuren der Rathausuhr bis zum fremden Geschmack des Kaffees. Doch sie war darauf eingestellt, den Gefahren und Entbehrungen des Krieges zu trotzen, und ungeachtet der Flüchtlinge, die in stetem Strom nach Antwerpen strebten, war die Stadt enttäuschend ruhig. Noch enttäuschender war, daß man sich hier nicht als Krankenschwester betätigen konnte.

»Dorthin, wo wir wirklich gebraucht werden, liebes Kind«, sagte Madge und zupfte die Falten ihrer weißen Schwesternhaube zurecht. »An die Front.«

»Siehst du, Isola«, sagte Rory. »Ich hab' dir ja gleich gesagt, Madge schaukelt das schon. Es ist einfach großartig.«

Dr. Beech sah von dem Brief auf, den sie gerade schrieb. »Ich hoffe nur, daß Sie das diesmal ordentlich arrangiert haben.« Ihre dunklen Frettchenaugen blickten skeptisch. »Könnte beispielsweise jemand sich die Mühe machen, einen Blick auf die Straßenkarte zu werfen, ehe wir losfahren?«

»Ach, Frau Doktor«, sagte Madge sanft, »wir mögen ja die eine oder andere kleine Panne unterwegs gehabt haben, aber mittlerweile sind wir doch alle erfahrene Kriegsteilnehmerinnen.«

»Gut, denn nochmal gehe ich bestimmt nicht fünf Meilen in sengender Hitze zu Fuß, wenn uns wieder mal das Benzin ausgeht.«

»Aber wie kommen Sie denn darauf! Die arme Schwester Harrow hatte nicht daran gedacht, weiter nichts. Das hätte doch jedem passieren können.«

Dr. Beech ließ den Federhalter sinken und riß sich die Nikkelbrille von der Nase. »Das reicht einfach nicht. Bislang haben wir eher gewirkt wie die Akteure einer Tortenwerferszene in einem Film und nicht wie eine Sanitätseinheit im aktiven Einsatz. Ich habe nicht viel Hoffnung für die Verwundeten an der Front, wenn wir nicht wissen, wohin wir überhaupt fahren, und bei jeder Bewegung einen Haufen Bruch machen.«

»Ja, aber das Kopfsteinpflaster war doch so glitschig.« Madges Stimme war vorwurfsvoll. »Wir wissen doch, daß Schwester Harrow getan hat, was sie konnte. Sie hat das Jod doch nicht absichtlich fallen lassen.«

Schwester Harrow nahm sich noch ein Eclair und begann, es zu verzehren wie eine widerkäuende Kuh.

»Wollen Sie das etwa auch ... Gott steh ihnen bei ... Ihren Patienten sagen?« fragte Dr. Beech. »Tut mir leid, wir haben zwar unsere Arzneiflaschen zerbrochen, doch wir tun, was wir können.«

Rory und Isola tauschten vielsagende Blicke. Sie hatten längst erwartet, daß der Ärztin der Kragen platzen würde. Sie war mit jeder neuen Katastrophe frostiger und schmallippiger geworden.

Madge war empfindlich, was ihre Anweisungen betraf. Ihre Augen trübten sich bekümmert, und ihr rosiger Mund bebte. Nur ein Mensch mit einem Herzen aus Stein konnte sie kritisieren.

Dr. Beech besaß ein solches Herz. »Ehrlich gesagt, Lady Marjorie, wenn wir auf diese Weise weiterwursteln, täten wir besser daran, die Krankenwagen zu wenden und schnurstracks nach Ostende zurückzufahren.«

»Sie wollen uns doch wohl nicht im Stich lassen! So gemein können Sie nicht sein!«

»Ich hatte zur Bedingung gemacht, daß *ich* hier zu bestimmen habe.«

»Aber meine Liebe, natürlich haben Sie zu bestimmen!« sagte Madge besänftigend. »Wir sind ohne Sie doch völlig aufgeschmissen.«

Dr. Beech war nicht der Typ, der laut wurde. Ihre Stimme war dünn und hoch vor Zorn. »Dann lassen Sie mich ein paar Dinge klarstellen. Sie werden nicht noch einmal irgend etwas tun, ohne mich vorher zu Rate zu ziehen. Sie alle werden sich merken, daß Sie Krankenschwestern sind, die meinen Anweisungen zu folgen haben.«

»Jawohl, Frau Doktor.« Madge faltete kleinlaut die Hände und wandelte sich zum Inbegriff eines dienstwilligen Engels.

»Carlington und Kentish«, sagte Dr. Beech, »ich möchte, daß Sie jeden Zentimeter dieser Vehikel überprüfen. Wenn uns auch nur eine Nadel oder ein Fingerbreit Gaze fehlt, dann sagen Sie es mir. Allbright, da Sie sich ja so gut darauf verstehen, den Leuten etwas abzuschwatzen, können Sie mir helfen, neues Jod aufzutreiben.«

»Ja, Frau Doktor. Und was soll Schwester Harrow tun?«

Hinter Dr. Beechs Rücken blies Isola die Backen auf und imitierte Schwester Harrows ungerührtes Käuen. Rory verbiß sich mit Mühe das Lachen.

Dr. Beechs Stimme war tödlich. »Schwester Harrow wird uns am meisten dadurch helfen, daß sie dort bleibt, wo sie nicht noch mehr Schaden anrichtet.«

Schwester Harrow leckte sich die Lippen und fixierte Dr. Beech mit einem Ausdruck verdrießlichen Abscheus. Die beiden waren eingeschworene Feindinnen vom ersten Tage an, als Dr. Beech argwöhnische Fragen im Hinblick auf ihre Referenzen gestellt und die Krankenschwester gemurmelt hatte, daß sie nichts davon halte, ›unter einer Ärztin‹ zu arbeiten. Madges diplomatische Fähigkeiten waren bis an die Grenze strapaziert worden.

»Soll sie doch Kuchen essen«, sagte Rory später zu Isola, als sie den Inhalt der Krankenwagen anhand der Inventarlisten überprüften. »Zu mehr taugt sie auch nicht, die täppische alte Fledermaus.« Die Augustsonne, die durch die hochgeschlagene

Segeltuchplane des Lastwagens fiel, brachte ihr rotes Haar zum Lodern.

»Ich glaube, Harrow pichelt.« Isola lehnte an einer der zusammengefalteten Tragbahren und zündete sich eine Zigarette an. »Von wegen glitschiges Kopfsteinpflaster. Sie hatte wer weiß was für eine Schlagseite, als sie die Kiste mit dem Jod hat fallen lassen.«

Rory ließ den blanken Kasten aufschnappen, in dem chirurgische Instrumente schimmernd in ihrem Bett aus Filz lagen. »Los, komm schon, Kentish, tu zur Abwechslung mal was. Und nimm den Glimmstengel aus dem Mund, sonst bringt Beech dich um.«

Um zwei Uhr war die Allbright Ambulance Brigade startbereit. Die vier Schwestern, knisternd in ihrer gestärkten Tracht, waren neben den Krankenwagen aufgereiht. Rory wehrte sich nicht gegen eine Anwandlung von Stolz. Jede Kiste und Schublade enthielt die vorgeschriebene Zahl von Flaschen und Verbänden. Selbst die Räder der Lastwagen blitzten. Dr. Beech inspizierte alles bis ins letzte, entschlossen, sich ihre Zufriedenheit nicht anmerken zu lassen. Doch sie fand nicht das geringste zu beanstanden.

»Nummer eins: Harrow, Carlington und ich«, sagte sie. »Nummer zwei: Allbright und Kentish ... und Allbright, daß Sie es ja nicht wagen anzuhalten, ohne mich vorher zu fragen. Gut, Schwestern. Fahren wir.«

Schwester Harrow war sichtlich unzufrieden. Es gefiel ihr gar nicht, daß die Ärztin ›ihr nachspionierte‹, wie sie es auffaßte.

»Sorgen Sie für Frieden, liebes Kind«, flüsterte Madge Rory zu. »Daß sich die beiden einander nur ja nicht umbringen!«

Rory und Isola drehten die Anlasserkurbeln der Lastwagen. Harrow fuhr als erste aus dem Hof des Hotels. Um ein Haar streifte sie den Torpfosten, und dann legte sie absichtlich mit harter Hand die Gänge ein. Rory hatte sie stark im Verdacht, sich allzuviel auf ihre Fahrkünste zugute zu halten. Es konnte einen rasend machen, daneben zu sitzen, ohne etwas zu sagen, wenn sie mit den Radkappen an der Bordsteinkante entlangschrammte. Rory hatte sich in den Krankenwagen verliebt und verbrachte ihre freie Zeit damit, die Geheimnisse unter der khakifarbenen Motorhaube zu ergründen. Schwester Harrows mangelnder Respekt für den Motor bereitete ihr nahezu körperlichen Schmerz.

Sobald sie Brüssel hinter sich gelassen hatten, widmete sich Rory der Landkarte. Das Ziel war Chaussonville, ein Dorf ein paar Meilen außerhalb der Stadt Namur, nahe der französischen Grenze. Und man brauchte ihnen nicht zu sagen, daß sie sich der Front näherten. Während der ersten paar Kilometer wirkte das flache Land noch beruhigend friedlich. Es war Erntezeit, und die Bauern arbeiteten auf den Feldern – sie wirkten wie Figuren Courbets. Bald schon wurde der Strom der Flüchtlinge immer breiter, so daß sie langsamer fahren und auf den Randstreifen ausweichen mußten.

Rory starrte in die resignierten, erschöpften Gesichter der Menschen, die auf der Flucht vor den Deutschen waren. Einige Familien saßen in Autos, auf deren Dächern Zinkbadewannen und Schaukelstühle festgezurrt waren. Einige hatten Leiterwagen und zogen Alte und Kinder, die Katzen und Vogelbauer umklammert hielten. Viele schleppten zu Fuß ihr Bettzeug und ihr Kochgeschirr – ihre einzigen Habseligkeiten –, so gut es eben ging. Staubbedeckte Mütter trugen Babys auf den Armen. Väter kämpften sich mit kleinen Kindern auf den Schultern voran.

Sie blieben stehen, geduldig wie Vieh, um die Krankenwagen durchzulassen. Rorys Kehle war von hilflosem Mitgefühl und ohnmächtiger Wut wie zugeschnürt. Der Krieg hatte diese Menschen aus ihren Hütten und Bauernhäusern gefegt wie ein gigantischer Sensenmann, der ein Kornfeld niedermäht. Sie stellte sich ihre verlassenen Gärten vor, in denen das Obst reifte, und ihre sorgfältig bearbeiteten Felder, auf denen die Ernte auf dem Halm vermodern würde. Da mochte einer nun ackern und schuften, um aus einem kleinen Stück Land seinen Lebensunterhalt herauszupressen, ohne je einen Gedanken an Politik oder Verträge mit dem Ausland zu verschwenden oder je einem Menschen etwas zuleide zu tun. Und die Pläne von fernen Königen und Staatsmännern konnten das alles an einem einzigen Tag zunichte machen.

Das Dorf war ungefähr fünfzig Kilometer von Brüssel entfernt, und sie hatten zwei Stunden für die Fahrt veranschlagt, aber auf den überfüllten Straßen wurden dreieinhalb daraus. Es war fast sieben Uhr, als die Krankenwagen auf dem menschenleeren Dorfplatz zum Stehen kamen.

Der blaue Himmel verblaßte, und die Häuser mit ihren geschlossenen Fensterläden warfen lange Schatten über das Kopfsteinpflaster. Nichts rührte sich. Drei Flaggen – die belgische, die französische und die britische – hingen schlaff von einer Statue König Leopolds in der Mitte des kleinen Platzes herab. Das Motorengeräusch erstarb, und einen Augenblick saßen sie in unheimlichem Schweigen, bis es von Madges kläglicher Stimme durchbrochen wurde.

»Also, ich hatte eigentlich angenommen, daß jemand käme, um uns zu empfangen.«

Dr. Beech sprang energiegeladen aus dem Wagen. »Ich habe den Verdacht, daß wir dem Empfangskomitee unterwegs begegnet sind. Die haben alle das Weite gesucht.«

Madge ließ sich jedoch nie lange verunsichern. »Der Bürgermeister ist bestimmt da.« Sie drückte auf die Hupe.

Ein paar Minuten später öffnete sich eine Tür. Ein hagerer älterer Mann mit einem grauen Ziegenbart trat vorsichtig hinaus und schirmte die Augen mit der Hand gegen die Abendsonne ab.

»Guten Abend«, rief Madge. »Sind Sie Monsieur Dupont? Wir sind die Krankenschwestern aus England, die ...«

»Gott sei Dank«, unterbrach Monsieur Dupont, »ich dachte schon, die Deutschen wären da.«

Seine Weste über dem kragenlosen Hemd stand offen, und er trug Pantoffeln, doch beugte er sich mit der Anmut eines Höflings über Madges Hand und erklärte, sie sollten ihr Lazarett in der verlassenen Schule aufschlagen.

»Nichts dagegen«, sagte Madge und schaute sich um, »doch wen sollen wir denn um Himmels willen versorgen?«

»Das stimmt, Madame, viele sind auf und davon. Und wir haben gehört, die Deutschen stehen nur ein paar Kilometer weit weg.«

Rory versuchte, sich die grauen Reihen der Deutschen vorzustellen, die jenseits der Pappeln am Horizont warteten. In dieser verschlafenen ländlichen Stille schien das ganz unwirklich.

»Ich werde nicht gehen«, erklärte der Bürgermeister. »Irgend jemand muß doch hierbleiben, um das Dorf zu beschützen. Wenn wir kooperativ sind, wenn wir vernünftig sind, können wir viel eher damit rechnen, daß sie uns ungeschoren lassen.«

»Bestimmt müssen Sie sich keine Sorgen machen«, sagte Madge mit ihrem gewinnenden Grübchenlächeln. »Ich kenne Scharen von Deutschen ... der arme Prinz Lichnowsky, der Botschafter, war ein besonders lieber Freund von mir ..., und ich kann mir wirklich nicht vorstellen, daß sie auch nur die Hälfte der schrecklichen Dinge tun, die in den Zeitungen stehen.«

»Man kann es nur hoffen, Madame«, sagte Mr. Dupont grimmig.

Er führte sie zur Schule, einem einstöckigen Gebäude am Rand des Dorfes. Dr. Beech nahm es mit scharfem Blick in Augenschein. Es gab ein großes Klassenzimmer, dessen Fenster hoch in den weißgetünchten Wänden saßen. Die Bänke und Pulte waren eilends beiseite geschoben oder in den grasbewachsenen Schulhof hinausgeschleppt worden. Etwa ein Dutzend zum Teil altersschwacher Betten aller Formen und Größen standen in seltsamer Formation in der Mitte des Klassenzimmers. Eine Tür führte in die nunmehr unbewohnte Wohnung des Schulmeisters. Sie bestand aus zwei Zimmern, einer kleinen Toilette und einer Küche mit steinernem Ausguß und Pumpe. Draußen gab es einen Abtritt für die Kinder und einen winzigen Keller voller modriger Schulbücher.

»Wir hatten ja kaum Zeit, etwas vorzubereiten«, erklärte Monsieur Dupont. »Wenn Sie noch irgend etwas benötigen, fragen Sie bitte. Besser, Sie bekommen es als die Deutschen.«

Rory hätte sich nach der Fahrt in der Hitze furchtbar gern hingesetzt und eine Tasse Tee getrunken, aber Dr. Beech schickte sie sofort an die Arbeit. Die Toilette und die Küche sollten als ›Spülküche‹ dienen. Sie würden alle zusammen im Schlafzimmer des Lehrers schlafen, das andere Zimmer sollte die Apotheke und das Behandlungszimmer der Ärztin sein. Ihre erste Aufgabe bestand darin, bis in den allerletzten Winkel sauberzumachen. Madge, die kaum je im Leben eine Scheuerbürste gesehen hatte, machte sich im WC wohlgelaunt an die Arbeit. Rory und Isola putzten Wände und Böden mit einer Lösung aus Seife und Lysol.

»Das ist das Ende unserer Hände«, sagte Isola und hielt inne, um ihre geröteten Finger zu mustern.

Dr. Beech und Schwester Harrow packten die Medikamente und die Instrumente aus den Krankenwagen aus. Es wurde dunkel, und sie arbeiteten im diffusen Licht elektrischer Lampen. Sobald das Klassenzimmer gesäubert war, stellten sie die Betten in zwei ordentlichen Reihen auf.

Um zehn Uhr knurrte Rory der Magen, und sie fühlte sich, als hätte jemand sie durch die Mangel gedreht. Sie weinte fast vor Erleichterung, als der Bürgermeister in Begleitung von Frau und Tochter zurückkehrte. Sie hatten einen zusätzlichen Vorrat an Bettüchern mitgebracht – sehr schöne, denen ein gespenstischer Duft von Heißmangel und Lavendel anhaftete – und einen großen gußeisernen Topf mit Eintopf, den sie zum Warmhalten in Tücher gewickelt hatten. Die schüchterne Tochter trug eine dampfende Kaffeekanne und eine Flasche Rotwein.

Der kräftige Duft von Kaffee und Fleisch, der ihnen nach stundenlangem Hantieren mit Desinfektionsmitteln und Kernseife köstlich in die Nase stieg, bewirkte, daß selbst Dr. Beech meinte, nun hätten sie genug gearbeitet. Sie breiteten Zeitungspapier auf dem Behandlungstisch aus und setzten sich, vor Behagen stöhnend, zum Essen. Rory dachte, noch nie im Leben an einem solchen Festmahl teilgenommen zu haben. Als ihre Müdigkeit schwand, empfand sie eine Aufwallung von schierer Freude. Rauhe Hände und schmerzende Glieder waren doch ein geringer Preis für dies Abenteuer. Sie war nun wirklich im aktiven Einsatz, und es war berauschend wie Champagner.

Dr. Beech entschied, daß sie den Verwundeten die Flasche Wein vorenthalten sollten, und jeder bekam ein Glas – außer Schwester Harrow, die züchtig ablehnte. Madge holte eine Schachtel glasierter Früchte als Nachtisch heraus, und sie tranken ihren Kaffee mit sattem Wohlbehagen.

»Wissen Sie«, sagte Madge, »ich habe im ganzen Leben noch nie so viel Spaß gehabt. Da werden meine Dienstboten aber Augen machen, wenn ich ihnen sage, wie man am besten ein Klosett putzt.«

Weit weg, jenseits der dunklen Felder, hörten sie das Grollen eines Sommergewitters.

»Das Wetter schlägt um«, sagte Dr. Beech.

Der Donner hörte und hörte nicht auf und schwoll zum Gebrüll an. Rory saß stocksteif und beobachtete, wie ihr Weinglas auf dem Tisch bebte.

Dann ein rauschendes Geräusch, als brauste ein Zug herein. Es erreichte seinen Höhepunkt über ihren Köpfen und endete in einer gewaltigen Explosion, die die Deckenlampen wie wild an ihren langen Kabeln tanzen ließ.

In der Stille, die darauf folgte, starrten die fünf Frauen einander in die weißen Gesichter. Der Schock hatte sie zu zusammengekauerten Statuen erstarren lassen, die in grotesker Weise von den hin und her schwingenden Glühbirnen beleuchtet wurden.

Das Grollen begann erneut und diesmal mit einer solchen Wucht, daß der Fußboden erbebte. Der Himmel über ihnen wurde von einer ganzen Serie erbarmungsloser Explosionen zerrissen. Die Lichter verloschen. Rory saß unter dem Tisch und umklammerte Madges Hand, noch ehe ihr klargeworden war, daß das Dorf unter Granatbeschuß stand.

»Keller!« schrie Dr. Beech. »Gehen Sie in den Keller!«

Rory wagte zunächst nicht, sich zu bewegen, aber irgendwie schaffte sie es. In der Dunkelheit tasteten sie, unbeholfen vor Angst, nach Tassen, Kopfkissen und Streichhölzern und fuhren bei jeder Detonation zusammen.

Das Hämmern der deutschen Geschütze zwang sie, zwei Tage und zwei Nächte im Keller zu bleiben. Rorys Nerven waren zum Zerreißen gespannt. Die Beengtheit und die unterdrückte Hysterie der anderen Frauen reichten schon aus, um sie an den Rand des Wahnsinns zu treiben. Doch solange Madge und Isola es schafften, den Anschein von Gelassenheit zu wahren, so lange schaffte sie das auch. Es forderte ihr noch das letzte Quentchen Konzentration ab.

Madge trotzte dem Geschützfeuer, um ihre Spielkarten aus dem Gepäck zu holen, und sie festigten ihr Gefühl der Zusammengehörigkeit, indem sie Bridge spielten. Schwester Harrow weigerte sich jedoch mitzuspielen oder überhaupt irgend etwas mit ihnen zu tun zu haben. Sie preßte ihren unförmigen Leib in eine Ecke, so weit vom Licht entfernt wie möglich, und war nicht zu bewegen, wie die anderen den Eimer für ihre Notdurft zu benutzen, auch dann nicht, als Dr. Beech mit einer Decke den kleinen Raum abgeteilt hatte. Sie bestand darauf, aufs Klosett nach oben zu gehen. Jedesmal blieb sie ein bißchen länger weg.

»Die führt doch etwas im Schilde«, meinte Rory. »Würde mich nicht wundern, wenn sie uns den Hunnen verriete.«

»Sie sind dran, Partnerin.« Dr. Beech spielte mit unerschütterlicher Entschlossenheit Bridge. Gelegentlich zitterten die Karten ein wenig in ihren Händen, wenn es eine besonders laute Explosion gab. Ansonsten benahm sie sich, als befände sie sich in einem Salon.

Nach ihren Ausflügen kam Schwester Harrow schwer atmend die Leiter heruntergestolpert und döste in ihrer Ecke ein. Rory wunderte sich, daß sie schlafen konnte, während Hunderte von Granaten auf dem Weg nach Namur über ihre Köpfe hinwegpfiffen.

Dann, am Ende der zweiten Nacht, hörte das Getöse schlagartig auf. Erschöpft, mit Schwindelgefühlen, die von der beglückenden Stille herrührten, warteten sie darauf, daß es wieder einsetzte. Mit jeder Sekunde, die verstrich, spürte Rory, wie die Stille tiefer wurde und sich in einer großen Woge des Friedens um sie ausbreitete.

Blinzelnd und schwankend krochen sie ans Tageslicht hinaus. Eine zarte Sommermorgendämmerung brach über den Feldern an. Alle Fenster des Klassenzimmers waren zersprungen. Unter ihren Füßen knirschte Glas, und sie husteten im Nebel des Gipsstaubs. Dr. Beech eilte in die Apotheke. Zum Glück waren die meisten zerbrechlichen Dinge noch sicher in Holzkisten verpackt.

Die Stille summte weiter.

Isola sagte: »Ob sie schon da sind?«

Sie gingen auf den Platz hinaus und fanden eine bizarre Mischung aus Chaos und Normalität vor. Ein Haus war zerstört, und das Kopfsteinpflaster war mit Glas und Unrat bedeckt. Die verbliebenen Dorfbewohner jedoch fegten bereits ihre Treppenstufen und hängten die Bettdecken aus den Fenstern. Monsieur Dupont stand da und inspizierte die bloßliegenden Eingeweide des zerstörten Hauses. Die Innenwände waren unversehrt, und die Bilder und Fotografien hingen noch an ihrem Platz.

»Gott sei Dank war niemand drin«, erklärte der Bürgermeister. »Sie ist letzte Woche weggefahren, zu ihrem Sohn nach Brügge.«

Niemand war verletzt. Sie kehrten zu ihrem Lazarett zurück, um sich an die mühsame Aufgabe des Aufräumens zu machen.

Rory hätte niedersinken können, wo sie gerade stand, um ein Jahr lang zu schlafen. Nur ihre Entschlossenheit, Dr. Beech ihren Eifer unter Beweis zu stellen, konnte sie dazu bringen, den Besen in die Hand zu nehmen. Sobald der Raum aufgeräumt und der schlimmste Staub mit Hilfe von Wasser gebunden war, schickte Dr. Beech sie alle schlafen.

»Von mir aus können die Deutschen ruhig kommen«, sagte Isola und gähnte geräuschvoll, »wenn sie mich bloß nicht aufwecken.«

Im Zimmer der Krankenschwestern lag Miss Harrow, alle viere von sich gestreckt, auf dem größten Bett und schnarchte wie ein Holzfäller. So müde die anderen waren, in ihrer Nähe konnten sie einfach nicht schlafen. Rory warf sich auf eins der Betten im Krankenzimmer und sank sofort ins Vergessen.

»Rory! Wachen Sie auf! Die Verwundeten!«

Mit vom Schlaf gerötetem Gesicht und flatternd vor Aufregung, schüttelte Madge sie ungeduldig. Rory sprang vom Bett, griff nach Schürze und Schleier und band sie fest, während sie hinausrannte. Die ersten Patienten waren eingetroffen – belgische und französische Soldaten sowie Zivilisten aus den umliegenden Dörfern. Die am schwersten Verletzten lagen auf Bauernkarren. Andere hinkten hinterher, klammerten sich Halt suchend aneinander oder quälten sich an improvisierten Krücken voran.

Rory erstarrte. Sie war wie vor den Kopf geschlagen und fühlte sich völlig überfordert. Noch ehe sie jedoch recht wußte, was sie tat, eilte sie einem französischen Soldaten zu Hilfe, dessen linkes Bein in einer schmutzigen, unförmigen Masse von Bandagen endete. Dr. Beech ratterte Befehle, und sie gehorchte wie ein Automat.

Insgeheim hatte sie Angst davor gehabt, Verwundete zu berühren, richtiges Blut zu sehen und zu riechen. Doch nun war einfach keine Zeit, empfindlich zu sein oder zu zaudern. Binnen zwanzig Minuten war jedes Bett belegt, und weitere Patienten lagen im Schwesternzimmer und auf dem Fußboden. Es gab kaum Gelegenheit zum Atemholen, während sie von einer Aufgabe zur nächsten hetzte: die durchtränkten roten *pantalons* eines französischen Gefreiten aufschnitt, nach neuer Gaze und Desinfektionsmittel lief, Stoffetzen von Wunden abzog, die wie frisch geschlachtetes Fleisch aussahen, *»soyez calme, soyez calme«* in vor Schmerz und Angst verzerrte Gesichter murmelte.

Es gab nur eins, nämlich alles richtig und schnell zu bewerkstelligen. Jahre betulicher Erziehung und damenhafter Gesittung waren in Minuten abgeschüttelt. Dieselbe Rory, die errötet war, als sie Tom nackt gesehen hatte, konnte jetzt ohne Scheu den Penis eines fremden Mannes halten, während er in eine Flasche urinierte. Sie konnte eine Schüssel voll Blut tragen und Erbrochenes vom Boden aufwischen. Es war zwar wie ein Alptraum, doch er wirkte sich seltsam befreiend aus.

Die Wunden waren schrecklich. Granatsplitter hatten weiches Fleisch zerfetzt und weiße Knochen bloßgelegt. Dr. Beech, die sich durch flehentliche Schreie nicht erschüttern ließ, zupfte mit einer Pinzette Metallsplitter heraus und ließ sie in eine nierenförmige Schale fallen. Schwester Harrow tupfte die Wunden mit Lysol ab und legte Gazestreifen auf, die in Jodtinktur getaucht waren. Rory, Madge und Isola rissen Kleidung herunter, wechselten blutbefleckte Bettücher und verabreichten einen Cocktail aus Aspirin und Brandy als schmerzstillendes Mittel. Morphin machte die Patienten bewußtlos, und Dr. Beech reservierte es für die schwersten Fälle.

Schwester Harrow bewegte sich langsam, eigenartig entrückt, als vollzögen sich ihre Handlungen nach einem anderen Zeitmaß. Rory bemerkte, daß sie etliche Ausflüge in die Apotheke machte und mit leeren Händen und immer langsamer zurückkehrte.

Inzwischen war es Nachmittag, und das Durcheinander war einer Art von Ordnung gewichen. Patienten, die gehen konnten, waren in Häuser des Dorfes geschickt worden. Die anderen schliefen oder führten einen stummen Kampf gegen den Schmerz. Madge kochte Kaffee in der Spülküche, und der Reihe nach setzten sie sich zu einer fünfminütigen Pause und befreiten die geschwollenen Füße von den Schuhen. Nur Dr. Beech mit ihrer blutbespritzten Schürze arbeitete unentwegt weiter.

»Carlington«, rief sie, »holen Sie mir doch noch etwas Brandy aus der Apotheke.«

Rory öffnete die Tür gerade rechtzeitig, um Schwester Harrow dabei zu ertappen, wie sie eine Brandyflasche an die Lippen hielt wie ein Herold seine Trompete. Als sie Rory erblickte, verschluckte sie sich und taumelte gegen den Schreibtisch.

»Wer hat Ihnen gesagt, daß Sie hierherkommen sollen? Raus mit Ihnen!«

Rory verschränkte kriegerisch die Arme vor der Brust. »Dr. Beech.«

»Ha!« erwiderte Miss Harrow. »Dr. Bitch.«

Wäre die Situation nicht so verzweifelt ernst gewesen, hätte Rory gelacht. Sie mußte unwillkürlich an die Zeit denken, als Tertius Unas Hühnern ›besoffene Rosinen‹ gab, um zu sehen, was dann passierte. Schwester Harrow mit ihrer spitzen Haube, die verwegen schief über ihrem vollbusigen Körper emporragte, erinnerte sie an jene kammverzierten alten Vögel, die im Hühnerstall herumgetorkelt waren.

»Ich soll Brandy holen«, sagte sie, »falls Sie welchen erübrigen können.«

Harrow trank die Flasche in einem Zug leer. »Alle.«

»Dann mache ich eben eine andere auf.«

Rory trat an den Schrank in der Ecke und holte eine Flasche nach der anderen heraus. Sie waren alle leer, die Korken fein säuberlich wieder reingesteckt. Sie wandte sich mit ungläubiger Miene zu Schwester Harrow um.

»Was soll ich denn damit?«

Die Schwester gluckste gehässig. »Tun Sie doch Buddelschiffe rein.«

Rory platzte der Kragen, sie war außer sich vor Wut. »Da sind Sie also alle fünf Minuten hingeschlichen, Sie versoffenes altes Reff! Der Brandy war für die Patienten bestimmt, und ich würde Ihnen am liebsten jede Flasche einzeln über ihren dicken

Kopf schlagen, damit Sie mal sehen, wie das ist, wenn einer daliegt und Schmerzen hat ...«

»Wie können Sie es wagen, in diesem Ton zu mir zu sprechen?« Absurderweise schien Miss Harrows Sinn für die Würde einer ausgebildeten Krankenschwester noch intakt zu sein. »Verlassen Sie sofort den Raum!«

»Erzählen Sie mir ja nicht, was ich zu tun habe, Sie alte Saufnase. Eher esse ich meine Schürze, als daß ich von Ihnen Befehle entgegennehme.«

»Schwester Carlington!« Dr. Beech stand in der Tür, blaß und starr vor Wut. »Sind Sie wahnsinnig geworden? Hören Sie auf der Stelle mit dem Geschrei auf.«

»Sie hat den Brandy für die Patienten bis auf den letzten Tropfen ausgetrunken. Und ich wette, es war eine Lüge, daß sie wegen ihrer Mutter aufgehört hat, im Krankenhaus zu arbeiten. Ich wette, die hatten Angst, daß sie mit einem Knall in die Luft fliegen würde, falls einer ein Streichholz angezündet hätte.«

»Carlington!« Dr. Beechs Stimme schnitt wie ein Skalpell durch Rorys Tirade. »Wäre dies ein richtiges Krankenhaus, würde ich Sie auf der Stelle entlassen. Ich werde ein derartiges Benehmen nicht dulden. Gehen Sie sofort wieder an Ihre Arbeit, und unterstehen Sie sich, je wieder in dieser Weise zu einer Vorgesetzten zu sprechen.« Sie wandte sich Schwester Harrow mit einem Blick zu, der den Äquator hätte vereisen lassen. »Schwester, mit Ihnen beschäftige ich mich später. Allbright, machen Sie ihr eine Kanne starken Kaffee, wir können nicht auf sie verzichten.«

Madge führte Schwester Harrow in die Küche, und Rory, deren Herz immer noch zornig pochte, folgte Dr. Beech zurück auf die Station. Sie erwartete die Fortsetzung der Strafpredigt, doch zu ihrer Überraschung drückte Dr. Beech ihr ein Tablett mit Jod, Desinfektionsmittel und Verbandsstoff in die Hand. »Haben Sie gesehen, wie die Schwester die Wunden versorgt hat?«

»Ja.«

»Ich weiß, daß Sie nur einen Erste-Hilfe-Kurs absolviert haben, doch in der Not frißt der Teufel Fliegen. Reinigen Sie zuerst die Wunde gründlich, und legen Sie dann den Verband an, aber nicht zu fest, lassen Sie der Wunde Luft zum Atmen. Und schreiben Sie den Zeitpunkt der Wundversorgung in das Notizbuch.«

»Ja, Dr. Beech.« Rory schämte sich ihres Ausbruchs. Sie holte tief Luft, um ihre Hände zu beruhigen, und zwang sich, in langen, gründlichen Strichen das Lysol aufzutragen. Der Patient, einer der französischen Soldaten, hielt ihr stoisch den zerschmetterten Arm entgegen. Sie lächelte ihn aufmunternd an, und es gelang ihm zurückzulächeln. O Gott, dachte sie, er könnte Muttonhead sein. Während sie das Gazetuch in die Jodtinktur tauchte, mußte sie sich zwingen, nicht darüber nachzudenken, wo Muttonhead jetzt wohl sein mochte.

Um fünf Uhr, als in dem Behelfslazarett eine Art Routine eingekehrt war, erschien Monsieur Dupont in Schwalbenschwanz und Bürgermeisterschärpe und verlangte eine Unterredung mit sämtlichen Schwestern.

»Madame Doktor, Sie müssen diese Männer verlegen.«

»Verlegen? Sie sind doch gerade erst eingetroffen!«

»Bitte, Madame. Die Deutschen sind im Anmarsch. Es ist hier nicht sicher. Für die Männer nicht und für Sie auch nicht.«

»Selbst die Deutschen werden das Rote Kreuz respektieren«, sagte Dr. Beech.

Rorys Magen schoß wahre Kapriolen, doch sie nickte zustimmend. Sie waren als Krankenschwestern nicht viel wert, wenn sie nicht bereit waren, sich um die Patienten hinter der Gefechtslinie zu kümmern. »Wir denken jetzt nicht an unsere eigene Haut.«

Monsieur Duponts Gesicht war welk und faltig vor Sorge. »Bei allem Respekt, meine Damen, Sie kennen die Deutschen nicht. Als sie in das Dorf meines Bruders einmarschiert sind, haben sie zwanzig Männer, darunter den Bürgermeister und den Priester, als Geiseln genommen. Dann haben sie in einem Keller Waffen gefunden und alle Geiseln erschossen. Alles, was nach Widerstand aussieht, wird von ihnen als Kriegshandlung gedeutet. Das darf nicht passieren, wenn sie hier eintreffen.«

»Aber lieber Monsieur«, sagte Madge besänftigend, »wir sind doch bloß Frauen und kümmern uns um die Verwundeten. Ganz bestimmt werden sie nicht annehmen, daß wir Widerstand leisten. Sobald sie eintreffen, werde ich dem Befehlshaber meine Visitenkarte schicken. Ich habe doch so viele Deutsche bei der Regatta in Kiel kennengelernt ...«

»Allbright«, fuhr Dr. Beech sie an, »wenn Sie nicht endlich aufhören, mit ihren deutschen Verbindungen zu prahlen, lasse ich Sie als Spionin verhaften.« Sie wandte sich wieder dem Bürgermeister zu. »Wir müssen selbstverständlich an die Patienten denken. Wie groß ist die Gefahr?«

»Madame, binnen weniger Stunden wird hier ein Schlachtfeld sein.«

Stirnrunzelnd blickte Dr. Beech auf die beiden Bettenreihen. »Wohin können wir sie denn bringen?«

»Etwa acht Kilometer von hier, bei Wépion, befindet sich das Kloster La Sainte Union.«

»Na gut«, sagte Dr. Beech. »Sie haben hier die Amtsgewalt, Monsieur, und wenn Sie es für das beste halten ...«

Das Grollen einer Granate ließ sie verstummen. Das Geschoß explodierte so nah bei ihnen, daß der Boden unter ihren Füßen erbebte. Schwester Harrow, die eingenickt war, riß plötzlich den Kopf hoch und begann zu schreien.

Dr. Beech schlug ihr hart auf die Wangen. »Reißen Sie sich zusammen!«

Statt Schwester Harrow zur Vernunft zu bringen, bewirkte der Schlag jedoch das Gegenteil. Sie bekam einen hysterischen Anfall, kreischte unaufhörlich, krachte gegen die Möbel und warf ein Tablett mit Medikamenten um. Rory und Isola packten sie und hielten sie fest, bis sie nur noch ein leises Wimmern hören ließ.

Unterdessen schlugen zwei weitere Granaten ein, die Patienten begannen zu schreien, und Madge brach an Monsieur Duponts Schulter in Tränen aus. »Es ist alles meine Schuld«, schluchzte sie, »ich hätte sie niemals anstellen dürfen. Ich wollte doch nur helfen, und nun geht alles schief!«

Dr. Beech ließ sich in einen Sessel fallen, nahm die Brille ab und rieb sich die müden Augen. »Das ist eine Katastrophe. Wir haben uns darauf verlassen, daß Schwester Harrow den Krankenwagen fahren würde. Was sollen wir jetzt bloß machen?«

Rory hatte nur darauf gewartet, daß die Sprache darauf käme. »Ich kann ihn fahren.«

»Nun seien Sie aber nicht albern, Kind. Das ist jetzt nicht der Augenblick für falsches Heldentum.«

»Ehrlich, Doktor, ich weiß, daß ich es kann. Ich habe es in Brüssel mehrmals probiert und bin immer noch besser gefahren als Schwester Harrow in nüchternem Zustand.«

Es zuckte um Dr. Beechs Lippen. »Na schön. Ich habe nicht die Kraft zum Streiten.«

Ihre letzte Aufgabe, nachdem Patienten und Ausrüstung verladen waren, war, Schwester Harrow zu verfrachten. Monsieur Dupont selbst half ihr auf den Beifahrersitz des Krankenwagens. Dann setzte er Dr. Beech dadurch in Erstaunen, daß er ihr, gerade als sie die Startkurbel zu drehen begann, die Hand küßte, ihr überschwenglich dankte und sie mit einem barmherzigen Engel verglich.

»Ich trenne mich ungern von ihm«, gestand die Ärztin Rory. »Sein alberner Amtsstolz hat etwas so Nobles. Ich glaube wirklich, er würde sterben, wenn er dadurch das Dorf retten könnte. König Albert selbst könnte kein eiserneres Pflichtgefühl gegenüber seinen Untertanen haben.«

Rory genoß das Brummen des Krankenwagens.

»Langsam«, mahnte Dr. Beech. »Denken Sie an die Patienten.« Sie steckte den Kopf unter die Plane, um nach ihnen zu sehen. »Ein paar von den armen Jungs sind wirklich übel dran.«

Sie brauchten mehr als eine Stunde, um das Kloster zu erreichen; der Magen krampfte sich ihnen zusammen, während sie dem Geschützfeuer der Belgier auf der anderen Seite der Stadt lauschten. Rory hatte Angst gehabt, die Abzweigung zu verfehlen, doch die Hälfte der Landbevölkerung schien schutzsuchend auf das imposante graue Bauwerk zuzustreben. Es war schon recht dunkel, als sie in die kiesbestreute Auffahrt einbog, in Richtung auf das Viereck aus gelbem Licht, das aus der geöffneten Haustür fiel.

Die Nonnen erwiesen sich als ebenso tüchtig wie nett. Sie brachten die Verwundeten in dem Lazarett unter, das sie in den riesigen Gewölben ihres Weinkellers eingerichtet hatten, und ließen die ausgehungerten Krankenschwestern in ihrem Refektorium zum Abendessen Platz nehmen. Bei Gemüseeintopf und Brot erörterten sie, wie es weitergehen sollte.

»Jetzt, wo ich etwas im Magen habe, könnte ich es mit jedem aufnehmen«, erklärte Rory und wischte ihren Teller mit Brot aus, »und mit den Deutschen schon lange.«

Madge war, seitdem all ihre Vorkehrungen über den Haufen geworfen worden waren, gefügig und respektvoll. »Vielleicht können wir uns hier ja nützlich machen.«

»Die haben doch Scharen von Nonnen, viel bessere Krankenschwestern als wir«, widersprach Isola, »und Männer, die die Bahren tragen können, und Laienschwestern zum Reinemachen. Die werden solche wie uns nicht wollen, außer Dr. Beech.«

Dr. Beech schnaubte wütend. »Der Arzt, den ich kennengelernt habe, hat mir überdeutlich zu verstehen gegeben, daß es keine Verwendung für mich gibt. Er meinte, er würde seine Patienten selbst dann nicht einer Ärztin anvertrauen, wenn es in ganz Europa keinen Arzt mehr gäbe. Außerdem müssen wir auch noch an Schwester Harrow denken.« Sie hatten sie in einem der Krankenwagen zurückgelassen, wo sie schnarchend auf einer Tragbahre lag.

Madge ließ bekümmert den Kopf hängen. »Wie sollte ich denn wissen, daß sie eine Trinkerin ist?«

Rorys und Isolas Blicke kreuzten sich, und sie prusteten los. »Machen Sie sich keine Vorwürfe, Madge«, sagte Rory. »Das ist doch längst Brandy von gestern.«

»Ach, wie ist unsere Jugend doch flink im Kopf«, meinte Dr. Beech. »Keines von euch halbflüggen Küken scheint begreifen zu wollen, in welchen Schwierigkeiten wir stecken. Wenn wir heute abend hierbleiben, laufen wir Gefahr, uns morgen hinter der deutschen Linie zu befinden. Zurück können wir nicht, also fahren wir besser vorwärts. Carlington, geben Sie mir die Landkarte.«

Sie hatten keine Ahnung, wie weit entfernt der Feind war. Es sei, meinte Isola, ein typischer Fall von ›Augen zu und durch‹.

Rory verspürte einen Stich des Bedauerns, als sie die wohlgeordnete schützende Welt des Klosters verlassen und wieder in die Dunkelheit hinaus mußten. Sie hatte glasige Augen vor

Übermüdung, war aber zugleich wachsam bis in den letzten Nerv. Ihr einziger Trost war Dr. Beech, die ihr aufmunternde Worte zumurmelte.

Dr. Beech war es denn auch, die darauf bestand, bei Profondeville nach Westen abzubiegen, Rory wäre lieber weiter in südlicher Richtung gefahren. Die Krankenwagen tuckerten schmale Landstraßen entlang, an einsam gelegenen Gehöften vorbei, die vom Krieg bislang unberührt geblieben waren und wo die Hunde ihnen nachbellten. Ab und zu zündete Dr. Beech ein Streichholz an, um die Landkarte zu studieren.

Wie lange sie fuhren, hätte Rory nicht sagen können. Die ganze Nacht lang oder mehrere Nächte, die zu einer verschmolzen waren? Die Landschaft begann sich zu verändern, Schlakkenberge und Bohrtürme zeichneten sich vor dem Horizont ab. Dr. Beech war eingeschlafen, die Hände um die Landkarte geklammert, die auf und ab hüpfende Brille auf der Nase. Soll sie, dachte Rory. Sie hatte kein Auge mehr zugetan, seit sie alle im Keller von Chaussonville gekauert hatten, und das war schon eine Ewigkeit her.

Zwei Gestalten sprangen ins Licht ihrer Scheinwerfer und schwenkten ihre Gewehre. Rory blieb fast das Herz stehen, und sie trat ruckartig auf die Bremse.

»Sie müssen einen Schutzengel gehabt haben«, sagte der junge Leutnant. »Anders kann ich mir nicht erklären, wie Sie da durchgekommen sind. Es ist absolut unglaublich.« Sein Blick ruhte bewundernd auf Isola. Ihr zerwühltes Haar und ihr rosigverschlafenes Gesicht bewirkten, daß ihr zerknitterter Burberry so verlockend aussah wie ein seidenes Négligé.

»Das war der helle Wahnsinn«, meinte der Major. »Sie hätten tausendmal getötet werden können und haben verdammt viel Glück gehabt, daß Sie unserer Patrouille begegnet sind. Warum haben die Belgier Sie denn bloß nicht davon abgehalten?«

»Wir haben sie gar nicht erst gefragt«, sagte Dr. Beech.

Sie saßen im schmutziggelben Licht einer Sturmlaterne in einem Häuschen mit niedriger Decke, das zum Hauptquartier des Bataillons bestimmt worden war.

»Fellowes hat fast einen Herzanfall bekommen, Sir«, sagte der Leutnant. »Er hat sie für eine ganze Division Hunnen gehalten.«

»Er war aber außerordentlich nett«, sagte Madge herzlich. »Wir sind Ihnen wirklich ungeheuer dankbar, Major.«

»Hm.« Der Major runzelte die Stirn. »Sie werden uns einiges zu erklären haben, Lady Marjorie. Als allererstes, was sie eigentlich mitten in unserer Gefechtszone treiben. Was ist denn um Himmels willen mit der Frau hinten in Ihrem Lastwagen los?«

»Nichts Besorgniserregendes, Sir«, versicherte der Leutnant ihm gut gelaunt. »Sie ist offensichtlich nur sternhagelvoll. Ich muß schon sagen, das muß ein kräftiger Schluck gewesen sein, so wie die schnarcht.«

»Danke, Waring, das genügt.«

Der Major, ein hagerer verdrießlicher Mensch mit grauem Schnauzbart, war ganz und gar nicht erbaut darüber, daß er plötzlich eine ganze Schar umherirrender Frauen am Hals hatte. Unter anderen Umständen hätte sein Verdruß Rory Unbehagen eingeflößt, doch in dieser Lage fand sie es so herrlich, gestandene, kräftige Männer in britischen Uniformen zu sehen, daß sie ihn beinahe liebte.

»Sie können auf keinen Fall hierbleiben«, sagte er unwirsch.

»Ach, wir denken nicht im Traum daran, Ihnen zur Last zu fallen, nicht wahr, Kinder?« Seit Madge sich wieder an einem Ort befand, wo sie ihre Fäden spinnen konnte, blühte sie geradezu auf. »Wir finden schon einen Platz, wo wir unser Lazarett aufschlagen und ...«

»Um Himmels willen, das kommt überhaupt nicht in Frage!« Der Major war entsetzt. »Habe ich nicht schon genügend Probleme, ohne daß auch noch ein Haufen weiblicher Amateure durch meinen Frontabschnitt stolpert?«

»Darf ich einen Vorschlag machen, Sir?« fragte der Leutnant. »Ja?«

»Außerhalb von Maubeuge steht doch dieses Haus – die beiden alten Jungfern. Sie haben einen Anfall bekommen, als wir Männer bei ihnen einquartieren wollten, doch gegen diese Damen können sie ja wohl nichts einzuwenden haben.« Er warf

Isola erneut einen verstohlenen Blick zu. »Hodges könnte ihnen doch zeigen, wo das ist.«

»Ich soll also auf ein Motorrad verzichten, wie? Na, also gut.«

»Sie brauchen Benzin.«

»Dann geben Sie ihnen welches, geben Sie ihnen, was Sie wollen. Nur schaffen Sie sie hier raus.«

»Wirklich, Major«, sagte Madge, »wir können Ihnen gar nicht genug danken. Wenn ich Sir John French das nächstemal sehe, werde ich es mir nicht nehmen lassen, Ihre Freundlichkeit ausdrücklich zu erwähnen.«

Der Leutnant verbiß sich mit Mühe das Lachen und drängte sie hinaus, ehe der Major endgültig explodierte.

Rory stieg wieder in ihren Krankenwagen, gähnte, bis ihr die Augen tränten, und dankte Gott für die britische Armee. Das Chaos, das sie während der letzten Tage miterlebt hatte, und der Anblick der belgischen und französischen Soldaten, die nur blutige Lumpenbündel waren, hatten den Eindruck in ihr erweckt, daß die Welt dem Ende nahe sei. Doch nun waren die schneidigen Könner der BEF eingetroffen, und die würden den Deutschen ganz gewiß heimleuchten wie die Heerscharen des Erzengels Michael. Die Sache war praktisch ausgestanden.

Von Chaos war an der britischen Linie nichts zu entdecken. Der Leutnant tankte die Krankenwagen voll und ließ sie hinter einem Verbindungsmann auf einem Motorrad herfahren. Der führte sie durch verdunkelte Dörfer zu einem großen Backsteinhaus am Ende einer kaum zu erkennenden Landstraße. Die Besitzerinnen des Hauses, zwei beleibte Schwestern in den Sechzigern mit langen Zöpfen über Flanellmorgenröcken, wollten auf ihrem Territorium absolut keine Männer dulden. Sobald man ihnen jedoch klargemacht hatte, daß keines dieser Geschöpfe die Absicht hatte, ihre jungfräuliche Schwelle zu entweihen, waren sie die Gastfreundlichkeit selbst.

Rory kreuzte die Finger hinter dem Rücken, als sie ihnen erklärte, Schwester Harrow sei *malade*. Rory und Isola halfen ihr die Treppe hinauf, und sie fiel auf ein muffig riechendes Federbett in einem unbenutzten Zimmer, das so feucht war, daß sich die Mädchen wie Grabschänder vorkamen. Während die anderen Betten gelüftet wurden, bewirteten die Damen ihre Gäste mit schwachem Kräutertee und klebrigem *Digestif*, der nach Collis Brown's Compound schmeckte.

Endlich konnte sich Rory in dem Schlafzimmer, das sie mit Isola teilte, die schmutzige Schwesterntracht ausziehen, die sie seit drei Tagen am Leib hatte. Die beiden brachten gerade noch ein Lachen über die riesigen, schlotternden Nachthemden zustande, die die Damen ihnen gegeben hatten, dann krochen sie in das Doppelbett, zu müde, um sich auch nur das Gesicht zu waschen, die Haare zu bürsten oder sonst irgend etwas anderes zu tun, als zu schlafen.

Erst viel später sollte Rory erkennen, daß die nächsten Tage einer lebenswichtigen Brücke glichen, über die sie endlich die grünen Ufer ihrer Unschuld verließ. Sie hatte unvorstellbare Leiden und Schmerzen gesehen, doch ging sie, als sie in dem Bauernhaus bei Maubeuge erwachte, immer noch davon aus, daß irgendeine höhere Gewalt alles richten würde. Sie mußte noch lernen, daß das Böse, wenn es erst einmal um sich griff, keine Grenzen kannte.

Am Morgen nach ihrer furchtbaren Fahrt – er war frisch und strahlend wie der erste Schöpfungsmorgen – gab es dafür allerdings keine Anzeichen. Madge, Rory und Isola halfen den beiden alten Damen, Äpfel zu pflücken und in Körbe zu füllen, während Dr. Beech sich drinnen Schwester Harrow ›vornahm‹. Rory und Isola hätten zu gern erfahren, was sich abgespielt hatte, doch als die beiden herauskamen – Schwester Harrow sehr rot und Dr. Beech sehr weiß –, war das Thema, Miss Harrows Schande, erledigt.

Sie schafften die Körbe mit den leuchtendroten Früchten auf ein Feld hinter einer kleinen Hügelkuppe, wo britische Soldaten einen langen, ungleichmäßig verlaufenden Schützengraben aushoben. Wenn die alten Damen auch mit dem männlichen Geschlecht nichts im Sinn hatten, so waren sie doch ungeheuer patriotisch eingestellt. Die Äpfel waren ihr ganz spezieller Beitrag zur Versüßung der *Entente cordiale*.

Rory sollte den Anblick jener Tommies, die im Sonnenschein in ihren Khakihemden schaufelten, niemals vergessen. Sie scherzten und lachten während der Arbeit und reckten die Hälse nach den Mädchen vom Ort, die gekommen waren, um sie anzugaffen, als wären sie Ausstellungsstücke. Das blendende Licht, der Duft der Äpfel, der sich mit dem frischen Erdgeruch mischte, die gebräunten Arme der Männer, ihre lächelnden Gesichter – diese Szene prägte sich Rorys Gedächtnis ein: ein letzter Blick auf Großbritanniens Stolz vor seinem Fall.

Am nächsten Morgen, während die Kirchenglocken noch zur Messe läuteten, begann die Schlacht. Die Felder und Gemüsegärten erbebten unter dem Einschlag der Granaten. Bei Anbruch des nächsten Tages loderte es blutrot aus brennenden Dörfern in den Himmel, und feiner Staub aus den gesprengten Kohlengruben überzog schmierig jedes Blatt und jeden Grashalm.

Es fiel schwer, den ersten Flüchtlingen Glauben zu schenken, die am Gartentor um Wasser baten und die Schreckensbotschaft mitbrachten. Sie waren völlig kopflos geflohen, und wie zum Beweis schleppten einige schmutzige Teller und Reste ihrer unterbrochenen Mahlzeit mit sich, die sie hastig in Tischtücher gewickelt hatten. Die britische Armee, behaupteten sie, sei geschlagen. Viele seien tot, und der Rest befinde sich auf dem Rückzug.

»Die Offiziere sind zuerst erschossen worden«, erzählte jemand, »weil ihre Säbel in der Sonne blitzten und sie ideale Zielscheiben abgaben. Hunderte von britischen Offizieren.«

Das Grauen ließ Rory das Blut in den Adern gerinnen. Die Landschaft schien sich zu verdüstern.

»Carlington, haben Sie mich gehört?« fragte Dr. Beech.

Rory schluckte und konnte gerade noch murmeln: »Wie bitte?«

»Ich sagte, wir sollten versuchen, nach Le Cateau zu kommen. Wenn es dort wirklich so viele Verwundete gibt, dann wird man jede Hand brauchen können. Helfen Sie Kentish, statt hier Däumchen zu drehen.«

»Ja, Doktor.«

Dr. Beechs scharfer Ton wurde milder. »Vielleicht stimmt es ja auch nicht. Ich würde sagen, schon ein kleines Scharmützel kann wie eine Katastrophe wirken, wenn man mittendrin sitzt. Sorgen Sie sich um einen bestimmten Menschen?«

»Ja, um meinen . . .«, Rory versuchte, eine Definition für ihre Beziehung zu Muttonhead zu finden, »um meinen Bruder.«

»Nun, wenn Sie meinen Rat hören wollen, Schwester, sorgen Sie sich nicht an der falschen Stelle. Soweit wir wissen, ist er unversehrt.« Sie wandte sich ab.

Aus irgendeinem Grund entfuhr es Rory: »Als ich ihn zuletzt gesehen habe, habe ich ihm gesagt, daß ich ihn hasse.«

In Dr. Beechs hellen, scharfen Augen war ein amüsiertes Funkeln zu sehen, als sie fragte: »Und war das Ihr Ernst?«

»Nein. Ich würde alles darum geben, wenn ich es zurücknehmen könnte.«

»Dann habe ich also recht daran getan, Ihnen nicht den Kopf zurechtzusetzen, weil Sie Schwester Harrow so fertiggemacht haben«, erwiderte Dr. Beech trocken. »Ein Temperament wie Ihres straft sich selbst.«

Ja, dachte Rory, Reue war die härteste Strafe dafür, daß man im Zorn von jemandem schied. Wenn Muttonhead unter jenen gefallenen Offizieren war und jetzt mit gezogenem Säbel tot am Kanal von Mons lag, dann wäre sie bis an ihr Lebensende gestraft.

Als die Krankenwagen die Landstraße verließen und auf die Hauptstraße nach Le Cateau gelangten, gerieten sie in einen Strudel, der ihnen noch Jahre später Alpträume verursachen sollte. Hier, unter den Strömen von Flüchtlingen, die einen herzzerreißenden Anblick boten, trafen sie auf die schmutzigen, unrasierten Gespenster der britischen Armee.

Mühsam schleppten sich Soldaten hinter erschöpften Offizieren her. Verwundete in blutstarrenden Verbänden lagen auf Leiterwagen oder auf Lastwagenpritschen. Als Rory einen Londoner Bus mit der Werbeaufschrift von Bovril sah, glaubte sie, unter Wahnvorstellungen zu leiden. Bald darauf begegneten sie jedoch Lieferwagen von Maples and Harrods, die direkt von den Londoner Straßen requiriert worden waren. Sie verliehen dem Chaos einen bizarren Anstrich.

Man machte alles nur noch schlimmer, wenn man nach Neuigkeiten fragte oder Auskünfte über die Strecke oder mögliche Hilfe erbat. Die Offiziere waren ebenso schlecht informiert wie sie selbst. Manche hatten nur eine nebelhafte Vorstellung davon, wohin sie gingen oder was man von ihnen erwartete, wenn sie am Ziel wären. Andere hatten überhaupt keine Befehle erhalten, weil ihr Hauptquartier verlegt worden war, ohne daß man sie informiert hatte.

Die Lage in Le Cateau war nicht besser. Der Generalstab hatte seine Sachen gepackt und eine Stadt verlassen, die sich anschickte, in die Schlacht zu ziehen. Es stand schon so schlecht, daß man sogar weibliche Hilfe in Anspruch nahm. Rory verbrachte drei schweißtreibende Stunden damit, abgezehrten und völlig übermüdeten Tommies zusammen mit einer Gruppe Frauen aus dem Ort zu helfen, einen Schützengraben auszuheben.

»Man weiß gleich, wann die Scheißkerle kommen«, erklärte ihr ein Soldat, »denn sie singen. Da kriegt man eine Gänsehaut, wenn all diese deutschen Siegeslieder durch die Nacht tönen.«

»Diesmal kaufen wir sie uns«, meinte ein anderer. »Die sind doch gestern gestorben wie die Fliegen. Ich verstehe überhaupt nicht, warum wir das Ding nicht zu Ende gebracht haben.«

Die Arbeit war körperlich kaum durchzustehen, betäubte aber auch das Denken, und Rory wollte nicht denken. Die Tommies schienen sie als eine Art Maskottchen zu betrachten und überschütteten sie mit kostbaren Zigaretten. Immer wieder bot man ihr einen Schluck Rum an. Sie trennte sich ungern von ihnen, als es an der Zeit war, ihre blasenbedeckten Hände wieder für die Krankenpflege zu verwenden.

Dr. Beech hatte in einem Dorf in der Nähe einen Feldverbandsplatz gefunden und sich schon darauf eingestellt, eine flammende Rede zugunsten weiblicher Ärzte zu halten. Sie hätte sich keine Sorgen machen müssen. Der Militärarzt, der aus dem behelfsmäßigen Operationssaal herauskam, sah aus, als wäre er in einen blutigen Platzregen geraten, und Dr. Beech hatte sich noch kaum vorgestellt, als er fragte: »Haben Sie Chloroform?«

»Ja.«

»Morphin?«

»Ja.«

»Großartig. Schon mal amputiert?«

»Nein.«

»Dann haben Sie jetzt Gelegenheit.«

Wenn Dr. Beech nervös war, dann zeigte sie es nicht. Bis spät in den Abend arbeitete sie neben dem Arzt in dem überheizten Schlachthaus. Schwester Harrow verabreichte Chloroform, das sie mit der Hand auf die Maske träufelte, und ihre Hand war – gottlob – ruhig wie ein Fels.

Madge, Rory und Isola halfen den Sanitätern. Niemand bemängelte ihre fehlende Qualifikation, niemand hatte Zeit, ihnen Vorträge darüber zu halten, wie man es am besten machte. Rory zog Notverbände von eiternden Wunden, säuberte und desinfizierte, so gut sie irgend konnte, und betete nur, daß sie niemanden umbrachte.

Die Geduld und der Gleichmut der Soldaten hätten sie zu Tränen gerührt, wenn sie nur Zeit gehabt hätte, darüber nachzudenken – oder überhaupt an irgend etwas zu denken außer an den grauenhaften Geruch.

»Gangräne«, meinte Dr. Beech, als sie prüfend in Fleisch drückte, das in Fäulnis übergegangen war wie verwesendes Fleisch in der Sonne.

Von Ekel gepackt, entsetzt, schweißüberströmt arbeiteten sie sich durch die Reihen der Männer, die auf der Dorfstraße auf Tragbahren lagen, weil jeder Fingerbreit Fußboden im Verbandshaus besetzt war. Manche klammerten sich an die Röcke der Helferinnen und baten um Wasser, wimmerten vor Schmerzen.

Etwa um Mitternacht forderte der RAMC-Arzt sie auf, jetzt wegzufahren. »Ich bin Ihnen sehr dankbar für alles, was sie getan haben, Miss Beech, doch wir werden gleich unser blaues Wunder erleben, und die Front ist nicht der geeignete Ort für Ihre Mädchen.«

»Aber Sie brauchen uns doch!« protestierte die Ärztin. »Sie benötigen unsere Hilfe!«

»Gott ist jetzt der einzige, der uns noch helfen kann. Ich erwarte jeden Augenblick den Befehl, die Stellung zu räumen. Wir mußten gestern schon eine Stellung räumen und haben die schlimmsten Fälle der Gnade und Barmherzigkeit des Feindes ausgeliefert. Ich bin nur um Haaresbreite davongekommen. Nein, tut mir leid.«

»Dann lassen Sie uns wenigstens ein paar der Verwundeten in den Krankenwagen mitnehmen. Wir können sie in Amiens in ein richtiges Krankenhaus bringen oder zu einem Lazarettzug.«

Der Armeearzt, der das schlecht ablehnen konnte, half ihr, acht Männer auszuwählen, die im Krankenhaus vielleicht eine Überlebenschance hätten. Rory staunte über die Nüchternheit, mit der die beiden darüber nachdachten, wen man retten könnte. Erneut brachen sie dann in der Dunkelheit auf und stiegen in einen noch tiefer gelegenen Höllenkreis hinab. Rory fuhr im Schneckentempo, zum Teil, um die Qualen der Verwundeten nicht noch zu vergrößern, zum Teil auch deshalb, weil ein Offizier ihr eingeschärft hatte, auf Stolperdrähte und Straßensperren zu achten. Es gab nur eine einzige verläßliche Tatsache, nämlich die, daß niemand etwas wußte. Es war, wie einer der Patienten bekümmert bemerkte, ›eine völlig verpfuschte Situation‹.

In der Morgendämmerung blieb Rorys Krankenwagen stotternd stehen. Sie hatte kein Benzin mehr.

»Das ist ja nun das letzte«, sagte Isola.

Sie waren auf einer Landstraße mitten im Nirgendwo gestrandet. Rory war wütend auf sich selbst, weil es ihre Idee gewesen war, die Hauptverkehrsstraße zu meiden. Das nächste Dorf war sechs Kilometer entfernt. Madge und Isola meldeten sich freiwillig, dorthin zu laufen. Rory, Dr. Beech und Schwester Harrow taten für die Männer, was sie nur konnten.

Ein älterer Gefreiter, der ein Bein verloren hatte, konnte immerhin schon um Tee und Zigaretten bitten. Ein Hauptfeldwebel, der sonnengebräunt war und völlig gesund wirkte, lag im Sterben.

»Innere Blutungen«, sagte Dr. Beech. »Machen Sie nicht so ein niedergeschlagenes Gesicht, Carlington. Es ist doch nicht Ihre Schuld. Ich glaube nicht, daß unser Benzinmangel seine Lage wesentlich verschlechtert hat. Armer Kerl.«

Bald darauf kehrten Madge und Isola mit einer Kanne Kaffee, einem Armvoll frisch gebackener Baguettes und zweihundert Zigaretten aus dem Dorf zurück. Sie hatten jedoch keinen Tropfen Benzin mitgebracht.

»Sie waren einfach reizend!« Madge hatte es irgendwie geschafft, so auszusehen, als wäre sie gerade von einer Gartenparty hereingeweht worden. »Es tat ihnen furchtbar leid wegen des Benzins, doch die Haushälterin im Pfarrhaus sagte, sie wolle mit ihrem Vetter sprechen. Das ist offenbar etwas heikel, weil sie seit Jahren nicht mehr miteinander reden.«

Zum Erstaunen aller brach Dr. Beech in ein blechernes Lachen aus. »Allbright, Sie sind wirklich einzigartig. Sie könnten auf dem Mars landen und wüßten binnen fünf Minuten über sämtliche Privatangelegenheiten Bescheid.« Sie seufzte, hob die Brille an und rieb sich die violetten Einschnitte auf ihrem Nasenrücken. »Tja, dann müssen wir eben warten. Gott steh uns bei.« Das Sonnenlicht betonte die Linien, die sich während der letzten Tage in ihrem schmalen Gesicht eingegraben hatten. Sie war völlig erschöpft. »Tut mir leid, Mädchen. Doch wie die London Bridge, so klappt Isabel Beech jetzt zusammen. Selbst wenn ich wüßte, was zu tun ist, hätte ich doch nicht die Kraft dazu.«

Rory und Isola sahen Madge an, in der Hoffnung, daß sie die Führung übernähme, doch Madge war offensichtlich genauso fassungslos über Dr. Beechs Kapitulation wie sie selbst. Schwester Harrow übernahm schließlich das Ruder. Am ganzen Leib bebend, als erwachte sie aus einem langen Schlaf, trat sie in Aktion wie ein pensioniertes Zirkuspferd, das die Fanfare hört und plötzlich seine Schritte ausführt wie vordem. Die Disziplin, die ihr während langer Jahre der Krankenhaustätigkeit in Fleisch und Blut übergegangen war, hatte unter all dem Alkohol überlebt.

Man folgte ihren barschen Anweisungen und erwärmte den Kaffee auf dem Spirituskocher. Die Patienten, denen es besserging, wurden aus dem Krankenwagen geholt und im Schatten der Pappeln auf den grasbewachsenen Randstreifen gelegt, wo sie Frühstück bekamen. Über dem Sterbenden, den sie auch nach draußen holte, spannte sie ihren Regenschirm, der ihre Ortswechsel irgendwie überlebt hatte, um sein Gesicht gegen die Sonne zu schützen.

Dr. Beech trank unterdessen eine Tasse Kaffee, rauchte eine der ungenießbaren französischen Zigaretten und erholte sich so weit, daß sie nach ihren Patienten sehen konnte. An der frischen Luft, unter der wohltuenden Sonne, ging es ihnen besser, als

Rory zu hoffen gewagt hatte. Manche schliefen. Der alte Haudegen, der sein Bein verloren hatte, qualmte eine Zigarette nach der anderen und mümmelte sich durch Madges letzte Ration von Fortnum's.

Wie sie versprochen hatte, kam die alte Haushälterin des Priesters schließlich in einem Einspänner angefahren und brachte zwei riesige Kanister Benzin und obendrein Milch für die *pauvres blessés*. Außerdem hatte sie eine Flasche Brandy dabei, den Dr. Beech in Verwahrung nahm. Rory füllte den Tank der Krankenwagen, dann luden sie die Männer behutsam wieder in ihre Kojen.

Dr. Beech kniete neben dem sterbenden Hauptfeldwebel im Gras und hielt seine schlaffe Hand.

Rory beobachtete, wie der letzte Atemzug in seiner Kehle rasselte und der Schleier der Ausdruckslosigkeit sich langsam über seine Augen legte. Irgendwo gab es Menschen, die diesen Mann liebten. Sie versuchte, sie sich vorzustellen, wie sie daheim ihren Geschäften nachgingen und im Traum nicht darauf gekommen wären, daß man ihnen gerade eben das Herz gebrochen hatte. Wie das wohl war, wenn man erfahren mußte, daß der Mann, den man liebte, an einem Straßenrand in der Fremde gestorben war, ohne daß irgend jemand eine Träne um ihn vergossen hatte?

Die Ärztin kreuzte seine Arme über der bandagierten Brust und murmelte mit ihrer trockenen Stimme: »Der Herr ist mein Hirte, mir wird nichts mangeln. Er weidet mich auf einer grünen Aue ...«

In all ihrer Unruhe und Angst standen die Frauen reglos da, als hätte die Welt aufgehört, sich zu drehen.

»Und ob ich auch wanderte im finsteren Tal, fürchte ich kein Unglück, denn du bist bei mir, dein Stecken und Stab trösten mich. Du bereitest vor mir einen Tisch im Angesicht meiner Feinde ...«

Zuletzt murmelten sie alle Amen und schwiegen, bis Dr. Beech sagte: »Wie um Himmels willen sollen wir ihn bloß beerdigen?«

In diesem Augenblick tauchte ein verschmutzter Kobold in Khaki nur wenige Schritte von ihnen entfernt auf.

»Na schau an, wen haben wir denn da? Seht euch das an, Jungs!«

Er winkte, und etwa ein Dutzend Gestalten tauchten hinter ihm auf. Im Nu hatten sie die Krankenschwestern umringt.

»Wie herrlich!« rief Madge. »Gerade jetzt, wo wir Sie so dringend brauchen ... als ob unser Gebet erhört worden wäre!«

Rorys Blick schweifte über die unrasierten Gesichter. Auf manchen lag zwar ein Grinsen, aber die Feindseligkeit in ihren Augen ließ sie aussehen wie wilde Tiere. Die Freude über den Anblick von britischen Uniformen verflog. Sie hatte ein mulmiges Gefühl im Magen.

»Da freut ihr euch wohl, was?« sagte der Anführer. »Ja, das glaube ich. Ganz allein und ungeküßt. Herrje, was für eine Schande. Dagegen müssen wir aber was tun, wie?«

Dr. Beech richtete sich mit hochmütiger Miene auf. »Was wollen Sie?«

»Was hast du denn anzubieten, Mäuschen? Meiner ist ein Hammer.«

Seine Gefährten brüllten vor Lachen.

»Wir sind eine Einheit des Roten Kreuzes«, erklärte Dr. Beech, »kein Bordell.«

Der selbsternannte Anführer reckte ihr das Gesicht entgegen. Dr. Beech mußte sich überwinden, nicht zurückzuweichen.

»Wir hätten gern ein paar von den Tröstern für die Truppen, die Sie dadrin haben. Gehen Sie sie holen.«

»Auf keinen Fall.«

»Keine sehr freundliche Dame, was? Die Jungs und ich, wir sind zwei Tage fast ununterbrochen marschiert. Wir haben Hunger, verstehen Sie? Und wenn Sie uns nichts geben, dann ...«

Rory bebte vor Wut, doch Dr. Beech packte, ohne den trotzigen Blick von ihrem Gegenüber zu wenden, warnend ihren Arm. Dank der kalten Finger, die sich in ihre Haut bohrten, gelang es Rory, ihre Zunge im Zaum zu halten.

»Wagen Sie es ja nicht, die Krankenwagen anzurühren«, sagte Dr. Beech mit der ganzen Autorität, die ihr zu Gebote stand. »Wir haben Verletzte dadrin.«

»Gleiches Recht für alle«, sagte der Mann. »Wieso sollen wir verhungern, nur weil wir mit heiler Haut davongekommen sind?«

»Ich sage Ihnen, wir haben nichts für Sie. Und Sie sollten sich schämen, daß Sie sich hier aufführen wie der letzte Dreck, während ein toter Kamerad zu Ihren Füßen liegt.«

Das Gesicht des Anführers wurde plötzlich häßlich vor Wut. »Erzählen Sie mir nichts von toten Kameraden ... Ich habe schon Bessere gesehen, die neben mir zerfetzt wurden, also halten Sie mir keine Vorträge, denn ich habe genug von diesem verdammten Gerede und von Befehlen.«

»O Gott!« schrie Madge auf. »Das sind Deserteure!«

Wutentbrannt fuhr er zu ihr herum. »Da ist nichts übrig zum Desertieren, kapiert? Der Krieg ist vorbei, und jeder muß sehen, wie er durchkommt.«

Einer der Männer schlug die Plane eines Lastwagens beiseite. Die Lippen der Ärztin waren weiß geworden. Ohne es zu merken, grub sie die Finger tiefer in Rorys Arm.

»Rühren Sie ja nichts an!«

Der Anführer lachte gehässig. Sein Gesicht war nur noch eine Handbreit von ihrem entfernt. »Versuchen Sie doch, uns davon abzuhalten. Wir haben nichts gegen einen kleinen Kampf.«

Plötzlich packte er Dr. Beechs Schultern mit gespannter Aufmerksamkeit. Sie hörten den Hufschlag eines Pferdes. Alle Männer verstummten.

Rory klopfte das Herz in der Kehle.

»Mist«, sagte einer, und es klang eher verwirrt als wütend, »das ist ein Offizier.«

Madge seufzte erleichtert.

Rory wandte sich um, gerade als ein Reiter die Straße überquerte. Für den Bruchteil einer Sekunde meinte sie zu träumen, und ihre Augen weigerten sich zu glauben, was ihr Herz bereits wußte. Ihr war, als müßte sie auf der Stelle sterben, wenn er sich auch nur einen Meter wieder entfernte. Sie fand ihre Stimme nur mit Mühe, doch dann entrang sich ihrer Kehle ein Schrei, der den Himmel hätte zum Einstürzen bringen können.

»Mutt! Muttonhead!«

Der Offizier zügelte sein Pferd und zuckte zusammen, als hätte ihn eine Kugel in den Rücken getroffen.

Rory bahnte sich gewaltsam einen Weg durch die Soldaten und stürzte die Straße hinab auf ihn zu, mit ausgestreckten Armen schrie sie wieder und wieder seinen Namen. Niemals würde sie den Ausdruck ungläubiger Verwunderung in Muttonheads Gesicht vergessen, als sie den Steigbügel umklammerte und wie eine Wahnsinnige seinen schlammbedeckten Stiefel küßte.

Er trug einen Zweitagebart, seine Khakiuniform war zerrissen und fleckig, und eine Hand war in ein schmutziges blutiges Taschentuch gewickelt. Als er sich von seiner Überraschung erholt und den anderen Frauen grüßend zugenickt hatte, blickte er mit finsterer Miene auf den Kreis der Männer hinab.

»Was zum Teufel geht hier vor?«

Die Soldaten wichen zurück, hin- und hergerissen zwischen Auflehnung und Unterwerfung. Muttonheads finsterer Blick steigerte sich zum Zornesfunkeln. Er machte den selbsternannten Anführer unter ihnen aus.

»Sie da ... nehmen Sie Haltung an, Mann. Und salutieren Sie gefälligst.«

Muttonheads hoch aufragende Gestalt im Sattel war der Inbegriff gebieterischer Empörung, und alle Männer salutierten.

»Regiment?«

»North Surreys.« Grollend setzte der Mann hinzu: »Sir.«

»Ist wohl Surrey-Tradition, in der Gegend herumzuziehen und Frauen zu terrorisieren, wie?«

»Wir haben unsere Kompanie verloren, Sir.«

»Das ist keine Entschuldigung. Ich habe meine auch verloren.« Seine Miene wurde eine Spur milder. »Nehmen Sie Aufstellung. Sie können mit mir kommen.«

»Wieso denn?« platzte der Anführer heraus. »Wo sollen wir denn hin? Es geht doch sowieso alles drunter und drüber ... Der Krieg ist vorbei.«

»Der Krieg ist nicht vorbei. Und wenn Sie nicht hinter mir Aufstellung nehmen, bringe ich Sie wegen Meuterei vors Kriegsgericht.« Er richtete sich in den Steigbügeln auf. »Hört zu, Jungs, ich weiß, daß wir verdammt in der Patsche sitzen. Ihr seid müde und hungrig. Doch ihr dürft jetzt nicht aufgeben. Wir werden eure Kompanie finden, so daß ihr etwas zu essen und ein Quartier bekommt.«

Mittlerweile hatten die Männer nichts Bedrohliches mehr an sich – sie sahen nur abgerissen und müde aus und waren offensichtlich froh, daß jemand die Verantwortung übernahm. »Sie beide da«, Muttonhead nickte zwei Männern zu, die Spaten auf dem Tornister trugen, »begraben Sie den Leichnam.« Er stieg vom Pferd.

Madge räusperte sich. »Soll ich ... darf ich irgend jemandem eine Tasse Tee anbieten?«

Die Soldaten ließen die Köpfe hängen. Ein gemurmeltes »Danke, Ma'am« war zu hören. Einer der Männer trat vor und half ihr, den Spirituskocher in Gang zu setzen.

»Arme Kerle«, sagte Rory. »Es tut mir richtig leid, daß ich mich so vor ihnen gefürchtet habe.«

Muttonhead hatte sie von den anderen weggeführt. Sanft hob er ihr Kinn und sah sie an. Ein schmerzlicher Ausdruck stand in seinem Blick, den ein Fremder wohl kaum bemerkt hätte, den Rory jedoch als ein seltenes Zeichen starker Ergriffenheit verstand. Er umfing sie mit seinem Blick, als hätte er sie noch nie gesehen. Es erfüllte sie mit einem seltsamen Unbehagen.

»Mutt, und wenn ich tausend Jahre alt würde, ich könnte niemals ausdrücken, wie froh ich bin, dich zu sehen. Bist du etwa nicht überrascht?«

Sein Auflachen klang wie ein Schnauben. »Ich werde dich nicht mal fragen, was du hier eigentlich treibst. Die Genugtuung gönne ich dir nicht.«

Rory schob die Hand in seine Armbeuge. »Wir haben die Kanonen bei Mons gehört. Warst du dort?«

»Ja.«

»War es ... War es sehr schlimm?«

Muttonheads Miene war grimmig. »Das kann man wohl sagen. Wenn du nach Hause kommst, sag Mutter, daß du mich gesehen hast. Ich möchte nicht, daß sie sich unnötig Sorgen macht.«

»Wenn wir je wieder nach Hause kommen.«

»Fahrt nach Boulogne. Laßt euch von niemandem aufhalten. Seht zu, daß ihr aus diesem Krieg rauskommt.«

Sie konnte sich die Frage nicht verkneifen. »Warum? Weil ich bloß eine Frau bin und niemandem nützlich sein kann?«

»Um Gottes willen«, Muttonhead riß sie plötzlich an sich, »weil ich jedes einzelne Haar von dir liebe, du dumme Göre!«

Rory klammerte sich an seinen Hals und vergrub das Gesicht in den kalten Metallsternen auf seiner Schulter. »Bitte sag, daß du mir verzeihst. Bitte sag, daß du mir nicht mehr böse bist«, sagte sie mit tränenerstickter Stimme.

Muttonhead drückte sie an sich. »Ich hatte unrecht, Rory. Und nun wollen wir keine weiteren Scharmützel mehr, wie?« Sie spürte, wie schwer ihm diese Erklärung fiel. Er hatte es immer gehaßt, sich zu entschuldigen.

»Nie wieder«, versprach sie.

Er lächelte, als er sich von ihr löste. »Bis zum nächstenmal, wenn du mich wieder auf die Palme bringst.«

Er mußte aufbrechen. Rory sah zu, wie er die Männer auf der Straße antreten ließ. Ehe er wieder aufs Pferd stieg, legte sie ihm die Hand auf den Arm und flüsterte: »Gott behüte dich, Mutt.«

Er sah nicht zurück, als er sich mit seinen Soldaten auf den Weg machte. Eine schreckliche Trübsal senkte sich über Rory, und sie schaffte es gerade noch, ihm nicht hinterherzurennen. Doch sie hatten ihren Streit beigelegt, und die beglückende Gewißheit, daß sie seiner Zuneigung wieder sicher sein konnte, wirkte auf sie, als hätte man ihr Herz aus einer eisernen Zwinge befreit.

Isola stand neben ihr und beobachtete Muttonhead ebenfalls.

»Das«, sagte sie nachdenklich, »ist der himmlischste Mann, den ich im ganzen Leben gesehen habe.«

»Und wenn das Ihr Bruder ist, Carlington«, meinte Dr. Beech, »dann bin ich die Kaiserin von Deutschland.«

2

»Na?« Stevie blickte vom Dienstplan auf, mit dem er sich in der letzten Stunde abgeplagt hatte. »Was hat er gesagt?«

Lorenzo knallte die Tür der Wirtsstube, die als Schreibzimmer diente, mit solcher Wucht hinter sich zu, daß die Reihen der Gläser über den verhüllten Zapfhähnen klirrten. »Ich sei ein unverschämter junger Offizier. Die Frechheit stünde mir ins Gesicht geschrieben. Solche wie mich kenne er, und wenn nicht Krieg wäre, hätte er mich so schnell aus der Armee geschmissen, daß ich nicht mal zum Luftholen käme.«

»War also nicht allzu schlimm?«

»Nein. Mehr oder minder das Übliche. Er hat wieder mit meinen Eltern angefangen, aber Chetwynde hat dagegengehalten und ihm erklärt, wenn die Armee ihre Offiziere nach der Brauchbarkeit ihrer Verwandten aussuchen würde, dann müßte sie fast alle entlassen.«

Stevie lachte. »Angefangen mit dem Colonel, dem alten Schweinehund. Den müssen sie aus einem Museum geholt haben. Er glaubt, daß wir immer noch gegen die Mahdisten im Sudan kämpfen.«

Ihr betagter Colonel war reaktiviert worden, um das frisch rekrutierte Bataillon auf Vordermann zu bringen. Er verabscheute jüngere Offiziere ganz allgemein und Lorenzo im besonderen. Im Verlauf der letzten Woche, während derer sie ihr Camp auf der Gemeindewiese aufschlugen, hatte er keine Gelegenheit ausgelassen, Lorenzo zusammenzustauchen. Diesmal ging es darum, daß Lorenzo aus eigener Initiative nach Brighton hineingefahren und sämtliche Stiefel gekauft hatte, die er auftreiben konnte. Die Rekruten waren in Zivilkleidung eingetroffen, man hatte keine Uniformen für sie, und ihre Schuhe waren bereits nach dem ersten Marsch kaputt gewesen. Sie waren erbärmlich untergebracht, in undichten Zelten, und steckten zumeist noch in den Klamotten, die sie bei der Ankunft getragen hatten. In der Stadt hatte Lorenzo die Gelegenheit genutzt, um zweihundert Wolldecken, vierhundert Blechtassen und sechzig galvanisierte Eimer zu bestellen. Als er dann dem alten Colonel Gilbert vor dem Abendessen in der Offiziersmesse die Rechnung präsentierte, war das Maß voll.

»Ich glaube nicht, daß der pensioniert war«, sagte Lorenzo und warf seine Mütze auf den Tisch, »eher einbalsamiert.«

»Will er denn, daß du das Zeug zurückgibst?«

»Nein, natürlich nicht. Er weiß ganz genau, daß wir irgend etwas für die Männer tun müssen, sonst verschwinden sie mit dem nächsten Zug nach Hause.«

»Weichlinge!« Stevie imitierte die bellende Stimme des Colonels. »Alles Weichlinge und Schlappschwänze!« Er reckte sich gähnend. »Mein Gott, Larry, wie sollen wir bloß hundert Männer an der Waffe ausbilden, wenn wir nur eine Lee-Enfield und drei Besenstiele haben?«

Lorenzo starrte aus dem Fenster auf die Reihen der Rundzelte, die sich unter dem Herbstregen an den Boden kauerten. »Und ich wünschte, ich wäre in London in einem hübschen warmen Bordell, umringt von teuren Nutten mit riesigen Ärschen.«

Stevie errötete und sagte: »Nun red doch nicht so.«

»Wieso denn nicht? Der Kämpfer braucht seine kleinen Erbauungen, und diese ständige Langeweile bewirkt, daß er mir hart wird wie die Königlichen Dienstvorschriften.«

»Hör auf.«

Lorenzo wandte sich ihm zu. »Was erwartest du denn von mir? Soll ich ihn bis auf weiteres einmotten?«

»Du weißt schon, was ich meine.« Das Sprechen schien Stevie schwerzufallen. »Das ist jetzt etwas anderes.«

»Jetzt, wo ich verheiratet bin?«

»Ja, genau.«

»Ich dachte, ich hätte dich gebeten, deine Nase nicht in meine Angelegenheiten zu stecken.«

Es widerstrebte Stevie, Lorenzo zu ärgern, doch er ließ sich nicht beirren: »Ich glaube, in gewisser Hinsicht ist das auch meine Angelegenheit. Ich habe Eleanor furchtbar gern, und ich werde nicht einfach hinnehmen, daß du sie schlecht behandelst.«

Ein gefährliches Glitzern stand in Lorenzos schwarzen Augen. »Ich schicke der Frau doch reichlich Geld und behindere sie in keiner Weise. Wie kommst du darauf, daß ich sie schlecht behandle?«

»Du könntest ihre Briefe beantworten. Sie ... sie ist nun mal ganz verrückt nach dir. Ab und zu mal ein Wörtlein, und alles sähe schon anders aus.«

»Hat sie sich bei dir beschwert?«

»Nein!«

Lorenzo stöhnte ungeduldig. »Nein, selbstverständlich nicht.

Sie ist viel zu tugendhaft, um auch nur ein Wort gegen mich verlauten zu lassen. Dann hast du also Berichte von ihrer albernen kleinen Freundin bekommen, stimmt's?«

Stevie war nicht gewillt, sich durch diese Erwähnung Francescas beleidigen zu lassen. »Was kostet es dich, wenn du ihr ab und zu mal ein höfliches Wort schreibst? Du hast ihr nicht mal zum Geburtstag gratuliert.«

»Geburtstag?«

»Hat sie den etwa nicht erwähnt?«

»Kann schon sein.« Lorenzo zuckte die Achseln. »Sie überschwemmt mich mit Briefen. Ich lese sie nicht immer.«

»Du wirst niemals glücklich sein, wenn du so weitermachst«, sagte Stevie sanft. »Du kannst sie doch nicht ewig bestrafen.«

»Komm mir nicht mit weisen Ratschlägen. Allmächtiger, hast du dich noch nicht genug in mein Leben eingemischt?«

Das war ein Tiefschlag, und Lorenzo wußte es. Es bereitete ihm ein grimmiges Vergnügen, Stevie daran zu erinnern, welche Rolle er gespielt hatte, als es darum ging, ihn vor den Traualtar zu schleppen.

»Du weißt, daß ich meinen rechten Arm dafür gegeben hätte, um dich da wieder rauszuholen«, sagte Stevie. »Aber gib mir ruhig weiter die Schuld, wenn das dazu beiträgt, daß du dem armen Mädchen verzeihen kannst.«

Lorenzo öffnete den Mund, um einen weiteren Pfeil auf die unwiderstehliche Zielscheibe abzuschießen, die Stevies Anstand für ihn darstellte, doch er wurde durch ein Klopfen daran gehindert. Es war der Sergeant.

»Entschuldigen Sie, Sir, ein paar von den Männern hätten Sie gern gesprochen.«

»O Gott«, sagte Lorenzo, »heute kriegen wir's aber von allen Seiten. Erst der alte Mann, jetzt die Schlappschwänze. Was wollen die denn?«

Sergeant Ayres war ein großer, muskulöser ehemaliger Berufssoldat mittleren Alters, der im Burenkrieg gedient hatte und von seinem Tabakladen in Bermondsey zu den Fahnen geeilt war. Er wandte sich an Stevie.

»Weitere Beschwerden, Sir, fürchte ich.«

Während ihrer paar Monate als Unteroffiziere hatten Stevie

und Lorenzo den wahren Gehalt von Kiplings Maxime begriffen: ›Das Rückgrat der Armee ist der Unteroffizier.‹ Ayres war ein wandelndes Buch der Weisheit, und sein Verhältnis zu den frischgebackenen Offizieren war, anders als das des Colonels, von zärtlicher Fürsorglichkeit bestimmt.

Stevie runzelte die Stirn. »Was meinen Sie denn, Ayres, was soll ich ihnen denn sagen?«

Ayres liebte Stevie wie einen Sohn. »Sollen sie doch ruhig ein bißchen Dampf ablassen, Sir. Sprechen Sie freundlich mit ihnen. Sagen Sie ihnen, ihre Uniformen wären bald da.«

»Da könnte er ihnen genausogut sagen, es wäre bald Weihnachten«, meinte Lorenzo.

Die sieben Männer, die gekommen waren, um sich zu beschweren, gehörten der ›gehobenen Klasse‹ der Rekruten an, wie der Sergeant es ausdrückte – wortgewandte, gepflegte Männer, die sich aus patriotischem Überschwang gemeldet hatten und sich nun ärgerten, weil sie wie die Zigeuner leben mußten. Ihr Wortführer war ein eleganter junger Mann mit geöltem Haar und einem kleinen Lippenbart, der geformt war wie eine Augenbraue.

»Also wissen Sie«, fing er an, » wir haben jetzt langsam wirklich die Nase voll.«

»Ich würde meinen, Sie müssen salutieren und mich Sir nennen«, unterbrach Stevie in nachsichtigem Ton. »Sie werden sich schrecklichen Ärger einhandeln, wenn Sie das nicht tun. Sie sind Davis, nicht wahr?«

Davis salutierte. »Ja, Sir. Und offen gesagt, Sir, wir haben die Bedingungen im Lager satt. Als wir uns gemeldet haben, war keine Rede davon, daß wir unter Zeltbahnen leben müßten. Und schon gar nicht davon, daß wir jede Nacht naß werden würden.«

»Sie können die Armee doch nicht für das Wetter verantwortlich machen«, wandte Lorenzo ein.

»Das wohl nicht, Mr. Hastings.« Davis war verlegen. »Doch ich finde schon, daß die Armee die Zelte wasserdicht machen könnte. Und was ist mit unseren Uniformen? Die Hälfte von uns läuft regelrecht in Lumpen herum, wir teilen uns jetzt schon das Rasierzeug. Und was die sanitären Anlagen angeht ...«. Er verstummte erschaudernd. »Also, an so etwas sind wir einfach nicht gewöhnt.«

»Eine Zumutung, ich weiß.« Als Stevie sich zu seiner Ansprache anschickte, hatte man den Eindruck, daß er sie bereits hundertmal vor immer neuen empörten Rekruten gehalten hatte. »Doch Sie werden Geduld haben müssen, Davis. Captain Chetwynde tut, was er kann, um die Uniformen aus dem Depot zu holen, und angeblich bekommen wir demnächst auch richtige Hütten. Fürs erste sind wir wirklich schrecklich dankbar für die faire Art und Weise, wie ihr Burschen euch bislang gehalten habt. Ich glaube gern, daß Sie an so etwas nicht gewöhnt sind. Was waren Sie denn im Zivilleben von Beruf?«

Davis reckte sich stolz. »Meine Freunde und ich«, er wies auf die drei Männer, »sind Berufsmusiker, Sir, ein Streichquartett. Wir haben uns gemeinsam gemeldet, unmittelbar nach unserem Nachmittagskonzert in der Kardomah-Teestube in der Oxford Street.«

Lorenzo ließ ein prustendes Lachen hören.

Stevie hatte alle Mühe, das Zucken um seinen Mund zu unterdrücken. »Und wie steht's mit den anderen?«

Einer der Männer trat vor und drehte seinen ramponierten Strohhut in den Händen. »Wir sind von Harrods, Sir.«

»Harrods?« sagte Lorenzo. »Aus welcher Abteilung?«

»Damenwäsche, Sir.«

»Sie sind genau der Mann, den ich brauche. Vielleicht können Sie mir sagen, was ich meiner Frau zum Geburtstag schicken kann?«

Stevie blickte auf und hoffte, er meinte es ernst. Lorenzo drückte flüchtig seine Schulter. Solche Demonstrationen waren selten, und Stevie wußte, daß ihm verziehen war.

»Ja, also, Sir«, sagte der Mann von Harrods, »in seidenen Nachthemden sind wir sehr gut sortiert. Haben Sie denn ein Konto bei uns?«

»Ah gut, Carr-Lyon«. Captain Chetwynde fing Stevie ab, als der sich, auf dem Rückweg vom schlammigen Exerzierplatz, zwischen den Zelten hindurchschlängelte. »Sie haben Besuch.«

»Besuch?«

»Ihre Mutter, mein Junge.« Chetwynde war ein hervorragender Polospieler aus der Indien-Armee, der während seines England-Urlaubs zu dem neuen Bataillon abkommandiert worden war. »Putzen Sie sich besser die Stiefel. Wahrscheinlich schaut sie mal vorbei, um sich zu vergewissern, daß Klein Stevie hier keine nassen Füße bekommt.«

»Herrje! Wo ist sie denn?«

»Trinkt Tee mit dem Alten. Sie brauchen sich nicht zu beeilen. Als ich das letztemal reingeschaut habe, redeten sie wie aufgezogen.«

Stevie lief in das Wirtshaus, in dem die Offiziere einquartiert waren. Er wollte sich einigermaßen vom Schmutz befreien. Er liebte seine Mutter sehr, doch ihr jetzt gegenübertreten zu müssen, war ihm äußerst unangenehm. Ob sie seinen Brief bekommen hatte?

Er traf sie dabei an, wie sie mit Colonel Gilbert Sandwiches aß. Der alte Mann, der sich gemütlich in seinem Sessel rekelte, wirkte nahezu menschlich. Sie lachten beide.

»Stevie, mein Schatz!« Marian Carr-Lyon sprang auf, um ihn zu umarmen.

»Hallo, Mum.« Stevie küßte ihre faltige Wange und atmete tief den Duft von Amber und Kampfer ein, der ihrer Zobelstola entstieg. Obwohl es ihm peinlich war, vor seinem Vorgesetzten als ›Stevie, mein Schatz‹ angeredet zu werden, spürte er doch, wie alle Anspannung von ihm wich, als er das tröstliche Gefühl der mütterlichen Arme spürte.

»Nun«, sagte der Colonel, »Sie werden ja wohl mit dem Jungen allein sein wollen, schätze ich. Sie sind bestimmt nicht so weit gefahren, um so ein Relikt wie mich zu besuchen.«

Mrs. Carr-Lyon reichte ihm die behandschuhte Hand. »Unsinn, Clive, Sie haben mir das Gefühl gegeben, wieder zwanzig Jahre jünger zu sein. Sie sind garantiert noch immer der beste Tänzer im Regiment.«

»Nur mit Ihnen, Marian. Ich habe schon immer Frauen gemocht, die ein bißchen Schwung haben.«

Stevie lauschte diesem Wortwechsel ungläubig. Als der Colonel gegangen war, sagte er: »Erzähl mir nicht, daß der alte Mann jemals jung genug war, um mit dir zu tanzen!«

»Dummkopf, er ist doch nicht mit grauem Haar auf die Welt

gekommen. Eigentlich ist er ein reizender Mann und ein sehr guter Offizier. Ich bin so froh, daß ich ihn persönlich sprechen und ihn bitten konnte, auf meinen Jungen ganz besonders gut aufzupassen.«

»O Gott, Mum, das hast du doch nicht wirklich getan?«

»Du brauchst gar nicht so zu stöhnen. Ich bin schon viel länger bei der Armee als du und weiß, wie diese Dinge laufen.« Sie nahm Stevies Hände. »Laß dich mal anschauen, Schatz. Ich habe irgendwie das Gefühl, als hätte ich mich nie wirklich an dir satt sehen können. Erst mußte ich dich auf die Schule schicken, dann nach Cambridge, und nun ist es die Armee. Ich scheine dich immer nur zu verlieren.« Ihre Lippen zitterten. In ihren ersten zehn Ehejahren hatte sie sechs Fehlgeburten erlitten. Stevies Schönheit entschädigte sie für den Verlust der anderen Kinder. Er war ihr einziges, ihr vollkommenes Juwel. »Aber du kehrst ja immer wieder zurück zu deiner kleinen Mum.«

»Und das werde ich auch immer tun.«

»Ach, Stevie! Du weißt, warum ich hier bin.«

»Wegen meines Briefes?«

Mrs. Carr-Lyon fand zu ihrer Lebhaftigkeit zurück. »Komm her, Schatz.« Sie setzten sich auf das Ledersofa an der Wand. »Ich wußte zwar, daß du mit dem Mädchen verkehrst, doch ich wäre nie auf die Idee gekommen, daß das bis zur Verlobung gehen könnte.«

»Ich weiß, ich hätte es dir früher sagen sollen. Du bist doch ... du bist doch nicht böse?«

»Böse! Stevie, was ist denn bloß in dich gefahren? Du hast mir doch immer alles erzählt. Du weißt, daß ich versucht habe, dich zu verstehen.«

»Dann versteh mich bitte auch jetzt.« Er sprach rasch, da ihm klar war, daß der mütterliche Wille in die entgegengesetzte Richtung strebte. Es kam nicht oft vor, daß er seinen Kopf durchzusetzen versuchte. »Francesca ist ein Engel, sie ist das reinste und liebste kleine Ding der Welt.«

»Selbstverständlich will ich, daß du glücklich wirst.«

»Ich werde glücklich sein, wenn ich Francesca heirate.«

»Jungchen, hör mir mal zu.« Mrs. Carr-Lyons Stimme wurde stählern. »Ich mache dir keinerlei Vorwürfe, weil du ja noch sehr jung bist und weil ... nun, weil die Seiten deines Wesens, die mich am meisten stolz auf dich machen, deine Ritterlichkeit und deine Treue, dich zur leichten Beute für Menschen machen, die dich ausnutzen wollen. Nein, hör zu! Ich bin überzeugt davon, daß sie ein hübsches Dingelchen ist. Doch es ist nicht gerade sehr klug von dir, daß du dich in das erste hübsche Gesicht verliebst, dem du begegnest.«

Stevie beschwor Francescas schmelzend braune Augen herauf und mußte feststellen, daß er statt dessen Monicas sah. Das bewirkte, daß er mit ungewohntem Nachdruck erklärte: »Ihr Gesicht genügt mir auf alle Zeiten.«

»Aber ist sie denn – wozu drum herum reden? – gut genug für dich?«

Er spürte den Geschmack von Monicas Haut im Mund. »Gut genug?« wiederholte er wütend. »Ich bin ihrer nicht wert. Francescas Liebe ist das Reinste in meinem Leben überhaupt.«

Seine Heftigkeit beunruhigte Marian Carr-Lyon. Sie war daran gewöhnt, Stevie zu lenken – ihren guten, pflichtgetreuen Jungen, der nur lebte, um seinen Eltern Freude zu machen. Doch hatte es schon andere Anlässe gegeben, wo sie auf diesen widerborstigen Zug gestoßen war. Sie kamen ihr jetzt wieder in den Sinn, und sie sagte in bitterem Ton: »Da steckt doch wieder dieser Laurence Hastings dahinter, stimmt's?«

Stevie ertrug die Einwände seiner Mutter gegen Lorenzo nicht. »Bitte, Mum, fang jetzt nicht davon an. Dies hier hat überhaupt nichts mit ihm zu tun.«

»Nein? Er heiratet, nun mußt du das natürlich auch tun. Nur weil er das Leben dieser schwachsinnigen kleinen Herries ruiniert, muß er deines auch ruinieren.«

»Warum mußt du ihn bloß überall mit reinziehen?«

»Weil du ihm, seit du auf die Schule gekommen bist, nachläufst wie ein Schaf ... doch, doch Stevie. Er war der einzige Grund dafür, weshalb du so versessen auf Cambridge warst, während dein Vater und ich erwartet hätten, daß du nach Sandhurst gehst.«

»Es ist doch nicht Larrys Schuld, daß ich nicht die militärische Laufbahn einschlagen wollte. Und außerdem bin ich ja nun hier.«

»Ja, wegen Hastings. Er hat einen schlechten Einfluß auf dich. Das habe ich schon immer gesagt.« Marian Carr-Lyons Stimme zitterte und brach, und es herrschte ein beklommenes Schweigen, während sie nach ihrem Taschentuch tastete.

Stevie sah sie hilflos an. Er hätte sie gern getröstet, doch seine Liebe zu Lorenzo verschloß ihm den Mund.

Sie putzte sich die Nase. »Ich bin nicht hergekommen, um mit dir über ihn zu streiten. Ich möchte dich nur bitten, gründlich über diese Verlobung nachzudenken. Sag mir die Wahrheit: Hast du versprochen, das Mädchen zu heiraten?«

»Ja. Ich könnte nicht zurück, ohne mich durch und durch unehrenhaft zu betragen. Das wirst du doch bestimmt nicht wollen?«Er streichelte seiner Mutter begütigend die Hand. »Mum, könntest du dich nicht entschließen, sie zu mögen? Ich wäre der glücklichste Mensch der Welt.«

»Ich werde keinen Fuß in das Haus dieser gräßlichen Templeton setzen. Keine Macht der Welt bringt mich dazu.«

»Dann kann Francesca dich doch besuchen. Sie ist überhaupt nicht wie ihre Mutter. Du kannst dir nicht vorstellen, was für ein Schatz sie ist.«

Mrs. Carr-Lyon betrachtete ihren hochgewachsenen Sohn, der so gut aussah in seiner Uniform, und erkannte, daß er nicht davon abzubringen war. Was immer sie sagen würde, Klein Stevie hatte die Absicht, den einmal gewählten Weg weiterzugehen. Sie war zwar bekümmert, aber eigenartigerweise zugleich beeindruckt. Irgendwie war sie auch stolz darauf, daß sie ihm nachgeben mußte. Schließlich hatte sie ihr ganzes Leben dem Ziel gewidmet, einen Mann aus ihm zu machen. Jetzt, wo er ein Mann geworden war, hatte sie nicht das Recht, sich deshalb zu beschweren.

»Na schön. Sag dem Kind, daß es mich besuchen soll. Wenn es nun einmal beschlossene Sache ist, werde ich wohl das Beste daraus machen müssen.«

Stevie vergalt es ihr mit einem strahlenden Lächeln. »Du bist einfach großartig.«

Sie nahm ihn in den Arm, drückte seinen blonden Kopf an ihr Herz und dachte an den Tag seiner Geburt, als sie über dem kahlen Köpfchen ihres Kindes geweint hatte. Marian Carr-Lyon

war in die Armee hineingeboren worden und hatte in sie einge-
heiratet. Alle Männer ihrer Verwandtschaft waren Soldaten. Sie
war nicht die Frau, die sich wegen der Gefahren des Krieges
Sorgen machte. Jetzt jedoch streiften ihre Gedanken das Un-
denkbare, und sie wußte, wenn sie Stevie verlöre, würde es sie
umbringen. So sollte er doch die kleine Garland heiraten, sollte
er doch Lorenzo bis ans Ende der Welt nachlaufen, sollte er
doch genau das tun, was er wollte. Sie würde sich durch nichts
als den Tod von ihm trennen lassen.

3

Die ersten hellen Streifen der Morgendämmerung vertrieben die
Schatten im Unterstand. Muttonhead faltete Rorys Brief sorgfältig zusammen und steckte ihn in die Tasche. Immer wenn er
ihn las, schien ihre vitale, humorvolle Stimme an sein Ohr zu
dringen, und die Häßlichkeit des Krieges war wie weggeblasen.
Er mußte ihr antworten, dachte er, als er nach seinem Feldstecher griff und die verlöschende Kerze ausblies. Nur um sie wissen zu lassen, wieviel der Brief ihm bedeutete – wahrscheinlich
konnte sie sich das gar nicht vorstellen.

Er ging zum Appell hinaus und zog den Kopf an der niedrigen, von Sandsäcken umgebenen Türöffnung ein. Nach vier
Tagen und vier Nächten in diesem schlechtgebauten Schützengraben östlich von Neuve-Chapelle war ihm das Sichducken
und Niederkauern zur zweiten Natur geworden. In den feindlichen Linien gab es einen Heckenschützen, der einem den Kopf
wegpusten konnte, wenn auch nur ein Haar über den Wall hin-
ausragte. Es war sehr ermüdend für einen Mann von Muttonheads Größe.

Die gespenstischen Gestalten der anderen nahmen entlang
den Erdwällen Aufstellung und beobachteten in atemlosen
Schweigen, wie die aufgehende Sonne die rauchgeschwängerte
Luft durchdrang und das Gewirr des rostigen Stacheldrahts und
die bombenzernarbte Landschaft dahinter enthüllte.

Langsam ließ das Licht erschöpfte, bartstoppelige Gesichter erkennen, dreckverkrustete, vom Stacheldraht zerfetzte Uniformen und Stiefel. Bei jedem Appell nach einer mehr oder minder schrecklichen Nacht war es, als sähe man die eigenen Träume Gestalt annehmen. In der Dunkelheit war sich Muttonhead der Persönlichkeit jedes einzelnen seiner Männer bewußt, empfand jedes Nervenzucken und jede Gefühlsaufwallung wie seine eigenen. Tauchten sie dann in der Morgendämmerung mit ihren Gesichtern und Körpern wieder auf, war ihre Wirklichkeit überwältigend. Nur Rorys Brief erinnerte ihn überhaupt daran, daß es ja noch eine andere Welt gab.

Der neue Tag brach über Major Ned Mahon an, der in seinen stachligen roten Schnauzbart gähnte; über Leutnant ›Scud‹ Scudamore, einem Piraten, der etwas Verrücktes im Blick hatte; über dem Subalternleutnant Danny Yates, dessen sommersprossiges Gesicht noch kaum den Rasierapparat kennengelernt hatte. Muttonhead kannte ihre Temperamente wie sein eigenes: Mahons angenehm schnörkellose Professionalität, Scuds stürmische Energie, Dannys ständiges Entsetzen, in das sich zuviel empörte Überraschung mischte, als daß man es als echte Furcht hätte bezeichnen können.

Nichts regte sich außer dem Wind, der ihnen den Gestank der Latrinen ins Gesicht blies. Sobald der Appell vorbei war, klammerten sich alle an das letzte bißchen Routine. Die Männer, ausnahmslos Iren, kochten Tee und beteten den Rosenkranz. Das mit dem Rosenkranz war Mahons Idee gewesen – er war der einzige Katholik unter den Offizieren. Während er seine Ave Marias murmelte, versuchten die anderen, so etwas wie Waschen und Rasieren anzudeuten, alles mit Hilfe des schwarzen Wassers in der einzigen Blechschüssel.

Wasser war, wie alles andere, streng rationiert. Die Verbindungslinien hinter dem Schützengraben waren noch nicht fertig, und so hatte kein Nachschub durchkommen können. In der vergangenen Nacht hatte Muttonhead zusätzliches Graben und Verdrahten überwacht, doch die Deutschen hatten Maschinengewehre, die auf jede Deckungslücke eingerichtet waren. In Abständen hatten sie Leuchtbomben emporgeschickt und das Feuer eröffnet, und Muttonhead hatte einen guten Teil der Nacht auf dem Boden liegend verbracht und die Erde geküßt, während die Kugeln ihm um die Ohren sausten.

»Warte! Du kleines Mistvieh!« brüllte Scudamore. Muttonhead, der sich gerade das Gesicht einschäumte, wappnete sich gegen den Knall. Scud feuerte mit seinem Dienstrevolver gern auf Ratten.

»Wenn Sie das doch bloß lassen wollten«, sagte Danny mit zitternder Stimme.

»Gefällt Ihnen das Geräusch nicht, wenn sie platzen?«

»Eine ekelhafte Angewohnheit ist das.« Danny sprach, als ginge es ums Nasebohren. »Habe ich nicht recht, Sir?«

»Sparen Sie sich Ihre Munition für den Feind auf, Scud«, meinte Muttonhead.

»Sehen Sie sich die an ... in ihren kleinen grauen Uniformen. Das ist doch der Feind.« Scudamore hatte die blaßblauen Augen eines Fanatikers. »Es ist das Gefühl ihrer Pfötchen, die über die Decke trippeln, wenn man schläft ... pfui Deibel! Die warten darauf, daß ich sterbe, damit sie mich fressen können, die kleinen Schweinehunde.«

Muttonhead betrachtete den Kadaver der Ratte: ein klebriger Klumpen, an dem noch ein paar fettige Haare hingen. Daß der arme junge Danny zerfetzte Ratten mehr zu fürchten schien als das Blut und die zersplitterten Gebeine toter Männer, war ulkig. Mehr als die Verwundeten, die wimmernd ihr Leben im Schützengraben beendeten, weil die Männer mit den Tragbahren nicht durch das Sperrfeuer kamen.

Er wischte sich die Seife aus dem Gesicht, knöpfte die arg mitgenommene Uniformjacke zu, zündete seine Pfeife an und ging wieder hinaus in den Schützengraben, um die scharfe herbstliche Brise zu fühlen. Über den steilen Erdwällen, die hier und da durch schlammige Planken abgestützt wurden und von Schießscharten und Wachtürmen durchbrochen waren, konnte er den Himmel sehen, der noch rosig gefärbt war. Er mußte an Irland denken, an den rauchblauen Dunst, der über dem Lough waberte, die niedrig hängenden Wolken, die sich für einen Augenblick teilten, um die schwarzen Umrisse der Berge zu enthüllen, an seine feuchte Waffenkammer auf Carey Castle. Jetzt wäre die Jagd eröffnet, und wenn sie dort auch solches Wetter hätten wie hier, wäre das kein übler Tag. Nicht zu naß, ein frischer Wind, aber auch kein Frost, der die Witterung abtöten würde. War ja auch ein prächtiges Gelände, auf der Seite von Marystown, weil Justus Carlington nichts gegen den Wildwuchs auf seinem Land unternahm. Carlington verstand nichts vom Boden, und sein Verwalter war ein Dummkopf. Muttonhead hätte den Mann kurzerhand rausgeschmissen.

Ein durchdringendes Grollen riß ihn aus seinem harmlosen Gedankengang. Die Granate kreischte über seinen Kopf hinweg und barst hinter der Linie. Eine gewaltige Sandfontäne schoß empor. Die heiße Druckwelle hob Muttonhead vom Boden und warf ihn auf die Planken nieder.

Die Männer hasteten in die unfertigen Unterstände, um sich wieder durch einen Tag des ›Zermürbungsfeuers‹ zu kämpfen, wie Mahon das nannte: ein passendes Wort, weil man in der Tat das Gefühl hatte, mit dem Fleischklopfer bearbeitet zu werden. Muttonhead spuckte die Erde aus, die er im Mund hatte, und taumelte auf unsicheren Beinen auf einen Unterstand zu. Die Holzbalken, die dessen Wände abstützten, hatten unter dem Aufprall zu ächzen und zu beben begonnen.

Es blieb den Männern nichts anderes übrig, als auszuharren. Bald darauf hörten und spürten sie die Antwort ihrer eigenen Geschütze. Muttonhead drückte sich an die Wand und zündete seine Pfeife wieder an. Danny Yates – wieder mit jenem Ausdruck des Erstaunens darüber, daß man ihn so gewalttätig behandeln konnte – hielt die Knie unter dem Kinn umfaßt. Major Mahon, der ebenfalls an seiner Pfeife sog, wirkte ungerührt, doch Muttonhead wußte, daß er sich fragte, wann sie wohl abgelöst werden würden und welche Befehle sie bekämen, wenn jemals welche zu ihnen durchdrängen. Scudamore, der in seiner eigenen Welt lebte, hüpfte und zappelte herum und lachte ab und zu in sich hinein.

Mehrmals an diesem Tag wurde eine Feuerpause eingelegt, und Muttonhead und Yates halfen, den von Schrapnellsplittern Getroffenen Notverbände anzulegen. Etwas weiter unten an der Linie wurden der Hauptfeldwebel und drei Gefreite durch einen Volltreffer in Stücke gerissen.

Am späten Nachmittag, als das Licht zu schwinden begann

und selbst Muttonheads Nerven zum Zerreißen gespannt waren, verstummten die Kanonen. In einer Aufwallung von Euphorie genoß Muttonhead die Stille. Er registrierte mitfühlend Yates' unterdrückten Schluchzer der Erleichterung, sah ihn jedoch nicht an. Der unglückliche Junge unternahm so große Anstrengungen, um seine Angst zu verbergen, daß es ihn zutiefst betrübt hätte, wenn die anderen davon etwas mitbekommen hätten. Außerdem, welchen Trost hätte er ihm schon bieten können, außer ihm zu sagen, daß es niemals leichter würde?

Der Wachposten machte die ersten grauen deutschen Uniformen aus, die so trostlos wirkten wie die zerstörte Landschaft; aus ihren unsichtbaren Höhlen schwärmten sie auf sie zu. Rasch und beinahe anmutig richteten sich die britischen Lee-Enfield-Gewehre auf sie. Die Offiziere standen mit erhobenem Schwert, um das Kommando zum Feuern zu geben. Muttonhead bemerkte wie aus weiter Ferne, daß eine Rauchfahne aus seiner Tasche emporstieg, in die er die Pfeife gesteckt hatte.

In die Stille drangen die Stimmen deutscher Soldaten, leise erst, dann kräftiger: Sie kamen näher und sangen ›Die Wacht am Rhein‹. Muttonhead wußte, daß Scudamores blasse Augen jetzt Funken der Empörung sprühten – das Singen störte ihn noch mehr als die Ratten. Und es hatte in der Tat etwas Unheimliches. Muttonhead spürte, wie sich seine kurzen Nackenhaare aufrichteten, als man einzelne falsche Töne der näher kommenden Stimmen heraushören konnte.

Er ließ den Degen sinken, und die Gewehrschüsse knallten nahezu unisono, mit mechanischer Präzision. Diese Männer waren Berufssoldaten, die Stunde um Stunde auf den Schießständen von Aldershot oder The Curragh verbracht hatten und ihre Perfektion jetzt unter Beweis stellen konnten. Unbeeindruckt durch das Maschinengewehrfeuer, das über ihre Köpfe hinwegstrich, mähten sie die Reihen der deutschen Infanterie nieder.

Die Formation der Deutschen war unregelmäßig und hielt in einem schwer zu berechnenden Winkel auf sie zu. Muttonhead entriß dem Mann neben sich das Gewehr und mußte an das Kaninchenschießen zu Hause denken – das Emporzucken und

Sich-Überschlagen der Tiere, die plötzliche Leblosigkeit ihrer Glieder. Mit einem Teil seines Gehirns, das sich beharrlich auf Distanz hielt, erkannte er, daß das eigentlich Tragische an dem Vorgang, Menschen abzuschießen, nicht darin bestand, daß es keine Kaninchen waren, sondern darin, daß das eine dem andern so ungeheuer ähnlich war. Später würde dann die Erinnerung an ihre Gesichter aus seinem Unbewußten aufsteigen und seinen Schlaf bestimmen.

Nach dem Angriff mußte Muttonhead das Kommando übernehmen. Major Mahon lag tot da mit einem kleinen versenkten Einschußloch hinter dem Ohr. Sie legten ihn auf das Feldbett im Unterstand und breiteten eine Decke über ihn. Scudamore hatte vorgeschlagen, ihn doch auf einen Stuhl zu setzen, um Platz zu sparen. Muttonhead sah Yates' entsetzte Miene und wies dieses Ansinnen entschlossen zurück. Nicht zum erstenmal fragte er sich, ob Scud wohl ganz richtig im Kopf war. Wollte der Mensch allen Ernstes sein Büchsenrindfleisch mit einer Leiche am Tisch essen, die ihm gegenüber zusammengesackt auf dem Stuhl saß?

Wenn es darauf ankam, war Scud jedoch ein nützlicher Offizier. Er überwachte das Stapeln der Leichen in einem der unfertigen Unterstände, während Muttonhead und Yates Gruppen von Trägern zusammenstellten, die die Bahren mit den Verwundeten hinter die Linie schaffen sollten. Mit etwas Glück konnten sie bei Einbruch der Dunkelheit zum Feldlazarett gebracht werden.

Sie hatten binnen vier Tagen drei Viertel ihrer Männer verloren. Jenseits des Stacheldrahts wimmerten verwundete Deutsche »Hilfe!« und »Wasser!« in den sich verdunkelnden Himmel hinauf. Es war unerträglich und zerrte noch stärker an den Nerven als das Granatfeuer. Muttonhead rief zum Abendappell, stellte Wachposten auf und aß seine kalte Büchsenration bei Kerzenlicht.

Der Granatbeschuß setzte gerade in dem Augenblick wieder ein, als Scud seine Brandyflasche herumgehen ließ. Im Unterstand war es eng wie in einem Sarg, und Mahons tote Hand hing über die Bettkante und legte sich um Scuds Taille, als umfaßte sie ihn. Bei der ersten Explosion zuckte die Hand empor. Die Flasche bebte in Yates' Hand, und er blickte Muttonhead und Scudamore zweifelnd an, wie um zu sehen, ob sie ebenfalls Angst hatten.

Als er sich auf seiner Inspektionsrunde seinen Weg durch den Schützengraben bahnte, wohlwissend, daß es Yates heroische Anstrengung kostete, nicht nach seinem Gürtel zu greifen und sich an ihn zu hängen, dachte Muttonhead über seinen eigenen Tod nach. Da er ein praktisch veranlagter Mensch war, hatte er der Mutter bereits detaillierte Anweisungen zur Leitung des Gutes hinterlassen. Sie wäre eine gebrochene Frau, und das war schlimm genug. Doch sie würde Leute haben, die sich um sie kümmerten. Fingal und Tertius waren erwachsen und konnten allein für sich sorgen. Und Rory – ach, Rory.

Während um Muttonheads Kopf herum ein Höllenfeuer losbrach, der Rauch ihn fast erstickte, die Augen vom Erdregen tränten, verweilte der distanzierte Teil seines Hirns bei Rory. Ihrer Hand auf seinem Arm, ihrer Stimme an seinem Ohr: »Gott behüte dich, Mutt.« Sie würde betrübt sein, falls er sterben sollte, doch er war nicht für sie verantwortlich, und er brauchte überhaupt nichts für sie zu tun. Alles in allem war er so bereit wie nur möglich, dem unsichtbaren Regiment beizutreten. Als er Rory so unerwartet getroffen und sie Frieden miteinander geschlossen hatten, war auch das letzte, was ihm noch zu tun geblieben war, getan.

Während der nächsten Tage ließ ihm jedoch irgend etwas keine Ruhe. Er hatte etwas vergessen und kam nicht darauf, was das war. Es war nicht mehr als eine leise Beunruhigung, doch er hätte gern Zeit gehabt, richtig darüber nachzudenken.

Um halb zehn – Muttonhead hatte zufällig ein Streichholz angezündet, um auf die Uhr zu schauen – explodierte eine Granate direkt auf dem Dach des Offiziersunterstands und begrub Scudamore unter etlichen Tonnen zerborstenen Holzes und verseuchter Erde. Um Yates zu beruhigen, der kurz vor einem hysterischen Anfall stand, gruben sich Muttonhead und ein stämmiger Obergefreiter durch die Trümmer, die den Eingang versperrten und stießen schließlich auf einen Stiefel. Der Corporal zog schwer atmend und ächzend den Stiefel hervor und enthüllte einen Fuß – in einer grünen Socke, aus der der große Zeh heraussah.

»O Gottogottogott«, brabbelte Yates.

»Ziehen Sie mal dran, Sir«, riet der Corporal, »vielleicht bewegt er sich ja.«

Muttonhead fühlte an Scudamores Knöchel nach dem Puls und schüttelte den Kopf. »Den hat's erwischt, fürchte ich.«

»O Gott«, jammerte Yates, »armer Scud ... armer Scud.«

»Na ja, Sir«, sagte der Unteroffizier, »er hat bestimmt nichts gemerkt. Ist 'ne prima saubere Art und Weise, bestimmt. Geht blitzschnell.«

Muttonhead schickte ihn los, um Tee und Rum für die Männer zu organisieren, ehe sich Yates' sommersprossiges Gesicht in Tränen auflöste.

»Es hätte jeden von uns treffen können!« sagte er schluchzend. »Und ich habe ihn heute früh noch angebrüllt wegen seiner ekelhaften Rattenjagd. Er hat immer schon gesagt, daß sie ihn auffressen würden, und nun werden sie es wirklich tun.«

»Reißen Sie sich zusammen«, sagte Muttonhead. »Hier sind meilenweit keine Ratten.« Was stimmte. Die Ratten, die nicht auf Befehle des Hauptquartiers zu warten brauchten, zogen sich stets beim ersten Anzeichen dafür, daß es Ärger geben würde, zurück.

Yates rang sichtlich um Selbstbeherrschung. »Tut mir leid, Sir.«

»So ist es richtig, Danny. Noch sind wir nicht tot.«

Das Bombardement war gnadenlos. Die deutschen Kanonen röhrten und kreischten und zerfetzten die Landschaft, und die überlebenden Kilkenny-Männer krallten sich mit den Fingernägeln am Rand der Welt fest. Im Morgengrauen wurde Yates getroffen. Muttonhead kniete sich neben ihn auf die Planken und zog ihm die Fetzen seiner Uniformjacke vom grausam zugerichteten Rücken. Er tat sein Bestes, um die Wunden mit Notverbänden zu versorgen. Die Verwundung sah schlimm aus, er bemühte sich jedoch, sich nichts anmerken zu lassen.

Yates war allerdings seltsam ruhig, als wäre er erleichtert, daß sein Schicksal sich endlich erfüllte.

»Ich spüre gar nichts«, murmelte er, immer noch überrascht, »es tut nicht mal weh.«

»Wir kümmern uns schon um Sie«, sagte Muttonhead. »Bald sind wir hier raus.« Er hoffte, daß das stimmte.

»Armer Hund«, sagte einer der Männer.

Gegen Mittag wurde der Beschuß eingestellt. Sie standen in Bereitschaft, und Muttonhead spürte, wie die Minuten verstrichen, während er auf Anzeichen für einen weiteren Angriff wartete. Es herrschte jedoch eine gespenstische Stille, und was sich bewegte, waren einzig und allein im Wind flatternde Uniformfetzen der deutschen Leichen.

Die Rettung kam in Gestalt eines schmutzigen atemlosen Läufers vom Hauptquartier. Er brachte den Rückzugsbefehl. Sie sollten sich bis zum Dorf zurückfallen lassen. Die Deutschen, erklärte er, hätten Maschinengewehre, die jeden ungeschützten Fleck der immer noch unvollständigen Verbindungslinien unter Feuer nahmen.

Muttonhead zündete sich die Pfeife an, um nachzudenken. Wie es aussah, konnten sie entweder sterben, wo sie waren, oder riskieren, durchsiebt zu werden, während sie zum Dorf rannten. Er war entschlossen, nicht noch mehr Männer zu verlieren. Wenn das bedeutete, daß er sein Leben dafür geben mußte, dann mußte er es eben geben. Dazu waren Offiziere da. Aber Muttonhead wollte sich auch nicht für nichts und wieder nichts durchlöchern lassen.

Nachdem er den Läufer über die Stellung der Maschinengewehre befragt hatte, riskierte er einen Blick über das offene Gelände, das sie hinter sich bringen mußten, und trieb die Männer dann an dem vielversprechendsten Ausschlupf zusammen.

»Sleary, MacMorris, Sie kommen mit mir. Die anderen warten, bis wir die Kanone im Nacken haben, dann laufen Sie, was das Zeug hält. Halten Sie sich nicht zu dicht beieinander.«

Es war, als stürzte man sich von einem hohen Gebäude in die Luft. Muttonhead und die beiden anderen Männer stoben über das offene Gelände. Sie hechteten in den nächstgelegenen Krater und zogen das Feuer auf sich, so daß die anderen Männer Zeit hatten, nach ihnen rauszurennen. Ein Mann bekam eine

Kugel in den Fuß, war jedoch dicht genug beim Krater, um sich von den anderen hineinziehen zu lassen.

Dann rannten sie zu einem verlassenen Heuschober, wo sie außer Reichweite waren. Muttonhead lehnte sich einen Augenblick an die Wand, um Atem zu holen und seine trockene Kehle zu befeuchten. Jetzt mußte er zurück, um Yates zu holen. Er atmete mehrmals ganz tief durch und rannte mit gesenktem Kopf los. Das Gefühl der Ungeschütztheit war so entsetzlich, daß er es fast als Heimkehr empfand, den Schützengraben wieder zu erreichen. Der Junge lag mit dem Gesicht nach unten auf seiner Tragbahre, und das Blut sickerte durch den Notverband auf dem Rücken.

»Ich hab' dich nicht vergessen«, sagte Muttonhead.

»... dann nimmt man die zweite Abzweigung von der Straße, die am Fluß entlangführt«, erklärte Yates einem unsichtbaren Gesprächspartner, »und dann ist man am Gartentor von dem Blockhaus.« Sein Atem ging mühsam und rauh, doch wenigstens war er glücklich. »Da ist dann zwar keiner, aber laß mal dein Gepäck ruhig da ... das ist da so sicher wie die Bank von Irland.«

Muttonhead gönnte sich ein paar Minuten Ruhe. Er war daran gewöhnt, daß die Männer Unsinn redeten, wenn sie verwundet waren – es waren Gespräche mit Frauen und Kindern, unzusammenhängende Geständnisse, sogar Witze. Und natürlich war es gar kein Unsinn. Irgendein gnädiger Reflex hatte sie mit den Teilen ihres Lebens verbunden, die den meisten Sinn ergaben. Er fragte sich, worüber er sich wohl in seinen letzten Augenblicken verbreiten würde. Über die unbezahlte Rechnung für das Saatgut? Die Zugklappe am Küchenherd, die er wegen des Krieges nicht mehr hatte in Ordnung bringen können? Über das Dach?

Der Augenblick mochte nicht mehr fern sein, wenn er auch nicht die Absicht hatte, das Danny Yates kundzutun.

»Bis zum Haus hinauf ist es ungefähr eine Meile«, sagte Yates in demselben zufriedenen, erklärenden Ton, »doch die Mädchen geben dir Limonade.«

Hinter ihnen zischte es. Ein Teil des Walls hatte bebend nachgegeben. Muttonhead schirmte Yates mit dem Körper ab und dachte mit überraschender Ruhe, daß sie gleich lebendig begraben sein und dort gemeinsam liegen würden, bis die Erde am Tag des Jüngsten Gerichts ihre Toten wieder freigäbe.

Es war allerdings nur ein kleiner Abschnitt eingestürzt. Über den Haufen zerplatzter Sandsäcke und zerbrochener Planken hinweg starrte Muttonhead auf Scudamore, der unter einem Balken, der seinen Brustkorb zerquetschte, in den Trümmern eingeklemmt war. Scud war staubbedeckt. Seine irren Augen waren opak geworden. Sein Mund war von schwarzem Blut beschmiert, das sich zu einem entzückten Lächeln zersetzte.

Muttonhead war von Natur aus kein fantasievoller Mensch, doch selbst er konnte dieses Lächeln nur als grauenerregende Einladung verstehen. Bleib hier zum Leichenschmaus. Er warf sich Yates über die Schulter und rannte hinaus, um sein Heil im offenen Gelände zu suchen.

Es war wie in einem jener Träume, in denen man zu rennen versucht und feststellt, daß man es nicht kann. Muttonhead heftete den Blick auf den Bombenkrater vor sich. Der Schweiß rann ihm übers Gesicht, und seine Glieder schmerzten, doch Danny wurde immer schwerer, und der Krater kam nicht näher.

Der Einschlag von Schüssen schickte ihn Hals über Kopf zu Boden. Seine linke Seite brannte in wütendem Schmerz, doch der Schmerz wich, als die Flamme sich tiefer fraß, und ein schwarzes Nichts wirbelte herab, um seinen Platz einzunehmen. Warte, warte, wollte Muttonhead rufen. Er war ganz nah daran, alles zu wissen – er mußte dies Wissen schnell erfassen, damit er nicht vorher starb, ehe er es wirklich erreicht hatte. Er sah Rory in ihrem altmodischen Seidenkleid. Ihre goldenen Röcke umflossen sie, sie glitt ins vergehende Licht und schwand mit ihm.

4

Aubreys Bentley hielt auf der kiesbestreuten Auffahrt des großen Herrenhauses im Tudor-Stil, das auf den Wimbledon Common hinausging. Rory und Tertius sprangen hinaus, noch ehe der Chauffeur ihnen den Schlag öffnen konnte, doch Fingal mußte sich helfen lassen. Die quälende Sorge der letzten Stunde legte sich gerade so weit, daß Rory wahrnehmen konnte, wie schrecklich er aussah. Er hatte tiefe Schatten unter den Augen, und die Haut um seinen Mund hatte eine gräßliche bläuliche Färbung angenommen.

»Fingal, dir fehlt doch nichts?«

»Mach bloß kein Theater. Du bist genausoschlimm wie Aubrey.« Fingal schüttelte den Arm des Chauffeurs ab. »Das ist mein Asthma, weiter nichts. Das Telegramm hat es ausgelöst.«

Sie läuteten, und eine Hilfsschwester führte sie in die Halle. Das Offizierslazarett machte immer noch den Eindruck eines Privathauses, doch es roch so stark nach Äther und Desinfektionsmittel, daß sie beklommen verstummten. Die Hilfsschwester wies auf eine polierte Holzbank und bat sie zu warten. Ein großer Spiegel ihnen gegenüber zeigte ihre angespannten, blassen Gesichter.

»Ehrlich«, flüsterte Fingal, »ihr beiden seht wie ein Landstreicherpärchen aus. Tershie, wo hast du denn um Himmels willen diesen lächerlichen Mantel her?«

»Herrgott, wen kümmert das schon?« flüsterte Tertius böse zurück. »Ich hab' das erstbeste Kleidungsstück genommen, das ich finden konnte.«

»Weiß der Himmel, was die von uns halten.«

»Na und?«

»Aurora, du hättest auch einen Hut aufsetzen können, wirklich.«

»Ich hab' schon genug im Kopf, als daß ich obendrauf noch einen Hut setzen müßte.« Rory lauschte. In der frostigen Lautlosigkeit des Lazaretts konnte sie ihren eigenen Puls in den Ohren trommeln hören. »Wie ... wie schlimm wird es denn sein, was meint ihr?«

Flinke Schritte zerrissen die Stille. Die Oberschwester, eine Queen-Alexandra-Schwester in tadellos gestärkter Uniform und mit randloser Brille, holte sie lächelnd herein. Sie wandte sich an Fingal, der die beste Figur machte.

»Captain Careys Familie? Ja, Sie dürfen ihn sehen, doch leider nur ein paar Minuten. Wenn Sie bitte mitkommen wollen?«

Sie folgten ihr die riesige holzgeschnitzte Treppe hinauf. Rory starrte auf das geknotete Band zwischen ihren Schulterblättern und auf ihre Schwesternhaube. Hilfesuchend umklammerte sie Tertius' Hand.

»Sie müssen ja sehr stolz auf Ihren Bruder sein, Mr. Carey«, sagte die Oberschwester zu Fingal. »Meine Güte, wissen Sie denn noch gar nicht Bescheid? Telegrammen läßt sich nicht viel entnehmen, wie? Er hat sein Leben riskiert, um seinen Subalternleutnant zu retten. Nachdem er verwundet worden war, kroch er unter Beschuß noch zehn Meter mit dem Jungen auf dem Rücken weiter und stieß ihn in einen Bombenkrater. O ja, Sie sollten wirklich stolz auf ihn sein.«

Auf dem dunklen Flur oben saß ein weinendes Mädchen vor einer Tür. Sie blickte auf, als sie näher kamen. Die Tränen hinterließen silbrige Spuren auf ihren frischen, rosigen Wangen. Die lange Fasanenfeder an ihrem Hut bebte pathetisch.

»Nun, mein Kind«, sagte die Oberschwester, »ich hoffe doch, Sie haben ihm dieses Gesicht nicht gezeigt. Traurige Gesichter nützen doch niemandem.«

Eine Hilfsschwester erschien auf dem Treppenabsatz mit einem Stapel Bettwäsche.

»Schwester, bringen Sie Miss Yates doch in mein Büro und geben Sie ihr einen Tee.«

»Ja, gern, Oberschwester.« Sie nahm das Mädchen sanft, aber nachdrücklich beim Arm, als wollte sie sie abführen. In der Halle hörten sie das Mädchen in lautes, angstvolles Schluchzen ausbrechen, das schlagartig verstummte, als sich die Tür schloß.

Zum erstenmal sah die Oberschwester Rory direkt ins Gesicht.

»Falls Sie weinen wollen, ist mein Büro dafür der geeignete Ort. Die Empfindungen der Patienten haben hier absolut Vorrang, und ich will nicht, daß sie sich aufregen.«

»Machen Sie sich meinetwegen keine Sorgen«, meinte Rory beruhigend, »aber könnten Sie uns sagen, wie es um ihn steht?«

»Sein Bein hat am meisten abbekommen. Die Knochen sind bis zur Hüfte hinauf böse zersplittert.«

Rory dachte an die Männer, die sie in Frankreich gesehen hatte. »Hat er eine Infektion?« Sie wußte, anders als Fingal und Tertius, daß Muttonheads Bein würde amputiert werden müssen, wenn es gangränös war. Selbst dann würde er wahrscheinlich sterben.

Die Oberschwester hob leicht die Augenbrauen, als sie diese Frage hörte. »Nein. Die Ärzte glauben, daß das Bein zu retten ist. Ob er allerdings wieder damit laufen kann, bleibt abzuwarten. Die Aussichten stehen nicht schlecht, doch erwarten Sie nicht, daß er besonders gut aussieht.« Sie stieß die Tür auf und sagte in verändertem Ton: »Sehen Sie mal, wer da ist, Captain.«

Das Zimmer war kahl und sauber, an den Wänden waren noch die verblaßten Rechtecke zu sehen, wo im vorangegangenen Leben des Hauses Bilder gehangen hatten. Das Kaminfeuer brannte. Muttonhead lag völlig reglos. Eine Krankenschwester beobachtete ihn. Die Bettücher über seinem Bein waren über einen hohen Rahmen gehängt, so daß Muttonhead in einem Zelt zu liegen schien. Sein Gesicht war hager, seine Wangen waren eingefallen, und seine Stirn war unnatürlich glatt. Er sah sehr jung aus.

Die Schwester stand auf und nickte Rory zu, die auf den Stuhl neben dem Bett glitt und Muttonheads Hand ergriff. Seine Lider flatterten, und seine schwarzen Augen rollten in ihre Richtung. Mit ungeheurer Erleichterung sah sie das Aufleuchten des Wiedererkennens in seinem Blick und lächelte.

»Hallo, Göre«, sagte er.

Fingal und Tertius fingen sofort an zu weinen. Sie zogen sich unter Schluchzen und Naseschneuzen zur Tür zurück und teilten sich Fingals Taschentuch, weil Tertius seines vergessen hatte.

»Ach, Mutt«, sagte Rory, »was hast du bloß durchgemacht. Ich bin so froh, daß du wieder da bist. Wir haben erst vor einer Stunde Bescheid bekommen, sonst wären wir schon eher hier gewesen. Armer Schatz, wir wären barfuß über Glasscherben gelaufen, um dich zu sehen. Die Mutter ist unterwegs, und du brauchst dich wegen des Geldes nicht zu sorgen, weil Fingals Mr. Russell die Schiffspassage bezahlt hat und sie bei mir in der Wohnung bleiben wird.«

Mühevoll brachte Muttonhead »Das Gut …« heraus.

»Papas Verwalter wird sich darum kümmern. Nein, mach kein so finsteres Gesicht, Schatz. Er ist gar nicht so schlecht, wie du glaubst.«

»Trinkt.«

»Das weißt du doch gar nicht. Du kannst doch einen Menschen nicht wegen seiner roten Nase verurteilen.«

Seine Lippen kräuselten sich zu einem schwachen Lächeln. »Nicht streiten.«

Das Lächeln ließ einen Kloß in Rorys Kehle wachsen, den sie tapfer hinunterschluckte. »Na gut. Ich hebe mir das für später auf, wenn es dir wieder gutgeht.«

Tertius wischte sich die Augen mit seinem farbverschmierten Handrücken und sagte: »Es ist einfach großartig, dich vollständig mit allem dran wiederzusehen, Mutt.«

»Wenn du irgend etwas haben möchtest ... ganz gleich, was«, sagte Fingal mit belegter Stimme, »dann mußt du's sagen, und mach dir keine Sorgen wegen des Geldes. Das einzige, was wir uns nicht leisten können, ist, dich zu verlieren, alter Junge.«

Die Oberschwester winkte sie aus dem Zimmer. »Tut mir leid, er muß sich jetzt ausruhen.«

Rory küßte seine Stirn und legte flüchtig ihre Wange an seine. »Morgen kommen wir wieder.«

Als die Tür sich hinter ihnen geschlossen hatte, sagte die Oberschwester: »Nun, meine Liebe, Sie haben ihn wirklich aufgemuntert. Er hat noch kaum ein Wort gesagt, seit er da ist.«

Rory lachte. »Sehr gesprächig ist er sowieso nicht.«

»Dann müssen Sie uns verraten, wie man ihn zum Reden bringt.« Sie tätschelte Rory freundlich die Schulter. »Aber er wird sich schon berappeln, machen Sie sich mal keine Sorgen. Sie sind das reinste Belebungsmittel für ihn.«

»Oberschwester, wer war denn das arme Mädchen, das wir vorhin gesehen haben?«

»Ach, das war die Schwester des Jungen, den Ihr Bruder gerettet hat. Er ist auch hier. Er wird es überleben, aber ich fürchte, er ist gelähmt. Sie war einfach auf den Schock nicht vorbereitet, ihn so zu sehen.«

»Armes Ding«, sagte Rory.

»Ja, wirklich. Armes Ding. Doch ich gäbe was drum, wenn die Verwandten den Patienten nichts vorheulen würden. Das verschlimmert deren Lage nur noch.« Sie warf Tertius, der sich gerade die Nase am Ärmel abputzte, einen wütenden Blick zu.

»Wirklich, Mr. Carey. Soll ich Ihnen ein Taschentuch besorgen?«

Die *Times* schrieb unter der Überschrift ›Heldenhafte Tat eines irischen Peers‹ über Muttonhead. Lady Oughterard kaufte zwanzig Exemplare, um sie ihren Freunden daheim zu schikken.

»Das wird ein ganz schöner Schlag für Emma Billinghurst sein«, meinte sie kichernd zu Rory. »Da werden ihr all die Sachen wieder einfallen, die sie gesagt hat, als Lucius den Freiwilligen beigetreten ist.«

Die Mutter war in einem entsetzlichen Zustand gewesen, als sie in London eintraf. Rory hatte die abgemagerte, verhärmte Frau kaum wiedererkannt, die aus dem Zug stieg und in Tertius' Arme sank. In dem Maße jedoch, wie es Muttonhead besser ging, blühte sie wieder auf. Ihre blauen Augen blickten so lebhaft wie zuvor, ihre untersetzte Gestalt fand ihre Tatkraft wieder, und ihre trompetende Stimme hallte durch Miss Thompsons biederes Haus.

Jeden Tag fuhr sie in Aubreys Bentley ins Lazarett. Er schickte den Wagen niemals, ohne irgendein Geschenk für Muttonhead in Form von Obst oder Wein mitzugeben, und oft ging er mit ihr abends aus, weil er fand, daß sie sich auch ein bißchen etwas ansehen sollte, wenn sie schon Gelegenheit dazu hatte. Dank Aubrey amüsierte sich Lady Oughterard wie noch nie in ihrem Leben.

»Stell dir vor, ich war im Kino«, erzählte sie Muttonhead und aß dabei eifrig seine Weintrauben. »Und da war der König ... lebensgroß ... und er hat gesagt, daß er den Plan, Kriegsschiffe zu inspizieren, wieder habe fallenlassen. Und gestern sind wir zu Selfridges gegangen und haben einen Hut gekauft, und du solltest mal die Damentoiletten dort sehen ... nun, dazu wird es ja wohl nicht kommen ..., aber mir sind fast die Augen aus dem Kopf gefallen, als ich die Waschbecken aus Marmor gesehen habe.«

»Ich hoffe, sie fällt nicht allzusehr zur Last«, sagte Muttonhead eines Nachmittags zu Rory, als sie allein waren. Sein Bein lag immer noch unbeweglich unter dem Zelt, und seine Pupillen waren von Medikamenten geweitet, doch er saß bereits aufrecht und hatte seine Pfeife wieder in Gebrauch genommen. »Ganz schön lebhaft für eine kleine Wohnung, vermute ich.«

Rory schwor, daß sie es herrlich fände, die Mutter in Jennys Zimmer zu haben. Es war auch beinah wahr, und sie wollte Muttonhead auf keinen Fall durch irgendwelche Klagen beunruhigen. Aber daß die Mutter so unordentlich war, hatte ihr einen Schock versetzt. Rory, die selbst nicht gerade das Muster einer Hausfrau war, hatte so etwas noch nicht erlebt.

Am selben Abend, als Lady Oughterard im Globe Theatre war, um Rider Haggards ›Mameena‹ zu sehen, beschloß sie, das gröbste Chaos zu beseitigen. Überall standen vollgekrümelte Teller und klebrige Gläser herum. Der Gaskocher auf dem Treppenabsatz war unter einem Stoß verkrusteter Töpfe verschwunden. Lady Oughterards geflickte Schlüpfer trockneten auf einem Stuhl vor dem Gasofen, und sie hatte ihre Strickwolle an so ausgefallene Stellen der Wohnung hinter sich hergeschleppt, daß Rory schon damit rechnete, am Ende auf einen Minotaurus zu stoßen.

Es klopfte. Ich wette, das ist Miss Thompson, dachte Rory. Die hat mir gerade noch gefehlt. Sie fegte die feuchten Schlüpfer unter ein Kissen. »Herein!«

Es war Tom.

Er sah magerer aus, als sie ihn in Erinnerung hatte, und abgerissener. Unter der schwachen elektrischen Deckenlampe sah sie Regentropfen auf seinen Schultern funkeln. Er starrte sie atemlos und angespannt an und zitterte leicht. Beim ersten Anblick war Rory instinktiv einen Schritt zurückgetreten und sich mit der Hand an die Kehle gefahren, wie um den Schmerz abzuwehren, den ihr ihre letzte Begegnung bereitet hatte. Als sie jedoch dem Blick seiner grauen Augen begegnete, stellte sie fest, daß er die Macht verloren hatte, sie zu verletzen. Ihre erste große Liebe war zwar unter Qualen gestorben, aber sie war tot.

»Großer Gott«, sagte sie.

»Bist du allein?«

»Ja.«

Er schloß die Tür und setzte sich ans Feuer. »Hol uns was zu trinken, Herzchen. Ich bin halb erfroren.«

»Ach, wie reizend, Tom. Mehr fällt dir nicht ein? Wie wär's mit ›Hallo‹. Oder ist das schon zu bürgerlich?«

»Und was zu essen, wenn du was hast. Verdammt noch mal, das tut wirklich gut nach dem Regen.«

»Du bist ja klatschnaß. Zieh die Jacke aus.« Rory half ihm, die fadenscheinige Tweedjacke auszuziehen. Seinen Stiefeln entstieg ein leichter Dampf. Sie gab ihm ein Glas Brandy und den Rest eines Tapiokapuddings. Er machte sich gierig über das Essen her. Sie beobachtete ihn und dachte, wie seltsam das doch war, ihn hier zu haben und nicht das kleinste Beben zu verspüren.

Schließlich sagte er: »Du bist ein braves Mädchen, weil du mich erst mal in Ruhe essen läßt.« Fältchen bildeten sich, als er sein seltenes, entwaffnendes Lächeln aufsetzte. »Nun willst du sicher wissen, warum ich gekommen bin.«

Sie mußte einfach zurücklächeln. »Allerdings.«

»Mach dir keine Sorgen. Ich werde es nicht ausnutzen. Ich bin auf Geld aus.«

»Ich hab' dir schon genug Geld gegeben.«

»Nun laß mal gut sein, Rory. Komm runter von deinem hohen Roß. Es handelt sich um eine Notlage, sonst würde ich dich nicht darum bitten. Es ist Haftbefehl gegen mich erlassen worden, und ich muß für ein paar Wochen untertauchen.«

»Hoffentlich nicht hier.«

»Sei nicht blöd.« Er wurde streng. »Hier sieht's übrigens ganz schön wüst aus. Du solltest langsam lernen, wie man mit dem Staubtuch umgeht.«

»Was hast du denn diesmal gemacht?«

»Ein Pamphlet gegen die Rekrutierung geschrieben. Ich habe es an den Fabriktoren verkauft und falle unter DORA.«

»Tom!«

DORA stand für Defence of the Realm Act, und Rory besuchte die Berlins häufig genug, um zu wissen, daß man in ernsthaften Schwierigkeiten war, wenn man unter Berufung auf DORA angeklagt wurde. »Die stecken dich bestimmt ins Gefängnis.«

»So schnell nicht.« Tom goß sich ein weiteres Glas Brandy ein. »Es ist das Wichtigste, was ich je gemacht habe, und es ist bei weitem noch nicht beendet. Irgend jemand muß doch den

Finger auf all die Lügen legen und dem Arbeiter klarmachen, daß er sich nicht in einem Krieg der Reichen als Kanonenfutter verheizen lassen soll.«

Rory war, was den Krieg betraf, nicht seiner Meinung – wie konnte sie auch, wo Muttonhead beinah gestorben war? –, doch sie merkte, welch tiefen Respekt sie für Tom empfand. Auf seine Weise war er genauso tapfer wie die anderen.

»Ich hab' nur ein paar Pfund«, sagte sie. »Ich hätte dir gern mehr gegeben.«

»Das reicht mir schon. Bist wirklich brav. Ich wär ja zu Joe Berlin gegangen, aber dem sitzt die Polizei selbst im Nacken.«

Gähnendes Schweigen breitete sich aus. Er räusperte sich mehrmals, ehe er sagte: »Ich hab' in der Zeitung über deinen Lord gelesen. Wie geht's ihm denn jetzt?«

Sie war gerührt. »Besser. Angeblich wird er wieder gehen können.«

Tom lachte plötzlich. »Der hat mir ja ganz schön eine verpaßt. Ich dachte, mein Kiefer wäre gebrochen.«

»Er war eben sehr wütend ... doch das ist jetzt alles vergessen.«

»Freut mich.« Er nahm ihre Hand und hielt sie fest. »Ich hätte mich nicht so benehmen dürfen, wie ich es getan habe.«

»Ach, Tom, bitte.«

»Nein, laß mich ausreden. Wahrscheinlich habe ich den Schwinger verdient, den er mir verpaßt hat. Ich wollte dich nicht verletzen. Ich habe dich mehr geliebt, als ich je zugeben wollte.«

Sie lächelte ihn an. »Nur daß mir das nicht ausreichte, war es nicht so? Du hattest keine Zeit für Romantik, und irgendwo tief im Innern hab' ich das auch geahnt. Es war nicht deine Schuld. So hat sich vermutlich alles zum Besten gewendet.«

Tom hob eine Strähne ihres Haars gegen das Licht. »Jeder andere Mann würde sagen, nur ein Wahnsinniger konnte ein Mädchen wie dich ziehen lassen. Sind wir Freunde?«

Ehe sie antworten konnte, schrie eine gewaltige Stimme: »Rooooreee!« vom Fuß der Stiege herauf.

»O Gott«, murmelte Rory.

Die Mutter kam die Treppe heraufgestapft. »Schatz, es war

einfach großartig … es handelte von einem afrikanischen Häuptling, und die haben einen einzigartigen Zulu-Hochzeits-tanz hingelegt.« Ihre mottenzerfressene Seidenstola über dem Kopf schwenkend und einen Stammessingsang auf den Lippen, platzte Lady Oughterard ins Zimmer. »Aubrey und ich haben uns fast totgelacht … Oh! Ich bitte vielmals um Entschuldigung.«

Die Stola glitt zu Boden. Lady Oughterard hatte das erstaun-te Gesicht von Tom bemerkt.

»Mutter, das … das ist Mr. Eskdale.« Rory war dunkelrot vor Verlegenheit.

»Guten Abend.«

Tom stand auf und streifte sich eilends die Jacke über. »Ich gehe jetzt besser.«

»Meine Güte, doch nicht etwa meinetwegen, Mr. Eskdale.«

»Hier, Tom.« Rory schüttete den Inhalt der Blechbüchse für die Miete in seine Tasche. »Laß mich wissen, wie es dir ergan-gen ist, wenn du kannst.«

»Danke.« Er bewegte sich auf die Tür zu, kehrte dann jedoch noch einmal zurück, um Rory auf die Stirn zu küssen. »Paß auf dich auf.«

Und weg war er.

Rory brachte es nicht über sich, die Mutter anzuschauen. Sie spürte, wie der Blick jener wachen Augen sich förmlich in ihren Rücken bohrte und wie das rege Hirn alle möglichen Erklärun-gen für die Anwesenheit eines fremden Mannes in der Wohnung ihrer Adoptivtochter erwog.

»Schatz«, sagte die Mutter zärtlich, »das mit dem Tanz tut mir wirklich leid. War es sehr schlimm?«

Was zuviel war, war zuviel. Rory lachte laut auf, schließlich lachten sie beide. Als sie sich einigermaßen beruhigt hatten, machte die Mutter Kakao mit einem Schuß Brandy.

Sie hatte ihr fadenscheiniges Abendkleid ausgezogen und trug wieder ihren vertrauten blauen Morgenrock. Muttonhead hatte ihn ihr vor zehn Jahren geschickt, als er noch Subaltern-leutnant in Indien war. Der Anblick hatte für Rory etwas An-heimelndes.

»Ich bin schon seit Urzeiten nicht mehr so lange aufgeblieben.« Die Mutter setzte sich neben Rory auf den Kaminvorleger.

»Du hast ein bißchen Spaß wirklich verdient, Mutter. Du hast wegen Mutt eine so schwere Zeit durchgemacht.«

»Rory, ich bin ja nicht ganz blind.« Ihre Stimme war sanft, aber bestimmt. »Ich weiß, daß zwischen dir und dem Mann etwas ist, und ich glaube, daß das mit dem Streit zwischen dir und Lucius zu tun hat.«

Rory seufzte und beschloß, einem Verhör dadurch vorzubeugen, daß sie die ganze Geschichte erzählte. Sie ließ nichts aus. Die Mutter hörte gespannt zu, während ihr Kakao eine Haut bekam. Sie zuckte zwar entsetzt zusammen, als Rory auch die körperliche Seite ihrer Beziehung zu Tom beichtete, unterbrach sie jedoch nicht.

Schließlich sagte sie: »Mein armes Mädchen, du bist arg verletzt worden. Das sehe ich wohl.« Ihr Blick war sanft.

»Ich konnte es nicht ertragen, daß Muttonhead so von mir dachte«, sagte Rory. »Er hat mich angesehen, als würde er mich verachten, als wäre ich der letzte Dreck. Ich wußte, daß er mich niemals wieder auf dieselbe Weise gern haben könnte. Ich habe ihn noch nie so wütend gesehen.«

»Aber selbstverständlich war er wütend!« rief die Mutter mit plötzlicher Lebhaftigkeit aus. »Willst du mir im Ernst erzählen, daß du nicht weißt, warum?«

Rory war völlig fassungslos. »Nein ...«

Lady Oughterard seufzte bedrückt. »Ist wahrscheinlich auch gut so. Doch du scheinst wirklich keine Augen im Kopf zu haben. Blind wie ein Maulwurf!«

5

Jenny war noch nie im Leben so müde gewesen. Es war eine gnadenlose, niederziehende Müdigkeit, die ihr durch Mark und Bein drang. Sie war müde an den dunklen Dezembermorgen, wenn sie um Viertel nach sechs aufstand und sich in einer Schüssel mit kaltem Wasser zu waschen versuchte. Sie war müde, wenn sie mit der Straßenbahn zum Lazarett fuhr, müde, wenn sie um zehn in ihr Bett im Schwesternheim fiel. Ihre roten, aufgesprungenen Hände sahen aus, als hätten sie tausend Jahre hinter sich – mit Gewißheit hatten sie bereits tausend Meilen Flure gescheuert. Ihre Füße waren geschwollen und schmerzten, und es war jeden Tag wieder eine Tortur, die Schuhe anzuziehen. Sämtliche Hilfsschwestern waren, nachdem sie ein paar Tage über die Stationen gerannt waren, ein Opfer ihrer schmerzenden Füße – der Gemeinschaftsraum des Schwesternheims war eine einzige Klagemauer.

Die Frostbeulen bereiteten Jenny heute höllische Schmerzen, doch sie war so wütend, daß sie sie fast vergaß. Sie schritt mit ihrem Tablett voller schmutziger Verbände auf die Spülküche zu und verfluchte Schwester Bacon aus ganzem Herzen. Bacon, auch unter dem Namen ›die Wildsau‹ bekannt, war ausgebildete Krankenschwester, die einen tiefen Groll gegen die unausgebildeten Hilfsschwestern hegte und keine Gelegenheit ausließ, um sie zu demütigen. Sie hatte Jenny eben erst angeschrien, weil die es gewagt hatte, ihre Meinung über einen der Patienten zu äußern. »Ich bin nicht interessiert an den Vorstellungen von Amateurschwestern und Wohltäterinnen. Vergessen Sie bitte nicht, daß Sie nur dazu da sind, dem qualifizierten Personal zu helfen.«

Es war Jennys Pech, daß sie bei Bacon gelandet war. Auf die hübscheren Hilfsschwestern hatte sie es ganz besonders abgesehen, und sie war überzeugt, daß sie sich nur gemeldet hatten, um mit den Offizieren flirten zu können. »Den Offiziersbaracken auf dem Gelände werden Sie auf keinen Fall zugeteilt«, hatte sie Jenny an ihrem ersten Tag im Lazarett erklärt, »das hier ist nämlich kein Eheanbahnungsinstitut.« Als ob, hatte Jenny gedacht, irgend jemand noch die Energie oder die Neigung verspürte, mit einem Mann zu flirten, dessen Nachttopfinhalt einem mindestens so vertraut war wie sein Gesicht.

Auf dem Flur draußen holte sie tief Luft, um sich zu beruhigen. Was war das für ein Tag? Ein Konvoi mit Verwundeten war letzte Nacht eingetroffen, und die Bettenanzahl in der chirurgischen Abteilung war verdoppelt worden. Schwester Bacon war völlig hektisch, und zu allem Überfluß war auch noch der scheußliche Brief aus Edinburgh gekommen. Jenny hatte keine Ahnung, was sie darauf antworten sollte, und dieses Problem würde vermutlich ihre kostbare Mittagspause ruinieren.

In der Spülküche traf sie auf Gladys Melrose, die in Tränen aufgelöst war.

»Ach, Dalgleish, bitte verraten Sie mich nicht!«

Jenny kippte die Verbände in den Korb mit den Sachen, die zu verbrennen waren. »Was machen Sie denn hier? Müßten Sie nicht auf Ihrer Station sein?«

Gladys war absolut keine Schönheit, und man hatte sie risikolos auf eine Offiziersstation schicken können. Ihre Niedergeschlagenheit und ihre verquollenen Augen waren nicht dazu angetan, irgendwelche Ehegelüste in den Patienten zu wecken.

»Ich wünschte, ich wär tot ... wirklich!«

»Seien Sie nicht albern.«

»Ich halte das nicht mehr aus! Ich bin während des Morgengebets gegen den Teewagen gestoßen, und die Schwester hat vor allen Leuten gesagt, ich sei tolpatschig, und ich bin so müde, und niemand ist nett zu mir ... der mit den gebrochenen Rippen in Bett sechs nennt mich ›HF‹, und ich hab' rausgekriegt, daß das ›Horrorfigur‹ heißen soll ... und dann ist Weihnachten, und ich war doch vorher noch nie von zu Hause weg.«

Jenny hörte diesem Klagelied mit wachsender Ungeduld zu. Als Gladys eine Pause einlegte, um geräuschvoll Luft zu holen, sagte sie: »Hören Sie um Himmels willen auf zu heulen, Melrose. Das ist einfach wieder so ein schlimmer Tag. Das geht uns doch allen so. Je länger Sie sich hier verstecken, desto mehr machen die Ihnen die Hölle heiß. Gehen Sie lieber an die Arbeit zurück.«

Gladys putzte sich die Nase. »Ich würde alles dafür geben, wenn ich nach Hause könnte, doch jetzt habe ich auch noch den Vertrag unterschrieben ... für volle sechs Monate! Haben Sie auch schon unterschrieben?«

»Nein.« Jenny wollte nicht an ihren Vertrag denken. »Meine Probezeit ist erst Ende der Woche vorbei.«

»Haben Sie ein Schwein! Oh, Dalgleish, ich hätte niemals hier herkommen dürfen! Meine Mutter hat mich gewarnt.«

Jenny war schon halb draußen. »Entschuldigung, aber Ihre Mutter ist mir nun wirklich gleichgültig.«

Schwester Bacon hatte am liebsten eine stille, sterile Station, auf der alle Patienten in Habachtstellung im Bett lagen und die Schwestern auf Samtpfoten umherglitten. Heute, wo die Betten dicht bei dicht standen, das Grammophon in voller Lautstärke plärrte und die neuen Patienten stöhnten, ließ dieses Ideal sich nicht verwirklichen. Sie versuchte es dennoch.

»Schwester! Ziehen Sie die Bettdecke dort gerade! Schwester! Putzen Sie den Wandschirm! Nehmen Sie die schmutzige Tasse dort weg. Stellen Sie augenblicklich das Verbandstablett wieder an seinen Platz!« Sobald Jenny auftauchte, schrie sie: »Dalgleish, legen Sie Kohle nach!«

Jenny schaufelte Kohle in den riesigen Kamin und ignorierte die Klagen des Mannes in dem Bett, das direkt neben dem Kamin stand.

»Haben Sie doch ein Herz, Schwester, ich röste hier vor mich hin!«

»Schwester«, rief ein anderer, »seien Sie ein Schatz, Schwester, und legen Sie eine andere Platte auf. Wir können das Weihnachtsgedudel nicht mehr hören!«

›Das erste Weihnachtsfest‹ blieb quäkend stehen. Jenny zog das Grammophon auf und legte ›Wo meine Karawane steht‹ auf.

»Die Schwester ist nicht Ihr Schatz, Corporal«, sagte Schwester Bacon. »Dalgleish, ich brauche Sie. Es ist Zeit für die Spülung von Nummer acht.«

»Ja, Oberschwester.« Jenny half ihr, den Wandschirm um das Bett von Nummer acht zu stellen. Es war ein Feldwebel mittleren Alters mit einem brandigen Bein, und seine Verbände waren jeden Tag Jennys schlimmste Prüfung. Von dem ekelhaften Geruch drehte sich ihr der Magen um, und das einzige, was sie den Anblick der eiternden grünen und feuerroten Wunde ertragen ließ, war, daß sie sich immer wieder sagte, wieviel schlimmer es für ihn selbst war. Außerdem verlangte ihr Stolz, daß sie sich Bacon gegenüber keinerlei Zimperlichkeit anmerken ließ.

Nummer acht wimmerte mitleiderregend, als er sie sah. »Nicht schon wieder, um Gottes willen.«

»Wir machen, so schnell wir können«, sagte Schwester Bacon. »Schlafen Sie nicht ein, Schwester. Nehmen Sie das Wachstuch ab und halten Sie sein Bein fest.«

Die Wunde war in einen wasserdichten Umschlag gehüllt, der sie feucht hielt. Alle zwei Stunden mußte in die Gummischläuche, die daraus hervorragten, eine Kochsalzlösung injiziert werden, und die Verbände wurden gewechselt. Jenny erblickte den grauweißen Knochen, und sie bekam eine Gänsehaut – doch das Bein des Mannes war leichter zu ertragen als sein Gesicht. Alle Soldaten unternahmen heroische Anstrengungen, um vor den Schwestern nicht zu weinen. Nummer acht biß die Zähne zusammen, bis die Halsschlagadern hervortraten.

»Ruhig halten, habe ich gesagt! Wirklich, Schwester . . .« Jenny griff fester zu. Sie hatte das Gefühl, losschreien zu müssen, wenn Bacon sie noch einmal zurechtwies. Normalerweise tat sie, als wäre sie taub, doch der Brief ihrer Mutter hatte sie dünnhäutig gemacht. Mrs. Dalgleish hatte die Nase voll von ›Gezauder und Unentschlossenheit‹. Sie hielt nichts von adligen Frauen, die in Krankenhäusern schufteten – es sei doch allgemein bekannt, daß Krankenschwestern nicht als Damen bezeichnet werden konnten. Diese Tätigkeit brächte es notwendigerweise mit sich, daß sie sich ein derberes Auftreten angewöhnten. Außerdem hätten sie und ihr Mann den Eindruck gehabt, daß Jenny verlobt sei und demnächst heiraten würde. Was Alistair eigentlich vorhabe? Jenny müsse entweder sofort heiraten oder nach Schottland zurückkehren.

Jenny war so lange eine perfekte Tochter gewesen, daß sie selbst überrascht war, welche Widerspenstigkeit dieser Brief in ihr hervorrief. Es stimmte zwar, daß sie und Alistair der Kirchentür keinen Schritt näher gekommen waren. Doch Jenny war noch nicht bereit zur Ehe. Warum sollte sie sich in einer Ehe einmauern lassen, wenn es doch noch so viel zu tun und so viel zu erleben gab?

Und was die Heimkehr betraf – nun gut, es würde herrlich sein, so lange in einem weichen Bett schlafen zu können, wie sie Lust hatte, und vom Dienstmädchen bedient zu werden, statt den ganzen Tag aufzuwischen. Das Krankenhausleben war weitaus härter, als sie erwartet hatte, und ein Teil ihrer selbst war versucht, das zum Vorwand zu nehmen, um aufzugeben.

Wenn sie sich jedoch vorstellte, wie es in Edinburgh sein würde, fühlte Jenny sich wie erstickt. Man würde von ihr erwarten, daß sie sich dem Strickzirkel ihrer Mutter anschlösse und ihrem Vater bei der Pfarrkorrespondenz behilflich wäre. Nein – sie war aus dieser Schablone der pflichttreuen Tochter herausgewachsen, und es war zu spät, um sie wieder hineinzuzwängen. Ihre Mutter würde begreifen müssen, daß sie jetzt andere Pflichten hatte.

»Dalgleish, reichen Sie mir die nierenförmige Schale und hören Sie auf, Löcher in die Luft zu starren. Meine Güte, was für eine Energieverschwendung, euch Mädchen auf Trab zu bringen!«

»Entschuldigen Sie, Schwester.« Auch wenn sie Schwester Bacon innerlich verwünschte, so wurde Jenny doch, zu ihrem eigenen Erstaunen, bewußt, daß sie ihre Arbeit hier niemals aufgeben könnte. Daß sie das überhaupt erwogen hatte! Ja, die Arbeit war abscheulich und ungeheuer anstrengend. Doch was immer Bacon sagen mochte, Jenny wußte, daß diese Tätigkeit ihr eine Befriedigung gab wie keine andere im Leben.

Als der Verband angelegt war, griff Nummer acht plötzlich nach Jennys Handgelenk und flüsterte: »Lassen Sie sie doch reden, Herzchen. Sie sind ein tapferes kleines Ding und die beste Schwester von allen, so wahr ich hier liege.«

Jennys Müdigkeit und Niedergeschlagenheit fielen von ihr ab wie ein schwarzer Mantel. Welche andere Arbeit auf der Welt kannte solchen Lohn? Nun wußte sie genau, was sie an ihre Mutter schreiben würde. Hier, da mochte kommen, was kommen wollte, war ihr Platz.

Während der Weihnachtstage war es ruhig auf der Station, und Jenny bekam einen Tag Urlaub. Sie tauschte ihre Uniform gegen ihr graues Kostüm mit der blaßgrünen Crêpe-de-Chine-Bluse und ging zum Weihnachtsessen zu den MacIntyres. Alistair hatte etwas von einem ›ganz besonderen Geschenk‹ angedeutet, und als sie an dem Haus in Hyde Park Gate läutete, hoffte sie, daß es nicht der Hochzeitstermin wäre.

Was war bloß in letzter Zeit mit ihr los? Sie erkannte sich manchmal selbst kaum wieder. Noch vor kurzem war der Diamantring ihre wichtigste Errungenschaft gewesen. Es war ihr leichtgefallen, ihre persönlichen Wünsche zugunsten einer gesicherten Zukunft zurückzustellen – ›vernünftig‹ zu sein. Doch mehr und mehr quälten sie hartnäckige Wünsche, die das Gegenteil von vernünftig waren. Gewiß, es war wichtig, einen guten Eindruck auf Alistairs Familie zu machen, und ein Riesenerfolg, daß sie zu Weihnachten eingeladen wurde. Doch wenn sie bloß statt dessen Mr. Russells Einladung hätte annehmen können. Sehnsüchtig dachte sie an Rory, Tertius und Q und die liebe alte Lady Oughterard; alle hätten ulkige Hüte auf und zögen Knallbonbons, ohne daß eine Mrs. MacNeil dabeisaß wie ein in Schultertücher gehüllter Geist, um alles zu verderben.

Sie schämte sich, als Effie und Inkerman in die Diele stürzten, um sie zu begrüßen. Effies kindliches Gesicht glühte von einer Zuneigung, die unwiderstehlich war.

»Frohe Weihnachten, Jenny, mein Schatz. Ach, was sind Sie doch für ein Engel, daß Sie einen Tag frei bekommen haben! Sehen Sie mal das süße goldene Armband, das Alistair mir heute morgen geschenkt hat ... Inky, hör auf! Platz!«

Jenny reichte ihre Päckchen dem Hausdiener, der sie unter den Baum legte, und ging zur Familie in den Salon. Cornelias Mann Hamish MacIntyre war gerade erst als Offizier zum Hochländerregiment einberufen worden. Er war ein großer Mann mit einem Eierkopf und schütterem rotem Haar, und er trug seine neue Uniform mit verlegenem Stolz. Sein ältester Sohn Donald war ebenfalls in Uniform. Er hatte Dartmouth verlassen, war jetzt Leutnant zur See und sollte im Januar den Dienst auf seinem Schiff antreten. Donald war erst siebzehn, und als sie ihn jetzt mit seinen beiden Brüdern Willie und Hugh, die noch zur Schule gingen, herumalbern sah, verspürte Jenny eine Anwandlung von Mitleid mit Cornelia.

»Wo sind unsere Geschenke? Wir wollen sie jetzt haben!« Meggy und Peterkin, deren Münder bereits schokoladenverschmiert waren, betatschten ihren Rock mit klebrigen Händen.

»Ihr ungezogenen kleinen Luder«, sagte Alistair, »wollt ihr wohl den Schnabel halten?« Er küßte Jennys Wange und flüsterte: »Frohe Weihnachten, mein Liebes.«

»Hallo, Alistair.« Jenny stellte erleichtert fest, daß sie sich freute, ihn wiederzusehen.

Mrs. MacNeil thronte am Feuer und war in weniger Schultertücher gehüllt als sonst. Sie reichte Jenny die Hand mit überraschender Duldsamkeit, wenn nicht gar Höflichkeit. »Miss Dalgleish. Wie schön, daß Sie kommen konnten.«

»Ein frohes Weihnachtsfest, Mrs. MacNeil.«

»Froh! Nun, wir werden sehen. Cornelia, kannst du diese Kinder nicht bändigen? Was hat Peter denn im Mund?«

»Macht Granny nicht böse, ihr beiden«, sagte Cornelia. Sie wirkte gequält. »Und Schluß jetzt mit der Schokolade, Peterkin. Erst nach dem Essen wieder. Donald, hör auf, mit dem Dolch da herumzuspielen. Es wird sich noch jemand weh tun.«

Jenny lachte. »Arme Cornelia, was du alles gleichzeitig bedenken mußt. Ich hätte dir nicht noch eine zusätzliche Last aufbürden sollen.«

»Ach, du machst doch keine Mühe. Ehrlich gesagt, ich empfinde es als Erleichterung, einen vernünftigen Menschen zu haben, mit dem man ein Wort reden kann. Die Kinder benehmen sich schon seit dem Morgengrauen wie eine Affenhorde.«

Cornelia schien vergessen zu haben, daß sie sich je der Verlobung ihres Bruders widersetzt hatte. Sie hatte ihr Herz befragt und herausgefunden, daß Alistair ihr wichtiger war als ihre Mutter. Mittlerweile war sie eine standfeste Verbündete, und Jennys Dankbarkeit hatte sich zu echter Sympathie erwärmt.

»Donald sieht gut aus in Uniform«, sagte sie.

»Ja, nicht?« Cornelia erglühte, doch dann runzelte sie besorgt ihre Stirn. »Er ist nur schrecklich jung. Eigentlich noch ein kleiner Junge. Hamish meint jedoch, ich mache zuviel davon her.«

Alistair legte Jenny den Arm um die Taille und sagte: »Ich bin heute ein ganz egoistischer Hund. Du bist mein Weihnachtsgeschenk, und ich will dich mit niemandem teilen.«

Jenny warf einen Blick zu Mrs. MacNeil hinüber. Alistairs Bezeugungen seiner Zuneigung lösten gewöhnlich ihr Herzflattern aus. Heute, wahrscheinlich als Konzession an den festlichen Anlaß, tat sie betont, als bemerkte sie nichts. Für ihre Verhältnisse war sie in einer auffällig gütigen Stimmung.

Alistair zog Jenny beiseite. »Liebling, du bist müde.«

»Ich war bis zuletzt damit beschäftigt, die Station zu schmükken und Weihnachtslieder zu singen.«

Ernst und zärtlich sah er sie an. »Mir gefällt das nicht, Jenny. Die nutzen dich doch nur aus, und du darfst dich für ein paar Pfund im Jahr totschuften ... aber ich will nicht wieder davon anfangen. Du weißt ja, wie ich das sehe.«

»Wir haben es doch schon so oft besprochen. Ich kann einfach nicht dasitzen und Hohlsäume sticken, wenn ich gebraucht werde.«

»Ich weiß.« Irgend etwas nagte an seinem Ehrgefühl, Jenny kannte die Anzeichen. »Ich muß mit dir reden«, sagte er. »Ich möchte dir dein Geschenk lieber unter vier Augen geben.«

»Ja, gut.«

Sie ließ sich von ihm ins Speisezimmer führen, wo der große Tisch zum Mittagessen gedeckt war. Zwischen dem funkelnden Tafelsilber schimmerten Stechpalmenzweige. Wollte er ihrer Freiheit durch ein Datum ein Ende setzen? Theoretisch wäre das die Krönung all ihrer Pläne, der Schlüssel zu ihrem Glück. In Wahrheit erfüllte die Aussicht sie jedoch mit Panik. Sie wahrte die Fassung und ließ ihn erst einmal reden.

Sie war verblüfft, als er ihr einen flachen Lederkoffer in die Hand drückte. Sie öffnete ihn und hauchte: »Oh, Alistair, nein!«

Es war ein Brillantkollier, fein wie Spinnweben. Die Steine fingen das Licht ein wie Tautropfen.

»Gefällt es dir?«

Sie war entsetzt. »Es ist wunderschön. Du hättest nicht ...«

Alistairs faltiges Gesicht war voller Zärtlichkeit. »Ich hätte es dir schon vor Monaten geben sollen. Weißt du ... na ja, es sollte dein Hochzeitsgeschenk sein.«

»Ich verstehe nicht.«

»Jenny, wenn ich daran denke, wie ich dich behandelt habe, und wie geduldig du gewesen bist, dann verachte ich mich selbst ... nein, sag nichts. Ich wollte dir das Kollier jetzt gleich geben, als Unterpfand meiner Liebe, die größer ist als je zuvor ... dafür, daß du, seit ich dich zum erstenmal gesehen habe, der Mittelpunkt all meiner Hoffnungen und Träume bist. Meine Gefühle können sich niemals verändern. Doch die Welt hat sich verändert.« Sein Hals war rot, und seine Augen schwammen. »Weshalb wir auch noch ein wenig länger warten müssen. Ich ... ich habe mich gemeldet.«

Erstaunt über das Ausmaß ihrer Erleichterung brachte Jenny nichts weiter heraus als: »Oh.«

»Ich mußte es tun. Wohin ich auch gehe, überall sehe ich diese Rekrutierungsplakate«, er lachte trocken, »du weißt schon, ›Neununddreißig und kerngesund‹.«

»Aber Alistair, wie großartig von dir!« rief Jenny in einer Aufwallung von Zuneigung. »Du hast doch nicht geglaubt, daß ich dagegen wäre?«

»Ich wollte dich sofort heiraten, so daß wir noch ein bißchen Zeit füreinander hätten, ehe ich zu meinem Regiment stoße. Um die Wahrheit zu sagen, es war mein sehnlichster Wunsch.«

Er wirkte betrübt und beschämt zugleich. Jenny spürte den vertrauten Groll, als sie erkannte, wer da wieder die Hand im Spiel gehabt hatte. »Aber natürlich wollte deine Mutter davon nichts wissen.«

»Nein.«

Sie war in ihrem Stolz getroffen, und es war ihr gleichgültig, wie hart ihre Worte klangen. »Lieber gibt sie dich noch der Armee als mir.«

»Jenny ... mein Gott, sie war so furchtbar krank, als ich es ihr gesagt habe!«

»Sie hat gerade eben nicht im mindesten krank auf mich gewirkt. Es scheint ihr sogar auffallend gut zu gehen. Noch ein weiterer Aufschub – ein schöneres Weihnachtsgeschenk konnte man ihr gar nicht machen, habe ich nicht recht?«

»Bitte ... nicht.«

Jennys Zorn verebbte. »Entschuldige. Ich weiß, daß du recht hast. Ich darf dich nicht dafür kritisieren, daß du deine eigenen Wünsche opferst.«

»Mein Schatz!« Er nahm sie in die Arme und umschloß ihren Kopf sanft mit den Händen. »Ich habe doch auch deine Wünsche geopfert. Wenn du dich weigern würdest, noch länger auf mich zu warten, ich müßte es verstehen. Ich könnte dir keinen Vorwurf machen.«

Jenny stand ganz still. Er gab ihr die Chance, ihr Versprechen zurückzunehmen. Ein plötzliches Verlangen nach Freiheit flatterte in ihr auf wie ein Vogel im Käfig. Doch sein Unglück und sein Verlangen waren zu stark für sie. Sie konnte es nicht ertragen. Sie konnte ihn nicht verletzen, ohne sich auf alle Zeiten dafür zu hassen.

»Ich werde auf dich warten«, sagte sie, »bis ans Ende aller Tage.«

Als hätte sie einen Zauberspruch gesagt, so verflüchtigte sich Alistairs Qual. Seine Arme schlangen sich fester um sie, und er vergrub seine Lippen an ihrem Hals. »Jenny Dalgleish«, murmelte er, »ich werde noch hundert Lebensjahre brauchen, um deiner würdig zu sein.«

Jenny wurde es plötzlich kalt. Sie klammerte sich furchtsam an ihn, um eine bedrückende Vorahnung abzuwehren. Für einen Sekundenbruchteil trank sie aus dem Kelch der Zukunft, und er war voller Bitterkeit.

6

Eleanor liebkoste den cremefarbenen Morgenrock aus Seide und Spitze, den Lorenzo ihr vor so vielen Monaten zum Geburtstag geschickt hatte, als könnten seine kühlen Falten den Schmerz vertreiben, der ihr in den Rücken stach. Der Lieferwagen von Harrods hatte ihn ins Haus gebracht. Das Geschenk wurde von der unpersönlichen Mitteilung begleitet, daß die Bestellung zu Lasten von Sir L. Hastings Konto ginge. Sie hatte ihn nie getragen – selbst damals war sie schon zu dick gewesen –, doch war es das einzige Geschenk, das sie je von ihrem Mann bekommen hatte. Zu Weihnachten hatte er nur ein paar lakonische Zeilen geschrieben: Er hoffe, es gehe ihr gut. Mittlerweile war es Februar, und sie hatte nichts mehr von ihm gehört.

Die Einsamkeit, die sie seit ihrer Heirat ertragen mußte, war schlimmer als jeder noch so große Schmerz. Das Problem war nicht, daß sie wirklich allein war. Francesca, Jenny und Rory waren unendlich nett zu ihr gewesen. Ihre Köchin und ihr Hausmädchen, die irgendwie ahnten, daß Lady Hastings kein glückliches Leben führte, behandelten sie mit allergrößter Rücksichtnahme. Sie war von einer ganzen Leibgarde von Frauen umgeben, die rührend um sie bemüht waren. Doch Lorenzos Gefühllosigkeit lag über ihrer Welt wie ein Meer aus Eis.

In letzter Zeit sehnte sie die Geburt des Kindes immer heftiger herbei. Seine Tritte und die Tänzchen, die es unter ihrem Herzen aufführte, hatten die Hoffnung in ihr geweckt, daß es ein Ersatz für Lorenzo werden könnte, der die Liebe akzeptieren würde, die sein Vater verschmähte. Er würde Laurence heißen und wie sein Vater werden: die aufmüpfige Persönlichkeit des fremden Geschöpfs, das in ihrem Leib strampelte, hatte Eleanor davon überzeugt. Ein wiedergeborener Laurence Hastings, der die Vergangenheit tilgen sollte.

Alle waren sich darin einig, daß es ein Junge werden würde. Mrs. Bintry, die Köchin, eine Witwe, deren erwachsener Sohn bei der Polizei war, meinte: »Das sieht man daran, wie er tritt, Ma'am. Daran kann man es auf jeden Fall erkennen. Ich war voller blauer Flecken, als ich schwanger war.« Lady Oughterard hatte, als sie sie letzte Woche zusammen mit Rory besuchte, nur einen einzigen Blick auf Eleanors Bauch geworfen und erklärt: »Ich hoffe, Ihr Becken ist blau, Kindchen. Sehen Sie sich nur an, wie er liegt ... bei meinen dreien war es ganz genauso. Der arme alte Vater hatte sich zwar in den Kopf gesetzt, daß Tertius ein Mädchen würde, doch ich wußte es besser.«

Von Frauen umgeben zu sein hieß aber auch, daß sie sich vor Ratschlägen kaum retten konnte. Das Ungeborene hatte sich wie ein Magnet ausgewirkt und noch mehr Frauen in Eleanors Kreis gezogen. Mrs. MacIntyre hatte angerufen und einen Monolog über Peterkins Koliken gehalten. Mrs. Carr-Lyon hatte ihr geraten, wenigstens sechs Monate zu stillen. Monica Templeton hatte ihr geraten, überhaupt nicht zu stillen, ›denn entweder verlieren die Brüste dadurch die Form, Herzchen, oder sie verschwinden völlig‹. Eleanor hörte zu und wußte insgeheim, daß der kleine Lorenzo genau das tun würde, was er wollte.

Sie schnappte hörbar nach Luft, und Lorenzos Geschenk glitt

zu Boden. Die Fruchtblase war geplatzt. Die Geburtshelferin hatte sie beim letzten Besuch zwar darauf vorbereitet, aber der starke Schwall des Fruchtwassers überraschte sie doch. Der seidene Morgenrock lag in der immer größer werdenden Pfütze, und sie vermochte sich nicht zu bücken und ihn aufzuheben.

Die Schwester kam und sagte frohgemut: »Nun ist er also endlich unterwegs. Was sind Sie nur für ein dummes Mädchen, daß Sie mich nicht früher gerufen haben. Jetzt aber schnell ins Bett mit Ihnen, und dann rufe ich den Doktor an.«

»So, nun geht's los«, teilte Mrs. Bintry dem Hausmädchen in der Küche mit. »Armes kleines Ding, ganz allein in einem solchen Augenblick. Ehrlich gesagt, Ethel, ich weiß, der Mann ist bei der Armee und so weiter, aber da stimmt doch irgendwas nicht. Seit Wochen kein Wort von ihm, und sie weint sich die Augen aus, weil sie den Morgenrock ruiniert hat, den sie von ihm bekommen hat.«

Eleanor verbrachte die folgenden zwölf Stunden in einem Delirium des Schmerzes, den brutalen Forderungen ihres Körpers gnadenlos ausgeliefert. Sie hatte sich einen derartigen Schmerz nicht vorgestellt und konnte nur passiv daliegen, während in ihrem Innern eine Schlacht tobte. Das Kind war ein Ungeheuer, so gierig aufs Leben, daß es sie dafür umzubringen bereit war. Endlich, als die Lampen angezündet wurden und es auf den Straßen still geworden war, wurde Lorenzos Kind in die Welt hinausgezogen.

Eleanor lag schlaff und keuchend in den Kissen, während die Schwester das blutige Geschmier zwischen ihren Schenkeln wegwusch. Von fern bekam sie mit, daß der Arzt den Mund des Babys mit dem Finger säuberte. Er gab ihm einen leichten Klaps, und das kleine Geschöpf lief zornrot an und ließ sein erstes durchdringendes Protestgeschrei hören. Eleanor verspürte lediglich eine Mischung aus Groll, weil es sie so hatte leiden lassen, und Erleichterung, weil das Leiden vorbei war.

Das Zimmer war voller Frauen. Rory und Francesca hatten im Salon gewartet, geschützt gegen die obszönen Mysterien der Geburt. Mrs. Bintry und Ethel drängten hinter ihnen herein.

»Ach, wie goldig!« hauchte Francesca mit leuchtenden Augen. »Was für ein Engel!«

Rory flüsterte: »Oje, ist das aber häßlich!«

»So sehen sie doch alle aus, stimmt's, Schwester?«

Die Schwester hatte den kreischenden Säugling in ein Handtuch gewickelt. Sie beugte sich zu Eleanor hinab und sagte in bestimmtem Ton: »Nun ist es ja gut, Lady Hastings. Es ist alles ausgestanden, und Sie haben ein wunderhübsches kleines Mädchen!«

»Mädchen?« wiederholte Eleanor dumpf. Das durfte nicht sein. Es mußte ein Irrtum vorliegen. Lorenzo würde kein Mädchen wollen – er würde sie niemals lieben, wenn es ihr nicht gelang, ihm seinen Sohn zu verschaffen.

»Ja, meine Liebe. Und was hat sie für schöne kräftige Lungen!« Sie legte Eleanor das Baby in die Armbeuge. »Wollen Sie sie denn gar nicht anschauen?«

Nein, das wollte sie nicht. Sie wollte hundert Jahre schlafen. Sie hatte das alles doch nicht durchgemacht, bloß um ein Mädchen zu kriegen. Dennoch wandte sie den Kopf. Das ramponierte Gesicht des Babys, noch schleimig und wachsfarben, war nur eine Handbreit von ihrem entfernt. Seine winzigen vollkommenen Fäuste hieben durch die Luft, und Eleanor spürte, wie der kleine Körper sich unter der Gewalt eines jeden wütenden Schreis anspannte.

Liebe überschwemmte sie wie eine Woge der Ekstase und riß die froststarre Einsamkeit der letzten neun Monate hinweg. Das Baby war wunderschön, ein Fremdling, den sie bereits besser kannte als irgendeinen Menschen in ihrem Leben. Sie war bereits die Sklavin ihrer Tochter, von Ehrfurcht erfüllt, und sehnte sich danach, den Zorn zu besänftigen. Vorsichtig drückte sie die Lippen auf die feuchten Haarbüschel, die am purpurroten Schädel des Babys klebten und murmelte: »Laura.«

Francesca blieb einen Augenblick in der Türöffnung stehen und beobachtete Mrs. Herries. Sie hatte darum gebeten, sie nicht anzumelden, und Sharp, der den Grund ihres Besuchs erraten hatte, wies ihr mit dem Kopf den Weg in Richtung Frühstückszimmer und flüsterte: »Ist alles gutgegangen, Miss Garland?«

»Ja. Es ist ein Mädchen, und beiden geht es gut.«

»Danke, Miss. Ich werde runtergehen und den anderen Bescheid sagen.«

Es war die Stunde, in der Mrs. Herries ihre Geschäftspost erledigte. Sie kritzelte auf ihrem Schreibtisch mit den Intarsien vor sich hin und war zu beschäftigt, um zu merken, daß sie nicht allein war. Sie wirkte älter, fand Francesca. Oder vielleicht hatte sie diesen Eindruck auch nur, weil sie sie seit Eleanors Hochzeit nicht mehr gesehen hatte. Es war ihr zuwider gewesen, Partei ergreifen zu müssen. Mrs. Herries war schließlich gut zu ihr gewesen. Mehr als nur gut, sie war der Fels gewesen, auf den sie hatte bauen können – seit dem Tage, da sie sich als heimatloses, verlassenes Kind von Eleanors Schule in ihr Haus gestohlen hatte. Selbstverständlich hatte Francesca Partei für Eleanor ergreifen müssen. Doch der vertraute Anblick von Mrs. Herries an ihrem Schreibtisch löste eine schmerzhafte Aufwallung der alten Zuneigung aus der Zeit ihrer Abhängigkeit aus.

»Tante Sybil ...«

Mrs. Herries zuckte zusammen: »Francesca!« Sie erhob sich mit königlicher Würde. »Ich habe dich nicht erwartet.«

Francesca ließ den Kopf hängen. Sie wußte nicht, wie sie anfangen sollte.

»Geht es dir gut?«

»Ja.«

»Das freut mich zu hören.« Mrs. Herries' Lippen preßten sich störrisch aufeinander. Nur ihr rascher, flacher Atem verriet ihre Erregung.

»Ich ... ich bin wegen Eleanor gekommen«, stieß Francesca hervor. »Sie weiß nicht, daß ich hier bin, doch ich konnte es nicht ertragen, daß Sie nicht Bescheid wissen.«

Schweigen. Das goldene Medaillon auf Mrs. Herries' Brust hob und senkte sich. »Nun?« sagte sie.

»Sie hat gestern abend ihr Kind bekommen ... ein kleines Mädchen. Der Arzt sagt, sie habe es bestens überstanden. Sie ist sehr glücklich.«

»Und das Kind? Ist es gesund?«

»Es ist wunderbar.«

»Na schön.«

»Bitte, Tante Sybil, könnten Sie sie nicht besuchen ...«

»Das kommt überhaupt nicht in Frage.« Mrs. Herries setzte sich wieder an ihren Schreibtisch und nahm den Federhalter in die Hand. »Habe ich's doch geahnt, daß so etwas kommen würde, sobald das Kind da wäre. Als könnte die bloße Anwesenheit eines Babys an meiner Einstellung etwas ändern. Natürlich freut es mich, daß es gutgegangen ist. Doch das ändert überhaupt nichts. Eleanor soll sich bloß nicht einbilden, daß zwischen ihrem Kind und Violas irgendeine Beziehung besteht. Das Kind hat mit meiner Familie nicht das geringste zu tun.«

Noch während dieser Rede hatte Francesca zu schluchzen begonnen. Sie stand mitten im Zimmer, ihren Seehundmuff an sich gedrückt, und weinte, während Mrs. Herries sich nachdrücklich wieder ihrem Brief zuwandte.

»Können Sie ihr denn jetzt nicht verzeihen?«

»Laß mich nicht böse werden, Francesca.« Sie weigerte sich, den Blick zu heben. »Du meinst es gut, doch du bist zu sehr Kind, um zu verstehen, um was es hier geht. Wenn du auch nur einen Funken Verstand hättest, dann würdest du einsehen, daß dies hier weit über das hinausreicht, was man verzeihen könnte. Eleanor hat uns bewußt hintergangen. Sie wußte genau, was sie tat, als sie sich um jenes Mannes willen entehrt hat. Und mehr habe ich zu diesem Thema nicht zu sagen.«

Sie hatte sich hinter dem stählernen Panzer ihres Stolzes verschanzt. Keine Macht dieser Erde würde sie erweichen. Francesca durchfuhr die Angst wie ein eisiger Schock. Tante Sybil war einer der wenigen Menschen, denen sie vertraut hatte, und sie konnte das Gefühl nicht ertragen, ihre Liebe verloren zu haben. Ihre erste Regung war, sich ihr zu Füßen zu werfen und sie anzuflehen: »Bitte, hasse nicht auch mich. Laß mich wieder dein kleines Mädchen sein.«

Doch ein kleines Mädchen zu sein hieß, daß man die Großen niemals richten durfte, und Francesca wußte, daß Tante Sybil im Unrecht war. Unbewußt, so erkannte sie jetzt, hatte sie angenommen, daß das Recht irgendwie auf der Seite dieser Frau war – sonst hätte sie das Fundament ihrer ganzen Welt in Zweifel ziehen müssen. Und aus diesem Grund hatte sie zugelassen, daß ein Schatten auf ihre Liebe zu Eleanor gefallen war. Hatte sie nicht im tiefsten Innern angenommen, daß die arme Eleanor irgend etwas Schlimmes verbrochen haben mußte? Aber ihr Verbrechen bestand nur darin, zu sehr geliebt zu haben. Und

nur sich selbst hatte sie damit weh getan. Francescas Selbstvor-
würfe – und die erstaunliche Entdeckung, daß der Himmel
nicht einstürzte, als sie es wagte, die mächtige Mrs. Herries zu
verurteilen – machten ihr Mut.

»Eleanor hat sich doch gar nicht entehrt«, erwiderte sie. »Sie
ist jetzt verheiratet und Mutter einer hübschen kleinen Tochter.
Sie ... Sie sollten stolz auf sie sein!«

Der Federhalter zitterte zwar in Mrs. Herries' Hand, doch sie
hielt Francesca hartnäckig das Profil zugewandt und blickte
zornig auf das Papier auf ihrer Schreibtischunterlage.

»Tante Sybil, Sie sind schrecklich gut zu mir gewesen, und ich
bin Ihnen dafür unendlich dankbar. Doch wenn Sie Eleanor
nicht verzeihen, kann ich Ihnen auch nicht verzeihen.«

Mrs. Herries' Kopf fuhr zornig in die Höhe. »Ich lasse mich
bestimmt nicht erpressen, Francesca. Du weißt ganz genau, daß
ich dich geliebt habe wie mein eigenes Kind. Doch so sehr liebe
ich dich nun auch wieder nicht, daß ich meine Familie durch
das Blut jenes Mannes vergiften ließe.« Sie stieß ein kurzes,
bitteres Lachen hervor. »Und wenn Eleanor wirklich so glücklich ist, dann braucht sie mich auch nicht.«

7

Wurde man kurzfristig zu einer Soldatenhochzeit geladen, dann
war es ein Gebot der Höflichkeit, so zu tun, als sei sie schon seit
Ewigkeiten geplant gewesen. Den aufgearbeiteten Hüten und
den nicht zu übersehenden Heftstichen an den Kleidern der
Brautjungfern gegenüber drückte man ein Auge zu. Die Menschen sprachen nicht mehr vom Krieg, als wäre er binnen weniger Wochen zu Ende. Ebensowenig ließen sie jedoch ihre Be-
fürchtung laut werden, daß Fortschritte nur in den Druckspal-
ten der *Times* stattfanden, wo die Gefallenenlisten mit jedem
Tag länger wurden. Die Reden bei Trauungen enthielten die
üblichen Floskeln von einem langen, segensreichen Eheleben –
es wäre geschmacklos gewesen, darauf zu sprechen zu kommen,

daß das wahre Schicksal einer jungen Braut in Abschieden auf Bahnsteigen, nagender Einsamkeit und ständiger Furcht vor Telegrammen bestand.

Doch dieses Wissen lauerte hinter der Heiterkeit, ein Krebsherd im Herzen der Orangenblüte. Es war auch der Grund, weshalb Rory und Jenny so versessen darauf waren, noch in den kleinsten Einzelheiten gute Vorzeichen zu entdecken.

»Ein wirklich vollkommener Frühlingstag«, sagte Jenny und bewunderte zum x-tenmal an jenem Morgen den zartblauen Himmel. »Kein einziges Wölkchen ... was für ein Glück.«

Rory stimmte zu und dachte insgeheim, daß Francesca und Stevie wirklich alles nur erdenkliche Glück brauchen konnten. Die Hochzeit war in fieberhafter Eile arrangiert worden, als Stevie vor der Einschiffung Urlaub bekam. Binnen einer Woche würde er in Frankreich sein.

»Ich komme mir blöd vor in diesem Gewand«, sagte Rory.

Jenny lachte. »Quatsch, du siehst wunderhübsch aus. Der arme Tertius kann den Blick gar nicht von dir wenden.«

»Also, ich habe mich Francesca zuliebe in Fischbein und Handschuhe gezwängt, nicht ihm zuliebe. Der kleine Schatz, ich würde heute alles tun, was sie glücklich macht.«

In ihren Brautjungfernkleidern aus blaßgelber Seide und mit riesigen Strohhüten, die mit weißen Bändern verziert waren, warteten sie vor St. James.

Jenny war besorgt. »Wenn doch Eleanor endlich käme. Was mag sie bloß aufhalten? Alle anderen sind schon da.«

Im Innern der Kirche sah man in den blumengeschmückten Kirchenbänken dicht an dicht elegante Hüte. Hilary Twisden in seiner neuen Uniform und Aubrey Russell im Cut fungierten als Platzanweiser. Windrush war erschienen, gar nicht wiederzuerkennen in seiner properen blauen Rot-Kreuz-Uniform; er hatte Urlaub von seiner amerikanischen Sanitätseinheit in Belgien bekommen. Dinah Curran und Cecil Scott, erwartungsfroh in ihren neuen Handschuhen und weißen Korsagen, waren ebenfalls eingetroffen.

Tertius, Quince und Fingal waren zeitig gekommen, um einen guten Platz für Muttonheads Rollstuhl zu ergattern.

Selbst Viola Fenborough hatte sich eingefunden, obwohl das

bedeutete, daß sie Notiz von ihrer Schwester nehmen mußte, mit der sie seit Monaten kein Wort gewechselt hatte. Gus, untersetzt und rundlich in der Uniform eines Stabsoffiziers, glich ihr hochmütiges Schweigen dadurch aus, daß er lautstark scherzte.

Rory und Jenny hatten Eleanor seit Lorenzos Urlaubsbeginn nicht mehr gesehen. Er hatte ursprünglich ein Zimmer in Brown's Hotel in der Dover Street reserviert, schließlich jedoch Stevies Drängen nachgegeben und sich bereit gefunden, bei seiner Frau und seiner kleinen Tochter zu wohnen. Rory brannte darauf zu erfahren, wie sie miteinander zurechtkamen.

»Gott sei Dank!« rief Jenny. »Da sind sie.«

Ein Taxi hielt am Bordstein, und Lorenzo half Eleanor heraus.

»Herrje!« sagte Rory. »Was hat die denn angestellt?«

Eleanors linker Arm hing in einer Schlinge. Sie trug einen Hut mit einem dichten Schleier, und als sie ihn zurückschlug, um ihre Freundinnen zu begrüßen, nahm es den beiden vor Entsetzen beinahe den Atem. Ihr Gesicht war grotesk verschwollen, entstellt durch dicke grüne und schwarze Blutergüsse an Wangen und Kiefern.

Ihre Augen strahlten jedoch vor Glück. Eleanor konnte man immer schon leicht durchschauen, und an ihrem strahlenden Glück gab es gar keinen Zweifel. Ebensowenig an dessen Ursache. Ihr unversehrter Arm war mit Lorenzos verschränkt, und er hielt fürsorglich ihre Hand. Nach außen hin war er zwar steif und griesgrämig wie immer, doch er liebkoste ihre behandschuhten Finger mit einer Art selbstverständlicher körperlicher Vertrautheit. Rory erriet sofort, daß sie miteinander schliefen.

Eleanor lachte über ihre entsetzten Gesichter. »Ich weiß, ich sehe schrecklich aus. Lorenzo wollte ja auch, daß ich zu Hause bei Laura bleibe, aber ich durfte doch Francescas Hochzeit nicht verpassen.«

»Was ist denn passiert?« fragte Jenny.

Eleanor blickte zu Lorenzo auf. »Wir waren mit dem Wagen unterwegs nach Maidenhead, und als ein Reifen geplatzt ist, sind wir im Straßengraben gelandet. Lorenzo hat überhaupt nichts abgekriegt, doch mein Talent für solche Mißgeschicke kennt ihr ja.«

Lorenzo lächelte ihr fast zärtlich zu. »Komm, gehen wir hinein, damit ich meine beschwerliche Last von einer Ehefrau hinter einer Säule verstecken kann.«

Als er sie durch das Portal führte, legte er seinen Arm um ihre Taille.

»Ja, wer hätte je geglaubt, daß ...«, begann Jenny.

Es war jedoch leider keine Zeit mehr, um die jähe Verbesserung von Eleanors ehelicher Situation zu erörtern. Der Rolls Royce der Templetons war eingetroffen und entließ Archie und Francesca.

Rory, die normalerweise bei Trauungen nicht zur Rührseligkeit neigte, mußte einige Male schlucken, um nicht zu weinen. Francesca sah anbetungswürdig aus. Sie trug ein weißes Atlaskleid, das so zart war wie gesponnener Zucker, und ihre braunen Augen leuchteten durch einen Hauch von weißer Spitze. Sie war zwar sehr nervös, aber die neugewonnene Würde ihrer Haltung verlieh ihrer zerbrechlichen Schönheit besondere Anmut.

Jenny und Rory küßten sie und reihten sich hinter ihr ein, während sie in die Kirche schritten. Der Organist schlug den ersten Takt des Hochzeitsmarsches an, und die Gemeinde erhob sich. Stevie wartete im Gang, die Hand am Heft seines Schwerts. Ein wäßriger Sonnenstrahl fiel über seine Schulter und verwandelte seine Leutnantsabzeichen in Scheiben aus geschmolzenem Gold.

Überall im Kirchenschiff wurden die Taschentücher gezückt, als dieser gutaussehende junge Soldat seiner Märchenbraut das Jawort gab. Marion Carr-Lyon stand kerzengerade und verschlang ihren Jungen mit stolzglühenden Blicken. Monica Templeton begann hörbar zu schluchzen, als Stevie den Ring an Francescas bebende Hand steckte.

Bitte, so betete Rory zu ihrer eigenen Überraschung, bitte, laß sie glücklich werden. Mach, daß alles gut für sie wird. Strahlendes Sonnenlicht fiel gerade in dem Augenblick herein, als der Pastor sie zu Mann und Frau erklärte, und die schwarzen Wolken des Krieges teilten sich für einen Augenblick, um etwas Strahlend-Kostbares zu enthüllen, das immun war gegen die Verheerungen der Zeit.

Man hatte es nicht für ratsam gehalten, die Gäste Monicas Zwanglosigkeit in der Half Moon Street auszusetzen, also begaben sie sich im Aprilsonnenschein zu Fuß zum Ritz. Marion Carr-Lyon hatte zuvor klargemacht, daß sie nicht mit Monica in der Schlange der Gratulanten stehen wollte, also gingen Francesca und Stevie selbst herum, um sich beglückwünschen zu lassen.

Rory beobachtete sie, an Muttonheads Stuhl gelehnt. »Sind sie nicht wunderschön? Die armen Dinger, nun sieh dir an, wie sie sich aneinanderklammern ... als hätten sie Angst, daß das alles nur ein Traum sein könnte.«

Muttonhead nahm die Pfeife aus dem Mund. »Hätte gar nicht gedacht, daß du so romantisch sein kannst, Miss. Man wird sich doch nicht anstecken lassen?«

»Nun sei aber nicht albern. Die Ehe taugt nur für Mädchen wie Francesca. Und außerdem, wer würde mich schon nehmen?«

Gus trat zu ihnen, die Hand an Violas Ellbogen. Viola war zu vornehm, als daß sie sich sichtbar gesträubt hätte, ihrem Mann zu folgen, doch ihre Miene machte keinen Hehl aus ihrem Widerstreben.

»Na, Oughterard ...« Gus war mit Muttonhead zur Schule gegangen. »Was macht das Bein?«

»Ärger«, sagte Muttonhead.

»War 'ne erstklassige Leistung von Ihnen, die Sache bei Neuve-Chapelle. Wär ich nur rechtzeitig aktiv geworden, so daß ich hätte dabeisein können.«

»Danke, Fenborough. Hohes Tier geworden, was?« Er wies mit seinem Pfeifenstiel auf Gus' hellroten Kragenspiegel.

»Ja, ich bin in Rawlinsons Stab. Ich werde ein Wort für Sie einlegen, sobald die Sie aus dem Stuhl herauslassen.«

»Wie schön, daß es Ihnen bessergeht, Lord Oughterard«, sagte Viola.

»Danke, Mrs. Fenborough.«

»Und Aurora ... was für ein bezauberndes Kleid.«

»Ja, nicht wahr?« Rory konnte Viola nicht ausstehen, und sie wußte, daß das auf Gegenseitigkeit beruhte. »Ehrlich gesagt, Vi, ich habe gar nicht mit dir gerechnet. Da wird Francesca sich aber gefreut haben.«

»Gus hat mich dazu überredet«, sagte Viola. »Er meint, ich soll wieder mit Eleanor sprechen, wenn auch nicht mit ihrem gräßlichen Gatten.«

»Gib dir einen Ruck«, drängte Gus. »Schwestern sollen sich nicht streiten, ganz gleich, was deine Mutter sagt.«

»Na schön, aber es ist doch mehr als lästig, so grauenhaft, wie sie aussieht. Typisch für sie ... ewig stolpert sie und rennt überall dagegen und macht sich lächerlich.« Ihre kühle Stimme wurde noch kühler. »Außerdem hat sie Tertius gänzlich mit Beschlag belegt. Komm jetzt, Gus, ich möchte noch mit ihm sprechen, ehe wir gehen.«

Auf der anderen Seite des Raumes erzählte Eleanor Tertius gerade munter: »Ihre Augen werden jeden Tag ein bißchen dunkler, und ich bin sicher, sie werden genau wie Lorenzos. Er behauptet, sie sei häßlich, und er will sie nicht auf den Arm nehmen, aber die Kinderschwester meint, viele Männer wollten kleine Kinder nicht auf den Arm nehmen, und er hat ihr immerhin eine Klapper aus Elfenbein gekauft.«

Sie stockte und wirkte erschreckt, als Gus Viola an ihre Seite führte. Gus war jedoch ein Muster an Takt und verbrämte die Versöhnung der beiden, indem er zu einem allgemeinen Gespräch über Babys anregte. Viola, die Tertius' Anwesenheit gnädig stimmte, setzte sich sogar neben sie und versprach, in der nächsten Woche in der Clarges Street vorbeizuschauen. »Und dann mußt du zu mir kommen. Ich möchte dir Tertius' Zeichnungen von Fleur zeigen.«

Stevie machte Francesca auf die Gruppe aufmerksam. »Das rechne ich mir als Verdienst an. Unsere Hochzeit hat allen Glück gebracht.« Er küßte sie flüchtig auf den Mund. »Wir sind so verliebt, daß wir einfach nur Sonnenschein und Zuversicht verbreiten können.«

Drüben am Büfett hatte Monica den Colonel und Mrs. Carr-Lyon gestellt.

»Nun sag mal, Marion, ist das nicht zum Piepen? Wer hätte je gedacht, daß wir mal miteinander verwandt sein würden?« Sie trug ein taubenblaues Kostüm, das sie umschloß wie eine zweite Haut und ihre wohlgeformten Fesseln sehen ließ. Ihre großen dunklen Augen glitzerten, doch die gemalte schwarze

Umrandung zerlief bereits. »Natürlich kann ich mir nichts Schöneres vorstellen, als Stevie in der Familie zu haben ... wenn es mir auch schrecklich schwerfallen wird, den Sohn in ihm zu sehen. Sie werden mir eins seiner Babybilder schenken müssen, damit ich nicht auf dumme Gedanken komme.«

Sie hielt einem vorbeigehenden Kellner das leere Glas hin. »Oder vielleicht sollte ich ihm einfach ein Schild um den Hals hängen ... mit der Aufschrift ›Hände weg!‹«

Colonel Carr-Lyon kicherte. Er fand Monica zum Schreien.

Seine Frau fand das gar nicht komisch. »Wir sind entzückt von Francesca«, sagte sie streng. »Solch ein reizendes Kind und so bemüht, es allen recht zu machen. Sie wird bei uns wohnen, sobald Stevie zu seinem Regiment zurückkehrt. Es scheint keinen Sinn zu haben, ein Haus für sie einzurichten, solange die Verhältnisse dermaßen unsicher sind. Selbstverständlich werden wir uns bei seinem nächsten Urlaub rar machen.«

Monica lachte. »Das wird ja lauschig werden. Sie können ganz sicher sein, daß meine Kleine Ihnen nicht zur Last fällt. Ach, Sie werden kaum merken, daß Stevie verheiratet ist. Wenn ich das nur genauso mühelos vergessen könnte!«

Archie hatte die letzten Worte mitbekommen. Er nahm sie recht unsanft beim Arm. »Ich habe mit dir zu reden.«

»Doch nicht jetzt, mein Schatz. Ich gebe gerade die stolze Mama.«

»Jetzt sofort.«

Er hielt Monica fest beim Arm gepackt und schob sie energisch durch die Menge. Die Leute starrten sie an. Monica, keineswegs entmutigt, hob ihr Champagnerglas und warf ihren Freunden Kußhände zu. Als sie den Raum verlassen hatten, drängte Archie sie auf dem menschenleeren Treppenabsatz gegen eine Topfpalme.

Das Lächeln war aus ihrem Gesicht gewichen, und sie sah ihn verächtlich an. »Was ist denn in dich gefahren? Wohl wieder harte Sachen getrunken? Du riechst wie eine Schnapsbrennerei.«

»Wage es nur«, sagte Archie und entblößte die Zähne, »wage es nur ... die Kleine hat es schwer genug gehabt im Leben, und ich werde nicht zulassen, daß du ihr Glück zerstörst. Ist das klar?

Es ist mir völlig schnuppe, mit wem du sonst herumpoussierst, aber wenn du den Jungen noch ein einziges Mal auch nur mit dem kleinen Finger anrührst, Monica, so wahr ich hier stehe ... ich zieh dir die Haut bei lebendigem Leibe ab.«

Als Francesca ihre Kleidung gewechselt hatte, veränderte sich ihre Stimmung schlagartig. Sie wurde leichenblaß und klammerte sich an ihre Freundinnen, als wollte sie um Hilfe flehen. Jetzt, wo der Augenblick gekommen war, daß das Konfetti zusammengekehrt wurde, und alle nach Hause gingen, wurde ihr klar, daß sie zu Stevie gehörte. Es ging niemanden sonst etwas an, wohin er sie brachte oder was er mit ihr anstellte.

Im Auto trug sie zum Schutz gegen den Fahrtwind einen Schleier um den Hut, und Stevie war ohnehin zu sehr mit dem Verkehr beschäftigt, um sie richtig anzusehen. Doch als er in einer stillen Straße anhielt, um das Just-Married-Schild von der hinteren Stoßstange zu entfernen, entdeckte er, daß sie weinte.

»Liebling, was ist denn?«

»Nichts.«

Ein schreckliches Gefühl der Hilflosigkeit beschlich ihn. Er hatte die Verantwortung für seine Frau. Er konnte sie nicht einfach an jemand anderen weiterreichen, wenn er nicht wußte, was er mit ihr anstellen sollte. »Du bist bestimmt müde«, schlug er vor. »Bald sind wir da.«

»Ja.« Sie versuchte zu lächeln.

Der Zweifel, der sich in ihr Lächeln mischte, schnürte Stevie das Herz ab. Er nahm ihre Hand und streichelte sie geduldig, bis sie sie ihm nicht länger zu entziehen versuchte. »Du mußt keine Angst vor mir haben, hörst du? Ich werde dich schon nicht fressen.«

»Ich weiß.«

»Es war ein langer Tag für dich, Herzchen. Du wirst dich gleich tausendmal besser fühlen, wenn wir erst mal dort sind. Und Nanny Stack wird sich um dich kümmern.«

Sie wollten ihre Flitterwochen in einem Haus in Sussex verbringen, das den Carr-Lyons gehörte und um das sich Marions alte Kinderfrau kümmerte. Sie war auch Stevies Kinderfrau gewesen, und der Gedanke an sie tröstete ihn. Während er fuhr, hörte er nicht auf, fröhlich zu plaudern und lustige Anekdoten zu erzählen. Francesca entspannte sich ein wenig, doch als sie endlich das Calcutta Lodge erreichten, war Stevie erschöpft.

Nanny Stack war eine drahtige alte Dame, wenn man davon absah, daß die Arthritis sie gebeugt hatte. Sie stand unter dem rosenbewachsenen Säulenportal, um sie zu begrüßen. Das solide Cottage war von ersten Rosenknospen umrankt. Die Abenddämmerung färbte die weiten Rasenflächen, die von Apfelblütenblättern übersät waren, blau. Das reinste Flitterwochenparadies. Stevie beugte sich zu Nanny Stack, um sie zu umarmen. Ihr altvertrauter Geruch nach Liniment und Hustenbonbons bewirkte, daß er sich plötzlich heftig danach sehnte, wieder ein kleiner Junge in ihrem Kinderzimmer zu sein, heiße Milch zu trinken und ihren buckligen Schatten an der Wand zu beobachten.

»Meine Güte, Master Stevie, was sind Sie doch groß geworden. Und wie gut die Uniform Sie kleidet. Da muß Mummy ja furchtbar stolz sein.«

»Tja, Stackie, hier ist sie.« Er legte Francesca den Arm um die Hüfte. »Schatz, dies ist die gefürchtete Nanny Stack, und wenn wir unseren Pudding nicht aufessen, dann können wir was erleben.«

Nanny knickste. »Guten Abend, Mrs. Carr-Lyon. Hören Sie nur nicht auf den Unsinn, den er erzählt. Und nun herein mit Ihnen beiden. Das Abendessen steht am Kamin bereit, und dann verschwinde ich, wenn es recht ist. Der Boiler ist angestellt, Madam, wenn Sie heißes Wasser möchten.«

Francesca zog die Handschuhe aus und ließ den Blick scheu über die weißgestrichene Holztäfelung und die altmodischen Möbel gleiten. Sie war zwar immer noch nervös, doch Nannys Gegenwart beruhigte sie sichtlich.

Das Abendbrot stand auf einem Klapptisch im Salon. Nanny konnte nur eine einzige Art Mahlzeit zubereiten. Ihr erstes eheliches Essen war ein festlicher Kinderzimmertee mit Schinken, gekochten Eiern und Brotpudding mit Rosinen. Nanny, die wohl spürte, daß Francesca noch nicht mit Stevie allein gelassen werden wollte, stand neben ihnen, während sie aßen, fragte nach der Hochzeit und ergötzte Stevie mit alten Familienge-schichten.

Schließlich trug sie die Teller in die Küche und wünschte beiden eine gute Nacht, als wären sie schon seit ewigen Zeiten verheiratet. Stevie ließ Francesca ins Schlafzimmer hinaufgehen und rauchte noch eine Zigarette vor der sterbenden Glut des Kaminfeuers. Seine Hände waren eiskalt, und sein Herz klopfte unangenehm.

Er würde nie und nimmer dazu imstande sein. Francesca würde denken, ihm läge nichts an ihr. Wie sollte er bloß den Mut aufbringen, sie zu berühren? Er dachte an die vielen Male, als er sie geküßt hatte. Nie hatte er eine Erektion gehabt. Ihm wurde klar, daß er angenommen hatte, sie würde sich automa-tisch einstellen, wenn sie erst verheiratet wären.

Er machte das Licht aus und knöpfte im Dunkeln seinen Ho-senschlitz auf. Sein Penis war schlaff und weich. Er versuchte zu masturbieren, obwohl er sich dafür haßte. Denk doch an das letztemal – Monica, die sein Glied im oberen Badezimmer in der Half Moon Street in den Mund genommen hatte. Es war grau-enhaft gewesen. Er hatte die Augen geschlossen, um sie nicht wie einen greulichen Gnom zu seinen Füßen knien zu sehen, doch ihr wütendes Gesauge hatte sein Gehirn mit allem erdenk-lichen verbotenen Schmutz gefüllt. Sein Penis schwoll für einen Augenblick ein wenig an.

Dann dachte er jedoch an Francesca und zog die Hand aus der Hose. Er konnte sie nicht mit solchem Schmutz schänden. Die Vorstellung, in sie einzutauchen und ihre versiegelte Öff-nung in eine Spalte wie Monicas zu verwandeln, verursachte ihm leichte Übelkeit. Doch es war seine Pflicht. Sein ganzes Leben lang war ihm von den Älteren die Notwendigkeit der Reinheit und des Anstands eingehämmert worden – was natür-lich bedeutete, daß man nicht vögeln und wichsen durfte. Und nun erwarteten alle von ihm, daß er unrein und unanständig sein sollte, weil er in der Kirche ein paar Schwüre geleistet hatte.

Er ging hinauf ins Schlafzimmer, wo sein Opferlamm auf ihn wartete. Francesca hatte ein langes weißes Nachthemd angezo-gen, das sie vom Hals bis zu den Fesseln verhüllte. Das üppige kastanienbraune Haar floß ihr den Rücken hinab. Sie sah so schön aus, daß es ihm fast den Atem verschlug. Doch sollte das etwa dazu dienen, ihn so zu erregen, daß er sie verletzte?

Sie saß am Fußende des Bettes und starrte ihn an. Ihre Augen waren schreckgeweitet, doch sie schien tapfer den Entschluß gefaßt zu haben, sich ihm auszuliefern – sie vertraute ihm und war bereit, sich zu fügen. Stevie nahm sie ungeschickt in den Arm. Daß er verheiratet war, änderte nichts an seiner Angst, ihr weh zu tun oder sie zu zerbrechen. Er küßte sie auf Augen und Mund und empfand dabei die zärtlichste Liebe für sie, wußte jedoch zugleich, daß es ganz unmöglich war, und spürte eine grauenhafte Einsamkeit.

»Tut mir leid«, sagte er verzweifelt, »ich kann nicht.« Er begann zu weinen.

Francesca betrachtete ihn mit einer Mischung aus Fassungslosigkeit und Verblüffung, die langsam von Erleichterung abgelöst wurde. »Stevie, tut es dir leid, daß du mich geheiratet hast?«

»O Gott, nein!« schluchzte er. »Ich liebe dich heiß und innig, ich bete dich an, doch ich kann nicht.«

Sie zog seinen Kopf an ihre Brust hinab, küßte sein Haar und schlang die Arme um ihn. »Schatz, mein armer Schatz, das macht doch nichts, solange du mich liebst.«

Er liebte sie wirklich. Ihr Glück war am Ende doch vollkommen: weiß und unbefleckt, würde es niemals von Schande besudelt werden. Stevie verbrachte seine Hochzeitsnacht damit, weinend in den Armen seiner Frau Schlaf zu suchen.

Als er am Abend vor dem Ablegen seines Schlachtschiffs nach Frankreich in sein Camp zurückkehrte, weilten Stevies Gedanken bei seiner Hochzeitsreise. Es war himmlisch gewesen – wirklich, Liebe, die auf Rosen wandelte. Nach der Scheußlichkeit der ersten Nacht hatten Francesca und er eine Woche im Paradies verbracht. Wie Adam und Eva vor dem Sündenfall waren sie über Felder und Wiesen gestreift. Die Trennung hatte ihm ungeheuer weh getan.

Doch jetzt, als er wieder unter seinen Männern war, hatte er das Gefühl, zum erstenmal seit endlosen Zeiten wieder wie ein Erwachsener frei und unbeschwert atmen zu können. Was waren das für prächtige Kerle, und wie hatte er sie vermißt. Beim ersten Anblick von Lorenzos säuerlicher Miene weinte er fast vor Freude.

»War wohl 'ne gute Hochzeitsreise, wie?«

»Kann man sagen.«

»Glückspilz.«

»Wie ging's bei dir?«

Lorenzo lachte bitter. »Meine verspäteten Flitterwochen fanden in einer Wohnung mit einem kreischenden Säugling statt, mit einer Frau, die Titten hat wie eine Ziege, und den zwei häßlichsten Dienstmädchen, die für Geld zu haben sind.«

»Geht's ihnen denn gut? Eleanor und dem Baby, meine ich?«

»Nehme ich doch an. Eleanor hatte auf dem Bahnsteig mal wieder einen ihrer Auftritte. Gott, war das peinlich. Tatsch nicht an mir herum, Stephen.« Gereizt schüttelte er Stevies Hand von seiner Schulter. »Von zu viel Zuneigung wird mir übel, und ich bin voll davon bis obenhin.«

Stevie kicherte, keineswegs gekränkt. Er wußte genau, daß Lorenzo erfreut war, ihn wiederzusehen.

Am selben Abend fand im Zelt der Offiziersmesse ein Konzert statt. Die Musiker, die sich geschlossen vom Kardomah zur Armee gemeldet hatten, unterhielten die Gesellschaft mit Schuberts Forellenquintett, Lorenzo spielte den Klavierpart. Stevie beobachtete ihn, eingelullt von der stillen Gewißheit, endlich wieder zu Hause zu sein.

8

Fleur Fenborough war ein Jahr alt und schon eine Schönheit. Ihr Kopf war von weichen braunen Ringellocken bedeckt. Ihre runden Augen hatten das leuchtende klare Blau von gebranntem Porzellan, und wenn sie lächelte, zeigte sie Zähne wie eine gezackte Perlenschnur. Sie lächelte oft und ließ ein tiefes, herzliches Lachen hören. Tertius war bezaubert.

Er lag auf dem Rücken auf Violas Salonteppich und ließ das

Kind auf seinem Bauch auf und ab hüpfen. Das Zimmer war vom entzückten Gekreische der Kleinen erfüllt.

Viola seufzte ungeduldig. »Wenn du doch bloß aufhören wolltest, sie dermaßen aufzuregen. Dann heult sie wieder die ganze Nacht.«

»Nein, das tut sie nicht.« Er küßte eine von Fleurs Seesternhänden. »Sie ist die sanfteste kleine *paudeen* der Welt, stimmt's, Flurry?«

»Du siehst sie ja auch nur, wenn sie gerade Mittagsschlaf gehalten hat«, widersprach Viola, »und gehst wieder, ehe sie quengelig wird.«

Tertius setzte sich auf und nahm das sich windende kleine Mädchen fest in die Arme. Violas hitziger Ton sagte ihm, daß sie es darauf anlegte, das Kindermädchen zu rufen. Sie wollte allein mit ihm sein, damit sie miteinander schlafen konnten. In letzter Zeit wurde sie immer unruhig, wenn er zu viel Zeit damit verbrachte, mit dem Kind zu spielen.

»Sie muß jetzt wirklich wieder nach oben. Läutest du mal eben, Tertius?«

Er mochte die beiläufige Art nicht, wie sie ihn herumkommandierte, als wäre er ein Haustier. Doch er gehorchte und wappnete sich für die Stunde der Abrechnung. Diesmal, schwor er sich, würde er nicht zulassen, daß sie ihn ablenkte.

Fleur hatte ihre Zähne in seinen Kragen gegraben und besabberte seinen Hals. Tertius strich mit den Fingerspitzen über ihre flaumigen Locken. Er wußte, es würde schmerzlich sein, mit der Gewohnheit zu brechen, sie zu sehen – sie war eine weitere Fessel und zudem die stärkste, wie Viola nur zu gut wußte. Ehe er sie dem Kindermädchen reichte, umarmte er sie noch einen Augenblick länger als sonst und preßte seine Lippen auf ihren weichen Hals. Fleur spürte, daß irgend etwas anders war, und statt ihr neues Kunststückchen Winkewinke vorzuführen, zog sie ihr rundes Gesicht zu einem geräuschvollen Tränenausbruch zusammen.

»Ich hab's dir ja gesagt«, sagte Viola. Ihre Lider senkten sich verführerisch. »Jetzt komm her.«

Schon wieder ein Befehl. Tertius blieb, wo er war, an den Kaminsims gelehnt. »Vi, wir müssen wirklich miteinander reden.«

»Ach ja?«

»Das ist für keinen von uns beiden gut. Diese ... ganze Situation. Hör zu, ich möchte dich nicht verletzen, doch wenn man das immer weiterlaufen läßt, wird es nur noch schlimmer. Ich glaube, ich sollte aufhören, hierherzukommen.«

Er schleuderte kühn seine Granate nach ihr, doch Viola lehnte sich nur mit einem gelangweilten Aufstöhnen in die Kissen zurück. »Ach ja? Ich hab' mir schon gedacht, daß mal wieder einer deiner Anfälle von Gewissensbissen fällig wäre.«

»Ich rüttle nicht nur an den Gitterstäben, Vi, ich meine es diesmal ernst. Ich fühle mich dermaßen eingesperrt, ich kriege kaum Luft. Ich kann es nun mal nicht ertragen, an einer Leine zu hängen.«

»Wieso hängst du denn an einer Leine?« wollte sie wissen. »Du hast doch weiß Gott nichts zu klagen. Du kannst kommen und deinen Appetit stillen, ohne daß du ständig mit mir leben mußt. Ich weiß, daß du vor jeder Verantwortung zurückscheust. Deshalb klebst du ja auch an deiner blödsinnigen Wunschvorstellung, was Aurora Carlington angeht ... weil du weißt, daß du sie niemals kriegen wirst.«

»Von ihr ist nicht die Rede.« Tertius war zwar wütend, aber entschlossen, sich nicht durch einen weiteren Streit über Rory von seinem Vorhaben abbringen zu lassen. »Nun tu doch um Himmels willen nicht so, als wüßtest du nicht, wovon ich rede. Ich bin dir auf Gedeih und Verderb ausgeliefert. Du erwartest doch, daß ich alles stehen- und liegenlasse, wenn du mich herzitierst.«

Violas schön gemeißeltes Kinn bekam einen harten Zug. »Entschuldige. Ich dachte, es verhielte sich andersherum. Mir scheint, ich verbringe schrecklich viel Zeit damit, darauf zu warten, daß Mr. Tertius Carey mich mit seiner Anwesenheit beehrt.«

»Stimmt, ich habe mich ein paarmal verspätet. Ich habe zu arbeiten, Russell fängt langsam an, mir wegen meiner Ausstellung in den Ohren zu liegen.«

»Komm mir ja nicht mit dieser dämlichen Ausstellung!« fuhr sie ihn an. »Es wird sowieso kein Mensch hingehen. Was ist daran bloß so wichtig für dich?«

»Russell hat mir das Geld vorgeschossen, und ich habe es schon fast ausgegeben, verdammt. Ich bin ihm etwas schuldig.«

»Mir bist du etwas schuldig.«

Tertius' finstere Miene ließ nichts Gutes ahnen. »Das erzählst du mir ständig.«

»Ist es Geld, was du willst?«

»Geld!« brüllte er. »Nein, verdammt noch mal!« Er wußte zwar, daß es sie nur erregte, wenn er einen Wutanfall bekam, doch sie hatte ihn bei einem seiner wenigen noch verbliebenen Skrupel gepackt, und er mußte sich einfach wehren. »Laß mich in Ruhe! Geh mir endlich von der Pelle!«

Violas weiße Wangen hatten sich gerötet. Der begehrliche Ausdruck in ihren Augen bewirkte, daß er sie am liebsten gevögelt hätte, bis ihr die Sinne schwanden. Doch er ignorierte das Zucken seines Penis und zwang sich, sich zu beherrschen.

»Tut mir leid, Vi. Ich mache dir keine Vorwürfe. Doch ich kann so nicht weiterleben, das ist alles.«

Langsam wich die Begierde aus Violas Gesicht, und es wurde fahl und ängstlich. »Es ist dir also wirklich ernst?«

»Ja«, sagte er nüchtern. »Das Spiel ist aus. Es geht um dich, Vi, es geht um mich. Ich muß mein Leben wieder in die Hand nehmen.«

In der Qual ihrer Erniedrigung hatte Viola zu weinen begonnen. Ihre Miene war zwar unbewegt, doch ihr Blick schwamm in Tränen, und ihre Schultern waren steif von der Anstrengung, ein Schluchzen zu unterdrücken. Tertius konnte ihre Tränen nicht ertragen. Hätte sie nur noch ein paar Sekunden weitergemacht, hätte er womöglich alles bereut.

»Du ... du ... Scheißkerl! Für wen hältst du dich überhaupt? Du bist ein vulgärer Niemand, nur der Sohn eines abgewirtschafteten irischen Peers.«

»Und du bist vermutlich eine große Dame, wie?« schrie Tertius zurück. »Wenigstens hat mein Vater sein Vermögen nicht auf dem Rücken anderer Menschen gemacht!«

»Du kannst mich nicht einfach fallenlassen!« sagte Viola in heftigem Ton. »Du schuldest mir zu viel! Du kannst nicht erst mein Leben ruinieren und mich dann einfach sitzenlassen!«

»Und ob ich das kann. Mir reicht's.«

Sie sprang vom Sofa auf. »Ich lasse nicht zu, daß du dich um deine Verantwortung mir gegenüber drückst. Ich werde dich zwingen, sie zur Kenntnis zu nehmen!«

»Du kannst mich nicht zwingen!«

»Ich werde Gus alles sagen!«

Tertius stand still. »Das würdest du niemals tun.«

»Was glaubst du wohl, was er tun wird, wenn er es erfährt?« Sie straffte sich triumphierend in der Gewißheit, ins Schwarze getroffen zu haben. »Er wird sich von mir scheiden lassen müssen ... und wenn du mich dann verläßt, wird man dich steinigen. Du wirst keinen einzigen Freund mehr auf der Welt haben. Was würde wohl deine kostbare Aurora sagen, wenn sie es erführe?«

»Dann tu's doch.« Tertius war angewidert. »Tu, was du willst.«

Er wandte sich zur Tür.

»Wohin gehst du?« kreischte Viola.

»Dorthin, wo du mich nicht finden kannst. Es ist mir gleichgültig, ob Gus dich in die Gosse wirft. Ich werde es nicht miterleben.«

Aubrey war ernsthaft verärgert. Nun saß er schon eine geschlagene Stunde vor einer Flasche Burgunder in diesem obskuren französischen Restaurant in der Greek Street, und von Tertius war immer noch nichts zu sehen.

»Du brauchst gar nicht erst anzufangen, ihn zu entschuldigen, Aurora. Ich bin allmählich am Ende meiner Geduld. Er hat mein ganzes Geld ausgegeben, und nun geht er mir aus dem Weg, weil er noch keinen Handschlag getan hat.«

»Ich weiß auch nicht, was mit ihm los ist«, gab Rory zu. »Es sieht ihm gar nicht ähnlich, sich eine Gratismahlzeit entgehen zu lassen.«

»Er wird aber keine Gratismahlzeit bekommen. Der undankbare Bengel kriegt keinen Bissen mehr von mir, bis er mir so was wie ein Bild vorweist.«

Quince sog sehnsüchtig den Duft einer hauchzarten Omelette vom Nachbartisch ein. »Vor gar nicht langer Zeit hat er, wenn ich im Morgengrauen aufwachte, immer gemalt, was das Zeug hielt. Heutzutage ist er mittags immer noch nicht aus dem Bett.«

»Aubrey, Schatz, nun sei doch nicht so böse auf ihn«, versuchte Rory zu beschwichtigen. »Du bist so großzügig zu ihm gewesen, er würde dich niemals enttäuschen.«

»Er ist ein Faulpelz und Tagedieb.« Aubrey klang etwas milder. »Ich hätte mein Geld auch gleich in die Themse werfen können. Gott weiß, daß ich Künstler nicht gern unter Druck setze, doch ich habe den Termin in der Galerie freigehalten und sämtliche Kritiker geschmiert.«

»Na, da ist er ja endlich«, sagte Quince. »Wo zum Teufel hast du denn gesteckt?«

Tertius' Haar war zerzaust, und sein Atem roch nach Bier. Er küßte Rory auf die Wange. »Entschuldigt die Verspätung«, sagte er fröhlich. »Ich mußte noch was erledigen. Habt ihr noch nicht gegessen? Ich sterbe vor Hunger.«

»Ich muß auch noch was erledigen«, sagte Aubrey. »Wo sind meine Leinwände?«

»Ach, Russell, nun sei aber nicht kleinlich. Zeiten wie diese verlangen Geistesgröße und Freigebigkeit.«

Rory entriß ihm die Weinflasche. »Du bist wirklich entsetzlich, Tershie. Du läßt den armen Aubrey hier versauern, und dabei versucht er nichts anderes, als deine Ausstellung zu arrangieren.«

»Die wirst du, fürchte ich, verschieben müssen«, sagte Tertius ruhig und nahm sich die Flasche wieder.

»Hast du den Verstand verloren?« bellte Quince.

Tertius lächelte in ihre schockierten Gesichter. »Ich hab' eine andere Art von Arbeit vor.«

Er fuhr mit der Hand in die Tasche und holte ein Shillingstück heraus, das er behutsam aufs Tischtuch legte.

»Was um Himmels willen soll das denn heißen?« fragte Aubrey.

»Ich habe mich zur Armee gemeldet.«

Ein entsetztes Schweigen trat ein, das Tertius dazu nutzte, ein Glas Wein hinunterzustürzen.

Schließlich sagte Rory: »Aber du hast doch nicht ...«

»O doch, Miss, das habe ich, und warum auch nicht? Du denkst vermutlich, daß sie mich nicht gewollt haben ... doch der Rekrutierungsoffizier meinte, ich sei das prächtigste Exemplar, das er während der ganzen letzten Woche zu Gesicht bekommen hätte.« Er lachte laut. »Als Beruf haben sie ›Anstreicher‹ hingeschrieben.«

»Nein, Tershie, das ist doch nicht dein Ernst.« Rorys Lippen waren weiß geworden. »Was Mutt bloß dazu sagen wird?«

»Der wird mir zustimmen, nehme ich an. Doch es spielt eigentlich auch keine Rolle, was er sagt. Ich bin jetzt der Gefreite T. Carey. Morgen muß ich mich melden.«

»Na schön«, sagte Aubrey, »ich kann einem Mann schließlich nicht vorwerfen, daß er seine Pflicht tut. Herr Ober!«

Tertius war während des Essens glänzend aufgelegt, und nach und nach steckte er Quince und Aubrey an. Rory konnte sich jedoch für ihre Heiterkeit ebensowenig erwärmen wie fürs Trinken. Der Gedanke, daß sie Tertius an die Armee verlieren sollte, erfüllte sie mit Entsetzen.

Später, als Tertius sie durch die dunklen Straßen nach Hause begleitete, sagte er: »Nun hör aber auf, Trübsal zu blasen, Rory. Andere Mädchen wären stolz auf mich.«

Sie blieb unter einer Straßenlaterne stehen und wandte sich ihm zu. »Verschon mich mit diesem Quark. Du hast gar nicht deine Pflicht tun wollen ... du bist vor ihr davongerannt.«

»Kann sein, daß ich meine Gründe hatte.« Tertius legte ihr die Hände auf die Schultern. »Rory-May, mein Schatz, vor dir laufe ich nicht davon. Ich liebe dich mehr als je zuvor.«

»Denk bloß nicht, daß du mir einen Kuß abschwatzen kannst.«

»Nur einen, als Trost für mein wundes Herz, wenn es ganz von Khaki bedeckt sein wird.«

»Ach, Tertius, warum hast du das bloß getan?« Rory machte keinen Hehl mehr aus der Zärtlichkeit, die sie für ihn empfand. »Wo sich doch alles so gut für dich angelassen hat.«

»Vertrau mir. Es ist am besten so. Du brauchst dir keine Sorgen zu machen.«

»Wie soll ich mir denn keine Sorgen machen?«

»Vergiß nicht, ich falle immer auf die Füße.« Er war ernst. »Ich bin träge und gleichgültig und ein geborener Feigling. Ich gerate bestimmt nicht in Gefahr.«

Rory hatte ihre Lektion gelernt, was Abschiede im Zorn betraf. Sie legte die Arme um ihn und drückte ihn an sich. »Das möchte ich dir auch geraten haben. Ich habe alle deine Finger und Zehen gezählt, und wehe, es fehlt einer, wenn du zurückkommst.«

»Ich verspreche dir, es wird keiner fehlen.«

Den Rest des Weges legten sie Arm in Arm zurück, und Rory erlaubte ihm, sie auf den Mund zu küssen, als sie sich trennten.

Während der nächsten Tage war sie schrecklich niedergeschlagen. In London klaffte ein gewaltiges Loch, wo Tertius gewesen war, und sie ging immer wieder ins Atelier und hockte sich zu Quince, der Trübsal blies.

»Er fehlt mir schrecklich, Rory. Es ist so still ohne ihn, wie in einer Gruft.«

Vierzehn Tage nach seiner Abreise erhielt Rory einen Brief von Tertius:

»Liebe Rory,
noch nie hast Du Dich so wenig um mich sorgen müssen wie jetzt. Das Leben bei der Armee ist friedlich wie ein Sanatoriumsaufenthalt, sobald man sich erst daran gewöhnt hat, sich jeden Tag zu rasieren und alles zu wienern, was einem unter die Finger kommt. Wir schlafen in Holzhütten, marschieren, schälen Kartoffeln und piken mit Bajonetten in Heusäcke und amüsieren uns überhaupt prächtig. Ich bin der einzige Ire in der Kompanie, so daß ich selbstverständlich umgetauft worden bin in ›Paddy‹ – doch die Burschen sind ganz in Ordnung.

Wir Gefreiten brauchen nie auch nur die kleinste Entscheidung zu fällen – die sagen uns sogar, wann wir uns die Haare schneiden und die Nase putzen sollen. Wir gehen aus und trinken Bier, während die Offiziere die ganze Nacht büffeln oder sich über den Zustand unserer Füße sorgen. Glaub mir, Rory-May, nicht um alles in der Welt möchte ich Offizier sein. Die beiden Pinsel von der Public School in meiner Hütte sind schon zur Ausbildung rausgepfiffen worden. Zum Glück kann mich niemand mit einem Gentleman verwechseln. Grüß den ollen Q von mir.

Alles Liebe, Tertius«

Eine Zeichnung flatterte aus dem Umschlag. Rory faltete sie

auseinander und lachte laut auf. Es war ein Comic strip von Tertius auf einem Gepäckmarsch in Khakiuniform und Wickelgamaschen, und aus dem Tornister fielen alle möglichen Gegenstände auf die Straße.

9

»Wenn man doch bloß nach Italien könnte«, sagte Fingal, »ach, was gäbe ich für einen Becher südlicher Wärme. London ist im Sommer so feucht ... bestimmt kommt das nur davon.« Seine Stimme war nur noch ein keuchendes Echo ihrer selbst. Lustlos zog er seinen seidenen Morgenrock enger um sich. »Doch dieser blöde Krieg hört ja nicht auf, einem in die Quere zu kommen. Nun sieh doch, was er dir angetan hat, Aurora. Warum müssen die aus euch Mädchen solche Kerle machen?«

Rory hatte sich vor kurzem einer Hilfsschwestern-Einheit im Krankentransport angeschlossen und fuhr die Verwundeten zwischen Charing Cross Station und mehreren Londoner Krankenhäusern hin und her. Sie saß in ihrer neuen blauen Uniform an Fingals Krankenbett.

»Warte nur ab, bis du den Hut gesehen hast«, sagte sie. »Den wirst du erst recht hassen.« Sie gab sich alle Mühe, um ihr Entsetzen über Fingals Aussehen zu verbergen. Sie hatte ihn seit Francescas Hochzeit nicht gesehen. In sechs kurzen Wochen war er so erschreckend weiß und dünn geworden, daß man ihm nicht länger Glauben schenken konnte, wenn er so tat, als sei er nicht krank. Jetzt wunderte sich Rory über sich selbst – wie hatte sie nur so lange leugnen können, was doch unübersehbar war? »Fingal, du hättest mir wirklich eher sagen können, daß du krank bist. Ich hätte dich schon längst besucht.«

»Das wäre nicht patriotisch gewesen, wo du doch so fleißig zu den Kriegsanstrengungen beiträgst.«

»Aber was ist denn mit Mutter und Muttonhead, wissen die Bescheid?«

»Worüber denn?« Fingals herausfordernder Ton klang böse.

»Mutter ist unentbehrlich auf dem Gut, und ich werde doch Muttonhead nichts vorjammern, wenn er selbst gerade erst wieder auf die Beine kommt.«

»Ich meinte doch nur ... ist das denn nicht schrecklich langweilig hier, Schatz?«

Fingals abgemagertes Gesicht verzog sich zu einem Lächeln. Sein Blick ruhte auf Francesca, die sich neben ihm auf der weichen Steppdecke zusammengerollt hatte. Rory war überrascht gewesen, sie hier anzutreffen. »Es kann ja wohl nicht langweilig sein, wenn die wunderhübsche Mrs. Carr-Lyon mir jeden Tag das Kissen aufschüttelt.«

Francesca streichelte seine Hand mit einer Zärtlichkeit, die ihr kindliches Gesicht verschönte. »Ich habe hier immer so viel Spaß«, sagte sie. »Es ist viel schöner als mit dem Kriegswaisenkomitee von Stevies Mutter.«

Fingals blaue Lippen und sein flacher, keuchender Atem schienen sie nicht im mindesten zu beeindrucken. Rory fragte sich, ob sie ihr überhaupt aufgefallen waren. Francesca war groß darin, nur das zu sehen, worauf man sie mit der Nase stieß.

»Ich hab' dir ein paar Narzissen mitgebracht«, sagte sie jetzt. »Aubrey stellt sie eben ins Wasser. Und ein hübsches Gläschen mit Wachteleiern von Fortnum's. Du hast doch gesagt, du glaubtest, daß du die essen könntest.«

»Was bist du doch für ein aufmerksames Geschöpf«, krächzte Fingal. »Siehst du, Rory, wie ich verwöhnt werde?«

Aubrey kam mit einer Champagnerflasche und vier Gläsern herein. »Zeit für deine Medizin, mein Lieber, und ich glaube, wir werden alle mithalten.«

Rory beobachtete ihn scharf, während er Fingals Kissen zurechtrückte. Er sprach mit forscher Munterkeit, doch sein Lächeln erreichte seine Augen nicht.

»Das darf ich nicht«, lachte Francesca. »Ihr schickt mich beschwipst nach Hause, und was soll Stevies Mutter dann sagen?«

»Sie wird argwöhnen, daß du in schlechte Gesellschaft geraten bist«, sagte Rory, »und recht hätte sie.«

Es war ein kläglicher Versuch, für eine entspannte Stimmung zu sorgen, doch Fingal kicherte, und in Aubreys ausdruckslose

Augen trat ein dankbarer Blick. Er öffnete die Flasche und reichte jedem ein Glas. Fingal trank einen kleinen Schluck, dann seufzte er betrübt, als hätte er sich bereits übernommen. Francesca nahm ihm das Glas ab.

»Ich hab' den Mädchen gerade erklärt, wie sehr wir nach Italien lechzen.«

Aubrey seufzte. »Ja, ich trage mich mit dem Gedanken, dem Kaiser einen geharnischten Brief zu schreiben und ihn zu fragen, ob er nicht meint, daß es an der Zeit sei, langsam mit diesem ganzen Quatsch aufzuhören und Europa in den Zustand zurückzuversetzen, in dem er es vorgefunden hat.«

»Außerdem haben wir die vollkommene Villa gefunden«, sagte Fingal. »Ein Paradies in Rapallo, meine Lieben, mit duftenden Rosen, und dazu ein himmlischer junger Diener ... der reine Ganymed. Er hat seine Unschuld mit Klauen und Zähnen verteidigt, doch ich bin fest entschlossen, ihn beim nächstenmal zu erobern.«

»Wahrscheinlich wirst du dann keine Lust mehr dazu haben«, meinte Aubrey. »Er wird ein derber Lümmel mit einem Schnurrbart geworden sein.«

»Na, macht auch nichts. Ich wäre schon zufrieden, den wilden Thymian zu riechen und die Eidechsen über die Terrasse huschen zu sehen. Und mich in der Sonne zu aalen. Man sehnt sich so danach, es richtig warm zu haben.«

»Bald, mein Junge, ich verspreche es.« Aubrey setzte auf einmal sein Glas ab und verließ das Zimmer. »Ich habe Francescas Blumen ganz vergessen«, sagte er über die Schulter. »Sie duften himmlisch.«

Fingal starrte ihm mit einem Ausdruck kummervoller Verletztheit nach, den Rory noch nie an ihm gesehen hatte. Dann lächelte er wieder. »Sag mal, Rory, ist das mit Muttonhead nicht großartig?«

Sie nahm das Thema dankbar auf. »Und wie! Weißt du das schon, Francesca? Er hat einen Schreibtischposten in Haigs Stab bekommen. Er wird in einem Château an einem Schreibtisch sitzen, seine hellroten Kragenspiegel zur Schau stellen und von goldenen Tellern essen, wette ich.«

»Der arme Muttonhead, das hat er nach der gräßlichen Verwundung auch verdient«, sagte Francesca. »Ich begreife überhaupt nicht, wie er dermaßen mutig sein konnte. Möchtest du noch ein bißchen Champagner, Fingal?«

»Ja, danke.«

»Und vielleicht probierst du mir zuliebe ein paar von den niedlichen kleinen Wachteleiern?«

Fingal lachte heiser. »Ich glaube, dir zuliebe würde ich auch das Treppengeländer essen.«

»Ich hole sie«, sagte Rory. Sie wollte wissen, was Aubrey so lange draußen machte.

Sie fand ihn an den Kamin im Salon gelehnt. Er wandte ihr den Rücken zu und hatte den Kopf gesenkt, wie tief in Gedanken versunken. In einer Hand hielt er eine Kristallvase mit Narzissen, die wachsweiß aus ihren dunkelgrünen Blättern hervorleuchteten. Ihr Duft füllte das ganze Zimmer und betonte die Stille.

Rory hielt den Atem an, weil sie das Gefühl hatte, es wäre zudringlich und irgendwie plump, ihn zu stören.

Er schluchzte unterdrückt. Die krampfartige Bewegung ließ das Wasser über den Rand der Vase schwappen. Sie faßte Mut, ging auf ihn zu und legte ihm die Hand auf den Arm.

»Aubrey ...«

Langsam hob er das Gesicht. Es glänzte vor Tränen. »Du siehst es, wie?«

Natürlich sah sie es. Endlich ließ sie die letzte absurde Hoffnung fahren, und ihre zaudernde Angst verwandelte sich in harte Gewißheit. Sie nickte benommen.

Aubrey holte ein parfümiertes Seidentaschentuch hervor und betupfte hastig seine rotunterlaufenen Augen. »Ich habe dir nichts davon gesagt, weil er es nicht wollte. Es bricht mir Stück für Stück das Herz, und ich bin fast schon erleichtert, daß wir nichts mehr zu hoffen haben. Er stirbt ... Er weiß genausogut wie ich, daß er nie wieder nach Italien zurückkehren wird. Mein Gott, wie konnte ich nur ... Er wird wütend, wenn ich weine.« Seine schmalen Lippen bewegten sich zuckend, und schluchzend stieß er hervor: »Hilf mir, Rory. Wie soll ich bloß ohne ihn leben?«

Aubrey ließ es nicht noch einmal zu, daß seine Gefühle mit ihm durchgingen. Fingal blieb störrisch bis zum letzten und sah dem Tod mit äußerstem Trotz entgegen. Obwohl die Schwindsucht ihrem Endstadium entgegengaloppierte, obwohl er scharlachrote Tropfen schaumigen Bluts hustete und um jeden Atemzug rang, betrachtete er jede Erwähnung seiner Krankheit als Beleidigung.

Das machte die Besuche bei ihm zu einer Höllenstrafe. Rory kam zwar, so oft sie konnte, war jedoch jedesmal dem Wahnsinn nahe, weil es ihr so schwerfiel, ihre Gefühle zu verbergen. Fingal beobachtete sie scharf und geißelte sie mit ätzender Zunge, wenn sie Anzeichen von Kummer oder Mitleid verriet.

»Hau ab!« sagte er etwa. »Deine schlangenhafte Häßlichkeit deprimiert mich nur, und deine sogenannte Gescheitheit finde ich kein bißchen komisch. Du warst sowieso nie so schlau, wie du dir einbildest.« In ihrer Kindheit war er eifersüchtig auf die Zuneigung gewesen, die die Mutter Rory verschwenderisch hatte zuteil werden lassen. Dieser alte Kummer, der lange Jahre vergraben war, erwachte jetzt wieder, und Fingal schien entschlossen, sie dafür zu strafen. »Weshalb machst du dir überhaupt die Mühe herzukommen? Wir sind schließlich nicht verwandt miteinander. Ich bin viel zu müde, um diese sentimentale Fiktion aufrechtzuerhalten, daß du meine Schwester bist. Ich habe nie eine Schwester gehabt, und ich wollte auch keine.«

Rory hatte nicht den Mut, es ihm mit gleicher Münze zurückzuzahlen, und das war das Schlimmste überhaupt. Er spuckte zwar Gift und Galle, doch sie spürte die grauenhafte Angst, die dahintersteckte.

Fingal war oft auch unfreundlich zu Aubrey. »Was hätte ich für ein Leben gehabt, wenn ich mich nicht mit der ältesten Tunte weit und breit vergraben hätte. Das gefällt dir wohl, daß du mich ans Bett ketten kannst? Du wolltest ja immer schon einen Gefangenen aus mir machen. Hoffentlich bist du nun zufrieden.«

Aubrey war in zehn Wochen um ebenso viele Jahre gealtert. Aufopferungsvoll pflegte er Fingal und ließ es sich niemals anmerken, wenn Fingals Pfeile ihr Ziel getroffen hatten.

»Er ist ja nicht immer so«, versicherte er Rory nach einer besonders bösartigen Attacke. »Wenn er aus dem Hinterhalt auf mich losgeht, fühle ich mich wie der spartanische Junge, Kindchen ... ich wahre die Haltung, während er mir das Herz bei lebendigem Leibe herausreißt. Doch er liebt mich, weißt du. Nachts bittet er mich manchmal, ihn nicht zu verlassen, und sagt mir, was ich ihm bedeute. Und dann habe ich das Gefühl, alles ertragen zu können.«

Nur Francesca verstand sich darauf, Fingals Giftigkeit zu mildern. Sie kam auch weiter jeden Tag zu Besuch und verbrachte Stunden bei ihm, wenn er alle anderen vertrieben hatte. War er mit Francesca allein, war Fingal sanft und ruhig. Aubrey und Rory rätselten über diese Beziehung und vermochten nicht zu erkennen, daß Fingal Francesca brauchte, weil sie ihn brauchte. Sie hatte sich angewöhnt, sich ihm anzuvertrauen, und das war zu einer Abhängigkeit geworden. Sie hatte noch niemals mit einem Menschen so offen geredet.

Sie erzählte Fingal auch von den Spannungen in ihrem Verhältnis zu Marian Carr-Lyon – über ihren Eindruck, daß Marian sie als Zuwachs in ihrem Kinderzimmer behandelte, nicht aber als verheiratete Frau mit eigenen Rechten. Francesca setzte alles daran, erwachsen zu werden, und fand dabei keinerlei Unterstützung. Fingal schien der einzige zu sein, der kein Interesse daran hatte, daß sie ein hilfloses Kind blieb. Er ermutigte sie bei dem gefährlichen Spiel, Urteile zu fällen und ihre eigene Meinung zu entdecken.

»Ermüde ich dich auch nicht?« fragte sie eines Tages. »Ich komme mir oft sehr egoistisch vor, wenn ich daran denke, wieviel ich von mir selbst spreche.«

»Du ermüdest mich nicht, Herzchen. Deine Probleme sind doch mein einziges noch verbliebenes Band zur wirklichen Welt. Alle anderen behandeln mich so, als läge ich bereits unter der Erde.« Er mußte innehalten, um Atem zu schöpfen. Francesca wollte etwas erwidern, doch er brachte sie mit einer matten Handbewegung zum Schweigen. »Francesca, mach etwas aus deinem Leben, solange du die Chance dazu hast. Vergeude es nicht.«

»Tue ich das?«

»Du lebst nicht.«

»Ich habe doch alles, was ich mir nur wünschen kann ... glaube ich.«

»Du wünschst dir ein Kind.«

Sie war überrascht. »Wirklich? Woher weißt du denn das?«

»Ich hab' dich über Eleanors Baby reden hören, und da merkt man diesen Wunsch an jedem Wort.«

»Ach nein, ich spiele zwar gern mit Laura, doch ich hätte viel zu viel Angst ...«

»Trotzdem.«

Francesca senkte den Kopf. »Sie ist wirklich ein ziemlich häßliches Baby, so dürr, und dann die große Nase, und sie schreit ununterbrochen. Ich wüßte gar nicht, wie ich mit ihr fertig werden sollte. Doch wenn ich sie auf dem Arm habe, und sie starrt mich aus diesen seltsamen schwarzen Augen an, dann berührt mich das so eigenartig ... ich könnte weinen.«

»Du mußt ein eigenes haben«, keuchte Fingal. »Das wird die Frau des Herrn Oberst Mores lehren.«

Er hatte ins Schwarze getroffen. Ihre Augen füllten sich mit Tränen. Doch sie schüttelte den Kopf. »Ich glaube nicht, daß es je dazu kommen wird.«

»Warum denn nicht? Du könntest dir doch für Stevies nächsten Urlaub etwas ausdenken.«

»Ach, Fingal, ich kann das nicht«, sagte sie müde, »ich weiß nicht, wie andere Frauen das fertigbringen.«

Er griff nach ihrer Hand. »Was kannst du nicht? Erzähl's mir, Herzchen.«

Francesca überlegte lange, dann begann sie vorsichtig: »Ich meine, ich kann das nicht ... das, was verheiratete Leute tun sollen. Wenn einen Männer küssen und berühren, dann soll einem das doch gefallen, nicht? Und man soll wollen, daß sie weitermachen?«

»Grundsätzlich ja.«

»Dann, fürchte ich, stimmt irgend etwas mit mir nicht. Wenn Männer mich ansehen ... du weißt schon ... auf diese Weise, dann wird mir ganz schlecht vor Angst. Ich gehe auch nicht gern auf Feste, weil mich da jemand so anschauen könnte.« Sie legte eine so eigenartige Betonung auf den Ausdruck ›anschauen‹, daß Fingal begriff, daß sie ihm irgend etwas Schreckliches mitteilen wollte.

»Was könnten sie dir antun? Wovor fürchtest du dich?«

»Ich weiß nicht genau. Sie könnten mich berühren.« Flüsternd setzte sie hinzu: »Mich umbringen.«

»Aber meine Süße«, sagte Fingal sehr sanft, »wer käme wohl je auf die Idee, dir etwas antun zu wollen?«

Sie mußte allen Mut zusammennehmen, ehe sie in verzweifeltem Ton hervorstieß: »Es liegt an mir. Es ist meine Schuld. Irgendwas an mir ist schlecht und bewirkt, daß andere Schlechtes tun. Als ich noch klein war und Mummy mit Onkel Archie durchgebrannt war, da fing mein Vater … mein Vater fing an, mich anzuschauen, richtig wütend. Und irgendwie gierig.« Ihre Worte sprudelten jetzt geradezu hervor. »Ich habe mich ungeheuer bemüht, artig zu sein. Doch offenbar war ich es nicht, denn ich konnte ihn nicht dazu bringen, damit aufzuhören. Er schaute mich an, als sähe er etwas Schlechtes vor sich. Und dann kam er und berührte mich, wenn ich im Bett lag!« Dann fügte sie unendlich traurig hinzu: »Ich dachte, daß es anders werden würde, als ich Stevie geheiratet habe. Ich liebe ihn ja … ich liebe ihn mehr als irgend jemanden sonst. Ich habe mich so sehr bemüht, mich vorzubereiten und mir einzuschärfen, daß ich es ertragen würde, wenn es soweit wäre, weil er es war.«

Unfähig zu sprechen, saßen sie Hand in Hand und lauschten Fingals mühsamem Atem. Schließlich wisperte Fingal: »Mein Gott, wozu Männer imstande sind.«

»Du darfst auf keinen Fall glauben, daß Stevie irgendwelche Schuld daran trifft.«

»Du lieber Gott. Armes Mädchen.«

Sie verstummten erneut.

»Ich habe gerade nachgedacht«, sagte Fingal schließlich.

»Ja?«

»Ich habe mich daran erinnert, wie traurig ich früher war, weil ich dachte, ich wäre nicht normal und würde niemals glücklich sein können. Ich habe mich an jene schreckliche Einsamkeit erinnert und an die Scham und dies Gefühl, daß alle anderen es erraten könnten.«

»Das ist doch etwas, worüber niemand spricht«, sagte Francesca, »aber es ist etwas sehr Wichtiges, nicht?«

Fingal lächelte. »Etwas Wunderschönes. Ich habe das entdeckt, als ich Aubrey kennenlernte.« Seine Stimme wurde ent-

schlossener. »Und das wirst du auch, wenn Stevie zurückkommt.«

»Ach, nein ...«

»Nun schüttle nicht den Kopf, Herzchen. Wie kannst du mir
etwas abschlagen?«

Seine Augen glänzten fiebrig, und er preßte ihre Hand, um
seinen Worten Nachdruck zu verleihen. »Mein Engel, du mußt
lernen, etwas zu riskieren und deine Ängste zu überwinden. Ich
werde williger sterben, wenn ich weiß, daß du dich entschlossen
hast zu leben.«

Wieder unternahm Lady Oughterard die melancholische Fahrt
über die Irische See, um sich ans Krankenbett eines ihrer Kinder
zu setzen. Diesmal gab es für sie keinerlei tröstliche Hoffnung.
Der Kummer hatte sie gebeugt, ihr Haar wurde grauer. Sie
konnte es nicht ertragen, Fingal aus den Augen zu lassen, und
beobachtete ihn, als verlange sie die Rückgabe eines verlorenen
Schatzes.

Als er seine Mutter erblickte, ließ Fingal seinen Zorn und
seine Bitternis fahren und verfiel in einen Zustand kindlicher
Zufriedenheit. Auch attackierte er Aubrey und Rory nicht länger. Wenn er nicht döste, war sein größtes Vergnügen, der Vergangenheit nachzuhängen – der fernen Vergangenheit seiner
Kindheit auf Castle Carey.

Lady Oughterard ließ ihren Erinnerungen freien Lauf, bis
ihre Stimme nur noch ein heiseres Murmeln war und die Tränen
ihr über das Gesicht rannen.

»Wie lange das jetzt her ist, und doch sehe ich es vor mir, als
wäre es gestern gewesen. Da war ich, eine junge Braut, und stieg
aus der Kutsche. Una wartete auf der Eingangstreppe und alle
anderen Dienstboten auch, und ich weiß noch, wie mulmig mir
bei dem Gedanken wurde, daß ich jetzt die Herrin solch eines
alten, baufälligen Gemäuers war. Doch ehe er mich hineinführ-
te, zeigte Vater mir im Garten die Schneeglöckchen. Er hatte sie
alle in Form eines G – G für Grace – gepflanzt.«

»Wein doch nicht, Mutter.«

»Er war ein feiner Mann. Es gibt keine Stunde in meinem
Leben, in der ich ihn nicht vermißt habe. Lucius ist ihm schreck-

lich ähnlich ... so entschädigt Gott uns Mütter.« Das Lächeln in ihrem Gesicht gefror, als sie auf Fingal hinabblickte und sich daran erinnerte, daß Gott ja drauf und dran war, ihr Mutterherz in tausend Stücke zu zerbrechen. »Ach, Fingal ...«

»Erzähl weiter.«

»Ich kann nicht.« Zum erstenmal brach Lady Oughterard völlig zusammen. »Es ist so traurig, sich an einstiges Glück zu erinnern«, schluchzte sie, »das bringt mich dann auch auf andere Dinge ... die Fehler, die ich begangen habe. Ich nehme an, ich war eine sehr törichte, dickköpfige Frau.« Bekümmert blickte sie in Fingals mitgenommenes Gesicht. »War ich dir eine schreckliche Mutter?«

»Du Dummchen«, flüsterte Fingal. »Du warst niemals schrecklich.«

»Wußtest du denn, daß ich dich immer geliebt habe? Selbst dann, wenn du weit weg warst oder wenn ich ein bißchen böse oder abwesend wirkte?«

»Immer, immer«, tröstete er sie. »Und ich habe dich geliebt, wenn ich auch nicht so oft nach Haus gekommen bin, wie ich es gekonnt hätte. Also gräm dich nicht, Mutter. Dein ewig rastloser Junge findet jetzt zur Ruhe.«

Die Tage vergingen, und Muttonhead und Tertius kamen, um Abschied zu nehmen. Muttonhead saß wie eine gewaltige Backsteinmauer und starrte Fingal an, als fotografierte er ihn mit den Augen, und hielt den Griff seines Handstocks umklammert. Dann stand er stumm und reglos, während seine Mutter in seinen Armen weinte und weinte.

Tertius kam in Uniform, und Fingal fand sein Aussehen höchst erheiternd.

»Ach, der Gefreite Carey ... wie entsetzlich gepflegt du aussiehst. Und hast du etwa kurze Haare?« Mühsam hob er eine zitternde, knochige Hand und strich Tertius übers Haar. »Du armes geschorenes Lamm, du. Na«, setzte er hinzu, als seine Berührung Tertius in herzzerreißendes Schluchzen ausbrechen ließ, »wer wird sich denn so gehen lassen, Tershie. Das steht einem Soldaten aber nicht zu Gesicht.«

Schließlich kam der Tag, an dem Fingal mit halbgeöffneten Augen vor sich hin döste und niemanden hörte. Die Minuten dehnten sich zu immer gleichen Stunden, und Rory und die Mutter schliefen im Salon ein. Es war im Morgengrauen, und Rory war gerade von ihrer Schicht im Krankenwagen zurückgekehrt.

Aubrey wachte im Schlafzimmer, er war froh, allein zu sein. Er spürte, daß die Atmosphäre sich verändert hatte, daß der Tod gekommen war, um sein Recht einzufordern. Nach all den Wochen, in denen er Fingal gepflegt hatte, befand Aubrey sich jenseits der Erschöpfung in einer Art ruhiger Hochstimmung.

Er starrte in Fingals Gesicht: die scharfe Nase, die dünnen Lippen, die trüben und eingesunkenen Augen. Nur wenig war von dem Jungen übriggeblieben, der ihn einst in Cambridge so sehr beeindruckt hatte.

»Tee und Wale«, sagte Fingal plötzlich. Er hatte die Augen geöffnet, sein Blick war auf Aubrey gerichtet.

»Ja«, sagte Aubrey. »Daran habe ich gerade gedacht.« ›Wale‹ war ein Slangwort für Ölsardinen, ein fester Bestandteil ihrer damaligen Treffen. »Du bist auf der Trinity Street vor mir hergelaufen wie ein junger Hirsch.« Strahlend vor Leben und Tatendrang, arrogant, als würde die Jugend ewig währen, hätte er gern hinzugesetzt. »Und dann hast du am Kamin gesessen, als ich eintraf.« Aubrey lächelte. »Vielleicht wirkte ich ja so, doch ich war so nervös wie ein Schuljunge beim ersten Stelldichein. Ich wünschte mir verzweifelt, dir zu gefallen. Gerade konnte ich mir noch verkneifen, dir sämtliche Orchideen Londons zu schicken.« Er streichelte Fingals Wange mit dem Fingerrücken. »Als du dann zu mir gezogen bist, konnte ich mein Glück einfach nicht fassen. Es war das Risiko und all die Auseinandersetzungen wert ... Es war überhaupt alles wert.«

Fingal gab Aubrey durch eine Reihe kaum wahrnehmbarer Geräusche und Bewegungen zu verstehen, daß er aufgesetzt werden wollte. Aubrey, der Qualen des Mitleids um den Körper litt, den er einst so verzweifelt begehrt hatte, ließ den Arm unter Fingals Schulterblätter gleiten. Er konnte sich nur wundern, daß die Knochen bei dem wenigen Fleisch, das sie bedeckte, überhaupt noch zusammenhielten. Er zog Fingal an sich heran und nahm ihn in die Arme.

»Liebster«, flüsterte Fingal.

»Verlaß mich nicht«, sagte Aubrey. Er drückte ihn fester an sich, doch er wußte, daß Fingal gegangen war. Er war allein.

10

Wenn es jetzt aus wäre, dachte Stevie, wenn der Tod ihn jetzt in den strahlenden Himmel hinaufschleuderte, dann würde er zu einem Lichtpunkt werden: rein, gesegnet, erhaben. Er ging durch das Niemandsland, stieg über rostige Spinnweben von Stacheldraht und versprengte Baumstümpfe und hatte den Kopf voller Sterne. Über ihm flackerte der Nachthimmel: Bomben und Leuchtgranaten warfen ein schauerliches Lodern über jeden einzelnen Grashalm und verwandelten das Wasser in den Bombenkratern in silberne Tücher. Um ihn herum schlichen seine Männer durch die Finsternis, ihre aufgepflanzten Bajonette schimmerten.

Gewiß hatte er Angst. Mehr als Angst sogar – er war ein einziger pochender Puls animalischer Furcht, ein Mann unter den Tausenden, die aus den Schützengräben ausgeschwärmt waren, um die deutschen Linien südlich von Aubers Ridge anzugreifen. Dies war sein erster Kampf, und an seinem Gefühl der Verletzlichkeit und des Ausgesetztseins war etwas Aufregendes, nahezu Erotisches. Nichts konnte je wieder sein wie zuvor, nachdem er in diesem Feuer umgeschmolzen worden war.

Der Gedanke an Lorenzo versetzte ihm einen Stich. Als sie sich getrennt hatten, wußte Stevie, daß es vielleicht für immer wäre. Er hatte Briefe für Francesca und seine Mutter hinterlassen, in denen er sie immer wieder seiner Liebe versicherte und aus denen sie Trost beziehen sollten, wenn er nicht mehr da wäre. Doch ihm war klargeworden, daß seine Beteuerungen eher Lorenzo zugedacht waren.

Die Suchscheinwerfer der Deutschen durchdrangen Dunkelheit und Rauch und zeigten, daß die Nacht voller verstohlener

Schatten war. Plötzlich folgte ein stechendes, prasselndes Geräusch, als hagelte es auf das Dach eines Gewächshauses. Stevie sah Männer die Arme hochreißen und zu Boden fallen. Er brauchte ein paar Sekunden, um sich darüber klarzuwerden, daß sie von Maschinengewehrfeuer niedergemäht wurden.

Ein Hitzeschwall hob ihn in die Höhe: der Drachenatem einer explodierenden Granate. Männer wurden von der Druckwelle verschluckt und in einer riesigen Fontäne brauner, blutbefleckter Erde wieder ausgespuckt. Am Himmel ein ohrenbetäubendes Feuerwerk, und für den Bruchteil eines Augenblicks spürte Stevie das Gewicht seiner Verantwortung und geriet in Panik.

Die Berührung von Sergeant Ayres Hand auf seinem Arm beruhigte ihn wieder. Der Teil seines Hirns, der nicht gelähmt war vor Angst, war sich professionellen Stolzes bewußt und des starken Wunsches, sich nicht zu blamieren. Und mit ungläubigem Staunen stellte er fest, daß er imstande war, das Kommando zu führen.

Als die Angriffswelle sich Stunden später in chaotischen Rückzug verwandelt hatte und er wieder hinter seiner eigenen Linie war, wurde ihm endlich klar, wie er selbst sich verändert hatte. Zunächst verspürte er eine schreckliche Bitterkeit: einige seiner Männer waren tot, andere waren verwundet, und wieder andere waren einfach verschollen. Er hätte sich am liebsten in den Schlamm gekniet und um seine verlorenen Jungen geheult. Statt dessen hielt er den Anwesenheitsappell ab, half mit, die Verwundeten zum Truppenverbandsplatz zu tragen, und setzte sich mit allen Kräften dafür ein, daß seine Männer Tee mit Rum bekamen.

Die Verbindungsgräben um den Verbandsplatz waren übervoll mit Verwundeten, die sich noch ohne Hilfe vorwärts bewegen konnten. Stevie musterte ihre Gesichter, halb hoffend, halb fürchtend, Lorenzo unter ihnen zu finden. Es gelang ihm nicht zu erfahren, was mit Lorenzo passiert war. Einmal erhielt er die Antwort, er solle doch froh sein, selbst mit heiler Haut davongekommen zu sein. Captain Chetwynde war tot und zwei Subalternoffiziere von einer anderen Kompanie, mit denen Stevie und Lorenzo drei Abende zuvor in St. Omer zu Abend gegessen hatten.

Nun gestand Stevie sich ein, was er insgeheim längst geahnt hatte – daß das Leben für ihn ohne Lorenzo nicht mehr lebenswert wäre. Es gab keinen Grund, weshalb Lorenzo nicht unter den Tausenden von Leichen sein sollte, die das Niemandsland übersäten – es sei denn, ein gnädiger Gott hätte ihn verschont. Doch Stevie glaubte nicht mehr daran, daß Gott gnädig war.

Dann bog er im Labyrinth der Tunnel um eine scharfe Ecke und lief geradewegs in ihn hinein. Lorenzo hatte einen wilden Blick und war von Kopf bis Fuß mit Schlamm bedeckt, seine Hände bebten, als er Stevies Schultern umklammerte. »Gott sei Dank. Ich habe dich überall gesucht.«

Stevies erstarrte Seele belebte sich. Erleichtert packte er Lorenzo beim Hinterkopf und küßte ihn heftig auf den Mund.

Lorenzo wandte ruckartig den Kopf ab, doch er war nicht wütend. Er umarmte Stevies atemlosen, prickelnden Körper und sagte nachsichtig: »Stevie, Stevie, jetzt werd mal erwachsen, ja?«

»Schon wieder ein langer schöner Brief«, sagte Francesca und zeigte ihn lächelnd vor. »Soll ich dir ein bißchen daraus vorlesen?«

Eleanor legte Laura neben sich aufs Sofa. »Ja, bitte.«

Nichts konnte Francesca davon abhalten, Stevies Briefe laut vorzulesen. Rory war inzwischen so weit, daß sie aus dem Zimmer lief, sobald der Umschlag auftauchte, sie konnte Stevies Herzensergüsse einfach nicht mehr ertragen. »Mein einziger, innigst geliebter, kleiner Engel.« Eleanor war jedoch duldsamer. Stevies Briefe mochten ja sentimental sein, doch bescherten sie ihr Nachrichten über Lorenzo, nach denen sie lechzte.

»Vielleicht lese ich die intimsten Stellen besser nicht vor«, sagte Francesca unschuldig und überflog die Seiten. »Ich werde etwas finden, wo von Lorenzo die Rede ist ... Ach ja, hier.«

»... im Augenblick geht es sehr ruhig zu. Lorenzo und ich haben nicht viel anderes zu tun, als Schach zu spielen und die Briefe der Männer zu lesen und zu zensieren. Ich habe davon schon so viele hinter mir, daß sie demnächst auf meinen Stil abfärben werden, und dann werde ich an Dich schreiben: ›Na, meine Alte, hoffe doch, Du hast auch so 'ne pfundige Zeit wie ich ...‹

Das Wetter ist schön und sonnig, und die Hunnen scheinen sich im Urlaub zu befinden. Jedenfalls stören sie uns kaum. Die einzige Kampfhandlung, der ich beigewohnt habe, drehte sich um das zerfledderte Exemplar des *Tatler* in unserem Unterstand. Wir sind in letzter Zeit knapp dran mit brauchbarem Lesestoff.

Lorenzo hat dafür gesorgt, daß es letzte Woche in der Offiziersmesse heiß herging. Wir haben zwar ein ganz ordentliches Grammophon, doch nur eine einzige Platte ... ›*Hitchy-Koo*‹ auf der einen und ›*Robert E. Lee*‹ auf der anderen Seite. Lorenzo hatte sie dermaßen satt, daß er an Harrods geschrieben und Nachschub bestellt hat ...«

»Aber das weißt du ja wohl schon«, sagte Francesca.

»Ja, natürlich«, versicherte Eleanor.

»... doch die anderen Burschen waren fassungslos, als sie merkten, daß er ausschließlich Wagner bestellt hat. Na, Du kennst ja L, er ist dran gewöhnt, mit allen anderen überkreuz zu sein, und er hat sich keineswegs gescheut, das gräßliche Zeug zu spielen, selbst als der Befehlshabende über die ›Katzenmusik der Hunnen‹ zu murren anfing.

Zur Zeit sind wir einquartiert, das bedeutet warmes Futter, warmes Badewasser und richtige Betten. Gestern abend haben L und ich im Offiziersklub in der Stadt gegessen –nichts Besonderes, doch der Wein war ziemlich gut: Perrier Jouet für nur 12 Francs. Und dann sind wir Hilary Twisden in die Arme gelaufen, der gerade mit den North Devons zum erstenmal die Front hinauffährt. Der gute alte Twisden, er hatte es mit seinem Gewissen nicht vereinbaren können, sich auf die Ordination vorzubereiten, während alle anderen sich zur Armee meldeten. Doch sonst ist er der geborene Pfarrer wie eh und je. Er hat mich gebeten, ihn bei Eleanor in Erinnerung zu bringen – willst Du sie von ihm grüßen, für den Fall, daß Lorenzo es vergißt? Was ich für höchst wahrscheinlich halte.«

Francesca hielt lachend inne. »Der arme Hilary, er hatte schon immer eine Schwäche für dich.«

Laura unterbrach sie mit einem ihrer fordernden Klagelaute. Eleanor nahm sie hoch und drückte die Lippen auf den heißen, zornroten Kopf. Laura war zornig geboren worden, und der

Zorn brannte immer noch in ihr. Sie schrie und schlug um sich und verschliß ungezählte Kindermädchen und Dienstboten. Eleanor jedoch hätschelte ihr Temperament als etwas, was sie von ihrem Vater geerbt hatte.

»Ja, mein Kleines, mein Kleines«, sagte sie beschwichtigend. Es war zwar enttäuschend, daß Laura immer noch nicht auf die Stimme ihrer Mutter reagierte, doch mit Liebkosungen ließ sie sich beruhigen.

Francesca legte Stevies Brief beiseite und beobachtete das Baby mit grüblerischer Sehnsucht. »Bitte, darf ich sie mal nehmen?« Sie streckte die Arme aus.

Eleanor trennte sich zwar nicht gern von Laura, wenn sie weinte, doch sie konnte dem Verlangen in Francescas Stimme nicht widerstehen. Was für ein Pech, dachte sie, daß Stevie es nicht geschafft hatte, während ihrer Hochzeitsreise ein Kind zu zeugen.

Francesca war während der Wochen nach Fingal Careys Tod ernster und nachdenklicher geworden. Auch war sie selbstgenügsamer und hatte gelernt, gewisse Gedanken für sich zu behalten, statt sie den Menschen gegenüber, die sie liebte, freimütig zu äußern. Eleanor war gewöhnlich allzu beschäftigt mit Laura, um irgend etwas Neues an ihren Freundinnen zu entdekken, doch jetzt wurde ihr klar, daß sie seit langen Jahren zum erstenmal keine Ahnung hatte, was in Francesca wirklich vorging. Ihr sehnsüchtiges Verhältnis zu dem Kind war zwar offenkundig – Eleanor war sogar ein wenig eifersüchtig auf sie, weil sie es geschafft hatte, daß Laura nicht mehr weinte –, doch da war noch irgend etwas anderes.

»So ein liebes kleines Ding«, murmelte Francesca. »Wie sie mich anstarrt. Sie ähnelt ihm ungeheuer, nicht?«

»Ja. Das bleibt mir jedenfalls von ihm, was immer auch geschehen mag.«

»Also Eleanor, wirklich!« sagte Francesca vorwurfsvoll, »so darfst du nicht reden! Hast du denn ... ich meine, du hörst doch von ihm?«

Eleanor spürte, wie ihr das Blut in die Wangen stieg. »Aber gewiß«, sagte sie allzu hastig. »Er schreibt mir ständig. Erst gestern habe ich einen Brief bekommen, doch du bist mir bestimmt nicht böse, wenn ich ihn nicht laut vorlese?«

»Aber nein.« Francesca war verlegen, weil ihr klar war, daß sie sich auf ein heikles Gebiet begeben hatte.

Wenn sie nicht so niedergeschlagen gewesen wäre, hätte Eleanor vielleicht über die Ironie der Situation lächeln können. Da saß Francesca und malte sich offensichtlich einen intimen Liebesbrief voller unanständiger Stellen aus. Na schön, sollte sie denken, was sie wollte. Nichts hätte Eleanor dazu bewegen können, den wahren Inhalt von Lorenzos erstem Brief nach dem Heimaturlaub preiszugeben:

»Liebe Eleanor,
schicke bitte folgendes: 200 Sullivan's Turkish Cigarettes, 3 Sätze Spielkarten, 1 Schachtel Teeseife, 1 Rosinenkuchen (Fortnum & Mason), 1/2 Dtzd. Gläser Portweinsülze, 1 Pfund Charbonnel et Walker Pralinen (gemischt), 2 Drahtscheren (Army & Navy).
Gruß Lorenzo«

I I

Die Versammlung hatte sich in prügelnde Gruppen aufgelöst. Überall im Saal flogen die Fäuste, als wütende Pazifisten sich gegen die fahnenschwenkenden Schläger verteidigten.

»Genossen! Brüder!« brüllte Tom über das Getöse hinweg. »Warum wollt ihr eure Kräfte in den Dienst der Unterdrückung stellen? Was habt ihr denn davon, wenn ihr Soldaten aus euch macht? Wenn ihr den Kampf wollt, dann kämpft doch gegen die Politiker und Generäle, die uns diesen verdammten blödsinnigen Krieg überhaupt eingebrockt haben.«

Johlende Jugendliche traten die ›Kein-Wehrdienst‹-Plakate rund um das Podium zusammen und stürmten auf Tom zu. Joe war jedoch vor ihnen da. Er zerrte Tom von der Bühne und ein paar Stufen hinab in einen staubigen Heizungskeller.

Sie lehnten schnaufend an einem Gewirr von Heißwasserrohren und lauschten auf das Gepolter und Geschrei über ihnen.

»Das war knapp«, sagte Joe.

Tom zündete sich eine Zigarette an. »Warum hast Du mich denn bloß unterbrochen? Ich war gerade richtig in Fahrt.«

Joe ließ eine Mischung aus Lachen und Stöhnen hören. »Ich sollte dir das gar nicht erlauben. Die Polizei ist immer noch hinter dir her. Es ist der helle Wahnsinn, daß du dich jetzt in der Öffentlichkeit zeigst.«

»Was habe ich denn davon, wenn ich es lasse?« erwiderte Tom ungerührt. »Ich muß denen zeigen, daß ich mir nicht das Maul verbieten lasse, sonst könnte ich genausogut im Gefängnis sitzen.«

Im trüben, spinnwebendurchsetzten Licht war zu erkennen, wie ausgemergelt sein Gesicht war. Joe fiel auf, wie seine knochigen Schultern erschauderten, als er die Hände wie wärmesuchend um die Zigarette legte.

»Trotzdem«, sagte er, »vielleicht solltest du mal für eine Weile abtauchen. Wie bist du denn bei Kasse?«

Tom zuckte die Achseln. »Ich komme zurecht.«

»Du siehst nicht gut aus, alter Junge. Wenn ich dich doch nach Hause mitnehmen könnte, aber die Polizei überwacht uns.«

»Eine feine Sache«, sagte Tom, »wenn es ein Verbrechen und eine Bedrohung des Staates darstellt, daß man sich weigert, andere Menschen umzubringen.«

»Hier.« Joe holte einen Sovereign aus der Tasche und drückte ihn Tom in die kalte Hand. »Kauf dir was Warmes zum Anziehen, ja?«

»Danke, Joe. Du bist ein guter Kumpel.«

»Keine Ursache. Jetzt verschwindest du besser, ehe das ganze Haus von Polizei wimmelt.«

Joe hatte sich vor Beginn der Versammlung einen Überblick über das Gebäude verschafft, und er brachte Tom zu einem Hinterausgang, der auf eine schummerige Gasse führte. Sie drückten einander flüchtig die Hand, ehe Tom im Schatten verschwand.

Als Joe wieder in den Saal zurückkehrte, war die Menge dabei, sich unter der Musik der Trillerpfeifen zu zerstreuen. Der Spaß war vorbei, und die Mitglieder der Liga für Wehrdienstverweigerung waren mit der Pflege ihrer geschwollenen Kiefer und blutenden Nasen beschäftigt. Die meisten ihrer öffentlichen Versammlungen endeten auf diese Weise, und Joe hatte sich längst mit der Tatsache abgefunden, daß keiner der Schläger, die kamen, um zu stören, jemals verhaftet wurde. Draußen wartete ein Polizeiwagen. Joe mußte hilflos zusehen, wie einer seiner Kollegen aus dem Komitee hineinverfrachtet wurde. Noch einer. Wie lange würde es dauern, bis sie alle hinter Gittern säßen?

»Haltet mal einen Platz frei!« Zwei Zivilbeamte tauchten aus der Gasse auf und schleiften etwas Schweres zwischen sich heran. Es war Tom, der bewußtlos war und eine blutige Wunde am Kopf hatte.

»Was habt ihr mit ihm gemacht?« entfuhr es Joe.

»Widerstand gegen die Staatsgewalt . . .« Der Beamte musterte Joe eindringlich. »Aber was geht Sie das überhaupt an?«

Joe wandte sich ab und stolperte davon. Der Gedanke, nach Hause zu gehen, war ihm unerträglich, und so lief er ziellos durch die engen Nebenstraßen von Hampstead.

Was bin ich doch für ein verdammter Feigling, dachte er. Zu feige, um zu kämpfen, zu feige, um mit Tom ins Gefängnis zu gehen. Er war voller Ideale und mit starken Überzeugungen in die Liga für Wehrdienstverweigerung eingetreten, doch irgend etwas stimmte nicht. Wie hatte es nur so weit kommen können, daß er sich selbst verachtete?

Wenn er bloß imstande gewesen wäre, die Dinge so zu sehen wie Tom. Dem kam es nie in den Sinn, daß er vielleicht nur zur Hälfte recht haben oder gar unrecht haben könnte.

Joe blieb auf dem Bürgersteig vor dem New End Hospital stehen. Drei Krankenwagen waren in der engen Straße vorgefahren. Es gab keinen Nebeneingang, der die Patienten vor den neugierigen Blicken der Passanten geschützt hätte. Einige schmutzige kleine Jungen standen gaffend daneben, als die Hilfsschwestern und die Sanitäter die Tragbahren ausluden. Ganz gegen seine Art blieb Joe stehen und sah zu.

Der erste Mann, der reglos unter einer Khakidecke lag, schien eine Art schwarzes Tuch vor der unteren Gesichtshälfte zu haben. Dann sah Joe genauer hin und erkannte, daß das schwarze Tuch ein klaffendes Loch war, dort, wo der Kiefer und die Nase des Mannes hätten sein sollen. Er mußte sich beinahe übergeben – er hatte nicht gewußt, daß man mit solchen Wunden überleben konnte.

Er starrte einen Mann nach dem anderen an, als sie an ihm vorbeigetragen wurden. Ihre blutigen Stümpfe und zermalmten Glieder schienen ein lebender Vorwurf gegen ihn zu sein, der gesund und unversehrt war. In diesem Augenblick haßte Joe sich. Was waren seine überheblichen Ideale und Überzeugungen im Vergleich dazu?

Die kleinen Jungen hatten begonnen, einander anzustoßen und zu kichern.

»Uff ... guckt mal den da an, überall Erdbeermarmelade. Wo sind denn deine Beine, Kumpel?«

»Verschwindet!« brüllte Joe und holte in einem plötzlichen Wutausbruch zum Schlag gegen sie aus. »Haut bloß schnell ab, ihr kleinen Scheißkerle! Untersteht euch, sie noch länger anzuglotzen.«

Die Gassenjungen wichen vor seinen Fäusten zurück und flitzten mit höhnischem Kriegsgeschrei die Straße hinunter. Joe klammerte sich zitternd an einen Laternenpfahl. Zwei Sanitäter sahen ihn neugierig an. Ihm wurde klar, warum, als er die Hand an die Augen hob und merkte, daß er weinte.

»Wir haben getan, was wir konnten«, sagte Frieda. »Nur noch ein Wunder hätte ihn retten können.«

Rory nahm ihren Rot-Kreuz-Hut ab und glättete ihr Haar. »Wenn wir mehr Geld aufgetrieben hätten ...«

»Nein, Kindchen. Das hätte auch nichts geändert.«

Die Berlins hatten Rory nach Toms Gerichtsverhandlung am Old Bailey mit nach Hause genommen. Er hatte sich selbst mit einer aufrührenden Rede verteidigt, das Publikum oben auf dem Rang hatte ihn lautstark hochleben lassen, und der Richter hatte ihn anschließend zu achtzehn Monaten Zwangsarbeit verurteilt.

»Setz dich, Aurora«, sagte Berta liebevoll. »Du solltest etwas essen, ehe deine Schicht anfängt.«

»Mir fehlt nichts, ehrlich.« Doch Rory setzte sich. Sie war nicht mehr in Tom verliebt, dennoch war sie totenbleich geworden, als er aus der Anklagebank hinausgeführt wurde. Die Berlins hatten sie nicht in ihre leere Wohnung zurückkehren lassen wollen.

Dorrie brachte das Tablett mit Kaffee und Sandwiches herein, Joe erhob sich gerade so weit, daß er die Tassen herumreichen konnte. Er war seit mehreren Tagen geistesabwesend und angespannt. Frieda beobachtete ihn mit besorgtem Blick. Sie liebte ihn zu sehr, um ihn zu drängen, und wußte, es würde nicht lange dauern, bis er sie ins Vertrauen zöge.

Sie war erleichtert, als er sich auf dem Kaminvorleger aufbaute und mit unnatürlich lauter Stimme erklärte: »Mädels, ich habe euch etwas mitzuteilen.«

Rory sagte: »Dann gehe ich.«

»Nein, nein.« Er lächelte bitter, den Blick auf Frieda geheftet. »Ich glaube, ich möchte dich gern dabeihaben, wenn ich ihnen das Herz breche.«

Berta und Dorrie sahen alarmiert zu Frieda. Frieda saß ganz still, in angespannter Haltung, als erwarte sie einen Schlag. »Du mußt dir keine Sorgen um unsere Herzen machen«, sagte sie leise.

Die Bitterkeit wich aus seiner Miene. Er flehte um Verständnis. »Älteste, ich ... ich melde mich zur Armee.«

Frieda rührte sich nicht, doch ein Schatten schien sich über ihr Gesicht zu legen. Die Falten um ihren Mund vertieften sich, ihr Blick wurde trübe, und sie erstarrte in einem Augenblick zur alten Frau. Er hat recht gehabt, dachte Rory erschaudernd – er hat ihnen das Herz gebrochen. Ihr geliebter Junge, der einzige Sohn des großen Dr. Berlin, hatte ihre geheiligsten Überzeugungen verraten.

Als sie dann sprach, war Friedas Stimme so sanft wie immer. »Ich weiß, daß du sehr unglücklich über einige Aspekte unserer Arbeit bist. Und der Anblick der vielen Verwundeten auf der Straße hat dich verstört. Aber sind das denn Gründe, um deine Prinzipien einem Krieg zu opfern, den du selbst für falsch hältst?«

»Ich glaube, wir machen zuviel Aufhebens um unsere Prinzipien«, sagte Joe. »Die Männer dort haben bewirkt, daß ich mir wie ein Verräter an meiner Generation vorkomme. Warum sollten sich andere Burschen in meinem Alter in Stücke schießen lassen, nur weil sie nicht edelmütig genug waren, um Prinzipien zu hegen? O Gott, wenn ich dir das doch begreiflich machen könnte. Frag Rory!« Er gestikulierte wild in ihre Richtung. »Sie wird euch sagen, weshalb sie all ihre Nächte damit zubringt, die Verwundeten durch London zu fahren wie der Fährmann auf dem Styx. Deshalb nämlich, weil es zu spät ist, am Rand zu stehen und zu mißbilligen. Der Krieg ist völlig falsch ... selbstverständlich ist er das! Doch er ist eine Tatsache, und ich finde keine Entschuldigung mehr dafür, daß ich meinen Teil nicht leiste!«

»Du lieber Gott!«, murmelte Frieda.

»Nachdem ich vor dem Krankenhaus gestanden hatte«, sagte Joe, »lief ich in Hampstead Heath umher ... wohl weil ich auf irgendein Zeichen wartete. Und plötzlich fiel mir der Satz von Sokrates ein: ›Wenn du dich der Segnungen der Gesetze deines Landes erfreut hast, dann darfst du ihnen auch den Gehorsam nicht verweigern, selbst wenn du glaubst, daß sie falsch sind.‹ Das war es, was ich brauchte. Ich habe noch am selben Abend an das Offiziersausbildungskorps in Oxford geschrieben. Sie haben mich genommen. Ich soll mein Offizierspatent bekommen.«

»Und das erzählst du mir, nachdem du miterlebt hast, wie ein Mann achtzehn Monate bekommen hat, weil er seine Ansichten hat drucken lassen.«

»Ich bin nicht wie Tom. Er ist ein tapferer Mensch, doch ich ziehe es vor, mich auf die Seite der Mehrheit zu schlagen. Ich würde mich auf alle Zeiten verwünschen, wenn ich es nicht täte.« Impulsiv warf er sich ihr zu Füßen. »Ich weiß, was ich dir angetan habe. Ich würde es dir nicht verargen, wenn du nie wieder mit mir sprichst.«

Frieda vergaß ihre Prinzipien und ihre Politik in einer schmerzlichen Aufwallung von Liebe. Sie wußte nur noch, daß er ihr geliebter kleiner Bruder war, und schluchzte: »O Joey, mein Schatz, wie soll ich das überleben, wenn sie dir weh tun?« und schloß ihn fest in die Arme.

Die Kanalüberquerung war stürmisch gewesen, und die strapazierten Mägen der zwanzig jungen Hilfsschwestern begannen, knurrend nach heißem Kaffee und frischen Brötchen zu verlangen. Köstliche Düfte wehten aus der Hotelküche zu ihnen hinüber. Doch hätte nicht eine von ihnen solche Schwächen wie Müdigkeit oder Hunger eingestanden. Der Stolz darauf, für den Einsatz auf dem Festland ausgewählt worden zu sein, und der brennende Wunsch, sich dessen würdig zu erweisen, bewirkten, daß sie ihre Aufmerksamkeit ausschließlich auf Schwester Constance Gleadow gerichtet hielten.

»Man setzt großes Vertrauen in Sie«, sagte Schwester Gleadow. »Viele gelernte Schwestern werden Ihnen Ihre Unerfahrenheit verübeln. Doch Sie werden sich ihren Respekt verdienen, indem Sie beweisen, daß Sie gleichermaßen imstande sind, sich der Disziplin zu unterwerfen.«

Schwester Gleadow war eine Queen Alexandra Military Nurse, die während des Burenkriegs in Südafrika gedient hatte. Sie alle wußten, was für eine Ehre es war, unter dem Schutz dieser so erfahrenen alten Kriegsteilnehmerin in ihrer gestärkten Uniform nach Boulogne zu kommen.

»Der aktive Dienst ist kein Europaurlaub. Und auch kein Vorwand, um den Beschränkungen des häuslichen Lebens zu entrinnen. Blinder Gehorsam muß Ihr Leitsatz sein.«

Trotz Jennys Bemühungen, sich zu konzentrieren, verschwand Schwester Gleadows kantiges Gesicht aus ihrem Blickfeld. Es war zwar albern, daß sie so abergläubisch war, doch sie wurde das Gefühl nicht los, daß ihre Fahrt nach Frankreich unter sehr schlechten Vorzeichen begonnen hatte. Erst war der Brief ihres Vaters – mit beiliegender Fahrkarte – gekommen, worin er verlangte, daß sie unverzüglich nach Edinburgh zurückkehrte. Jenny hatte die Fahrkarte – nahezu ohne eine Spur von schlechtem Gewissen – zurückgeschickt und seitdem nichts mehr von ihren Eltern gehört. Hatte man sie verstoßen?

Am Vortag hatte etwas weitaus Schlimmeres seinen Schatten

auf diesen neuen Abschnitt ihres Lebens geworfen. Sie hatte in Hyde Park Gate angerufen und erfahren, daß das Haus der MacIntyres in Trauer lag. Donald, der junge Leutnant zur See, war draußen bei den Dardanellen an Cholera gestorben, und die arme Cornelia war vor Kummer halb wahnsinnig.

»... man wird von Ihnen erwarten, daß Sie im Notfall die Initiative ergreifen«, führte Schwester Gleadow aus. Sie hatte eine wunderschöne, rauchige Stimme, die einen eigenartigen Gegensatz zu ihrem strengen Äußeren bildete. »Sie werden arbeiten, wie und wann immer man es von Ihnen verlangt, und denken Sie daran, daß keine Aufgabe zu gering für Sie ist. Das Wohlergehen des Patienten steht unter allen Umständen an erster Stelle. Die Männer, für die Sie sorgen, werden in vielen Fällen direkt aus der Schlacht kommen. Schon Ihr Gesicht sollte dem Patienten sagen, daß er an einem Ort der Fürsorglichkeit und der Geborgenheit angelangt ist, selbst wenn Sie den Eindruck haben, daß er dem Tod nahe ist.«

Sie hielt inne und ließ den Blick auf den ehrfurchtsvollen Gesichtern ihrer Zuhörerinnen ruhen, dann lächelte sie. Schwester Gleadow hatte ein entwaffnend kindliches Lächeln, das ihre kleinen Zähne und ihr Zahnfleisch entblößte. »Doch Sie alle kommen ja mit ausgezeichneten Zeugnissen aus Ihren Krankenhäusern, und ich weiß, ich kann mich auf Sie verlassen. Unser Railway Transport Officer hat mir gerade mitgeteilt, daß unser Zug in anderthalb Stunden abfährt. Bis dahin werden wir essen. Ich habe uns etwas Warmes bestellt.«

Sie verstummte abrupt, als die Tür am anderen Ende des langgestreckten, kahlen Speisesaals aufflog. Sechs Offiziere, die offensichtlich auf das Urlaubsschiff warteten, ließen sich auf die Holzbänke um den Ofen fallen. Nachdem sie die Mützen abgenommen und den Schwestern höflich zugenickt hatten, schliefen sie augenblicklich wie auf Kommando ein.

Die Hilfsschwestern starrten in ihre ausdruckslosen, erschöpften Gesichter und auf den Dreck der Schützengräben, der noch an ihren Stiefeln und Uniformen klebte. Einige der Mädchen warfen Schwester Gleadow unbehagliche Blicke zu. Ihre Maßstäbe, was männliches Verhalten betraf, waren sehr streng, und sie hatte zwei Subalternoffizieren im Zug in furchterregender Weise die Leviten gelesen, weil sie sich ›vor Damen herum-gelümmelt‹ hatten.

Jetzt legte Schwester Gleadow jedoch mit mitleidiger Miene den Finger an die Lippen. Jenny begriff, daß die Verhaltensregeln hier in Frankreich unter umgekehrtem Vorzeichen funktionierten: die Frauen mußten Rücksicht nehmen und die Männer, die die Last des Kampfes trugen, wurden mit liebevoller Nachsicht behandelt.

Das No. 49 General Hospital in Etaples war eine weitläufige Stadt aus Latten und Segeltuch. Reihenweise zogen sich die Holzhütten und die eintönigen Khakizelte bis hinter den Horizont. Jenny war mit Polly Shilton, einem rundlichen Mädchen mit unansehnlichem sommersprossigem Gesicht und einnehmendem Lächeln, in einem Zelt untergebracht. Ihr neues Zuhause hatte einen Fußboden aus rohen Brettern, zwei Feldbetten, zwei wackelige Waschtische und zwei kleine Metallspinde vorzuweisen.

Es blieb keine Zeit, um sich einzurichten. Jenny und Polly konnten sich gerade noch die Kappen feststecken, als sie sich zum Dienstantritt melden mußten. Schon eine halbe Stunde nach ihrer Ankunft scheuerten sie eine Hütte, in der Fälle von Pull – Pyrexia unbekannten Ursprungs oder ›Schützengraben-fieber‹ – untergebracht gewesen waren.

»Hoffentlich kriegen wir das nicht«, meinte Polly. »Wir müßten uns doch wie ganz gemeine Betrüger vorkommen, wo wir noch nie auch nur in die Nähe eines Schützengrabens gekommen sind.«

Polly arbeitete mit bewundernswürdiger Geschwindigkeit und Effektivität und war gleichzeitig imstande, für zehn zu reden. Jenny erfuhr, daß auch sie eine Pfarrerstochter war. Sie hatte drei Brüder, von denen zwei beim Militär waren. Sie war mit einem jungen Rechtsanwalt verlobt, auch er beim Militär – doch das war ein Geheimnis, und Jenny durfte es niemandem erzählen.

»Und Sie, Dalgleish? Sind Sie auch verlobt oder so etwas?«

Jenny war entsetzt darüber, daß sie am liebsten verneint hätte. »Ja.«

»Armee oder Marine?«

»Armee ... bei den Borderers.«

»Ach, toll. Denis ist beim 7. Tooting and Clapham ... bei weitem nicht so toll. Meine Mutter wird einen Ohnmachtsanfall kriegen, wenn sie erfährt, daß ich heiraten werde ... die Arme, ich bin ihre rechte Hand. Doch ich hab' den Eltern erklärt, als ich mich für diesen Posten beworben habe, ein Mädchen, das in einer großen Londoner Gemeinde aufgewachsen ist, sollte imstande sein, den aktiven Dienst mit links zu versehen.«

Jenny lachte. »Ich sehe Sie vor mir ... hinter der Teemaschine, bei irgendeinem Sonntagsschulgelage.«

»Da gibt's nichts zu lachen«, erwiderte Polly grinsend. »Ich hab' mein ganzes Leben lang maschinegeschrieben, Tee gekocht und Altkleiderspenden sortiert. Wäre ich ein Kurat, würde ich wenigstens dafür bezahlt werden.«

Als sie mit der ersten Hütte fertig waren, führte man sie zu einer anderen – und danach wieder zu einer anderen. Als sie endlich bei ihrer Mahlzeit aus Büchsenschweinefleisch und Bohnen in der Messe saßen, kippte Jenny vor Müdigkeit fast vornüber.

»Kein einziger Patient, nicht einmal ein verstohlener Blick auf eine Krankenstation«, klagte sie. »Haben die uns zum Putzen hierhergeschafft? Ich hatte gehofft, hier wirklich etwas zu tun zu kriegen.«

»Für mich war es genug«, meint Polly und kratzte geschäftig ihren Emailleteller ab. »Und jetzt in die Falle. Ich bin seit dem Picknick der Band of Hope im letzten Jahr nicht mehr so müde gewesen.«

Jennys Wunsch nach ›wirklicher‹ Arbeit ging sehr rasch in Erfüllung. Am nächsten Tag war sie verantwortlich für eine Hütte mit zwanzig Verwundeten und hatte nur einen Sanitäter an der Seite und eine Schwester, an die sie sich im Notfall wenden sollte. Zwar war keiner der Patienten schwer verwundet, aber die Last der Verantwortung war doch aufregend und entsetzlich zugleich.

Während Polly in ihren Pausen Kekse aß und sentimentale

Romane von Florence Barclay las, grübelte Jenny über medizinischen Büchern und suchte nach irgendwelchen Hinweisen, die ihr helfen würden, ihre ›Fälle‹ zu verstehen.

»Sie zerbrechen sich ihretwegen viel zu sehr den Kopf, meine Gute«, erklärte Polly. »Sie dürfen sich nicht so viel Sorgen um die Patienten machen. Nicht daß ich Sie dafür tadeln will, denn es ist wirklich ungeheuer schwierig, sie nicht ins Herz zu schließen. Auf meiner Station ist so ein reizender kleiner Kerl, gerade mal siebzehn, den verhätschelt sogar die Schwester.«

»Es sind ja nicht die Männer selbst, deretwegen ich mir den Kopf zerbreche«, sagte Jenny, sobald sie zu Wort kam. »Es sind die Wunden. Ich möchte auf die Komplikationen vorbereitet sein, die eintreten können, so daß ich nicht jedesmal zur Schwester laufen muß. Es könnte doch eines Tages einem Mann das Leben retten.«

»Hoffen Sie nur nicht, sie alle retten zu können. Manchmal wird das außerhalb des Menschenmöglichen liegen.«

Sie war nett, und Jenny mochte sie. Doch Pollys mangelndes Interesse an dieser Art von Erörterungen bewirkte, daß sie sich nach Rory sehnte. Ihre rege Neugier und ihre Unfähigkeit, irgend etwas auf sich beruhen zu lassen, fehlten ihr. »Wenigstens werde ich das Gefühl haben, alles nur Mögliche versucht zu haben.«

Polly stopfte sich noch einen Keks in den Mund – die alten Damen aus der Gemeinde ihres Vaters überschwemmten sie mit solchen Dingen – und sagte: »Allzuviel Einsatz ist schlecht für den Teint«, und das mit einem derart feierlichen Ernst, daß Jenny sich vor Lachen ausschüttete und ihr Buch beiseite legte.

Polly hätte sich nicht zu sorgen brauchen. Ungeachtet ihres Wissensdurstes, was medizinische Fragen betraf, war Jenny nicht weniger auf jegliches Vergnügen oder jegliche Ablenkung aus, die sich der unerbittlichen Alltagsroutine abbringen ließ. Die Hilfsschwestern waren eingesperrt wie Nonnen, durften das Lager niemals allein verlassen und waren generell vom Umgang mit gesunden männlichen Wesen abgeschnitten. Ihre wenigen freien Augenblicke verbrachten sie damit, sich in den Zelten oder in den Kantinenhütten Kakao zu kochen und hemmungslos über das Lazarett zu klatschen.

Bestimmte Figuren regten zu allen möglichen Fantasien und Spekulationen an. Dann gab es da jene gottgleichen, unendlich faszinierenden Wesen, die Ärzte. Jennys Liebling war Dr. Buchanan, ein junger Mann aus Glasgow, der durch die Stationen wehte wie eine Brise gesunder Seeluft und alle mit seiner Tatkraft ansteckte. Anders als seine Kollegen nahm er Notiz von den Hilfsschwestern und scherzte sogar mit ihnen; Jenny nannte er ›Edinburgh‹ und machte ihren Akzent nach.

Buchanan war, was ihre Mutter einen ›schwarzen Kelten‹ genannt hätte: klein und zierlich, aber drahtig und muskulös. Er hatte dunkle Augen, die sehr wach aus seinem schmalen Gesicht leuchteten. Er war ein passionierter Forscher und hatte seinen letzten Urlaub dazu benutzt, einen Aufsatz über neue Techniken der Bluttransfusion zu schreiben, der in Lancet veröffentlicht worden war. Wo immer man ihm begegnete, war er gerade irgendwohin unterwegs, blickte zur Uhr und murmelte: »Zwei Uhr, und noch gar nichts geschafft!«

Es war Dr. Buchanan, der die Lazarettverwaltung überredete, den Schwestern Ausgang zu einem Lagerkonzert zu geben. Die Hilfsschwestern wurden im Gänsemarsch von einer bewaffneten Wachmannschaft von Schwestern hinausgeführt und marschierten dann zu einem riesigen verräucherten Zelt voller Soldaten und gehfähiger Verwundeter.

Die Amateurdarbietungen waren so gut wie eine Dosis Tonikum, und Jenny, die normalerweise die Nase über derlei Unbeholfenheit gerümpft hätte, lachte, bis ihr die Rippen weh taten. Der Kaplan sang ›Devon, Glorious Devon‹ und wurde zweimal um eine Zugabe gebeten – eher ein Tribut an seine Beliebtheit als an sein Talent. Dann traten drei Soldaten in Schwesterntracht auf und sangen:

»Drei kleine Maiden sind wir von der Schule,
Stolz auf unsere Tracht,
Drei kleine Maiden und geben keine Ruhe,
Weil die Arbeit Freude macht.«

Der unumstrittene Triumph des Abends war jedoch Dr. Buchanans Harry-Lauder-Imitation. In Kilt und Zottelperücke trug er ›Stop Yer Ticklin’ Jock‹ vor und durfte nicht eher von der Bühne, bis er es dreimal gesungen hatte.

Als Jenny ihn das nächstemal sah, trug er eine Gummischürze über einem blutbespritzten weißen Kittel und führte am Operationstisch Amputationen am laufenden Band durch. Am Tag nach dem Konzert kam der Befehl, so viele Betten frei zu machen wie irgend möglich. Wenn es auch niemand ausdrücklich sagte, so wußten doch alle, daß eine große Schlacht bevorstand. Jeder Patient, der halbwegs transportfähig war, wurde nach England zurückgeschickt. Viele der erfahreneren Schwestern, darunter auch Jennys Vorgesetzte Schwester de Souza, wurden an die Front zu den Truppenverbandsplätzen gebracht.

Von den Zurückgebliebenen erwartete man, daß sie sich ›der Gelegenheit gewachsen zeigen‹ würden, wie Schwester Gleadow sagte. Jenny wurde die alleinige Verantwortung für drei Hütten übertragen, und sie hatte nur zwei Sanitäter zur Unterstützung. Sie arbeitete bis an den Rand der Erschöpfung, tat es jedoch mit Hingabe. In ihren freien Momenten glaubte sie, von einem schrecklichen Gefühl der Hilflosigkeit erdrückt zu werden.

Der erste Verwundetenkonvoi traf um ein Uhr früh ein; es schien eine endlose Schlange von Krankenwagen zu sein. Es mußte zusätzlicher Platz in den Hütten geschaffen werden, indem man Tragbahren zwischen die Betten stellte. Die Operationssäle waren bald völlig überfüllt.

»Eine schöne Organisation«, sagte Schwester Gleadow bitter. »Nun seht euch diese armen Kerle an ... noch mit den ersten Notverbänden und völlig verschmutzt, weil sich stundenlang keiner um sie gekümmert hat. Die Verbandsplätze müssen völlig überlastet sein.«

Binnen einer Stunde war die Tragödie der Schlacht bei Loos im ganzen Lazarett bekannt. Die Verwundeten waren Cameron Highlanders in Kilts, und sie berichteten stammelnd, sie seien im Kugelhagel der Maschinengewehre marschiert und hätten dazu den ›March of the Cameron Men‹ gesungen, während ihre Kameraden um sie herum hingemetzelt wurden. Manche Deutsche hätten, behaupteten sie, aus reinem Mitleid das Feuer auf die auf dem Rückmarsch befindlichen Überlebenden eingestellt.

Jenny fand den vertrauten schottischen Zungenschlag der

Männer herzzerreißend. Beim Anblick ihrer blutigen Kilts mußte sie an die Verse denken, die ihre Mutter sie als Kind hatte auswendig lernen lassen: ›Kein einziger Fisch, nicht mal ein Stock – und die Flut griff nach seinem Rock.‹ Der Himmel würde den Highland-Dörfern beistehen müssen, wenn sie erführen, daß sie all ihre jungen Männer verloren hatten. Wehe den kleinen und großen Städten, die in Trauer verstummen würden wie Edinburgh nach der Schlacht von Flodden.

Nichts hatte sie auf das Chaos eines Lazaretts vorbereitet, das so nah am Kampfgeschehen lag. Die Männer stanken, und ihre Kleidung war voller dicker grauer Läuse. Jennys erste Aufgabe bestand darin, ihnen mit einer riesengroßen Schere die Uniformen vom Leib zu schneiden, und sie schnitt sich ihren Weg von Tragbahre zu Tragbahre, bis ihre Finger taub waren, und legte Wunden bloß, die ihr den Atem verschlugen.

Ein Highland-Bewohner schloß die schmierigen Finger um ihren Arm und flüsterte rauh: »Sind Sie Schottin, Miss?«

»Ja.« Jenny schob seine Hand weg und arbeitete weiter, sie zupfte gerade blutige Khakifäden aus der Wunde in seiner Brust. »Bewegen Sie sich jetzt nicht.«

»Kennen Sie ›The Land o' the Leal‹?«

»Ja.«

Langsam bahnte eine Träne sich ihren Weg durch den Schmutz auf seinen Wangen. »Wär schön, wenn Sie das singen würden, Miss.«

Jenny fragte sich, welche Bedeutung das Lied für ihn haben mochte. Sie arbeitete immer noch an der verschmutzten Wunde und sang so leise, daß ihre Stimme vor dem Schreien und dem Gewimmer nicht lauter war als das Summen einer Fliege:

»Ich scheide dahin, Jean,
Wie Schnee, kommt Tauwetter, Jean.
Ich scheide dahin,
Zum Lande der Ruh.
Dort ist nicht Trauer, Jean,
Nicht Ruhe, nicht Sorg', Jean,
Der Tag ist ein schöner
Im Lande der Ruh.«

Der Mann schlürfte das Lied wie Medizin, während ihm die

Tränen übers Gesicht rannen. »Danke«, sagte er. »Das hab' ich gegen Eintrittsgeld schon schlechter gehört.«

»Dalgleish!« Schwester Gleadow hatte den letzten Teil des Liedes mitbekommen. Ihr Gesicht war zorngerötet. »Was fällt Ihnen denn ein? Wo glauben Sie denn, daß Sie sind? Vielleicht im Varieté? Machen Sie sich sofort wieder an die Arbeit! Wir sprechen uns später noch.«

Jenny hatte zwar gar nicht aufgehört zu arbeiten, doch kam es einer Hilfsschwester nicht zu, einer Vorgesetzten zu widersprechen. »Jawohl, Schwester.«

»Es gibt nicht wenige, die finden, daß Schwester Dalgleish die tüchtigste Kraft auf der ganzen Station ist.« Dr. Buchanan tauchte aus seinem behelfsmäßigen Operationssaal hinter dem Segeltuchvorhang auf. »Singen Sie noch eins!« befahl er. »Doch diesmal was Anregendes ... und alle, die können, sollen mitsingen!«

Er zog sich wieder hinter den Vorhang zurück und begann, mit einem wohlklingenden Bariton zu singen:

»*Als Hochländer geboren war mein Schatz, mein Mann.*
Gesetze des Tals verlachte mein Mann,
Doch seinem Clan blieb er treu.
Wie ich mich auf meinen Hochländer Johnny freu'.«

Ein Mann nach dem anderen – und manche waren kaum fähig zu atmen – stimmten in die Melodie von ›*White Cockade*‹ ein, bis die ganze Hütte davon erfüllt war. Für Jenny war es das Schönste, was sie je im Leben gehört hatte.

Fünfter Teil

AURORA

Brief an meine Tochter

Den ganzen trübseligen Winter 1915 hindurch wurde mein Leben von meiner Arbeit für die Hilfsschwestern-Einheit bestimmt. Jeden Abend trat ich meinen Dienst an der Charing Cross Station an. Dort nahmen wir auf einem Bahnsteig, der abgesperrt war, um das Publikum fernzuhalten, die langen Lazarettzüge mit ihrer Fracht von Verwundeten aus Frankreich und Flandern in Empfang.

Manchmal warteten wir stundenlang und tranken den Tee von den Ständen, die wohlmeinende Damen dort eingerichtet hatten, oder legten Patiencen. Und manchmal, wenn es schwere Kämpfe gegeben hatte, fuhren wir die ganze Nacht hin und her – langsam zu den Krankenhäusern, um die Patienten zu schonen, und wie die Teufel zurück zum Bahnhof.

Solange die Männer hinten in meinem Krankenwagen lagen, war ich für sie verantwortlich, und diese Bürde verfolgte mich bis in meine Träume. Jeder von ihnen trug ein Etikett mit medizinischen Informationen, und besonders graute mir vor den ›rotgestreiften‹ Fällen, denn bei ihnen war mit Blutungen zu rechnen. Wie erleichtert ich war, wenn ich sie an der Tür des Krankenhauses ablieferte! Man mußte sich die Übergabe bestätigen lassen, wie bei Paketen.

Endlich erschien dann in der kühlen grauen Morgendämmerung ein anderes gähnendes Mädchen, das meinen Krankenwagen übernahm. Ich ging zu Fuß zu einem Kaffeeausschank am Embankment – wo ich hüpfte und mit den Füßen aufstampfte, um wieder Leben in meine eiskalten Füße zu kriegen – und beobachtete, wie die Sonne über der Themse emporkroch. Alles in allem war das ein reichlich trauriges Dasein, doch jeder in meinem Alter war mehr oder weniger unglücklich. Der Krieg war ein so fester Bestandteil des Lebens geworden, daß man ihn als selbstverständlich hinnahm. Einen freudigen Augenblick gab es immerhin, als das Jahr dem Ende zuging. Sowohl Tertius als auch Muttonhead bekamen Weihnachtsurlaub, und die Mutter gab ihren (und meinen) letzten Penny dafür aus, um von Irland herüberzukommen und sie wiederzusehen. Mutt, der ja Stabsoffizier war, traf in einem speziellen Speisewagen mit Tischlämpchen und weißen Tischtüchern in London ein. Der Gefreite Tertius machte dieselbe Fahrt auf einem Berg Seesäcke auf dem Gang eines Dritter-Klasse-Waggons. Doch diese Kluft zwischen beiden schwand, als die Mutter sie umarmt hielt und Tränen über das Fehlen Fingals vergoß.

Zu Weihnachten sind solche Verluste schwerer als sonst zu ertragen, und wir alle vermißten Fingal sehr, vor allem der arme Aubrey, der vom Kummer niedergeschmettert war wie ein vom Blitz getroffener Baum. Doch meinte er selbst, es gebe ja gegenwärtig kaum jemanden im Land, der nicht trauere, und man habe die Pflicht, sich um die Lebenden zu kümmern.

Es war beglückend, die Jungs zu Hause zu haben. Für die kurze Zeit setzten wir alles dran, um den Krieg zu vergessen. Bewußt oder nicht, wenn jemand, den man liebte, auf Urlaub nach Hause kam, dann gab man sich die größte Mühe, lustig zu sein, wie um sich einen Vorrat an frohen Erinnerungen zuzulegen für den Fall, daß man sie später nötig hätte. Aubrey gab tapfer den lachenden Bajazzo und lud uns alle ins Theater ein – in eine musikalische Komödie mit dem Titel ›Chu Chin Chow‹, die den ganzen Krieg über lief. Ich glaube zwar nicht, daß das so ganz Aubreys Geschmack traf, doch er wurde durch die Mutter entschädigt, die voll auf ihre Kosten kam und uns während des restlichen Urlaubs damit wahnsinnig machte, daß sie unaufhörlich ›The Cobbler's Song‹ und ›Kissing Time‹ trällerte.

Am Silvesterabend war ich deprimiert, weil ich Tertius erneut verlieren und am nächsten Tag zu meinem Krankenwagen zurückkehren sollte. Muttonhead bestand jedoch darauf, zwei Flaschen Champagner zu öffnen und auf das bevorstehende Jahr zu trinken. Er behauptete, es würde uns Glück bringen. Wir stießen in andächtigem Schweigen miteinander an, als beteten wir.

In Wirklichkeit begann das Jahr 1916 katastrophal. An einem eiskalten Januarmorgen, der jedes Gefühl erstarren ließ, fand ich bei der Rückkehr von meiner Schicht eine Nachricht von den Berlins vor. Ich sollte umgehend zu ihnen kommen. Ich fand Berta und Dorrie in Tränen aufgelöst. Frieda teilte mir mit, daß Tom tot sei.

Ich hatte eine sehr harte Nacht hinter mir, und die Nachricht bewirkte, daß sich mir alles vor den Augen drehte. Die Zimmerdecke kam auf mich niedergestürzt, und ich tauchte in das Muster des Teppichs ein.

Als ich mich wieder stark genug fühlte, um zuzuhören, erklärte Frieda, Tom sei im Gefängniskrankenhaus an einer Lungenentzündung gestorben. Ach, wie dunkel und reglos die Welt wurde, als ich diese Nachricht in mich aufnahm, und wie erstaunt war ich über das Erdbeben des Weinkrampfs, der mich überkam. Ich konnte das Bild des armen Tom nicht loswerden, der ganz allein gestorben war, ohne ein liebevolles Wort oder ein freundliches Gesicht, das ihn an seinem Ende begleitet hätte. Ich glaube, ich fühlte mich auch auf eine seltsame Weise schuldig, als hätte ich ihn dadurch getötet, daß ich aufgehört hatte, ihn zu lieben.

Joe Berlin traf Toms Tod ebenfalls sehr hart. Er ließ seine Beziehungen beim Parlament spielen, um die Leiche für die Beerdigung frei zu bekommen, und am kältesten und trübsten Londoner Wintermorgen folgten wir dem Sarg zum Highgate Cemetery. Frieda bezahlte die Beerdigung und die Grabstätte. Es war der letzte der vielen Beweise ihrer Großzügigkeit ihm gegenüber: ein Bett in der Erde.

An der Grabstelle wartete ein Fremder auf uns, ein älterer Geistlicher, der ziemlich elegant gekleidet war. Wir waren überzeugt, daß er auf der falschen Beerdigung erschienen war, bis Joe und ich uns an den Pfarrer erinnerten, der Tom nach Oxford geschickt hatte. Er stellte sich später als Pfarrer Alban Greer vor und hielt uns eine zu Herzen gehende kleine Ansprache darüber, was aus Tom hätte werden können. Tom hatte Mr. Greer, wie ich wußte, zwar mit empörender Undankbarkeit und Grobheit behandelt, aber der arme Mann trauerte dennoch um ihn wie um einen Sohn.

Mr. Greer erzählte uns etwas, was meine Einschätzung der Vertreter von Recht und Ordnung veränderte und mich auf lange Zeit mit Bitterkeit ihnen gegenüber erfüllte. Tom hatte ihn als nächsten Verwandten genannt – die Tränen zitterten in den Augen des alten Mannes, als er das sagte –, und er war zum Gefängnis gefahren, so rasch er konnte, war jedoch um wenige Augenblicke zu spät eingetroffen. Er hatte ein Nebenzimmer auf der Krankenstation betreten und gesehen, was von dem armen Tom übriggeblieben war. Wenige Minuten später waren ein paar Vertreter des Gefängnisses hereingestürmt und sehr wütend geworden, weil Mr. Greer das Zimmer ohne Erlaubnis betreten hatte. Sie drängten ihn hinaus – doch Mr. Greer hatte bereits gesehen, daß Toms Gesicht, sein Hals und sein Körper mit Prellungen übersät waren.

Joe, der in seiner Offiziersuniform unangemessen fesch wirkte, trat hinter die steinerne Statue eines Engels, um lautlos zu weinen, den Lederhandschuh im Mund. Ich fand ihn dort und weinte auch. Wir teilten uns eine Zigarette, sagten nichts und kümmerten uns nicht darum, daß wir die anderen in der Kälte warten ließen.

»Er ist für seine Überzeugungen gestorben«, sagte Joe schließlich. »Die haben sie ihm nicht einmal mit Prügel austreiben können. Er war zu groß für uns, Rory. Sag, was du willst, er ist der tapferste Held von allen.«

I

Winter 1915 – Herbst 1917

Tertius ließ seinen nackten Körper auf das sonnenbeschienene, blumenbewachsene Flußufer fallen und bespritzte seine Kumpel mit Wasser. Leutnant Percy Drayton beobachtete ihn von der geschwungenen Steinbrücke aus. Alle Männer hatten sich die kratzige Khakiuniform heruntergerissen und waren ins Wasser gesprungen, um sich den Schweiß des Tages abzuspülen. Nach vierzehn Tagen Drill und Manöver in dieser üppigen Gegend waren sie in sämtlichen Schattierungen zwischen Mahagoni und Gold gebräunt.

Drayton legte das Buch weg, das er studiert hatte, und ließ sich vom anmutigen Spiel der Muskeln an Tertius' Rücken und Hinterteil ablenken, als der sich auf den Bauch wälzte und auf einen Fetzen Papier zu kritzeln begann. Seine Karikaturen waren selbst unter den Offizieren berühmt. Was das für ein Charmeur war, dachte Drayton. Er hatte nicht darauf verzichten können, sich ihn als Kurier zu sichern, obwohl es von größerer Charakterstärke gezeugt hätte, sich einen häßlicheren Mann auszusuchen.

Brüllendes Gelächter erhob sich, als Tertius' Werk herumging. Er war zu einer Art Maskottchen geworden, und Drayton wußte, daß sie die halb ernst gemeinte Angewohnheit angenommen hatten, ihn wie einen Talisman zu berühren und seinen Lockenkopf zu tätscheln, ehe sie einer Gefahr gegenübertraten. Das alles hätte Tertius eigentlich den Charakter verderben müssen, doch der blieb dadurch völlig unberührt. Wenn man einmal von ein paar Verweisen wegen Trunkenheit oder Schlampigkeit absah, war er der gutwilligste und bereitwilligste Soldat, den man sich nur wünschen konnte.

Drayton dachte an Tertius, als er sich zum x-tenmal fragte, wohin all dies intensive Drillen und Üben führen sollte. Warum nahm man ganze Brigaden diensttauglicher Männer von der Front, brachte sie in dies üppiggrüne Gebiet an der Somme und ermöglichte ihnen so etwas wie einen Urlaub auf dem Lande? Die anderen Offiziere vertrauten sich Drayton zwar nicht an, doch er hatte in der Offiziersmesse Gerüchte gehört, in denen es um eine wirklich große Entscheidungsschlacht ging.

Und bei einem wirklich großen Angriff, was würde da wohl aus dem lockigen Paddy Carey und seinen Freunden werden? Drayton dachte, wie quälend zart ihre Haut aussah, wenn sie ins trübbraune Wasser ein- und wieder daraus auftauchten, schutzlos wie die Stichlinge, die um ihre Beine schossen. Er hätte sie furchtbar gern beschützt. Niemand sagte einem während der Offiziersausbildung, daß sich das Gefühl der Verantwortung für die eigenen Leute sich in diese leidenschaftliche, Schutz bieten wollende Liebe verwandeln würde, die einen völlig durchdrang.

Die bloße Vorstellung, daß Paddy verwundet werden könnte, ließ Drayton schmerzlich zusammenzucken. Unbewußt streckte er die Hand nach ihm aus und stieß das Buch vom Brückengeländer auf das Flußufer hinab.

Tertius zog sich hastig die Uniform an und blickte zu dem jugendlichen sommersprossigen Gesicht des Leutnants hinauf, das gerötet war und besorgt wirkte.

»Bleiben Sie da Sir, ich hole es Ihnen.« Er griff nach dem Buch und kletterte gewandt die Böschung zur Brücke hinauf. Erst als er Drayton das Buch übergab, fiel sein Blick auf den Titel: ›*Modernes Auftreten – das komplette Handbuch der Etikette.*‹

Drayton folgte seinem Blick, und sein schmales Gesicht lief vor Verlegenheit dunkelrot an. Er tat Tertius leid. Er mochte den jungen Offizier und wußte – wer wußte das nicht? – von den quälenden Demütigungen, die er in der Messe über sich ergehen lassen mußte. Mr. Drayton war ein Rechtsreferendar aus einer Kleinstadt in Lincolnshire. Schlimm genug, daß er Rechtsreferendar war, doch daß er auf die Oberschule der Kleinstadt gegangen war, hatte seinen Verfehlungen die Krone aufgesetzt. Er war der einzige Offizier im ganzen Regiment, der keines der großen Internate besucht hatte. Damit wurde er ununterbrochen gehänselt, Tertius hielt das für eine gewaltige Schweinerei. In seinen Augen war der sanft auftretende Mr. Drayton zehnmal mehr wert als all die anderen herrischen Rüpel. Es war an der Zeit, so befand er, etwas Aufbauendes für den Mann zu tun.

Er lehnte sich neben ihn ans Brückengeländer und sagte dann flachsend: »Wozu brauchen Sie denn um Gottes willen so ein Buch, Sir?«

Das war zwar eine ungeheuerliche Unverfrorenheit, aber Tertius' Ton war so freundlich, daß Drayton in seiner Einsamkeit und Besorgnis herausplatzte: »Ich schieße die gräßlichsten Bökke, und der Colonel hat mir mehr oder weniger direkt zu verstehen gegeben, daß ich was für mein Auftreten tun soll, ehe der Prinz kommt, sonst gäb's Ärger.«

Der Prince of Wales sollte am nächsten Tag zu Besuch kommen, und alle waren seit einer Woche fieberhaft mit den Vorbereitungen beschäftigt. Tertius konnte sich durchaus vorstellen, wie sich die gewöhnlichen Qualen beim Dinner in der Offiziersmesse durch die Anwesenheit des königlichen Gastes für den jungen Offizier steigern würden.

»Müssen Sie denn mit denen überhaupt essen, Sir? Ich meine, könnten die Sie denn nicht auf einen Inspektionsrundgang schicken oder so etwas?«

»Anscheinend nicht«, sagte Drayton traurig.

Tertius hatte den starken Verdacht, daß sich bestimmte Offiziere bereits auf das Spektakel der Demütigung des Oberschulabsolventen freuten und sich schon jetzt bei der Vorstellung die Hände rieben, wie er sich blamieren würde.

»Entschuldigen Sie, Sir, aber wissen Sie zufällig, wie das Menü morgen abend aussehen wird?«

»Was?«

»Na, egal.« Tertius mußte sich auf die Zunge beißen, um Mr. Drayton nicht vorzuhalten, daß ein Gentleman niemals mit einem »Was?« auf eine Frage antwortete. »Ich werde den Burschen des Colonel fragen, Sir, und dann gehe ich das mit Ihnen durch, von der Suppe bis zum Walnußkern. Das hört sich vielleicht schrecklich aufgeblasen an, aber ich habe beträchtliche Erfahrungen auf diesem Gebiet, Sir. Sie können sich meine gesamten Weisheiten ruhig zunutze machen, mir selbst nützen sie nichts.«

Drayton stierte ihn verwundert an und fragte sich offensichtlich, wo um alles auf der Welt dieser irische Vagabund seine ›beträchtlichen Erfahrungen‹ erworben haben mochte.

Tertius begann, etwas auf den Umschlag des Benimmführers zu zeichnen. »Die Regeln werden im wesentlichen genau die sein, an die Sie gewöhnt sind, Sir«, sagte er, »nur daß es mehr Gänge und mehr Weinsorten geben wird, und das erste, worauf Sie achten sollten, ist die Serviette. Bei großen Dinners falten sie die manchmal zu Seerosen und solchem Zeug und verstecken darin ein Brötchen. Das finden wir besser vorher heraus, meinen Sie nicht, Sir?«

»Was? Ja, vermutlich ...«

»Die Hauptsache, die man sich merken muß, ist, daß die Gläser und das Besteck von außen nach innen benutzt werden, und Sie müssen die verschiedenen Weine, die man Ihnen einschenken wird, auch nicht austrinken ... ein Schluck genügt. Wenn der Prinz sich einen ansaufen will, ist das seine Sache, aber alle anderen müssen nüchtern bleiben wie die Buchhalter. Angeblich hält er sich ja für einen geselligen Menschen, also Vorsicht bei allem, was nach einem Scherz aussehen könnte.«

Er gab dem Offizier das Buch zurück, und Drayton sah, daß er ihm ein Platzgedeck skizziert hatte. Jeder einzelne Löffel, jede Gabel und jedes Glas waren fein säuberlich bezeichnet.

»Donnerwetter!«

»Das deichseln Sie spielend, Sir, warten Sie's nur ab.«

»Aber, meine Güte, Carey! Woher zum Teufel wissen Sie denn das alles?«

»Seien Sie unbesorgt, Sie können sich auf mich verlassen.«

»Ach, ich meinte damit nicht etwa ... ich wollte nur wissen, wo Sie das alles gelernt haben.«

Tertius' unschuldige blaue Augen blickten unbestimmt. »Überall ein bißchen. Aber ich möchte über meine Herkunft lieber nicht sprechen, Sir, wenn es Ihnen recht ist.«

Diese Frage beschäftigte den Leutnant während des ganzen Tages. Wenn er es recht bedachte, hatte der Gefreite Carey immer ausweichend geantwortet, wenn es um seine Vergangenheit ging. Sie wußten zwar, daß er aus Irland kam, aber mehr auch nicht. Vielleicht, dachte Drayton, war er ja Dienstbote gewesen. Er dachte an die großen Herrenhäuser zu Hause in Lincolnshire. Aber doch wohl im Reitstall – er konnte sich Paddy beim besten Willen nicht in Livree bei Tisch vorstellen. Und vielleicht war er ja in die Armee eingetreten, weil er in Unehren entlassen worden war? Die Trinkerei gehörte zu den eingefleischten Lastern des Gefreiten Carey, wie Drayton nur allzugut wußte. Das zweite waren die Frauen. Er hatte so eine Art, noch die letzte Landpomeranze anzuziehen wie ein Magnet. Drayton verspürte unwillkürlich eine erotische Aufwallung, als er daran dachte. Ein Mädchen mußte dahinterstecken, befand er, und erging sich in romantischen Vorstellungen. Carey war ein so hübscher Bursche, es mußte etwas mit einem Mädchen zu tun haben.

Der Prinz schlenderte durch das Dorf, er war von einem Cordon von aristokratischen Stabsoffizieren umgeben, die ihn in Abständen mit Informationsschnipseln versorgten. In einiger Entfernung folgten die ranghöchsten Offiziere des Regiments.

Tertius stand, seine drei Busenfreunde Wally, Alf und The Gripper zur Seite, in der gleißenden Sonne vor der Scheune, in der sie Quartier gemacht hatten, in strammer Habachtstellung. Der Wunsch des Prinzen, das ›wirkliche‹ Leben des gemeinen Soldaten kennenzulernen, hatte eine Orgie des Putzens und Wienerns ausgelöst. Jeder Knopf blinkte, jedes Bajonett funkelte, jeder Mann war vom Scheitel bis zur Sohle vom Oberfeldwebel inspiziert worden.

Mr. Drayton, der schrecklich nervös war, stand vor seinen Männern und betete offensichtlich darum, nicht bemerkt zu werden. Am Abend zuvor, während seine Kameraden in einem *Estaminet* des Ortes zechten, hatte Tertius großmütigerweise drei Stunden dafür aufgewendet, ihm die Grundregeln der Eleganz beizubringen. Armer kleiner Kerl, dachte Tertius halb mitleidig, halb amüsiert, was die von diesen Jungs alles verlangten. Gott sei Dank war er kein Offizier. Er war gerade erst vierundzwanzig, sagte er sich immer wieder, und damit viel zu jung und unernst für eine derartige Bürde, und wie entsetzt war er denn auch gewesen, als er erfahren hatte, daß Mr. Drayton erst neunzehn war. Neunzehn Jahre alt, und man erwartete von ihm, daß er Männer in die Schlacht führen sollte, die alt genug waren, um sein Vater zu sein!

Lachende und plaudernde Stimmen waren hinter der Ecke zu hören, und der Prinz erschien. Er war ein untersetzter blonder junger Mann mit einem rosigen stupsnasigen Gesicht, das zu einem dümmlichen, aber gutmütigen Lächeln verzogen war.

»... sieht ganz nach einer Scheune aus, Sir«, erläuterte einer seiner Stabsoffiziere, als der Prinz zu Drayton und seinen Männern hinüberschaute, »... ein paar von den Burschen sind am Schießstand ausgebildet worden ...«

Der Prinz erwiderte geistesabwesend Draytons Gruß, und der Oberfeldwebel gab das Zeichen für drei Hochrufe. Die Gruppe, ein einziges wohlwollendes Lächeln, bewegte sich, als studierte sie Lebewesen von einem anderen Planeten, zur nächsten Attraktion weiter.

Ein Stabsoffizier weiter hinten in der Gruppe blieb plötzlich neben Drayton stehen und rief: »Großer Gott! Mein lieber Tertius, um Himmels willen ...«

Tertius starrte auf einmal in das erfreute rosige Gesicht von Gus Fenborough.

»Na so was, Vi hat mir zwar erzählt, daß Sie sich gemeldet hätten, aber ich hatte ja keine Ahnung ...«

Tertius, der sich im Zentrum einer unwillkommenen Aufmerksamkeit fand, wünschte sich – und Gus – auf den Meeresboden. Er mochte den Mann zwar, aber sah der denn nicht, wie peinlich das für ihn war?

Der Prinz rief über die Schulter zurück: »Was gibt's denn Gus?«

»Das ist vielleicht ein Ding, Sir«, sagte Gus lachend. »Treffe ich hier doch zufällig einen alten Kumpel. Nie im Leben wäre ich auf die Idee gekommen, daß er sich hier aufhält.«

»Sie sind das, wie?« Zu Tertius' größtem Entsetzen wandte sich der Prinz an Drayton, der mit offenem Mund dastand und eine ganz besonders unglückliche Figur machte.

»Nein, Sir«, sagte Gus. »Noch besser ... er ist gemeiner Soldat. Sein Bruder ist Lord Oughterard, Sir, bei Haigs Stab, und ich wette, daß der Junge die letzte Stunde damit verbracht hat, diese Scheune auszumisten. Ist das nicht köstlich?«

Die Sommerluft war etliche Minuten lang von den wiehernden Heiterkeitsausbrüchen des Prinzen und seiner Männer erfüllt. Schließlich verabschiedete sich Gus von Tertius mit einem Winken und einem Grinsen, und der königliche Gast bewegte sich weiter.

Sobald sie außer Hörweite waren, ging ein gemurmeltes »Mein lieber Tertius!« durch die Reihen.

Tertius errötete wütend und murmelte durch die zusammengebissenen Zähne: »Laßt mich in Ruhe, ihr Blödmänner!«

»Was war das doch gleich mit deinem Bruder?« fragte einer.

»Nichts.«

»Na los, Paddy, was hat der Kerl damit gemeint?«

»Nichts!«

»Wenn du's uns nicht erzählen willst, dann müssen wir dich eben zwingen.«

The Gripper stellte sich vor Tertius und ballte die Fäuste. »Wenn jemand irgendwas mit Paddy vorhat, kriegt er's mit mir zu tun.« Im bürgerlichen Leben war The Gripper der Rollwagenkutscher eines Braumeisters und berühmt für seine Prügeleien. Seine hünenhaft dräuende Gestalt verscheuchte jegliche Animosität, und Tertius gelangte zu der Überzeugung, daß die anderen Männer seine Begegnung mit Gus bald vergessen haben würden.

Sobald sie allein waren, sah Mr. Drayton Tertius aus kummervollen Augen an. »Ich wette, Sie haben mich die ganze Zeit für einen kompletten Idioten gehalten, als Sie mir erklärt haben, welche Gabel ich benutzen sollte.«

Tertius kam sich vor, als hätte er einen Spaniel getreten. »Nein, Sir, ehrlich ...«

»Ich meine, Mensch ... ein Lord, bei Haigs Stab! Was machen Sie denn bloß hier? Warum sind Sie denn nicht in der Offiziersausbildung?«

»Sir, wenn Sie mir einen Augenblick zuhören wollen. Haben Sie was dagegen, wenn ich rauche?«

»Hä? Ich meine, nur zu.«

»Erstens, Sir, besitzen wir kaum einen roten Heller, und mehr als ein Offizier in der Familie würde uns ruinieren. Sie wissen doch, was die ganze Takelage kostet, und allein schon die Kosten für den Dienstrevolver würden meine Mutter an den Bettelstab bringen.« Er wirkte so überzeugend, als er das sagte, daß Drayton ihm in seiner Verwirrtheit fast eine halbe Krone geschenkt hätte. »Und zweitens«, fuhr Tertius in entschiedenerem Ton fort, »wo steht denn geschrieben, daß ich, wenn mein Bruder Offizier ist, ebenfalls einer werden muß?«

»Nun ja, aber ...«

»Sie sagen doch selbst, Sir, daß ich es nie zum Korporal bringen werde. Und wenn ich nicht mal für einen Streifen tauglich bin, wie soll ich denn dann tauglich sein für eine Schulter voller Sterne?«

»Ich weiß nicht. Es scheint einfach nicht richtig zu sein, daß ich jemandem wie Ihnen Befehle erteile.«

»Wieso denn nicht?« wollte Tertius wissen. »Sie sind Offizier geworden, weil Sie sich aufs Befehlen verstehen.«

»Ach ja?«

»Ja, Sir. Und ich bin einfacher Soldat, weil ich mich darauf verstehe, Befehle zu befolgen. Dies ist ein Krieg, Mr. Drayton, falls Sie das noch nicht bemerkt haben, keine Loge beim Pferderennen.«

»Ich sollte Ihnen wirklich nicht erlauben, diesen unverschämten Ton anzuschlagen«, sagte Drayton traurig.

»Entschuldigen Sie, Sir. Ich versuche ja nur, Sie davon zu überzeugen, daß alles seine Richtigkeit hat. Die soziale Hackordnung spielt im Krieg keine Rolle.«

»Oh, aber der Krieg wird eines Tages zu Ende sein.«

»Ja, und dann wird alles anders sein als zuvor.«

»Meinen Sie?« Drayton klang skeptisch. »Es kommt mir alles so festgefügt und dauerhaft vor. Ich werde wohl an meinen Schreibtisch zurückkehren. Und eines Tages werde ich in Sleaford oder Grantham Anwalt sein, und die anderen Burschen in der Offiziersmesse werden alles tun, um zu vergessen, daß sie mich je gekannt haben.«

»Das ist nicht gesagt, Sir«, sagte Tertius wohlgemut. »Wenn Sie sich weigern, sich wieder auf das alte Gleis zu begeben, kann Sie dazu niemand zwingen. Es wird zu viele geben, die sein werden wie Sie.«

Drayton lächelte zum erstenmal. »Ich wußte ja gar nicht, daß

Sie Sozialist sind, Paddy. Was würde denn Ihr Bruder dazu sagen?«

»Er würde mich mit der Reitpeitsche bearbeiten. Doch, Sir«, Tertius bot seinen unwiderstehlichen Charme auf, »Sie müssen ja niemandem von ihm erzählen. Das heißt, ich wäre froh, wenn Sie es nicht täten. Sie würden mir einen Riesengefallen tun, wenn Sie das nie mehr erwähnen würden, Sir.«

»Na gut, Paddy, dann behalte ich es für mich«, sagte Drayton lachend.

2

Jenny hatte beschlossen, ihren Urlaub in London zu verbringen. Ihre Eltern hatten ihr zwar verziehen, daß sie gegen ihren Willen in Frankreich als Krankenschwester arbeitete, doch sie hatte einfach keine Lust auf die nördliche Kühle von Edinburgh. Dort oben würden immer noch die Narzissen blühen, während in den Londoner Parks bereits die Sommerblumen leuchteten und die Bäume völlig grün waren. Die Sonne wärmte ihr nach der langen Winterkälte die Knochen. Es war paradiesisch, wieder richtige Hüte und Kleider zu tragen, und ein unbeschreiblicher Luxus, an einem Nachmittag wie diesem keine andere Verpflichtung zu haben, als sich ein Paar Handschuhe zu kaufen.

Sie hatte eine halbe Stunde am Handschuhtresen von Marshall and Snelgrove's verbracht, das weiche Glacéleder gestreichelt und sich an den zarten Pastellfarben erfreut.

»Nun, Madam?« Das Mädchen hinter dem Tresen wurde ungeduldig.

Jenny hielt zwei Paar Handschuhe hoch, das eine perlgrau, das andere blaßgrün. Das perlgraue wäre nützlich, aber das grüne würde so schön zu ihrem neuen Kostüm passen.

Plötzlich knurrte unmittelbar an ihrem rechten Ohr eine männliche Stimme: »Nehmen Sie sie beide, und der Teufel kriegt die Rechnung.«

Sie ließ die Handschuhe fallen und fuhr herum. Hinter ihr

stand Dr. Buchanan, sichtlich erfreut über seinen gelungenen Scherz.

»Hallo, Schwester … Miss, sollte ich wohl sagen. Sie sind doch das Mädchen aus Edinburgh, stimmt's? Sie sind unter dem Hut kaum wiederzuerkennen.«

»Ja, ich bin Dalgleish. Wie nett, Sie zu sehen, Doktor.« Jenny hatte die Fassung wiedergefunden und reichte der Verkäuferin die Handschuhe. »Ich nehme beide.«

»Ist recht, Madam.«

»Tut mir leid, wenn ich Sie erschreckt habe«, sagte Buchanan, während sie darauf warteten, daß die Handschuhe verpackt wurden. »Doch ich konnte nicht widerstehen. Sie sahen so aus, als hätten Sie über das Geschick ganzer Nationen zu entscheiden.«

»Ich wußte ja nicht, daß ich beobachtet wurde.«

»Nein, das war auch sehr unfein von mir. Aber ich mußte sicher sein, daß Sie es wirklich sind. Wenn Sie die ganze schreckliche Wahrheit hören wollen: Ich gehe Ihnen schon seit einer Stunde nach.«

Jenny wußte zwar, daß sie eigentlich ärgerlich hätte werden sollen, doch seine Art hatte etwas so Ehrliches und Fröhliches, daß sie statt dessen lächelte und sagte: »Sie müssen doch etwas Besseres zu tun haben. Ihr erster Urlaub seit Monaten … Wir haben uns gedacht, daß Sie ihn in einer Bibliothek verbringen, um einen aufsehenerregenden Artikel für *Lancet* zu schreiben.«

»Wen habe ich mir denn unter dem ›wir‹ sonst noch vorzustellen?«

»Die anderen Schwestern natürlich. Sie wissen doch wohl, daß wir über Sie klatschen, Doktor?«

»Die Vorstellung liegt mir völlig fern. Dazu bin ich viel zu bescheiden.«

»Wir haben angenommen, Sie würden Ihren Heimaturlaub in Glasgow verbringen.«

»Und ich habe angenommen, Sie wären zu Hause in Edinburgh. Wir sind doch zwei arme Emigranten, stehen, in Tränen aufgelöst, auf fremden Feldern.« Er bot Jenny den Arm, als sie ihr Päckchen in Empfang nahm. »Und wir sollten wirklich zusammenhalten.«

So kam es, daß Jenny, fest untergehakt, Marshall and Snelgrove's gemeinsam mit Buchanan verließ, als hätte sie die ganze Zeit vorgehabt, sich mit ihm zu treffen. Draußen auf der Straße war sie viel zu sehr mit dem Gedanken beschäftigt, wie erstaunlich attraktiv er aussah, um die Hand von seinem Arm zu nehmen. Die meisten Männer, so vermutete sie, sehen in Offiziersuniform recht gut aus – sie hatte Buchanan noch nie so adrett gesehen. Eigentlich, so sagte sie sich entsetzt, hatte sie ihn überhaupt noch nie ohne seinen weißen Kittel und eine Gummischürze gesehen. Nein, richtig gutaussehend konnte man ihn eigentlich nicht nennen. Sein Gesicht war zu hager, seine Augen waren zu klein, und seine Oberlippe war zu breit. Doch er hatte so etwas Lebhaftes, Humorvolles, daß man ihn unmöglich übersehen konnte.

Sie starrte ihn immer weiter an, bis ihr klar wurde, daß er mit der gleichen Neugier zurückstarrte. Das Blut stieg ihr in die Wangen, und sie sagte: »So, nun muß ich aber weiter.«

Sie versuchte, ihm ihre Hand zu entziehen, doch er hielt sie fest. »Nein, Miss Dalgleish. Ich flehe Sie an. Gewähren Sie mir nur eine halbe Stunde vernünftiger schottischer Unterhaltung, und ich entlohne Sie fürstlich mit einer Tasse Tee.«

»Oh, ich glaube eigentlich nicht, daß ...«

»Bitte«, bat er, immer noch lächelnd, aber doch wesentlich ernster. »Mein Urlaub war bisher ein Reinfall, und ich habe seit Tagen mit keiner Menschenseele gesprochen. Zeigen Sie mir jetzt nicht die kalte Schulter!«

»Na schön. Ich gebe mich geschlagen.« Sie ließ es zu, daß er sie die Straße hinabführte, ohne daß sie die geringste Ahnung hatte, wohin er wollte. Das war äußerst unüblich und wahrscheinlich auch gegen die Dienstvorschriften. Aber schließlich ist Krieg, hielt ein inneres Stimmchen dagegen, hast du denn nicht genug geschuftet und gelitten? Was kümmerst du dich um alberne Konventionen, wo du doch deine Pflicht an der Front tust?

Er führte sie in eine elegante, in Weiß und Gold gehaltene Teestube gleich am Piccadilly Circus, in der Offiziere mit ihren Begleiterinnen saßen.

»Ich habe noch nie so viel Khaki in London gesehen«, bemerkte Jenny. »Wer kümmert sich eigentlich um den Krieg?«

»Vielleicht haben wir uns die ganze verdammte Geschichte ja nur eingebildet.«

Bedächtig arrangierte Jenny ihre Handtasche und ihre Handschuhe auf der marmornen Tischplatte. »Eigentlich dürften wir wohl keinen Kontakt miteinander haben? Was würde die Krankenhausleitung sagen, wenn sie uns hier sähe?«

»Das ist mir egal«, sagte Buchanan prompt. »Das geht die gar nichts an. Ich bin so froh, ein nettes Gesicht zu sehen, daß ich Sie nicht einfach gehen lassen kann.«

»Fühlen Sie sich denn wirklich dermaßen einsam?«

»Ja, absolut. Und ich sagen Ihnen auch, weshalb, wenn Sie mir versprechen, nicht zu lachen.«

»Ich schwöre es.«

Er neigte sich ihr zu, und seine Miene war zwar ernsthaft, doch die Fältchen um seine Augen verrieten, daß es ihm nicht gar so ernst war. »Das hat mit einer Frau zu tun … oder besser gesagt, hatte. Und nun holen Sie besser Ihr Taschentuch heraus, weil es eine zu Herzen gehende Geschichte von Liebe und Treulosigkeit ist. Da ich annahm, daß eine gewisse junge Dame mich in meinen Bemühungen ermutigt hätte, habe ich es so eingerichtet, daß ich meinen Urlaub mit ihr in London verbringen würde.«

»Doch dann haben Sie sie gar nicht gesehen?«

»O doch, das schon, heute morgen, in St. James, Spanish Place. Sie heiratete gerade einen Burschen von der Luftwaffe.« Er lächelte Jenny boshaft zu. »Na los. Lachen Sie ruhig, wenn Sie wollen.«

»Wie schrecklich traurig …«

»Ach, Unsinn. Meine Wunden scheinen bemerkenswert rasch zu vernarben. Und Sie sind hoffentlich nicht so leicht aus der Fassung zu bringen, weil ich nämlich gleich etwas ganz Absonderliches tun werde.« Er winkte die Kellnerin heran und bestellte großzügig. Als sie gegangen war, sagte er: »Wenn meine arme alte Mutter hier wäre, hätte ich ihr jetzt Riechsalz geben müssen … ›Oje, Jamie, so teuer ist Tee in London?‹ Einem englischen Mädchen würde ich das natürlich niemals erzählen, ich will ja nicht, daß sie über unsere Knickrigkeit lachen. Aber ich weiß, Sie verstehen das.«

»Das stimmt, Dr. Buchanan. Meine Mutter käme im Traum nicht auf die Idee, ein Scone zu essen, das sie nicht selbst gebakken hat, oder gar dafür zu bezahlen.«

Sie lachten beide, und als der Tee kam, waren sie in ein Gespräch über das Lazarett vertieft. Buchanan witterte sogleich Jennys Interesse an den wissenschaftlichen Details von Kriegsverletzungen und ihrer Behandlung und geriet vor Begeisterung fast aus dem Häuschen. Jenny schaute fasziniert zu, als er ihr anhand von Kuchenkrümeln das Wachstum von Gangränebakterien demonstrierte. Lediglich die Anwesenheit der Kellnerin, die sich über ihren Köpfen mit der Rechnung bemerkbar machte, brachte sie in die Gegenwart zurück. Jenny stellte fest, daß sie anderthalb Stunden miteinander geredet hatten.

»Ich habe gar nicht auf die Zeit geachtet. Ich hoffe, ich habe Sie nicht aufgehalten.«

»Mich aufgehalten? Sie haben mich gerettet. Und Sie können noch etwas für mich tun.«

»Was denn?«

»Ich habe eine Theaterkarte für heute abend übrig ... und obendrein für einen verdammt guten Platz, Loge, nur die allerfeinste Gesellschaft. Wär 'ne Schande, so etwas verfallen zu lassen.«

»Danke, doch ich glaube nicht, daß ...« Und doch wußte sie, noch ehe die Worte richtig heraus waren, daß sie ja sagen wollte.

»Für ›The Bing Boys‹ ... wissen Sie, mit George Robey. Muß überhaupt der Schlager sein. Sagen Sie mir, wo Sie wohnen, und ich hole Sie ab.«

»Kriegen Sie eigentlich immer alles, was Sie wollen?« fragte sie lachend. »Versucht denn nie jemand, Ihnen etwas abzuschlagen?«

»Wäre halb acht zu früh?«

Junge Damen gingen in der Regel nicht mit Männern ins Theater, die sie kaum kannten. Doch schließlich war Krieg. ›The Bing Boys‹ war das populärste Musical in der Stadt, und es wäre jammerschade gewesen, wenn sie es nicht angeschaut hätte. Und Dr. Buchanan war immerhin ein Kollege vom Lazarett. Alles in allem eine völlig harmlose Angelegenheit, und es gab keinen Grund, eine solche Einladung auszuschlagen.

Jenny ließ sich das alles mit dem tröstlichen Gefühl durch den Kopf gehen, daß sie ja schließlich nichts Unanständiges tat. Tief in ihrem Innern verspürte sie freilich so etwas wie eine atemberaubende Hitze, als hätte jemand ein Stück Kohle zum Glühen gebracht, das jeden Augenblick auflodern konnte. Doch es gelang ihr, das zu ignorieren und sich einzureden, daß sie überhaupt nichts Unvernünftiges tat, als sie auf dem Nachhauseweg bei einem sehr teuren Blumengeschäft haltmachte und sich zu einem sündhaften Preis blaßrosa Kamelien zum Anstecken kaufte.

»Tolle Blumen«, sagte Rory und nickte in die Richtung der Kamelien, die hauchzart in einer Schüssel mit Wasser lagen. »Ich hatte ja keine Ahnung, daß Alistair in der Stadt ist.«

»Alistair?« Jenny zuckte bei seinem Namen zusammen. »Ist er auch nicht. Er ist doch noch bei seinem Regiment.« Es kostete sie eine übermenschliche Anstrengung, sachlich zu sprechen, und sie hielt Rory den Rücken zugewandt, um ihre geröteten Wangen zu verbergen.

»Ach so. Ja, und warum puppst du dich dann so an?«

»Herrgott noch mal, ich mache mich doch nur für den Abend zurecht! Ich bin zufällig einem Kameraden vom Lazarett in die Arme gelaufen, der noch eine Karte für ›The Bing Boys‹ hatte.«

»Du Glückliche«, sagte Rory und verließ widerstrebend, den Mund noch voll Schmalzbrot, das Zimmer, um sich die blaue Sergejacke ihrer Schwesterntracht anzuziehen. »Ich werde den größten Teil des Abends damit verbringen, auf einem Bahnsteig zu hocken. Es ist in letzter Zeit so ruhig.«

»Rory«, rief Jenny ihr nach, »welches soll ich denn anziehen … das weiße oder das blaue? Und ist der Samtmantel für Juni nicht zu schwer?«

Rory kehrte stirnrunzelnd ins Zimmer zurück. »Herzchen, was ist bloß in dich gefahren?«

»Ich weiß gar nicht, was du meinst.« Jenny beschäftigte sich mit der Kleiderbürste, weil sie Rorys unverwandten Blick nicht aushielt.

»Von wegen. Du rennst, seit du wieder zu Hause bist, wie eine Besessene umher. Du hast dich förmlich mit Eau de Cologne übergossen, und nun hast du feuchte Seidenstrümpfe an, weil du nicht in Baumwollstrümpfen ausgehen willst, obwohl die unter deinem Kleid kein Mensch sehen wird.«

»Du kennst mich doch«, erwiderte Jenny mit einem gezwungenen Lachen. »Ich war doch immer schon so pingelig, was mein Äußeres angeht.«

»Hm.« Rory klang skeptisch. »Dann amüsier dich mal schön. Ich hoffe, das Ganze ist die Strümpfe auch wert.«

Jenny war wütend auf sich und schämte sich, als sie allein war. Warum hatte sie Rory, wenn doch alles so schicklich und anständig war, nicht die Wahrheit erzählt? Weil, so befand sie, Rory daraus womöglich völlig falsche Schlußfolgerungen gezogen und sich wer weiß was vorgestellt hätte. Besser, wenn sie es nicht wußte.

Ihre gute Laune war im Nu wiederhergestellt, und nun widmete Jenny ihre ganze Aufmerksamkeit ihrer Aufmachung. Sie hatte sich am Tag zuvor das Haar gewaschen, und es umfloß ihr Gesicht in weichen Wellen und Locken. Sie zog ein weißes Kleid und lange weiße Handschuhe an und steckte die Kamelien an. Dann warf sie sich ihren blaßblauen samtenen Abendmantel über die Schultern und prüfte die Wirkung in Rorys schmalem Spiegel. Sie war schön. Ihre Wangen waren rosig überhaucht, ihre Augen schimmerten klar und Jugend und Glück umstrahlten sie wie ein Heiligenschein.

Buchanan holte sie pünktlich um halb acht ab. Jenny wartete an der Haustür auf ihn, um die Neugier von Miss Thompson nicht zu wecken. In dem Augenblick, als sie ihn sah, errötete sie, weil sie erkannte, daß sich zwischen ihnen etwas verändert hatte. Indem sie eingewilligt hatte, abends mit ihm auszugehen, hatte sie die unsichtbare Grenze überschritten, und das machte sich in knisternder Spannung bemerkbar.

Er musterte sie mit feierlichem Ernst und unverkennbarer Bewunderung. An der Art und Weise, wie er ihr ins Taxi half, spürte Jenny, daß sie ihm gefiel. Was sie selbst betraf, so war sie überrascht über den kleinen Stromstoß der Freude, als sie seinen frischen Duft einatmete.

»*The Bing Boys*« waren sehr amüsant. Später wurde Jenny jedoch bewußt, daß Buchanans Arm auf der plüschbezogenen Lehne und die verwirrende Wärme seines Körpers den stärksten

Eindruck auf sie gemacht hatten. Am Ende der Vorstellung taumelten sie benommen und verzaubert auf die Straße hinaus.

Buchanan räusperte sich und sagte: »Das wird Ihnen zwar nicht gefallen, doch ich kann Sie nicht nach Hause bringen.«

»Warum denn nicht?«

»Weil ich uns im Criterion einen Tisch bestellt habe.«

»Aber nein! Wie scheußlich von Ihnen! Ich sollte augenblicklich ein Taxi rufen und darauf bestehen, daß Sie mich nach Haus bringen!« Sie lachte und hielt seinen Arm umklammert, als er sie durch die Menge der Theaterbesucher steuerte. Kein wohlerzogenes Mädchen hätte sich etwas Derartiges gefallen lassen, aber – na ja, es war Krieg. Und sie fühlte sich so frei und unbeschwert, als sie durch die warme Sommernacht schlenderte, unter anderen Menschen, die ebenso jung und glücklich waren wie sie.

Das Criterion war erfüllt von Zigarrenrauch und Musik, und die Offiziere unterhielten sich lautstark mit ihren Damen.

»Das ist viel, viel schlimmer als der Tee«, meinte Jenny. »Was Ihre Mutter jetzt wohl sagen würde?«

Buchanan sah sie an. »Sie würde wohl sagen, daß man nur einmal jung ist und schließlich nicht immerzu Arzt sein kann.«

»Ich würde Sie nicht davon abhalten wollen, Arzt zu sein«, sagte Jenny. »Ich kann Sie mir ohne Ihre Arbeit gar nicht vorstellen.«

»Ist das nicht sehr langweilig für Sie, wenn ich darüber rede?«

»Nein! Ich höre Ihnen gern zu. Ich freue mich, wenn ich etwas lernen kann.« Sie war zwar aufrichtig interessiert, aber auch froh, auf neutraleres Gebiet zu lenken. Er erzählte ihr von seiner Ausbildung in Schottland, erst zurückhaltend, doch dann steigerte er sich in den Feuereifer hinein, der ihn immer packte, wenn er von seiner großen Leidenschaft sprach.

»Nach dem Krieg werde ich nach Glasgow zurückkehren und in den Gorbals eine Klinik aufbauen. Armut ist der schlimmste Feind der Gesundheit, und ich habe meine erste flüchtige Bekanntschaft mit den Slums nie vergessen ... den Schmutz, die Verkommenheit. Das wird man nicht so fortdauern lassen, wenn dies alles vorüber ist.«

Unter normalen Umständen hätte Jenny wenig Lust gehabt, über die Slums nachzudenken, in denen es von Flechten und Geschlechtskrankheiten nur so wimmelte. Doch Buchanans Leidenschaft war ansteckend. Die Art, wie er sprach, machte ihr klar, daß es die edelste und aufregendste Berufung auf Erden sein mußte, eine Klinik für die Armen zu leiten. Sie sprachen immer noch mit Feuereifer darüber, als das Taxi vor Jennys Haustür hielt.

Das Haus war dunkel, und aus Miss Thompsons Zimmern mit den heruntergezogenen Jalousien drang kein Laut. Buchanan nahm ihren Schlüssel und schloß die Haustür für sie auf. Dann trat er hinter ihr in die dämmrige Diele, wo nur ein trübes Gaslicht zischte.

Jennys Herz pochte so heftig, daß ihr ganz schwindlig war. Sie reichte ihm die behandschuhte Hand. »Danke. Es war ein wunderschöner Abend.«

Buchanan starrte auf ihre Hand hinab. Dann ergriff er sie, zog den Handschuh herunter und drückte seinen Mund auf ihre Handfläche. Jenny mußte sich auf die Lippe beißen, um nicht aufzustöhnen.

Mehrere Minuten standen sie stumm und lauschten auf den flachen Atem des anderen.

»Morgen«, sagte er schließlich.

»Ja«, flüsterte sie. »Wo?«

»Ich hole Sie ab. Um zehn. Gute Nacht.«

»Gute Nacht.«

Langsam stieg Jenny die Treppe zum Dachgeschoß hinauf und war ausnahmsweise froh, daß Rory nicht zu Hause war. Sie war verwirrt, sich selbst fremd, unfähig zu begreifen, was sie Ungeheuerliches getan hatte – und völlig frei von Reue, wenn sie daran dachte, was sie als nächstes tun würde.

Am nächsten Morgen holte er sie wieder mit dem Taxi ab. Er hatte einen Picknickkorb vorbereitet, der neben dem Fahrer stand, und schlug vor, den Tag in Oxford zu verbringen. Jenny sagte, ja, das würde sicher hübsch werden – sie wollte nur schnell weg, ehe es irgend jemandem im Haus einfiele, aus dem Fenster zu sehen.

Beide waren schweigsam und verlegen, musterten einander verstohlen und warteten darauf, daß sich die magische Stimmung vom Abend zuvor wieder einstellen würde. Jenny beglückwünschte sich, weil es aussah, als wäre sie noch zu retten. Es mußte ja gar nichts passieren. Sie machte sich lediglich mit einem Freund einen schönen Tag. Sie war sich ihrer selbst ganz sicher.

Als sie dann jedoch Paddington Station erreicht hatten und zum Zug eilten, hatte sich die Gezwungenheit zwischen ihnen verflüchtigt wie der Frühnebel vor der Mittagssonne. Jenny war zu angespannt gewesen, um zu frühstücken, und hatte außerdem Rory auf keinen Fall wecken wollen. Jetzt stellte sie fest, daß sie vor Hunger fast umkam, und sie klappten den Korb auf, um Sandwiches mit Braten und Limonade herauszuholen.

Mit Buchanan langweilte man sich keine Sekunde, und es war ein Leichtes, sämtliche Pflichten zu vergessen, während man über seine Scherze und Geschichten lachte. Das Lachen war eine Wohltat und schien so harmlos, daß Jenny, als sie ankamen, ganz von selbst dazu übergegangen war, ihn ›Jamie‹ zu nennen, ohne etwas Seltsames dabei zu finden.

Oxford war ebenso wie London voller Khaki, da die meisten Studenten im Krieg waren, und fast alle Colleges waren in den Dienst der Offiziersausbildung getreten. Doch soviel Khaki es auch geben mochte, ganz vertreiben konnte es die ehrwürdige Atmosphäre der Stille nicht, und die lieblichen Stimmen der Glocken, die einander jede Stunde von hoch oben auf den Spitztürmen etwas zuriefen, klangen wie eh und je. Jenny und Jamie schlenderten durch Kapellen und Klöster und an smaragdgrünen Rasenflächen vorbei, bis es an der Zeit war, sich ihren Picknickkorb vom Bahnhofsvorsteher herausgeben zu lassen und sich irgendwo ein Plätzchen zum Mittagessen zu suchen.

Sie nahmen eine kleine Bimmelbahn zu einem winzigen ländlichen Flecken wenige Meilen außerhalb der Stadt. Wann immer Jenny sich später an den Ort erinnerte, sah sie darin ein Stück vom Paradies, einen Ort, den die Engel wie einen Zauberteppich wieder aufgerollt hatten, sobald sie ihn verließen. Hier, in der Flußaue von üppigem, sattem Grün, verzehrten sie den Rest ihres Picknicks, während schwarzweiß gescheckte

Kühe gleichmütig über die nahen Weiden stapften, von Mükkenschwärmen begleitet. Jenny legte sich auf der karierten Dekke zurück, beobachtete Jamie, der sich eine Zigarette anzündete, und dachte, wie vollkommen das alles war.

Jamie blies eine Rauchfahne in die Luft und sagte, was junge Leute überall in England an jenem vollkommenen Sommertag sagten:

»Kaum zu glauben, daß Krieg sein soll, finden Sie nicht?«

»Ich glaube nicht, daß er bis hierher reicht«, erwiderte sie. »Manche Dinge sind immer noch heilig.«

»An diesem Ort dürfte sich seit Jahrhunderten nichts verändert haben. Ich würde mich nicht wundern, wenn sich dort Matthew Arnolds Scholar Gipsy über das Gatter lehnen sollte ... mit seinem langen Umhang und dem Stab ...«

»Sie haben doch gerade erst gesagt, daß Sie zuviel Walnußkuchen gegessen hätten, um sentimental zu werden. Und überhaupt ist es wesentlich wahrscheinlicher, daß Sie einen Zeppelin sehen werden.«

Er kicherte. »Sie sind genau richtig für mich, Jenny. Sie lassen mir überhaupt nichts durchgehen.«

»Was Sie nicht hindert, es immer wieder zu versuchen.«

»Am Ende reden wir doch immer über den Krieg, wie?« Jamie drückte seinen Zigarettenstummel aus. »Selbst wenn wir ihn zu vergessen versuchen. Haben Sie was dagegen, wenn ich Ihnen noch mehr von meiner Arbeit erzähle? Ganz ehrlich?«

»Selbstverständlich nicht«, sagte Jenny. »Es ist ja auch meine Arbeit. Komischerweise habe ich festgestellt, daß ich mehr darüber nachdenke, wenn ich nicht dort bin.«

»Ich habe manchmal das Gefühl, verrückt zu werden, wenn ich nicht darüber spreche. Das ist ein weiterer Grund dafür, weshalb ich in diesem Urlaub nicht nach Glasgow gefahren bin. Meine Mutter und meine Tanten fragen mich, was ich mache, und wechseln das Thema, sobald ich anfange, davon zu erzählen. Sie schaffen es, daß ich mir ekelhaft vorkomme.«

»Ach, das kenne ich«, versicherte Jenny. »Mein Mutter möchte zwar angeblich, daß ich ihr alles erzähle, doch in ihrem letzten Brief hat sie sich endlos darüber beklagt, daß ich ihr greuliche Einzelheiten mitteile, und warum ich denn nicht mal etwas schreiben würde, was sie ihrem Nähkränzchen vorlesen kann. Sie hören gern davon, daß man fieberheiße Stirnen geglättet hat und mit Näpfen voll Brühe umhergeschwebt ist, doch von der Wirklichkeit haben sie nichts begriffen ... und sie wollen es auch nicht begreifen.«

Jamie rückte näher an sie heran und nahm ihre Hand. »Hier sind wir nun, arbeiten und leiden und geben für wer weiß wie lange Zeit unsere Pläne auf – und zu alledem erwartet man von uns, daß wir Rücksicht auf die Empfindungen derer nehmen, die zu Hause bleiben. Ich frage mich manchmal, ob ich meiner Mutter überhaupt noch etwas zu sagen habe, wenn der Krieg vorbei ist. Wir scheinen schon jetzt in völlig verschiedenen Welten zu leben. Sie beklagt sich bei mir über die Kohlenpreise und die Papierknappheit und die fleischfreien Tage, und ich soll Mitgefühl mit ihr haben ... und Sie wissen doch, Jenny, ich wate die ganze Zeit durch ein Meer von Leichen und erlebe, wie meine Generation niedergemäht und abgeschlachtet wird, bis ich mich zu fragen beginne, ob auf den britischen Inseln überhaupt noch ein unversehrter junger Mann übriggeblieben ist.«

Er verstummte, und der Druck seiner Hand verstärkte sich. Sie lauschten einer Grille, die sich in der Hecke bewegte, und den Mücken unter den Bäumen. »Ich mag gar nicht daran denken, was aus uns werden soll«, sagte er. »Mir graut vor dem, was der Krieg noch aus mir machen wird. Ich bin zutiefst angewidert von dem, was ich sehe ... doch mir graut zugleich davor, daß ich mich daran gewöhnen könnte. Ich möchte kein Metzger werden, der die armen Kerle nur noch als blutige Fleischklumpen betrachtet.« Er hatte tiefe Falten auf der Stirn, und das dunkle Haar wurde an den Schläfen von einzelnen grauen Strähnen durchzogen, doch er wirkte sehr jung. »Dazu bin ich nicht Arzt geworden. Wenn ich mich also in dieser Weise verändere, dann ist mein Leben gescheitert.« Sein Kinn bekam einen harten Zug. »Doch was fällt mir ein, über mein vergeudetes Leben zu greinen, wenn ich junge Kerle sehe, die noch dreißig Jahre lang ohne Arme oder Beine werden leben müssen.«

»Nicht.«

Mit einem schweren Seufzer schlang Jamie die Arme um sie und zog sie an sich. Jenny spürte, wie sein Herz gegen seinen mageren Brustkorb schlug und erschauderte vor Wonne, als sie seine Zunge in ihrem Mund fühlte.

Es war die reine Ekstase, dieser Kuß sollte ewig dauern. Doch ihr Körper wollte mehr. Ihre Brüste prickelten, und sie schrie vor Verlangen auf, als seine Finger ihre Brustwarzen berührten. Mehr als irgend etwas auf der Welt wollte sie seine Berührung zwischen den Beinen spüren – das lüsterne Verlangen, daß er ihre geheimste, verschämteste Stelle streicheln sollte, war die einzige Wirklichkeit, die es noch gab auf der Welt.

Jamie stieß sie ins Gras nieder und wälzte sich bebend auf sie. Sie spürte seine Erektion und erschrak über ihre plötzliche, wilde Entschlossenheit, ihn in sich haben zu wollen. Blind, triebhaft klammerten sie sich aneinander, bis Jamie sich plötzlich von ihr löste. Sie lagen eine Armlänge voneinander entfernt, atemlos und von schmerzlichem Verlangen erfüllt.

»Mein Gott«, sagte Jamie ruhig und setzte sich auf.

»Fahren wir nach Hause?«

»Ja.«

»Meine Freundin wird nicht dasein, sie arbeitet nachts.« Sie errötete vor lauter Verlegenheit und konnte ihn nicht ansehen, während sie das sagte. Als sie zu ihm aufblickte, ruhte sein Blick mit einer solchen glückstrahlenden Zärtlichkeit auf ihr, daß sie am liebsten geweint hätte.

»Bist du sicher? Ich meine, willst du wirklich?«

»Ja«, sagte sie. Wieder konnten sie den verzückten Blick nicht voneinander lösen und wagten es nicht, einander zu berühren, um nicht alles um sie herum zu vergessen.

Schweigend packten sie den Picknickkorb und gingen die gewundenen Gäßchen zum Bahnhof zurück. Bei allem Aufruhr ihres Körpers blieb Jennys Kopf überraschend klar und ruhig. Sie war zu weit gegangen, um einen Rückzieher zu machen, und sie hatte auch nicht das Gefühl, etwas falsch gemacht zu haben; falsch wäre es für ihr Gefühl allenfalls gewesen, diese vom Himmel gesandte Chance auszuschlagen, ein solches Glück zu erleben.

Sie sprachen sehr wenig. Während sie einander in dem leeren Abteil gegenübersaßen, schnürte das Verlangen ihnen die Kehle zu. Die zuckenden Bewegungen des Zuges erregten Jennys Klitoris. Von diesem Körperteil hatte sie bislang kaum gewußt, und plötzlich war sie ihm gnadenlos ausgeliefert. Als hätte sie noch nie etwas von Keuschheit gehört, starrte sie auf die Wölbung unter Jamies Hosenschlitz und verfiel in eine wollüstige Trance.

Auf dem Weg nach South Kensington saßen sie jeder in einer Ecke des Taxis, stumm und nervös, da der Augenblick näher kam. Jamie bat den Fahrer anzuhalten und ging in eine Apotheke. Jenny glühte unter dem schützenden Schleier vor Scham und sah Jamie nicht an, ehe sie bei ihrem Haus angelangt waren. Sie bedeutete ihm, still zu sein, und führte ihn an Miss Thompsons geschlossener Tür vorbei in ihr Zimmer.

Dann standen sie einander gegenüber, und das Ganze schien schmutzig und billig. Jenny wollte es schon aussprechen, als Jamie flüsterte: »Mein Liebling ... mein süßes Mädchen ...«

Er riß sich die Kleider vom Leib, und sie versuchte nicht, ihn zu hindern. Sie selbst begann, sich mit fliegenden Händen zu entkleiden, und zerrte ungeduldig an Knöpfen und Haken.

»Bitte, jetzt ...« Er schluchzte beinah. »Laß mich jetzt ...«

Mit bebenden Händen streifte er sich das Kondom über, das er in der Apotheke gekauft hatte, und drang mit einem Stöhnen der Erleichterung in sie ein, das sich rasch zu den Schreien seines Orgasmus steigerte.

Jenny war sich eines wilden Schmerzes bewußt und der Unwürdigkeit, gewaltsam geöffnet zu werden wie eine Auster. Doch empfand sie auch Vergnügen daran, Jamies warmen, pulsierenden Körper in den Armen zu halten und zu spüren, wie das glatte Gummi schlaffer wurde, als er in ihr schrumpfte. Er küßte sie und wurde wieder steif. Diesmal bewegte er sich langsam und sacht und beugte sich so weit zurück, daß er ihre Klitoris mit dem Finger streicheln konnte. Er war sehr geduldig, so daß der Rhythmus sie durchströmen konnte, bis sie kam und sein Orgasmus mit ihrem verschmolz.

Er hielt sie in den Armen, bettete ihren Kopf an seine nackte Brust und ließ die Finger durch ihr langes gewelltes Haar laufen. »Mein Liebling.«

»Ich kann dein Herz hören.«

»Es gehört dir allein.«

»Und meins dir.«

»Wirklich? Und was ist mit deinem Verlobten?«

»Nein!« Jenny zuckte zusammen, als hätte er sie geschlagen. »Das hier hat nichts mit ihm zu tun ... und woher weißt du das überhaupt?«

»Ihr Hilfsschwestern seid doch nicht die einzigen im Lazarett, die klatschen!«

»O Gott«, sagte sie, »dann hast du es die ganze Zeit gewußt?«

»Ja.«

»Ach Jamie, du mußt mich ja für eine ganz schlechte, treulose Frau halten!«

»So gesehen, mußt du mich auch für einen eiskalten Verführer halten. Doch ich habe so etwas noch nie im Leben getan. Ich habe in der verdammten Apotheke vor Verlegenheit gestottert ... und das als Arzt!«

Jenny, eben noch den Tränen nahe, begann plötzlich zu lachen. »Was haben wir nur getan? Was ist denn bloß in uns gefahren?«

Er küßte eine Haarsträhne. »Ich weiß, was in mich gefahren ist. Der Himmel weiß, wie oder wann, doch ich habe mich in dich verliebt.«

Jenny war schlagartig in die Wirklichkeit zurückgekehrt, als hätte jemand ein starkes Licht angeknipst. Sie hatte Alistair betrogen. Sie lag nackt mit einem Mann im Bett, den sie kaum kannte, und es war zu spät für Reue, weil sie hemmungslos, leidenschaftlich, rauschhaft verliebt in ihn war.

3

Tertius befand sich ein gutes Stück hinter der Front, doch immer noch konnte er das unerbittliche Donnern der britischen Artillerie hören. Alle paar Schritte standen entlang der Gefechtslinie die gewaltigen Haubitzen und hämmerten auf die Deutschen ein. Sie waren nachts in Stellung geschleppt worden, damit die

Deutschen sich kein Bild von der Stärke des Angriffs machen konnten, der über die grünen Niederungen der Somme auf sie zurollen sollte.

Tertius war fasziniert von dem gewaltigen Umfang und der monströsen Schönheit der Haubitzen – wahre vortizistische Kunstwerke. In Tarnnetze gehüllt, sahen sie aus wie Seeungeheuer, die von einem prähistorischen Meeresboden Bärte aus Seetang und Rankenfüßer mit sich herumschleppten. Jede Kanone wurde von ihrem eigenen Troß von Pferden, Lastwagen, Offizieren und Mannschaften begleitet. Tertius hatte diese Gruppen in jedem freien Augenblick heimlich skizziert und sich vorgenommen, mit seiner Serie von Frontgemälden zu beginnen, sobald er in seine Unterkunft gelangte und Aubrey Russell schreiben und um Ölfarben bitten konnte. Aubrey hatten die Kohleporträts, die er ihm geschickt hatte, sehr gefallen: sein Triptychon von Freunden, die sich in ihrem Zelteckchen Tee kochten, und das junge gequälte Gesicht Mr. Draytons.

Er hielt an und sprang von seinem Armeefahrrad, um sich zu orientieren. Die Landschaft veränderte sich jeden Tag, eine ganze Stadt war hinter der Gefechtslinie aus dem Boden geschossen: Reihe um Reihe von Hütten, Zelten, Gefechtsständen, Pferdeställen, Munitionslagern und Versorgungsbasen, und überall wimmelte es von Männern. Stabsfahrzeuge, Motorräder und schwere Laster hüllten die Straßen in eine anhaltende Staubwolke.

Schließlich schob er sein Fahrrad durch das, was einst ein stilles Dörfchen gewesen war, und fand das große quadratische Herrenhaus. Zwei Wachsoldaten standen vor der Eingangstür.

Tertius ging an den motorisierten Boten vorbei, die sich von der Sonne bescheinen ließen, während sie auf Aufträge warteten. Aus dem Innern des Hauses hörte man hinter geschlossenen Türen etliche Schreibmaschinen um die Wette hacken, und eine wütende Kommandostimme brüllte in ein Telefon.

Der Feldwebel am Schreibtisch in der Eingangshalle las, was auf dem Umschlag des Päckchens stand, das Tertius gebracht hatte, und eilte damit davon. Das Päckchen enthielt die Armbanduhren sämtlicher Offiziere seiner Kompanie. Sie sollten auf eine maßgebliche Armbanduhr hier im Hauptquartier abgestimmt und wieder zurückgesandt werden. Tertius lockerte seinen Kragen und wartete.

Ganz am Ende des Flurs, der von der Halle abging, stand die Tür zum Dienstbotenquartier einen Spalt offen, so daß er einen quälenden Ausblick auf eine sonnige Terrasse und einen Garten voller Schmetterlinge hatte. Was würde er darum geben, im Gras auf dem Rücken liegen und einfach nur in den Himmel starren zu dürfen.

Der Feldwebel kam mit den Uhren zurück – die säuberlich etikettiert waren und mit kaum hörbarem Eifer tickten – und sagte: »Der Hauptmann will Sie sehen. Machen Sie den Kragen zu.«

Er führte Tertius eine flache Holztreppe ins erste Stockwerk hinauf und klopfte an eine Tür.

»Herein!«

Tertius und der Feldwebel betraten das Zimmer und salutierten. Der Hauptmann saß an einem Schreibtisch und schrieb.

»Danke, Feldwebel«, sagte er.

»Sir.« Der Mann salutierte erneut und ging hinaus.

Sobald sie allein waren, stand der Hauptmann auf, hinkte um den Schreibtisch herum und hob Tertius in einer bärenhaften Umarmung wortlos vom Boden hoch.

»Mutt! Um Himmels willen!« keuchte Tertius.

Muttonhead stellte ihn wieder auf die Füße und verschlang ihn mit seinem Blick – wie üblich hatte ihm die Tiefe seiner Empfindungen die Sprache verschlagen. Er hatte Tertius vom Fenster aus gesehen und wollte ihm alles Gute wünschen; er kannte den Schlachtplan, und wenn ihn nicht alles täuschte, mußte er demnächst die Befehle mit ausarbeiten, die seinen eigenen kleinen Bruder in den Untergang schicken würden.

Am frühen Morgen des 1. Juli verstummte das britische Sperrfeuer, und in den Augenblicken vor dem Angriff senkte sich eine paradiesische Stille über die liebliche Sommerlandschaft. Lorenzo, der darauf wartete, mit der ersten Angriffswelle hinauszugehen, stand im Schützengraben, den Fuß auf der Sturmleiter und den Blick auf die Armbanduhr gerichtet.

Über ihm wölbte sich der Himmel in einem vollkommenen zarten Blau. Die wohltuende Stille nach dem Verstummen der

Geschütze und die duftende Morgenbrise hatten, ungeachtet elend trockener Kehlen und pochender Herzen, so etwas wie Ferienstimmung aufkommen lassen.

Lorenzo war mißgestimmt und hatte ein schlechtes Gewissen. Dies konnte sehr wohl sein Todestag sein, und er hatte Eleanor nicht geschrieben. Am Abend zuvor hatte er sich zu seinem eigenen Erstaunen so sehr ans Leben gebunden gefühlt, daß er sich nicht zugetraut hatte, die Feder in die Hand zu nehmen, ohne unfreundlich zu werden. Wenn ich sterbe, dachte er, werde ich neidisch auf die arme Frau sein, als hätte sie mir das Leben gestohlen wie eine Hexe. Und dennoch hätte er die Mühe auf sich nehmen sollen. Was zählten denn noch seine wahren Empfindungen, wenn er in seinem Grab läge?

Stevie war selbstverständlich die ganze Nacht aufgeblieben und hatte im Licht der Kerze, die in einer Weinflasche steckte, Seite um Seite vollgekritzelt. Lorenzo hatte ihn beobachtet und Tränen seine Wangen hinabrinnen sehen, als Stevie versuchte, seine tiefsten Gefühle für diejenigen, die er liebte, in Worte zu fassen. Lorenzo konnte sich den herzerweichenden Edelmut jener Briefe nur allzugut vorstellen. Er hatte die gräßliche Ahnung, daß sich darin auch Zitate aus Gedichten befanden, wenn nicht gar Selbstgedichtetes.

Doch seine eigenen Empfindungen gegenüber Eleànor würden besser mit ihm sterben. Er hätte ja doch nur die Wahrheit sagen können: daß ihre Ehe ein hoffnungsloser Fehlschlag war. Je mehr er sie bemitleidete, desto heftiger grollte er ihr. Ihre Güte war für ihn ein ständiger Vorwurf. Ihre unter einem Unstern gezeugte Tochter sah aus wie ein häßlicher Gnom, und Lorenzo war ihr Anblick zutiefst zuwider. Sie biß und kreischte ständig, und er erschauderte bei der Vorstellung, daß etwas mit ihr nicht stimmen mochte.

Tertius' Zug preßte sich an die sandigen Wände des engen Versorgungsgrabens, jeder darauf bedacht, den Kopf tief unten zu halten. Die erste Angriffswelle war vor zwei Stunden verebbt. Sie warteten auf den Befehl, die Bajonette aufzupflanzen und die Linie hinauf zum vordersten Graben vorzurücken. Zunächst mußten jedoch zwei Männer ausgewählt werden, die zurückbleiben sollten. Mit unendlicher Verspätung waren die

Großkopfeten beim Stab zur Erkenntnis gelangt, daß dann, wenn alle Männer eines Zuges gefallen oder verwundet wären, niemand mehr bliebe, dem sich die unerfahrenen Ersatzleute anschließen konnten. Leutnant Drayton hatte alle Namen sorgfältig auf ein Stückchen Papier geschrieben, und jetzt schüttelte der Feldwebel sie in seinem Stahlhelm durcheinander.

Nun macht schon, dachte Tertius ungeduldig. Er ahnte, daß die anderen genauso empfanden. Sie hatten so viel Energie auf ihre Vorbereitung für die Schlacht verwendet, daß sie zum Hoffen keine mehr übrig hatten.

Drayton zog den ersten Namen und reichte den Zettel dem Feldwebel, der sagte: »Wegtreten, Huggins.«

Vage freute sich Tertius, dessen Sinne auf die Schlachtgeräusche gerichtet waren, daß Huggins – der fünf kleine Kinder hatte – ungeschoren blieb.

»Wegtreten, Carey.«

Beim Klang seines Namens fuhr er zusammen. »Ich? Aber ich ...«

»Nun mach schon, Sonnyboy. Ich kann hier nicht ewig stehen.«

Die anderen lachten leise und stießen einander in die Rippen. »Hätten wir uns doch gleich denken können!« murmelte einer. »Das Glück der verdammten Iren!«

Im ersten Sekundenbruchteil hatte sein Herz vor Freude und Erleichterung einen Hüpfer getan, wie damals, als er ein Kind war und Mr. Phillips ihm unerwartet einen Tag schulfrei gegeben hatte. Einen Augenblick später jedoch wurde Tertius von einem schrecklichen Gefühl der Einsamkeit und des Verlusts gepackt. Als er in die Gesichter seiner Freunde blickte – die er so oft skizziert hatte –, hätte er am liebsten geweint und sie gebeten, ihn nicht zu verlassen. Plötzlich von ihnen verlassen zu werden schien das trostloseste Schicksal auf der ganzen Welt zu sein. Er konnte ihnen nicht in die Augen sehen, als sie vorbeidrängten, weil er sich irgendwie unwürdig vorkam.

Der hünenhafte Gripper blieb vor ihm stehen, riß ihm den Helm vom Kopf und tätschelte ihm den Schädel. »Gib mir ein bißchen ab von deinem Glück, Paddy.«

Das war das Ritual, und heute war es mehr als nur ein Scherz.

Einer nach dem anderen blieben seine Kameraden stehen, um seinen Kopf zu berühren, und jede Einzelheit ihrer Gesichter brannte sich in sein Gedächtnis. Er wußte, daß er keine je vergessen würde, solange er lebte – nicht die krumme Linie der gebrochenen Nase von The Gripper, nicht die Nikotinflecken an den zottigen Enden von Wallys Schnurrbart oder das stoppelige Fleckchen an Alfs Kinn, das sein Rasiermesser verfehlt hatte.

Schließlich waren sie alle an ihm vorbei und hinter der Biegung des Grabens verschwunden. Tertius wartete, bis er ihre Stiefel nicht mehr auf den Planken hören konnte, einsam wie der letzte Mensch auf Erden.

Nachdem er sich mit seinen Männern vor dem britischen Drahtverhau formiert hätte, sollte er über das aufgerissene, von Granaten zerklüftete Land vorrücken, bis er den deutschen Schützengraben erreichte. Dieser, so nahm er an, wäre unterdessen von der ersten Angriffswelle – darunter Lorenzo – gestürmt und eingenommen worden. Dort sollte Stevie die Männer neu formieren, zum nächsten Schützengraben vorrücken und weitere Befehle erwarten.

Doch irgendwo war etwas schiefgelaufen. Der Feind, der nach tagelangem Granatbeschuß eigentlich am Boden und dezimiert sein sollte, erwies sich als grauenhaft rege und spie aus allen Maschinengewehren. Das Niemandsland war übersät von Leichen.

In Sichtweite seines erstens Ziels wandte Stevie sich nach seinen Männern um. Die Kugeln pfiffen so dicht an ihm vorbei, daß der Luftzug seine Wange streifte, doch er war zu erregt, um darauf zu achten.

»Ayres«, brüllte er verzweifelt, »wo sind die Jungs?«

»Runter, Sir!«

»Wo sind die anderen?«

»Um Himmels willen, Sir, runter mit dem Kopf!«

Stevie sah, wie die Männer um ihn herum niedergemäht wurden wie Gras. »Der Mensch, vom Weibe geboren, lebt kurze Zeit und ist voll Unruhe«, dachte er. »Er geht auf wie eine Blume und fällt ab ...«

Ein schmerzhafter Stoß warf ihn nach hinten, so heftig, daß er sich nicht auf den Füßen halten konnte. Die Landschaft wirbelte um ihn herum wie ein Diorama, ehe sich tiefe Nacht darüber senkte. Er landete in einem Gewirr von rostigem deutschem Stacheldraht, zuckte noch einmal und regte sich nicht mehr.

Tertius hatte einen gräßlichen Tag voll Hitze, Durst und Unruhe verbracht, während er an einem Stützpunkt hinter der Frontlinie auf einer leeren Munitionskiste saß. Jede Stunde hatte sich endlos ausgedehnt. Am späten Nachmittag, als die Sonne sich zu einem frostigen Weiß abkühlte und die Schatten länger wurden, hatte Tertius angefangen, sich schuldig zu fühlen, als würde er bestraft. Aus der Schlacht herausgelassen zu werden war kein Privileg, es war eine Schande.

Was war aus seinen Kameraden geworden? Anfangs, als alle den Sieg für selbstverständlich hielten, hatte er sich dafür verwünscht, daß er am Ruhm nicht teilhaben würde. Jetzt, da die Stimmung von Konfusion und bösen Ahnungen geprägt war, stellte er fest, daß er es noch bitterer verabscheute, nicht am Schmerz und an der Niederlage teilzuhaben – er hätte bei ihnen sein sollen, hätte die Gefahren teilen sollen, wie er alles andere mit ihnen geteilt hatte.

Als er schließlich an die Gefechtslinie beordert wurde, um die Toten und Verwundeten aus dem vordersten Schützengraben herauszuholen, freute er sich geradezu. Er bekam das Kommando über sieben Männer, kaum ausgebildet und noch blutjung, die vor kurzem aus England eingetroffen waren: Kitchener-Männer. Sie taten Tertius sehr leid – was für ein Anfang. Sie hatten noch keine drei Schritte gemacht, als sie schon durch eine Granatexplosion auf die Knie gezwungen wurden.

Das Sperrfeuer war so unerbittlich, daß es ihnen vorkam, als ob der Himmel auf sie herabstürzte. Tertius, entsetzt und von Angst wie betäubt, wurde mehrmals von den Füßen geschleudert und erstickte fast an Erdklumpen. Sie brauchten fast eine Stunde, um hundert Meter zurückzulegen.

Im vordersten Schützengraben trafen sie auf einen Teppich aus Körpern, dicht gedrängt wie Ölsardinen. Tote und Verwundete lagen Schulter an Schulter, und manche Verwundeten wimmerten und bettelten um Wasser. Ein sehr verschwitzter, verschmutzter und benommener Offizier forderte Tertius und seine Helfer auf, alle Männer, die irgendeine Überlebenschance hatten, zum Verbandsplatz zu schaffen.

Sie beluden ihre Tragbahren und machten sich auf den quälenden Rückweg entlang der Nachschublinien. Beim Anblick des Verbandsplatzes packte Tertius das nackte Grauen. Es war ein Alptraum. Ein einziges Meer von blutigen, stöhnenden Männern.

Er haßte sich dafür, daß er am Leben war, und ihm war übel von dem Schlachthausgestank. Er machte sich wieder auf den Weg, um die nächste Ladung zu holen. Einer der neuen Männer wurde von einer Granate getötet. Ein anderer wurde von einer Ladung Granatsplitter erwischt und mußte als Patient zum Truppenverbandsplatz zurückkriechen.

Tertius und die anderen schufteten Stunde um Stunde, bis die Abenddämmerung hereingebrochen war und sie feststellten, daß ein weiteres Bataillon den vordersten Schützengraben leergeräumt hatte. Elend und todmüde stapften sie zum Stützpunkt zurück und trafen dort auf die Überreste des Zuges.

Ein trostloses zusammengekauertes Häufchen, so tranken sie Tee aus Blechtassen und ließen eine Rumflasche kreisen. Sobald er sie erblickte, wußte Tertius, daß der Tag eine einzige Katastrophe gewesen war. Ein Blick in ihre Gesichter hätte ihm schon genug gesagt, selbst wenn nicht drei Viertel der Männer gefehlt hätten. Alf war da und stopfte sich mit zitternden Fingern die Pfeife. Doch wo waren Wally, der Gripper und all die anderen, die am Morgen Tertius' Kopf berührt hatten, damit er ihnen Glück brächte?

Drayton saß auf einem Feldstuhl und musterte seine Namensliste. Er hob den kummervollen Blick zu Tertius und sagte, als hätte man ihn getadelt: »Da war nichts zu machen. Es war überhaupt nicht so, wie sie gesagt haben. Es kam und kam, und die Burschen fielen und fielen.« Es gelang ihm, das Zittern seiner Oberlippe zu unterdrücken. »Ich bin froh, daß Sie raus waren, Paddy.«

An seinem flehenden Ausdruck war etwas, was Tertius erst mißtrauisch stimmte, bis er dann völlig sicher war: Drayton hatte seinen Namen nicht zufällig aus dem Helm gezogen. Die Versuchung, seinen Liebling in letzter Minute aus den Flammen zu holen, war zu stark für ihn gewesen.

Tertius nahm sich eine Tasse Tee, versetzte sie mit einem ordentlichen Schuß Rum und trug sie in die immer schwärzer werdenden Schatten, wo er den Tee mit seinen Tränen mischte.

Im schwindenden Licht war das Niemandsland voller Seufzer und Schreie.

»Das ist er, Sir, dort drüben«, flüsterte Sergeant Ayres in Lorenzos Ohr. »Ich bin mir ganz sicher.«

Sie hatten das letzte Tageslicht dazu genutzt, die Markierungen zu suchen, an denen Ayres zuvor vorbeigekommen war. Vorsichtig hatten sie sich ihren Weg durch die Landschaft der Leichen ertastet. Die Verwundeten hatten nach ihren Beinen gegriffen, und sie hatten schuldbewußt etwas von Tragbahren, die unterwegs seien, gemurmelt. Einige der Männer hatten beim Klang ihrer Stimmen geschluchzt, andere hatten gekreischt und sie mit Flüchen bedacht: »Ihr Schweinehunde! Laßt mich nicht hier liegen, ihr verdammten Schweinehunde!«

Lorenzo hielt den Revolver schußbereit, denn es bewegten sich noch andere Schatten um sie herum – vermutlich genauso auf der Hut ihm gegenüber, wie er es ihnen gegenüber war, doch am besten, man war vorsichtig. Er merkte, daß Ayres ihn eindringlich beobachtete. Er mußte denken, Mr. Hastings sei übergeschnappt und kurz davor, Amok zu laufen. Vielleicht stimmt das ja, dachte Lorenzo. Er war noch immer wie vor den Kopf geschlagen, weil er den Tag ohne jeden Kratzer überlebt hatte, wo doch so viele andere um ihn herum gefallen waren, und die Nachricht, daß Stevie nicht zurückgekehrt war, erfüllte ihn mit einer Entschlossenheit, die etwas Wahnsinniges hatte. Der falsche Mann hatte dran glauben müssen, und er konnte nicht leben, solange er nicht irgend etwas dagegen unternommen hatte. Die Ungerechtigkeit war einfach unerträglich.

»Sir«, sagte Ayres, »Sie dürfen nicht erwarten, ihn noch lebend zu finden.«

»Haben Sie ihn denn sterben sehen? Sind Sie stehengeblieben, um nachzusehen, ob er tot war?«

»Na ja, nein, aber ...«

Lorenzo hatte Mühe, sich zu beherrschen. »Sie benehmen sich sehr anständig, Ayres. Wenn wir jemals halbwegs unversehrt zurückkehren sollten, werde ich Sie für eine Medaille vorschlagen, die so groß ist wie ein Frühstücksgong.« Er steckte den Revolver weg.

Beide Männer holten Drahtscheren heraus und begannen, sich ihren Weg freizuschneiden, auf den schwarzen Umriß zu, auf den Ayres gezeigt hatte und der wie eine Fliege aussah, die sich im Netz einer Riesenspinne verfangen hatte.

»O mein Gott«, stöhnte Lorenzo.

Die Hälfte von Stevies Kopf war von geronnenem schwarzem Blut verklebt. Die andere Gesichtshälfte war grau und reglos.

»Es hat ihn erwischt, Sir.«

»Nein.«

»Sollen wir umkehren?«

»Nein!« Wie wildgeworden zerrte Lorenzo Stevies Körper aus dem Draht. »Wir nehmen ihn mit. Es hätte mich treffen sollen, nicht ihn. Ich lasse ihn nicht hier.«

»In Ordnung, Sir.« Ayres hielt es für das beste, ihn gewähren zu lassen.

Plötzlich hörten sie ein tiefes Heulen, kehlig und unmenschlich.

»Er lebt. Mein Gott ... Stevie, ich bin's.«

»Geh weg. Bitte.«

»O nein. Lieber sterbe ich selbst.«

»Sie tun ihm weh, Sir«, sagte Ayres mit gequälter Stimme. »Er wird gleich losschreien.«

»Von mir aus kann er schreien wie am Spieß.« Lorenzos Schulter war warm und naß, wo Stevies Blut ihm durch Uniformjacke und Hemd drang. Den Blick auf Ayres' Rücken gerichtet, stolperte er durch die schwarze, löcherige Landschaft. Stevie wog wie Blei in seinen Armen. Seine Schmerzensschreie waren zu einem Wimmern geworden, dann verstummte er ganz. Lorenzo wußte nicht, ob er ohnmächtig war oder tot. Es kümmerte ihn nicht, ob das Gewicht ihm die Arme aus den Gelenken zerrte.

Ihre eigenen Linien waren jetzt in Sicht, Ayres schnitt ihnen einen Pfad durch den Draht. Lorenzo tat gerade die letzten Schritte in die Sicherheit, als die Garbe eines Heckenschützen ihm in die Rippen schnitt. Er fiel mit einem Wutschrei, der seinen Mund mit dem metallischen Geschmack von Blut füllte.

4

Francesca lehnte müde am Geländer der Veranda und beobachtete, wie die ersten scharlachroten Blätter über den Rasen von Calcutta Lodge segelten. Die letzten Monate hatten sie erschöpft, körperlich ebenso wie seelisch, und wenn sie auf ihre Hände blickte, überraschte es sie, wie alt sie aussahen. In den langen Nächten an Stevies Bett war sie erheblich erwachsener geworden.

Doch das ganze Land war alt und traurig geworden. Francesca schauderte bei der Erinnerung an das gespenstische Schweigen, das sich über London gesenkt hatte, als die Gefallenenliste von der Somme eingetroffen war – Spalte um Spalte in der Times, jedes verlorene Leben das Ende eines Dutzends weiterer. Die Ortsnamen läuteten durch die Fantasie wie Totenglocken. Fricourt, Mametz, High Wood, Martinpuich, Bapaume. Sie würde sie nie wieder hören können, ohne an Rachel zu denken, die um ihre Kinder weinte.

Und sie hatte Glück gehabt. Nach quälendem Warten, während dessen Marian ihr furchtbare Vorträge über die Pflicht einer Soldatenfrau gehalten hatte, war das Telegramm mit der Nachricht eingetroffen, daß Stevie lebte. Marian hatte das Hausmädchen angeschrien, weil sie das Telegramm Francesca gegeben hatte und nicht ihr. Sie war die wahre Mrs. Carr-Lyon – und die einzige, die irgendwelche Rechte an Stevie hatte.

Während der angespannten Wochen, als Stevie zwischen Leben und Tod schwebte, hatte seine Mutter sich als Wachposten an seinem Bett niedergelassen und war nicht einen Augenblick gewichen. Francesca war darauf verwiesen worden, um Erlaubnis zu bitten, wenn sie ihren Mann sehen wollte – weil alles

Betrübliche oder Ermüdende von ihm ferngehalten werden mußte, behauptete Marian. Anscheinend hätten mehr als ein paar Augenblicke in Francescas Gesellschaft schon ausgereicht, um ihn zu betrüben.

Stevie hatte das linke Auge verloren. An seiner Stelle befand sich jetzt nur noch eine runzlige Höhle. Francesca war überzeugt, daß er überlebt hatte, weil sie dabei war zu lernen, ihn auf die richtige Weise zu lieben. Sie hatte sich danach verzehrt, in seiner Nähe zu sein, aber Marian hatte immer wieder Gründe gefunden, um sie wegzuscheuchen. Sie tat alles für Stevie, als wäre er ein Baby, und bekam strahlende Augen und einen rosigen Teint, während Francesca blaß wurde.

So wäre es wohl auch geblieben, wenn Colonel Carr-Lyon nicht von seinem Schreibtisch in Frankreich an einen bedeutenderen Schreibtisch in London versetzt worden wäre. Als er Stevie das erstemal besuchte, hatte er Francesca verzagt auf einem Stuhl vor dem Zimmer angetroffen, wie ein Dienstmädchen, das auf ein Vorstellungsgespräch wartete. Er nahm sie mit hinein. Der Besuch seines Vaters munterte Stevie auf, und eine Hilfsschwester brachte ihnen allen Tee.

Am selben Abend hörte Francesca ihre Schwiegereltern jedoch durch die Schlafzimmerwand lautstark streiten.

»Was bezweckst du denn damit, daß du sie in einem zugigen Flur hocken läßt?«

»Wenn sie hereinkommen will, braucht sie es bloß zu sagen.«

»Unsinn. Sie hat höllische Angst vor dir.«

»Ein Kind hat in einem Krankenzimmer nun mal nichts zu suchen. Du weißt doch, wie sie ist.«

»Sie ist seine Frau, Marian. Du bist bloß die Mutter.«

»Bloß! Bloß die Mutter! Was weiß sie denn von Mutterliebe ... dies halbe Kind, diese Wachspuppe? Wie kann ihre Liebe denn auch nur halb so viel wert sein wie meine?«

»Na, ich hätte mal sehen mögen, wie dir das gepaßt hätte, wenn meine alte Mutter sich da hineingedrängt hätte, damals, als ich nach Magersfontein flachlag.«

»Das war etwas ganz anderes. Stevie braucht mich.«

»Das hast du immer schon gesagt ... und versucht, so ein verdammtes Muttersöhnchen aus ihm zu machen.«

»Und du hast schon immer versucht, ihn mir zu entfremden!«

»Schluß mit dem Theater, Marian. Du überläßt den Jungen ab jetzt seiner Frau!«

Von da an verbrachte Francesca fast all ihre Zeit an Stevies Seite. Sie hatte von Natur aus ein liebevolles Verhältnis zu Kranken, und ihre Liebe zu Stevie vertiefte sich, als ihre Rollen vertauscht waren und sie die Beschützerin war. Vor vierzehn Tagen hatte sie ihn zur Erholung ins Calcutta Lodge gebracht. Es ging ihm inzwischen wieder so gut, daß er auf dem Sofa liegen oder auf dem Rasen in einem Korbstuhl sitzen konnte. Oft scherzte er, daß er mit seiner schwarzen Augenklappe aussähe wie ein Pirat. Doch er litt weiter unter schrecklichen Kopfschmerzen, und wenn Francesca bei ihm in seinem verdunkelten Zimmer saß und ihm unermüdlich Eis auf die Stirn legte, fühlte sie, wie ihre jugendliche Energie zu schwinden begann.

Ach, nun sei doch nicht so trübselig, schalt sie sich. Heute sollte ein Festtag sein, und sie hatte keinerlei Recht, sich so niedergeschlagen zu fühlen. Stevies Eltern kamen im Wagen von London herauf. Nanny Stack und ein Mädchen aus dem Dorf waren dabei, ein feines Essen zuzubereiten, und Stevie war selbst in den Keller hinuntergegangen, um den Wein auszuwählen. Er hatte sich morgens wohl genug gefühlt, um Flanellhosen und einen Pullover anzuziehen, und saß nun in seinem Korbstuhl auf dem Rasen und warf Bälle für den Cockerspaniel des Gärtners.

Francesca kränkte seine Fröhlichkeit ein wenig, denn es lag auf der Hand, woher sie kam. Das Essen wurde Lorenzo zu Ehren gegeben. Die beiden sollten sich heute zum erstenmal nach ihrer Verwundung wiedersehen. Natürlich war Francesca Lorenzo ungeheuer dankbar, doch Stevies Glückseligkeit hatte für sie etwas Beängstigendes.

Außerdem war sie eifersüchtig auf Eleanor, weil sie ein Kind hatte. Ihre Ehe mochte ja stürmisch und schmerzlich verlaufen sein, doch Francesca erkannte, daß sie eine Vitalität besaß, die ihrer eigenen Ehe fehlte. Obwohl zu jedem Zugeständnis bereit, weil Stevie krank war, fragte sie sich doch, weshalb er es vermied, sie zu berühren, wenn er irgend konnte. Mit jedem Tag kam sich Francesca, so lieb und nett er auch zu ihr war, häßlicher und langweiliger und unscheinbarer vor. Sie konnte sich von der Vorstellung nicht lösen, daß das ihre Schuld war; irgendein Makel haftete ihr an, der ihn abstieß.

»Madam!« Nanny rief vom Eßzimmer herauf.

»Ja, ich komme.« Francesca glättete ihr Haar und rückte die Kamee an ihrem Hals zurecht. Die Carr-Lyons standen in der Auffahrt und ließen sich von einem betagten Chauffeur aus dem Wagen helfen. Stevie empfing sie im sonnigen Garten mit nahezu überströmend guter Laune, doch Francesca entging nicht, wie fieberhaft er wartete und wie er beim Geräusch eines weiteren Wagens auf der Auffahrt zusammenzuckte.

Eleanor hatte sie von Rottingdean, wo sie sich vor kurzem ein Cottage gemietet hatten, über die Landstraßen hergefahren. Lorenzo erschien auf ihren Arm gestützt auf der Veranda. Er war in Uniform und hatte das Verwundetenabzeichen am Ärmel. Er war sehr mager, und seine schwarzen Augen funkelten wilder denn je.

»Laurence, wir können Ihnen gar nicht genug danken«, sagte Marian.

Francesca gab Lorenzo die Hand und flüsterte nur: »Danke.«

Stevie erhob sich mühsam von seinem Stuhl und umarmte Lorenzo lachend. Er war aufgekratzt und nervös gewesen, doch jetzt, wo sie tatsächlich zusammen waren, war er fast wieder er selbst.

»Armer alter Larry, was für eine Szene ... ich wette, du bereust, daß du mich nicht einfach hast liegenlassen. Wenigstens einen Drink könnte dir jemand anbieten.«

»Ja, weiß Gott«, sagte Colonel Carr-Lyon. »Und herzlichen Glückwunsch, Hastings. Durch und durch verdient.«

Lorenzo hatte lobende Erwähnungen in Dienstberichten erhalten und das Verdienstkreuz verliehen bekommen. Es ärgerte ihn offensichtlich furchtbar, daß das zur Sprache gekommen war. Stevie wechselte mit seinem üblichen Takt das Thema, indem er zu Tisch drängte.

Nach dem Essen nahm er Lorenzo zum Rauchen mit auf die Veranda. Der Oberst schlief unter der *Times* ein, und die Frauen ließen sich im Salon zum Kaffee nieder.

»Nanny hat partout nicht kochen lernen wollen«, erklärte Marian, »doch anständigen Kaffee kann sie machen.« Die festliche Gelegenheit und ein Glas Champagner hatten sie milde gestimmt.

Eleanor blickte durch die Flügeltüren auf Lorenzo und Stevie. »Ob sie es da draußen auch warm genug haben?«

»Soll ich sie fragen?« bot Francesca an.

»Um Himmels willen! Lorenzo reißt dir den Kopf ab. Er haßt es, wenn man viel Aufhebens um ihn macht. Schrecklich schwierig ist das, und dabei war er doch so krank.«

»Schätzchen, du siehst müde aus. War es so grauenhaft?«

Eleanor seufzte. »Es ist nicht Lorenzo, es ist Laura. Mrs. Bintry hat sie heute ... doch ich darf gar nicht daran denken, was mich erwartet, wenn wir nach Hause kommen. Ich trenne mich äußerst ungern von ihr, ganz gleich, was sie anstellt.«

»Meine Güte«, rief Marian, »was fehlt dem Kind denn?«

Eleanor errötete, antwortete jedoch gleichmütig: »Sie hat so ein fürchterliches Temperament ... jede Kleinigkeit löst ein Riesengeschrei aus. Und ... sie hat sich noch nicht so recht an Lorenzo gewöhnt.«

Francesca musterte Eleanors Unterarme. »Hat sie dir diese schrecklichen Blutergüsse beigebracht?«

»Aber nein!« Eleanor lachte. »Niemand. Ich hab's geschafft, die Kellertreppe hinunterzufallen.« Francesca schien noch etwas sagen zu wollen, doch Eleanor sprach hastig weiter. »Wenn ihr beiden doch kommen und euch das Cottage anschauen könntet. Es ist paradiesisch dort, und ich entwickle mich bereits zu einer richtigen Landfrau. Ich habe drei Bienenstöcke und eine Gänseschar. Mrs. Bintry zeigt mir jetzt, wie man aus Gänsefett eine Salbe macht, für Lorenzos Brust.« Ihre Augen waren strahlend schön, so sehr leuchtete die Liebe aus ihnen. »Jeden Tag sage ich mir, was für ein Glück ich habe, daß er bei mir zu Hause ist.«

»Muß er denn wieder zurück?« fragte Marian.

»Ja, aber erst eine ganze Weile nach Weihnachten. Bis dahin ist der Krieg vielleicht zu Ende, nicht? Wie steht es mit Stevie? Ich meine, er kann ja wohl nicht wieder an die Front. Was will er denn machen?«

Draußen auf der Veranda stellte Lorenzo gerade dieselbe Frage.

Stevie lehnte sich in seinem Sessel zurück. »Keine Ahnung. Vielleicht kriege ich ja irgendwo einen Schreibtischposten, wenn Papa die richtigen Drähte zieht.«

»Wenigstens bist du aus allem raus.«

»Sag das nicht! Ich kann das nicht ertragen.«

»Erzähl mir nicht, daß du es bedauerst! Ich weiß, du bist wahrhaft pflichtbesessen, Stevie, doch du hast ihnen genug gegeben.«

»Ach, die widerlichen Seiten werde ich nicht vermissen ... den Lärm und die Kälte und daß man nie aus seinen Stiefeln herauskommt. Doch ich träume immer wieder von Ayres und den Jungs. Jedesmal rufen sie mich, weil ich sie retten soll.«

»Das kenne ich. Die Hälfte der Zeit verbringe ich damit, mich zu fragen, wie meine Burschen wohl ohne mich zurechtkommen.«

»Hast du denn irgendwas Neues gehört?«

»Ja, doch das sollte ich dir nicht erzählen. Eleanor hat mir lange Vorträge darüber gehalten, wie schonungsbedürftig du bist. Du würdest nur weinen oder etwas ähnlich Schreckliches tun.«

Stevie wandte ihm das ungetrübte blaue Auge zu. »Das werde ich nicht«, sagte er ernst, »weil ich nicht kann. Ist das nicht merkwürdig? Mir sind die Tränen ausgegangen.«

»Das ist vielleicht ganz gut so. Es werden dieser Tage schon viel zu viele vergossen.« Lorenzo zündete sich am Stummel der letzten die nächste Zigarette an. »Mein Kardomah-Streichquartett ist auf ein Duo reduziert worden. Einer ist im Lazarett, glaube ich, und der andere fiedelt im Himmlischen Philharmonieorchester weiter. Zwei von den Kaufhausangestellten sind draufgegangen. Und hast du von Bubble und Squeak gehört?«

»Nein.«

»Kannst du das verkraften?«

»Sag's ruhig.«

Lorenzo seufzte. »Ich weiß nicht recht, wie, ohne zu sagen ›Rosenkranz und Güldenstern sind tot‹. Obwohl eigentlich nur Bubble tot ist. In Mesopotamien umgekommen. Squeaks ist nur irre geworden. Er war eine Weile in einer Anstalt in Schottland, jetzt ist er zu Hause in Northumberland. Er steht im Morgengrauen auf und geht zum Appell mit Feldstecher und Stahlhelm in den Garten.«

»O Gott.«

»Ballert mit dem Luftgewehr auf feindliche Kühe.«

»Verdammt. Der arme alte Squeakie.«

»Und sie wollten doch ewig leben«, sagte Lorenzo in einem plötzlichen Anfall von Bitterkeit. »Weißt du noch? Herrgott, Stevie, wie gräßlich das alles ist. Warum wollen wir uns das bloß nicht eingestehen? Das Leben ist eine einzige Scheiße, und wenn wir den Mut dazu hätten, dann würden wir jetzt alle sterben.«

Stevie lächelte. »Du siehst nur den scheußlichen Teil.«

»Und du siehst nur diese ekelhafte Lieblichkeit und das Licht.« Lorenzo wurde milder. »Doch ich freue mich, daß du überhaupt noch was sehen kannst.«

»Gefällt dir meine Augenklappe?«

»Nein, weil das nicht gerecht ist. Du bist der Typ, der völlige Unversehrtheit an Haupt und Gliedern verdient hat. Mir hätte ein Auge gar nicht gefehlt ... ich habe ja sowieso schon nur ein Ohr. Es hätte mich treffen sollen.«

Stevie legte ihm die Hand auf den Arm. »Du hast, wenn ich's recht bedenke, genug Schlimmes durchgemacht.«

»Weiß Gott. Eleanor und ihre Göre sind schlimmer als das feindliche Sperrfeuer. Die treiben mich noch ins frühe Grab.«

»Na komm«, sagte Stevie besänftigend, »so schlimm kann es doch wohl nicht sein.«

»Meinst du?« Lorenzos finstere Miene verflüchtigte sich. Er bedachte Stevie mit seinem zögernden, schiefen Lächeln. »Ganz offensichtlich bist du nur deshalb mit dem Leben davongekommen, um für Frieden in meiner unseligen Familie zu sorgen.«

»Entschuldige. Ich wollte mich nicht einmischen.«

»Doch, das willst du. Hör zu, du brauchst dich unseretwegen nicht zu sorgen. Irgendwie kommen wir schon über die Runden, bis man mich an die Front zurückschickt.« Er strich Stevie flüchtig übers Haar. »Du wirst mir fehlen.«

Solche Bekundungen waren äußerst selten. Stevie erbebte vor Freude und murmelte: »Alle haben dir gedankt, nur ich nicht.«

»Das brauchst du auch nicht.« Lorenzo beugte sich gerade so weit vor, um Stevie einen Kuß auf die Stirn drücken zu können. »Das war ich dir doch schuldig.«

5

Ein Holzscheit knackte laut im Feuer, und Lorenzo schreckte aus dem Schlaf empor, gerade noch rechtzeitig, um die Wanduhr im Salon fünf schlagen zu hören. Sein Herz raste, als er sich im Lehnstuhl zurücklegte. Auf dem Tischchen neben ihm stand eine Tasse mit kaltem Tee. Mrs. Bintry hatte es nicht gewagt, ihn zu wecken. Die Frau behandelte ihn wie Jack the Ripper – diese häßliche, selbstgerechte alte Schnüffelhexe –, doch sie war die einzige von allen Dienstboten, die sie hatten halten können. Er fragte sich, welcher seltsame Masochismus sie wohl in seinem elenden Haushalt bleiben ließ, wo sie doch in einer Munitionsfabrik das Doppelte hätte verdienen können.

Er sah durch die vergitterten Fenster auf die verregneten Felder und Obstgärten hinaus. Angeblich tat das Land ihm gut, doch es machte ihn nur nervös. Er konnte nicht auf den Hügelkamm gegenüber blicken, ohne dort einen Geschützstand zu erwarten, und wenn er nachts wach lag, plante er so lange Überfälle auf die benachbarte Farm, bis er dem Wahnsinn nahe war. Das Schweigen erinnerte ihn allzu nachdrücklich an die Einstellung des Sperrfeuers wenige Augenblicke vor dem Angriff.

Selbstverständlich fand Eleanor diesen Ort herrlich. Sie fand es herrlich, Bienenstöcke zu haben, Äpfel zu lagern, das ganze nahrhafte Zeug aus dem Garten in Flaschen und Dosen zu konservieren. Lorenzo hatte sie außerdem im Verdacht, daß sie sich erhoffte, das Kind könnte hier draußen irgendwie normal werden – sie hatte eine halsstarrige Abneigung gegen die Wahrheit, wenn sie ihr nicht in den Kram paßte. Er reckte sich unter Schmerzen und verwünschte die ewige bleierne Müdigkeit, die ihn im Gewahrsam seiner Frau festhielt. Sowie er stark genug wäre, um ohne fremde Hilfe zum Bahnhof zu gelangen, würde er nach London entfliehen.

Von draußen war der stotternde Motor des Taxis zu hören. Sie war zurück. Lorenzo haßte sich selbst dafür, daß er sie nicht sehen wollte. Gegen die Anordnung seines Arztes goß er sich einen gewaltigen Whisky ein. Vom Fenster aus beobachtete er seine Frau und seine Tochter, und es berührte ihn seltsam, daß sie zu ihm gehören sollten.

Während Eleanor den Fahrer bezahlte, wackelte Laura geschäftig auf dem Rasen vor dem Haus umher und rupfte händeweise Blumen aus. Mit nur zwanzig Monaten war sie schon so schlau und agil wie ein Äffchen. Die kohlschwarzen Augen ihres Vaters mit den dichten Wimpern stachen aus einem fahlen, spitzigen, häßlichen Gesichtchen hervor. Sie war, so hatten Dutzende von Kindermädchen, die gekündigt hatten, erklärt, nicht zu bändigen und unausstehlich. Lorenzo konnte sie nicht ansehen ohne einen Schauder der Antipathie zu empfinden, und dieses Gefühl beruhte auf Gegenseitigkeit; seit er nach Hause zurückgekehrt war, war das Kind noch zehnmal schlimmer geworden.

Eleanors Gesicht war zwar vom Schleier ihres Hutes verdeckt, doch ihr ganzer Körper drückte Niedergeschlagenheit und Erschöpfung aus. Mit hoher, angespannter Stimme rief sie: »Laura! Laura!«

»Du dumme Gans!« stöhnte Lorenzo. »Was soll das denn verdammt noch mal für einen Zweck haben, hinter ihr herzuschreien?« Er trank den Whisky in einem einzigen zornigen Zug aus.

Laura erblickte ihn am Fenster. Ihr winziger Körper erstarrte – sie hatte so eine Art, das Fell zu sträuben und die Zähne zu blecken wie ein in die Enge getriebenes Tier –, und dann brach sie in einen ihrer ohrenbetäubenden Angst- und Abwehrschreie aus.

Mrs. Bintry kam heraus, sagte etwas zu Eleanor und trug das schreiende Balg in Richtung Hintereingang. Wie vorherzusehen – und aus irgendeinem Grund machte ihn das wütend – galt Eleanors erste Sorge ihrem Mann.

Sowie sie den Fuß in den Salon setzte, sagte sie: »Wie geht's

dir, Schatz? Hast du heute nachmittag überhaupt schlafen können? Ich hoffe, Laura hat dich nicht aufgeweckt.« Sie nahm den
Hut vor dem Spiegel ab. Hinter dem Schleier hatte sich ein
verschwollenes, kummervolles Gesicht verborgen.

»Nun?« fragte er. »Was hat der nun wieder gesagt?«

Sie tat so, als hörte sie nicht. »Ich habe dir eine neue Flasche
von dem eisenhaltigen Tonikum mitgebracht und ...«

»Herrgott noch mal, Eleanor, du hast das Kind zu einem
Spezialisten gebracht. Was hat er gesagt?«

»Ach«, Eleanor drehte ihren Ehering, »das gleiche. Genau
das gleiche wie alle anderen, aber ...«

»Na siehst du. Willst du dich jetzt endlich mit der Wahrheit
abfinden?«

»Aber, Lorenzo«, sagte sie eifrig, »er kannte sie ja nicht, keiner von ihnen kennt sie. Sie hat sich nur nicht gut benommen,
weiter nichts. Ich hab' ja versucht, ihnen zu erklären, daß sie
nur unartig sei.«

»Du hirnloses Weibsstück, dies ist der dritte Mann, den du
aufgesucht hast ... angeblich die größte Kapazität in Europa.
Warum willst du bloß den Tatsachen nicht ins Auge sehen? Das
Kind ist taub zur Welt gekommen.«

»Nein! Ich schwöre, sie hat die Stimmgabel gehört, sie hat
sich nur geweigert, sich danach umzudrehen.«

»Jetzt hör mir mal zu!« brüllte er. »Hör mir zu, du blödsin-
nige Gans. Deine Tochter ist taub, unheilbar und stocktaub.
Deshalb reagiert sie auch nicht auf Rufe oder einen Donner-
schlag ... und deshalb hört sich ihr Geschrei auch so an wie eine
Sägemühle und treibt mich die Wände hoch!«

Eleanor, die nach Wochen der Krankenpflege, der Bemühungen um ihr Kind und den häuslichen Frieden am Ende ihrer
Kräfte war, brach in angstvolle Tränen aus. Lorenzo erkannte,
was es sie kostete, die letzte Hoffnung aufzugeben. Er verabscheute sich selbst, weil er kein Mitleid für sie aufbringen
konnte.

»Ich weiß nicht, was ich machen soll«, schluchzte sie. »Wie
soll ich denn jetzt je mit ihr umgehen können? Mein armes
Lämmchen.«

»Ein wahrhaftes Meisterstück der Ironie«, sagte Lorenzo

und goß sich noch einen Whisky ein, »ausgerechnet das, wenn man sich überlegt, was sie sonst alles hätte haben können. Willst du was trinken?«

»Nein, und du solltest auch nicht trinken.« Eleanor wischte sich zerstreut die Augen. »Ich hab' ihn gefragt, ob das mit dem zusammenhängen könnte, was deine Mutter mit dir gemacht hat. Natürlich nicht. Und dann habe ich gefragt, ob es daher kommen könnte, daß du betrunken warst, als wir ... als Laura gezeugt wurde.«

»Herzlichen Dank. Hast du vielleicht auch gefragt, ob es etwas mit der gräßlichen selektiven Taubheit ihrer Mutter zu tun haben könnte ... deren Unfähigkeit, Sätze zu hören wie ›Ich liebe dich nicht‹ und ›Ich will dich nicht heiraten‹?«

»Ach, bitte! Ich mußte doch Klarheit haben. Ich habe solche Angst, daß es von etwas kommt, was ich getan habe, während ich schwanger war – daß ich ihr geschadet habe, wo ich sie doch so sehr liebe.«

»Ich hab' dir ja immer schon gesagt, daß da irgendwas schiefgehen würde«, sagte Lorenzo. »Aber das wolltest du ja auch nicht hören.«

»Hör auf ... ach, hör doch auf!«

»Na schön, jetzt, wo du einsehen mußt, daß ich recht hatte, kannst du auch die Verantwortung für sie übernehmen ... du kannst verdammt noch mal aufhören, mir damit in den Ohren zu liegen, daß ich sie gern haben soll, denn das werde ich niemals ...«

»Hör auf, Lorenzo. Sei doch nicht so grausam! Sie ist doch deine Tochter und sollte nicht um deine Liebe betteln müssen!«

»Steck sie in ein Heim.«

Eleanor, der wie gewöhnlich die Ironie entging, die fast alles färbte, was Lorenzo sagte, schrie: »Nein! Es ist mir gleich, was du mir antust ... doch mein Baby darfst du mir nicht wegnehmen!«

Lorenzo öffnete den Mund, um zu antworten, und sah Mrs. Bintry in der Tür stehen, die Hände züchtig über der Schürze gefaltet. Sie hatte die Angewohnheit, überall dort plötzlich aufzutauchen, wo laute Stimmen zu hören waren. »Entschuldigen Sie, Madam. Wann soll ich denn das Abendessen auftragen?«

Sie wandte sich zwar an Eleanor, blickte dabei jedoch Lorenzo übelwollend an. Er hätte zu gern sein Glas nach ihr geworfen. Eine gräßliche Erschöpfung überkam ihn, und er ließ sich plötzlich in den Lehnstuhl fallen.

Eleanor kniete sofort neben ihm. »Tut mir leid, mein Schatz. Das war doch zuviel für dich, und ich habe nur an mich gedacht. Mrs. Bintry, wir essen am besten so bald wie möglich, und würden Sie Sir Laurence noch eine Tasse Tee bringen?«

»Sehr wohl, Madam.«

Durch das Miasma der Übelkeit hindurch konnte Lorenzo Mrs. Bintrys Gesicht den Wunsch ablesen, ihm Arsen hineinzutun, und halb wünschte er, sie täte es. Er saß in der Falle, gefangen in einem kranken Körper, einem entlegenen Cottage, einer seelenzerstörenden Ehe. Eleanors mitfühlende Hand lag schwer wie ein Mühlstein auf seinem Knie.

Der Pianist spielte die letzte Zugabe, und der Zuschauerraum der Queen's Hall leerte sich rasch. Nur der dunkelhaarige Offizier blieb sitzen, reglos und den Kopf leicht zu einer Seite geneigt. Rory hatte seinen Hinterkopf die ganze letzte Stunde hindurch beobachtet.

Aubrey stand auf und suchte seine Smokingtaschen nach der Garderobenmarke ab. »Kann ich dich irgendwohin mitnehmen, Schatz? Ich würde dich furchtbar gern zum Tee einladen, doch ich muß meinen Hut holen und schleunigst los.«

Rory küßte ihn auf die gefurchte Wange. »Lauf nur ... und vielen Dank für das himmlische Konzert. Ich kann noch nicht gehen, ehe ich mich dem Löwen zum Fraß vorgeworfen habe.«

»Bist du sicher, daß das der Mann deiner Freundin ist? Er wirkt völlig unauffällig. Ich hatte mir zumindest einen Unhold mit Reißzähnen vorgestellt.«

Sie lachte. »Ich glaube nicht, daß er gefährlich ist, nur eben allzu verbittert. Und außerdem war er schwer verwundet, der arme Kerl. Ich muß mich schon erkundigen, wie es ihm geht.«

Als Aubrey davongeeilt war, schlängelte sie sich durch das Plüschmeer auf den jungen Mann zu, den sie als Lorenzo erkannt hatte. Er schlief tief, und sie nahm sich die Freiheit, sein Gesicht aus nächster Nähe zu mustern. Es war hagerer als bei ihrer letzten

Begegnung, und um die schmalen, angespannten Lippen zogen sich Falten. Doch so jung, dachte sie, mit einer unerwarteten Aufwallung von Mitgefühl. Jung und erschöpft und einsam.

Sie rüttelte ihn sanft. Sehr langsam hoben sich seine spitzigen schwarzen Wimpern. Reglos und stumm starrte er sie aus Augen an, die so dunkel waren, daß sie keine Pupillen zu haben schienen. Rory starrte zurück. Sie war auf einmal ungeheuer neugierig.

»Hallo«, sagte er nach einer Weile.

Sie setzte sich neben ihn. »Hallo. Aurora Carlington.«

»Ja. Ich weiß, wer Sie sind.«

»Ich dachte, Sie hätten es vielleicht vergessen.«

»Wie könnte ich?«

Rory lächelte. »Ich habe Sie in der Pause gesehen und fast sofort erkannt. Sie haben den Debussy verschlafen.«

»Taugte er was?«

»Das fand ich schon ... aber ich bin gegenwärtig dermaßen ausgehungert nach Unterhaltung, daß ich schon ganz aufgeregt bin, wenn ich einen Leierkasten höre. Geht's Ihnen gut?«

»Ja.«

»Was machen Sie denn in London? Ich dachte, sie leben in einer ländlichen Idylle.«

»Wenn Sie schon fragen«, sagte er ironisch, »die Idylle langweilt mich.«

»Das soll sie ja auch«, versetzte Rory. »Eleanor hat sie ja speziell für Ihre Rekonvaleszenz gemietet. Was haben Sie denn erwartet ... ein Casino?«

Lorenzo begann sich für ihr unterhaltsames Geplänkel zu erwärmen. »Ich habe nie begriffen, weshalb der Ausblick auf nasse Wiesen gut für Kranke sein soll. Es sei denn deshalb, weil er einen dazu treibt, so schnell wie möglich gesund zu werden.«

»Sie sehen müde aus«, sagte Rory.

»O Gott. Nun fangen Sie auch noch an! Es gibt auf der Welt keine Frau, die nicht der Meinung ist, mir sagen zu dürfen, wie ich aussehe.«

Sie überhörte das. »Sie brauchen etwas zu essen. Das Langham Hotel ist gleich gegenüber. Wissen Sie was ... Sie können mich zum Tee einladen.«

Zum erstenmal lächelte er richtig. »Das ist aber schrecklich großzügig von Ihnen.«

»Na ja, ich habe einen Bärenhunger, auch wenn Sie keinen haben, und ich hab' keinen roten Heller in der Tasche. Eleanor wäre bestimmt stocksauer, wenn Sie hören müßte, daß Sie mir begegnet sind und mir keine Tasse Tee spendieren wollten.«

»Schon gut, schon gut. Erpresserin.« Er streckte ihr die Hand hin. »Helfen Sie mir hoch.«

Seine Hand war warm, und er ließ seine Finger einen Augenblick länger als nötig mit ihren verschränkt. »Ich gerate immer noch in Atemnot«, sagte er. »Ich hatte mir vorgestellt, eine Kugel ginge durch einen hindurch, als würde man durchbohrt. In Wirklichkeit ist es eher wie der Tritt von einem Pferdehuf.«

Er reichte ihr nicht den Arm, als sie die Queen's Hall verließen. Rory wußte, daß er ein wenig Abstand von ihr hielt, um sie beobachten zu können. Sie war ohne Uniform und trug ein maßgeschneidertes Kostüm, das Aubrey ihr hatte machen lassen, von konventionellem Schnitt zwar, aber von der Farbe eines Saphirs, den man gegen das Licht hält. Trotz des kühlen Herbstwetters trug sie keinen Hut. Ein Zeitungsjunge vor der Kirche am Langham Place rief ihr zu: »Hallo, Karottenkopf!«, als sie an ihm vorbeiging.

Unbefangen führte sie Lorenzo in den Teesalon des Langham Hotel, einen höhlenartigen Raum mit einem staubigen Kronleuchter und Deckenbemalung. Er war voller Offiziere. Am Klavier hinter einer Reihe Topfpalmen holperte ein Damentrio, alle drei in gedeckten Baumwollkleidern und klappernden Bernsteinketten, durch ein Potpourri aus ›The Crinoline Girl‹.

»Khaki, wohin das Auge blickt«, bemerkte Lorenzo, der sich argwöhnisch umschaute. »Was haben wir bloß vor dem Krieg alle gemacht?«

Rory schenkte beiden Tee ein. »So glücklich und müßig, wie es uns jetzt vorkommt, kann unser Leben wohl nicht gewesen sein. Wir haben uns bloß allzusehr daran gewöhnt, daß wir unglücklich sind.«

Er richtete seine Aufmerksamkeit wieder auf sie. »Sind Sie unglücklich?«

»Furchtbar. Noch ein Monat, und meine Füße werden nur

noch zwei riesige Frostbeulen sein, und ich werde wieder wochenlang kein Tageslicht sehen.« Sie stellte die Teetasse vor ihn. »Ich würde das keinen Augenblick aushalten, wenn nicht Krieg wäre.«

Er musterte sie eindringlich. »Karotten«, sagte er.

»Wie bitte?«

»Mir ging nur gerade auf, wie unzutreffend das war. Sie haben das röteste Haar, das ich je gesehen habe, und Karotten sind orangerot. Es ist mehr das Rot einer reifen Tomate.«

Sie war sprachlos und ein wenig verstört, brachte jedoch ein Lachen zustande. »Oder das der schlimmsten Sorte Geranien … die Sorte, die sie immer in den städtischen Rabatten haben.«

»Sie haben einmal ein grün und scharlachrot gemustertes Kleid getragen«, sagte Lorenzo. »Und das Rot war fast genau das Ihrer Haare.«

Seine Art, das zu sagen, hatte etwas Vertrauliches, was Rory das Blut in die Wangen steigen ließ. »Mein Russisches-Ballett-Kleid. Das scheint eine Ewigkeit her zu sein.«

»Ich wollte Sie an jenem Abend um einen Tanz bitten. Doch Ihnen war ja die ganze Zeit ein schrecklich eifersüchtiger junger Mann auf den Fersen.« Sein Blick wurde griesgrämig. »Und mir war natürlich Eleanor auf den Fersen.«

Eleanors Name hätte eine Warnglocke in Gang setzen sollen, doch das geschah nicht. »Ich weiß noch, daß Sie mich angestarrt haben«, sagte Rory. Es schien ungeheuer wichtig, ihm das zu sagen.

»Ich fand Sie einfach atemberaubend. Deshalb war ich auch so wütend, als ausgerechnet Sie mit Stevie in Devonshire aufgekreuzt sind.« Er kicherte leise. »Und dann besaßen Sie die ungeheure Unverfrorenheit, mir zu sagen, ich hätte einen Präser benutzen sollen. Ich hätte Sie umbringen können.«

Sie lachten beide, während sie erröteten, und ihre Blicke ließen einander nicht los.

»Unser Tee wird kalt«, sagte sie.

»Ich weiß.«

Keiner von beiden rührte sich.

Rory sagte: »Ich hätte nicht so wütend auf Sie sein sollen. Ich glaube nicht, daß das gerechtfertigt war.«

»Auf meine Gefühle kam es ja nicht an. Ich habe mich korrekt verhalten, obwohl mir völlig klar war, daß das eine ziemlich gräßliche Ehe werden würde.«

»Und ... und ist sie das?«

»Mein Gott, Rory, das müssen Sie doch wissen!«

»Sie sollten mir das nicht erzählen«, sagte sie peinlich berührt.

»Wieso denn nicht? Sonst hört mir ja doch niemand zu. Unser Zusammenleben war von Anbeginn zum Scheitern verurteilt, weil ich Eleanor nicht glücklich machen konnte.«

»Haben Sie das versucht?«

»Nein.« Er holte ein flaches goldenes Etui hervor und zündete sich eine seiner türkischen Zigaretten an. »Was hätte das für einen Sinn gehabt? Nur eins würde sie jemals glücklich machen. Sie möchte, daß ich sie liebe ... und ich kann es nicht. Ich will Ihnen etwas sagen, Rory ... ich habe es verdammt satt, mir wie ein Schuft vorzukommen, weil ich nicht auf Kommando lieben kann.« Er beugte sich vor. »Waren Sie je verliebt? Wahnsinnig, verzweifelt, so daß es das einzige auf der Welt war, was zählte?«

»Noch nie.« Rory wurde plötzlich klar, daß sie im tiefsten Innern ihres Herzens unberührt geblieben war. »Einmal glaubte ich das, doch es stimmte nicht. Ich habe gemerkt, daß ich bestens ohne ihn auskommen konnte.«

»Wo ist er denn jetzt?«

»Tot.«

»Das tut mir leid. Wo ist er gefallen?«

»Er war Pazifist. Er ist im Gefängnis gestorben.« Sie lächelte bei der Erinnerung an Tom. »Der hätte Sie vielleicht aufs Korn genommen, mit Ihrem Titel und Ihrem Offizierspatent.«

»Aber Sie haben mich doch wohl nicht aufs Korn genommen, wie?«

»Ach nein ...«

»Nicht einmal dann, wenn ich Ihnen freimütig gestehe, daß ich Ihre Freundin unglücklich mache?«

»Ich glaube nicht, daß Sie so schlimm sind, wie Sie gern glauben machen wollen.«

»Ich kann zu Hause nicht atmen«, sagte er plötzlich. »Deshalb bin ich auch hier. Sie haben recht, es geht mir nicht gut. Doch dieser Hexensabbath im Haus ... das greuliche Baby, dieser ewige Vorwurf in Weibsgestalt.« Seine Augen schwammen plötzlich in Tränen, und er griff nach Rorys Hand auf dem Tisch. »Gott sei Dank, Rory ... Gott sei Dank, daß ich Sie heute gefunden habe. Sie wissen, daß wir uns wiedersehen müssen.«

»Ja«, sagte Rory, »wann?«

Lorenzo wiederzusehen war lebenswichtig wie Atmen oder Trinken. Ihr Dasein vor diesem Nachmittag war eine träge, trübselige, tintenschwarze Angelegenheit gewesen. Jetzt hatte alles Farbe und Sinn. Ohne Angst oder Schuldgefühle stürzte sie sich bereitwillig, begierig in die Katastrophe ihres Lebens.

6

Noch war Zeit umzukehren. Rory hatte tausendmal darüber nachgedacht, und das allein hatte sie auf dieser langen kalten Reise von London nach Norfolk vor der Panik bewahrt. Sie befand sich mittlerweile auf einer Nebenstrecke zwischen Norwich und Cromer, sagte sich immer wieder, sie könne das nicht durchstehen, und war zugleich in fieberhafter Besorgnis, daß sie den Bahnhof verpassen könnte.

Der Zug hielt gerade so lange, um Rory und ihren Seesack auszuspucken, dann kroch er davon und ließ sie allein, gestrandet auf flachen braunen Äckern, die sich unendlich ausdehnten. Die rote Novembersonne war hinter dem Horizont untergetaucht, und der weite Himmel trübte sich im Zwielicht. Das Geräusch des abfahrenden Zuges wurde allmählich von der drückenden Stille der winterlichen Landschaft überlagert.

Das einzige Licht kam von einer schwachen Laterne, die an die Tür der Amtsstube genagelt war. Rory zog den Mantel enger um sich und erschauderte in dem salzig schmeckenden Wind. Gott, dachte sie, ich hätte niemals herkommen dürfen.

Dann sah sie ihn. Er lehnte im Schatten am Zaun – wie der sprichwörtliche hochgewachsene, dunkelhaarige Fremde, der in der Kristallkugel lauert. Sie verspürte eine Mischung aus Angst, Scham und Sehnsucht, hauptsächlich aber eine gräßliche Verlegenheit.

»Lorenzo?«

»Hallo.« Er trat in den Lichtkreis, und sie erkannte, daß er genauso nervös war wie sie; wie nah er wohl daran gewesen sein mochte, es sich noch einmal zu überlegen?

Sie vermieden es, einander zu berühren. Er nahm ihren Seesack und sie folgte ihm zu einem schlammbespritzten Zweisitzer, der in der Gasse vor dem Bahnhof geparkt war. Ehe er ihr helfen konnte, stieg Rory rasch auf der Beifahrerseite ein. Alles war so eigenartig, daß sie sich vorkam wie in einem Traum. Lorenzo war in Zivil und trug ungewohnten Tweed. Als er neben ihr ins Auto stieg, ließ der würzige Moschusgeruch seiner Kleidung ihre überreizten Nerven beben. Sie faltete die behandschuhten Hände im Schoß, so daß er ihr Zittern nicht sehen konnte. Er fuhr mit einer Miene, die gerade noch gnädig zu nennen war. War er froh, daß sie gekommen war, oder verachtete er sie? Und wohin um Himmels willen brachte er sie bloß?

Nach etwa zwanzig Minuten fuhr Lorenzo schwungvoll durch ein schmiedeeisernes Tor, an einem leeren Pförtnerhaus vorbei, dessen Fenster mit Brettern vernagelt waren. Er fuhr langsam eine düstere, ungepflegte Allee hinab, und dann standen sie vor einem langgestreckten wuchtigen Herrenhaus aus dem 18. Jahrhundert. Im letzten Licht erkannte Rory eine graue Stuckfassade und ein Säulenportal, das von den knorrigen, gewundenen Ranken einer uralten Glyzine bedrängt wurde.

Lorenzo stieg aus und griff nach ihrem Seesack.

»Kommen Sie«, sagte er über die Schulter.

Rory gab sich alle Mühe, nicht allzu eingeschüchtert zu erscheinen, und eilte hinter ihm her. Das Haus war, soweit sie sehen konnte, in ordentlichem Zustand, doch hatte man irgendwie den Eindruck, daß schon seit Jahrzehnten keiner mehr darin gelebt hatte. Die unbeleuchteten Fenster hatten etwas Erloschenes, wie die Augen von Wachsfiguren, und die Eingangstür war mehrfach verriegelt.

Sie benutzten den Hintereingang, der in eine gefliese Spülküche und den Dienstbotentrakt führte. Einen Augenblick lang überwältigte sie die abgestandene Trostlosigkeit des leeren Hauses. Doch Lorenzo öffnete wieder eine Tür, und Rory stand blinzelnd im Licht einer sauberen, hellerleuchteten Küche, in deren Kamin ein gewaltiges Feuer sang. An der einen Wand stand ein ramponiertes Sofa mit verblichenen Patchworkdekken. Auf dem Tisch stand eine große Kiste mit Lebensmitteln, und zwei Flaschen Rosé erwärmten sich auf dem Kaminvorleger.

Rory spreizte die Finger in der Hitze des Feuers. Lorenzo schenkte Wein ein, und seine Finger streiften ihre, als er ihr das Glas reichte.

»Ihnen ist kalt.«

Die Geste erwärmte sie mehr als das Feuer. »Wo sind wir denn?« fragte sie. »Sie haben so geheimnisvoll getan. Wem gehört denn dieses Haus?«

»Mir. Ich spreche nicht davon, daß ich es besitze, und ich bin schon seit Jahren nicht mehr hier gewesen. Es gibt im ganzen Haus keinen Dienstboten. Dem Hausbesorger habe ich Urlaub gegeben. Sie haben doch nichts dagegen, allein hierzusein, wie?«

»Ach nein ...«

»Gut. Das war ja schließlich auch der Sinn der Sache, oder?«

Sie senkten den Blick, und es gelang ihnen nicht, die Peinlichkeit der Situation zu überspielen.

»Ich möchte Ihnen etwas zeigen«, sagte Lorenzo auf einmal.

Er nahm ihr das Weinglas ab und griff nach einer Petroleumlampe, die auf dem Tisch stand.

Sie folgte ihm aus der Küche in eine unheimliche Welt der geschlossenen Fensterläden und abgedeckten Möbel, die sich hinter der stoffbespannten Tür auftat. Bilder und Zierat blickten düster auf sie hinab, wenn das Licht auf die verblichenen Wände fiel. Rory keuchte: »O Gott!«, als ihr Blick das drohende Funkeln von Augen und Zähnen einfing.

»Bleiben Sie ganz ruhig«, sagte Lorenzos Stimme trocken. »Er ist ausgestopft.«

Die kühle Luft nahm den Duft von Lavendel und uraltem Kaminrauch an. Sie waren in einem Salon und standen unter einem gewaltigen Kronleuchter, der in Packpapier gewickelt war. Noch mehr Augen schimmerten – gemalte Augen, dunkel und melancholisch blickend.

»Meine Mutter«, sagte er.

Rory hielt den Atem an, weil ihr klar war, daß er ihr etwas ganz und gar Privates zeigte. Sie musterte das Porträt neugierig. Lady Elizabeth Hastings posierte in ihrem weißen Hofdamenkleid, weiße Federn im dunklen Haar. Sie hatte eine auffallende Ähnlichkeit mit Lorenzo.

»Als das gemalt wurde, war sie noch Lady Elizabeth Dalton«, sagte Lorenzo. »Damals wußte sie auch nichts von der Nützlichkeit von Blausäure als Heilmittel gegen die Ehe.«

»Hören Sie auf ... die arme Frau, sie dauert mich. Um das zu tun, was sie getan hat, muß sie ja wirklich ungeheuer unglücklich gewesen sein.«

»Ich hätte gern Gelegenheit gehabt, sie danach zu fragen«, sagte er langsam mit der rostigen, zögernden Stimme, die er für Eingeständnisse reserviert hatte. »Ich hätte immer schon zu gern gewußt, was in jener Nacht in ihrem Kopf vorgegangen ist.«

Rory erschauderte. »Dies war doch nicht das Haus, wo ...«

»Nein, natürlich nicht!« Er schwang die Laterne herum, halb ärgerlich, halb amüsiert. »Meine Güte, Rory, dann hätte ich Sie doch nicht hierhergebracht. So was dürfen Sie mir nun auch wieder nicht zutrauen.«

»Ich weiß nie, was Sie als nächstes tun werden.«

»Und doch haben Sie mir bis jetzt getraut. Ich bin ein hoffnungslos schlechter Gastgeber, wie? Jetzt wollen wir mal etwas essen.«

Die Küche war warm und anheimelnd. Rory atmete ein wenig auf. »Soll ich etwas kochen?«

»Sie müssen aber nicht.«

Sie begann, in der Kiste mit den Lebensmitteln zu wühlen, und fragte sich dabei, wie lange sie dieses marternde Höflichkeitsritual wohl noch durchstehen würden. Bis hierhin hatten sie sich wie zwei Schiffbrüchige auf einer einsamen Insel verhalten, die notgedrungen das Beste aus ihrer Zweisamkeit machten.

»Ich hoffe, Sie haben mich nicht wegen meiner Kochkünste

hierher eingeladen«, sagte sie, »sonst erwartet Sie nämlich eine schreckliche Enttäuschung.«

»Sie wissen doch, weshalb ich Sie hierhergebeten habe. Hatten Sie Mühe, frei zu bekommen?«

Rory war außerstande, sich auf die Etiketts der Konservendosen zu konzentrieren, und griff nach ihrem Weinglas. »Eigentlich nicht. Ich hatte noch Urlaub gut, und ansonsten brauche ich mich niemandem gegenüber zu rechtfertigen.« Es sollte beiläufig klingen. »Und Sie?«

»Ich habe ihr nur gesagt, daß ich zwei Wochen wegfahren würde. Darüber regt sie sich nie auf. Ich glaube, sie wird leichter mit der Kleinen fertig, wenn ich aus dem Weg bin.«

Rory konnte es nicht ertragen, länger über Eleanor und das Kind zu sprechen. Sie war ungeheuer eifersüchtig und hatte zugleich so heftige Schuldgefühle, daß sie fast wütend auf Eleanor war, weil man ihr unrecht tat. »Wie wär's mit Erbsen und Würstchen?«

»Zum Teufel mit Würstchen.«

»Dann Rührei.«

»Rory«, sagte Lorenzo ernst, »hören Sie auf, so wütend zu sein.«

»Bin ich gar nicht. Jedenfalls nicht auf Sie. Auf mich selbst.«

»Bereuen Sie, daß Sie hergekommen sind?«

Er stand ganz nah bei ihr. Sie konnte ihm nicht in die Augen sehen. »Ich mußte kommen. Doch ich wäre froh, wenn wir uns nie begegnet wären. Sie wissen ja, daß es zu nichts anderem führen kann als zu Schwierigkeiten.«

»Denken Sie nicht an die Zukunft. Sie müssen lernen, in der Gegenwart zu leben.« Er warf seine Zigarette ins Feuer und zog ihr Gesicht zu sich heran. »Ich habe Sie nicht ein einziges Mal geküßt ... nicht ein einziges Mal während unserer vielen Begegnungen.«

»Ich dachte, Sie wollten nicht.« Rory hatte Angst, doch zugleich packte sie eine seltsame, köstliche Trägheit.

»Ich wollte wahnsinnig gern. Doch ich hatte Angst, dann noch viel mehr zu wollen. Darum mußte ich auch einen abgeschiedenen Ort für uns finden, wo wir allein sein konnten.«

Rory pochte das Blut in den Ohren. Sie hatte so lange darauf gewartet, daß er sie berühren würde. Tastend fand sein Mund den ihren. Als ihre Lippen miteinander verschmolzen, waren sie wie vom Blitz getroffen – die langen Wochen der Entbehrung hatten ihr Verlangen ins Fieberhafte gesteigert.

Lorenzo riß sie an sich und sie sanken zu Boden. Er war in ihr, noch ehe sie auch nur einen flüchtigen Blick auf seine Erektion hatte werfen können. Mit halbgeschlossenen Augen konzentrierte sie sich auf das animalische Vergnügen, seine Bewegungen in sich zu spüren. Er kam rasch, mit schmerzlichen, wilden Stößen und rief ihren Namen. Dann lagen sie stumm, atemlos, mit pochendem Blut.

Ein glühendes Stück Kohle fiel auf die Fliesen hinter dem Kamingitter. Sie rollten auseinander und starrten einander verwundert an. Sie waren nun ein Fleisch, und die plötzliche Nähe war beängstigend. Rory war sich seiner Muskeln und Nerven bewußt, als wären sie eine Fortsetzung ihrer eigenen. Sie lag auf dem Rücken, die Beine gespreizt, und genoß das warme Glühen in ihrer Vagina.

Ohne den Blick von ihr zu wenden, leerte Lorenzo sein Weinglas und begann, sich auszuziehen. Seine Brust war von einem Netz verblassender Narben durchzogen, wo man ihn aufgeschnitten hatte, um Bleistücke herauszuholen.

Dann kniete er sich über sie und legte den Finger leicht an ihre nasse Klitoris. Er beobachtete sie mit einer Art nachdenklichen Neugier und begann, die zarte Haut zu massieren, bis sie sich in lustvollem Schmerz verhärtete. Rory hatte keine Ahnung, was er da mit ihr machte. Es fühlte sich gefährlich, aber unwiderstehlich an. Seine streichelnden Bewegungen wurden fester und gröber, und sie rieb sich gegen seine Hand und drückte verzweifelt den Rücken durch. Als sie zum erstenmal im Leben zum Höhepunkt kam, war es wie eine Explosion.

Er war wieder steif. Seufzend vor Wollust drang er erneut in sie ein. Diesmal liebten sie einander langsam und träumerisch und genossen jede einzelne Empfindung, bis beide befriedigt und erschöpft waren.

»Ich liebe dich«, sagte Lorenzo.

»Und ich liebe dich.«

»Jetzt habe ich es wieder getan.« Er stützte sich auf die Ellbogen.

»Was?«

»Kein Gummi ... Lach nicht. Was ist daran denn so verdammt komisch?«

»Geschieht mir ganz recht, weil ich dir Vorträge darüber gehalten habe.«

»Um Gottes willen, was ist denn nun, wenn ...?«

»Macht nichts«, unterbrach Rory. »Ich habe keine Angst, egal, was passiert.«

Für Rory waren die nächsten zwei Wochen die glücklichsten ihres ganzen Lebens. Doch schon damals wußte sie, daß das nicht ganz stimmte. Sie lebte auf dem Gipfel ihrer Gefühle und flog höher und höher hinaus, aber es würde nichts geben, was sie auffinge, wenn sie abstürzte.

Sie liebten einander zu allen Tages- und Nachtzeiten, auf den Feldern draußen befriedigten sie ihren nie nachlassenden Hunger an Böschungen und Hecken. Er drängte sie an einen Baumstamm und nahm sie mit raschen, selbstsüchtigen Stößen, dann kniete er nieder, um sein eigenes Sperma zu kosten. Sie entdeckte die Wonne, seinen Penis in den Mund zu nehmen und seine empfindlichsten Stellen mit der Zunge zu erkunden. Diese aufeinanderfolgenden Liebesakte waren jedoch lediglich die körperliche Manifestation einer Liebe, die mit jedem Tage tiefer und tiefer wurde. Sie lebten in einem Traum und schliefen kaum, weil sie einander so viel zu sagen hatten.

Eines Tages zog Lorenzo seine Uniform an, und sie fuhren nach Swaffham, angeblich, um in den Läden ihre Bestellungen aufzugeben, doch in Wirklichkeit, um die Freude ihrer Isolation unter anderen Menschen zu genießen.

Sie lachten, sie stritten, sie gingen spazieren oder saßen einfach beieinander und lasen, in geselligem Schweigen, während die kahlen Zweige gegen die Fenster klopften und die Asche sacht durch den Rost fiel.

An Rorys letztem Tag gingen sie auf die Jagd und schossen eine ansehnliche Zahl von Waldtauben. Rory rupfte die Vögel und nahm sie aus, dann briet sie sie, während Lorenzo im Keller nach den ältesten, erlesensten Weinen suchte. Beide hatten das Gefühl, daß dies eine festliche Gelegenheit sein mußte. Rory warf sich geradezu in die zusätzliche Arbeit, froh, etwas zu tun zu haben, was sie vom kommenden Tag ablenkte. Die Trennung stand am Ende dieses Abends wie eine graue Wand. Sie mochte nicht daran denken, was dahinter lag.

Sie saßen auf Kissen auf dem Boden des kahlen Eßzimmers. Ein Holzfeuer toste im Kamin. Kerzen flackerten auf leeren Weinflaschen, und Mondschein strömte durch die hohen, vorhanglosen Fenster herein.

»Wir hätten mehr Kerzen nehmen sollen«, sagte Rory. »Ich sehe nicht genug, um die Schrotkörner aus den Tieren herauszukriegen.«

»Verflucht ... das erinnert mich ..., fast hätte ich es vergessen.« Lorenzo schob seinen Teller weg und fuhr mit der Hand in die Tasche. »Es ist ein Geschenk für dich. Es ist heute morgen gekommen.«

Rory hatte keinen Hunger mehr. Sie hatte einen Stein in der Kehle. »Das war eine unserer Spielregeln. Keine Blumen oder Geschenke.«

»Ich weiß, doch dies ist etwas anderes, ich schwöre es dir.« Er war todernst, und seine Augen hatten im flackernden Licht einen gebieterischen Glanz. »Bitte, Rory.«

Zögernd nahm sie die kleine samtbezogene Schachtel aus seiner Hand. Auf dem Deckel erkannte sie den vergoldeten Namen eines Bond-Street-Juweliers. Drinnen lag, in einem Bett aus weißer Seide, eine große Goldbrosche, in die Saphire und Diamanten eingelegt waren – Vergißmeinnichtsaphire mit Diamantherzen. Rory starrte sie an und wußte nicht, was sie sagen sollte. Jede Frau, der an solchen Dingen lag, wäre entzückt gewesen, doch Lorenzo hätte wissen sollen, daß sie nicht zu ihnen gehörte. Dies war nicht das Zeichen eines Liebenden, sondern ein vorzeigbares Besitzstück, mit dem sich keinerlei Empfindungen verbanden.

»Drück auf den Knopf an der Seite«, sagte Lorenzo.

Sie neigte die Brosche zur Kerze und fand den Knopf. Der juwelenbesetzte Deckel sprang auf und enthüllte ein schweres graues Metallklümpchen und eine Inschrift: ›A. C. von L. H. Nov. 1916. Omnia vincit amor: et nos cedamus amori.‹

»Vergil«, sagte Rory mit bebender Stimme. »Die Liebe erobert alles, so wollen auch wir uns der Liebe ergeben.«

»Der Metallklumpen ist eine der Kugeln, die sie im Feldlazarett aus mir herausgeholt haben.« Er lächelte. »Diejenige, die meinem Herzen am nächsten gekommen ist.«

Sie schloß die Hand um das Geschenk und begann zu weinen.

»Rory ...« Er hatte sie noch nie in Tränen gesehen. »Ach, mein Liebling ...«

»Entschuldige. Doch ich kann den Gedanken nicht ertragen, daß es vorbei ist.«

Lorenzo kroch neben sie, ohne auf die Reste des Abendessens zu achten. »Es ist doch nicht vorbei!« Er hob ihr Kinn, so daß sie gezwungen war, ihn anzusehen. »Das wird es niemals sein, solange ich noch einen Tropfen Blut in den Adern habe! Mein Krankenurlaub ist noch nicht zu Ende, und wir werden einander sehen, wenn du wieder in der Stadt bist.«

»Was ist mit Eleanor?«

»Ich habe es dir doch schon hundertmal gesagt: Ich habe sie nie geliebt.«

»Ach Gott, wenn ich das doch glauben könnte!« Rory wischte sich das Gesicht mit dem Ärmel ihres Pullovers ab. »*Du* liebst sie nicht ... aber *ich*. Und ich hasse mich dafür, daß ich ihr das einzige wegnehme, was ihr etwas bedeutet.« Sie konnte vor Schluchzen nicht weitersprechen. Lorenzo umarmte sie, und sie klammerten sich heftig aneinander, als könnten sie ihre beiden Körper zu einem zusammenpressen.

»Ich lasse nicht zu, daß du dir deshalb Vorwürfe machst«, sagte er. »Ich wollte, daß es passiert, weil ich mich in dich verliebt habe. Weißt du denn nicht, was du für mich getan hast? In diesen zwei Wochen habe ich zum erstenmal Glück erlebt. Die Welt hat jetzt einen Sinn für mich und Hoffnung für die Zukunft, dank dir!«

»Hilf mir, Lorenzo!« schluchzte Rory. »Ich bin zu egoistisch, um dich aufzugeben! Ich glaube, ohne dich kann ich nicht mehr leben!«

Im nüchternen Licht des nächsten Morgens fuhr Lorenzo Rory zum Bahnhof. Sie hatten seit dem Aufwachen kaum ein Wort gewechselt und warteten in verbissenem Schweigen auf den Zug nach Norwich. Als er einfuhr, küßte Lorenzo sie flüchtig und flüsterte: »Ich liebe dich.«

Das Abteil war leer, und sie weinte. Ihre Periode hatte begonnen, und in den ziehenden Schmerz mischte sich das Gefühl der Erleichterung. Sie hatte das Schicksal herausgefordert und war noch einmal davongekommen, argwöhnte jedoch, daß es eine andere Strafe für sie bereithielt. Die Liebe, die zum Mittelpunkt ihres Lebens geworden war, ließ sich nur in einer Atmosphäre der Heimlichtuerei und der Lügen aufrechterhalten.

7

»Liebende sollten im Winter aussetzen dürfen.« Jamie versuchte, den Wind zu übertönen, und hielt fröstelnd den Kragen seines Armeemantels zusammen. »Hier bin ich nun und möchte neben dir sitzen und dir neckischen Unsinn ins Ohr flüstern, und nun diese Kälte!«

Jenny ging ihm voran, die Wangen rosig von der schneidenden Salzbrise, und drückte ihren Hut nieder. »Ist es nicht herrlich?« rief sie über die Schulter, »so frisch und rein.«

Er lachte. »Du Sturmschwalbe, du liebst das schlechte Wetter. Während ich mir einfach nur wünsche, daß die Sanitätsbehörde ein Einsehen hätte, die amourösen Verbindungen im Personal des Lazaretts zuließe und uns für die freien Tage gesonderte Hütten mit Ofen und Bett zur Verfügung stellte!«

»Jamie!«

»Also, ich bin es leid, wer weiß welche Ränke zu schmieden, nur um fünf Minuten mit dir allein sein zu können. Das macht mich ganz schön rasend, wo ich dich doch ein dutzendmal am Tag sehe und ständig die Tatsache verbergen muß, daß ich vor Sehnsucht kaum das Skalpell halten kann.«

Durch enorme diplomatische Bemühungen hatten sie es erreicht, am selben Tag frei zu haben. Jamie hatte sich von einem seiner Kollegen ein Auto geliehen, und sie waren nach Le Touquet gefahren – nicht weil das Ende Januar besonders attraktiv gewesen wäre, sondern weil es unwahrscheinlich war, daß sie dort jemandem begegnen würden, den sie kannten.

Der Ort schien vergessen zu haben, daß er einst eines der belebtesten Ferienziele Europas gewesen war. Nach mehr als drei Kriegsjahren führten die Hotels und Casinos nur noch ein geisterhaftes Dasein. Alle Fensterläden waren geschlossen. Der einzige Schutz am menschenleeren Strand war eine schmiedeeiserne Laube, die an drei Seiten offen war. Sie suchten dankbar darin Zuflucht.

Silbergrauer Sand war über den Holzboden geweht. Die Laube roch nach feuchtem Tang und modrigem Holz, und die Stimmen des Windes und der See röhrten um das leichtgebaute Dach. Jenny öffnete den Lederbeutel, den sie über die Schulter geschlungen hatte. »Ich habe eine Thermosflasche Tee mitgebracht, und Polly hat mir von ihrem unerschöpflichen Keksvorrat abgegeben, den sie von zu Hause bekommt.«

»Meine goldige Jeanie, das ist ja prächtig.« Er zog eine Taschenflasche heraus. »Fehlt nur noch ein Tropfen Whisky, damit es einfach vollkommen ist ... Highland Malt, so alt wie Methusalem. Hat meine Mutter mir zu Hogmanay geschickt.«

»Besser nicht. Ich habe um sieben Dienst.«

»Ärztliche Anordnung.«

Jenny lachte und reichte ihm ihre Teetasse. »Warum muß ich bloß immer machen, was du sagst? Was bringt mich nur dazu, meine geheiligten Grundsätze ohne ein Murmeln des Protests aufzugeben?«

Sein Gesicht, dicht bei ihrem, war auf einmal ernst. »Wenn du es nur tätest.«

»Ach Liebling, verdirb uns nicht den Tag.«

»Schon gut, schon gut. Erzähl mir von deinem Urlaub.«

»Ich habe ein bißchen eingekauft. Ich habe meine Freundinnen wiedergesehen.« Sie wich seinem Blick aus. »Es war ... nett.«

»Nett?«

»Ach, Jamie ... es war schrecklich.«

»Du hast ihn gesehen.«

»Ja, ich konnte ihm ja schlecht aus dem Weg gehen. Wir ... er ist mit mir Silvester auf einem Ball gewesen, bei den Fenboroughs. Und wir sind ins Theater gegangen. Er wollte mich in ›The Bing Boys‹ führen, und es war ungeheuer schwierig, ihn zu überreden, statt dessen in ›Tonight's the Night‹ zu gehen.«

»Und?«

Jenny riskierte einen Blick auf Jamies gesenkte Lider, und sie erkannte, wie schwer es ihm fiel, das Zittern seiner Lippen zu unterdrücken. Sie liebte ihn so sehr, daß sich ihr die Kehle zuschnürte. Es hatte keinen Sinn, ihm ihre wahren Empfindungen zu verhehlen. »Er wollte mich furchtbar gern küssen.« Sie vermied es stets, Alistair beim Namen zu nennen. »Und er hielt mich für sehr züchtig, als ich abwehrte. Ich habe mich dafür verachtet, daß ich ihn hintergangen habe.«

Jamie nahm ihr die Tasse ab und schloß sie mit einem Stöhnen der Entbehrung in die Arme. »Ich bin wahnsinnig geworden, als du weg warst. Ich bin vor Eifersucht fast gestorben.«

»Das darfst du nicht. Du weißt doch, wie sehr ich dich liebe ...«

»Ich kann nicht schlafen, weil ich mich so nach dir sehne. Ich ertrage den Gedanken nicht, daß ein anderer Mann auch nur deine Hand halten darf.«

Jenny holte tief Luft und sagte: »Ich weiß, was ich ihm Schreckliches angetan habe, indem ich mich in dich verliebt habe. Doch diese Begegnung von Angesicht zu Angesicht hat mir die Augen darüber geöffnet, was für ein Fehler es wäre, so weiterzumachen wie bisher.«

Jamie stürzte sich begierig auf ihre Worte. »Denk nicht an ihn. Denk an uns, oder wir werden beide keinen glücklichen Augenblick im Leben mehr haben.« Er packte ihre Schultern, und sein flehendes Gesicht war nur eine Handbreit von ihrem entfernt. »Dies ist keine abstrakte Frage der Moral. Ich spreche von unserer Zukunft. Ich will daraus keinen glühenden Heiratsantrag machen, weil ich dein Ehrgefühl kenne. Du willst mich doch heiraten, hm?«

»Mehr als irgend etwas sonst!«

»Du willst an meiner Seite arbeiten ... das anwenden, was du in diesem Schlachthaus gelernt hast, um zum Aufbau einer besseren Welt nach dem Krieg beizutragen.«

»Ja; doch wie kann ich in Frieden mit mehr selbst leben, wenn ich ihn verletze?«

»Wie kannst du in Frieden mit dir selbst leben, wenn du mir das Herz brichst?«

Sie küßten einander in der Kälte und spürten die Wärme ihrer Zungen. Das Elend und die Qualen des Lazaretts, der endlose Krieg, das Problem mit Alistair ... das alles verflüchtigte sich angesichts der himmlischen Wirklichkeit ihrer Liebe.

»Nur die Aussicht auf ein Leben mit dir hält mich bei Verstand«, murmelte er in ihr Haar. »Wenn ich dich verliere, verliere ich alles.«

»Gib mir ein wenig von deinem Mut ab«, sagte sie und rieb ihr Gesicht an seiner Schulter. »Ich werde ihm die Wahrheit sagen und ihn bitten, mich freizugeben. Ich werde den Brief noch heute abend schreiben.«

Alistair hatte gerade noch Zeit, um einen Blick auf den Umschlag zu werfen, und er erkannte Jennys Handschrift, als er den Brief in seine Innentasche steckte. Für einen Augenblick schwand seine Besorgnis – er brauchte bloß an sie zu denken, um sich gestärkt zu fühlen. Was für ein Glück, dachte er, den hätte ich erst Tage später bekommen, wenn Niven nicht zum Hauptquartier gefahren wäre.

Niven war Alistairs Offizierskamerad, ein Junge von zwanzig, der leicht sein Sohn hätte sein können. Alistair hatte sich längst damit abgefunden, daß er neben Knaben mit rosigen Wangen kämpfte, die so aussahen, als trügen sie noch die Steinschleuder in der Hosentasche.

»Irgendwelche Probleme?«

»Kann man wohl sagen ... dicke Brocken, Ratsch-Bumm-Geschosse, die reinsten Knallfrösche überall. Außerdem war es gemein kalt.«

»Übel.« Alistair wandte seine Aufmerksamkeit wieder der Landkarte zu, die er auf dem Tisch ausgebreitet hatte. »Sehen Sie mal her, ist dieses Ding auf dem neusten Stand? Ich kann die Nachschubdepots nirgendwo finden.«

Niven blickte ihm über die Schulter und wies auf eine Reihe roter Dreiecke. »Sie brauchen eine Brille, alter Herr.«

»Werden Sie nicht frech.«

»Ich finde es grausam, daß man noch Kerle in Ihrem Alter

rausschickt. Die sollten Leute wie Sie bei ihren Pantoffeln und ihrer Pfeife hocken lassen.«

»Halten Sie die Klappe, Niven, seien Sie ein braver Junge. Ich bin noch nicht reif fürs Abwracken.« Alistair lachte plötzlich. »Wenn ich mich wahrscheinlich auch nie an das eigenartige Gefühl gewöhnen werde, daß ich Befehle von einem Hauptmann entgegennehmen muß, der jünger als mein ältester Neffe ist. Und neulich habe ich einen Major gesehen, der sich fast noch nicht rasieren mußte ... kichern Sie etwa über mich, Sie grünes kleines Miststück?«

»Aber nicht doch, MacNeil, wie käme ich denn dazu. Na so was, Inkerman kratzt an der Tür. Soll ich ihn reinlassen?«

»Müssen Sie wohl. Der muß dem Putzer entwischt sein. Das Vieh ist der reinste Houdini.«

Inkerman kam fröhlich ins Zimmer gesprungen. Sein borstiges Fell war voller Schlamm, und ein Rattenschwanz hing ihm aus dem Maul; was ihn betraf, war es ein herrlicher Krieg. Niven warf ihm ein Stück Schokolade zu.

»Ganz schön verwöhnt«, sagte Alistair zu dem Hund und klopfte ihm liebevoll die Flanke. »Trotzdem, wenn die Royal Welch's ihre Regimentsziege haben können, warum sollten die Borderer nicht dich haben?«

»Der wird vielleicht einen Zirkus machen, wenn wir zur Front raufgehen«, prophezeite Niven. »Was wollen Sie denn dann mit ihm machen?«

»Der arme Kerl ... ich werde ihn anketten müssen. Letztesmal hat er glatt den Strick durchgebissen. Ich kann ihm nicht begreiflich machen, daß er nicht mitdarf.« Wie gewöhnlich spielte Alistair im Hinterkopf mit der Möglichkeit, daß er nicht zurückkehren könnte. Ich muß Vorkehrungen treffen, daß sich jemand um ihn kümmert, sagte er sich – eine schreckliche Vorstellung, wie Inkerman angekettet auf einen Herrn wartete, der niemals wiederkommen würde.

Als es dann losging, spürte er, wie sich ihm die Kehle zuschnürte, als er den Hund verließ, obwohl er sich alle Mühe gab, im Hinblick auf das Tier nicht allzu sentimental zu erscheinen. Inkerman schien der Inbegriff der herzzerreißenden Verletzlichkeit aller Geschöpfe, die im Fahrwasser der Armee zurückblieben. Für sie alle war kein Platz beim Angriff auf den Sailly-Saillisel-Sattel, der auf seiner Karte als Hügel 153 verzeichnet war.

Die rauhen Februarwinde fuhren ihm geradewegs in die Glieder, und das schmerzhafte Ziehen in seinem Kreuz verlängerte die Reihe der Widrigkeiten, während sie an die Front marschierten. Niven hat recht, dachte er, ich sollte an einem Feuer vor mich hin dösen. Oder in irgendeinem gemütlichen Büro sitzen. Ich bin verdammt noch mal zu alt für so was, und kein Mensch hätte mich gezwungen, mich zu melden. Was um Himmels willen habe ich hier bloß zu suchen?

Er rief sich das Bild vor Augen, das er in dem geheiligten getrennten Abteil seines Hirns aufbewahrte, damit es ihm bei Gelegenheiten wie dieser Trost spenden konnte – Jenny, in einem weißen Kleid, wie sie ›Auld Robin Gray‹ sang. Die Braut seiner Träume, die ihren Verlobungsring nun schon dreieinhalb Jahre mit sich herumtrug. Ach, Jenny, Jenny – die Welt ist seitdem alt und häßlich geworden, du aber nicht.

Beim nächsten Urlaub, schwor er bei sämtlichen Göttern, würde er ein Machtwort sprechen und auf ihrer Heirat bestehen. Seine Mutter hatte weiß Gott ihr Teil gehabt, und seine Schwestern lagen ihm schon ewig in den Ohren. Jenny konnte mit der Verwundetenpflege aufhören – und dann, welches Glück. Sein weißgewandeter Engel hatte sich ihm auf alle Zeiten versprochen, und mochte Alistair auch alt und müde und ischiasgeplagt sein, er betrachtete sich als glücklichen Mann.

In dem Stück, das sie während seines letzten Urlaubs gesehen hatten, gab es ein Lied – »Und als ich ihnen gesagt hab’, wie schön du bist«, sang er leise vor sich hin, »da haben sie mir nicht geglaubt ...« Inmitten seines ganzen Unbehagens und seiner Besorgnis lächelte er, denn er glaubte es ja selbst kaum. Jenny war die letzte Gestalt, die ihm am kalten Hang von Hügel 153 vor Augen trat.

»Ich weiß keine Einzelheiten, Schwester. Der, der am Telefon war, schien der Meinung, daß es ernst sei. Als Schwester werden Sie wissen, was das bedeuten kann.« Ihr brüsker Ton wurde plötzlich sanft. »Wir können ohne Sie auskommen, Kind, wenn

Sie gern zu ihm möchten. Er liegt in einem Lazarett in Boulogne.«

»Danke, Schwester.«

Jenny ging in einer Trance der Unwirklichkeit zu ihrem Zelt, um ihre Schürze abzulegen und sich Mantel und Hut zu holen.

Polly schlüpfte herein, gerade lange genug, um sie zu umarmen und atemlos zu sagen: »Ich wünsch dir viel Glück, Alte. In meiner Büchse ist ein ziemlich frischer Rosinenkuchen, für den Fall, daß er Lust hat zu essen.«

Die Nettigkeit und Absurdität dieser Geste ließ Jenny beinahe in Tränen ausbrechen. Falls Alistair ihren Brief erhalten hatte, würde ihm der Sinn nicht nach Essen stehen. Wo Jamie bloß war, jetzt, wo sie ihn so verzweifelt brauchte? Ein liebevolles Wort von ihm hätte ihr den Mut verliehen, den sie brauchte. Doch er war im Operationssaal, und es gab keine Möglichkeit, ihm eine Nachricht zukommen zu lassen.

Bis sie das gut ausgestattete Lazarett in Boulogne erreicht hatte, war Jenny schwindlig vor Besorgnis. Die fröhliche Schwester jedoch, die ihr entgegenkam, nahm nur ihre Schwesterntracht wahr.

»Sie werden uns hier ganz schön langweilig finden, nach Etaples. Ich habe dort sechs Monate gearbeitet, wissen Sie, als das Camp erst eingerichtet wurde. Ich bin gegangen, als meine Hand sich entzündet hatte ... und ich war froh! Dies hier ist ein umgewandeltes Hotel, und ich kann mein Glück immer noch nicht fassen, daß es hier wirklich heißes Wasser gibt. Hat man Ihnen über Ihren Verlobten schon irgend etwas gesagt?«

»Nein.«

»Na ja, die Hauptsache ist, sagen wir immer, daß sie gute Laune haben. Er war erst ein bißchen niedergeschlagen, doch jetzt macht er sich ganz prächtig. Und der Hund ist einfach ein Schatz ... läßt seinen Herrn keine Sekunde allein, und wir mißachten sämtliche Vorschriften, damit sie zusammenbleiben können.«

In ihrer Angst hatte Jenny Mühe, die wichtigsten Informationen herauszuhören. »Entschuldigen Sie, Schwester, sagten Sie: gute Laune?«

Die Schwester blieb vor der Stationstür stehen. »Genau. Er sorgt dafür, daß wir was zu lachen haben.«

»Weiß er Bescheid? Ich meine, erwartet er mich?«

»Aber ja. Er hat uns, sobald er überhaupt wieder sprechen konnte, angefleht, Sie herzuholen. Er sagt, er müsse Ihnen etwas Wichtiges mitteilen, was ihm auf der Seele liegt. Es ist vielleicht kein schlechter Gedanke, ihm seinen Willen zu lassen.«

»Ja, Schwester.«

Zum erstenmal sah die Schwester sie richtig an. »Meine Güte, Schwester, Sie sind ja weiß wie die Wand. Es ist wohl doch etwas anderes, wenn es jemandem passiert, den man kennt. Ich lasse Ihnen eine Tasse Tee bringen.«

»Ach nein, wirklich, ich . . .«

Die Schwester öffnete die Tür. »Hinein mit Ihnen.«

Während der ersten Augenblicke hatte Jenny das Gefühl, gleich ohnmächtig zu werden. Ich bin eine Mörderin, dachte sie, er hat meinen Brief gelesen, und ich werde gleich vor Scham sterben.

Das Zimmer war groß und warm und hatte die lebhaft gemusterte Tapete eines Hotels. Jenny sah drei Betten. Das eine war leer, das andere von einer reglosen Gestalt besetzt, deren Glieder offenbar alle geschient waren. Eine Schwester saß daneben und las in einer Illustrierten. Es war nicht Alistair.

Da sie sich für etwas Grauenhaftes gewappnet hatte, war Jenny nahezu wütend, als sie ihn erblickte. Er saß aufrecht im Bett, völlig unversehrt und rosig. Abgesehen von einem Gazeviereck, das über seine rechte Schläfe geklebt war, ließ nichts darauf schließen, daß mit ihm irgend etwas nicht in Ordnung sein könnte. Sie stand mitten im Zimmer und wartete darauf, daß er sie erkannte. Er starrte jedoch weiter unbestimmt auf seine Hände.

Er erträgt meinen Anblick nicht, dachte sie.

Dann kam Inkerman unter dem Bett hervorgeschossen und begann, ihr zur Begrüßung die Hände zu lecken. Das Geräusch bewirkte, daß Alistair den Kopf zur Tür wandte. Sein Blick glitt jedoch an ihr vorbei.

»Alistair . . .«

»Jenny!« Sein ausdrucksloses Gesicht belebte sich freudig, und sein Blick wanderte unsicher in die Richtung, aus der ihre Stimme kam. Er streckte die Arme ins Leere.

Das Zimmer war auf einmal sehr kalt, und ihre Kopfhaut prickelte. »Ja.« Ihre Stimme kam von weit her. »Ich bin hier, Schatz.« Sie schaffte es, sich neben sein Bett auf den Stuhl zu setzen und ihre eiskalten, zitternden Hände in seine zu legen.

»Mein Liebes«, sagte er sanft. »Haben sie dir denn nicht gesagt, daß ich blind bin?«

»Nein ...«

»Schwachköpfe. Ich hatte diese hirnrissige Schwester ausdrücklich gebeten, dich vorzuwarnen ... Liebling, du hast ja eiskalte Hände.«

»Was ist denn passiert?«

Alistair kicherte. »Frag Inky. Wenn er sich nicht irgendwie losgerissen hätte und mir gefolgt wäre, wär ich hinüber gewesen.«

»Und wirst du ... was sagen denn die Ärzte?«

Er streichelte zärtlich ihre Finger, als wäre sie diejenige, die es am schlimmsten traf. »Keine Chance, fürchte ich. Der Sehnerv ist zerstört, und ich werde bis zum Jüngsten Gericht nichts mehr sehen. Wir werden das Beste draus machen müssen. Ich weiß, das ist ein Schock für dich, Jenny, doch wir müssen über die Zukunft reden ... und, na ja, was sich dadurch alles ändert.«

»Ja.« Obwohl er sie nicht sehen konnte, brachte Jenny es nicht fertig, ihn anzuschauen.

»Liebling, es gibt keinen Grund, noch länger zu warten. Wann kannst du dein Lazarett verlassen?«

Auf dem Tisch neben ihm, oben auf dem Häufchen seiner Habseligkeiten, lag der Brief, den sie ihm wegen Jamie geschrieben hatte. Er war ungeöffnet. Er hatte ihn nicht gelesen – und würde ihn selbstverständlich nie lesen können. Ein gräßliches, lähmendes Gefühl der Hilflosigkeit und des Grauens beschlich sie. Sie konnte es ihm nie und nimmer mehr sagen. Sie nahm den Brief und steckte ihn in ihre Handtasche.

»Wenn ich dich doch sehen könnte«, sagte er. »Was hast du denn an?«

»Meine Schwesterntracht.«

»Ach ja.« Seine Finger wanderten unbeholfen an ihren gestärkten Manschetten entlang. »Komisch, ich kann mir dich nur in dem weißen Kleid vorstellen, das du getragen hast, als wir uns kennengelernt haben.«

Eine Träne tropfte auf seinen Handrücken, ehe sie sie wegwischen konnte.

Alistairs Stimme wurde unerträglich zärtlich. »Liebling, du darfst nicht weinen.«

»Entschuldige. Es ist wirklich egoistisch, wo du so viel durchmachen mußt.«

»Aber du brauchst dir um mich keine Sorgen zu machen. Du wirst mir eben ab jetzt die Augen ersetzen.«

Jennys Kopf sank auf das Bett, und sie erstickte fast an den bittersten Schluchzern ihres Lebens.

Er liebkoste ihre Schultern. »Ich bin doch eigentlich ein glücklicher Mann. Das einzige, was ich wirklich nicht ertragen könnte, wäre, dich zu verlieren. Du bist mir teurer als Sehen oder Hören, und solange ich dich habe, habe ich einen besseren Grund zu leben als die meisten anderen. Ach, Jenny, nun wein doch nicht so schrecklich ... Also, wenn das nicht seltsam ist!« Er lachte. »Du hast damals Inkys Leben gerettet, und meines gleich mit.«

Sie erinnerte sich genau, wie die Hand der Zukunft sie an jenem Nachmittag gepackt hatte. Jetzt wünschte sie fast, sie hätte den Hund sterben lassen. Und selbst wenn sie sich in die Schlucht gestürzt und sich das Genick gebrochen hätte, schlimmer als das jetzt wäre es auch nicht gewesen.

»Du meinst, du hast es ihm nicht gesagt!«

»Ach Jamie, wie konnte ich denn? Kannst du dir vorstellen, daß ich das tue, wo er mir gerade sagt, daß ich ihn am Leben halte? Das wäre doch schlimmer gewesen, als wenn ich ein Messer herausgeholt und ihn erstochen hätte.«

»Und was soll mich am Leben halten? Hast du während jener Rührszene auch nur ein einziges Mal an mich gedacht?«

Jamie machte sich nicht die Mühe, leise zu sprechen, obwohl sie noch in Hörweite des Camps waren. Sie hatte es irgendwie geschafft, ihn im Schutz einer Pappelreihe gleich hinter dem Stacheldrahtzaun zu treffen. Es war ein unerhörter Verstoß gegen die Vorschriften, und keiner von beiden kümmerte sich darum.

Jenny weinte so bitterlich, daß sie kaum ein Wort herausbekam. »Er ... er hat gesagt, ich würde ihm jetzt die Augen ersetzen ...«

»Jenny, hör doch, hör doch mal.« Er packte sie bei den Armen. »Du bist mehr für mich als das ... du bist mein Herz und meine Seele und ...«

»Hör auf!«

»Du kannst nicht dein Leben opfern, um für einen blinden Mann hin und her zu rennen!«

»Er ist auf mich angewiesen.«

Sein Griff wurde so fest, daß er ihr weh tat. »Du hast aber vor, es ihm irgendwann zu sagen?«

»Bitte, versetz dich doch mal in meine Lage. Ich mußte auf seine Gefühle Rücksicht nehmen ...«

Jamie stieß sie roh von sich. Sein Gesicht war hart und zornig, aber seine nassen Augen und Wimpern verrieten ihn. »Du hast es nicht gewagt, weiter nichts. Du hast nicht eine Sekunde an mich gedacht. Einen schönen Hanswurst habe ich aus mir gemacht, als ich Zukunftspläne für uns beide schmiedete.«

»Liebster, du hast jedes Recht, wütend zu sein«, sagte Jenny. »Ich liebe dich mehr als alles auf der Welt, doch ich kann Alistair nicht im Stich lassen. Ich habe ihm, lange ehe ich dich kennenlernte, ein Versprechen gegeben, und ich muß mich daran halten.« Sie trocknete sich mit dem Taschentuch die geschwollenen Augen, und ihre Stimme wurde ein wenig fester. »Es gibt keinen anderen Weg. Glaub bloß nicht, daß ich nicht danach gesucht hätte.«

»Du hast dich also entschieden!« schrie Jamie. Er hämmerte mit den Fäusten gegen einen Baumstamm. »Und ich zähle nicht, weil du nichts als ein Edinburgher Snob aus verarmtem Adel bist, der um seine Kastenzugehörigkeit bangt! Du hast nie an meiner Seite in einer Slumklinik arbeiten wollen.«

»Das stimmt nicht ...«

»War es sein Geld, das am Ende den Ausschlag gegeben hat? Hättest du ihm den Laufpaß gegeben, wenn ich derjenige mit dem Schloß gewesen wäre? Wenn du von Anfang an aufrichtig gewesen wärst, dann hättest du deine Seele nicht für ein paar

Silberlinge verkauft, dann müßtest du jetzt nicht unser beider Leben zerstören!«

»Du hast recht, es ist meine Schuld, ich habe es verdient«, sagte Jenny. »Doch Jamie ... glaub mir ..., ich liebe dich so schrecklich, daß ich das Gefühl habe, verbluten zu müssen, wenn man dich mir wegnimmt.«

»Mein Gott ...« Er riß sie plötzlich in seine Arme und brach in Tränen aus. Jenny streichelte seinen Kopf, entsetzt über seine furchtbaren Schluchzer. Zum erstenmal sah sie in aller Klarheit, was sie ihm angetan hatte – der Unschuldige mußte für die Schuldige büßen.

»Ich muß tun, was richtig ist«, sagte sie traurig. »Das wirst du am Ende auch einsehen.«

»Gewiß«, murmelte er an ihrem Hals. »Und entschuldige bitte. Ich habe nichts von dem gemeint, was ich gesagt habe. Du mußt Wort halten, und wir müssen es beide ertragen. Doch, mein Gott, was hatte ich für Hoffnungen für uns beide!«

»Ich auch.«

»Gott segne dich, Jenny ... sei so glücklich, wie du irgend kannst. Es wird kein Tag vergehen, an dem ich nicht an dich denke.«

»Ich liebe dich ... ich liebe dich.«

»Ich liebe dich, Jenny. Ich werde dich ewig lieben.«

»Jamie ...«

Er war weg, und sie blieb allein zurück, und alles in ihr schrie nach ihm. Während sich die Sekunden zu Minuten dehnten, wurde der Schmerz immer bitterer. Dahin hatte ihre Gescheitheit sie also gebracht. Wie gründlich hatte sie ihr eigenes Schicksal besiegelt.

Drei Tage später fragte Jamie mitten in einer Operation die Schwester, wie spät es sei.

»Halb drei«, antwortete sie ein wenig überrascht, und sie sah, wie ein Schatten über sein Gesicht fiel.

In diesem Augenblick legte der Lazarettkaplan in Boulogne die Hände von Jenny und Alistair ineinander und erklärte sie zu Mann und Frau.

8

Zu Tausenden starben die Männer um irgendwelche Zipfel ruinierten Bodens willen, der sich in nichts von dem ruinierten Boden unterschied, der sie umgab. Seit fast einem Jahr hatte Tertius jeden freien Augenblick damit verbracht, diese Schlammlandschaften und ihre ausgemergelten Bewohner zu malen wie ein Besessener. Er schuf schwarze Meere, aus denen verkohlte Baumstümpfe und Überreste von Gebäuden wie Dinosaurierknochen emporragten. Wie er es sah, war dies eine Welt, die durch die Einwirkung der Minen im wörtlichen Sinne von innen nach außen gestülpt worden war.

Angeblich hatte man die Explosion der neunzehn unterirdischen Minen während der Eroberung des Messines-Wystchaete-Gebirgskamms noch an der Südküste Englands gehört, und die Erschütterung war noch in der Downing Street Nr. 10 zu spüren gewesen. Als sei, so hatte Tertius gedacht, die Erdkruste genügend weit aufgebrochen, um Lloyd George und seinem Kabinett einen unerwarteten Windstoß aus der Hölle zuteil werden zu lassen.

Tertius spürte, daß er, wie so viele andere, hart und bitter wurde. Seine Malerei half ihm zwar, sich gegen das Grauen abzuschotten, doch er wußte, daß der Tag gekommen war, an dem er Sehen und Fühlen nicht länger getrennt halten konnte.

Es war Anfang Juli, und er war mit einer Nachricht zum Hauptquartier geschickt worden. Die Nachrichten hatten es in letzter Zeit so an sich, daß sie unterwegs in der Tasche ungültig wurden – noch ehe die Tinte getrocknet war, konnte der Offizier, der sie geschickt hatte, tot sein und das Hauptquartier an einem anderen Ort. Die Sommerregenfälle hatten die Erde in einen übelriechenden Sumpf verwandelt. Tertius versank bei jedem Schritt im Schlamm. Seine Stiefel waren bleischwer. Sein Herz überschlug sich jedesmal vor Angst, wenn er von der rohen Straße der Planken, die über den Morast gelegt waren, herunterstolperte. Es wurde dunkel, und der Himmel begann von Leuchtkugeln und Leuchtpatronen zu blitzen.

Statuen aus hart gewordenem Lehm tauchten bedrohlich aus

der Dämmerung auf – eine liegengelassene Lafette, bis an die Achsen eingesunken, und ein aufgeblähtes totes Pferd in den Palisaden. Und das alles für einen ›leichten Geländegewinn an der Front von Messines‹, wie es in den Zeitungen heißen würde, wenn sie es überhaupt erwähnten.

Tertius hatte Todesangst, er kam sich wie der einzige lebende Fleck in diesem Alptraum vor. Es gab keine Straßen, keine Wegweiser. Die Karte mit ihren sorgfältig verzeichneten Wäldchen und Gehöften war schlimmer als nutzlos. Alles war schon vor Monaten in die Luft gejagt worden.

Das Saugen des Schlamms ließ ihn an teuflische Hände denken, die gierig an seinen Hacken zerrten, um ihn in sein Grab zu ziehen. Hier konnte man wirklich wahnsinnig werden. Viele wurden es auch. »Heilige Mutter Gottes ...«, betete Tertius, wie er die katholischen Jungen zu Hause hatte beten hören.

Der Schlamm gab plötzlich unter ihm nach. Er hatte seinen Stiefel auf den Bauch einer Leiche gesetzt, und er wurde überwältigt von einem Verwesungsgestank, der ihm das Wasser in die Augen trieb.

Was war das schon für ein Sieg, daß man am Leben blieb? Der Schlamm war erst kalt und schmierig, doch alsbald wurde er warm und einschläfernd, sogar besänftigend. Er hatte sich in den Schoß des braunen Meeres gestürzt, noch ehe ihm unter Grauen klar wurde, was er getan hatte. Die Dämonen zogen ihn hinab, der Morast schloß sich bereits über seinem Kopf.

Er wurde unsanft an den Schultern emporgerissen und erbarmungslos geschüttelt, bis er keuchend wach wurde. Als er seinen empfindungslosen Körper wieder zu spüren begann, erkannte Tertius, daß er immer noch an der Wand des tiefen Bombenkraters klebte, in dem sie zu acht eine Nacht und einen Tag gelegen hatten. Er war eingeschlafen und in das schmutzige Wasser am Boden des Kraters hinabgeglitten. Mittlerweile brach rasch die zweite Nacht herein.

Der Himmel war voller Blitze, und es gab keinerlei Anzeichen für eine Rettung. Drayton lag tot da, beide Beine vom Körper gerissen, der Bauch aufgeplatzt wie ein Kissen. Sie hatten ihn dort gelassen, wo er gefallen war, am Rand des Kraters. Der Dienstrevolver hing nutzlos von seiner Hand herab.

Später würde es Tertius leid um ihn tun, und er würde den armen kleinen Kerl vermissen. Im Augenblick war die Lage jedoch so gräßlich, daß er von einer Sekunde zur nächsten lebte und sämtliche Gefühlsregungen auf den Zeitpunkt verschob, an dem er sie würde ertragen können, ohne wahnsinnig zu werden. Er war nahe daran gewesen, als er eingeschlafen war und von jener Nacht an der Messines-Front geträumt hatte, in der er auf den grunzenden Leichnam getreten war.

Benommen vor Angst und Erschöpfung, gab er sich einen Ruck, um ganz wach zu werden. »Danke, Alf.«

Alf, das andere überlebende Mitglied des vierblättrigen Kleeblatts, das im Vorjahr an der Somme halbiert worden war, sagte nur: »Ich gäbe einen Jahressold für eine trockene Kippe.«

Sie hatten alle versucht, Funken aus den durchweichten Streichhölzern zu schlagen. Tertius fragte sich träumerisch, für welchen Luxus er einen Jahressold geben würde – eine Tasse Tee, ein Glas Whisky –, ehe ihm aufging, daß er sich mit solchen Gedanken auf gefährliches Terrain begab. Ach was, ein Jahressold – er hätte fünf Jahre seines Lebens dafür gegeben, den Kopf an die Brust seiner Mutter legen zu können oder zu wissen, daß Muttonhead, ruhig und unerschütterlich, in der Nähe war. Er hätte ganz heiter sterben können, dachte er, für ein einziges Lächeln von Rory.

Doch so durfte er nicht denken. Er streckte die Zunge heraus und lenkte sich mit dem Salzgeschmack seiner Tränen ab. Sie hatten ihre eisernen Reserven schon vor Stunden aufgegessen, und er hatte Hunger. Wie lange es wohl dauerte, bis man verhungerte?

Außerhalb des Kraters begann leise, aber deutlich gegen den Lärm des Artilleriefeuers abgehoben, eine Stimme zu rufen.

»Paddy ... Paddy ...«

Tertius glaubte, er sei endgültig wahnsinnig geworden, bis er die entsetzten Gesichter seiner Kameraden sah. Seine Kopfhaut prickelte. »Herrgott, das ist doch nicht möglich.«

»Paddy«, seufzte die Stimme, »Paddy!«

»Sir!« schrie er.

»Ach, verlaß mich doch nicht«, klagte die Stimme, »ach Paddy, laß mich nicht hier liegen.«

»Hätte nie gedacht, daß er noch mehr als zwei Stunden zu leben hat«, sagte einer der Männer, »nicht mit einem derartigen Bauchschuß.«

»Ach, Paddy, Paddy ... bitte!« Draytons Stimme kam irgendwie unverändert aus dem verstümmelten Körper und gewann an Lautstärke. Die Pein, die daraus sprach, versetzte Tertius in fieberhafte Erregung.

»Ich bin hier«, brüllte er, »ich komme!« Die Wände des Trichters waren glitschig. Er krallte sich in die Lehmerde, um Halt zu finden.

»He ... hast du nicht mehr alle Tassen im Schrank?« Alf packte sein Bein und zog ihn wieder runter. »Wo willst du denn hin?«

»Ich muß zu ihm. Hörst du denn nicht, daß er mich ruft?«

»Du kannst nichts für ihn tun«, redete der Corporal ihm freundlich zu. »Willst du dich vielleicht auch in Stücke schießen lassen?«

»Ah!« schrie Drayton, »Paddy! Paddy! Paddy!«

»Hau ab. Laß mich los.« Tertius wurde wild, fluchte und schrie und schlug nach seinen Freunden.

Sie erwiesen sich jedoch als stärker. Alf nagelte ihn am Boden fest, voller Mitgefühl zwar, aber fest entschlossen, den geliebten Kopf des Freundes unter der Feuerlinie zu halten. Jedesmal, wenn Drayton schrie und Tertius wild um sich schlug, um sich zu befreien, sagte er: »Du wirst mir eines Tages noch dafür danken.«

Tertius konnte unter dieser Anstrengung kaum den Atem aufbringen, um auf den schrecklichen Schwanengesang seines Offiziers zu antworten. Er erinnerte sich an ein Fragment seiner klassischen Bildung – wie Mr. Phillips ihm und Rory vom Fall Trojas erzählt hatte. Einer der griechischen Soldaten im Innern des trojanischen Pferdes hatte gemeint, seine Frau draußen liebevoll nach ihm rufen zu hören. Doch das war ein Trick gewesen. Die andern, die Angst hatten, verraten zu werden, hatten seine Schreie so gründlich unterdrückt, daß sie ihn erstickten.

Nach und nach hörten die Schreie auf, und der überarbeitete

Todesengel kam endlich dazu, auch Drayton abzuholen. Über eine Stunde später gelang es ihnen, den Bombentrichter zu verlassen und sich zu ihrem Frontabschnitt aufzumachen. Es war zu dunkel, um den Leichnam des jungen Offiziers zu sehen, doch Tertius hatte ihn deutlich vor Augen – so deutlich, daß er ihn hätte zeichnen können. Das Gesicht, so wie er es sah, war unberührt und streifig von Tränen.

Alf sagte zwar, er sei verrückt, doch Tertius kam von diesem Bild Draytons in seinen letzten Stunden nicht los; wie er zu einem kalten Himmel emporschrie nach einem Freund, der nicht kam und nicht kam. Seine Hände begannen zu zittern und zu schwitzen, und er konnte nicht schlafen, ohne Drayton und den stöhnenden Leichnam zu sehen, der irgendwie Kontakt zu seinem Unbewußten hatte.

Eine Woche später wurden sie hinter der Front ins Quartier geschickt. Tertius und Alf – sie waren als einzige vom ursprünglichen Bataillon übriggeblieben – waren in den Wochen vor der Sommeschlacht hiergewesen. Es war jetzt zwar betriebsamer und weniger beschaulich durch den ständigen Strom der Soldaten, aber im wesentlichen war es immer noch ein ruhiger ländlicher Ort. Der Fluß, in dem sie gebadet hatten, war unverändert, und der Heuschober, wo der Prince of Wale sie inspiziert hatte, ebenfalls.

Von den höheren Preisen abgesehen, war auch das *Estaminet* im Ort unverändert. In dem fleckigen Spiegel über der Zinktheke erhaschte Tertius einen flüchtigen Blick auf sein eigenes Gesicht und erinnerte sich, wie es bei seinem letzten Aufenthalt ausgesehen hatte. Er hatte um die Zeit mit Ölkreide ein Selbstporträt gezeichnet – ein Bild von einem Jungen mit strahlenden Augen, voller Vitalität und guter Laune.

Jetzt war dies Gesicht reizbar und kummervoll. Um den Mund zeichneten sich angespannte Linien ab, und die Locke über seiner Stirn war von einer grauen Strähne durchzogen. Es wäre interessant, dachte er, ein weiteres Selbstporträt als Gegenstück zu machen, um die Verheerungen des Krieges zu illustrieren.

Doch das war ganz ausgeschlossen. Sein Interesse erlahmte, als er auf seine Hand blickte und sie so anhaltend zittern sah, daß er ein paar Tropfen aus seinem Bierglas verschüttete. Es hatte keinen Sinn, an Pinsel und Kohle zu denken, wenn es ihn seine ganze Konzentration kostete, beim Rasieren das Messer ruhig zu halten.

9

Der Obstgarten war gesprenkelt vom Nachmittagssonnenlicht. Wespen summten geschäftig um die reifen Äpfel im hohen Gras. Unter den mit Früchten beladenen Zweigen ruhten Lorenzo und Stevie in Schaukelstühlen und gähnten bei Kaffee und Zigaretten. Eleanor, Francesca und Laura spielten auf dem Rasen hinter ihnen; sie warfen dem Schäferhundwelpen, den Stevie und Francesca Laura mitgebracht hatten, einen alten Tennisball zu. Sie waren von London nach Rottingdean heraufgekommen. Sie selbst hatten mittlerweile in Chelsea ihr eigenes Häuschen.

Stevie seufzte genießerisch. »Ist es nicht herrlich hier?«

»Du hast nur noch ein Auge«, sagte Lorenzo, »bist du sicher, daß du damit alles sehen kannst?«

»Ach, nun sei doch nicht so miesepetrig. Ich habe hervorragend gegessen ... zehnmal besser als in der Stadt ... und werde mir das von dir nicht verderben lassen.«

»Eleanor hat eine Hand für die Haushaltsführung«, räumte Lorenzo ein, »von ihrer Mutter geerbt, denke ich mal.«

»Das wird dir noch fehlen, wenn du wieder an die Front gehst.«

»Aber nicht doch. Sie überschüttet mich mit Päckchen.«

»Graut dir davor?«

Lorenzo zuckte mit den Schultern. »Ich bin mir durchaus bewußt, daß meine Chancen jedesmal geringer werden, wenn ich zurückgehe. Doch der Krieg ist jetzt schon so lange das Hauptgeschäft meines Lebens ...« Er beugte sich näher zu Stevie hinüber. »Ich glaube sogar, daß ich ganz tüchtig bin, wenn ich auch, anders als du, keinesfalls der Typ bin, der von den Mannschaften vergöttert wird.«

»Darf ich daraus schließen, daß Captain Hastings immer noch als unangenehmer Kerl gilt?« – Lorenzo war kurz nach seiner Rückkehr vom Krankenurlaub befördert worden.

»Absolut. Eine gut funktionierende Einheit ist mir lieber als Beliebtheit. Du weißt doch, daß ich noch nie Wert darauf gelegt habe, mit zuviel Liebe belästigt zu werden.«

Stevies magere Hand fuhr unwillkürlich zu seiner schwarzen Augenklappe. »Ich wär froh ... das ist verrückt, doch ich wäre froh, wenn ich mit dir zurück könnte.«

»Mein armer junger Stevie, nun ist es fast ein Jahr her, seit sie dich als Invaliden ausgemustert haben. Hast du dich denn nicht endlich mit deinem Glück befreunden können?«

»Ich fühle mich immer noch nicht wieder richtig lebendig. Ich bin gewiß sentimental, doch von meiner Warte aus betrachtet, wäre es schon was Feines, gesund und stark zu sein und im Offiziersklub von Poperinghe Rosé zu trinken. Ist der noch da?«

»Ja. Pop ist unverändert, außer daß die Preise gestiegen sind.«

»Gott, Larry, du hast mir im letzten Jahr gefehlt«, sagte Stevie leise und versuchte, seine Rührung durch ein mattes Lächeln zu überspielen. »Mehr als mein Auge.«

»So lange waren wir wohl seit unseren Kindertagen nicht getrennt. Und während dieses Urlaubs habe ich dich wohl vernachlässigt, stimmt's?«

»Ach Gott ... nein, nein«, stammelte Stevie, den die unerwartete Sanftmut Lorenzos verwirrte. »Ich wollte dir doch keine Vorwürfe machen. Du hast doch nur sieben Tage.«

»Trotzdem.« Lorenzos dunkle Augen waren ernst. »Du hast mir auch gefehlt. Ich hoffe, du weißt das.«

»Es gefällt dir vielleicht nicht, daß ich das sage«, meinte er, »doch du hast etwas auf dem Herzen, stimmt's?«

»Hm.« Lorenzo runzelte die Stirn, sofort auf der Hut. »Merkt man mir das so sehr an?«

»Du bist verändert.« Stevie wußte genau, welchen Ton er anschlagen mußte – besänftigend, aber humorvoll. »Nur halb da, während der Rest sonstwo herumwandert.«

»Tut mir leid ...«

»Eigentlich ist es eher eine Verbesserung.«

Es klappte. Lorenzo lachte erst, wurde dann wieder milde und sagte: »Ich würde es dir erzählen, wenn ich könnte. Du wirst jedoch nicht ewig im dunkeln tappen. Irgendwann wirst du alles wissen.«

»Na gut.« Stevie lächelte, und gerade in dem Augenblick kam die Sonne wieder hervor und tauchte ihn in ihr sirupgoldenes Licht. »Doch eins mußt du mir verraten. Bist du glücklich?«

Lorenzo dachte einen Augenblick über die Frage nach. »Ja. Ich glaube, ich bin glücklicher, als ich es je im Leben gewesen bin.«

»Dann bin ich schon zufrieden.«

Lorenzos Miene hellte sich auf. Er zündete ihnen neue Zigaretten an und schenkte Kaffee aus der schweren Silberkanne nach. »So, nun ist es aber gut. Du brauchst mich nicht zu ermutigen, noch weiter von mir zu reden. Du solltest mir ausführlich von deinen eigenen Kümmernissen berichten.«

»Ich habe ja gar keine.«

»Quatsch. Du hast mir noch nichts über deinen Gesundheitszustand gesagt oder darüber, warum du so greulich aussiehst.«

Stevie lachte entzückt. »Vielen Dank. Laß das nur die Mädchen nicht hören. Eigentlich solltest du mir sagen, daß ich wesentlich besser aussehe.«

»Tust du aber nicht. Was ist denn mit dir los?«

»Ach, es hat einfach nur länger gedauert, als alle gedacht haben. Doch jetzt bin ich fast wieder auf dem Damm, abgesehen von gelegentlichen Kopfschmerzen.«

»Und hast du beschlossen, was du machen willst?«

»Ehrlich gesagt, es lohnt sich eigentlich gar nicht, davon zu reden.« Stevies Munterkeit war gezwungen, und er konnte Lorenzo nicht ins Gesicht sehen. »Ich bin jetzt mehr oder minder nutzlos.«

»Die Welt ist doch voller Burschen, denen irgendein Teil fehlt. Du könntest einen Leierkasten bedienen. Oder an der Straßenecke Mundharmonika spielen ... doch dazu brauchst du eigentlich ein Holzbein.«

Stevie lächelte pflichtschuldig, doch sein tränenloses Auge

blickte tief bekümmert. »Larry, ich hätte dir niemals Vorträge über die Ehe halten dürfen. Wenn ich bedenke, was für ein Schlamassel ich aus meiner eigenen mache.«

»Francesca scheint es doch gutzugehen.«

»Nein.« Stevie schüttelte den Kopf. »Ich kann sie nicht glücklich machen.«

Lorenzo starrte auf die Zigarette zwischen seinen Fingern.

»Glücklich?« wiederholte er. »Woher um Himmels willen soll man wissen, was eine Frau glücklich macht?«

»Ich möchte dir, ehe du abfährst, noch sagen, wie glücklich du mich gemacht hast, Lorenzo.«

»Ach ja?«

Eleanor lächelte. »Schau doch nicht so argwöhnisch drein. Ich meine es ehrlich.«

»Weil du mich während dieses Urlaubs so wenig gesehen hast?«

»Du hast wohl erwartet, daß ich dich deshalb mit Vorwürfen überhäufen würde, aber ich will diese Art Ehe für uns nicht.«

Sie standen neben Lorenzos aufgetürmten Lacklederkoffern auf dem menschenleeren blumengeschmückten Dorfbahnhof. Er war in Uniform und begann die Hitze der Spätsommersonne zu spüren. Eleanor trug ein altes Kleid aus blauem Leinen. Ihr ausgebleichtes Haar war unter einem schlichten Strohhut hochgebunden, und ihr rosiges, tragikomisches Gesicht war von Sommersprossen übersät. Die Unbekümmertheit, mit der sie ihr Äußeres vernachlässigte, bewirkte, daß Lorenzo sie sich genauer ansah als gewöhnlich. Ihre Gutmütigkeit, die ihn immer schon abgestoßen hatte, erschien ihm jetzt eher gewinnend als fürchterlich.

»Hübsch siehst du heute aus«, sagte er.

Das Kompliment trieb ihr Tränen in die Augen, doch sie sagte leichthin: »Was? In meinen Gartenlumpen?«

»Ich mochte das noch nie, wenn du dich herausputzt.«

»Du ... du hast mal gesagt, ich erinnerte dich an eine Melkerin.«

»Tatsächlich? Ich kann mich nicht darüber beruhigen, wie du

meine netten Worte hegst. Es können ja wohl nicht sehr viele gewesen sein.«

Eleanor nahm das für eine witzige Bemerkung und lachte. »Um so höher ihr Wert.«

»Es braucht so wenig, um dich zu erfreuen. Ich sollte mir öfter die Mühe machen.«

»Ach Schatz, ich weiß doch, wie sehr du dich bemüht hast. Das fiel mir letzten Winter auf, als du auf Krankenurlaub zu Hause warst. Du schienst ruhiger und ... weniger wütend auf Laura und mich. Erinnerst du dich?«

»Ja.«

»Werd nicht böse! Ich habe mich darüber doch mit keinem Wort beschwert und werde es auch nicht tun. Ich habe verstanden, daß du ein wenig Zeit für dich brauchtest. Du hast mir zwar gefehlt, doch du warst so ausgeruht und ruhig, als du zurückkamst.«

»Fast wie ein menschliches Wesen«, sagte er schroff.

»Nein! Das meinte ich nicht ...«

Er schnitt ihr das Wort ab. »Und war ich letzte Woche auch wieder so brauchbar? Verzeihst du mir, daß ich so oft weg war?«

»Lorenzo«, die Liebe strahlte Eleanor aus den Augen, »ich lehne es ab, dir Fesseln anzulegen. Ich werde zwar immer dasein, wenn du mich brauchst, doch du bist ein freier Mann.«

»Frei.« Seine Stimme war bitter.

Eleanor merkte nicht, daß sie ihn quälte. »Ich beginne zu begreifen, wie unsere Ehe ablaufen muß. In der Vergangenheit war ich zu egoistisch und habe mich nicht richtig verhalten, weil ich so viel von dir wollte.«

»O Eleanor, um Gottes willen.« Er war eher irritiert als wütend. »Nun sei doch nicht so verdammt hochherzig.«

»Hör mal!« Sie streichelte seine Hand. »In Zukunft müssen wir zu leben versuchen, wie wir es letzte Woche getan haben.«

»Hast du das wirklich so sehr genossen?«

»Ja, weil du es genossen hast.«

»Verdammt! Wie schaffst du es bloß, daß ich mir immer wie ein Schwein vorkommen muß!«

Sie war verblüfft. »Aber ich kritisiere dich doch gar nicht, ich sage ja gerade, wie lieb du warst. Wenn der Krieg vorbei ist und wir immer zusammen sind ...«

»Laß uns nicht über die Zukunft reden, ja?«

»Nein. Gut.«

Beklommenheit breitete sich zwischen ihnen aus. Beiden war klar, daß dies womöglich das letztemal war, daß sie einander sahen, und sie wußten nicht, wie sie diesen Augenblick überwinden sollten.

Gnädigerweise erschien der Zug in der Kurve vor dem Bahnhof. »Ausnahmsweise pünktlich«, sagte Lorenzo. Er widmete seine Aufmerksamkeit seinem Gepäck und winkte den taperigen Träger heran.

Eleanors trauriger Blick weidete sich an ihm, solange er sie nicht sehen und sich beschweren konnte, weil sie ihn anstarrte. »Derselbe Ausdruck«, murmelte sie, »wie an dem Tag, als wir uns kennengelernt haben.« Erleichtert, weil er von ihr wegkam.

Der Zug hielt am Bahnsteig und umhüllte sie beide mit Dampf. Eleanor biß sich auf die Unterlippe, um nicht zu weinen, und ihr Blick tastete sein Gesicht ab, ein letzter panikerfüllter Versuch, sich jede Einzelheit im tiefsten Innern einzuprägen.

»Gott segne dich, Lorenzo. Möge er dich beschützen. Ich werde jede Stunde an dich denken, Liebster.« Sie hätte ihm zu gern gesagt, wie sehr sie ihn während der letzten vier Jahre geliebt hatte, und welche Freude er ihr trotz allem geschenkt hatte.

Lorenzos Gepäck war im Erster-Klasse-Abteil verstaut. Gewöhnlich gab er ihr einen einzigen flüchtigen Kuß auf die Wange. Diesmal legte er jedoch die Arme um sie, und seine Lippen berührten die ihren mit aufrichtiger Zärtlichkeit. »Du hast es wirklich nicht verdient, mit einem Mann wie mir geschlagen zu sein«, murmelte er rasch, »verzeih mir, Eleanor.«

Sie konnte sich nie dazu überwinden, das Wort ›Lebewohl‹ auszusprechen. Mit größter Anstrengung gelang es ihr, immer weiter zu lächeln und zu winken, als der Zug sich in Bewegung setzte – irgendein Wunder hatte bewirkt, daß Lorenzo noch immer aus seinem Fenster lehnte und sie beobachtete.

Minutenlang stand sie reglos da und folgte dem Zug mit dem

Blick, bis er nur noch eine weiße Rauchspur über der goldenen Landschaft war. Es wäre undankbar, ausgerechnet jetzt zu weinen, wo ihre Gebete, was ihre Ehe betraf, erhört worden zu sein schienen.

Lorenzo grübelte unterdessen über die sonnengestreifte Gestalt dieser sanftmütigen Frau in ihrem blauen Kleid nach; sie war so heil und unschuldig wie die Felder und Obstgärten um sie herum. Sie gehörte in jene lächelnde Landschaft mit ihren Bienen und Blumen, und er konnte sie nicht lieben, weil er nicht gut genug war.

Dann dachte er an einen anderen Menschen, einen Menschen, der zu den dunstverhangenen Bergen und windgepeitschten Heideflächen gehörte. Sein wildes Mädchen, Rory von den Hügeln. Sein Blut geriet in Wallung, und Eleanor war aus seinen Gedanken gelöscht, als hätte er sie nie gekannt.

Dieser siebentägige Urlaub war der Höhepunkt seiner geheimen Obsession gewesen, die ihn am Leben erhalten hatte, seit er im letzten Januar an die Front zurückgekehrt war. Nach ihren zwei Wochen in Norfolk hatte es mehrere Wochenenden und viele Treffen in London gegeben, wenn Lorenzo angeblich den Arzt aufsuchte. Die Trennung von Rory war eine Tortur gewesen. Endlich begriff er, was manche Männer während der ersten Stunden nach der Rückkehr ins Camp so schweigsam machte.

Am ersten Tag seines Urlaubs war Lorenzo mehrere Stunden früher in London eingetroffen, als er Eleanor gesagt hatte. Er war in ein Taxi gesprungen und sofort in Rorys Wohnung gefahren und so erregt gewesen, daß er eine Hand in der Tasche seiner Breeches lassen mußte, um die unanständige Wölbung seiner Erektion niederzuhalten.

Sie hatten es nicht einmal bis ins Wohnzimmer geschafft. Gleich auf der Treppe zum Dachgeschoß liebten sie sich. Sie weinten beide, als sie die Düfte ihrer Körper wiedererkundeten. Und ein paar Minuten später überkam es sie schon wieder, noch immer auf dem Treppenabsatz.

Rory hatte eine Flasche ausgezeichneten Champagner geöffnet, den sie für diesen speziellen Tag gehütet hatte, und sie leerten sie bis auf den letzten Tropfen. Viel später hatte er den Zug nach Rottingdean genommen und Eleanors Anbetung weitaus besser ertragen als gewöhnlich.

Er hatte zwar keine Lust, mit Eleanor zu schlafen, doch er wußte, daß sie das erwartete – ihr Blick, in dem sich Sehnsucht und Angst mischten, war unmißverständlich. Um des lieben Friedens willen hatte er sich eine Erektion abgerungen, als sie schlafen gingen. Er hatte vorgehabt, sie eine Weile zu stoßen, bis er ihre Seufzer leid wäre, und sich dann zurückzuziehen, ohne zu kommen. Plötzlich hatte er sich jedoch eingebildet, Rorys Geruch an seiner Haut wahrzunehmen, und bei der Erinnerung war es mit seiner Selbstbeherrschung vorbei gewesen. Eleanor, das arme Ding, war vor lauter Glück fast vergangen, als sie die Gewalt seines Orgasmus gespürt hatte.

Jetzt, während Eleanor annahm, er wäre unterwegs zur Küste, ließ er sein Gepäck auf dem Bahnhof und hastete seinen letzten kostbaren Stunden der Freiheit mit Rory entgegen. Sie erwartete ihn an der Haustür.

Alles Reden war überflüssig. Sobald Rorys Wohnungstür geschlossen und verriegelt war, küßten sie einander ausgehungert und ekstatisch. Lorenzo gab sich alle Mühe, sich zu beherrschen, denn er wollte Rory in all seinen Lieblingsstellungen nehmen; sich ihrem Körper aufprägen, so daß sie die Erinnerung an ihn in jeder Zelle trüge.

Während der vergangenen sieben Tage war ihr Lieben zügellos und animalisch gewesen. Heute war es nahezu wütend. Als Rory mit gespreizten Beinen auf dem Boden lag, ließ Lorenzo, über ihr kniend, seine Zunge um ihre Klitoris kreisen, bis sie schmerzhaft geschwollen war. Sie schluchzte und krümmte sich seinem Mund entgegen, doch er wollte sie nicht kommen lassen. Statt dessen biß er sich, um Selbstbeherrschung bemüht, in die Innenseiten seiner Wangen, hielt sie bei den Armen nieder, schob seinen Penis langsam in sie hinein und beobachtete ihr Gesicht, während der Druck seiner kräftigen, rhythmischen Stöße in ihrer Vagina ihre entflammte Klitoris endlich im Orgasmus explodieren ließ.

Die Gewalt ihrer Spasmen ließ ihn heftiger stoßen. Er zog sich zurück und drang von hinten erneut in sie ein, das Gesicht in das weiche rote Haar an ihrem Halsansatz vergraben. Dann ließ er sich auf den Rücken gleiten, und Rory bestieg ihn rittlings. Diese Stellung gefiel ihr ungeheuer. Während sie ihn ritt, massierte er ihre nasse Klitoris mit dem Finger, und sie kam erneut.

Schließlich, als er wieder auf ihr lag, ließ Lorenzo alle Selbstbeherrschung fahren und gab sich einem der vulkanhaften, alles auslöschenden Höhepunkte hin.

Während er benommen und erschöpft dalag, hielt sie seinen Kopf schützend zwischen ihren Brüsten. Sie weinten beide, teils aus körperlicher Erschöpfung, teils aus dem trostlosen Gefühl der nahen Trennung heraus. Sie hatten nur noch sehr wenig Zeit. Lorenzo befreite sich aus ihren Armen und begann, seine Sachen zusammenzusuchen.

Es war unerträglich mit anzusehen, wie er sich anzog. Er schnitt sich ein Gesicht im Spiegel, und als er die Nadel in seinen Kragen steckte, war es für sie wie ein Dolchstoß. Rasch warf sie ihren Kimono über und öffnete die letzte Flasche des ausgezeichneten Champagners.

Er schloß seinen Sam-Browne-Gürtel und nahm das Glas. »Das ist ja ein wahnsinnig gutes Zeug. Ich wollte dich schon fragen, wo du den herhast.«

»Von meinem Freund Aubrey Russell. Er steht auf dem Standpunkt, daß man nur einmal jung ist.«

»Vernünftiger Standpunkt. Hast du ihm von mir erzählt?«

»Alles, bis auf den Namen ... allerdings ist er nicht blöd. Ich glaube, er hat es erraten.«

»Und stört es dich, daß er es weiß?«

Sie rang sich ein Lächeln ab. »Aber nein. Ich muß doch mit jemandem reden, und sonst habe ich niemanden. Wenn Muttonhead das herausbekäme, ich glaube, er würde mich umbringen.«

Lorenzo legte ihr den Arm um die Taille. »Weil ich verheiratet bin?«

»Selbstverständlich.«

»Rory, Liebste, ich habe dich in eine unmögliche Lage gebracht.«

»Ich liebe dich, und ich muß dich aufgeben. Das ist das einzig Unmögliche daran.«

Seine schönen ebenholzschwarzen Augen waren sanft und voll tiefer, grenzenloser Liebe. »Du Hexe, du hast mich in deinem Bann.« Seine Umarmung wurde fester. »Und niemand wird mich dazu bringen, dich aufzugeben.«

»Lorenzo, bitte ...«

»Ich weiß, was wir abgemacht haben, doch es ist mir gleich. Ich verlasse sie.«

»Nein!«

»Was hat das denn für einen Sinn? Wenn sie ehrlich wäre, würde sie sich eingestehen, daß ich sie nie geliebt habe. Sie legt so großen Wert auf mein Glück ... oder behauptet es jedenfalls ..., daß sie mich gehen lassen sollte.«

»Nein, Lorenzo«, sagte Rory mit belegter Stimme. »Du verstehst sie nicht. Genügt dir dies alles denn nicht? Sie weiß nichts davon, und was sie nicht weiß, macht sie nicht heiß.«

»Aber glücklich bist du doch auch nicht, stimmt's?«

Sie konnte ihn nicht belügen. »Das habe ich auch nicht verdient.«

»Na schön, ich habe es jedenfalls verdient, verdammt noch mal«, sagte er, plötzlich wütend. »Fast drei volle Jahre lang bin ich beschossen und fast in Stücke gerissen worden. Ich habe nur ein einziges Leben, und sobald dieser Krieg vorbei ist, werde ich es so leben, wie es mir gefällt. Liebst du mich?«

»Mehr als alles auf der Welt.«

»Dann sag, daß du mich heiraten wirst. Damit ich etwas habe, worauf ich mich freuen kann.«

Seine Leidenschaft und seine Eindringlichkeit hypnotisierten Rory und betäubten ihr Gewissen. Sie brauchte bloß in das Gesicht zu sehen, das sie so ungeheuer liebte, und schon schob sie alle Bedenken beiseite und sagte: »Ja.«

»Mein Gott, Rory«, er schloß die Arme um sie, »wie soll ich mich denn bloß von dir trennen?«

Die Tränen, die sie zu unterdrücken versucht hatte, quollen hervor. »Ist es Zeit?«

»Versprich mir, daß du mich immer in bester Erinnerung behalten wirst. Ganz gleich, was geschieht.«

»Lorenzo, wenn dir etwas zustößt, wenn du nicht zurückkommst, ich weiß nicht, wie ich leben soll.«

»Du hast zuviel Kraft und Vitalität. Außerdem werde ich immer bei dir sein. Ich werde dich niemals verlassen. Falls ich umkomme, verspreche ich dir, ich kehre zurück und suche dich heim. Du wirst doch dann nicht schreiend vor mir davonlaufen?«

Sie lächelte. »Nicht einmal, wenn du deinen Kopf unter dem Arm trägst.«

»Denk dran, ich bin immer bei dir.«

»Auf Wiedersehen, Liebling, Gott schütze dich.«

10

Lorenzo hob die Hand, und die Marschkolonne der Männer hinter ihm kam rutschend und scharrend auf den glitschigen Planken zum Stehen. Sie kämpften sich in peitschendem Regen durch ein schwarzes, gestaltloses Meer von Schlamm. Vor ihnen sandten die feindlichen Granaten gewaltige schleimige Fontänen empor. Die Stiefel der Männer waren verkrustet von Batzen klebrigen Lehmbodens. Sie trugen wasserdichte Capes über ihrem Marschgepäck und sahen aus wie eine Reihe nasser Schnecken.

»Hier kommen wir weder vor noch zurück«, sagte Lorenzo zu seinem Feldwebel. »Wir müssen wieder abwarten.«

»Ja, Sir.«

»Wir sind aus dem Urschlamm gekrochen, und nun sieht es ganz so aus, als endete die Welt damit, daß wir alle wieder reinplatschen.«

»Ja, Sir.« Sergeant Ross war an die ironischen Nebenbemerkungen gewöhnt, mit denen Captain Hastings aufwartete, um keine Verzweiflung aufkommen zu lassen, und fand sie beruhigend. »Allerdings hatte ich geglaubt, daß das Ende der Welt trockener ausfallen würde. Das eine oder andere Flämmchen könnten wir gut gebrauchen.«

Es war der letzte Oktobertag. Gestern hatten die Briten an der Frontausbuchtung bei Ypern im Abschnitt von Poelcappelle bis Passchendaele angegriffen. Lorenzo und seine Männer waren auf dem Marsch nach vorn, um Kameraden abzulösen, die von Passchendaele zurückgetrieben worden waren.

Es war kaum zu glauben, daß es ein derartiges Elend geben sollte, dachte Lorenzo und gab seinen Versuch, sich eine Zigarette anzuzünden, endlich auf. Wasser tropfte ihm vom Rand seines Helms und rann ihm in den Kragen. Seine schmerzenden Füße waren kalt und naß, seine Stiefel schwer wie Blei, und die alte Narbe auf seiner Brust pochte quälend.

»Das hier«, sagte er bitter, »sind sämtliche zehn Plagen Ägyptens noch einmal. Wir haben Jehovas Zorn geweckt, und nun kriegen wir es dicke ... Läuse und Furunkel als Sonderzulage.«

»Und die Ernte verdorrt auf dem Halm, Sir.« Ross kam vom Lande. »Und Flachs und Gerste liegen danieder.«

»Die Heuschreckenplage.«

»Wer, Sir, die Hunnen?«

»Wir alle, die wir über diesen einst so fruchtbaren Landstrich ausschwärmen und noch das letzte Fleckchen Grün vertilgen. Wir haben die Flüsse rot von Blut gesehen, genau wie die alten Ägypter. Und ... was war noch die letzte Plage?«

»Der Tod des erstgeborenen Sohnes, Sir.«

»Mein Gott ... davon hatten wir übergenug. Der Pharao fängt allmählich an, mir ziemlich leid zu tun.«

Lorenzo blickte zu den bleiernen Wolkenbänken hinauf, die hin und wieder von düsteren Rissen aus Licht gestreift wurden. Dann zerrte er seinen nassen Lederhandschuh so weit herunter, daß er auf die Uhr schauen konnte.

»Wir sind spät dran. Wir werden denen sagen müssen, die landschaftlichen Reize hätten uns derart in ihren Bann geschlagen, daß wir jegliches Zeitgefühl verloren haben.«

»Das stimmt, Sir.«

Langsam, vorsichtig begannen sie, sich im Schneckentempo weiter voranzuschieben.

Als die Granate auf ihn zugeheult kam, dachte Lorenzo nicht an Rory oder Eleanor. In den Sekunden, ehe sein Körper von der Wucht des Geschosses getroffen wurde, beschäftigte er sich ausschließlich mit dem logistischen Problem, wie er die Männer, die unter seinem Befehl standen, von einem Punkt zu einem anderen schaffen sollte.

Die Granate riß ihn vom Hals bis zur Lende auf, die Eingeweide quollen aus dem blutigen Innern seines Bauchs, und er schrie auf wie Prometheus am Felsen.

In seiner Benommenheit hatte der Sergeant die verschwommene Vorstellung, daß Lorenzos Körper eine Falle sei und seine Seele ein Tier, das man an der Ferse gepackt hielt und das sich verzweifelt loszureißen versuchte. Mit zitternder Hand hielt er den Lauf seines Dienstrevolvers an Lorenzos Schläfe.

»Jetzt haben Sie's überstanden, Sir«. Ein Schuß, und die gefangene Seele war befreit.

Der übelkeiterregende Schmerz in Stevies Kopf verstärkte sich für einen Augenblick, schwand dann plötzlich und ließ ihn nach Stunden der Qual mit einem Gefühl der Leichtigkeit und der Befreiung zurück. Er saß ganz still in seinem Lehnstuhl und beobachtete das Kaminfeuer.

Ohne sich umzudrehen, wußte er, daß jemand im Zimmer war – jemand stand in der Türöffnung hinter ihm, als schaute er auf seinem Weg mal eben herein.

Stevie lächelte ins Feuer und murmelte: »Larry?«

Francesca fand ihn im Sessel zusammengesunken, sein Auge halb geöffnet, einen Ausdruck amüsierter Überraschung im Gesicht.

Sechster Teil

Aurora

Brief an meine Tochter

Ich erfuhr es aus der Gefallenenliste der Times, die ich angstvoll jeden Morgen überflog. Gefallen: Hastings, Capt. L. G. Royal Wessex Infantry. Das war alles, doch es reichte aus, um die Landschaft meines Lebens in eine verbrannte Einöde zu verwandeln.

Jenny schrieb mir kurz danach und teilte mir mit, daß Eleanor sehr krank gewesen sei, nachdem sie die Nachricht telegrafisch vom Kriegsministerium erhalten hatte, und daß der arme Stevie am selben Tage an einer Hirnblutung gestorben sei. »Francesca meint, die Tatsache tröste sie, daß er Lorenzo aus der Welt habe folgen können«, schrieb Jenny. »Sie ist davon überzeugt, daß er ohne ihn nicht hätte leben können.« Ich konnte zwar ohne ihn auch nicht leben, doch das Schicksal war nicht so freundlich, mich ebenfalls zu töten.

Das schlechte Gewissen vergiftete mir jeden Atemzug. Jenny schrieb, nun seien wir mehr denn je auf unseren einstigen Schwur angewiesen, da zwei von uns Witwen seien, und drehte damit das Messer grausam in der Wunde um, denn hatte ich diesen Schwur nicht gebrochen und eine meiner liebsten Freundinnen betrogen?

Frag mich nicht, wie ich es überlebte. Ich weiß nur, daß ich es, von einer Stunde zur nächsten hinkend, irgendwie schaffte. Ich schaffte es, Kondolenzbriefe an Francesca und – ja – an Eleanor zu schreiben, und heulte dabei, bis ich nicht mehr aus den Augen gucken konnte. Ich fuhr auch weiter meinen Krankenwagen, selbst in der Nacht, als ich von Lorenzos Tod erfahren hatte. Vielleicht half mir ja die Arbeit. Jedenfalls schien keiner meiner Vorgesetzten zu bemerken, daß mein Herz so schwer war wie ein marmorner Grabstein. Meine Kommandantin rief mich zwar eines Abends in ihr Büro, doch nur um mich zu fragen, ob ich mich nicht darum bewerben wolle, eine der neuen Hilfsschwestern-Sanitätseinheiten zu befehligen, die gerade in Frankreich aufgebaut wurden. Ich war tüchtig, offensichtlich kräftig, erfahren und geschickt darin, zickige alte Motoren zu reparieren. Ja, sagte ich, ich werde es mir durch den Kopf gehen lassen. Und ich ging nach Hause und heulte mich in die Bewußtlosigkeit.

Die Einsamkeit war das Schlimmste überhaupt. Mir treten jetzt noch die Tränen in die Augen, wenn ich daran denke. Ich sehnte mich nach einem freundlichen Wort, und oft träumte ich, daß ich zum allerletzten Schiff nach Irland rannte, um bei der Mutter Trost zu suchen. Doch von allen Menschen, die ich liebte, wußte keiner, was ich getan hatte und wie sehr ich nun dafür litt – und wie wütend würden sie werden, so meinte ich, wenn sie es je herausfanden. Nur Aubrey Russell wußte Bescheid, und er war viel netter zu mir, als ich verdiente.

Aubrey begleitete mich zu Stevies Beerdigung. Francescas Mutter machte eine für alle Beteiligten peinliche Szene. Als der Geistliche den Text vorlas: »Saul und Jonathan, holdselig und lieblich in ihrem Leben, sind auch im Tode nicht geschieden«, bekam sie einen Schreikrampf. Mr. Templeton mußte sie aus der Kirche führen, und Aubrey gab mir durch die wiederholte Geste des Trinkens zu verstehen, wie seine Diagnose ihres Zustands lautete.

Francesca war verwandelt. Sie war magerer und blaß wie eine Lilie, und ihre quirlige Hübschheit war zu einer liebreizenden, ernsthaften Schönheit gereift. Ich habe nie etwas so auffallend Schönes gesehen wie ihr Gesicht an jenem Tag unter dem breiten Rand ihres schwarzen Hutes. Sie wollte sich nicht hinter einem Schleier verstecken, sondern zeigte uns allen ihre dunklen kummervollen Augen, die so ruhig waren, als betrauerte sie etwas, was sie schon vor langem verloren hatte.

Ich war die einzige ihrer drei Freundinnen, die anwesend war. Jenny, die ein Kind erwartete, war in Schottland. Eleanor war noch zu gramgebeugt, um sich in der Öffentlichkeit zu zeigen. Du kannst Dir vorstellen, was für eine Erleichterung das für mich war.

Du wirst Dir also auch mein Entsetzen vorstellen können, als Eleanor etwa eine Woche später vor meiner Tür stand. Ich hörte ein leises Klopfen, und da war sie, eine zierliche Gestalt in tiefem Schwarz. Es war schrecklich, den Kummer in ihren unschuldigen blauen Augen zu sehen. Ich hatte das Gefühl, abscheulich schlecht zu sein, und wandte brüsk den Kopf ab, als sie mich küßte. Es war natürlich egoistisch, doch der Gedanke: Warum ist sie bloß gekommen? raste in meinem Hirn herum wie ein verängstigtes Eichhörnchen.

»Ich hätte vorher anrufen oder dir eine Karte schreiben sollen«, entschuldigte sie sich atemlos. »Du siehst, ich handle immer noch völlig kopflos.«

Ich setzte sie in den Korbstuhl am Kamin und machte uns Tee. Dadurch gewann ich Zeit, um die Fassung wiederzufinden. Ich sollte noch sagen, daß Eleanor ganz und gar nichts tat, um mich nervös zu machen, und ihren Verlust mit Haltung und Gefaßtheit trug.

»Für Francesca ist es schlimmer«, erklärte sie mir, als ich mit dem Tablett hereingekommen war. »Ich habe wenigstens meine Kleine. Und, Rory, sie wird ihm jeden Tag ähnlicher. Du kannst dir nicht vorstellen, was für ein Trost das ist. Wenn man die Ähnlichkeit in ihrem Gesicht sieht, dann scheint die Trennung weniger endgültig zu sein … ach, entschuldige …«

Ihre Stimme hatte plötzlich zu beben begonnen und war gebrochen. Sie setzte ihre Tasse ab und zog ein schwarzgerändertes Taschentuch aus der Handtasche. »Deshalb bin ich auch gekommen. Ich mußte dich einfach sehen.«

Ich hatte zuviel Angst, um zu antworten. Ich konnte gerade nur atmen.

Eleanor platzte heraus: »Hält deine Tante noch diese Sitzungen ab?«

»Du meinst ihre Séancen?« Ich war erstaunt. »Das ist doch nicht dein Ernst.«

»Wir hatten einander gerade erst zu verstehen begonnen, als er … Rory, ich glaube, er hat mir beim Abschied etwas Wichtiges sagen wollen.«

Man konnte es ihr unmöglich abschlagen, obwohl mir Ungutes schwante. Die Zähigkeit ihrer Liebe zu ihm wischte jedoch alle Einwände beiseite, und so begleitete ich sie pflichtschuldig zu Tante Hildas nächster Dienstagsséance und wurde krebsrot vor Wut und Scham, als es an mir war, meine halbe Guinee in den Korb zu tun, der vorher herumgereicht wurde.

Nach mehr als drei Jahren Krieg blühte das Geschäft. Neben dem üblichen mausgrauen Kreis der Dauerteilnehmer waren noch zwei schwarzgekleidete Frauen da – beide zitterten und eine umklammerte das Foto eines Jungen in Uniform. Wir setzten uns in Tante Hildas nach Papagei riechendem Eßzimmer um den Tisch, und das Hausmädchen zog die Vorhänge zu.

Das polnische Medium Madame Gerlinska spreizte die dikken Hände mit den Handflächen nach unten auf der Chenilletischdecke. Wir faßten einander bei der Hand, und für einen Augenblick überkam mich nacktes Entsetzen, so daß meine Oberlippe vom Schweiß prickelte. Madame fing damit an, daß sie sich hin und her wiegte und auf Polnisch schnaufend und murmelnd zu dem Geist sprach, von dem sie geführt wurde. Dann räusperte sie sich und fing an.

»In diesem Zimmer ist ein Mensch, der großen Kummer durchmacht.«

Nun, diese Behauptung hätte man in jedem vollen Omnibus äußern können und richtig damit gelegen. Das Seltsame war nur, daß sich meine Augen mit Tränen füllten.

Zunächst konzentrierte Madame sich auf eine der Frauen in Schwarz, und wir hörten, daß es ihrem Sohn jenseits des Jordan gutgehe und er seinen verstorbenen Vater getroffen habe. Dann rief die alte Schwindlerin: »Ich bekomme den Buchstaben L, ein Name, der italienisch klingt.«

Und Eleanor rief aus tiefster Seele: »Lorenzo!«

»Ja, es ist Lorenzo.«

Beim Hereinkommen waren wir alle aufgefordert worden, unsere Fragen an das Jenseits auf ein Stück Papier zu schreiben. Madame hatte sie zwar mit gewaltigem zeremoniellem Aufwand dem Feuer überantwortet, doch ich bin sicher, daß sie die Zeit gefunden hatte, sie zu lesen. Ich weigerte mich, auf das Pochen meines Herzens zu hören.

»Er hat eine Nachricht für Sie«, plärrte Madame.

»Ja?« hauchte Eleanor, und ich spürte, wie ihre Finger die meinen fester umfaßten.

»Sie allein haben sein Herz besessen. Er hat nur Sie geliebt. Ihre Liebe war sehr groß. Die körperliche Veränderung, die wir Tod nennen, kann sie nicht zerstören.«

Diese Lügnerin, diese abgefeimte alte Lügnerin – ich war die Frau, die Lorenzo geliebt hatte. Ich war froh, daß die Dunkelheit die Tränen verbarg, die über mein Gesicht strömten. Danach stand Eleanor mit einer Miene vom Tisch auf, aus der stille Zufriedenheit strahlte. »Jetzt kann ich weitermachen«, erklärte sie mir draußen auf der Straße, »weil ich weiß, daß unsere Liebe im Tod geläutert worden ist. Sie ist so vollkommen, wie sie immer schon hätte sein sollen.«

Ich ging in meine Wohnung und brach in ein Schluchzen aus, in dem sich trostlose Einsamkeit und Wut mischten. Verdammt noch mal, wo war er denn – er hatte mir doch versprochen, mich heimzusuchen, wenn er tot wäre! Wie konnte ich denn in dieser Wohnung bleiben, wo mich alles an Lorenzo erinnerte – und mich obendrein daran gemahnte, daß meine Sehnsucht nach ihm auf immer ungestillt bleiben würde? Sein Tod kam mir wie die grausamste Fahnenflucht vor. An jenem Abend meldete ich mich ein paar Minuten früher zur Arbeit, um meiner Vorgesetzten zu sagen, sie könne mich für den Dienst in Frankreich vorschlagen.

I

Winter 1917 – Frühjahr 1918

Als Tertius im Januar 1918 auf Heimaturlaub nach Hause kam, stellte er fest, daß das mondäne London von ihm sprach. Aubrey Russell hatte beschlossen, daß die Zeit reif sei für seine Ausstellung. Mit seinem ausgeprägten Gespür für das, was im Kommen war, hatte er den Hunger nach einer neuen Sicht des Krieges erahnt. Und wie er es vorausgesehen hatte, wurden die starken, ungezügelt grausamen und eigenartig schönen Bilder, die Tertius ihm während der vergangenen drei Jahre geschickt hatte, zur Sensation. Alle Zeitungen und Illustrierten hatten die Ausstellung in der Swan Gallery als Debüt eines Genies gefeiert; Tertius verkörperte für sie den Geist seiner Generation. Dicht an dicht standen die schnittigen Wagen der Reichen und Einflußreichen in der engen Mayfair Street, und die Eintrittskarten wechselten zu ungeheuerlichen Preisen den Besitzer.

Der einzige Makel war Tertius selbst. Er hatte sich bis zu seinem letzten Urlaubstag geweigert, die Ausstellung zu besichtigen, und seine Reaktion auf die überschwenglichen Kritiken war überaus verdrießlich. Aubrey konnte es nicht begreifen.

»Aber es gefällt dir doch?« fragte er zum x-ten Male. »Ich habe deinem Werk doch Gerechtigkeit widerfahren lassen, wie? Man kann wohl kaum von einem Erfolg sprechen, wenn es dir selbst nicht gefällt.«

»Aber natürlich gefällt es ihm!« brüllte Quince. »Stimmt's, Junge?«

Tertius, Aubrey, Quince und Rory besichtigten die Galerie am späten Nachmittag. Die Kataloge raschelten, wenn Tertius vorbeiging. Sein Selbstporträt von 1916 war mehrfach reproduziert worden.

»Du hast es ja an nichts fehlen lassen, Russell«, sagte er. »Ich frage mich, wer um Himmels willen dieser Tertius Carey sein mag – so einer wie ich bestimmt nicht.« Aus seiner Stimme klang eine Bitterkeit, die Quince und Aubrey besorgte Blicke tauschen ließ.

»Ich habe noch nie einen derartigen Triumph erlebt«, sagte Aubrey. »Es geht bereits das Gerücht um, daß meine Galerie für deine nächste Ausstellung zu unbedeutend sei.«

Tertius verzog bei diesen Worten unwillig das Gesicht. Er legte Rory den Arm um die Taille und berührte den vergoldeten Rahmen des Porträts mit dem Titel: ›The Hon. Mrs. Augustus Fenborough, 1913‹ – Viola vor ihrer Hochzeit in all ihrer eisigen Pracht.

»Daß ich das noch mal wiedersehen würde, hätte ich auch nicht gedacht.«

»Mrs. Fenborough war großzügigerweise sofort bereit, es als Leihgabe herzuschicken«, sagte Aubrey. »Wenn sie auch nicht selbst zur Ausstellung kommen konnte. Sie ist auf dem Land und stillt ihr zweites Kind. Ein Junge, glaube ich.«

»Davon habe ich gehört«, sagte Tertius. »Freut mich für sie.«

Dann starrte er auf ein lebensgroßes Porträt von Rory, als sähe er es zum erstenmal. Es war in Irland entstanden, als sie noch halbe Kinder waren. Rory stand vor einem Hintergrund von Berg und See, stolz und gertenschlank, den Rock eines schäbigen Reitkostüms über dem Arm; das kurze rote Haar wehte ihr vor das lachende Gesicht.

»Wo hast du denn das her?«

»Deine Mutter hat es mit der Kiste Familienbilder geschickt, um die ich sie gebeten hatte. Ich konnte ja nicht wissen, daß dir das nicht recht wäre.«

Tertius schaute in den Katalog, dann wieder auf das Bild. »Warum hast du ihm denn einen Titel gegeben?«

»Ich, mein Junge? Den hast du ihm doch gegeben. Er steht mit Kreide auf der Rückseite der Leinwand: ›Rory von den Hügeln‹.«

»Na, Rory von den Hügeln«, er knuffte sie derb, »was hältst du denn von dir?«

»Sie müßte eigentlich wahnsinnig eingebildet sein.« Aubrey versuchte, einen leichteren Ton anzuschlagen. »Du bist als eine der Schönheiten des Jahrzehnts bejubelt worden, Schatz. Ich werde von Hoffotografen belagert, die um Sitzungen betteln. Die waren vielleicht enttäuscht, als sie gehört haben, daß du gerade einen Krankenwagen über den Ärmelkanal brachtest.«

»Die würden mich gar nicht wiedererkennen,«, meinte Rory. In ihrer strengen blauen Uniform wirkte sie im grellen Licht der Galerie mager und spitz wie eine Metallfeile. Ihr Adlerprofil war ausgeprägter, und wenn die Haltung ihres Kopfes auch so stolz war wie eh und je, so hatte ihr Mund doch einen bitteren Zug.

»Wie auch immer«, ließ Aubrey sich mit ziemlich gezwungener Munterkeit erneut vernehmen, »ich habe ein paar absurd hohe Gebote dafür ablehnen müssen. Was mich wieder auf das prosaische, doch unumgängliche Thema Geschäft bringt. Daß du mir ja nicht wieder davonläufst, Tertius, ehe ich Gelegenheit hatte ... ach, der verdammte Bengel, schon wieder dasselbe.« Aubrey wandte sich verzweifelt an Quince, als Tertius Rory in den nächsten Raum führte. »Er wollte ja bis heute nicht einmal auf seine eigene Ausstellung kommen. Ich kann ihn einfach nicht fassen.«

Quince (der sich erst als zu alt, dann als zu asthmatisch erwiesen hatte, um eingezogen zu werden, und der als freiwilliger Sanitätshelfer gearbeitet hatte) blickte mit einer Mischung aus Fassungslosigkeit und Zuneigung auf die Stelle, wo Tertius eben noch gestanden hatte. »Wie wär's, wenn du Rory auf ihn ansetzen würdest?«

»Nein. Ich weiß, früher hat das funktioniert, doch das arme Mädchen ist ja genauso verändert wie er. Siehst du das denn nicht? Sie klammert sich an ihn, Q, und das hat sie früher nie getan. Vorgestern fand ich sie in Tränen aufgelöst, weil sie den Anblick seiner grauen Haare nicht ertragen konnte. Sie hat wohl gedacht, er würde ewig ein Junge bleiben.«

»Ich kann es ihr nicht verargen«, sagte Quince traurig. »Auch ich habe das geglaubt.«

Sie folgten Rory und Tertius in den zweiten Raum der Galerie. Hier hatte Aubrey Tertius' gesamtes Werk der Kriegszeit versammelt: Skizzen, Cartoons und Gemälde gepeinigter Gesichter und zerfetzter Landschaften. Seine dramatische Serie von 1916 mit dem Titel ›Haubitzenstudien‹ beherrschte eine lange Wand. An einer anderen hingen nur die düsteren, halb abstrakten Ölbilder der Straße von Menin und der Ruinen von Ypern. Diese Ölbilder waren es hauptsächlich, die Tertius' Ruhm begründet hatten.

Der Raum war voller Menschen und trotzdem war es still. Soldaten, viele mit dem Verwundetenabzeichen am Ärmel, betrachteten Tertius' Interpretation der gemeinsam durchlebten Tragödie – die Truppenverbandsplätze, Nachschubbasen, Unterstände und Gefechtsstände ihrer Welt. Frauen starrten mit weitaufgerissenen Augen auf die Darstellung der Barbarei, gegen die sie so lange Zeit abgeschirmt geblieben waren.

»Tertius«, Aubrey berührte seinen Khakiärmel. »Muß ich dich chloroformieren? Oder kommst du freiwillig mit?«

Tertius grinste. »Na schön, du hast gewonnen.«

Aubrey hatte sein Büro im ersten Stockwerk des schmalen Hauses im georgianischen Stil. Es war ein behaglicher quadratischer Raum mit einem türkischen Teppich, einem chinesischen Schrank, einem Regal mit Ordnern, die in Maroquinleder gebunden waren, und einem großen Mahagonischreibtisch. An einer Wand stand ein lederbezogenes Chesterfieldsofa; im Kamin brannte ein üppiges Feuer. Mr. Forbes-Hardy, der Geschäftsführer der Galerie, hatte die Samtvorhänge zugezogen, um den fahlen Januarnachmittag auszusperren, und die Karaffen fein säuberlich auf dem Schreibtisch aufgebaut.

»Irischer Whiskey.« Aubrey drückte Tertius ein Glas in die Hand. »Unter unendlichen Mühen besorgt ... ganz speziell für dich. Zigarette?«

»Ich rauche eine von meinen eigenen, danke. Ich rauche jetzt nur noch Woodbines. Das tun die Jungs alle, und man gewöhnt sich dran.«

»Ganz wie du willst, mein Lieber.« Mit einem kaum merklichen Erschaudern wegen des derben Geruchs der Woodbines ermunterte Aubrey Quince und Rory, mit ihren Drinks Platz zu nehmen, und blickte dann Tertius über den Schreibtisch hinweg an. »Zum Geschäft.«

»Wenn es sein muß.«

»Du hast wohl erraten, daß diese Ausstellung dich berühmt gemacht hat. Du scheinst jedoch nicht erkennen zu wollen, daß sie dich auch ziemlich reich machen könnte.« Er beugte sich vor und sagte gedehnt, um jedem einzelnen Wort Nachdruck zu verleihen: »Ich hätte jedes Bild fünfmal für ein Vermögen verkaufen können.«

Tertius zuckte ungeduldig die Achseln. »Na und? Schafft das irgendwelche Probleme?«

»Ganz und gar nicht. Die Tate Gallery will übrigens die Haubitzen.« Er machte eine Pause, damit Quince und Rory sich beeindruckt zeigen konnten. »Das einzige, was zu klären ist, ist die Eigentümerfrage. Einige der Porträts sind ja bereits in festen Händen. Ich selbst besitze vierundzwanzig der Abstrakten aus der Vorkriegszeit, wie wir es ursprünglich vereinbart hatten. Die kann ich verkaufen, wenn ich will.«

»Das bestreite ich nicht, Russell.«

»Doch was soll ich denn mit den anderen machen?«

»Den anderen?«

»Nun tu nicht so, als wärst du völlig vernagelt.« Aubrey wirkte etwas ärgerlich. »Alle anderen Bilder gehören dir. Du könntest sie für ein kleines Vermögen verkaufen.«

»Ach so.« Tertius leerte sein Glas und stellte es mit übertriebener Behutsamkeit auf den Tisch.

»Soll ich das für dich in die Wege leiten? Natürlich werde ich dir keine Prozente berechnen ...«

»Das ist zwar sehr anständig von dir«, unterbrach ihn Tertius, »doch die sind nicht verkäuflich.«

Rory und Quince riefen wie aus einem Munde: »Was?« Das konnte nicht der Tertius sein, der so wenig wert legte auf seine Bilder, daß er einmal sogar einem Trambahnschaffner eins schenkte, nur weil der es bewundert hatte.

Aubrey, der gleichermaßen erstaunt war, gelang es, einen beiläufigen Ton anzuschlagen. »Hast du denn spezielle Pläne für sie?«

»Nein. Ich weiß nur, daß ich keine verkaufen will.«

»Willst du in dem Fall, daß ich sie für dich lagere?«

»Wieso fragst du? Du lagerst sie doch immer.«

»So einfach ist das nicht«, fuhr Aubrey ihn an, am Ende seiner Geduld. »Mal angenommen, morgen läßt mir ein Zeppelin eine Bombe aufs Dach fallen. Was machst du dann, wenn es keinerlei rechtsgültigen Beweis dafür gibt, daß du der Eigentümer bist? Um Himmels willen, Tertius, nun hör' schon auf, so ein Theater zu machen! Es gibt nichts Schlimmeres auf der Welt als einen jungen Künstler, dem der Erfolg zu Kopf gestiegen ist.«

»Entschuldige.« Über Tertius' Gesicht huschte ein Ausdruck einer so tiefen, dumpfen Verzweiflung, daß Aubrey sofort wieder besänftigt war.

»Ich will dir doch nur helfen, also nun laß mich auch. Während der letzten sechs Monate hast du mir kein einziges Bild mehr geschickt.«

»Die halten mich dauernd in Atem.«

»Eben. Und wie albern ist das, wo du deinem Vaterland weitaus nützlicher sein könntest, indem du deine wahren Talente nutzt. Ich habe mich also erkundigt, ob ich dich auf die Liste der offiziell anerkannten Kriegsmaler setzen lassen kann. Wie John, du weißt schon, und Spencer. Die geben dir einen Auftrag, und dann kannst du pinseln, soviel du willst. Dank deines Erfolgs, würde ich meinen, läßt sich das mühelos einrichten.«

Rory stieß einen Schrei des Entzückens aus, doch Tertius zeigte weder Dankbarkeit noch Begeisterung. Er saß einfach nur da und machte sich an seinem Zigarettenstummel zu schaffen, und sein Gesicht verhärtete sich zu einem Ausdruck störrischer Wut. Nach langem Schweigen sagte er: »Nein.«

»Nein!« Das wurde selbst Quince zuviel. »Bist du wahnsinnig geworden?«

»Ich will kein Offizier sein.«

»Ach, verdammt und zugenäht!« bellte Quince, »ausgerechnet so ein kleiner Tölpel wie du ... wen interessiert denn das, wenn du Künstler sein kannst?«

Tertius sagte: »Ich will kein Künstler sein.«

Dieses Eingeständnis schlug ein wie ein Bombe. Rory schnappte gequält nach Luft, und Quince verschlug es die Sprache. Aubrey erholte sich als erster.

»Vielleicht sollten wir ein bißchen später darüber sprechen.«

»Du wirst mich nicht umstimmen.«

»Quince hat ganz recht, wenn er dich Tölpel nennt ...

machst du der Armee auch solche Scherereien?« Es klopfte. Aubrey ließ sich die Zeit, um seinen Ärger und seine Besorgnis niederzukämpfen. »Herein.«

Es war Mr. Forbes-Hardy, ein schmächtiger, kahler junger Mann, der leise sprach, weil er 1915 bei Ypern einen üblen Gasangriff durchgemacht hatte. Aubrey hatte ihn aus Mitleid eingestellt, hielt ihn aber inzwischen für überaus tüchtig.

»Entschuldigen Sie, Mr. Russell. Unten sind einige Damen, die nach Mr. Carey fragen.«

»Sie hätten ihnen nicht zu sagen brauchen, daß ich hier bin«, sagte Tertius.

Mr. Forbes-Hardy wirkte betreten. Er wußte nicht so recht, wie er mit Tertius umgehen sollte. Er mochte ja der Bruder eines Lords sein und ein brillanter junger Maler, doch er trug die Uniform eines Gefreiten, und Mr. Forbes-Hardy war Offizier gewesen. »Sie behaupten aber, sie wären alte Freundinnen von Ihnen ... die Misses Berlin.«

»Die Berlins! Ach, das ist etwas anderes. Danke, Forbes-Hardy.« Tertius war schlagartig der alte aus der Zeit vor dem Krieg – lebhaft und aufgeschlossen. »Los, komm, Rory.«

Die drei Berlin-Schwestern standen bei den Porträts, in feierlicher Stille aufgereiht vor einer Pastellzeichnung von Joe. Sie wandten sich um, als Tertius und Rory hereinkamen, Quince und Aubrey im Kielwasser. Frieda trat vor und ergriff das Wort.

»Tertius, mein Lieber.« Sie berührte flüchtig seine Wange, als wollte sie sich ihrer Jugend und Gesundheit versichern. »Wie gut Sie aussehen.«

Sie war während der letzten paar Monate auffällig gealtert. Ihr Gesicht war von feinen Linien durchzogen wie krakeliertes Porzellan.

Tertius nahm ihre Hand. »Es hat mir sehr leid getan, das von Joe zu hören.«

Ihr herzliches Lächeln wurde unsicher. »Danke. Wir finden es nicht richtig, unseren Kummer allzusehr zur Schau zu tragen, wo es so viele andere gibt, die leiden. Doch es ist ein harter Schlag für uns gewesen.«

Hinter ihr nickten Berta und Dorrie traurig.

»Wo ist es denn passiert?« fragte Tertius.

»In einem Ort namens Polygon Wood. Vielleicht haben Sie von ihm gehört?«

»Ja.«

»Wir haben vor, dorthin zu fahren, wenn der Krieg vorbei ist ... wir denken, wenn wir den Ort, wo er gestorben ist, mit eigenen Augen sehen, wird es für uns erträglicher. Sein Vorgesetzter hat uns geschrieben, er sei Streife gegangen, und bis ganz zum Ende habe sein einziges Interesse der Sicherheit seiner Männer gegolten. Wir haben zwar gehört, daß sie so etwas manchmal erfinden, um es den Familien zu schreiben, wenn die Tatsachen allzu grauenhaft sind«, setzte sie hinzu. »Doch das klingt so sehr nach unserem Joe, daß wir es glauben müssen.«

Dorrie ließ einen unterdrückten Schluchzer hören, und sie mußte in ihrer Handtasche nach einem Taschentuch suchen. Frieda wahrte jedoch Haltung. »Wir mußten herkommen, als Cecil Scott uns von Ihrem Porträt erzählt hat. Sie hat gesagt, es sei schön ... und das stimmt, Tertius. Wir würden es schrecklich gern kaufen.«

»Es ist nicht verkäuflich.« Seine Miene war sanft. »Es gehört Ihnen bereits.«

»Ach, aber wir ...«

»Bitte, ich möchte, daß Sie es bekommen.«

Freude zuckte über die drei häßlichen Gesichter. Berta und Dorrie wandten sich mit freudigem Besitzerstolz wieder dem Porträt zu.

Frieda küßte Tertius auf die Wange. »Ich weiß gar nicht, wie ich Ihnen danken soll. Es ist fast zuviel ...«

Er beobachtete sie neugierig. »Bedeutet es Ihnen wirklich soviel?«

Sie antwortete schlicht: »Es ist, als bekämen wir ein Stück von ihm wieder.«

Aubrey, der witterte, daß allzuviel Melancholie seinem Starkünstler nicht gut täte, beschloß, einen nüchterneren Ton anzuschlagen. »Mr. Forbes-Hardy, machen Sie bitte eine Notiz über die Transaktion?«

»Gewiß, Mr. Russell.«

Eine nach der anderen, in der Reihenfolge ihres Alters, küßten die Berlins Tertius und Rory und marschierten in die kalte

Abenddämmerung hinaus. Sie waren die letzten Besucher. Mit gelassener Präzision ordnete Mr. Forbes-Hardy die Stapel der Kataloge, ließ die Rouleaus herunter, zog seinen Regenmantel an und setzte seinen Bowler auf. Er stand, die Schlüssel in der Hand, und wartete darauf, daß die anderen gingen.

Aubrey zog seine goldene Taschenuhr heraus. »Q, ich hoffe doch, du wirst heute abend mein Gast sein. Und Tertius und Rory, falls ihr ebenfalls Lust habt ...«

»Nein, danke«, schnitt Tertius ihm das Wort ab. »Wir haben schon eine Verabredung ... letzter Abend und so weiter. Stimmt's, Rory?«

»Oh ...« Für einen Sekundenbruchteil wirkte Rory verwirrt. »Ja, richtig.«

Sie gingen Arm in Arm. Aubrey stand am Fenster und beobachtete, wie sie sich aneinander schmiegten, während sie sich durch das Menschengewimmel schlängelten.

Quince stand immer noch vor dem Porträt von Joe. »Das war ein anständiger Kerl. Wie so viele andere. Kann man sich vorstellen, daß ein Land immer weiter solche Burschen wie ihn verheizt?«

»Es ist zu spät«, sagte Aubrey. »Unsere Jugend ist bereits vergeudet und verloren. Sieh dir doch Tertius und Rory an ... ich bin kein besonders gütiger Mensch, Q, und auch nicht sentimental, doch die beiden brechen mir schier das Herz.«

»Du warst ja schrecklich still da drinnen«, sagte Tertius herausfordernd zu Rory. »Ich hätte eher erwartet, daß du mir den Kopf abreißt.«

»Ich reiße niemandem mehr den Kopf ab.«

»Macht es dir auch nichts aus, daß ich eine Einladung zum Essen ausgeschlagen habe, wo wir beide doch völlig pleite sind?«

»Nein, ich möchte lieber mit dir allein sein.«

»Damit du mir damit in den Ohren liegen kannst, daß ich ein Kriegskünstler werden und mein Werk der Tate Gallery verkaufen soll.«

»Nein.«

Sie stiegen die enge Treppe zu Rorys Wohnung hinauf. Da die

bereits bestehende Verabredung natürlich erfunden war, hatten sie sich am Ende zwei Hammelkoteletts und zwei Flaschen Bier gekauft und sich auf einen ruhigen Abend zu Hause eingestellt.

»Herrje, was diese Koteletts kosten«, klagte Tertius. »Man würde denken, die wären von so einem blöden Einhorn.«

»Heutzutage kostet doch alles ein Vermögen.« Rory bückte sich, um ein Streichholz an ihren Gasofen zu halten. »Miss Thompson hat mir gerade erst vorgestern eine geschlagene Stunde ihr Leid darüber geklagt. Wir jungen Leute in Frankreich drüben hätten ja keine Ahnung, was die älteren Zivilisten zu Hause zu leiden hätten.«

»Rory.«

»Was?«

»Sieh mich an, Rory-May ... Was ist dir bloß zugestoßen?« Sie spürte, wie sich ihr Rücken abwehrend versteifte. »Nichts.«

»Nun sag schon«, drängte er. »Du hast dich verändert. Ist es die Arbeit?«

»Drüben in Frankreich ist es sehr viel härter als hier. Ganz zu schweigen von der Unterbringung und dem Futter.«

»Du willst es mir also nicht erzählen. Du tust so, als wärst du tausend Meilen weg, und hältst mich einer Erklärung nicht für würdig.«

»Tertius, nun sei aber nicht ungerecht! Ich habe doch jeden Augenblick dieses Urlaubs mit dir verbracht!«

»Das stimmt schon. Doch du verheimlichst mir etwas.« In seine Augen trat ein gefährliches Glitzern. »Es ist ein Mann, stimmt's?«

Die Koteletts glitten ihr aus der Hand und klatschten auf den Boden. Sie wandte sich zu ihm um, wütend, weil er es so mühelos erraten hatte und ihren Kummer in ein so billiges Licht stellte. »Mistkerl.«

»Wer ist es?« brüllte Tertius. »Ich will den Namen von dem Schweinehund wissen!«

»Es gibt keinen Mann, verdammt noch mal!« Die trostlose Wahrheit dieser Behauptung füllte ihren Mund mit einem sauren Geschmack. »Du vergeudest deine verdammte Eifersucht an ein Phantom!« Rory legte die Hände an ihre brennenden Wangen und atmete tief, um ihre Fassung wiederzufinden; sie hatte monatelang gegen ihren Kummer angekämpft und würde sich jetzt nicht von ihm niederdrücken lassen: »Es gibt nicht eine lebende Seele, die irgendeinen Anspruch auf mich erheben könnte außer dir«, sagte sie, bemüht, ihre normale Stimme wiederzufinden. »Es ist also ganz albern von dir, mir Vorwürfe zu machen. Du weißt doch, wie einsam ich ohne dich wäre.«

Rory ließ müde den Kopf hängen. Sie liebte Tertius zu sehr, um ihm das zu sagen, was ihn verletzen würde. Zu ihrer Überraschung hob er ihr Kinn jedoch sanft mit einem Finger und sagte leise: »Ich will dich nicht quälen. Doch du bist unglücklich gewesen, stimmt's?«

»Schrecklich.«

»Ich kann das einfach nicht mit ansehen, weiter nichts. Wenn ich doch bloß etwas für dich tun könnte.«

Sie spürte eine Aufwallung von Liebe für ihn ... nicht wie die Liebe, die sie für Lorenzo empfunden hatte, sondern etwas Tröstliches, Verläßliches aus der unschuldigen Vergangenheit. »Du brauchst bloß da zu sein, und schon geht es mir besser.«

»Da habe ich aber schon etwas anderes gehört.«

»Ich bin ja auch nicht mehr die, die ich mal war. Ich hoffe doch, daß ich über das Alter, in dem ich mich mit dir gekabbelt habe, hinaus bin. Ich weiß inzwischen, was du mir wert bist.«

Im schummrigen Licht der Lampe sah Tertius jung und sehr traurig aus. Sie beugte sich vor, um ihm übers Haar zu streichen.

»Ich liebe dich so sehr«, flüsterte sie.

»Ach Rory ... o mein Gott ...« Seine Lippen preßten sich auf ihre.

Rory war völlig überrascht. Sie hatte seit Lorenzos Tod nicht mehr an sexuelle Freuden gedacht und war zu dem Schluß gelangt, er hätte all ihr Begehren mit ins Grab genommen. Ihr erloschener Körper empfand nichts für Tertius. Doch wenn sie das tun mußte, um ihn zu retten ...

Er nestelte mit ungeschickten Fingern an den Knöpfen ihrer Bluse und ihres Rockes herum. Sein Atem war rauh, und seine Verzweiflung beunruhigte sie. Mit dem überwältigenden Gefühl der Unwirklichkeit half sie ihm, die eigenen und auch seine

Kleider abzustreifen. Ihr Hirn weigerte sich, die ungeheuerliche Tatsache zur Kenntnis zu nehmen, daß sie nackt in Tertius' Armen lag und seine Haut an ihrer spürte.

Er betastete ihre Brüste mit wachsender Panik, als versuchte er, irgendeinen Code zu dechiffrieren, der auf ihrem Körper geschrieben stand. Als sie ein Bein bewegte und an der feuchten Weichheit seiner Genitalien vorbeistrich, spürte sie, daß er keine Erektion hatte.

»Scheiße!« Er stieß sie unsanft von sich und sprang auf. »Scheiße! Scheiße!« Er packte die Brandyflasche und schmetterte sie gegen den Kaminsims, dann vergrub er das Gesicht in den Händen.

Sprachlos lag Rory mit gespreizten Beinen auf dem Teppich, beobachtete, wie die Reste des Brandys in den Kamin tropften, und wagte nicht, sich zu rühren, nicht einmal, um die Glasscherben beiseite zu schieben, die um Tertius' bloße Füße lagen.

»Sag bloß nichts. Kein einziges Wort.« Sein Gesicht war von Bitterkeit und Wut so entstellt, daß Rory sich fürchtete. Mit unangenehm pochendem Puls beobachtete sie, wie er das Zimmer nach Papier und Bleistift absuchte. Als er beides gefunden hatte, setzte er sich neben sie. Der Bleistift bebte wild in seiner Hand. Die Anstrengung, die es ihn kostete, den Stift ruhig zu halten, trieb ihm den Schweiß auf die Oberlippe.

Seine Hand flatterte erst über dem Papier, dann lag sie reglos. Er machte einen zweiten Versuch, etwas aufs Papier zu bringen, und der Bleistift fiel ihm aus der bebenden Hand.

»Da«, sagte er und hielt das beschmierte Blatt empor, »der letzte Tertius Carey, ein Vermögen wert.«

Der Zorn in seinem Blick schmolz zu einem kindlichen Ausdruck hilfloser Pein. Er senkte den Kopf, langte blindlings nach ihr und brach in Tränen aus. Sie warf die Arme um ihn, als könnte sie ihn den Klauen des Todes entreißen. Sie weinte mit ihm und wiegte seinen Kopf an ihrer Brust.

»Mein Liebling, laß mich dir doch helfen.«

»Das kann niemand.«

»Sag mir doch alles, bitte.«

Mit ungeheurer Anstrengung stieß er hervor: »Es ist alles aus, Rory. Ich kann nicht mehr arbeiten. Du hast ja gesehen, wie meine Hände beben, wenn ich zu zeichnen versuche. Ich werde nie wieder arbeiten.«

»Aber doch bestimmt nach dem Krieg, wenn du dich ausruhen kannst und ...«

»Nein! Es sind nicht nur die Hände. Irgend etwas anderes ist auch noch weg.«

»Was?«

»Ich weiß nicht. Was immer mich anfangs zum Malen getrieben hat ... ich bin ein Waisenkind ohne das.« Er fing haltlos zu schluchzen an. Rory drückte ihn fester an sich und spannte die Muskeln an, um sein Zucken aufzufangen. »Und ich bin ein Erfolg«, schluchzte er wütend. »Jetzt bin ich ein Scheißerfolg ... wo ich nichts mehr habe auf der ganzen Welt.«

»Du hast doch mich, du wirst mich immer haben. Ich werde dich nie verlassen.« Rory murmelte das wieder und wieder wie eine Zauberformel, bis er etwas ruhiger zu werden begann.

»Ich schwör dir bei Gott«, sagte er, »wenn ich dich nicht hätte, ich würde in Stücke zerspringen.«

»Ich doch auch, Tershie. Ich habe mich während dieser letzten Monate nach dir verzehrt.«

Tertius löste sich ein wenig von ihr, so daß sie seine Wimpern sehen konnte, an denen die dicken Tränen hingen. »Wir brauchen einander, wir gehören zueinander.«

»Ja«, sagte Rory ruhig, »das glaube ich auch.«

Sie starrten einander an und erwogen die Folgen ihres Eingeständnisses.

»Heißt das«, fing er an, »heißt das, daß du mich endlich heiraten wirst?«

Und Rory liebkoste wieder seine graue Locke und sagte: »Ja.«

Er sank in ihren Armen zusammen wie eine Marionette mit gerissenen Fäden, und diesmal weinte er aus reiner Erschöpfung und Erleichterung. Von tiefer Liebe und noch tieferer Traurigkeit erfüllt, schliefen sie ein.

Rory wachte fröstelnd auf, sie war allein.

»Tertius?«

Am Gasrohr klemmte ein Zettel, und es war gerade hell genug, daß sie lesen konnte, was Tertius in seiner neuen, elektrisierenden Handschrift an sie geschrieben hatte:

»Liebe Rory-May, ich bin abgehauen, weil ich Dir nicht ins Gesicht sehen konnte. Ich danke Dir, Liebling, doch Du mußt mich nicht heiraten. Ich weiß, daß Du nur aus Nettigkeit ›ja‹ gesagt hast. Dein Dich liebender, Dir ergebener T.«

Er war weg. Er hatte sie verlassen, um in den Krieg zurückzukehren. Rorys Herz machte wilde Sprünge. Sie mußte ihn sehen – welcher Bahnhof? Wie spät war es? Sieben. Wenn der Himmel ihr gnädig war, konnte sie es noch schaffen.

Sie zog sich in fieberhafter Eile an und nahm sich nicht einmal die Zeit, um sich zu kämmen; sie merkte gar nicht, daß sie sich den Fuß an einer Scherbe der zerbrochenen Flasche schnitt. Das spürte sie erst Stunden später, als Strumpf und Schuh von getrocknetem Blut verklebt waren.

Wunderbarerweise fand sie fast vor der Haustür ein Taxi, das mit ihr zur Victoria Station ratterte. Ein noch größeres Wunder war, daß sie genug Geld in der Tasche hatte, um es zu bezahlen.

Im Innern des Bahnhofs hätte sie vor Enttäuschung und Verzweiflung heulen können wie ein Wolf. Es wimmelte von Menschen – wie um Himmels willen sollte sie ihn denn hier finden? Wenn er nun in den Zug stieg und von ihr wegfuhr, ohne je zu erfahren, daß sie ganz in seiner Nähe gewesen war? Alle Bahnsteige schienen eine undurchdringliche Masse Khaki zu sein. Außerdem drängten sich Frauen und Kinder und alte Männer dazwischen, um Lebewohl zu sagen. Dann gab es die Teestände der Wohltätigkeitsverbände, die dicke weiße Tassen und derbe Sandwichs austeilten.

Rory konzentrierte sich mit jeder Faser auf Tertius. Wenn sie nur stark genug an ihn dachte, würde sie ihn finden. Sie schloß die Augen, und als sie sie wieder öffnete, erspähte sie sein Profil weit hinten neben einem Teestand.

Die Freude, ihn zu erblicken, schmerzte mehr als zuvor die Spannung. Rory hatte keine Ahnung, was sie ihm sagen wollte, nur daß es das Wichtigste von der Welt war, ihn noch ein letztes Mal zu berühren. Sie kümmerte sich nicht darum, ob sie jemandem auf die Füße trat, und zwängte sich durch die Menge.

Er sah sie kommen. Einen Augenblick lang war sein Gesicht ausdruckslos. Dann stürzte er ihr entgegen. Sie fielen einander in die Arme und begannen gleichzeitig zu sprechen:

»Tertius! Warum hast mich allein gelassen ...«

»Rory, tut mir leid, ich war ein solcher Idiot ...«

»Ich hab' mich halb zu Tode geängstigt ... Daß du nie wieder so davonschleichst!«

»Ich wollte dich nicht wecken. Ach, Rory!« Sein Atem war warm an ihrem Hals. »Gott sei Dank, daß du da bist.«

»Willst du mich denn wirklich?«

»Ich hab' mich die ganze Zeit verflucht, weil ich mich so nach dir gesehnt habe. Ich habe fast Q zu dir geschickt, um dich herzuholen, als ich wegen meiner Sachen im Atelier war.«

»Ich meine es immer noch ernst. Wir gehören zueinander, und ich werde nicht zulassen, daß du es dir anders überlegst.«

»Ach, Schatz.« Sanft löste er sich aus ihren Armen und strich ihr über die Wange. »Ich weiß, du bist unbeugsam wie Stahl, doch ich lege dich nicht auf dein Versprechen fest.«

»Aber Tershie, ich ...«

»Wir sprechen ein andermal darüber. Was ist denn los?« Er lächelte – das alte, vertraute Lächeln. »Du weinst ja gar nicht? Ich schäme mich für dich. Macht man zum Abschied etwa so ein Gesicht?«

»Ich liebe dich.«

»Und ich liebe dich, Rory-May.«

Tertius küßte sie auf den Mund, schwang seinen Seesack über die Schulter und entschwand mit einem einzigen kurzen Winken. Eine eiskalte Faust schloß sich um ihr Herz, als sie ihm nachsah. Sie hatte sich nur von einem Schatten getrennt. Der richtige Tertius hatte sie schon vor langer Zeit verlassen.

2

Der Nebel wurde dichter. Graue Schwaden dämpften das Licht der Straßenlaternen. Immerhin keine Luftangriffe heute nacht, dachte Francesca, bemüht, die Angst zu verscheuchen, die sie stärker frösteln ließ als die größte Kälte. Sie wußte, daß es dumm von ihr war, sich vor der blinden Einsamkeit im tiefen

Nebel zu fürchten und vor dem Stakkato ihrer eigenen Füße auf dem Trottoir.

Sie brauchte nur die Sloane Street hinunterzugehen und den Platz zu überqueren, und binnen Minuten wäre sie in der Geborgenheit des Queen-Anne-Häuschens, das Stevie für sie gekauft hatte – es gehörte ihr, war auf ihren Namen eingetragen, und niemand konnte es ihr fortnehmen. Ivy, ihre Haushälterin, würde Scones zum Tee gemacht haben. Im Wohnzimmer würde ein Kaminfeuer auf sie warten. Genau so ein Feuer, dachte sie, und ihr Herz krampfte sich zusammen, wie Stevie es beobachtet hatte, als er starb. Ihr gutherziger, fröhlicher, schöner junger Mann, von dem jetzt alle sprachen wie von einer Art Engel.

Francesca fragte sich, was Stevie davon gehalten hätte, daß sie das Haus behielt, gegen den Wunsch beider Elternpaare. Marian Carr-Lyon hatte gewollt, daß sie ins Calcutta Lodge hinunterzog, was sie getröstet hätte – neuerdings klammerte sie sich an Francesca als an eine lebende Erinnerung an ihren verlorenen Jungen. Und ihre eigene Mutter beschwor sie, das Haus zu verkaufen und wieder in die Half Moon Street zurückzuziehen.

Beim Gedanken an Monica verhärtete sich Francescas weiches Herz. Nach Stevies Tod waren einige Dinge ans Tageslicht gekommen. Monica hatte, wie Archie es ausdrückte, ›allzutief in die gute alte Flasche‹ geblickt. Und unter dem Einfluß der guten alten Flasche spielte sie gern auf Dinge an, die sie vor ihrer Tochter geheimgehalten hatte. Archie hatte getan, was er konnte, um Francesca zu schützen, wenn Monica sie wegen ihrer Unschuld verhöhnte. Es war jedoch offensichtlich, daß sie etwas über Stevie wußte. Francescas zartes Wesen scheute davor zurück, der Sache auf den Grund zu gehen.

Wenn ihr trauriges, isoliertes Leben überhaupt irgendein Ziel hatte, dann bestand es darin, daß sie nicht werden wollte wie ihre Mutter. Das hatte ihr auch die Kraft gegeben, ihren Willen durchzusetzen. Sie hatte sogar eine nützliche Arbeit gefunden, auch wenn sie nur darin bestand, in Lady Madge Allbrights Ballsaal in Knightsbridge alte Kleidung für Soldatenwitwen zu sortieren.

Ich bin ja auch eine Soldatenwitwe, hatte sie an diesem Nachmittag gedacht. Wie käme sie wohl damit zurecht, wenn sie nach Stevies Tod diese nach Kampfer riechenden ausrangierten Sachen tragen müßte? Sie hatte Geld. Sie war gut dran. Sie hatte kein Recht zu meinen, daß ihr Leben zerstört sei. Dann hatte sie einen Strampelanzug aus dem Haufen herausgefischt, und der alte Schmerz hatte sie wieder durchflutet.

Von uns vieren, so dachte sie jetzt, bin ich die einzige, die gescheitert ist. Eleanor und Jenny haben ihre Kinder, Rory hat ihre Freiheit. Ich habe nur ein Haus, worin ich lebe wie ein kleines altes Weiblein in einem Märchen, unberührt vor sich hin welkend. Niemand würde jemals erfahren, daß das Witwendasein lediglich die Fortsetzung ihres sterilen Lebens war.

Sie hörte rasche Schritte hinter sich. Francescas Puls flatterte, und sie ging schneller.

Als sie in das Licht einer Straßenlaterne trat, rief eine männliche Stimme: »Warte!«

Voller Angst umklammerte sie ihre Handtasche mit beiden Händen und eilte weiter.

»Bleib doch stehen, verdammt noch mal!« Die Stimme war eindringlich.

Harte Finger packten sie grob beim Arm. Er zog sie herum, so daß sie ihn ansehen mußte. »Monica ... tu doch nicht so, als würdest du mich nicht kennen ...«

Sie sah noch das strafende Funkeln seiner Augen, ehe der Nebel anschwoll und sie aus dem blanken Entsetzen ins Schwarze tauchte.

Allmählich wurde sie sich einer weichen Wärme bewußt, die ihr durch die eiskalten Hände und Füße strömte. Sie trieb durch die rosenduftende Finsternis und lauschte den Stimmen hundert Fuß über ihr.

»Wie kannst du nur so dumm sein, Jim«, sagte eine Frau. »Mußtest du sie denn anfallen wie ein wütender Elefant?«

»Meinst du, sie kommt gleich wieder zu sich?« Die Stimme des Mannes klang besorgt. »Ich weiß auch nicht, was in mich gefahren ist ... sie sah ihr nur so ähnlich.«

»Es besteht eine gewisse Ähnlichkeit«, räumte die Frau ein, »doch das ist keine Entschuldigung. Sieh dir doch den Schnitt ihres Mantels an und die Steine an ihrem Ring. Wahrscheinlich ist sie eine junge Viscountess oder etwas in der Art, und ihr

Mann wird dich dafür auspeitschen. Oder du kommst wegen tätlichen Angriffs ins Gefängnis.«

»Mutter! Wenn sie dich hört.«

»Das arme kleine Ding, scheint kaum alt genug, um verheiratet zu sein.«

Francesca trieb an die Oberfläche und kam wieder zu sich. Zu ihrem größten Erstaunen fand sie sich auf einem fremden Bett wieder, in einem fremden Zimmer mit zwei fremden Menschen. Das Zimmer war herrlich warm, ein prächtiges Feuer brannte, als gäbe es so etwas wie Kohlenknappheit nicht. Über sie gebeugt stand ein junger Mann in einer Uniform, die ihr irgendwie nicht richtig vorkam, bis sie erkannte, daß sie zum amerikanischen Militär gehörte.

In ihrem Zustand träumerischer Verwirrung registrierte sie immerhin, daß dies ein sehr gut aussehender amerikanischer Offizier war – groß, von anmutiger Gestalt und mit nußbraunem Haar, dunkelgrauen Augen und Zügen von aristokratischer Vornehmheit. Er war beunruhigt und versuchte erfolglos, etwas zu ihr zu sagen.

Die Frau kam ihm zu Hilfe. »Bleiben Sie liegen, meine Liebe, und seien Sie unbesorgt. Wir sind hier im Cadogan Hotel, und wir sind auch keine Entführer. Mein dummer Sohn hat Sie in diesem fürchterlichen Nebel mit jemandem verwechselt, und Sie sind ohnmächtig geworden. Glücklicherweise nur ein paar Schritte von der Tür entfernt.« Sie war genau wie er – die gleiche porzellanene Feinheit der Züge; die gleiche patrizische Anmut, die jede ihrer Gesten prägte. Ihre zarte Haut war die Quelle des Rosendufts. »Ich bin Peggy Redmond. Der Barbar ist Captain James Redmond. Nehmen Sie eine Tasse Tee?«

»Ja, bitte.« Francesca wunderte sich, daß sie keine Angst mehr hatte, und bedachte Captain Redmond wieder mit einem verstohlenen Blick, als seine Mutter an den Tisch am Feuer trat, um Tee einzuschenken.

Er räusperte sich und schaffte es endlich zu sagen: »Es tut mir schrecklich leid. Bitte verzeihen Sie mir.«

Ihr fiel plötzlich ein, was er gesagt hatte, ehe sie das Bewußtsein verlor. »Haben Sie mich Monica genannt?«

Er bekam rote Ohren. »Ja.«

»So heißt meine Mutter.«

»Ihre Mutter?« Er war erstaunt. »Ach nein, sie kann unmöglich eine Tochter haben, die alt genug ist ...«

Mrs. Redmond fuhr herum, die große silberne Teekanne in der Hand. »Sprechen wir von Monica Templeton? Verheiratet mit Archie? Derselben Monica Templeton, deren Dekolleté bis zum Knie reicht und die mehr Farbe im Gesicht hat als ein durchschnittlicher Rembrandt?«

Francesca spürte, wie sie bei dieser Beschreibung errötete. »Ja«, sagte sie.

»Da hast du's, Jim.« Mrs. Redmond wandte sich in grimmigem Triumph ihrem Sohn zu. »Ich hab' dir ja immer schon gesagt, die Frau lügt, was ihr Alter betrifft.«

»Ich verstehe nicht.« Francesca setzte sich auf dem Bett auf. »Sind Sie denn Freunde meiner Mutter?«

Die Redmonds tauschten unbehagliche Blicke. Allzu hastig sagte James: »Ich hoffe, Sie verzeihen mir meine Grobheit, Mrs. Carr-Lyon.«

»Können wir irgend etwas für Sie tun, Mrs. Carr-Lyon? Vielleicht Ihren Gatten anrufen, damit er weiß, daß Ihnen nichts passiert ist?«

»Nein, er ist ... ich bin Witwe.«

Mrs. Redmond reichte ihr eine Teetasse. »Das ist aber schlimm. Sie sind viel zu jung, um zu wissen, daß es so etwas überhaupt gibt.«

»Bitte, Mrs. Redmond, erklären Sie mir doch, was das alles mit meiner Mutter zu tun hat. Sie brauchen nicht zu befürchten, daß ich an irgend etwas Anstoß nehmen könnte«, setzte sie entschieden hinzu. »Ich weiß, daß sie öfter lügt.«

James' Ohren erglühten noch mehr, doch Mrs. Redmond schien Francescas Unverblümtheit zu schätzen. Sie setzte sich ans Ende des Bettes. »Dann wissen Sie also auch, daß sie Männer stiehlt?«

»Läßt du bitte mich das übernehmen, Mutter?« James sprach jetzt in bestimmtem Ton, wenn auch ein Anflug von Humor seinen Mund umspielte. »Wir haben Mrs. Templeton vor ein paar Jahren kennengelernt, als sie einen Winter in Boston verbrachte.«

»Und es schaffte, sich in unsere Kreise einzuschleichen«, unterbrach Mrs. Redmond, »weiß der Himmel, wie.«

»Mutter, wirklich!«

»Angeblich schlüpft so ein Wiesel ja sogar durch einen Trauring, und Monica verstand sich weiß Gott darauf.«

»Mutter!« Sein Ton war zornig und scharf. »Mrs. Templeton und ich ...« Stirnrunzelnd suchte er nach dem passenden Wort.

»Sie haben sich in sie verliebt«, sagte Francesca.

»Ich?« Er straffte stolz die Schultern. »Mein jüngerer Bruder. Sie dürfen es ihm nicht zu sehr verargen ... er wußte, daß es unehrenhaft war, doch er war verrückt nach ihr. Er hat den Kopf verloren. Die ganze Familie wurde mit hineingezogen und ... also ..., es tut mir leid, Mrs. Carr-Lyon, Sie damit zu behelligen, falls Sie das nicht wußten.«

Seine jungenhafte Aufrichtigkeit erinnerte sie an Stevie. Der Argwohn, der in ihrem Hinterkopf lauerte, meldete sich wieder, und sie machte eine weitere schwarze Eintragung zu ungunsten ihrer Mutter. Mrs. Redmond spürte das, und ihr Ton wurde wärmer. Zugleich schien sie zu Francescas Beunruhigung nun noch entschlossener, kein Blatt vor den Mund zu nehmen.

»Wenn Sie selbst Mutter wären, mein Kind, dann wüßten Sie, was für eine Qual das ist, mit anzusehen, wie eine Frau wie Monica Ihrem Sohn das Herz bricht. Doch Sie dürfen sich nicht an dem stoßen, was ich sage ... Jim kann Ihnen erzählen, wie oft mein Mundwerk das wohlerzogene Boston bis in die Grundfesten erschüttert hat. Ich weiß nicht, warum man mich immer noch besucht.«

»Weil es keine zweite gibt wie dich«, sagte er und sein Lächeln verriet, daß er sich entspannt hatte. Er hatte sie sehr gern. Francesca beschloß, die Frau ebenfalls zu mögen.

»Ich sage immer«, fuhr Mrs. Redmond fort, »daß ganz ordinäre Aufrichtigkeit die beste Taktik ist. Deswegen werde ich Ihnen auch verraten, daß ich mit Ihrer Mutter noch nie etwas im Sinn hatte. Na schön, es ist die Pflicht eines jeden jungen Mannes aus guter Familie, sich vor der Ehe mal richtig auszutoben. Doch sie ist nicht die Frau dafür ... zu zügellos, zu alt und verdammt noch mal zu ausgekocht.« Sie musterte Francesca listig. »Wollen Sie noch mehr wissen?«

»Ja.« Sie brannte auf einmal darauf, alles zu erfahren.

»Ich hab' dir das nie erzählt, Jim, doch du kannst es jetzt ebensogut erfahren ... es hat deinen Vater fünfzigtausend Dollar gekostet, den armen Will aus Monica Templetons Klauen freizukaufen.«

James schnappte nach Luft. »Ihr ... ihr habt ihr Geld angeboten?«

»Sie hat es angenommen, Junge. Das ist der springende Punkt.«

»Vielleicht ist das nicht der richtige Augenblick, um ...«

Francesca versuchte, Mrs. Redmonds unglaubliche Behauptung zu verdauen. Das paßte einfach nicht ins Bild. »Mummy hätte es aber nicht nötig gehabt, Ihr Geld anzunehmen. Onkel Archie hat doch genug.«

»Ach wirklich? Da hat der Mann von Pinkerton aber etwas anderes festgestellt, als er Nachforschungen über ihre Finanzen anstellte.«

James hob ruckartig den Kopf. »Habt ihr einen Detektiv auf sie angesetzt?« Er war entsetzt und warf Francesca einen verlegenen Blick zu.

»Nun, selbstverständlich«, sagte Mrs. Redmond gelassen. »Und er hat uns mitgeteilt, die Templetons hätten keinen roten Heller. Sie haben sich einführen können, wie es sich gehört, weil Archie eine Glückssträhne beim Pokern hatte ... eine nicht ganz astreine, wurde gemunkelt. Jedenfalls sind sie mit gefüllten Taschen wieder nach Hause gefahren.« Sie wandte sich an Francesca. »Mein Mann kann es sich leisten. Seine Familie ist schon mit der *Mayflower* gekommen, und sie gehört zu den reichsten Familien im Land. Doch nur weil wir es uns leisten können, heißt das noch nicht, daß es mich freut, Monica Templeton mit unseren fünfzigtausend Dollar davonflattern zu sehen.«

Francesca fielen eine ganze Reihe von Ereignissen aus ihrer Kindheit ein, und sie versuchte, sie im Licht dessen zu deuten, was sie gerade erfahren hatte. An Geld schien es nie gefehlt zu haben. Hatte Archie sie denn nicht immer mit Geld und teuren Geschenken überhäuft? Und dennoch – und das paßte jetzt genau ins Bild – hatte es ein-, zweimal merkwürdige Verzögerungen bei der Zahlung des Schulgelds gegeben. Und sie waren auffallend erpicht darauf gewesen, sie der Obhut von Sybil Herries zu überlassen. Sie waren erst nach London zurückgekehrt und hatten ihren Hausstand in der Half Moon Street eingerichtet, als die fünfzigtausend Dollar der Redmonds sie wieder flottgemacht hatten – Blutgeld, der Preis für ein gebrochenes Herz. Sie brannte vor Scham und schwor sich, mit keinem von beiden je wieder ein Wort zu reden. Der Zorn verlieh ihr die nötige Kraft. Es war, als hätte sie ein Gewicht abgeschüttelt, das sie ihr ganzes Leben lang mit sich herumgeschleppt hatte.

»Mrs. Carr-Lyon«, James berührte flüchtig ihre Hand, »Sie müssen uns ja beide für völlig verrückt halten. Wir hätten Ihnen das alles nicht erzählen dürfen. Es kommt mir irgendwie nicht anständig vor.«

»Ach, du hörst dich genau wie dein Vater an!« rief Mrs. Redmond aus. »Dem Himmel sei Dank, daß du nicht auch noch aussiehst wie er. Wahrscheinlich können Sie erraten, Mrs. Carr-Lyon, daß ich selbst nicht gerade altes Boston bin ... weit davon entfernt. Deshalb habe ich auch Ihre Mutter so schnell durchschaut. Allüren mag sie ja haben und Engländerin sein und Scharen von adligen Freunden haben. Als ich noch am Musiktheater war kannte ich ein Mädchen, das genauso war wie sie, und die hätte einem die Strümpfe direkt vom Bein runtergeklaut.«

James Verlegenheit löste sich plötzlich in lautes Gelächter auf. »Mutter, du bist unmöglich. Mrs. Carr-Lyon, es tut mir wirklich unendlich leid ...«

Francesca trank ihren Tee aus. »Sie brauchen sich nicht immer wieder zu entschuldigen, Captain Redmond. Ich habe Sie gebeten, mir alles zu sagen, und ich bin froh, daß Sie es getan haben.« Sie bedachte beide mit einem unsicheren Lächeln. »Es war zwar ein höchst eigenartiger Nachmittag für mich, aber auch ein wichtiger.«

Francesca war sich nicht sicher gewesen, ob es schicklich wäre, die Redmonds wiederzusehen. Noch weniger sicher war sie sich, als sie allein mit Jim in einem eleganten französischen Restaurant beim Essen saß. Wenn nun einer der zahlreichen Freunde der Carr-Lyons sie sah – was würde der bloß denken?

Ihr Unbehagen hielt jedoch nur einen Augenblick an. Jim war ein sehr angenehmer Umgang, und mit jeder seiner Gesten und Handlungen gab er ihr zu verstehen, daß er die Distanz zwischen ihm und ihr respektierte. Seltsamerweise löste das in ihr das Bedürfnis aus, sich ihm anzuvertrauen. Während das Essen auf ihrem Teller kalt wurde, erzählte sie ihm von Stevie. Es war eigenartig, dachte sie, ihn jemandem zu beschreiben, der ihm nie begegnet war.

»Ich wußte sofort, als ich das Zimmer betrat, daß er tot war«, schloß sie und drehte die Ringe, die Stevie ihr an die Finger gesteckt hatte. »Das Dienstmädchen rannte zwar nach dem Arzt, doch ich wußte es. Das Zimmer wirkte ... leer.«

Beide schwiegen. Die grauen Augen in Jims feingeschnittenem Gesicht waren voller Mitgefühl. »Und danach?« drängte er.

Sie hob den ernsten Blick zu seinem Gesicht. »Ein Danach gab es nicht. Ich meine, gibt es nicht. Das war das Ende.«

Er wirkte gequält. »Verzeihen Sie mir, Mrs. Carr-Lyon, doch ich kann es kaum ertragen, Sie reden zu hören, als wäre Ihr Leben vorbei. Sie sind zu jung dazu.«

»Ich bin fast fünfundzwanzig. Älter, als ich aussehe. Und ich fühle mich manchmal tausend Jahre alt.« Francesca nippte an ihrem Wein. »Es ist sehr nett von Ihnen, daß Sie überhaupt Anteil an meinem Schicksal nehmen, wo meine Mutter Ihnen allen so übel mitgespielt hat.«

Jim lächelte. »Wir haben uns davon erholt. Solch eine Tragödie war es nun auch wieder nicht. Mein Bruder ist ein anpassungsfähiger kleiner Bursche. Mutter sagt, er hätte die Art von Herz, das auf und ab hüpft, wenn man es fallen läßt.«

»Ich hoffe doch, es geht ihr gut? Ich dachte, sie wollte auch mitkommen.«

»Ich auch«, sagte Jim entschuldigend. »Dann ist sie in letzter Minute davongestürzt, um sich einen Zeppelinschaden im East End anzuschauen. Sie hält sich viel auf ihre vulgäre Neugier zugute. Als Sie Ihnen erklärt hat, sie sei kein altes Boston, hat sie noch gewaltig untertrieben.«

»Woher stammt sie denn?«

»Aus dem irischen Teil von Boston, Mrs. Carr-Lyon, was

einfach Lichtjahre entfernt ist. Und dann war sie auch noch beim Theater.«

»Eine richtige Schauspielerin ... wie aufregend!«

Darüber mußte Jim kichern. »Sie war eine Königin des New Yorker Varietés ... Peggy O'Connell, die Bowery Belle. Anders als Ethel Barrymore oder Eleonora Duse ließ sie sich gelegentlich dazu überreden, auf Junggesellenfesten aufzutreten ... und so hat sie meinen Vater kennengelernt. Sie sprang aus einer gigantischen Torte direkt auf seinen Schoß.«

Francesca starrte ihn einen Augenblick entsetzt an – sah dann jedoch, wie absurd das Ganze war, dieser Vergleich ihrer beiden Mütter, und prustete los. Im Hinterkopf war ihr bewußt, daß sie schon seit langer Zeit nicht mehr so gelacht hatte, auch nicht, als Stevie noch lebte.

Erfreut und gerührt über ihre Reaktion, erzählte Jim ihr als nächstes, der eigentliche Witz sei dabei, daß Peggy so großartig aussah, während sein Vater mit seiner untadeligen Herkunft wie ein gutgekleideter Hafenarbeiter wirkte. Er erzählte ihr von seinen Kriegserlebnissen; von seiner Zeit als Fahrer der Sanitätseinheit von Harvard, bis die Vereinigten Staaten im letzten Jahr in den Krieg eingetreten waren. Er sei zum Offizier der US-Armee ernannt worden, erklärte er, schien jedoch seitdem die meiste Zeit damit verbracht zu haben, sich von einer schlimmen Beinverletzung zu erholen.

Außerdem erklärte er ihr, er habe die Absicht, sämtliche Sehenswürdigkeiten von London aufzusuchen, ehe sie ihn wieder nach Boston zurückverfrachteten, und während der nächsten paar Wochen entdeckte Francesca, daß sein Appetit auf Touristenattraktionen schier unersättlich war. Er schleppte sie zum Tower, zu Madame Tussaud's, zur Westminster Abbey, zum Parlament und zum Buckingham Palast.

Manchmal begleitete Mrs. Redmond sie, doch gewöhnlich war sie damit beschäftigt, für ihre Freunde zu Hause ›Kurioses‹ zu kaufen, wie sie es nannte. Francesca gewöhnte sich daran, mit Jim allein zu sein. Wenn er nicht als Tourist unterwegs war, schlenderte er mit ihr durch die kühlen Parks und brachte sie mit Geschichten über sein Leben zu Hause zum Lachen. Noch ehe sie überhaupt wußte, was geschah, entwickelte seine

Freundschaft sich zum einzigen bedeutenden Bestandteil ihres Lebens.

Doch war Freundschaft das richtige Wort? Eines Abends, als sie sich für das Abendessen mit den Redmonds in deren Hotel zurechtmachte, ertappte sich Francesca dabei, wie sie ihr Spiegelbild über ihrem Toilettentisch anstarrte. Das Schlafzimmer hinter ihr hatte sich seit den Tagen, als sie und Stevie eingezogen waren, nicht verändert, und sie hatte auf einmal das unheimliche Gefühl, daß er gleich aus seinem Ankleidezimmer auftauchen und sich die Smokingjacke anziehen würde, wie er es so oft getan hatte. Er würde bemerken, wie sehr sie sich verändert hatte.

Ihr Gesicht über dem sachlichen Kragen ihres schwarzen Samtkleides spiegelte eine verborgene Lebhaftigkeit. Ihr Teint war, wiewohl immer noch sehr blaß, wieder blühend wie zuvor. Ihre Lippen hatten Farbe. Sie war selbst erschrocken, als ihr der Gedanke kam, sie sei von den Toten auferstanden. Hatte James Redmond das alles bewirkt?

Sie versuchte, sich vorzustellen, daß sie mit ihm allein in diesem Zimmer wäre. Ein Angstschauder schüttelte sie. Bei Jim wäre sie nicht sicher, wie sie es bei dem armen Stevie gewesen war. Aber wollte sie das denn? Sie erinnerte sich an die Gelegenheiten, wo er beiläufig ihre Hand genommen oder ihre Schulter gestreift hatte, und an die flüchtige, nervöse Erregung, die das in ihr ausgelöst hatte. Es war alles ungeheuer verwirrend. Jede Faser ihres Körpers erbebte vor Freude beim bloßen Anblick von Jim. Er war doch wohl mehr als ein Freund – oder war es weniger?

Er war stets mehr als nur höflich. Seine herzliche, liebevolle Art, mit ihr umzugehen, war zwar unerschütterlich. Darunter ahnte sie jedoch eine niemals nachlassende Glut, die sie zugleich anzog und abstieß. Eines Nachmittags Anfang März kam sie im muffigen Halbdunkel der Flüstergalerie von St. Paul's Cathedral an die Oberfläche.

Sie stahlen sich auf Zehenspitzen am Rand von Wrens großartiger Kuppel entlang und starrten auf die breiten Lichtbahnen, die Hunderte von Fuß unter ihnen in das Hauptschiff einfielen. Francesca klammerte sich unwillkürlich an Jim, denn das

Gemurmel um sie herum schien ihr wie der unsichtbare Chor der Toten bis in die Haarwurzeln zu kriechen.

Zwei kleine Mädchen und ihre Erzieherin hatten die Lippen an die Wände gedrückt und zu flüstern versucht, doch nun klapperten ihre Füße die Holztreppe hinunter, und Jim und Francesca waren allein. Er legte ihr die Hände auf die Schultern.

»Francesca.«

Sie blickte unter der Hutkrempe zu ihm auf und spürte den körperlichen Drang hinter der Sanftheit seines Betragens. Es machte sie schrecklich nervös, doch sie wollte ihn nicht verletzen, indem sie sich von ihm entfernte.

»Erinnern Sie sich«, flüsterte er, »daß ich Ihnen erzählt habe, ich sei nach Europa gekommen, um das fehlende Teil meines Herzens zu finden? Sie liebes Mädchen, ich habe es an dem Tag gefunden, als ich Sie kennenlernte ... Verhängnis oder Schicksal, oder wie immer man es nennen will. Ich weiß nur, daß ich wie ein Korken von einem Wasserfall mitgerissen wurde ... es ist mir gleich, wohin, solange es nur in Ihre Nähe ist.« Der Griff seiner Finger wurde ein wenig fester. »Sie zittern ja. Sie fühlen sich doch wohl?«

»J-j-ja«, sagte sie durch die klappernden Zähne. Sie fühlte sich zwar ganz und gar nicht wohl, doch sie würde sich zwingen, es zu ertragen.

»Meinen Sie ... Francesca, ich bin mir darüber im klaren, daß es erst ein paar Monate her ist, seit Sie Stevie verloren haben, und ich muß schrecklich dreist wirken..., doch meinen Sie denn, daß Sie sich je in mich verlieben könnten?«

»O ja.« Das stimmte. Sie liebte Jim bereits von ganzem Herzen. Es war der Körper, der nicht mitspielte.

»Wenn ich Sie nur verstehen könnte«, sagte er und musterte stirnrunzelnd ihr Gesicht. »Ich habe immer wieder das Gefühl, daß Sie mir irgend etwas verheimlichen. Haben Sie keine Angst ... falls Sie ein dunkles Geheimnis hüten, werde ich nicht versuchen, es Ihnen zu entringen. Doch ich glaube, Sie mögen mich, und ich glaube auch, daß Sie sich fürchten. Und Sie sollen nur wissen, daß ich alles auf der Welt für Sie tun würde. Wenn Sie mir sagen, daß Sie mich heiraten werden, sorge ich dafür, daß Sie niemals wieder Angst haben müssen. Nein«, setzte er rasch hinzu, als er ihre beunruhigte Miene sah, »ich will keine Antwort haben. Ich werde nicht einmal zuhören, wenn Sie sie mir zu geben versuchen. Denken Sie darüber nach, bis ich Sie wieder frage.«

Immer noch hielt er ihre Schultern umfaßt, als er sich niederbeugte, sie auf den Mund küßte und ihre geöffneten Lippen gerade nur mit der Zunge streifte. Ihr Herz schien bei der Berührung einen Sprung zu tun. Doch ehe sie Angst bekommen konnte, hatte er sie losgelassen und strebte auf die Tür der Galerie zu, als hätte das Gespräch niemals stattgefunden.

Denken Sie darüber nach. Francesca hatte sich früher als gewöhnlich in ihr Schlafzimmer eingeschlossen, um über Jims erstaunliche Frage nachzudenken. Vielleicht war sie ja sehr dumm, doch selbst in ihren kühnsten Träumen hatte sie sich nicht vorgestellt, daß er sie würde heiraten wollen. Seit Stevies Tod hatte sie es vermieden, an die Zukunft zu denken.

Um sich leichter zu entspannen, hatte sie sich ein langes, heißes Bad gegönnt – und schonungslos unpatriotisch riesige Mengen kostbarer Kohle verschwendet, um den Boiler zu heizen. Erwärmt und duftend wanderte sie nun ruhelos umher und fragte sich, warum sie sich nicht entschließen konnte, nein zu sagen.

Sie wußte auch nicht, wie sie all die Qual und die Scham noch einmal ertragen sollte, doch sie mußte alles auf sich nehmen, wenn sie jemals aus dieser Wachspuppenexistenz ausbrechen wollte. Andere Frauen schafften es, mit Mann und Kindern glücklich zu sein – doch irgend etwas stimmte mit ihr nicht, davon war sie überzeugt. Stevie hatte das natürlich nie erwähnt. Die ätherische Unschuld ihrer Ehe war dafür Beweis genug. Das mußte doch an ihr liegen, oder etwa nicht? Jedenfalls wollte sie nicht das entsetzliche Verbrechen begehen und ihrem geheiligten Stevie die Schuld geben.

Ihr Hochzeitsfoto im kunstvoll verzierten Silberrahmen stand auf dem Kaminsims. Francesca nahm es in die Hand. Das war schon die reine Ironie, daß es immer in ihrem Schlafzimmer gestanden hatte, obwohl Stevie doch stets nebenan im Ankleidezimmer geschlafen hatte.

Sie stellte es wieder an seinen Platz und blinzelte die aufsteigenden Tränen fort. Der liebe Stevie, es schien nicht recht, je mit anderen Gefühlen an ihn zu denken als mit uneingeschränkter Liebe. Doch fiel es ihr immer schwerer, sich seiner als eines lebenden Menschen zu erinnern. Er zog sich immer mehr von ihr zurück, in einen goldenen Vorkriegssommer, der ins Land der Mythen und Erinnerungen gehörte.

Ihr Magen flatterte, als die warme, atmende Wirklichkeit Jims an die Stelle der lavendelduftenden Erinnerung an Stevie trat. Jim begehrte sie. Er wollte jene hassenswerten Dinge mit ihr machen, aber nicht auf hassenswerte Weise. Wenn sie doch nur ihre Angst überwinden könnte, dann hätte sie die Chance, glücklich zu werden. Sie mußte nichts weiter tun, als Jim die Wahrheit zu sagen und zulassen, daß er sie errettete.

Sie stand vor dem großen Drehspiegel neben dem Kamin. Ihr Mund wurde trocken, und ihr Puls pochte. Zögernd schlüpfte sie aus dem langen seidenen Morgenrock, den sie nach dem Bad angezogen hatte. Sie war nackt, und ihre lilienweiße Haut war rosig überhaucht vom Feuerschein. In der Vergangenheit hatte sie es vermieden, sich nackt zu betrachten, aus Angst, mit dem Beweis ihrer Mißbildung konfrontiert zu werden. Jetzt zwang sie sich, hinzusehen, und empfand eine wachsende Erregung und Neugier.

Sie war magerer geworden – die Rippen waren unter den kleinen harten Brüsten zu sehen –, ihre Taille war immer noch ungeheuer schmal, und Hüften und Schenkel waren von vollendeter Form. An ihrem jungfräulichen Körper gab es nicht das geringste auszusetzen.

Sie berührte eine rosige Brustwarze und beobachtete, wie sie hart und dunkel wurde. Was sie wohl empfinden würde, wenn es Jims Hand war?

Oder hier? Spröde steckte sie die Finger zwischen die feuchten Lippen ihrer Vagina und entdeckte, was die Quelle einer sehnsüchtigen Hitze war – eine Falte seidiger Haut, die anschwoll und entflammte, als sie sich daran erinnerte, wie Jims Zunge ihren Mund gestreift hatte. Sie begann, die Stelle zu reiben, fester und fester, bis das Gefühl, das die Reibung hervorrief, ihr Angst machte und sie die Hand wegriß, als hätte sie sich verbrannt.

Mit gerötetem Gesicht zog sie ihren Morgenrock wieder an. Es dauerte eine ganze Weile, bis das sehnsüchtige Verlangen zwischen ihren Beinen sich gelegt hatte. Danach jedoch stellte sich eine neue Empfindung ein – eine Art Hochgefühl, eine Beschwingtheit wie am ersten Frühlingstag. Es war, so erkannte sie, das Aufkeimen der Hoffnung.

3

Muttonhead hinkte auf den hohen grasbewachsenen Hügelkamm, um die Straße durch seinen Feldstecher zu überwachen. Der Anblick war ungeheuerlich. Von Cambrai bis Bapaume rollte eine gewaltige Karawane auf dem Rückzug nach Westen. So etwas hatte er seit dem Rückzug von Mons im Jahr 1914 nicht mehr gesehen.

Marschsäulen von schmutzigen Soldaten mühten sich tapfer voran hinter Offizieren, die selbst nur eine vage Vorstellung davon hatten, wohin man sie führte. Die lange Schlange aus Khaki war in Abständen von grauen Blöcken durchbrochen – deutsche Gefangene, die mit gesenkten Köpfen müde dahinschlichen und nichts zu erhoffen hatten als Gnade. Laster mit flatternden Planen drängten die Marschierenden an den Straßenrand und erschreckten die wenigen Pferde, die Offiziere trugen oder Lafetten zogen. Alle paar Minuten verlangsamte sich der Zug, wenn Stabswagen vorbeikamen, die mit unanständiger Hast der Sicherheit zurasten.

Schlimmer hätte es kaum kommen können. Nie und nimmer hätte Muttonhead gedacht, daß alles so schnell im Desaster enden würde. Am Vortag, dem 21. März 1918 um 4 Uhr 30, war über der britischen Kampfzone der Himmel eingestürzt. Die Boches mußten ihre letzten Haubitzen und Granaten zusammengekratzt haben, dachte Muttonhead, wenn man den Berichten Glauben schenken wollte, mit denen das Hauptquartier überschwemmt wurde. Das zermürbende Sperrfeuer hatte fünf Stunden ununterbrochen weitergedonnert. Er erinnerte sich nur zu gut an das Leben an der Front, um sich vorstellen zu können, was für eine Qual das gewesen sein mußte. Dann, um 9 Uhr 40 (er hatte gelernt, in Zeitangaben und Zahlen zu denken), hatten die Geschütze geschwiegen, und das Unvorstellbare war geschehen. Einige der hohen Tiere im Hauptquartier hatten sich anfangs geweigert, es zu glauben. Tausende von Deutschen hatten sich, mit Handgranaten bewaffnet, den dichten Nebel zunutze gemacht und waren über das Niemandsland in die britischen Schützengräben geschwärmt. Die Verluste waren atemberaubend – ungezählte Gefangene und weiß Gott wie viele Tote. Am Ende des Tages waren einhundert Quadratmeilen britischen Territoriums in die Hand des Feindes gefallen.

Heute hatte der Rückzug verstärkt eingesetzt und die Front weiter geschwächt. Die Kommunikation war ein einziges Chaos. Zwischen den einzelnen Divisionen klafften große Lücken, und eine ganze Reihe von Bataillonen war von vorrückenden Deutschen auseinander gesprengt worden.

Muttonhead griff in die Tasche nach seiner Pfeife. Sein Tabaksbeutel war zwar leer, doch er zündete sich die abgebrannten Krümel im Pfeifenkopf wieder an. Als Stabsoffizier wußte er – anders als die armen Teufel an der Front – von sämtlichen Widrigkeiten an der Spitze des Kommandos. Beispielsweise von Haigs Schwierigkeiten mit Pétain und den Franzosen und dem ganzen diplomatischen Hin und Her, das immer noch mehr namenlose Leben kosten konnte.

Er mußte sehen, was die Männer durchmachten, damit er sich mehr unter ihnen vorstellen konnte als eine anonyme Zahl in einem maschinengeschriebenen Bericht. Sie waren gezwungen worden, Cambrai Hals über Kopf zu verlassen, wo sie noch vor wenigen Monaten eine Art Sieg errungen hatten. Und was noch bitterer war – dies war das Land, das sie während des langen blutigen Feldzugs an der Somme so mühselig erobert hatten. Männer, die erlebt hatten, wie ihre Kameraden wegen ein paar Quadratmetern dieses Landes getötet worden waren, mußten erkennen, daß alles umsonst gewesen war.

Es hatte zwar vorher schon Katastrophen gegeben, doch diese hier hatte bewirkt, daß sich im Hauptquartier eine neue Stimmung einzuschleichen begann. Zum erstenmal bemerkte Muttonhead, daß eine Niederlage nicht mehr für unmöglich gehalten wurde, auch wenn niemand das offen aussprach.

Muttonhead hatte während der Nacht Nachrichten rausgeschickt, verlorengegangenen Divisionen nachgespürt und sich einen Vers auf die Berge widersprüchlicher Informationen zu machen versucht. Er war jetzt zu müde, um darüber nachzudenken, wie er die Niederlage in einem Krieg aufnehmen würde, der so viel gekostet hatte. Der Kaiser würde vermutlich im Triumph durch London und Paris reiten. Und er würde sich wohl auch nicht so leicht weismachen können, daß ein derart hohler Triumph ein jahrelanges Gemetzel wert gewesen war. Persönlich bezweifelte Muttonhead, daß es Ergebnisse wie Sieg oder Niederlage überhaupt noch gab. Alle hatten verloren. Die ganze Welt hatte eine Niederlage erlitten.

Der Zustand dieser alten Kiste war schon nicht mehr komisch zu nennen. Rory hatte heute nachmittag ihre gesamte Freizeit damit verbracht, den Motor, bis zu den Ellbogen im Schmieröl, auseinanderzunehmen, doch für die Radaufhängung konnte sie nichts tun. Das Gerüttel war eine Qual für die Patienten.

Ihr Krankenwagen war ein betagter Buick, der zwar robust war, aber schon bessere Tage gesehen hatte, und ihm fehlte die Windschutzscheibe. Irgendein Witzbold hatte an die Seite geschrieben: »Von mir kann sich keiner mehr 'ne Scheibe abschneiden«, und sie hatte nicht mehr die Zeit gehabt, diese Schmiererei gründlich abzuwischen.

Sie vergrub das Kinn tiefer in die Lammfelljacke aus Armeebeständen, die sie über ihrem blauen Hilfsschwesternmantel trug; das Geschenk eines dankbaren Passagiers. Diejenigen, die nicht schwer verletzt waren, befanden sich oft im Zustand der Euphorie, weil sie von der Gefechtslinie wegkamen, und gingen sehr großzügig mit den Zigaretten und der Schokolade und anderen Sonderrationen um, die sie erübrigen konnten. Nachdem sie so viele grauenhafte Dinge auf den Schlachtfeldern, an den Truppenverbandsplätzen und in den Lazarettzügen gesehen hatten, konnten sie sich über den Anblick eines Mädchens nicht genug wundern. Und aus irgendeinem Grund machte Rorys rotes Haar sie besonders beliebt. Vielleicht, meinte sie, weil alles andere so trostlos aussah. Jeder, in dem noch ein Funken Lebenskraft steckte, schien es zu bemerken. Vor ein paar Tagen war sie richtig erschrocken, als einer der Schwerverwundeten sie mit ihrem Namen angesprochen hatte.

Es war ein Offizier, der so üble Brüche hatte, daß er in einen Metallkäfig geschnallt war. »Als ich Sie zuletzt gesehen habe«, hatte er geflüstert, »haben Sie mir einen Kinnhaken verpaßt.«

Verwundert hatte Rory Francis Oxleigh erkannt, das Parlamentsmitglied, dem sie einen Hieb versetzt hatte, ehe sie nach Holloway kam. Die anderen Mädchen hatten die Geschichte urkomisch gefunden. Rory hatte Oxleigh an ihrem freien Nachmittag besucht und ihm geholfen, einen Brief an seine Frau zu schreiben. Mrs. Oxleigh hatte dankbar geantwortet und einen wunderschönen Präsentkorb von Fortnum's für die Hilfsschwestern der Einheit mitgeschickt, und Rorys Fama als Schnorrerin nahm legendäre Ausmaße an.

Solche Schlemmereien waren jedoch selten und setzten der freudlosen Schufterei nur ab und zu ein Glanzlicht auf. Die Hilfsschwestern waren in den einstigen spartanischen Dienstbotenkammern eines eleganten Hotels in der Umgebung von Dieppe untergebracht. Das Hotel war jetzt ein Lazarett inmitten eines Gewimmels von Hütten und Zelten, die man vorübergehend dort aufgeschlagen hatte. Rory teilte sich ein kleines Schlafzimmer mit zwei anderen Frauen und wartete in einem eiskalten Büro auf ihre Befehle.

Seit Beginn des Vormarschs der Deutschen hatte ihre Abteilung rund um die Uhr gearbeitet. Sie war so müde, daß sie nicht einmal dann zu schlafen gewagt hatte, wenn sich die Gelegenheit bot, weil sie wußte, daß sie Stunden brauchen würde, um wieder wach zu werden. Die Erschöpfung hatte sie in einen Zustand überreizter Wachsamkeit versetzt, und fast hörte sie das Telefon, noch ehe es klingelte. Alle in ihrer Abteilung befanden sich in demselben überwachen Zustand.

Als nun der letzte Anruf des Transportbegleitoffiziers gekommen war, der sie vorwarnte, daß ein weiterer Konvoi unterwegs sei, war Rory das ganz recht gewesen, obwohl sie vor Müdigkeit fast umfiel. Dies genau hatte sie nach Lorenzos Tod gewollt – eine so zermürbende und harte Arbeit, daß sie ihren Kummer an den Rand ihres Bewußtseins drängen würde. Jedesmal, wenn sie den Kopf aufs Kissen legte und die Augen schloß, mußte sie an ihn denken. Das war so weit gegangen, daß sie es sich versagt hatte, sich auszuruhen, weil sie die Erinnerungen, die sich dann einstellten, nicht ertragen konnte. Sie magerte schrecklich ab und hatte immer größere Mühe, die Selbstbeherrschung nicht zu verlieren – sie hatte in letzter Zeit ein paar spektakuläre Wutanfälle gehabt –, doch ihr Stolz bewirkte immerhin, daß sie sich nicht unterkriegen ließ. Sie weigerte sich, die Waffen zu strecken. Sie mußte einfach alles geben, weil das die Buße für ihre Sünde war.

Ihre Aufgabe als solche war nicht weiter schwierig. Sie mußten die Verwundeten vom Bahnhof zum Lazarett schaffen. Die Sanitätshelfer auf den Zügen sollten die Patienten eigentlich in die Krankenwagen laden, doch sie waren hoffnungslos überlastet. Rorys Oberarmmuskeln hatten fast den doppelten Umfang angenommen, so viele Tragbahren hatte sie angehoben.

Kein Anblick, und sei er noch so greulich, konnte ihr derzeit etwas anhaben. Der Gestank jedoch war schlimmer als alles, was sie in London erlebt hatte. Viele Männer hatten die Ruhr, und es wimmelte von Läusen. Am Ende jeder Schicht mußte Rory die Kojen mit Desinfektionslösung scheuern und die Decken in einen speziellen Raum der Lazarettwäscherei bringen, wo sie desinfiziert wurden. Wenn sie es überhaupt über sich bringen konnte, an irgend etwas zu denken, das nicht unmittelbar mit ihrer Arbeit zu tun hatte, dann fragte Rory sich besorgt, ob sie hart und grausam geworden sei. Sie hatte keinerlei Mitgefühl mit irgendeiner Hilfsschwester in ihrer Abteilung, die zu schwach war, um die Anstrengungen zu ertragen, und hatte schon ein oder zwei von ihnen angeschrien, weil sie geweint hatten. Wo war bloß das warmherzige, leidenschaftliche Wesen geblieben, das Lorenzo geliebt hatte? Wenn man nach meinem Tod eine Autopsie machen würde, dachte sie, es wäre ein Wunder, wenn man überhaupt ein Herz in mir fände.

Die trüben Lichter des Bahnhofs waren zu sehen, und der Konvoi der Krankenwagen hielt gerade in dem Augenblick, als der Zug einfuhr. Die Waggons schienen sich bis zum Horizont hinzuziehen. Rory lief bis zu den Viehwagen ganz am Ende, wo längst schon kein Bahnsteig mehr war, um sich einen Überblick über die Zahl der Verwundeten zu verschaffen.

Als sie den ersten Wagen erreichte, hob sie den schweren Riegel und schob die Tür beiseite. Der übliche Raubtierhausgeruch des besudelten Strohs schlug ihr entgegen, dann Stöhnen und Weinen. Als ihre Augen sich an das schwache Licht gewöhnt hatten, glaubte Rory, nicht recht zu sehen.

In Reihen nebeneinander, von nur einem Sanitäter bewacht, lagen Dutzende von deutschen Gefangenen. Aber das konnte doch nicht mit rechten Dingen zugehen – da mußte ein Irrtum vorliegen –, das waren ja Kinder, rundgesichtige Jungen von höchstens vierzehn, fünfzehn Jahren.

Einer von ihnen, dessen Kopf in blutige Verbände gehüllt war, sagte zwischen zwei Schluchzern immer dasselbe Wort: »Mutti ... Mutti ...«

Tertius kratzte sich an seinem unrasierten Kinn. Es fühlte sich so trocken und stachlig an wie sein ausgedörrter Mund. Er hätte mehrere Vermögen um ein paar Tropfen sauberes Wasser gegeben. Seine Hand bebte wild, und seine Nägel waren bis auf die Haut abgekaut.

Das wahnsinnige Durcheinander des Rückzugs hatte die fliehenden Soldaten in vereinzelte Marschsäulen aufgesplittert. Tertius hatte sich einer von etwa sechzig Mann angeschlossen, die sich verzweifelt nach Westen durch das Chaos schlugen, in der Hoffnung, auf irgend jemanden zu treffen, der wußte, was los war. Einmal, als die Deutschen ihnen auf den Fersen saßen, hatten sie den Kampf wieder aufgenommen. Tertius hatte auf dem Bauch gelegen und auf Männer geschossen, deren Gesichter er erkennen konnte. Der Offizier, ein zäher junger Kerl, frisch vom Internat, war hinter ihnen durch den Graben gekrochen und hatte ihnen eingeschärft, mit dem Bajonett anzugreifen, falls ihnen die Munition ausginge. Glücklicherweise fielen die Deutschen – um die es offensichtlich noch schlimmer bestellt war als um sie – zurück, ehe das unumgänglich wurde.

Seitdem hatte die Zeit ihre Bedeutung verloren. Sie hatten angehalten, um zu essen und sich auszuruhen, wo immer sie konnten, unter verängstigten französischen Zivilisten. Jenseits der Erschöpfung, die seine Sinne erstickte, erinnerte sich Tertius an ein früheres Leben, als er imstande gewesen war, eine ganze Nacht friedlich durchzuschlafen und in einem stillen, rauchduftenden alten Haus wieder aufzuwachen, wo niemals irgend etwas Böses geschah.

Die Männer um ihn herum waren jetzt in grimmiges Schweigen versunken, denn sie überquerten die alten Schlachtfelder an der Somme. Die Zeichen der jüngsten Kämpfe – Kadaver von Pferden und Leichen von Männern, liegengebliebene Lafetten – bildeten eine Kruste über den vermodernden Überresten von 1916. Tertius bekam am ganzen Körper eine Gänsehaut, als er das Dorf wiedererkannte, wo er Muttonhead am Tag vor dem Beginn der Schlacht begegnet war. Es war nun verlassen, und die Häuser waren nur noch geschwärzte Mauern, die sich über einem Meer von Unrat erhoben.

Der Wind zerrte an ihnen, als sie auf die offene Straße trafen. Tertius richtete seine Aufmerksamkeit auf die Stiefel und Gamaschen seines Vordermannes, in der Hoffnung, seine eigenen blasenübersäten Füße könnten dessen Rhythmus folgen.

Der Offizier bellte einen Befehl, den Tertius nicht hören konnte. Neben ihm brüllte jemand: »Gasmasken … Gasmasken raus!«

Noch ehe sein von der Erschöpfung benommenes Hirn die Worte aufgenommen hatte, wurde er von der ätzenden Senfgaswolke überwältigt. Es schmeckte schmutzig, als es das Innere seiner Nasenlöcher versengte und seinen Lungen und seinem Magen einen Schlag versetzte. Er warf sich zu Boden, wo die Luft reiner war, und blieb hechelnd liegen, bis die todbringende Wolke sich verzogen hatte.

Zunächst fühlte er sich gar nicht so schlecht. Jeder Atemzug löste zwar einen Husten- und Niesanfall aus, doch die anfängliche Qual war vorbei. Seine Augen schmerzten allerdings und die Lider fühlten sich an, als wären sie zu Tennisballgröße angeschwollen, doch er schaffte es, der Versuchung zu widerstehen, sich die Augen zu reiben. Er blinzelte und versuchte, wieder einen klaren Blick zu bekommen.

Der junge Offizier nahm die Gasmaske ab und rannte die Kolonne auf und ab. Alle, die Gas abbekommen hatten, sollten heraustreten. Tertius stolperte aus der Reihe und ließ sich in eine Einerreihe einordnen, in der jeder Mann die Hand auf die Schulter des Vordermannes legte. Dies war die Regelung für Gasgeschädigte, die häufig vorübergehend erblindeten. Von einem Corporal angeführt, der nichts abbekommen hatte, schlurften sie los, um einen Verbandsplatz zu suchen.

Der Schmerz in Tertius' Augen wurde stärker. Es fühlte sich an, als wäre die Hornhaut mit Blei gespickt. Seine Lungen gurgelten, wenn er sie mit Luft zu füllen versuchte. Im Kopf empfand er eine eigenartige und nicht unangenehme Benommenheit. Es war, als ob er allem Unbehagen entschwebte, und er dachte, wie seltsam das war, sich über dasselbe Land zurückzuziehen, um das sie so erbittert gekämpft hatten – als striche man Terpentin über ein Bild, das man mit ungeheurer Sorgfalt gemalt hatte.

»Natürlich haben wir uns seitdem alle verändert«, murmelte er Alf zu, der neben ihm marschierte. »Allein schon, weil wir älter geworden sind.«

Erst nachdem er das gesagt hatte, fiel ihm wieder ein, daß Alf tot war. Er schüttelte nachdrücklich den Kopf. Fieber schien ihn gepackt zu haben, und er fing an zu halluzinieren.

Doch hier waren sie ja alle wieder und marschierten mit ihm. Es war beschwerlich und ermüdend, vernünftig zu denken. Tertius nahm es einfach als Wunder hin und genoß es, daß sie ihm, stumm und lautlos, Gesellschaft leisteten. Der arme Leutnant Drayton, wie schuldig hatte Tertius sich gefühlt, weil Drayton ihn geschont hatte, als er zum Einsatz kommandiert werden sollte. Danach hatte er den jungen Offizier oft dabei ertappt, wie er ihn betrübt ansah, als bitte er um Verzeihung. Da, jetzt tat er es schon wieder. Als Tertius diesen Blick auffing, lächelte Drayton verlegen.

Es war unglaublich, daß Drayton tot war. Tertius blinzelte erneut. Die Gesichter seiner toten Kameraden waren gestochen scharf, doch er sah sie nicht mit den Augen. Alles andere verschwamm mehr und mehr. Sie hatten einen Verbandsplatz erreicht. Ein undeutlicher Schatten reichte Tertius einen Emaillebecher mit Tee. Er schluckte dankbar und ließ das süße Gebräu seinen Schmerz wegspülen.

Die Seligkeit dauerte nur wenige Sekunden. Er sah gerade noch genug, um an den Straßenrand treten zu können, ehe er sich übergab. Die anderen taten es ebenfalls – er konnte ihr Gewürge hören, während es ihn selbst würgte. Irgend jemand, ein Heeressanitäter, ließ sie wieder antreten. Eine Weile standen sie wartend. Es war ihnen noch schlecht und schwindlig. Dann betraten sie so etwas wie ein Gebäude. Ein Arzt bog Tertius' Kopf zurück, tropfte ihm etwas in die Augen und schob ihn weiter. Die Tropfen kühlten zwar, doch sie löschten den Rest seiner Sehkraft aus. Er ahnte den Sanitätshelfer eher, als daß er ihn sah, als der ihm schwungvoll einen Verband um den Kopf klebte.

Sie wurden wieder hinausgeschoben und stolperten einer über die Füße des anderen. Von sehr weit weg erklärte eine Stimme, daß sie auf Lastwagen warteten, die sie wegbringen sollten. Tertius hustete den bitteren Geschmack aus seinem Mund heraus und streckte sich auf dem kalten harten Boden aus.

4

»Ich bin so froh, daß Sie kommen konnten, Major Carey. Das wird ihm ungeheuer viel bedeuten. Er hat unaufhörlich nach seiner Familie gefragt.« Die Schwester war eine ausgeglichen wirkende Frau in den Dreißigern mit sanften, ernsten Augen hinter dicken Brillengläsern. »Ich sollte Sie wohl vorwarnen ... er weiß nicht immer, wo er ist. Manchmal glaubt er, er wäre zu Hause.« Sie warf einen Seitenblick auf Muttonheads schlimmes Bein und seinen Handstock. »Bitte sagen Sie mir, wenn ich zu schnell für Sie gehe.«

Sie gingen den Flur eines großen, häßlichen neugotischen Klosters am Rand von Amiens hinunter. Die französischen Nonnen hatten es zwar für die englischen Krankenschwestern geräumt, doch immer noch hing religiöse Feierlichkeit wie ein schwacher Weihrauchduft über der geschäftigen Krankenhausatmosphäre.

»Er kann Sie hören, und er kann mit Ihnen sprechen.« Die Schwester schien Muttonheads Schweigsamkeit nicht zu stören. »Seine Augen sind jedoch noch bandagiert, so daß er Sie leider nicht wird sehen können. Das Gas hat ihn böse verbrannt, und seine Atmung ist sehr schwach.« Sie blieb vor der Tür stehen, um zu sagen: »Es wird nicht mehr lange dauern, ich hoffe, Sie können bleiben.«

Sehr leise, als hätte sie etwas von der Verstohlenheit der abwesenden Nonnen übernommen, öffnete sie die Tür und führte Muttonhead in eine kleine weißgetünchte Zelle. Ein vergittertes Fenster ging auf einen Kreuzgang und ein Rasenviereck hinaus. Die Wände waren nackt bis auf ein kleines Holzkruzifix, das an einem Nagel über dem Bett hing.

Muttonheads Herz setzte einen Schlag aus, als ihm klar wurde, was seine Augen ihm zeigten – daß der verbrannte, gemarterte Körper, der um jeden Atemzug rang, Tertius war. Er hatte einen Verband um die Augen, und sein Mund war eine Masse rissiger roter Wunden. Eine rundliche junge Schwester saß neben ihm und hielt ihm die Hand. Als sie Muttonhead erblickte, legte sie die Hand sacht aufs Bett nieder und verließ das Zimmer.

»Bitte läuten Sie, Major, wenn Sie irgendeine Veränderung bemerken.« Die Schwester schloß die Tür hinter sich, und sie waren allein.

Muttonhead kam sich gewaltig vor in dem winzigen Zimmer. Er setzte sich und nahm Tertius' Hand. Er wollte sprechen, doch wie gewöhnlich mußte er feststellen, daß seine Empfindungen ihm die Kehle versiegelt hatten.

Tertius flüsterte: »Mutt, bist du das?«

Endlich fand er die Sprache wieder. »Ja, alter Junge.« Tertius' Hand zuckte und schloß sich um seine. Muttonhead erinnerte sich plötzlich daran, wie er seinen Finger am Tag von Tertius' Geburt auf dessen winzige Handfläche gelegt hatte. »Das ist dein neuer kleiner Bruder«, hatte die Mutter gesagt, »und du mußt sehr gut auf ihn aufpassen.« Er sah sich selbst als stämmigen Zehnjährigen, der seinen kleinen Bruder auf dem Rücken auf dem Gut herumtrug, stolzgeschwellt, weil man ihm etwas derart Kostbares anvertraute. Mein Gott, sie würde es nicht überleben.

»Ich wußte ja, daß sie mich in unsere Gegend bringen würden«, keuchte Tertius. »Kommt Mutter auch bald?«

»Ja«, sagte Muttonhead, der sich nicht anders zu helfen wußte.

»Wenn der Hügel nicht wäre, könnte man das Haus von hier sehen.« Er schwieg einen Augenblick, um nach Luft zu ringen. »Schrecklich, dieser Regen ... wir haben das Boot auf dem See gelassen. Jetzt ist es voll Wasser.«

»Macht nichts.«

»Ehrlich? Du bist nicht böse?«

»Nein.«

Das Schweigen dehnte sich zu Minuten. Tertius döste weg. Muttonhead wagte nicht, sich zu rühren. Er lauschte auf das Geräusch von Tertius' Atem und die gelegentlichen Schritte und Stimmen, die im Kreuzgang draußen vorbeikamen. Nach fast einer halben Stunde bewegte sich Tertius und sagte deutlicher: »Mutt, bist du wirklich da?«

»Ja.«

»Ich träume soviel ... weiß nicht, was wirklich ist.«

»Dies ist wirklich.« Muttonhead berührte flüchtig sein Haar. »Du bist in einem Lazarett in Amiens. Mutter kommt, sobald ich nach ihr schicken kann.«

»Rory ...«

»Rory auch.«

Wieder trat Schweigen ein. Tertius' wunde Lippen bewegten sich, als spräche er mit sich selbst. Dann sagte er: »Sie werden nicht rechtzeitig kommen.«

Muttonhead zuckte zusammen, sprach jedoch mit ruhiger Stimme. »Doch, werden sie, mach dir keine Sorgen. Es ist alles in Ordnung.«

»Rory ...« Tertius wurde unruhig. »Sag ihr, sie soll sich nichts draus machen ... es wäre sowieso nicht gegangen. Sie hatte ganz recht.«

»Ja ja.« Muttonhead sprach in beschwichtigendem Ton, doch die Enthüllung, daß Tertius und Rory zu einer Art von Einverständnis gelangt waren, verblüffte ihn. Er vermochte nicht zu entscheiden, ob der Schmerz, den er empfand, von Freude herrührte oder von Trauer.

»Kümmere dich um sie, ja?«

»Überlaß das nur mir.« Muttonhead legte Tertius die Hand auf die kalte Stirn, und das schien ihn zu beruhigen.

Diesmal döste er eine Dreiviertelstunde, wie Muttonheads Armbanduhr anzeigte, die unnatürlich laut zu ticken schien. Er zählte jeden Atemzug von Tertius mit, wie um ihm die Kraft für den nächsten zu geben. Im Hinterkopf war ihm bewußt, daß die narbigen Muskeln in seinem schlimmen Bein sich schmerzhaft verkrampften, doch es schien nicht wichtig, und er bewegte sich nicht.

Die Schwester kam kurz herein, um eine Tasse Tee auf das Schränkchen neben dem Bett zu stellen. Muttonhead dankte dafür mit einem Nicken und schüttelte den Kopf, als sie fragte, ob er einen Augenblick abgelöst werden wollte.

Tertius' rauhes Flüstern brach die Stille. »Mutt ...«

»Ja?«

»Verlaß mich nicht.«

Muttonhead runzelte die Stirn unter der Anstrengung, den Schmerz aus seiner Stimme herauszuhalten. »Aber nicht doch. Ich bleibe, solange du mich hierhaben willst ... die ganze Nacht, wenn du willst.«

Die Andeutung eines Lächelns zuckte um Tertius' Mund. »Ich rieche deine Pfeife gar nicht.«

»Das ist gegen die Vorschriften.«

»Wenn ich dich doch sehen könnte. Kann ich ... dein Gesicht berühren?«

Seine Hand zitterte auf der Bettdecke, doch er war zu schwach, um sie zu heben. Muttonhead wischte sorgfältig die Spuren seiner Tränen weg und hob dann die kühle Hand an seine Wange. Er hielt sie dort, bis Tertius erneut in Schlaf versank, und legte sie erst wieder hin, als er sicher war, ihn nicht aufzuwecken.

Tertius' Lippen bewegten sich angstvoll, während er schlief. Irgend etwas machte ihm zu schaffen. Muttonhead erfuhr, was es war, als er die zwei Worte »Vi ... Fenborough« herauskrächzte.

»Ja? Was ist denn mit ihr?« Instinktiv sträubte sich alles in Muttonhead. Der Name einer Dame war gefallen – der Frau eines seiner Freunde –, und er wollte nicht hören, daß sein Bruder irgend etwas getan hatte, das ihren Ruf befleckte.

Seine Mißbilligung mußte in seine Stimme eingeflossen sein, denn Tertius stöhnte und sagte: »Tut mir leid ... tut mir leid.«

»Ist schon gut, alter Junge.« Muttonhead gab sich einen Ruck, um sich klarzumachen, daß sein einstiger Ehrenkodex ins Zeitalter der Dinosaurier gehörte und daß es nichts Wichtigeres gab als Tertius' Seelenfrieden. »Ich höre.«

Als die Schwester zurückkehrte, um die Tasse mit dem erkalteten Tee zu holen und das Gas anzuzünden, hörte sie Muttonhead sagen: »Mach dir keine Sorgen. Ich kümmere mich um alles.«

»Danke.« Tertius' Stirn über den verbundenen Augen glättete sich.

Die Dämmerung brach herein, und Muttonhead hielt weiter Wache. Halb glaubte er, Tertius mit seiner eigenen Kraft retten zu können, halb fragte er sich bereits, wie er denen zu Hause die Nachricht überbringen sollte.

Die Uhr der Kapelle schlug sechs, und Tertius' Lungen knackten wie die Eisschicht auf einem See. Leidend und angsterfüllt nutzte er seine letzten Kraftreserven, um sich an Muttonhead zu klammern. Sein Brustkorb bäumte sich unter der Bettdecke auf, so sehr rang er nach Atem. »Fast da«, keuchte er. »Mama ... Rory.«

Muttonheads Griff um seine Hand wurde fester, weil er ihn nicht gehen lassen wollte. Sehr langsam entspannte sich Tertius' gequälter Körper, und ein friedlicher Ausdruck stahl sich in sein Gesicht. Langsam erstarrte seine Hand zwischen Muttonheads Handflächen.

Die Schwester sah, als sie das Zimmer betrat, Muttonheads gramgebeugte breite Schultern und die wächserne Reglosigkeit der Gestalt im Bett.

»Major Carey ...«, begann sie.

»Er schläft«, fiel er ihr streng ins Wort.

Sie dachte, er hätte vielleicht gar nicht mitbekommen, was geschehen war, bis sie sein Gesicht sah. Sein Kinn hatte einen störrischen Zug, doch seine Augen – nie hatte sie einen derartigen Ausdruck dumpfer Qual gesehen.

Lady Oughterard blieb länger auf der Terrasse, als sie vorgehabt hatte, und starrte auf den goldenen Balken des Sonnenuntergangs über den schwarzen Bergen. Den ganzen Tag hatte sie mit einem seltsamen Unbehagen, fast einer Vorahnung zu kämpfen gehabt. Una hatte ebenfalls etwas in ihren Teeblättern erblickt – war natürlich alles Unfug. Abergläubischer Unfug. Sie zog sich in den Salon zurück und verriegelte die Glastüren.

Es war nur Ruhelosigkeit, und Arbeit war das Heilmittel dagegen. Die Monatsabrechnung war noch zu machen – das reichte schon aus, um einen mit Unbehagen zu erfüllen. Lady Oughterard nahm die Petroleumlampe mit zu ihrem Nußholzschreibtisch und setzte sich mit entschlossener Miene. Die Ordner und die Stöße der Rechnungen lagen zwar vor ihr, doch sie konnte nicht anfangen.

Ihre Aufmerksamkeit wurde von dem großen silbergerahmten Foto gefesselt, das sie jeden Tag sah und in allen Einzelheiten kannte – sie selbst und der Vater auf den Stufen von Castle Carey, mit Lucius und Fingal. Darunter stand Paddy Finnegan neben einem zweirädrigen Wägelchen, in dem zwei lachende kleine Kinder in Matrosenanzügen und Strohhüten saßen. Rory und Tertius.

Plötzlich von hektischer Unruhe gepackt, schob Lady Oughterard die Ordner beiseite und begann, in den Schubladen und Fächern ihres Schreibtischs herumzuwühlen. Sie seufzte vor Erleichterung, als sich ihre Finger um das Band von Tertius' Matrosenhut schlossen, das sie in ihrem privaten Gewirr von Milchzähnen, Babylocken und winzigen Kinderschuhen aufbewahrte. Der Ripsstreifen war zwar altersteif, doch die Buchstaben waren so deutlich lesbar wie eh und je – *HMS Audacious*. Wo war ihr wagemutiger Junge wohl jetzt?

Ein Rauschen wie ein schwerer Seufzer füllte das Zimmer und bewirkte, daß die Flammen des Torffeuers aufloderten. Lady Oughterards Herz hämmerte, ehe sie es noch gehört hatte – ein langes, leises Wimmern in einem der unbenutzten Zimmer oben. Es heulte lauter und höher, bis es zu abgehackten Schluchzern zerriß, die im ganzen Haus widerhallten. Irgendein riesiges Tier – ein Vogel oder eine Fledermaus – flatterte unbeholfen über ihr herum und schlug mit seinen gewaltigen Schwingen gegen Wände und Deckenbalken.

Lady Oughterard saß stocksteif an ihrem Schreibtisch, gelähmt vor Entsetzen. Die Stimme oben begann erneut zu wimmern und zu klagen; der Inbegriff der Verzweiflung. Das Geräusch schien ihr das Herz zu zerfetzen. Eine schwarze Woge des Kummers durchflutete das Haus. Ehe sie sie überrollen konnte, sprang sie auf und schrie: »Una! Una!«

Die schrecklichen Schluchzer steigerten sich zu Schreien, und die riesigen Flügel schienen sich in einem Zimmer mit ihr zu befinden. Lady Oughterard hielt sich die Ohren zu, in dem fieberhaften Verlangen, dem Geräusch zu entrinnen und der gräßlichen Botschaft.

»Una!«

»Ich bin ja da, mein Herz. Una ist ja da ...« Una war im Zimmer. Sie weinte, als sie sie in die Arme nahm. »Haben Sie keine Angst. Sie liebt sie doch, wahrhaftig. Sie stirbt aus Kummer um Sie.«

»Nein!« Lady Oughterard hielt das Matrosenband in der zusammengepreßten Faust.

Die Geräusche erstarben ganz plötzlich, als wäre es nur der Wind gewesen. In die Stille hinein flüsterte sie: »Tertius.«

Frieda stand auf. Sie löste sich aus dem Hintergrund ihres vollgestellten Salons und nahm Muttonheads Hand. Ihre eigene nahm sich darin aus wie eine Mausepfote. Sie mußte den Kopf in den Nacken legen, um ihm ins Gesicht zu sehen.

»Major Carey.«

»Miss Berlin.« Wie gewöhnlich kam Muttonhead sofort zur Sache. »Wie geht es ihr?«

»Das arme Kind«, sagte Frieda, »sie haben sie in einem furchtbaren Zustand nach Hause geschickt. Sie weint unaufhörlich um ihn, und wir ängstigen uns um sie. Wir versuchen zwar, sie zu trösten, so gut wir können, aber wir wissen, daß es gegen diese Art von Schmerz kein Heilmittel gibt.« Ihr eindringlicher schwarzer Blick schien sich durch seinen Panzer brennen zu wollen. »Es tut uns so leid«, setzte sie leise hinzu. »Ich kann es kaum glauben ... so viel Leben, so viel vielversprechendes Talent ...«

»Alles dahin«, vollendete Muttonhead in bitterem Ton ihren Gedankengang.

Sie schüttelte den Kopf. »Erhalten und bewahrt auf ewig, wo sie niemals verblassen können. Das sagen wir uns jedenfalls im Hinblick auf unseren Bruder.« Sie wies auf das Pastellkreideporträt von Joe. »Tertius hat es uns vor ein paar Monaten geschenkt. Ich kann Ihnen gar nicht sagen, welchen Trost es uns bedeutet. Es ist wunderschön ... doch selbst Tertius hätte niemals etwas schaffen können, das auch nur halb so schön gewesen wäre wie er selbst. Wir waren sehr glücklich darüber, daß wir ihn kennenlernen durften.«

Muttonhead fuhr herum, um mit brennenden Augen aus dem Fenster zu schauen, und Frieda wartete geduldig, während er sich schneuzte.

»Meine Schwester wird Rory gleich herbringen«, sagte sie, als sie den Eindruck hatte, daß er wieder bereit war zu sprechen. »Wir hielten es für das beste, ihr nicht zu sagen, daß Sie kämen, für den Fall, daß es irgendeine Verzögerung gäbe. Es wäre so schrecklich gewesen, sie enttäuschen zu müssen.«

Muttonhead wandte sich ihr wieder zu, straffte die Schultern und schickte sich offensichtlich an, sich ein paar schwierige Worte abzuringen. »Miss Berlin, ich muß Ihnen dafür danken, daß Sie sich so um sie gekümmert haben.«

»Wir hätten sie doch nicht in die einsame Wohnung zurückkehren lassen können.«

»Ich meine ... ich weiß, wie gut Sie zu ihr gewesen sind und zu ... zu meinem Bruder.« Sein gebräunter Hals färbte sich dunkler. »Und hören Sie ... in der Vergangenheit war ich weniger tolerant ... ich habe Ihren Einfluß auf Rory mißbilligt. Das war ganz falsch von mir.«

Frieda war zwar zutiefst gerührt, konnte sich jedoch ein Lächeln nicht verkneifen. Der Major war so riesig und so prächtig, wie er hier in ihrem Salon stand. Es hatte schon etwas Komisches, wie er sich, von seinem einst so hohen Roß gestiegen, ganz klein zu machen versuchte. »Das macht nichts.«

»Verzeihen Sie, aber es macht doch was«, sagte Muttonhead barsch. »Ich hoffe, der Krieg hat mich gelehrt, klüger und weniger aufgeblasen zu sein. Dann habe ich wenigstens irgend etwas davon gehabt.«

Frieda trat vor den Kaminsims, der in einen Schrein für Joe verwandelt worden war. Dort drängten sich Fotografien von ihm aus allen Altersstufen in zwei, drei Reihen hintereinander. Sie berührte sie stolz. Da war Joe auf ihrem Arm als mutterloser Säugling; Joe als kleiner Junge, wie er sich gegen den patriarchalischen Arm seines alten Vaters lehnte; Joe in Knickerbockers mit einem Reifen; und im Tweedanzug am Fluß in Oxford. Schließlich dann Joe in Uniform, aufgenommen bei seinem letzten Urlaub.

»Was mich an diesem Krieg wirklich schmerzt«, sagte sie mit unsicherer Stimme, »ist, daß man die jungen Menschen so furchtbar leiden sieht. Das kann nicht der richtige Weg sein. Wenn ich daran denke, wie junge Körper gemartert und verstümmelt werden, wie junge Köpfe vor Bitterkeit und Kummer den Verstand verlieren, dann ist das fast mehr, als ich ertragen kann. Ihr Jungen solltet um uns Alte trauern müssen, nicht wir um euch.«

»Mutt!«

Rory stand in der Tür. Sie war erschreckend mager. Ihr farbloses Gesicht war vom unaufhörlichen Weinen geschwollen. Einen Augenblick stand sie einfach nur da und starrte ihn an.

Er streckte die Arme aus. »Du wußtest doch, daß ich zu dir kommen würde.«

»Ach Mutt, ich hab' mich so nach dir gesehnt ...« Sie warf sich an seine Brust und schluchzte hemmungslos.

Er trug sie zum Sofa hinüber. »Schon gut, Göre. Hier bin ich.«

Frieda fing den Ausdruck seiner Augen auf, als er seine mächtigen Hände um Rorys Kopf schloß.

»Aber natürlich!« flüsterte sie Berta zu, während sie Frieda in Richtung Tür drängte. »Wie einfältig wir doch waren!«

Siebter Teil

Aurora

Brief an meine Tochter

Muttonhead hatte einige Tage Urlaub, ehe er seinen Dienst in
London am Kriegsministerium, wohin er mittlerweile versetzt
worden war, antreten mußte. Er benutzte die Zeit, um mich
nach Irland zu bringen. Tertius kam auch mit, in einem Blei-
sarg. Die halbe Landbevölkerung nahm an der Trauerfeier
teil. Die armen Leute, sie hatten ebenfalls Verluste erlitten.
Nur einer von den Jungs, die Muttonhead in den Krieg mitgenommen hatte, war zurückgekehrt.
Es war die traurigste Heimkehr, die man sich nur vorstellen
kann. Die Mutter hielt zwar den Kopf stolz erhoben vor den
Dorfbewohnern und Nachbarn, weil man das eben tat, doch
ihr drahtiges Haar war eisengrau geworden – nicht eins ihrer
pechschwarzen Haare war übriggeblieben –, und Muttonhead mußte ihr die Stufen zur protestantischen Kirche hinauf-
helfen. Mr. Phillips, der den Gottesdienst abhielt, strömten
die Tränen über sein rötliches Gesicht.
Und so betteten wir unseren geliebten Tertius in der modrigen Familiengruft zur Ruhe, neben Fingal und dem Vater,
und er wurde zu der fiktiven Figur, von der du während deiner Kindheit so viel gehört hast – ein Geschöpf aus der prächtigen, goldenen Legende von der Welt vor dem Krieg.
Ich blieb in Irland. Muttonhead hatte mir erklärt, die Mutter
brauche mich, und es käme überhaupt nicht in Frage, daß ich
wieder anfinge zu arbeiten. Und einmal im Leben gab ich
ihm einfach nach. Ich war so zu Tode erschöpft, daß ich
nicht einmal die Energie aufbrachte, um zu widersprechen.
Nach Lorenzos Tod hatte ich mich zu hart rangenommen,
und der Verlust von Tertius war zuviel für mich gewesen.
Den restlichen Frühling und den Frühsommer hindurch ließ
ich den Frieden von Marystown und Castle Carey auf meine
aufgeriebenen Nerven wirken.
Schließlich konnte ich wieder an Tertius denken und von ihm
sprechen, ohne daß sich jeder Muskel vor Qual verkrampfte.
Mutt hatte mir berichtet, was er sterbend gesagt hatte – daß

sichtlich etwas Unverzeihliches getan – bis heute weiß ich nicht, was, außer daß es ganz schön gräßlich gewesen sein muß, um die sanfte Francesca zu einer derart unerbittlichen Abkehr zu bewegen.

An einem schönen sonnigen Tag wurden sie in St. Peter's am Eaton Square getraut. Francesca trug eine sehr schlichte Jakke und einen taubenblauen Rock und hatte keine Blumen, doch ich mußte einfach an die feenhafte kleine Zuckergußbraut denken, die vor drei Jahren mit Stevie den Gang hinuntergeflattert war. Ich argwöhnte, daß sie mehr gelitten hatte, als sie eingestand, und betete darum, daß die Zukunft ihr Frieden und Erfüllung bringen würde.

Eleanor hatte die strenge Trauer, die sie Lorenzos wegen trug, zwar noch nicht gelockert, doch ihr Gesicht über dem schwarzen schlichten Kleid war rosig und heiter. Sie war gerade erst in ihre Wohnung in der Clarges Street zurückgekehrt, weil ihr Mietvertrag in Rottingdean ausgelaufen war. Sie hoffe, sich bald schon ein eigenes Haus auf dem Land kaufen zu können, meinte sie. Lorenzo hatte zwar eine Wüste aus ihrem Leben gemacht, aber sie hatte es doch geschafft, eine Oase der Zufriedenheit zu finden. Und natürlich hatte sie sein Kind, hielt ich mir mit einem Stich der Eifersucht vor.

Auch Jenny hatte mittlerweile ein Kind. Sie hatte in Cornelia MacIntyres Haus in London Quartier bezogen, um ihren strammen Sohn zur Welt zu bringen. Alistair war im siebten Himmel, und Jenny war die Heldin der ganzen Familie. Sie fand es herrlich, Mutter zu sein, und sie und Eleanor führten während des Hochzeitsempfangs ein ungeheuer langweiliges Gespräch über Babys.

Ich war mir bewußt, eine Außenseiterin zu sein. Die Anwesenheit der anderen drei rief mir ins Gedächtnis, daß ich diejenige war, die den Schwur gebrochen hatte. Glücklicherweise schoben sie mein verändertes Aussehen und Benehmen auf den Verlust von Tertius und behelligten mich nicht mit allzuviel Aufmerksamkeit.

Jedenfalls schlug ich mich, sobald die Aufregung der Hochzeit vorbei war, den restlichen Sommer bis in den Herbst hinein irgendwie durch. In meiner freien Zeit sah ich Mutton-

head häufig und erkannte bald den wahren Wert seiner
Freundschaft. Er war jetzt nachgiebiger geworden und konnte jemanden über radikale Politik reden hören, ohne gleich
violett anzulaufen vor Zorn und nach einer Peitsche zu rufen.
Ich fand ihn unendlich gütig und unendlich abgeklärt und
dachte, was ich in früheren Zeiten doch für eine undankbare
kleine Range gewesen war, als ich mich gegen ihn aufgelehnt
hatte.

Die Gewichte hatten sich zwischen uns verschoben. Ich blickte zwar immer noch zu ihm auf, doch nicht mehr wie ein
Kind. Wir waren jetzt Mann und Frau, und er behandelte
mich mit einem Respekt, der zwar schmeichelhaft, aber auch
seltsam beunruhigend war. Wenn mich in jenen finsteren Monaten überhaupt etwas zum Lachen bringen konnte, dann
war es Mutts barscher Humor. Doch selbst er konnte die
schwarze Kälte in meinem Inneren nicht vertreiben, die mich
erfüllte, was immer ich auch tat. Soweit es die Gefühle betraf,
war ich ein erloschener Vulkan; alles Asche und keinerlei
Glut.

Ich konnte nicht einmal jubeln, als der große Tag endlich da
war. Ich hörte die Neuigkeit, als ich, von irgendeinem Krankenhaus kommend, in den Bahnhof fuhr und die anderen
Fahrerinnen in Tränen aufgelöst fand. In der elften Stunde
des elften November 1918 war der Waffenstillstand unterzeichnet worden. Der Frieden war da. Der Krieg war vorbei.
Ich muß gestehen, meine erste Reaktion war Ärger. Ein Zug
war angekommen, und wir mußten uns um Dutzende von
verwundeten Jungs kümmern. Ich mußte den Krankenwagen
im Schneckentempo durch die Straßen bugsieren, die voll von
tanzenden und fahnenschwenkenden Menschen waren; in ihrer hemmungslosen Freude verschwendeten sie keinen Gedanken an meine armen Soldaten.

Ich verbrachte den Abend auf dem Fußboden meines dunklen
Zimmers; ich schnippte Zigarettenasche auf eine Untertasse
und lauschte der lärmenden Feier in der Stadt um mich herum. Ich war viel zu verbittert, um überhaupt feiern zu können. Und was denn überhaupt feiern, um Himmels willen?
Den Sieg?

Bis zum heutigen Tage weiß ich nicht, wer den Krieg ›gewonnen‹ hat oder worin eigentlich der Siegespreis bestehen sollte. Ich konnte nur die Kosten überschlagen und aufzählen, wer tot und wer nur verändert war. Mein Leben war zerstört. Meine Strafe schien größer, als ich sie tragen konnte – und ich sollte noch mehr Kummer erleben.

I

Sommer 1918 – Sommer 1919

Der Große Krieg war zwar aus, doch Anfang Dezember 1918 arbeitete Rory angestrengter denn je zuvor. Eine Grippeepidemie fegte über Europa hinweg, tötete Soldaten, die Schlachten und Entbehrungen überlebt hatten, und wütete in deren Familien in der Heimat. Immer noch liefen Lazarettzüge ein, und fast die Hälfte der Frauen von der Krankenwageneinheit war selbst erkrankt – vier waren bereits gestorben. Rory, der es gelungen war, sich nicht einmal eine Erkältung zu holen, war so müde, daß sie sich oft vollständig bekleidet aufs Bett warf, wenn sie von ihrer Schicht nach Hause kam.

An einem späten Nachmittag, als sie sich gerade die Treppe zu ihrer Wohnung hinaufschleppte, kam Miss Thompson auf die Diele hinausgestürzt und schwenkte ein Telegramm.

»Es ist heute schon das zweite, Miss Carlington. Irgend jemand muß Sie dringend erreichen wollen.«

Der Krieg hatte ein nationales Grauen vor Telegrammen hervorgerufen, und Rory wurde automatisch bleich, als sie es aufriß und las: »Lady Hastings krank Stop sofort kommen.«

Alles, was mit Eleanor zu tun hatte, war heilig. Rory schüttelte ihre Erschöpfung ab und stülpte sich den Hut wieder auf den Kopf. »Könnten Sie mir wohl etwas Geld für ein Taxi leihen, Miss Thompson?«

»Tja, also ich weiß nicht ...«

»Es ist ein Notfall ... meine Freundin Lady Hastings.«

Die Titelsucht gehörte zu Miss Thompsons Schwächen. Sie kippte ihre nach Kampfer riechende Geldbörse aus und holte zehn Shilling hervor. Binnen zwanzig Minuten läutete Rory in der Clarges Street.

Mrs. Bintry öffnete. Sie war atemlos und verstört und hatte den Hut auf. »Dem Himmel sei Dank, daß Sie da sind, Miss.

Ich wußte einfach nicht, wen ich noch hätte holen können. Ich kann keine Minute länger bleiben und weiß nicht ein noch aus.«

»Ist es die Grippe?«

»In der Tat, Miss Carlington, und so hat es sie noch nie erwischt. Ich wollte ja nicht weg, aber die Frau meines Sohnes und die Kleinen liegen auch damit flach, und er braucht mich.«

»Warten Sie ... Mrs. Bintry ..., Sie wollen doch wohl nicht weggehen?«

»Sie werden ja nicht allein sein. Das Aushilfsmädchen ist da und kümmert sich um Miss Laura.«

»Aber wie wär's denn mit einer ausgebildeten Krankenschwester?«

»Das habe ich ja versucht, Miss. Kein Krankenhaus kann vor morgen früh eine erübrigen.«

»Haben Sie's schon bei ihrer Familie versucht? Ich weiß zwar, daß sie nicht gut auf sie zu sprechen ist ...«

»Die haben auch die Grippe.« Mrs. Bintry stand mit einem Fuß bereits jenseits der Türschwelle und legte sich einen Kragen aus Kaninchenfell um den Hals. »Der Butler hat mir gesagt, Mrs. Herries gehe es gar nicht gut und Miss Herries und den meisten Dienstboten auch nicht. Ach bitte, Miss, lassen Sie mich doch gehen!«

Rory preßte die Finger gegen die Schläfen, um eine gewisse Ordnung in ihre Gedanken zu bringen. Sie fühlte sich hoffnungslos überfordert, aber Eleanor brauchte sie, und in diesem Punkt war ihr Pflichtgefühl besonders unerbittlich.

»Aber selbstverständlich müssen Sie gehen, Mrs. Bintry. Es war großartig von Ihnen, daß Sie so lange ausgeharrt haben. Wie heißt denn das Mädchen?«

»Dobbs, Miss.« Hoffnung und Erleichterung keimten in Mrs. Bintrys angespannter Miene auf. »Sie ist eher von der einfältigen Sorte, doch Laura hat nicht mehr gegen sie als gegen alle anderen auch. Wenn Sie ihrer Ladyschaft etwas ...«

»Danke, doch ich kenne mich damit aus. Ich habe Hunderte solcher Fälle gesehen. Wann kommt der Arzt denn wieder vorbei?«

»Gleich morgen früh, wenn er kann.«

»Na schön, dann mal los mit Ihnen. Hoffentlich geht es der Frau Ihres Sohnes und den Kindern bald wieder gut.«

»Ach ja, Miss Carlington ... danke.« Mrs. Bintry eilte fluchtartig von dannen.

Rory nahm den Hut ab und zog den Mantel aus. Sie fand sich mit der Tatsache ab, daß sie nach einem schweren Tag einer schweren Nacht entgegensah. Wenigstens war Eleanors Wohnung warm – manchmal hatte es schon Vorteile, wenn man reich war. Wie das wohl gewesen war, hier mit Lorenzo zu wohnen? Rory erschauderte und verbot sich den schmerzlichen Luxus, an ihn zu denken.

Sie ging in die Küche, wo das Aushilfsmädchen betreten am Küchentisch hockte. Dobbs war achtzehn oder neunzehn, quelläugig und mit einem leeren Gesicht. Sie stierte Rory mit offenem Mund an. Sie wartete auf Anweisungen.

»Ich bin Miss Carlington«, eröffnete Rory. »Ich bin hier, um mich um Lady Hastings zu kümmern. Wo ist denn die Kleine?«

»Im Kinderzimmer, Miss. Schläft tief und fest.«

»Gut. Sie müssen sich ganz allein um sie kümmern, weil ich viel zu beschäftigt sein werde, um auf sie zu achten. Haben Sie das verstanden?«

»Ja, Miss.«

»Und jetzt machen Sie mir eine Kanne starken Kaffee.«

»Es ist nur Malzkaffee da, Miss.«

»Verdammt.« Rory sah die Flasche mit der Kaffee-Essenz prüfend an. Das würde nicht ausreichen, um sie wachzuhalten. »Na schön. Was haben Sie denn für Lady Hastings ... Rinderbrühe? Hühnerbrühe?«

»Fleischextrakt, Miss.«

»Ausgezeichnet. Machen Sie ihr eine Tasse heiße Brühe davon, mit Milch.« Als sie fertig war, nahm Rory sie ihr ab. »Gut gemacht. Jetzt gehen Sie wieder in die Küche. Holen Sie mir einen großen Topf kaltes Wasser ... so kalt wie möglich und einen Stapel saubere Leintücher.«

»Ja, Miss.«

»Und üben Sie sich darin, den Mund geschlossen zu halten, Dobbs, sonst wirft noch einer einen Brief ein.«

Rory öffnete leise die Schlafzimmertür und ging hinein. Die

dicken Brokatvorhänge waren zugezogen, und das einzige Licht rührte von einer einsamen Glühbirne und dem Kohlenfeuer her. Das erste, was sie sah, als ihre Augen sich auf das Licht eingestellt hatten, war ein großes Foto von einem zornig wirkenden Lorenzo neben dem Bett. Eleanor lag schlaff auf einem Haufen spitzengesäumter Kissen. Ihr Atem ging flach, und ihre Wangen waren zwei kräftige violettrote Flecken.

Sie murmelte: »Mrs. Bintry?«

»Nein, Schatz, sie mußte nach Hause.« Rory sprach so unbeschwert, wie sie konnte, obwohl Eleanors hektische Röte sie sehr beunruhigte. Es wäre wohl besser, der Arzt käme noch an diesem Abend wieder. »Ich bin rasch rumgekommen, um die Nachtwache zu übernehmen.«

Eleanors Augen glänzten fiebrig. »Das kannst du nicht ... du darfst nicht ... Das will ich auf keinen Fall, wo du doch so schwer arbeitest.«

»Unsinn, ich bin putzmunter, und ich sitze viel lieber in deiner prächtigen Wohnung als in meiner scheußlichen.« Sie setzte sich neben das Bett. »Ich habe dir was zu trinken mitgebracht.«

»Nein, danke.«

Rory nahm eine ihrer Hände, und ihre Besorgnis wuchs, als sie spürte, wie heiß Eleanor war. »Danach fühlst du dich kräftiger.«

Eleanor starrte sie an und sagte dann, als verriete sie ihr ein erstaunliches Geheimnis: »Der Hals tut mir weh und alle Glieder auch. Ich fühle mich vielleicht schlecht! Aber das ist doch nichts Ernstes, wie?«

»Aber um Himmels willen, nein. Ganz bald geht's dir wieder gut.«

»Laura ...«

»Schläft. Und zwar wie ein Murmeltier.« Rory hoffte, daß diese letzte Arabeske auch zutreffend war. Es war schon ungeheuerlich, was man Kranken so einfach ins Gesicht hineinlog. »Komm, nun trink das.«

Sie hob Eleanors Kopf an und setzte ihr die Tasse an die Lippen. Es war herzzerreißend mit anzusehen, was es sie kostete, die Flüssigkeit ihre wunde Kehle hinunterzubekommen, doch Rory wußte, wie wichtig es war, sie zur Nahrungsaufnahme zu bewegen. Sie hatte andere Krankenschwestern sagen hören, diese Grippe sei wie ein Waldbrand und fresse binnen Stunden noch den letzten Rest von Energie auf. Auch Wasser war wichtig. Als Eleanor die Kraftbrühe getrunken hatte, flößte Rory ihr ein großes Glas Wasser ein, das sie durstig schluckte.

Dobbs kam mit dem Topf kalten Wassers und einem Stapel Handtücher. Rory streifte Eleanor das Nachthemd von ihrem glühenden Körper und packte ihn in eiskalte nasse Tücher. Eleanor wimmerte zuerst ein wenig, sank jedoch bald schon in einen leichten Schlaf. Rory fand, daß sie besser aussah, und hoffte, die Kaltwasserbehandlung würde ihre Temperatur senken. Sie hätte zu gern selbst geschlafen, doch das war ausgeschlossen. Keine Anstrengung durfte ihr zuviel sein für diese Freundin, die sie hintergangen hatte. Sie wählte den unbequemsten Stuhl für die lange Nacht, die vor ihr lag.

Und sie wurde sehr, sehr lang. Mehrere Male verglich Rory ihre Uhr mit der großen Uhr im Salon, weil sie überzeugt davon war, daß die Zeiger stehengeblieben waren. Allmählich verklangen die Geräusche unten auf der Straße zur tiefen Londoner Stille vor dem Morgengrauen – als hätte das Herz der Stadt zu schlagen aufgehört, dachte Rory düster.

Alle halbe Stunde stand sie auf, um Eleanor Wasser zu geben und ihr frische Handtücher aufzulegen. Ihre Temperatur war zwar immer noch hoch, schien jedoch nicht mehr zu steigen. Ab und zu wachte sie für einen Moment auf und murmelte eine Entschuldigung, weil sie so eine Last sei. Sie versuchte sogar, fröhlich zu sein, indem sie sich immer wieder zu lächeln bemühte. Rory schnitt ihr Anblick ins Herz. Die meiste Zeit jedoch schlief Eleanor mit unschön verdrehten Gliedmaßen.

Rory fand die vielen Andenken an Lorenzo bedrückend. Über das ganze Zimmer verstreut gab es Hinweise auf ihn, die erst nach und nach als solche erkennbar wurden. Es genügte nicht, den schwarzen Blick von der Fotografie auf Eleanors Nachttisch zu vermeiden. Sie erkannte immer wieder kleine Gegenstände, die sie in seinen Taschen gesehen hatte – und die eben aus diesem Grund von Eleanor heilig gehalten wurden. Unfähig zu widerstehen, bewegte Rory sich lautlos durchs Zimmer, berührte alles, was Lorenzo einst berührt hatte, und nahm noch einmal Kontakt zu ihm auf. Sein Zigarettenetui stand auf dem Kaminsims, gleich neben einem silbernen Federmesser. Rory liebkoste es verstohlen und hing dabei trübsinnig der Erinnerung nach, wie Lorenzo es in Norfolk benutzt hatte, um ihre Initialen in einen Baum zu ritzen.

Am Toilettentisch stehend, fand sie mehrere Paare Manschettenknöpfe, ein Set von perlenverzierten goldenen Hemdknöpfen und eine runde Schachtel voller Khakikragen. Dies waren unpersönliche Dinge, die jedem hätten gehören können, und sie neidete Eleanor ihren Besitz nicht. Als sie jedoch auf seine Armbanduhr stieß, hätte sie fast laut herausgeschrien über soviel Ungerechtigkeit. Augenblicke ehe sie sich auf immer trennten, hatte sie ihm dabei zugeschaut, als er die Uhr anlegte. Das braune Lederarmband war vom Schweiß dunkel geworden, und der Geruch bewirkte, daß sie vor Sehnsucht nach ihm zitterte. Er mußte es getragen haben, als er starb – und er mußte an sie gedacht haben, nicht an seine ungeliebte Frau. Welches Recht hatte Eleanor auf etwas, das so sehr zu ihm gehörte?

»Die haben sie mit all den anderen Sachen zurückgeschickt.«

Rory fuhr zusammen, als hätte sie ein elektrischer Schlag getroffen. Eleanors Augen funkelten fiebrig aus ihrem geröteten Gesicht heraus. Rory hatte das Gefühl, daß ihre Schuld in aller Abscheulichkeit an den Tag gekommen war.

Aber Eleanor sagte nur: »Seine Kleider auch. An manchen war Blut. Ich habe sie verbrannt.«

Rorys Herz raste immer noch, als sie auf ihren Posten am Bett zurückkehrte und der Kranken frisches Wasser eingoß. »Ich wollte dich nicht aufwecken.«

»Du bist so nett, Rory. Ich fühle mich wie eine Schwindlerin ... ich bin doch gar nicht richtig krank.«

»Natürlich nicht. Trink was.« Sie hielt ihr das Glas an die Lippen. Eleanor war zwar ausgedörrt wie die Sahara, konnte jedoch nur noch unter starken Schmerzen schlucken. Als sie fertig war, ließ sie sich mit erleichterter Miene in ihren Kissenberg zurücksinken.

Die Körperhitze hatte zum Teil sogar die Handtücher getrocknet. Rory konnte das einfach nicht glauben, doch sie tat ihr Bestes, um ihr Entsetzen zu verbergen, als sie Eleanor wieder mit dem kalten Schwamm abrieb. Ich bin ganz allein, dachte sie – allein mit Lorenzos Frau. Ich könnte sie jetzt umbringen, indem ich ihr von ihm und mir erzähle, und nur das himmlische Gericht würde je wissen, was ich getan habe.

Das Gefühl ihrer eigenen Schlechtigkeit machte es ihr fast unerträglich, Eleanors vertrauensvollem Blick zu begegnen. Um es noch schlimmer zu machen, war sie auch noch gesprächig geworden.

»Wenn du dich doch ausruhen wolltest, Rory. Es ist furchtbar spät, und du siehst so müde aus.«

»Mir fehlt nichts.« Es ärgerte Rory, daß sich die Frau, der sie unrecht getan hatte, so selbstlos um sie sorgte. Mußte Eleanor die ganze Zeit über so verdammt tugendhaft sein? Dann fiel Rory unter quälenden Gewissensbissen ein, daß genau dies Lorenzo so wütend gemacht und ihn ihr entfremdet hatte. Eleanor war ein Engel, und er hatte es gehaßt, daran erinnert zu werden, wie wenig er sie verdiente – wo er sie doch vor allem gar nicht hatte haben wollen.

»Ich dachte, ich könnte mich ihm dadurch näher fühlen, daß ich seine Sachen hierbehielte«, murmelte Eleanor, »doch er entfernt sich mit jedem Tag ein bißchen mehr. Ich kann ihn nicht halten.«

Rory hätte ihr sagen können, wie gut sie dies Gefühl kannte. Sie nahm Eleanors Hand. »Versuch es nicht. Laß ihn gehen.«

»Ich weiß, daß du nie etwas von dem armen Lorenzo gehalten hast«, fuhr Eleanor fort, die ja keine Ahnung hatte, daß sie Rorys gemartertem Gewissen tausend Stiche versetzte. »Jenny auch nicht. Ich hab' dir das nie erzählt, doch an dem Tag, als du mit Stevie weggefahren bist, hat sie mich angefleht, ihn nicht zu heiraten. Sie hat gemeint, es wäre besser, mein Kind heimlich zu bekommen – alles, wenn ich ihn nur nicht heiratete. Ich wußte, daß sie recht hatte, doch es war mir gleichgültig. Selbst wenn ich unglücklich geworden wäre, der Gedanke, ohne ihn sein zu müssen, war mir unerträglich.« Ihre vom Fieberwahn glänzenden Augen weiteten sich feierlich. »Rory, ich habe ihn so geliebt. Es ist das einzige, dessen ich in meinem ganzen Leben absolut sicher gewesen bin. In dem Augenblick, wo ich ihn das erstemal sah, wußte ich, ich mußte ihn dazu bringen, mich zu nehmen, koste es, was es wolle.«

»Ich weiß ... ganz bestimmt hat er dich geliebt, Schatz«, sagte Rory in dem verzweifelten Wunsch, sie zu beruhigen, »auf seine Weise.«

Die ruhige Selbstgewißheit von Eleanors Antwort überraschte sie. »O ja. Ich habe das am Ende begriffen, als er soviel netter zu mir war. Auf seinem letzten Urlaub hat er sich so sehr bemüht, alles wiedergutzumachen ... doch ich hatte ihn auch so verstanden. Ich hatte ihm schon verziehen, was er mir angetan hatte.«

»Was? Was hat Lorenzo denn gemacht?«

Eleanor mißdeutete Rorys Eindringlichkeit. »Du darfst nicht böse auf ihn sein«, bat sie. »Das ist nicht gerecht, wo er doch tot ist. Dort, wo er jetzt ist, wird alles vergeben.«

Das Blut rauschte in Rorys Ohren, aber sie verstand, daß Eleanor gar nicht von ihrem Betrug sprach, und ihr schwindelte vor Erleichterung.

»Wer war noch mal der Mann, von dem wir in der Schule gesprochen haben ... der, dessen Pfeile niemals fehlgingen und dessen offene Wunde niemals heilen konnte?«

»Philoktet«, sagte Rory zerstreut.

»Du bist wirklich klug. Diese Art Sachen wußte er auch immer.« Sie drückte Rory schwach die Hand. »Wenn ich dir erzähle, dann mußt du an Phil ... an den Mann denken. Lorenzo hat mich verletzt, doch nur, weil er selbst furchtbar verletzt worden war.«

Typisch Eleanor, dachte Rory; sie würde sich vierteilen lassen, nur um hochherzig sein zu können.

Als habe das Fieber ihre Sinne geschärft, schien Eleanor das zu hören. »Ich will mich nicht aufspielen, ehrlich. Ich will nur, daß du ihn verstehst.« Ihre Hand zuckte ruhelos in Rorys, aber ihr Gesicht war ruhig. »Anfangs hatte ich Angst vor ihm. Als er zu Francescas Hochzeit nach Hause kam, dachte ich, er würde mich umbringen. Da hat es angefangen.«

»Was angefangen?« In Rory sträubte sich alles. Sie wollte nichts mehr hören.

»Als er angefangen hat, mir weh zu tun. Die blauen Flecken und die gebrochenen Rippen, die aufgeplatzten Lippen.«

»Aber du hast doch einen Autounfall gehabt!« widersprach Rory schroff.

»Ich habe gelogen. Ich habe Lorenzo gesagt, ich würde mich durch nichts davon abhalten lassen, auf die Hochzeit zu gehen. Und sowieso tat es ihm da schon leid. Ich habe das Lügen gelernt, als er es beim nächsten Urlaub wieder getan hat, und bei allen Urlauben danach. Erst war ich überrascht, als ihr mir alle geglaubt habt. Doch nach und nach habe ich es selbst zu glauben angefangen ... daß ich ein Tölpel war, der unentwegt die Treppe runterfiel und gegen Laternenpfähle lief.«

Nur dadurch, daß sie die Nägel in die Handflächen grub, gelang es Rory, äußerlich gefaßt zu bleiben. Ihre erste Regung war, herauszuschreien, daß Eleanor eine verdammte Lügnerin sei, daß dies nicht der wahre Lorenzo sei, den sie kannte, daß er es ihr erzählt hätte, weil er ihr alles erzählte.

Aber Eleanor log nie. Rory schoß das Bild durch den Kopf, wie der Mann, den sie so verzweifelt geliebt hatte, seiner hilflosen Frau schreckliche Wunden zufügte. Dies war ein neuer Lorenzo, der der Gewalttätigkeit und der Grausamkeit fähig war. Wenn sein Tod ihr weh getan hatte, dann war diese Zerstörung ihres idealisierten Bildes von ihm die reine Folter. »Warum hast du ihn gelassen?« hielt sie Eleanor wütend entgegen. »Warum bist du bloß bei ihm geblieben?«

»Weil er danach immer mit mir geschlafen hat«, sagte Eleanor schlicht. »Und ich konnte mich einfach nicht dazu bringen, das nicht zu wollen.«

»Du lieber Gott!«

»Es tat ihm jedesmal so leid. Und Laura hat er nie etwas getan. Glaub mir, Rory, wenn er meiner Kleinen etwas getan hätte, wäre ich um nichts in der Welt bei ihm geblieben. Bitte, glaub mir das.«

Das Kind mußte genau mitbekommen haben, was da passiert war, dachte Rory, und ihr wurde plötzlich alles klar. Wie oft hatte Lorenzo davon gesprochen, daß seine Tochter bei seinem Anblick zu schreien anfinge?

»Nun bist du entsetzt«, sagte Eleanor traurig. »Aber gegen Ende ging es ihm so viel besser. Ich weiß, er wäre in Ordnung gekommen, wenn er am Leben geblieben wäre. Als er sich nach der Somme von seiner Verwundung erholt hat, das war die schlimmste Zeit. Wir haben das mit Lauras Taubheit herausgefunden, und es machte ihn so wütend. Mrs. Bintry hat mich beschworen, ihn doch zu verlassen, und ich habe mich gefragt, ob es nicht besser wäre ... doch er war so krank und schwach.«

»Aber stark genug, um dich zu schlagen.«

»Er hat damit aufgehört, sobald es ihm gut genug ging, daß er tagsüber in London sein konnte. Dann fuhr er ein paarmal allein weg. Es gefiel ihm, ungebunden zu sein, und je mehr Freiheit ich ihm ließ, desto netter wurde er. Bei seinem letzten Urlaub begann ich zu glauben, daß ich den richtigen Weg gefunden hätte.« Sie seufzte und schaute auf das Foto von Lorenzo neben sich. »Doch das ist ja jetzt egal. Wenn wir uns wiedersehen, werden wir uns lieben können, wie es uns bestimmt war.«

Vielleicht war es ja das Fieber, aber das Glück in ihrem Blick schien bereits einer anderen Welt zuzugehören, und Rory bekam es mit der Angst zu tun.

»Schatz, jetzt hast du genug geredet. Jetzt mußt du die Augen zumachen und schlafen. Ich werde hiersein ... ich lasse dich nicht allein.«

»Ja, ich ...« Sie war eingeschlafen.

Rory hielt weiter ihre Hand und hatte dabei das Gefühl, die unvermeidliche Strafe für ihre Sünden des Stolzes und der vorsätzlichen Blindheit abzubüßen. Ihre Liebe zu Lorenzo kam ihr jetzt ganz und gar selbstsüchtig vor. Hätte sie die Wahrheit nicht wissen können, wenn sie gewollt hätte? Ihr Lorenzo war wunderbar charmant gewesen – in welchem Maße war dieser Charme wohl der Tatsache zu verdanken, daß er eine Frau zu Hause hatte, die all seine Unliebenswürdigkeit aufsaugte?

Und die ganze Zeit über hatte sie sich wer weiß was darauf eingebildet, seine Liebe errungen zu haben, wo Eleanor es nicht geschafft hatte.

Gnädiger Gott, betete sie, gib mir Gelegenheit, alles wieder an ihr gutzumachen. Zeig mir einen Weg, um Buße zu tun, weil ich unseren Schwur gebrochen habe.

Der Morgen dämmerte, und Eleanor schlief immer noch. Rory war ganz schwach von den Aufregungen einer schlaflosen

Nacht, und sie machte sich einen Tee. Dann zog sie die Vorhänge im Schlafzimmer auf, um das graue Licht hereinzulassen. Draußen begann die morgendliche Geschäftigkeit der Lieferwagen, doch sie fühlte sich nur noch einsamer.

Von irgendwo in der Wohnung hörte sie das durchdringende Gequäke von Eleanors taubem kleinen Kind. Das Geräusch schien Eleanor zwar im Schlaf zu stören, aber sie wachte nicht auf. Sie wurde immer heißer, und als Rory ihr die Glieder abwusch, fühlten sie sich irgendwie schwerer und unzusammenhängender an.

Um halb acht kam der Arzt. Er sei ununterbrochen umhergehetzt, erklärte er. Sein Partner sei krank, und er habe letzte Nacht kein Auge zugemacht. Rory verspürte eine Aufwallung von Zuversicht, als sie ihn beobachtete, wie er Eleanors Temperatur maß und sie abhörte. Er würde bestimmt ein Rezept ausschreiben, das ihr helfen müßte. Sie konnte das Mädchen sofort zur Apotheke schicken.

Die Hoffnung währte nur kurz. Er winkte sie ans Fenster hinüber, wo sie außer Hörweite waren, und murmelte: »Es sieht so aus, als hätte die Grippe sich zur Lungenentzündung entwickelt. Halten Sie das Kind von ihr fern, und geben Sie ihr viel Flüssigkeit.«

Rory sah ihn sein Thermometer und das Stethoskop wieder einpacken, konnte jedoch nicht glauben, daß er gehen wollte. »Was ist denn, wenn es schlimmer wird? Was ist mit den Schmerzen? Verstehen Sie ... ich bin ganz allein hier!«

Er seufzte. »Sie könnten Lady Hastings in ein Krankenhaus schicken ... falls Sie einen Krankenwagen und in zehn Meilen im Umkreis ein freies Bett finden. Doch auch dann wird das für sie nicht viel verändern. Sie dürfte sich hier wohler fühlen, bei sich zu Hause, von vertrauten Gesichtern umgeben.«

»Sie wird doch wieder gesund?« Rory umklammerte seinen Arm. »Was soll ich bloß machen, wenn sie ... mein Gott, das darf nicht passieren!«

»Vielleicht kommt sie ja durch. Doch ich fürchte, es ist an Ihnen, tapfer zu sein und ihr so weit zu helfen, wie Sie nur können. Ich werde versuchen, wieder vorbeizukommen, irgendwann heute abend.«

Als der Arzt gegangen war, geriet Rory in Panik. Sie trat auf den schmalen Balkon hinaus, rauchte zwei Zigaretten, zupfte an ihrem Haar und kaute an den Nägeln. Dann siegte das Pflichtgefühl, und sie sagte sich, daß sie es sich einfach nicht leisten könne, sich noch mehr zu verachten, und sie riß sich zusammen. Sie rief ihre Krankentransporteinheit an, packte Eleanors geplagten Körper in frische Handtücher und flößte ihr mit einem Teelöffel wieder Kraftbrühe und Milch ein.

Wenn sie nur wachsam und liebevoll genug wäre, dann würde der Alptraum vorübergehen. Gott hatte ihr schon so viel aufgebürdet, daß er ihr bestimmt nicht noch mehr zugedacht hatte. Sie weigerte sich, diese Möglichkeit in Betracht zu ziehen. Es war nicht nur wegen ihrer Schuld und des gebrochenen Treueschwurs. Während die Zeit unendlich langsam verstrich, erkannte Rory, daß sie sich ein Leben ohne Eleanors Güte und Sanftmut nicht vorstellen konnte.

Dobbs kam mit Tee und frischem Wasser. Rory hörte, wie sie nachmittags mit dem Kind ausging und es in dem Augenblick zurückbrachte, als die Laternen angingen. Ihr war taumelig vor Schlafmangel, doch die Anspannung und die Angst ließen sie nicht zur Ruhe kommen. Eleanors Gesprächigkeit der letzten Nacht war von Stöhnen und Gemurmel abgelöst worden. Ihre Temperatur stieg weiter, und ihr Gesicht hatte die Farbe einer reifen Pflaume angenommen. Es war, als würde sie von einem Feuer verschlungen, das in ihr wütete.

Mein Gott, wenn der Arzt doch nur wiederkommen und etwas tun würde – Rory haßte es, untätig dabeizusitzen, während die Krankheit alles Leben aus ihrer Freundin saugte.

Als es dunkel war, trat die Veränderung ein. Eleanor hatte im Schlaf erkennen lassen, daß ihr etwas auf der Seele lag. Jetzt öffnete sie die Augen, schaute Rory direkt an und sagte klar und deutlich: »Was ist mit Laura?«

Rory glaubte, daß sie sie sehen wollte. »Sie kann nicht hereinkommen. Sie könnte sich anstecken. Soll ich sie an die Tür holen?«

»Nein nein. Ich meine, wer wird sie lieben?« Die qualvolle Angst in ihrer Stimme trieb Rory die Tränen in die Augen.

»Wenn ich meine Kleine verlassen muß, kümmerst du dich dann um sie?«

»Aber gewiß.« Sie wußte gar nicht, was sie redete.

»Ach, meine Kleine ... und du mußt sie liebhaben! Bitte hab' sie lieb! Sie kann nicht ohne Liebe leben!«

Rory hätte sich die rechte Hand abgehackt, um sie zu trösten. »Das muß sie auch nicht, Schatz, ich verspreche es.«

»Wirklich?«

»Großes Ehrenwort. Ich werde mich ungeheuer um sie kümmern.«

»Danke, Rory.« Eleanor seufzte und glitt in einen weniger unruhigen Schlaf.

Rory wiegte sich in der Hoffnung, daß das Fieber zurückginge, bis es keinen Zweifel mehr daran geben konnte, was der immer tiefer werdende Schatten über Eleanors Gesicht bedeutete. Ganz friedlich und ruhig, vertrauensvoll wie ein Kind, starb sie.

Rory legte das Gesicht auf die leblose Hand und weinte und weinte, bis der erste schneidende Schmerz ein wenig abflaute und sie mit einem hohlen Gefühl der Resignation zurückließ. Es war an der Zeit, daß sie ihre Bürde aufnahm.

Das Kind mußte irgendwie geahnt haben, was passiert war. Noch ehe Rory die Tür des Kinderzimmers erreichte, brach Laura in ein schreckliches Heulen aus, das Heulen des verwaisten Kindes. Rory fand sie an die Wand gekauert, die Arme um den Hals eines Schäferhundes geschlossen, der fast so groß war wie sie selbst. Ihr Mund war vom Schreien verzerrt, und hinter ihrem dunklen Haargewirr funkelte sie Rory aus Augen an, die denen von Lorenzo unheimlich glichen.

Die wilde, kummervolle kleine Zigeunerin mit dem schmutzigen Gesicht und dem zerrissenen Kleidchen hatte in den dreieinhalb Jahren ihres Lebens Leid und Gewalt kennengelernt. Nun war sie mutterlos, die einzige Quelle der Sanftmut und der Hoffnung in ihrem lautlosen, isolierten Leben war ihr genommen. Rory empfand tiefes Mitleid mit ihr.

Doch sie hatte Eleanor mehr versprechen müssen.

Jetzt war die Gelegenheit gekommen, um die sie gefleht hatte, doch sie würde niemals Lorenzos Kind lieben können.

AURORA

Brief an meine Tochter

Du siehst also, Laura, Du bist Lorenzos Geist, der zurückgekehrt ist, um mich heimzusuchen, wie er es versprochen hatte.

2

Das Haus der Herries' war in düsterer Feierlichkeit für die for-
melle Trauer gerüstet. Die Läden sämtlicher Vorderfenster waren geschlossen, und die Haustür war mit schwarzem Krepp
verhängt. Rory empfand das als reinen Hohn und Verunglimp-
fung von Eleanors Andenken. Nicht einer von ihnen hatte seit
Jahren mit ihr gesprochen. Sie hatte nicht ein Wort verzeihender
Liebe von ihnen gehört, das ihr den Abschied erleichtert hätte.
Dennoch hielten sie es für wichtig, die Form zu wahren – vermutlich für den Fall, daß die Nachbarn die Todesanzeige läsen.

Rory hatte nicht übel Lust, auf der Stelle wieder umzukehren,
doch sie wußte, daß das nicht richtig gewesen wäre. Blut war
ja angeblich dicker als Wasser, und Ma Herries hatte es mit
Pflichten schon immer schrecklich genau genommen. Es würde
nur Ärger geben, wenn sie nicht wenigstens dieses Treffen
durchstünde.

Sharp führte sie in die Diele. Er war sehr gealtert und wirkte
noch leichenhafter. Aber, du liebe Güte, dachte Rory, als sie ihr
eigenes hohlwangiges Spiegelbild entdeckte, gilt das nicht für
uns alle?

»Hallo, Sharp. Geht es Ihnen gut?«

»Ja, Miss Carlington, danke.«

»Sie haben mich wohl erwartet?«

»Ja, das stimmt, Miss.« Er zögerte einen Augenblick, um die
passende Tonlage zu finden, ehe er verlegen sagte: »Was wir von
Miss Eleanor gehört haben, tut uns allen sehr leid. Eine schreckliche Tragödie.«

»Wie ich erfahren habe, hatten Sie hier auch die Grippe im Haus«, sagte Rory.

»Ja, Miss Carlington. Mrs. Herries und Miss Flora. Mrs. Herries geht es wieder besser, doch Miss Flora ist leider verstorben.«

»Ach, das tut mir leid. Ich habe Miss Flo immer gern gehabt.«

»Ihr Tod hat ein ziemlich heftiges Drama nach sich gezogen.« Sharp senkte die Stimme. Er konnte es sich einfach nicht verkneifen zu klatschen. »Miss Floras Testament hat sich als völlig unschicklich herausgestellt. Sie hat all ihr Geld, einige sechzigtausend Pfund, Margaret vermacht.«

»Dem Hausmädchen?« Rory mußte lachen. »Volltreffer. Margaret war ja auch immer so nett zu der armen alten Flo, und ich wette, sie war am traurigsten, als sie gestorben ist.«

Sharp verfiel in mißbilligendes Schweigen, und Rory hatte Gelegenheit, den gediegenen Geruch von Wachspolitur und Duftkräutern einzuatmen, den sie einmal so gut gekannt hatte. Sie hatte sich nicht vorgestellt, daß es so traurig sein würde, in das Haus zurückzukehren, in dem Eleanor als glückliches, hoffnungsvolles junges Mädchen gelebt hatte.

Sharp klopfte an Mrs. Herries' Schlafzimmertür, öffnete sie, verkündete »Miss Carlington, Madam« und zog sich diskret zurück.

»Kommen Sie herein, Aurora.«

Rory war fassungslos, als sie die prachtvolle Mrs. Herries zu einem gelben Bündel Haut und Knochen geschrumpft sah, das in Schals gehüllt am Kaminfeuer hockte. »Ich wußte gar nicht, daß Sie so krank waren. Es ist sehr großzügig von Ihnen, mich zu empfangen.«

»Sie sind magerer und sehen älter aus«, bemerkte Mrs. Herries. »Heute würden Sie wohl in einem rückenfreien Ballkleid keine so gute Figur mehr machen.«

»Das hatte ich auch gar nicht vor.« Rorys Lippen zuckten. Die alte Krähe würde das russische Kleid wohl nie vergessen. »Wir haben uns seitdem wohl alle ziemlich verändert.«

»Ich habe von Tertius gehört«, sagte Mrs. Herries, und für einen Augenblick wurde der unnachgiebige Blick sanfter. »Was für ein Jammer. Es muß schrecklich für seine Mutter sein.«

»Ja«, sagte Rory. »Ich glaube nicht, daß sie je darüber hinwegkommen wird.«

»Nein. Mütter kommen nie über die Wunden hinweg, die ihre Kinder ihnen zugefügt haben. Setzen Sie sich.«

Rory hockte sich an den Rand des Boudoirsessels auf der anderen Seite des Kamins. »Sie haben meinen Brief erhalten?«

»Gewiß.« Mrs. Herries war wieder hart wie Stahl. »Bitten Sie doch Lord Oughterard, mir die Rechnung für die Beerdigung zuzusenden.«

»Das kommt überhaupt nicht in Frage«, sagte Rory scharf. »Was wir für sie tun konnten, haben wir beide gern getan.«

Das war ein schlechter Anfang, und sie ärgerte sich, als sie merkte, daß Mrs. Herries sich ihren Ausbruch sofort zunutze machte.

»Wirklich, Aurora, nun seien Sie doch nicht so theatralisch. Sie wissen doch ganz genau, was sich zwischen Eleanor und mir zugetragen hat. Das ging keineswegs nur von mir aus. Ich hätte ihr ja vielleicht verziehen, wenn sie auch nur das kleinste Zeichen der Reue über ihr unmoralisches Benehmen gegeben hätte. Doch sie hat sich von dem Tage an, als sie den Mann geheiratet hat, mutwillig und in voller Absicht von mir ferngehalten.«

Rory schluckte ihren Stolz hinunter und sagte mit, wie sie hoffte, lammfrommer Stimme: »Ich bin nicht gekommen, um über Eleanor zu reden, Mrs. Herries, sondern über die kleine Laura Hastings.«

»Ja, und?«

»Nun ja, Eleanor hat sie mir anvertraut. Da sie jedoch Ihre Enkelin ist, dachte ich, Sie wollten vielleicht zu Rate gezogen werden, was ihre Erziehung betrifft.«

»Sie haben gehofft, Sie könnten sie mir aufhalsen«, sagte Mrs. Herries.

Daran war etwas Wahres, und Rory errötete wütend. »Eleanor hat mir das Versprechen abgenommen, mich um Laura zu kümmern, und ich werde alles tun, um ihr Vertrauen zu rechtfertigen. Doch ich muß immerhin abwägen, was das Beste für Laura ist. Ich bin nicht verheiratet und werde es wahrscheinlich auch nie sein, und ich glaube nicht, daß ich einem Kind je ideale Lebensbedingungen werde bieten können.«

Mrs. Herries' Blick glitt zum Feuer hinab, und ihr Schweigen schien ewig zu dauern. Schließlich fragte sie: »Ist denn noch Geld da?«

»Ja.« Rory war überrascht gewesen zu hören, wieviel. »Außer Eleanors Vermögen das der Hastings, das sich als wesentlich größer herausgestellt hat, als Loren ... Sir Laurence hat durchblicken lassen. Laura wird einmal eine reiche Frau sein. Was ein weiterer Grund ist, weshalb ich es für richtig hielt, Sie zu Rate zu ziehen.«

»Und daran haben Sie recht getan.« Mrs. Herries wurde eisig. »Ich bezweifle nicht, daß Sie es gut meinen. Doch ich will dieses Kind nicht in meinem Haus haben. Ich will überhaupt nichts mit ihm zu tun haben. Sie ist kein Mitglied meiner Familie.«

»Nein, Gott sei Dank nicht!« Rory sprang auf und ließ ihrem Zorn freien Lauf. »Ich bin froh, daß Sie Laura nicht wollen – ich würde sie Ihnen auch nicht geben, wenn Sie mich auf den Knien anflehten! Und falls Sie je versuchen sollten, sich einzumischen, werde ich Sie vor Gericht bringen, das schwöre ich Ihnen!«

Mrs. Herries war zwar bemüht, kalt und gleichgültig zu erscheinen, doch auf ihren fahlen Wangen zeigten sich ungesunde Flecken. »Na schön, doch wie stellen Sie sich denn vor, mit ihr fertig zu werden? Das Kind ist taubstumm.«

»Sie kann denken und fühlen und merkt genau, ob jemand sie will oder nicht will, auch wenn sie nicht hören kann.« Rory war selbst überrascht, mit welcher Vehemenz sie diese Überzeugung vertrat.

»Sie werden schon noch von Ihrem hohen Roß runtersteigen, wenn Sie es leid sind, mit einer geborenen Schwachsinnigen ...«

»Laura ist nicht schwachsinnig!« schrie Rory. »Ihr Gehirn ist völlig in Ordnung.«

»Dann stecken Sie sie in ein Heim.«

»Niemals!«

»Warten Sie's nur ab. Sie werden binnen eines Monats auf den Knien zu mir zurückgekrochen kommen.«

»O nein! Ich werde niemals wiederkommen ... und Sie haben Ihre Chance vertan, je etwas mit Ihrer Enkelin zu tun zu haben. Sie haben Eleanor zwar das Herz gebrochen, doch Laura werden Sie nichts antun!«

Rory floh aus dem Zimmer und die breite Treppe hinab. Sie bebte vor Zorn. Ja, sie hatte die leise Hoffnung gehegt, daß jemand ihr die schreckliche Bürde Laura abnehmen würde. Doch sowenig anziehend das Kind auch war, es kam für sie überhaupt nicht in Frage, es einfach in irgendeine gräßliche Taubstummenanstalt zu stecken. Wenn sie Laura schon nicht liebte, so konnte sie ihr doch immerhin ein besseres Zuhause bieten.

Außerhalb des düster umflorten Herries-Hauses fühlte Rory neue Energie und Tatkraft in sich wachsen. Sie hatte zwar eine fürchterliche Verantwortung übernommen, doch was hatte sie sonst schon groß zu tun? Die Krankentransporteinheit war aufgelöst worden, und es bestanden kaum Aussichten auf bezahlte Arbeit. London wimmelte von unbeschäftigten alleinstehenden Frauen, seit der Krieg zu Ende war.

Wie seltsam, daß das das Ende all ihrer hochfliegenden Ambitionen sein sollte, dachte sie. Hier stand sie nun, einsam und unbekannt, und widmete sich der Pflege und Erziehung einer tauben Waise. Und dabei hatte sie Kinder ohnehin nie leiden können.

Es wäre einfacher gewesen, ein Löwenjunges zu zähmen. Von Eleanors liebevoller, aber begütigender Fessel befreit, war Laura unausstehlich. Sie saß stundenlang mitten auf dem Boden des Kinderzimmers und fletschte ihre kleinen Zähne. Wer immer sich ihr näherte, ob nun Dobbs oder Rory, konnte mit Bissen oder Tritten rechnen. Mrs. Bintry was etwas besser dran, doch Ende Januar ging sie, um sich der Familie ihres Sohnes zu widmen.

Rory war völlig erschöpft, von blauen Flecken übersät und der Verzweiflung so nahe, daß nur ihre Entschlossenheit, Mrs. Herries zu widerlegen, sie daran hinderte, das Kind wegzugeben. Laura schmiß ihr Essen durch die Gegend, zerriß ihre Kleider und schrie stundenlang ohne Unterlaß. Eine Woche nachdem Mrs. Bintry gegangen war, kündigte Dobbs mit den Worten, sie könne es nicht mehr aushalten. Eine speziell ausgebildete Erzieherin, die Erfolge mit tauben Kindern hatte, gab nach drei Tagen auf und behauptete, Laura sei ein hoffnungsloser Fall. Rory war in der düsteren Wohnung allein, und die Verletzlichkeit und Zerbrechlichkeit des Kindes ängstigte sie. Laura war winzig für ihr Alter und hatte die Knochen eines Vögelchens, die durch die durchscheinend blaugeäderte Haut stoßen zu wollen schienen. Der Arzt meinte, sie müsse so warm und ruhig gehalten werden wie möglich, und verschrieb ihr Malzbier, das Laura durch das Eßzimmerfenster hinausschüttete.

Weil sich Rory wegen Lauras anhaltender Erkältung Sorgen machte, hielt sie die Wohnung so heiß wie einen Backofen. Sie verbrachte ihre Tage damit, nach den Wutanfällen des kleinen Geschöpfs wieder aufzuräumen. Laura war nur dann relativ ruhig, wenn ihr Schäferhund zu Besuch kam, den Francesca und Stevie ihr als Welpen geschenkt hatten und den Stevie ›Whizzbang‹ getauft hatte. Whizz-bang war jedoch kein Welpe mehr und sprang mit Laura in einer Weise um, daß Rory himmelangst wurde. Sie bezahlte einen der Chauffeure in den Stallungen unten, damit er sich um ihn kümmerte, und beschloß, seine Besuche so lange einzuschränken, bis Laura etwas kräftiger wäre.

Manchmal ertappte sie sich dabei, wie sie das Kind ansah und es beinah haßte. Es war nicht nur deshalb, weil ihre Jugendjahre vergingen. Laura war ihrem Vater auffallend ähnlich, und Rory konnte Lorenzo nicht verzeihen, daß er Eleanors Leben so unglücklich gemacht hatte. Es war schwierig, nicht an ihn zu denken, wenn sie die Wut in den durchdringenden schwarzen Augen dieses Kindes der Kriegszeit sah.

Oder gab es da außer Wut noch etwas? Laura wurde jedesmal, wenn ein Mann die Wohnung betrat, dermaßen hysterisch, daß man sie in ein anderes Zimmer sperren mußte. Rory tat das einfach als Übellaunigkeit ab, bis Muttonhead eines Nachmittags zu Besuch kam. Rory beugte sich vor, um ihn auf die Wange zu küssen, wie sie es immer tat, und Laura flog mit einem unmenschlichen Schrei auf ihn zu, versenkte die Zähne in seine Hand und versuchte, ihn wegzustoßen.

Es gelang Rory, sie wieder einzufangen, und sie zog sich mit dem Kind, das auf ihren Armen zappelte, hinter das Sofa zurück. »Tut mir leid, Mutt . . .«

Er amüsierte sich. »Was für ein mutiges kleines Ding, daß sie es mit einem Burschen von meiner Größe aufnimmt. Sie muß geglaubt haben, ich wollte dir etwas tun.«

»Ja, natürlich ... ach, wie dumm ich gewesen bin!« Schlagartig erkannte Rory, daß der Ausdruck in Lauras Gesicht nicht von Wut, sondern von Angst sprach. »Es geht nicht um dich, es ist die Uniform! Sie hält dich für Lorenzo!« Wie oft hatte Laura wohl erlebt, daß Lorenzo ihre Mutter mißhandelte? In einer Anwandlung von Mitleid bändigte sie die fliegenden Fäustchen und drückte Laura fest an sich. »Armes Baby ... armes kleines Baby!«

Laura konnte sie zwar nicht hören, schien jedoch das Gefühl hinter der Geste zu spüren. Sie hatte sich Rorys Liebkosungen bislang nie gefallen lassen – wohl weil sie ahnte, wie halbherzig sie gewährt wurden. Diesmal löste sich ihr Gekreisch in Schluchzen auf, sie rollte sich auf Rorys Schoß zusammen und funkelte Muttonhead aus dem Schutz ihrer Arme an.

Etwas in Rory schmolz, als sie die zarten kleinen Knochen fühlte und den warmen Duft der Pears Seife in Lauras glattem dunklem Haar roch. Sie hatte die Barriere der Taubheit überwunden und einen Blick auf die verletzte, aber hitzige Seele werfen können. Die Verhärtung im tiefsten Innern ihres Herzens, die Rory seit Lorenzos Tod hatte erstarren lassen, löste sich auf, als sie sein Kind in den Armen hielt. Sie erinnerte sich, was für ein Gefühl es war zu lieben, und vergab ihm.

Danach hörte Laura auf, Rory zu bekämpfen, und klammerte sich statt dessen an sie. Sie hatte zwar Ausbrüche von spektakulärer Scheußlichkeit, war es jedoch zumeist zufrieden, an Rorys Rockzipfel zu hängen und ihr auf den Schoß zu krabbeln, sowie sie sich hinsetzte. Es war wieder möglich, Personal ins Haus zu holen, und Rory stellte ein tüchtiges irisches Mädchen mit dem pompösen Namen Agnes Moncrieff ein, deren Kerry-Akzent sie furchtbar heimwehkrank machte.

»Komm mit mir nach Haus«, sagte Muttonhead.

Rory seufzte. »Das kann ich nicht. Ich habe nicht mehr die Freiheit, übers Meer hin und her zu flitzen wie früher.«

Muttonhead bereitete seinen Abschied von der Armee vor, um die Leitung des Guts wieder zu übernehmen. Doch so beschäftigt er auch war, er fand doch fast jeden Tag die Zeit, in der Clarges Street vorbeizuschauen. Rory hatte zwar alle Hände voll mit Laura zu tun, aber die Veränderung in seinem Verhalten entging ihr dennoch nicht. Wenn sie aufblickte, ertappte sie ihn wiederholt dabei, daß er sie mit einem rätselhaften finsteren Stirnrunzeln grübelnd ansah. Gleich zu Anfang fragte sie ihn, was denn los sei, weil sie fürchtete, er könnte etwas von ihrem Verhältnis mit Lorenzo erfahren haben. Seine Stirn glättete sich jedoch sofort, und er versicherte ihr, es sei alles in bester Ordnung.

Schweigsam und mit ruhigen Bewegungen gewann er allmählich Lauras Vertrauen. Ungeheuer neugierig schob sie sich näher und näher an seinen Stuhl heran und starrte ihn an, bis sie unmittelbar zwischen seinen riesigen blankgewienerten Reitstiefeln stand. Eines Tages hob Muttonhead sie auf den Schoß, und zu Rorys Verwunderung blieb sie völlig friedlich sitzen und zupfte neugierig an den Abzeichen seiner Jackenaufschläge,

»Ihr seht so komisch zusammen aus«, sagte sie lachend, »wie ein Büffel und ein Kätzchen ... die vollkommene Paarung von Würde und Unverschämtheit.«

»Der spillerige kleine Gnom«, sagte Muttonhead. »Sie könnte ein bißchen Landluft und was Ordentliches zu essen vertragen. Schaff sie heim nach Irland.«

Rory hätte sich gleich denken können, daß das Thema noch nicht erledigt war. »Wie kann ich das tun? Sie braucht doch eine so spezielle Pflege. Der Arzt sagt, ich müsse sie im Haus halten. Eine windzerzauste Wildnis wie Castle Carey wäre ihr Tod.«

»Hat uns nie geschadet.«

»Wir sind ja auch alle hineingeboren worden. Und wir waren nicht zart ... oder taub. Zum letztenmal, wir kommen nicht mit nach Irland.«

Im Februar war Lauras vierter Geburtstag. Rory kaufte ihr ein Plüschkaninchen und eine Schachtel mit Bausteinen, die auf jeder Seite mit den Teilchen eines Bildes bedruckt waren. Sie war sprachlos, als Laura sich auf den Kinderzimmerfußboden kniete und die Steine geschickt zum Bild eines farbenfrohen Bauernhofs zusammensetzte.

»Ich dachte, sie würde Wochen brauchen, um dahinterzukommen!«

»Du unterschätzt sie, Herzchen«, erklärte Aubrey. »Die ist so schlau wie eine ganze Affenschar.« Er mochte Laura gern und hatte ihr ungeachtet Rorys Befürchtungen, daß sie sich blaue Flecken holen oder etwas brechen könnte, ein Dreirad gekauft. »Und hier, Kleine, ist noch etwas für dich.« Er gab Laura ein holzgeschnitztes Spielzeug – zwei rote Bären auf einer gelben Wippe – in die Hand.

»Aubrey, also wirklich! Ich hab' doch gesagt, nur ein Geschenk!«

»Psst! Ich will sehen, was sie damit anstellt.« Lauras Schultern waren angespannt, als sie das Spielzeug untersuchte. Ihre langen empfindlichen Finger drückten auf die Wippe, und ihre Augen weiteten sich überrascht, als sie wieder in ihre Ausgangsstellung zurückschnellte. Sie trug sie mit dem Ausdruck verdutzter Faszination zu Rory hinüber.

»Sieh mal, Schatz.« Rory drückte auf die hölzernen Enden und ließ sie rauf und runter wippen. Laura entriß sie ihr wieder, um es selbst zu versuchen. Nachdem sie die Bären mit einer Miniaturausgabe von Lorenzos finsterem Blick angestarrt hatte, leuchtete ihr Gesicht auf, und sie lachte perlend.

Rory hatte das Kind noch nie lachen hören. Die Tränen traten ihr in die Augen und heilten eine schmerzende Wunde in ihrem tiefsten Innern. Ein Kinderlachen, dachte sie, war das hoffnungsvollste Geräusch von der ganzen Welt.

Gerade in diesem Augenblick betrat Muttonhead das Kinderzimmer. Rory lächelte ihn mit tränenschwimmendem Blick über Lauras Kopf hinweg an. Er versteinerte und starrte sie mit einem Blick an, den sie nicht auszuloten vermochte – als hätte sie ihn in irgendeiner Weise verletzt. Das dauerte jedoch nur wenige Sekunden. Er zerrte Whizz-bang an der Leine mit sich, und der Hund sorgte auf seine Weise für Ablenkung, indem er Laura zu Boden warf.

»Mach kein Theater«, sagte Aubrey und hob sie auf. »Sie hat sich nichts getan.«

»Was macht er denn hier?« wollte Rory wissen, doch sie konnte schlecht ärgerlich sein, wenn Laura sich so freute. Sie hing an Whizz-bangs Hals, unbeeindruckt von seiner rauhen Begrüßung.

»Kein übler Tag«, sagte Muttonhead. »Dachte, wir könnten mit der Kleinen in den Park gehen.«

»Aber es ist doch eiskalt.«

»Du nimmst sie allzusehr unter deine Fittiche.«

»Ja, weil sie spezielle Fittiche braucht.«

»Oughterard hat ganz recht«, meinte Aubrey. »Du kannst das Kind nicht in Watte packen, bis sie alt genug ist, um bei Hofe zu debütieren. Ich weiß, du möchtest sie vor der rauhen Welt bewahren. Doch das Beste für Laura ist, sie mit der Welt zu konfrontieren.«

Rory sah Laura an und erkannte, daß ihr Körper vor unterdrücktem Tatendrang zu vibrieren schien. Sie war zwar zart, doch nicht schwach – sie hatte die ganze Energie Lorenzos. Vielleicht, dachte Rory, sollte sie es ausnahmsweise riskieren.

Agnes Moncrieff zog Laura einen dicken Mantel an, dazu Knöpfgamaschen und eine karierte Mütze, und Muttonhead begleitete sie, Rory und Whizz-bang in den Park. Er holte einen Gummiball aus der Tasche und zeigte Laura, wie man ihn für den Hund werfen mußte.

»Schlecht erzogen, der Hund«, meinte er, den Pfeifenstiel im Mund. »Ich werd ihn mir vornehmen müssen, wenn wir in Irland sind.«

»Wenn wir wo sind?« Rory mußte einfach lachen. »Ich dachte, ich hätte das klargemacht ... wir kommen nicht mit.«

»Nun sei doch nicht so störrisch.«

»Ich! Du bist doch derjenige, der sich jedem vernünftigen Argument verschließt. Wir können unmöglich nach Irland mitkommen.«

»Warum denn nicht?«

Sie verstand selbst nicht, warum sie nicht wütend wurde. »Allein schon deshalb nicht, weil es der Mutter zuviel würde.«

»Unsinn«, sagte Muttonhead. »Ist doch genau das, was sie braucht. Sie braucht Beschäftigung. Damit sie aufhört, sich nach Tertius zu verzehren.«

»Nimm doch Vernunft an, Mutt. Eleanor würde sich im Grabe herumdrehen, wenn ich die Kleine da zwischen Sümpfen und Seen herumlaufen ließe. Sie hat doch solche Angst vor Fremden und fremder Umgebung.«

»Ach ja?« fragte Muttonhead. »Sieh sie dir doch an.«

Rory sah zu Laura hinüber. Sie tollte über das schlacken-durchsetzte winterliche Gras und krähte vor Vergnügen. Ihre Nase und ihre Wangen waren rosig, und als sie stolperte und hinfiel, lachte sie nur – zum zweitenmal an jenem Nachmittag.

Sie alle – Rory, Muttonhead, Laura, Agnes und Whizz-bang – trafen vierzehn Tage später auf Castle Carey ein, mitten in der Nacht nach einer langen Reise durch das pechschwarze Land und über schlechte Straßen. Lady Oughterard erwartete sie in der Halle, und Rory erkannte, wie sehr ihr Schritt an Spann-kraft eingebüßt hatte, seit Tertius tot war. Muttonhead hatte recht, sie vermißte ihn schmerzlich. Ihre Hand bebte leise, und ihre blauen Augen waren von einem Spinnennetz von feinen Fältchen umgeben. Sie würde in tiefer Sehnsucht langsam ins Alter und ins Grab hinübergleiten, wenn sie nicht etwas hätte, was ihr Ablenkung bot.

»Hier ist sie, Mutter.« Rory hielt ihr das schlafende Kind entgegen.

Lady Oughterard zerfloß in Zärtlichkeit, als sie Lauras eigen-artiges Gesichtchen betrachtete. »Nun«, sagte sie schließlich, »hier ist immer Platz für ein mutterloses kleines Mädchen. Sie ist ebenso willkommen wie einst du, Schatz, und ich hoffe, wir können sie glücklich machen.«

Rorys letzte Zweifel verflüchtigten sich am nächsten Mor-gen. Es war erst März, doch die Luft war frühlingshaft lau. Die Berge erhoben sich grün unter einem blaßblauen Himmel, und der See war so glatt wie Glas. Laura stand oben auf der Treppe von Carey Castle und starrte auf diese neue Welt, als wollten die Augen ihr aus dem Kopf springen.

Anfangs glaubte Rory, daß sie sich fürchtete. Doch auf ein-mal sprang sie die Stufen hinunter und flitzte über den endlosen welligen Teppich des jungen Grases, die Arme weit ausgebrei-tet, als wollte sie den ganzen Anblick von Himmel, Bergen und silbrigem Wasser umarmen.

Rory wußte, daß Muttonhead sich niemals einmischen würde, wenn er sich nicht ernsthaft Sorgen machte. Es überraschte sie nicht, ein paar Tage später in Muttonheads Waffenkammer Mr.

Boons wütende Stimme zu hören. Sie wurde zwar nicht klug aus dem, was er sagte, doch sie stand gleich hinter der Haustür, als Boon durch die Halle gestürmt kam und sich ohne ein Wort rüde an ihr vorbeidrängte. Das Gesicht mit den schweren Wangen war zornrot gefleckt, und er sprengte auf seinem Pferd davon, als säße der Teufel ihm im Nacken.

»Was war denn bloß los?« Muttonhead trat hinter ihr auf den Treppenabsatz hinaus. »Er ist ein Dummkopf, und das habe ich ihm auch gesagt. Ständig reißt er hier sein englisches Maul über die Jungs auf, die sich nicht freiwillig gemeldet haben, und heute hat er ein paar Männer vom Gut verscheucht, weil er sie für Fenier hält.«

»Wie albern! Ich gehe gleich rüber und sage Papa, daß er sie wieder zurückholen soll.«

»Warte, Rory.« Er hielt sie beim Arm fest. »Laß das. Bleib ein paar Tage von Marystown weg.«

»Wieso denn? Ich habe doch keine Angst vor Boon.«

»Es ist nicht wegen Boon. Bleib einfach weg, ja?«

Sie wurde mitten in der Nacht von Laura geweckt, die auf ihrem Bett stand und ihr gegen die Schulter trat. Murrend und verschlafen ließ sie sich von der Göre zum Fenster schleppen und erblickte das hitzige Glühen am Himmel, hinter dem Hügel im Westen. Sie brauchte einen Augenblick, um zu begreifen, was das bedeutete.

Marystown.

Rasch zog sie Reithose, Stiefel und einen Pullover über ihr Nachthemd und lief den Flur hinunter, um an Muttonheads Tür zu hämmern.

»Feuer! Marystown steht in Flammen!«

Muttonhead öffnete die Tür so rasch, daß sie fast in seine harte, nackte Brust rannte. Er zog sich bereits eine Jacke über das offene Hemd.

»Der Teufel soll sie holen.« Er war ungeheuer wütend. »Hätte ich's mir doch denken können.«

Rory hörte ihn kaum. »O Mutt ... wenn Papa nun den Rauch nicht rechtzeitig bemerkt hat? Außer Boon sind doch nur er und Mrs. MacNamara da.«

Trotz seines schlimmen Beins konnte sich Muttonhead, wenn es darauf ankam, sehr behende bewegen. Er hinkte bereits die Treppe hinab und brüllte über die Schulter zurück: »Dieser Scheißkerl Boon!«

Lady Oughterard hörte Muttonheads Kommentar, als sie aus ihrem Zimmer trat. Sie griff Laura am Nachthemdzipfel, um sie daran zu hindern, hinter den anderen herzulaufen. »Lucius, bitte! Wenn du so sprichst, bin ich dankbar, daß das Kind nicht hören kann.«

In fieberhafter Besorgnis folgte Rory Muttonhead in die dunklen Ställe. »Die werden die Flammen vom Dorf aus nicht sehen«, sprudelte sie atemlos hervor, »ich werde Paddy Finnegan wecken und ihn bitten, ein paar Männer zu holen.«

»Die Männer werden nicht kommen.« Muttonhead legte die Sättel über die beiden alten Jagdpferde Orpheus und Eurydike. »Und Paddy auch nicht, wenn er bei Verstand ist.«

»Was erzählst du denn da?« Sie stampfte ungeduldig mit dem Fuß auf. »Wie sollen wir denn sonst das Feuer löschen? Mein Vater könnte verbrennen, und dir ist das völlig egal!«

»Hör auf herumzuschreien, und tu, was ich dir sage.« Es war seine strengste Stimme, und nicht einmal Rory hatte es je gewagt, sich ihr zu widersetzen. »Du nimmst Orpheus«, sagte er.

Rory murmelte zwar: »Du bist hier nicht bei der Armee, verdammt«, begann jedoch, ungeschickt vor Aufregung, Orpheus' Sattel festzuzurren.

Als sie aufsaßen, sagte Muttonhead in sanfterem Ton: »Vertrau mir, Rory. Ich kann dir oder auch deinem Vater nicht helfen, wenn du das nicht tust.«

An seiner Hüfte schimmerte Metall. Rory sah, daß er seinen Dienstrevolver trug, und das Blut gerann ihr vor Furcht in den Adern. Die vertraute heimische Umgebung schien ihr plötzlich voller böser Vorzeichen zu sein. »Ja, Mutt. Ich vertraue dir.«

Muttonhead kannte jeden Stock und Stein und jeden Grashalm zwischen den beiden Häusern, und Rory hielt den Blick auf den Umriß seines breiten Rückens gerichtet, als sie über das Land ritten. Als sie sich Marystown näherten, verstärkte sich das Glühen am Himmel zu einem bernsteinfarbenen Lodern, das die trügerische Nachahmung von Tageslicht über die um-

stellenden Bäume und Hecken goß. Ein bitterer Rauchge-
schmack lag in der Luft, und ein stetiger Regen von Ascheflok-
ken fiel wie schwarzer Schnee vom Himmel.

Als sie aus dem Gehölz am Rand von Marystowns Park auftauchten, scheuten die Pferde entsetzt. Der Westflügel des Hauses war eine gewaltige Fackel, aus der die Flammen sieben Meter hoch in den Himmel schossen. Die Fenster barsten in der
Hitze.

Muttonhead und Rory husteten in der beißenden Luft, und
sie banden die Pferde an, wo sie die Flammen nicht sehen konnten. Dann rannten sie über den Rasen auf das Haus zu. Im
rußgestreiften Gras türmten sich Bettzeug, Silber, Möbel, Bücher und Familienporträts. Mrs. MacNamara stand an einem
der Fenster im Erdgeschoß und schleuderte Kästen mit angelaufenem Silber heraus.

Sie schrie auf, als sie sie erblickte, dann legte sie die Hand an
die Brust und rief aus: »Ihre Lordschaft! Gott sei Dank, Sie
sind's nur! Ich habe gerettet, was ich konnte.«

»Wo ist Papa?« fragte Rory.

»Bibliothek«, sagte Mrs. MacNamara barsch. »Der will
nichts als seine gesegneten Bücher.«

»Hol ihn da raus«, sagte Muttonhead. »Das Haus ist hinüber, und das Dach wird demnächst einstürzen.«

Die Bibliothek ging auf die Terrasse hinaus, und Rory konnte
durch die offenen Glastüren hinein. Sofort wurde ihr die Luft
knapp, und das Wasser trat ihr in die Augen. Der Raum war
dunstig vom Rauch. Hektisch sah sie sich nach ihrem Vater um
und war erleichtert, als er, die Arme voller Bücher, herausgetau-
melt kam.

Er keuchte auf beängstigende Weise und ließ die Bücher zu
Boden fallen. »Aurora!« Er schien nicht sonderlich überrascht,
sie zu sehen. »Das trifft sich gut. Ich habe all meine Griechen
und Römer gerettet und meine frühen irischen Folios, jetzt laß
uns an die Deutschen gehen ...«

»Papa!« Rory hängte sich an seinen Ärmel. »Du gehst da
nicht wieder rein! Du wirst noch umkommen!«

»Nun sei aber nicht albern.«

»Wenn du das versuchst, hole ich Muttonhead!«

»Oughterard ist zwar ein hervorragender junger Mann und ein prächtiger Nachbar, doch was gute Bücher angeht, ein hoffnungsloser Fall.« Justus schnappte plötzlich nach Luft und sank in die Knie. Rory erkannte, daß sein wahnsinniger Vortrag die Auswirkung einer Rauchvergiftung war, und nun gelang es ihr, ihn vom Haus wegzuführen, so daß er sich in die relativ reine Luft zwischen den Stapeln seiner geretteten Bücher legen konnte.

»Alles in Ordnung mit ihm?« Muttonheads langer, wogender Schatten fiel übers Gras.

»Ich glaube schon.« Sie blickte auf. »Meine Güte, was hast du denn mit dir angestellt?«

Sein Gesicht war rußgestreift, und er troff vor Schweiß. »Bin ins Büro des Gutsverwalters eingebrochen, um Boon zu holen.«

Justus stützte sich auf den Ellbogen. »Sie hatten recht, Oughterard. Ich hätte auf Sie hören sollen. Wo ist er denn?«

Muttonhead wies auf eine reglose Gestalt in der Nähe, die notdürftig mit einem der Vorhänge des Salons bedeckt war. »Betrunken, als das Feuer ausbrach. Tot, als ich ihn gefunden habe.«

Rory hatte ihren Vater noch nie so ernüchtert und hilflos gesehen. »Glauben Sie, die wollten ihn umbringen?«

»Das bezweifle ich. Sie wollten nur das Haus.«

»Du meinst doch wohl nicht, daß es absichtlich in Brand gesteckt worden ist?« Rory kam sich dumm vor, sowie die Frage heraus war. Deshalb hatte Muttonhead also seinen Revolver mitgenommen. Seit ihrer Säuglingszeit hatte sie immer wieder von den schrecklichen Dingen gehört, die Gutsverwaltern und Großgrundbesitzern zustießen, die sich mit den Ribbon-Societies, Anhängern der Land-League und den Hillside-Men überworfen hatten. Doch dies war ihr Zuhause, dies hier waren ihre Leute. »Wir kennen doch jeden auf Meilen im Umkreis ... keiner hier in der Gegend würde uns so etwas antun! Das sind doch unsere Freunde!«

Justus und Muttonhead wechselten nüchterne Blicke und schwiegen eine Weile, während Rory besorgt von einem zum anderen blickte.

Muttonhead wischte sich die schweißnasse Stirn mit dem

Hemdsärmel ab. »Das sind prächtige Menschen. Doch wenn du hier in Frieden leben willst, darfst du nicht vergessen, daß du Ausländerin bist.«

Die Vorstellung, daß sie nicht zu ihresgleichen gehören sollte, war so schmerzlich, daß Rory schon heftig widersprechen wollte, doch dann hatte sie nicht den Mut dazu, da Muttonhead so traurig aussah. Er liebte dieses Land und seine Menschen aus tiefstem Herzen, und sie verstand seinen Gram.

Im Haus ließ sich nichts mehr tun. Sie verbrachten die nächsten Stunden damit, die Dinge, die gerettet worden waren, in den Stallungen in Sicherheit zu bringen. Die ersten Streifen Tageslicht zeigten sich am Horizont, als sie am Rand des Parks standen und mit ansahen, wie das lodernde Dach von Marystown in einem funkenstiebenden Brillantfeuerwerk in sich zusammenstürzte.

»Asche zu Asche«, sagte Justus. »Da geht dein Erbe hin, mein Kind.«

»Macht nichts, Papa.«

»Das nenne ich ein vernünftiges Mädchen. Und die besten Bücher haben wir gerettet ... hätte noch mehr retten können, wenn du nicht so hysterisch gewesen wärst.«

»Na, das haben wir gern. Du wärst ein flambiertes Omelett, wenn ich nicht gewesen wäre.«

Bei Tageslicht sah man erst, was für eine erschöpfte Mannschaft sie waren. Erstaunt schauten sie einander in die schwarzen Gesichter. Auf Castle Carey warteten Una und Lady Oughterard mit starkem Tee und einer Kanne heißem Wasser. Sie tranken den Tee mit einem Schuß Rum, und Muttonhead meinte, das erinnere ihn an die Bereitschaft im Schützengraben.

Una bewirtete Mrs. MacNamara gut gelaunt in der Küche, während Lady Oughterard sich um Justus bemühte. Die Aussicht, ihre Gastfreundschaft großzügig an ihn verschwenden zu können, ließ ihre Wangen glühen. »Sie kriegen das Zimmer mit dem Baldachin. Es ist das prunkvollste Zimmer von ganz Irland ... solange Sie nichts gegen ein bißchen Modergeruch einzuwenden haben.«

Rory nahm sich eine Kanne heißes Wasser mit auf ihr Zimmer und schrubbte sich den Rauchgeruch mit Lavendelseife herunter. Wahrscheinlich hätte sie betrübter wegen des Hauses sein sollen. Doch schließlich war es nie ihr Zuhause gewesen, und auf das Land kam es an. Und wenn Boons Tod auch schrecklich war, so war sie doch dankbar, daß ihr Vater lebte. Wieder bei Kräften und hungrig, zog sie sich ihren kurzen schwarzen Rock und einen sauberen Pullover an und machte sich auf die Suche nach etwas Eßbarem.

Muttonheads Tür stand offen. In der Mitte auf dem nackten Fußboden stand seine Zinkwanne mit kaltem Wasser, von feuchten Handtüchern und riesigen nassen Fußabdrücken umgeben. Er war in Hemdsärmeln und Hosenträgern und rasierte sich vor dem runden Spiegel neben dem Fenster. Er hatte die Manschetten hochgeschlagen, und Rory sah Blasen von bösartigem Rot an seinen Handgelenken und Unterarmen.

Er hatte bei dem Versuch, das Leben eines Mannes zu retten, den er verachtete, sein eigenes Leben aufs Spiel gesetzt. Konnte sie, konnte überhaupt irgend jemand das ganze Ausmaß seiner Güte ermessen? Spontan ging sie, ohne anzuklopfen, zum Fenster hinüber, legte ihm die Hand auf den Arm und sagte:

»Mutt, Schatz, ich muß dir irgend etwas auf diese Brandwunden tun, ehe ...«

Sie beendete ihren Satz nicht, weil Muttonhead etwas Unglaubliches tat. Er ließ seinen Rasierapparat fallen, riß sie in seine Arme – so grob, daß er ihr fast die Luft abdrückte – und preßte seine Lippen auf ihre.

Das war so erstaunlich, daß Rory umgefallen wäre, wenn seine Arme sie nicht gehalten hätten. Als das Erstaunen sich legte, blieb kein Widerstand zurück. Von Muttonhead geküßt zu werden, schien das Natürlichste und Himmlischste von der Welt. Wärme durchflutete sie. Ihr Körper, seit Lorenzos Tod versteinert, war wieder von pulsierendem Leben und Verlangen erfüllt. Alles versank, bis auf das animalische Vergnügen, seinen herrlichen, sehnigen Körper zu spüren, und das Verlangen, sich bis zur Besinnungslosigkeit vögeln zu lassen.

Zögernd löste er sich von ihr, gerade weit genug, um sie mit seinem feierlichen braunen Blick ansehen zu können. Rory stand selbst völlig reglos, und die Offenbarung ihres gegenseitigen Begehrens hatte sie sprachlos gemacht.

»Ich mußte das tun«, sagte Muttonhead atemlos. »Ich konnte einfach nicht immer weiter ein Gentleman sein. Ich liebe dich, Rory. Ich liebe dich schon seit Jahren.«

Die Worte waren noch kaum ausgesprochen, als sie mit einem Freudenschauer erkannte, daß sie in ihn sehr verliebt war. Natürlich war sie das. Dies war weitaus mehr als schlichte körperliche Leidenschaft – es war seit einer Ewigkeit das erstemal, daß sie genau das Richtige getan hatte. Was war sie doch für eine dumme Gans gewesen, daß sie es bis jetzt nicht erkannt hatte.

Sie brauchte nichts zu sagen. Er würde schon verstehen, wenn sie wartete, mit geöffneten Lippen und verlangendem Körper. Doch statt sie erneut zu küssen, sagte er: »Ich möchte dich heiraten.«

Augenblicklich und schmerzhaft kehrte Rory auf den Boden der Tatsachen zurück. Das Glück war wieder einmal zu spät gekommen. Muttonhead wußte nichts von ihrer Liebesaffäre mit Lorenzo. Er würde sie dafür verabscheuen, und sie würde niemals den Mut aufbringen, ihm davon zu erzählen. Doch jener Schandfleck in ihrer Vergangenheit machte eine Heirat unmöglich.

»Ich ... ich kann nicht.«

»Warum nicht?« Seine Hände packten ihre Schultern. Er würde nicht so leicht aufgeben.

»Laß mich los.«

»Liebst du mich nicht?«

Sie hatte nicht die Kraft, ihm weiszumachen, daß sie ihn nicht liebe – und sowieso hatte er schon immer gewußt, wenn sie log. Die Tränen rannen ihr die Wangen hinab. »Das ist es bestimmt nicht. Ich kann es dir nicht erklären. Bitte dränge mich nicht weiter!«

Sein Gesicht war ungeheuer zärtlich. »Ist es wegen Tertius?«

»Nein!« Als sie Tertius' Namen hörte, schluchzte sie erst richtig. »Bitte laß mich los, Mutt! Wenn ich es dir erzählte, würdest du einsehen, daß ich recht habe.«

Muttonhead tat nichts, was sein Unglück verraten hätte, doch Rory spürte es als unterirdische Strömung hinter jedem seiner Worte und jeder seiner Gesten. Sie haßte sich dafür, daß sie der Grund war. Sie haßte sich für die Qualen des Begehrens, die sie beim täglichen Anblick seiner starken, massiven Schönheit durchmachte. Während sie sich mit jedem Nerv nach seiner Berührung sehnte, argwöhnte sie zugleich, daß sie schwach werden könnte und ihn hintergehen würde. Sie mußte weg von Castle Carey.

Sie stürzte sich also auf eine vage Einladung in einem von Jennys Briefen, ließ Laura in der Obhut von Lady Oughterard und Justus zurück, der ganz darin aufging, ihr Schreiben und Lippenlesen beizubringen, und floh nach Schottland. Hier, da war sie sich sicher, unter Jennys beruhigendem Einfluß würde sie den Mut finden, Zukunftspläne für sich zu machen.

Sie kam an einem kalten regnerischen Abend bei den Mac-Neils an. Der Hausdiener führte sie in eine weitläufige, feudale Halle, deren Natursteinwände von Geweihen und Breitschwertern schimmerten und an denen düstere Gemälde von Alistairs schottisch gekleideten Vorfahren hingen. Sie konnte sich ein Lächeln nicht verkneifen. Jenny hatte ja immer davon geträumt, Schloßherrin zu sein, doch dies übertraf gewiß noch ihre kühnsten Träume – ein echtes Schloß mit allem, was dazugehörte, um kochendes Öl auf den Feind hinabzugießen, und einer Unzahl von Türmchen und Erkern. Die Tatsache, daß die alte Mrs. MacNeil, die ein für allemal besiegt worden war, jetzt ständig in London lebte, machte es nur noch vollkommener.

Als sie auf den riesigen Kamin zutrat – in dem mehrere Bäume zu brennen schienen –, stellte Rory fest, daß sie nicht allein war. Ein kleines Mädchen sprang aus den Falten eines Bärenfellvorlegers auf.

»Hallo.«

»Hallo«, sagte Rory und musterte ihr Gesicht neugierig. Das Kind war wunderschön; ein Cherub mit schmutzigem Gesicht. »Wer bist du denn?«

»Flurry.«

»Flurry ... und weiter?«

»Fenborough. Ich habe schon bald Geburtstag, und ich bin fast fünf. Ich glaube ganz fest daran, daß Daddy mir ein Pony schenkt.«

»Wie schön«, sagte Rory mechanisch. Das, so dachte sie, ist also Lauras Kusine; dieser anmutige Kobold ist eine Kusine ersten Grades von meinem kleinen Affengesicht. Wie ungerecht die Götter doch ihre Gaben verteilten.

Doch da war noch etwas anderes. Der Schnitt von Flurrys Augen, kornblumenblau unter einem Saum goldbrauner Locken, versetzte Rory einen schmerzlichen Stich des Wiedererkennens. Erstaunen war ihre nächste Regung. Nein, das war nicht möglich. Er hätte es ihr erzählt. Doch ihr Erstaunen festigte sich zur Gewißheit, als Flurry sie mit einem durchtriebenen Grübchenlächeln bedachte. O Gott, betete sie, und es zerriß ihr das Herz, wenn Mutter das doch sehen könnte!

»Weinst du?«

»Nein.« Rory wischte sich rasch mit dem Handschuh über die Augen. »Ich habe nur gerade an jemanden gedacht.«

»Rory ... entschuldige vielmals ...« Jenny kam hereingeeilt, jeder Zoll die Frau eines Laird in ihrem perfekt geschnittenen Lovatrock und der Seidenbluse. Sie küßte Rory liebevoll. »Ich war oben im Kinderzimmer. Donald bekommt einen Zahn, der arme kleine Kerl, und will mich keine Minute weglassen. Fleur«, setzte sie hinzu und warf einen Blick auf das Engelskind, »Nana sucht dich. Du solltest schon im Bett liegen.«

Rory blickte der mutigen kleinen Gestalt nach, die furchtlos die Steintreppe erklomm, die in Düsternis getaucht war.

»Was für ein Schatz.«

»Ein Biest«, sagte Jenny lächelnd. »Laß sie bloß nicht merken, daß du sie magst, sonst macht sie eine Sklavin aus dir. Gus und Charlie sind Wachs in ihren Händen.«

»Ich wußte ja gar nicht, daß ihr mit den Fenboroughs auf so vertraulichem Fuß steht.«

»Nun zieh mal nicht so einen Flunsch, Rory. Alistair mag Gus, und Viola hat sich mit den Jahren und durch die Mutterschaft gebessert. Und sie sind auch richtig eingeladen und gebeten worden. Nicht einfach so von einem Tag auf den anderen hereingeschneit.«

»Es ist wohl sehr störend, daß ich da bin?«

»Wahnsinnig störend«, neckte Jenny. Ihre haselnußbraunen Augen blickten sanft und liebevoll. »Aber ich bin so froh, daß du dein Talent, spontan zu handeln, nicht eingebüßt hast. Du siehst aus, als könntest du ein bißchen Ruhe brauchen. Ich fand es einfach großartig von dir, daß du dies arme Würmchen von Eleanor zu dir genommen hast, wo Viola und ihre Mutter das abgelehnt haben.«

»Ich brauche mir keine Gewalt anzutun«, erwiderte Rory scharf. »Laura und ich kommen sehr gut miteinander aus.«

»Wirklich? Ich hatte ein sehr schlechtes Gewissen, weil ich sie nicht selbst aufgenommen habe.«

»Aber du mußt dich doch schon um Alistair kümmern, außerdem hast du ein eigenes Kind.« Rory sprach für sie zu Ende. »Und ich habe niemanden.«

»Vielleicht heiratest du aber eines Tages.«

Die Trostlosigkeit ihrer Lage trat Rory wieder vor Augen, die prompt zu brennen anfingen, ein erstes bedrohliches Anzeichen für Tränen. Sie grub die Fingernägel in die Handflächen. »Ach was, das ist alles längst vorbei. Ich bin auf Erden dazu bestimmt, eine alte Jungfer zu werden ... eine jener überzähligen Frauen, von denen soviel in den Zeitungen steht.«

Jenny spürte, in welch bedrohlich schwankender Gemütsverfassung Rory sich befand, und wechselte taktvoll das Thema. »Wir essen in einer halben Stunde. Zieh dir was Hübsches an.«

Das Zimmer, das Rory zugedacht war, stellte sich als groß und ziemlich bedrückend heraus mit seiner wurmstichigen Holztäfelung und den gräßlichen schottisch karierten Vorhängen, aber immerhin hatte Jenny überall dort, wo sie den Eindruck von Licht und Wärme hervorzurufen vermochten, Lampen und Vasen mit Frühlingsblumen aufgestellt. Jenny hatte den idealen Rahmen für ihre angeborene Anmut und ihren guten Geschmack gefunden, schloß Rory. Komisch, daß sie zu Anfang von Jennys Verlobungszeit ihre Zweifel im Hinblick auf Alistair gehabt hatten. Allem Anschein nach paßten sie glänzend zueinander, und Jenny war der Inbegriff der zufriedenen Ehefrau.

In dem Bemühen, sie nicht zu beneiden oder sich allzu heftig selbst zu bemitleiden, fing Rory an, ihr einziges Abendkleid anzuziehen, das überlebt hatte. Es war ein smaragdgrünes gefälteltes Chiffonkleid, das sie zuletzt getragen hatte, als sie mit Tertius zum Essen ausgegangen war. In der Taille mußte es mit Hilfe einer Sicherheitsnadel enger gemacht werden, weil sie im Verlauf des letzten Jahres so dürr geworden war. Man sah es jedoch nicht, und alles in allem fühlte sie sich zivilisiert genug, um Viola gegenüberzutreten.

Sie fand die MacNeils und ihre anderen Gäste bereits in der prächtigen Halle versammelt. Alistair hatte die Hand auf Jennys Arm gelegt, und die andere ruhte auf dem ungeduldigen, forschend erhobenen Kopf von Inkerman. Alistairs Lider hingen zwar schlaff über die unbrauchbar gewordenen Augen, doch im übrigen wirkte er munter.

»Ja, Aurora. Was für eine Überraschung.« Um Jennys willen gab er sich Mühe, gastfreundlich zu klingen, obwohl er sie offenkundig so wenig leiden konnte wie eh und je. Sie hatte sich in seinem Kopf als das Mädchen festgesetzt, das flatterhafte Kleider trug und ein schlechter Umgang für seine Liebste war.

»Wie dünn du bist«, sagte Viola. »Das kann doch nicht gesund sein.«

Rory fiel auf, daß Viola, die sich zwar immer noch auf dem Höhepunkt ihrer umwerfenden Schönheit befand, dicker um Taille und Brust war und eindeutig an Gewicht zugelegt hatte.

»Unsinn!« rief Gus herzlich aus. »Sie war schon immer der Bohnenstangentyp. Rory, kennen Sie meinen Bruder Charlie schon?«

Charlies laute, überströmende Munterkeit war das Gegenmittel gegen Violas Frostigkeit. Er hatte ein Blechbein und stolperte unaufhörlich über Teppiche und stieß Möbel um. Rory zuckte zusammen, als das hohle Bein sich ihr schmerzhaft in den Fuß bohrte. Sie nahm an, daß er noch nicht daran gewöhnt sei, und war überrascht, als sie hörte, daß es ihm schon nach der Schlacht von Cambrai 1917 angepaßt worden war.

Gus schien stolz auf die angeborene Unbeholfenheit seines Bruders zu sein. »Zum Glück ist er gestolpert und auf die Nase gefallen, sonst wäre er in Stücke gesprengt worden«, erklärte er ihr beim Essen. »Na, wie geht's denn dem alten Oughterard jetzt so? Kann ich mir überhaupt Hoffnungen machen, ihn je in London wiederzusehen, oder hat er die Absicht, sich jetzt, wo der Krieg vorbei ist, auf alle Zeiten dorthin zu verkriechen, wo Fuchs und Hase sich gute Nacht sagen?«

»Ich weiß es nicht.« Rory spürte, wie sie bei der bloßen Erwähnung von Muttonheads Namen versteinerte. »Da werden Sie ihn schon selbst fragen müssen.«

Gus wandte sich an die ganze Tischrunde. »Seit Jahren sage ich ihm schon, es sei an der Zeit für ihn zu heiraten. Er ist genau der Typ dafür.«

»Und dann ist da noch sein Titel«, sagte Alistair und tastete nach seinem Weinglas. »Er sollte etwas unternehmen, um sich einen Erben zuzulegen, nun, wo beide Brüder nicht mehr sind.«

»Doch wen um Himmels willen kann er denn in der irischen Einöde zum Heiraten finden?« meinte Viola. »Er ist eine sehr gute Partie, auch ohne jedes Geld, doch ich bin sicher, daß da meilenweit nicht ein einziges passendes weibliches Wesen zu finden ist ... stimmt's, Aurora?«

»Stimmt«, sagte Rory mit hochrotem Kopf. Sie hätte Viola erwürgen können. »Niemand ist gut genug für Muttonhead.« Mit bebender Hand griff sie nach ihrem Wasserglas und verschüttete den Inhalt in Charlies Schoß. »Ach ... was bin ich für ein Tolpatsch ... Entschuldigen Sie ...«

Charlie wieherte vor Lachen, während er seine Hose mit der Serviette abtupfte. »Geschieht mir ganz recht, da sehe ich endlich mal, wie das ist ...«

»Viola, haben Sie schon die Landschaft vom Hügelkamm aus gesehen? Wir müssen morgen mit den Kindern hinaufgehen.« Jenny wechselte mit kühler Bestimmtheit das Thema, und Rory wußte, daß sie zumindest einen Teil der Wahrheit ahnte. Sie würde erwarten, daß sie sich ihr anvertraute, doch Rory fühlte sich noch nicht reif für ihre ätzenden Weisheiten.

Die nächsten beiden Tage verbrachte sie damit, durch die Koniferenwälder und flachen Böschungen von Glen Ruthven zu streifen und sich den Nieselregen von den Wimpern zu blinzeln, während sie bis zur Erschöpfung daran arbeitete, sich in ihre Pflicht zu schicken. Es fiel ihr so schwer, weil ihr Gewissen in die eine Richtung wies und ihr Herz in die andere. Sie mußte Laura von Castle Carey wegbringen und ihr ein Zuhause geben. Jeder anständige Mensch würde ihr das sagen. Sie konnte nicht dort bleiben, während sie aus Liebe zu Muttonhead starb, auch wenn es ihm selbst nicht anders erging. Gott, wie hatte sie ihr Leben nur so verpfuschen können. Ihr blieb ja nichts anderes als eine völlig selbstlose Zukunft, die dem Kind aus der Ehe geweiht wäre, in die sie sich gedrängt hatte. Und diese fromme Aussicht war ihr durch und durch zuwider.

Spät am Nachmittag des zweiten Tages kehrte Rory erst lange nach dem Tee aufs Schloß zurück. Durchnäßt, zitternd vor Kälte und ungeheuer hungrig (ihr Mittagessen hatte aus Brot, Käse und Whisky bestanden) betrat sie die große Halle und rechnete nicht damit, dort jemanden anzutreffen.

»Rory, gut daß Sie kommen.« Gus sprang aus einem der lederbezogenen Lehnstühle auf. »Wir haben gerade von Ihnen gesprochen.«

Sie starrte die breitschultrige Gestalt neben dem Kamin an. »Mutt, was um Himmels willen machst du denn hier?« Sie konnte ihn nicht auf die alte Weise küssen. Sie sahen einander errötend an und waren ungeheuer verlegen.

»Ich hatte etwas mit Fenborough zu regeln«, erklärte Muttonhead steif. »Und Mrs. MacNeil war so nett, mich einzuladen.«

»Essen Sie doch ein Sandwich«, sagte Gus, während er ihr aus dem Regenmantel half. »Jenny hat sie für Oughterard gemacht.«

Rory besann sich gerade noch auf ihre Manieren. »Sie sprechen doch über Geschäfte und da möchte ich nicht stören.«

»Ich glaube, diese Geschäfte gehen Sie genauso an.« Gus sah traurig aus. »Finden Sie nicht auch, Oughterard?«

Muttonhead nickte. »Es geht um die Kleine.«

»Fleur«, sagte Gus. »Sagen Sie ihm, wie sie aussieht, Rory.«

Rory hörte die Mischung aus Schmerz und Stolz in seiner Stimme, und er tat ihr sehr leid. »Sie ist hinreißend. Das dreisteste kleine Ding, das man sich vorstellen kann, und«, sie zögerte, doch es mußte sein, »sie ist Tertius, wie er leibt und lebt. Es tut mir leid, Gus, doch ich bin fast in Ohnmacht gefallen, als ich sie sah.«

»Nein, Sie haben völlig recht. So blind verliebt bin ich nun auch nicht, daß mir das nicht auffällt.« Er grinste unglücklich. »Der springende Punkt ist, daß ich Tertius auch schrecklich gern hatte.«

Muttonhead knurrte, um seine Anteilnahme zum Ausdruck zu bringen, und zündete sich die Pfeife an. »Ich hätte davon ja niemals angefangen, nur hat Tertius mir das Versprechen abgenommen, dem Kind ein paar von seinen alten Bildern zu schenken ... sie sind offensichtlich mittlerweile ein kleines Vermögen wert.«

»Das war ein begabter Halunke«, sagte Gus mit feuchten Augen. »Ich wußte immer schon, daß er Erfolg haben würde.«

Rory bemühte sich zwar, einen leichten Ton anzuschlagen, konnte das Beben in ihrer Stimme jedoch nicht unterdrücken. »Er hätte sie Ihnen vermachen sollen, mein Lieber. Er schuldete Ihnen ja genug Geld.«

»Ach, ich habe nie damit gerechnet, davon auch nur einen Penny wiederzusehen.« Gus räusperte sich nachdrücklich. »Ich wußte von ihrer ... von seiner Beziehung zu Vi. Ich glaube, sie wollte, daß ich dahinterkomme. Sie fühlte sich anfangs in ihrer Ehe nicht recht wohl. Und das mit dem Kind habe ich schon bald nach der Geburt erraten. Das machte nichts. Ich liebe Flurry genauso wie meine beiden eigenen Söhne.« Er straffte die Schultern. »Und sie liebt mich. Damit eins ganz klar ist: Ich werde auf keins meiner väterlichen Rechte verzichten. Wenn sie zu irgend jemandem gehört, dann zu mir.«

Muttonhead sagte: »Selbstverständlich.«

»Was nun die Bilder angeht, so meinten Sie ja, ich könnte sie jetzt verkaufen und das Geld mündelsicher für sie anlegen ... und das reizt mich tatsächlich nicht wenig. Sie würde es bekommen, wenn sie erwachsen ist, und nie erfahren, wo es herkommt. Es erscheint mir jedoch nicht richtig. Sie sollte doch die Chance haben, selbst zu entscheiden, was sie damit anfangen will. Ich schlage also etwas anderes vor: Heben Sie die Bilder auf, bis sie einundzwanzig ist ... und dann kann sie sich selbst den Kopf über die Wahrheit zerbrechen.«

Rorys Bewunderung für Gus steigerte sich zur Ehrfurcht. Nicht die Spur von Gemeinheit oder Eigennutz befleckte seine

Entschlossenheit, den Wechselbalg zu beschützen, den seine Frau ihm da aufgehalst hatte.

»Klingt vernünftig«, meinte Muttonhead. »Was meinst du denn, Kind?«

»Ich meine, Flurry hat wirklich Glück, Gus, daß sie Sie als Vater hat«, sagte Rory. »Ich will um keinen Preis irgend etwas verändern ... doch wenn Tershies Mutter sie nur ein einziges Mal sehen könnte ...«

Gus lachte plötzlich. »Selbstverständlich muß Lady Oughterard sie sehen. Sie ist ja kein Staatsgeheimnis. Ich werde schon einen Vorwand finden, um mit ihr und den Jungs nach Irland rüberzukommen. Und da ist sie«, setzte er hinzu, als Flurry in die Halle geflitzt kam. Er konnte seine Gefühle nicht verbergen. »Komm her, Missy, und laß dir einen von Dads Freunden vorstellen.«

Flurry legte den Kopf in den Nacken, um mit Muttonheads Größe fertig zu werden. »Verdammt und zugenäht«, sagte sie.

»So was sagt man doch nicht, Flurry. Wenn Mummy das hört.«

Sie hob die Lippen ganz nah an Gus' Ohr und flüsterte hörbar: »Er ist sehr groß.«

»Er wird schon nicht beißen. Gib ihm die Hand.«

Sie stand zu Muttonheads Füßen und starrte ihm feierlich in seine ausdrucksvollen dunklen Augen. Er unternahm nichts, um sich kleiner zu machen, und Rory fand, er sei eine furchterregende Gestalt, doch irgend etwas an ihm mußte Flurry beruhigt haben, denn sie reichte ihm ein schmuddeliges Händchen.

Muttonhead legte die Pfeife weg, schnappte sich das Kind, schwang es hoch in die Luft und hielt es auf Armeslänge von sich entfernt. Sie war nur einen Augenblick verblüfft, ehe es ihr Spaß zu machen begann, so hoch oben zu sein. Mit baumelnden Beinen bedachte sie Muttonhead mit einem Grinsen, das so sehr dem von Tertius ähnelte, daß er sie plötzlich an sich drückte und ihren Lockenkopf mit der Hand bedeckte, als wollte er sie vor einer Gefahr beschützen, die nur er zu sehen vermochte.

»Rory, warum bist du nur so böse auf mich?« fragte Jenny.

»Das weißt du ganz genau. Du hast Muttonhead herholen lassen, ohne mich zu fragen, ob mir das paßt.«

»Ich habe ihn nicht herholen lassen. Gus hat gefragt, ob er uns nicht auch besuchen könnte. Ich wäre nie auf die Idee gekommen, daß du etwas dagegen hättest.«

Der Tag war schön, und sie saßen an einem relativ geschützten Platz im Park des Schlosses. Jennys Baby Donald lag schlafend in ihren Armen und sabberte auf ihren Ärmel.

Rory zupfte geistesabwesend an der Flechte auf dem verwitterten Steinsitz. »Ich bin hierhergekommen, um nicht in seiner Nähe zu sein.«

»Ich glaube, du machst eine Dummheit.«

»Du weißt doch gar nichts davon.«

»Ich weiß, daß du in ihn verliebt bist.« Jenny wischte dem Baby den Mund ab. »Ich habe schließlich mit dir zusammengelebt. Ich sollte die Zeichen mittlerweile zu deuten wissen. Und Lord Oughterard ist so verzweifelt in dich verliebt, daß es schon komisch mitanzusehen wäre, wenn es nicht so traurig wäre. Wie du schlucken kannst, wenn dieser herrliche, vielsagende Blick auf dich geheftet ist, ist mir ein Rätsel.«

»Hör auf!« Rory schlug die Hände vors Gesicht. »Ich kann es nicht ertragen, ihn so unglücklich zu machen!«

»Warum tust du es dann? Warum heiratest du nicht einfach wie ein normaler Mensch?« Sie klang gelassen, doch unerbittlich. »Ich werde nicht tatenlos mit ansehen, wie du deine beste Chance vertust.«

»Es ist zu spät.« Rory nahm die Hände von ihrem tränennassen Gesicht. »Ich habe keinerlei Chance mehr.«

»Ach, Rory! Wußte ich doch, daß du gekommen bist, um irgend etwas zu beichten. Was hast du denn angestellt?«

Sie konnte Jenny nicht ansehen, während sie ihr die Geschichte von ihrer verhängnisvollen Leidenschaft für Lorenzo erzählte. Den Blick auf einen kahlen Fleck des grünen Hangs in der Ferne gerichtet, redete sie sich alles von der Seele – und verurteilte sich unerbittlich, weil sie überzeugt davon war, daß Jennys Verdikt streng ausfallen würde.

»Ich wußte, daß ich mich schuftig benahm. Ich wußte, daß ich Eleanor betrog.« Sie wandte sich wieder an Jenny, und ihr magerer Körper wurde von Schluchzern geschüttelt. »Ich dachte an den Schwur, den wir auf der Schule geleistet haben. Da-

mals hast du vorausgesehen, daß eine von uns ihn brechen würde ... und das war ich.«

»Ja«, sagte Jenny bekümmert, »ich wußte, daß du es sein
würdest.«

»Du ... du wußtest es?«

»Ich habe es nur nicht gesagt. Es war doch unser letzter
Abend, und ich wollte ihn nicht verderben. Außerdem schien
die Zukunft noch so weit weg zu sein.«

Rory zog ihr Taschentuch aus dem Ärmel und putzte sich die
Nase. »Ich begreife gar nicht, warum du nicht wütend auf mich
bist. Jedenfalls siehst du nun wohl ein, warum ich Muttonhead
unmöglich heiraten kann.«

»Nein. Das tue ich nicht, wenn du es genau wissen willst.«

»Was?« Rory war erstaunt und empört, daß das Verdikt, zu
dem sie unter solchen Qualen gelangt war, in Zweifel gezogen
werden sollte.

Jenny zog die schützende Decke noch fester um ihr Baby und
legte es behutsam in den Kinderwagen. »Hast du Lord
Oughterard von Lorenzo erzählt?«

»Bist du wahnsinnig? Natürlich nicht.«

»Ich finde es ungerecht von dir, einfach anzunehmen, daß er
dann aufhören würde, dich zu lieben.« Jennys Stimme war ruhig und todernst. »Du sagst doch selbst, seine Ansichten seien
jetzt nicht mehr so rigide.«

»Nie ... niemals!« stieß Rory hervor. »Ich würde sterben vor
Scham.«

»Ah, ich verstehe. Wir sprechen also von deiner Scham und
nicht von Lord Oughterards Mißbilligung. Mein armes Herz«,
Jenny nahm ihre Hand, »nun hör schon auf, dich selbst zu
bestrafen. Das ist nicht anständig, wenn es bedeutet, daß er
auch bestraft wird. Warum soll er denn für etwas leiden, was
du angestellt hast?«

»Aber ich tue das doch um seinetwillen!« widersprach Rory.
»Willst du etwa sagen, ich sei egoistisch?«

Jenny seufzte. »Du hast dein schlimmes Geheimnis gebeich-
tet. Jetzt werde ich dir meines beichten.«

Sie umklammerte Rorys Hand, als sie ihr von Jamie Buchanan erzählte. Sie tat das zwar auf muntere, unpersönliche Art,

doch Rory kannte sie gut genug, um zu ahnen, welche schreckliche Wunde sich dahinter verbarg. Als sie mit ihrem Bericht fertig war, schwiegen sie beide eine Weile.

Dann sagte Rory: »Nie im Leben wäre ich auf so etwas gekommen. Ich dachte, du wärst so glücklich. Ich habe dich beneidet.«

Jennys starres unglückliches Gesicht entspannte sich, als sie einen Blick auf ihr Baby warf. »Daß ich Donald bekam, hat mir geholfen. Er ist meine große Freude. Und Alistair ist ein guter Ehemann und Vater, und einmalig geduldig, was seine Blindheit angeht. Eigentlich kann ich mich nicht beklagen.« Sie lächelte matt. »Ich tue mein Bestes, eine gute Frau zu sein, denn der alte Robin Gray ist zu mir recht fein. Doch, Rory, ich kann nicht behaupten, daß ich glücklich bin. Ich habe meine Chance auf diese Art von Glück verspielt, als ich Jamie ade gesagt habe. Liebst du Lord Oughterard?«

»Ich habe ihn mein ganzes Leben lang geliebt«, sagte Rory, »und nun ist es mehr. Wenn er mich im Vorbeigehen streift, zittere ich eine Stunde später noch. Und wenn wir getrennt sind, sehe ich nicht, welchen Sinn das Leben haben soll.«

»Dann, um Himmels willen, halt ihn fest mit beiden Händen! Laß dich durch nichts aufhalten ... nicht durch Anstand oder Moral oder Pflichtgefühl ... durch nichts!«

An den schönen, frischen Frühlingsabenden schlenderte Muttonhead vor dem Abendessen gern draußen umher, rauchte Pfeife und ließ sich das Haar von der Brise zerzausen. Rory fand ihn auf der Terrasse, wo er in seiner abgetragenen Vorkriegskleidung auf und ab ging. Sein Rücken war so gerade wie ein Ladestock, und er hielt den Kopf hoch erhoben, doch sie wußte, er war genauso unglücklich wie sie. Jenny hatte recht; das konnte so nicht weitergehen.

Er war so tief in Gedanken versunken, daß er ihre Anwesenheit erst bemerkte, als sie sich bei ihm einhängte. Sofort blieb er stehen und sah funkelnd auf sie hinab. Sie hatte etliche geistvolle, gewandte Reden geübt, doch als es nun soweit war, konnte sie ihn nur noch hilflos anstarren und zitterte dabei vor Verlangen.

Muttonhead stopfte seine Pfeife in die Tasche, umfaßte Rory und küßte sie wild. Der Geschmack seiner heißen Zunge in ihrem Mund machte Rory so haltlos vor Begierde, daß sie jegliche Vorsicht aufgab und sich an seine Lenden drängte. Er stöhnte, seine Arme schlossen sich fester um sie, und einen qualvollen Augenblick lang spürte sie den Umriß seiner Erektion.

Mit einem langen Stöhnen des Verzichts rang er seine heftige sexuelle Begierde nieder und löste sich von ihr. Sie atmeten beide schwer.

Sie hatte Angst, daß er wütend auf sie sein würde, doch er sagte nach einem langem Schweigen nur: »Lauf ja nie wieder vor mir davon.«

»Ich bin nicht vor dir davongelaufen, Mutt ... ich liebe dich doch so ... aber ich habe mir selbst nicht getraut.«

Er strich ihr übers Haar und küßte flüchtig ihre Kehle: »Und willst du mir nun vielleicht mal erzählen, was dieser ganze Quatsch soll?«

Jenny zog Alistair von der Glastür weg. »Nicht nach draußen.«

»Was machst du denn? Warum kann ich denn nicht auf meiner eigenen Terrasse spazierengehen?«

Er konnte die Tränen in Jennys Augen nicht sehen. »Weil Rory und Lord Oughterard sich gerade verloben.«

4

Rory fragte sich, ob alle Menschen ihre Hochzeit wie im Traum erlebten. Es war alles ungeheuer seltsam, diese Zeremonie und der Aufputz für etwas, was doch zutiefst privat war – die Vereinigung von ihr und Muttonhead an Leib und Seele. Das Glücksgefühl war fast unerträglich. Ihr war, als hätte sie die Sonne verschluckt, und ihre tiefsten Empfindungen standen ihr ins Gesicht geschrieben. Sie hatte an diesem Morgen viel geweint.

Glücklicherweise weinten alle anderen auch. Selbst die steinerne, unwirsche Mrs. MacNamara hatte eine Träne vergossen, als sie Rorys Schleier feststeckte. Lady Oughterard hatte sie fest umarmt und gemurmelt: »Ich denke heute morgen an meine beiden toten Jungen, Liebling. Ich weiß, sie würden dich segnen, wenn sie hier wären.« Una hatte haltlos geschluchzt, als sie Rorys elfenbeinfarbene Glacéhandschuhe zuknöpfte.

Nun saß Rory neben ihrem Vater in einem Zweispänner. Er wurde von Paddy Finnegan kutschiert, der eine weiße Kavaliersblume an seinen grauen Zylinderhut gesteckt und weiße Bänder an der Peitsche befestigt hatte. Sie trug das Hochzeitskleid ihrer Großmutter Carlington, ein bodenlanges cremefarbenes Seidenkleid, mit blaßgelben Gänseblümchen bestickt. Das Lodern ihres roten Haars war durch den Hochzeitsschleier aus elfenbeinfarbener Seide und Spitze gedämpft. Mrs. MacNamara hatte diese Schätze in einem Bündel Leinenzeug gefunden, das sie vor dem Feuer gerettet hatte.

»Tja, Aurora, du siehst ... du siehst sehr ...« Justus gab sich zwar alle Mühe, fand jedoch die Situation höchst verwirrend. »Du erinnerst mich an deine Mutter.«

Rory lachte. »Und du erinnerst mich an eine Vogelscheuche, Papa. Du hättest dir einen Smoking leihen können, der dir wirklich paßt.«

»Liebes Kind, ich kann doch nichts für die Figur unserer Nachbarn. Ich bin schon froh, daß ich überhaupt einen Anzug gefunden habe.«

»Er sieht aus, als hättest du ihn aus einer angelsächsischen Ruine ausgebuddelt.«

»Du wirst nicht mehr so unverschämt sein, wenn du mit dem jungen Oughterard verheiratet bist. Der hat es schon immer verstanden, dein Mundwerk zu zügeln. Du hast dir einen ganz prächtigen Mann ausgesucht.« Justus seufzte, als sie an der Abzweigung nach Marystown vorbeikamen. »Und vielleicht kann er ja sogar mein Land wieder auf Vordermann bringen, wo er jetzt beide Güter verwaltet. Ich hätte heute noch ein Dach über dem Kopf, wenn ich auf ihn gehört hätte.«

Rory drückte ihm liebevoll die Hand. »Es wird dir ein Heidenvergnügen machen, dir ein neues Haus zu bauen ... aber du kannst auch bei uns bleiben, solange du willst.«

Lady Oughterard wartete in einem schimmernden neuen lavendelfarbenen Kleid mit Laura und Flurry unter dem Portal der Kirche. Sie hatte zu Ehren des Tages die Trauerkleidung abgelegt.

»Schatz, du siehst einfach wunderschön aus.« Sie stammelte alles mögliche, noch ehe Rory die Kutsche verlassen hatte. »Ich könnte nicht glücklicher sein ... ich bin die stolzeste aller Frauen ...«

Flurry, ein Cherub in rosa Tüll, zupfte an Rorys Kleid. »Laura hat mich gebissen. Man sieht die Zähne an meinem Arm.«

»Ach, Laura!«

Laura trug ebenfalls rosa Tüll, wirkte jedoch eher teuflisch als engelhaft. Rory verkniff sich das Lächeln über die Streitsucht ihrer beiden kleinen Brautjungfern, küßte sie und überließ sie der Aufsicht Lady Oughterards. Von diesem Augenblick an hatte sie Augen und Ohren nur noch für Mutt.

Er stand kerzengerade im Mittelgang, ungeheuer gutaussehend in einem neuen, tadellos geschnittenen Smoking. Ein Fremder hätte ihn vielleicht allzu steif und streng gefunden, doch Rory wußte, wie es in ihm aussah. Sie achtete kaum auf das Nicken und Grinsen von Gus Fenborough und nahm ihren Platz neben Muttonhead an der Altarschranke ein. Sie mußte ihn immer wieder verstohlen von der Seite ansehen und prägte sich seine Züge ein, als hätten sie sich gerade erst kennengelernt.

»Liebes Brautpaar«, begann Mr. Phillips, das fleischige rote Gesicht zu einem strahlenden Lächeln verzogen, »wir sind hier im Angesicht Gottes und im Angesicht der Gemeinde versammelt, um diesen Mann und diese Frau im heiligen Bund der Ehe zu vereinigen.«

Durch ihre Freudentrance hindurch hörte Rory Muttonhead sagen: »Ich, Lucius Alexander, nehme dich, Aurora Mary, zu meinem angetrauten Weibe ...«

Und sie hörte ihre eigene Stimme von ganz weit her: »Ich, Aurora Mary ...«

Dann steckte Muttonhead ihr den goldenen Ring ihrer Mutter an den Finger, und Mr. Phillips erklärte sie zu Mann und Frau. Sie standen in der Sakristei und unterschrieben die Heiratsurkunde, und alle umringten sie, um sie zu küssen.

Rory konnte es kaum erwarten, mit Muttonhead allein zu sein, doch erst waren noch gesellschaftliche Verpflichtungen zu erfüllen.

Durch einen Blizzard von Reiskörnern traten sie aus der Kirche und kehrten nach Castle Carey zurück, wo auf dem Rasen des Parks alles für ein Bankett arrangiert war und der beste Geiger des Landes sich mit einem Glas Porter bereits in Stimmung brachte. Muttonhead hatte alle Menschen der Gegend eingeladen, und nachdem die Toasts ausgebracht waren, begann das Gelage. Die neue Lady Oughterard – die sich ganz wie eine Betrügerin vorkam, wenn sie jemand so ansprach – ging am Arm ihres Gatten umher und nahm Glückwünsche und immer noch mehr Küsse entgegen.

Viel später, als Rory sich die Füße wundgetanzt hatte, brachen die Gäste auf, und die Hausgemeinschaft von Castle Carey setzte sich zu einem Abendessen von pochiertem Lachs und Champagner.

Das war das seltsamste überhaupt, dachte Rory. Gus, die Mutter und ihr Vater gähnten und schwatzten, als wäre der Tag bereits vorbei. Wie konnte ihnen nur entgehen, daß sie stumm blieb und vor Erwartungsfreude bebte? Wann immer sie Muttonheads Blick einfing, schien ihr das Herz aus dem Leib springen zu wollen.

Endlich wünschte Rory allen eine gute Nacht, verbarg ihre Verlegenheit, so gut sie konnte, und ging zum Schlafen hinauf, wie sie es tausendmal getan hatte. Nur daß sie diesmal an ihrer Zimmertür vorbeiging und Muttonhead in sein Zimmer folgte, das zu Ehren seiner Braut frisch gestrichen worden war und neue Vorhänge erhalten hatte.

Ohne jede Eile, als wären sie schon seit ewigen Zeiten verheiratet, lockerte er seine Krawatte, legte seine Hemdknöpfe mit militärischer Präzision auf den Kaminsims und klopfte seine Pfeife an der Fensterbank aus.

Rory stand befangen neben dem Bett und umklammerte die Mahagonipfosten. Langsam und bedächtig kam Muttonhead zu ihr und nahm sie in die Arme.

»Jetzt bin ich an der Reihe, die Braut zu küssen«, sagte er.

Sie öffnete ihre Lippen. Er hatte sich während der einmonatigen Verlobungszeit von ihr ferngehalten und ernsthaft behauptet, er könne sonst nicht für seine Selbstbeherrschung garantieren.

Er hakte das Hochzeitskleid auf. Sie ließ es zu Boden gleiten und streifte Strümpfe und Unterrock ab. Sie fröstelte ein wenig und schämte sich ihrer Magerkeit und versuchte, ihre kleinen Brüste zu bedecken. Sie vergaß jedoch rasch alles andere und versenkte sich stumm in die Betrachtung von Muttonheads nacktem Körper.

Er war prächtig gebaut – hünenhaft und fest, jeder Muskel perfekt geformt. Sie starrte seinen riesigen Penis an, der zusehends wuchs, und fragte sich, wie sie das kolossale Ding um Himmels willen in ihrem Innern unterbringen sollte. Mittlerweile hatte ihre Begierde einen Punkt erreicht, an dem es ihr egal war, ob er sie damit in zwei Hälften spaltete.

Er hob sie hoch, legte sie aufs Bett und begann ihren Körper zu küssen. Rory spürte, daß sie stillhalten mußte, doch es kostete sie all ihre Kraft, sich nicht zu winden und zu schreien, als seine Zunge ihre Brustwarzen berührte. Mit himmlischer quälender Langsamkeit wanderte sein Mund hinab – das sieht ihm ähnlich, dachte sie, daß er es gar nicht eilig hat. Sie spürte seinen heißen Atem in ihrem Schamhaar, doch er umging ihren Hügel und küßte ihre Schenkel. Erst dann näherten sich seine Lippen ihrer Klitoris, bis sie bereit war, für ihn zu sterben.

Für einen wahnsinnigen Augenblick teilte seine Zunge ihre Schamlippen, dann nahm er plötzlich den Mund weg und berührte sie mit der Spitze seines Penis. Er fühlte sich gewaltig an und dehnte ihre zarte Haut so sehr, daß Rory entsetzt den Atem anhielt.

Sanft schob Muttonhead sich tiefer hinein und noch ein wenig tiefer, und sie wurde vom Gefühl einer ungeheuren Fülle überwältigt.

Rory öffnete sich ihm ganz und überließ sich den Wellen der Ekstase, die sich zu einem atemlosen, alles erschütternden Orgasmus steigerten.

Muttonhead war um den letzten Rest seiner Selbstbeherrschung gebracht. Er kam in einer Explosion der Leidenschaft, die seine übliche Gefaßtheit bis ins Innerste erschütterte und

Rory – falls es dessen bedurft hätte – die volle Glut seiner Liebe offenbarte.

Sie ließ den Kopf an seiner Brust ruhen und lauschte dem Trommeln seines Herzschlags.

»Ich muß was mit diesem Bett unternehmen«, sagte Muttonhead. »Das halte ich nicht aus, daß das jedesmal wie eine elende Postkutsche rattert, wenn wir uns lieben.«

Rory lachte. »Oh, Mutt. Du bist herrlich.« Sie hatte eine so weite Reise zurückgelegt, dachte sie, nur um zu entdecken, daß der richtige Mann ihrem Herzen immer schon nah gewesen war.

Er las ihre Gedanken, strich ihr übers Haar und murmelte: »Es war ein schrecklich weiter Weg. Ich bin froh, daß wir daheim sind.«

Epilog

1920

»Die Ehe hat dich nicht verändert«, erklärte Rory Francesca mit gespielter Strenge. »Du bist genau so ein Gänschen wie immer. Jetzt hör mit dem Gekicher auf, damit ich dir eine Locke abschneiden kann ... rasch, ehe die Männer mit ihrem Portwein fertig sind.«

Francesca versuchte, ihr Lachen in den Sofakissen zu ersticken. »Nein! Du schneidest zuviel ab, und dann sehe ich albern aus.«

Jenny tätschelte ihr beruhigend die Schulter. »Nun sei nicht so überkandidelt, Schatz, das ist nicht gut für das Kind.«

Francescas langersehnte Schwangerschaft war während dieses kurzen Besuchs in London gerade erst diagnostiziert worden, und ihre Gestalt war noch so schmal und zart wie immer. Rorys Leib hingegen wölbte sich üppig unter ihrem perlenbestickten Chiffonabendkleid. Ihr erstes Kind sollte in weniger als einem Monat zur Welt kommen. Sie stand über das Sofa gebeugt und schnipste mit einer von Jennys Stickscheren in der Luft herum.

Die drei befanden sich im Salon der MacNeils in ihrem Londoner Haus. Aus dem Eßzimmer auf der anderen Seite der Diele konnten sie die Stimmen von Alistair, Muttonhead und James hören.

»So. Jetzt ist es sowieso erledigt.« Rory machte eine blitzschnelle Bewegung in die Richtung von Francescas Nacken und schnitt eine kastanienbraune Locke ab. »Ach je, ich habe mich vertan. Tut mir leid. Du bist fast kahl.«

»Was!«

»Unsinn, dein Haar ist völlig in Ordnung«, sagte Jenny. »Hör nicht auf Rory ... du weißt doch, daß sie dann nur noch schlimmer wird.«

Rory legte Francescas Löckchen neben die beiden Locken – eine rote und eine hellbraune – in der leeren Zigarettenschachtel auf dem Tisch. »Jetzt müssen wir das Dokument unterzeichnen.«

Francesca hörte auf zu kichern und wurde sachlich: »Mit Blut?«

»Diesmal nicht«, sagte Jenny. »Dazu sind wir zu alt.«

»Du vielleicht.« Rory nahm das Blatt Papier und las die Worte, die sie gemeinsam bei Kaffee und Petit fours aufgesetzt hatten, laut vor:

»Wir, die Unterzeichneten, erneuern und bestätigen auf das feierlichste unseren einstigen Schwur, ewig Freundschaft zu halten. Wir schwören, einander von diesem Tag an, dem 3. Mai 1920, bis ans Ende unseres Lebens zu lieben und dem Gedächtnis unserer verstorbenen Freundin Eleanor Hastings treu zu bleiben. Wir werden einander zu allen Zeiten und unter allen Umständen helfen, selbst wenn wir in alle Winde verstreut sind.«

Einen Augenblick schwiegen sie und dachten an den ersten Schwur vor langer Zeit und an die Hoffnungen und Wünsche, die sie damals gehegt hatten. Dann sah jede die ernste Miene der anderen, und sie prusteten laut heraus.

»Ich habe euch mit einem weiteren Gedicht verschonen wollen«, sagte Rory. »Ich hatte nicht den Mut dazu, wo es doch nur noch drei Mägdelein sind und man wirklich nicht sagen kann, daß wir uns im Frühling des Lebens befinden.«

Sie unterzeichneten das Gelübde, und Jenny verschloß die Zigarettenschachtel in aller Förmlichkeit mit Bindfaden und Siegellack.

»Nun beeil dich doch«, drängte Rory, »wenn die jetzt reingeplatzt kommen, während wir noch dabei sind, ist alles verpatzt.«

Jenny öffnete die Glastür und führte sie eine schmale schmiedeeiserne Treppe in ihren dunklen Stadtgarten hinunter. »Vorsichtig, gebt acht auf die Blumentöpfe.«

Rory stampfte mit dem Fuß auf und suchte nach einer weichen Stelle. »Hier geht es gut.«

»Meine einzige Staudenrabatte!«

»Also wirklich, Schatz. Du hast doch Meilen von Rabatten in Schottland. Nun wollen wir aber nicht kleinlich sein.« Sie kniete nieder und begann, energisch zu graben.

»Womit gräbst du denn da?« wollte Jenny wissen.

»Mit einem deiner Puddinglöffel.«

»Das ist mein bestes Tafelsilber!«

»Und sehr schön obendrein.« Rory kicherte teuflisch. »Du kannst schon von Glück sagen, daß ich nicht das ganze Gedeck eingesackt und in die nächste Pfandleihe getragen habe. Warum war ich bloß nicht so schlau, Geld zu heiraten?«

»Du hast doch all die Bilder von Tertius verkauft«, sagte Francesca. »Die müssen doch etwas eingebracht haben.«

»Alles schon wieder weg, mein Engelchen – in Castle Carey gesteckt, damit es uns nicht über dem Kopf zusammenbricht.« Rory hockte sich auf die Fersen und rieb sich den Rücken. »Das müßte genügen.«

Die anderen beiden halfen ihr auf, und Jenny vollendete das Werk, indem sie die Schachtel mit ihrer üblichen Akkuratesse und Geschicklichkeit vergrub. Wieder in den Salon zurückgekehrt, schenkte sie jedem ein winziges Glas kostbaren alten Tokajers ein.

»Worauf wollen wir trinken?«

»Auf unsere Kinder«, schlug Francesca vor, und ihre Augen wurden feucht.

»Die abwesenden Freunde«, sagte Rory, »auf sie alle, und auf Eleanor im besonderen.«

»Ich habe das unheimliche Gefühl«, murmelte Jenny, »daß sie hier unter uns ist.«

»Wenn sie es nur wäre«, sagte Rory, »wenn wir doch nur die Uhr auf jene Zeit zurückstellen könnten, als wir alle gemeinsam unseren Schwur geleistet haben.«

Jenny legte ihren beiden Freundinnen die Arme um die Taille. »Grüble nicht über die Vergangenheit nach. Was immer damals geschehen sein mag, wir drei haben jedenfalls jetzt Frieden und Zuversicht gefunden.« Sie lächelte. »Die Nacht über magst du weinen, aber am Morgen kommt die Freude.«

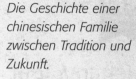

HEYNE BÜCHER

Kerstin Jentzsch

Seit die Götter
ratlos sind

01/9865

*Lisa Meerbusch ist jung,
schön, naiv und trotzig.
Sie lebt in Ostberlin, hat
aus politischen Gründen
ihren Beruf an den Nagel
gehängt und ihre Träume
von dem, was Leben sein
kann, nicht aufgegeben.
Als die Mauer fällt, folgt
sie ihrem Traum und
fliegt nach Kreta...*

*»Ein cooles Buch zum
Nachdenken.«*

DIE WELT

Heyne-Taschenbücher

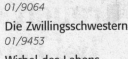

Frauen schreiben bei Engelhorn

Mary Gordon · Die Muse
Roman
Aus dem Amerikanischen von Edith Winner
383 Seiten

Kate Saunders · Der Wind der Zeit
Roman
Aus dem Amerikanischen von Renate Bertram
640 Seiten

Alison Taylor · Simeons Braut
Roman
Aus dem Englischen von Klaus Berr
398 Seiten

Julia Wallis Martin · Das steinerne Bildnis
Roman
Aus dem Englischen von Sabine Hübner
288 Seiten

Engelhorn Verlag